Pediatric Allergy
소아 알레르기
호흡기학
Respiratology Immunology

대한 소아알레르기 및 호흡기학회 편

소아 알레르기 호흡기학

첫째판 1쇄 인쇄 | 2005년 2월 20일
첫째판 1쇄 발행 | 2005년 2월 28일

지 은 이   대한 소아알레르기 및 호흡기학회
학회발행인   이준성
출판발행인   장주연
편집디자인   송정현
표지디자인   디자인 집
발 행 처   군자출판사
등   록   제 4-139호(1991. 6. 24)

본   사   (110-717) 서울특별시 종로구 인의동 112-1 동원회관 BD 3층
                    Tel. (02) 762-9194/5   Fax. (02) 764-0209
대 구 지 점   Tel. (053) 428-2748   Fax. (053) 428-2749
부 산 지 점   Tel. (051) 893-8989   Fax. (051) 893-8986

ISBN 89-7089-570-1

정가 70,000원

소아 알레르기 호흡기학

Pediatric Allergy
Respiratology
Immunology

대한 소아알레르기 및 호흡기학회 편

발간사

시대의 변천에 따라 의학 분야도 많은 변화가 있었으며 소아과학 역시 마찬가지입니다. 소아 인구가 감소하였고, 소아의 중요 질환 양상 역시 바뀌었을 뿐만이 아니라 새로운 질환이 나타나게 되어 이에 부응하는 깊이 있고 새로운 의학 지식의 교육과 습득이 필요하게 되었습니다.

근자에 들어 사회 경제적 여건의 변화에 따라 소아에 있어서 호흡기 질환, 알레르기 질환의 유병률이 증가하였으며 면역학의 발달로 인하여 과거에 간과되었던 면역 결핍에 의한 질환들에 대한 관심 역시 고조되었습니다. 이러한 소아과의 여건 변화에 따른 자생적인 요구에 의하여 1987년 소아과 세부 분과로서는 최초로 "대한 소아알레르기 및 호흡기학회"가 창립되었습니다.

그동안 학회의 다양한 노력에 의하여 소아과 선생님들의 이들 질환에 대한 학문적 지식은 깊어졌으나 학문적 교육 매체인 교과서가 한글로 편찬된 것이 없다는 사실은 항상 아쉬움으로 남아 있었고 언젠가는 해결되어야 할 문제라고 생각하고 있었습니다. 물론 한글로 편찬된 소아과학에 이 분야들이 포함되어 있으나 발전하는 의학 지식을 따라 가기에는 부족한 점이 있으며 또한 많은 분들이 한글로 쓰여진 전문적인 소아 알레르기, 호흡기, 면역질환의 교과서에 대한 지속적인 요구가 있었습니다. 그리하여 학회에서도 학술대회나 강습회 등 학회운영을 통하여 얻은 경험을 토대로 더 이상 한글 교과서의 제작을 지연시킬 수 없다는 공감대가 형성되어 이 책자를 출판하게 되었습니다.

이 책자는 세 부분으로 나뉘어져 알레르기, 호흡기, 면역 질환으로 구성되어 있습니다.

기존의 다양한 호흡기, 알레르기 질환들에 대한 책자들이 성인을 위주로 만들어진 것과는 달리 이 책자는 소아의 특징적인 생리, 병리 등에 대한 이해와 그리고 우리나라에 빈번한 질환들에 대하여 좀 더 많은 지면을 할애하고자 노력하였습니다. 이러한 노력들이 소아과 전문의, 전임의 그리고 이 분야에 대하여 더 깊은 지식의 습득을 요구하는 모든 분들의 기대에 부응하기를 바라며 더불어 이들 질환들로부터 고통받고 있는 소아들의 진료에도 훌륭한 길잡이가 되었으면 합니다.

나름대로 노력하여 책자를 완성하였으나 미진하고 부족한 점들이 아직도 많은 것 같습니다. 앞으로도 발전하는 의학 지식에 맞추어 최신 지견을 보완하고 독자들의 비평과 격려를 바탕으로 수정 보완하여 독자들의 기대에 어긋나지 않는 좋은 책자가 되도록 계속 노력하겠습니다.

여러 가지 자료의 부족, 통일되지 않은 의학용어 등 많은 어려움 속에서 자기 희생을 감수하며 이 책자가 출판되도록 열과 성의를 다해주신 편집위원들, 그리고 훌륭한 원고를 써주신 집필자 여러분들께 깊은 감사를 드리며 군자출판사 여러분에게도 감사를 드리는 바입니다.

2005년 2월
대한 소아알레르기 및 호흡기학회 회장   이 준 성

추천의 글

대한 소아알레르기 및 호흡기학회에서 '소아 알레르기 호흡기학' 이라는 교과서를 출판하게 되었음을 진심으로 축하드립니다.

유전학, 분자생물학 및 면역학과 같은 기초 학문의 발달이 날로 가속화 되고 심화되면서 소아과학을 전공하는 의사들이 배워야할 학문의 대상과 분야도 점차 확장되고 세분화되고 있습니다. 또한 각종 질환의 원인과 치료에 대한 이해의 폭이 넓어지고 깊어짐으로 인해 보다 전문적인 진료의 필요성이 대두되고 있습니다. 이러한 변화는 좀더 깊이 있고 전문적인 학문에 대한 요구의 증가에 기인한다고 판단됩니다.

이러한 시점에 맞추어 대한 소아알레르기 및 호흡기학회에서 전공의와 전문의를 위한 '소아 알레르기 호흡기학' 의 출판은 매우 시의(時宜) 적절한 구상과 노력의 결과라고 생각됩니다. 특히 이 책은 소아과 의사들이 가장 흔히 접하는 호흡기질환과 알레르기질환들을 다루고 있을 뿐만 아니라, 조금은 관심밖에 있는 면역질환에 관한 내용까지 다양하고도 심도있게 다루고 있습니다. 따라서 이 책은 소아과 전문의와 전공의는 물론 의과대학 학생들에게도 많은 도움이 될 것으로 믿어 의심치 않습니다.

대한 소아알레르기 및 호흡기학회는 오랫동안 대한소아과학회의 산하 학회로서 '소아천식 진료 가이드라인' 과 같은 전문 서적과 그리고 일반인을 위한 '감기를 달고 사는 아이들', '어린이 알레르기를 이겨내는 101가지 지혜', '어린이 청소년 천식 바로 알고 바로 치료하자' 등과 같은 일반인을 위한 여러 책자 발간을 통해 학문적 활동을 꾸준히 해왔습니다. 이와 더불어 강습회를 개최하여 소아과학회 회원들에게 알레르기질환과 호흡기질환에 대한 최신 지견을 전달하는 등 다양한 활동으로 대한소아과학회의 발전에도 이바지 해왔다고 말씀드릴 수 있습니다.

그 동안 이렇게 쌓아온 역량이 이번에 '소아 알레르기 호흡기학' 이라는 교과서의 발간으로 이어져 내려 결실을 보았다고 생각합니다. 알찬 내용이 담긴 좋은 교과서를 출판하기 까지 애쓰신 대한 소아알레르기 및 호흡기학회 회장님 그리고 집필진과 편집위원들의 노고에 대한소아과학회를 대표하여 감사를 드리며 학회의 무궁한 발전을 기원합니다.

2005년 2월

대한소아과학회 이사장　윤 용 수

발간위원 · 편집위원

발간위원

성 명	소 속
이준성	가톨릭대학교 의과대학 소아과
김규언	연세대학교 의과대학 소아과
편복양	순천향대학교 의과대학 소아과
이혜란	한림대학교 의과대학 소아과
정지태	고려대학교 의과대학 소아과
김진택	가톨릭대학교 의과대학 소아과
나영호	경희대학교 의과대학 소아과

편집위원 (가나다 순)

성 명	소 속
김규언	연세대학교 의과대학 소아과
김봉성	아산재단 강릉병원 소아과
김우경	인제대학교 의과대학 소아과
김진택	가톨릭대학교 의과대학 소아과
김현희	가톨릭대학교 의과대학 소아과
나영호	경희대학교 의과대학 소아과
남승연	인제대학교 의과대학 소아과
박용민	건국대학교 의과대학 소아과
손명현	연세대학교 의과대학 소아과
안강모	성균관대학교 의과대학 소아과
염혜영	포천중문의과대학 소아과
오재원	한양대학교 의과대학 소아과
이수영	아주대학교 의과대학 소아과
이재호	충남대학교 의과대학 소아과
이준성	가톨릭대학교 의과대학 소아과
이혜란	한림대학교 의과대학 소아과
정지태	고려대학교 의과대학 소아과
편복양	순천향대학교 의과대학 소아과
한윤수	충북대학교 의과대학 소아과
홍수종	울산대학교 의과대학 소아과

집필진

집필진 (가나다 순)

성 명	소 속	성 명	소 속
강임주	대구 파티마병원 소아과	심정연	성균관대학교 의과대학 소아과
고영률	서울대학교 의과대학 소아과	안강모	성균관대학교 의과대학 소아과
김규언	연세대학교 의과대학 소아과	안영민	을지의과대학교 소아과
김동수	연세대학교 의과대학 소아과	양은석	조선대학교 의과대학 소아과
김봉성	아산재단 강릉병원 소아과	염혜영	포천중문의과대학 소아과
김성원	성분도병원 소아과	오무영	인제대학교 의과대학 소아과
김우경	인제대학교 의과대학 소아과	오재원	한양대학교 의과대학 소아과
김정수	전북대학교 의과대학 소아과	이동근	중앙대학교 의과대학 소아과
김정희	인하대학교 의과대학 소아과	이상일	성균관대학교 의과대학 소아과
김종수	원주대학교 의과대학 소아과	이수영	아주대학교 의과대학 소아과
김중곤	서울대학교 의과대학 소아과	이재호	충남대학교 의과대학 소아과
김진택	가톨릭대학교 의과대학 소아과	이준성	가톨릭대학교 의과대학 소아과
김창근	인제대학교 의과대학 소아과	이하백	한양대학교 의과대학 소아과
김철홍	관동대학교 의과대학 소아과	이현희	관동대학교 의과대학 소아과
김현희	가톨릭대학교 의과대학 소아과	이혜란	한림대학교 의과대학 소아과
나영호	경희대학교 의과대학 소아과	임대현	인하대학교 의과대학 소아과
남승연	인제대학교 의과대학 소아과	정지태	고려대학교 의과대학 소아과
박강서	전주예수병원 소아과	정혜리	대구가톨릭대학교 의과대학 소아과
박용민	건국대학교 의과대학 소아과	편복양	순천향대학교 의과대학 소아과
손명현	연세대학교 의과대학 소아과	한윤수	충북대학교 의과대학 소아과
손병관	인하대학교 의과대학 소아과	홍수종	울산대학교 의과대학 소아과

목차

알레르기학

호흡기학

제2장 호흡기 질환의 진단적 접근

제10장 구조적 이상으로 인한 폐질환

제11장 흉강내 질환

제12장 호흡기 증상으로 표현되는 심리적 질환

제13장 전신질환의 폐증상

면역학

알레르기학
Allergy

제1장

총론

1. 소아 알레르기질환의 역학

알레르기질환은 국내에서도 사회 경제적 발달과 더불어 증가하여 구미 선진국과 마찬가지로 3대 만성 질환의 하나가 되었다. 특히, 어린이 청소년에 있어서는 가장 흔한 만성 질환으로 평가되고 있다. 국내에서는 1995년과 2000년도에 대한소아알레르기 및 호흡기 학회가 국제 아동 천식 및 알레르기질환 역학조사 (International Study of Asthma and Allergies in Childhood: ISAAC)와 연계하여 전국 68개 초·중학생 4만 여명을 대상으로 설문지 조사를 통해 기관지 천식, 아토피피부염, 알레르기비염에 대한 유병률과 위험인자 등에 대한 역학조사가 이루어졌다.

가. 빈도

1) 천식

천식은 기도에 알레르기성 염증을 동반하는 호흡기 알레르기질환으로 어린이 청소년에서 볼 수 있는 가장 흔한 만성 질환이며, 학교생활이나 일상생활에 지장을 받는 주요한 원인이 되고 있다.

천식 환자의 수는 지난 20년간 지속적으로 증가하고 있다. 2000년 세계보건기구의 보고서에 의하면 세계 인구의 약 10%가 천식을 앓고 있으며, 매 십 년마다 50%씩 증가하였다. 어린이 청소년 천식의 유병률은 인종과 국가별로 다양하게 보고되고 있다. 호주, 뉴질랜드 및 영국 등에서 유병률이 약 30%로 높으며, 한국, 일본과 중국 등에서 약 10~15%의 비교적 낮은 유병률을 보이고 있다.

국내 보고에 의하면, 어린이 청소년 천식의 유병률은 1983년 5.7%, 1990년 10.1% 였으며, 그 후 전국적인 조사가 시작되어 1995년에 초등학생의 17.0%, 중학생의 13.9%, 2000년에 초등학생의 13.0%, 중학생의 12.8%가 지금까지 한 번이라도 천식 증상이 있었다고 대답하였다. 천식 진단의 유병률은 1995년에 초등학생의 7.7%, 중학생의 2.7%, 2000년에 초등학생의 9.1%, 중학생의 5.3%가 지금까지 천식으로 진단받은 적이 있다고 대답하였다. 또한 1995년도에 초등학생의 3.2%, 중학생의 3.3%, 2000년도에는 초등학생의 1.0%, 중학생의 1.8%가 천식 치료를 받았다고 대답하였다(표 1-1). 이 결과는 한국 어린이 청소년에서도 천식의 유병률이 선진국들과 같이 점차로 증가하는 추세에 있음을 보여주고 있다. 그러나 증상이나 진단의 유병률의 상승과는 달리 치료에 대하여는 아직 미흡한 상태임을 알 수 있다.

2) 아토피피부염, 식품알레르기, 알레르기 비염과 알레르기 결막염

2000년도 국내 역학조사결과 천식과 마찬가지로 아토피피부염, 식품알레르기, 알레르기비염과 알레르기

표 1-1. 한국 어린이 청소년에서 천식 유병률의 변화

	초등학생 (%)		중학생 (%)	
	1995년	2000년	1995년	2000년
지금까지 한번이라도 천명이 있었던 경우	17.0	13.0	13.9	12.8
지금까지 천식으로 진단 받은 적이 있는 경우	7.7	9.1	2.7	5.3
천식으로 치료받은 적이 있는 경우	3.2	3.3	1.0	1.8
운동유발성 천식	5.4	4.8	13.6	14.5

1995년, 2000년 어린이 청소년 알레르기 질환의 전국적 역학조사 결과, 대한 소아알레르기 및 호흡기학회

표 1-2. 한국 어린이 청소년에서 아토피피부염, 식품알레르기, 알레르기 비염과 알레르기 결막염의 역학조사

구 분		초등학생 (%)		중학생 (%)	
		1995년	2000년	1995년	2000년
아토피피부염	유병률	15.3	17.0	7.2	9.3
	진 단	16.6	24.9	7.3	12.8
	치 료	8.2	11.9	4.4	7.4
알레르기비염	유병률	37.7	35.4	36.8	40.6
	진 단	15.5	20.4	7.7	13.6
	치 료	11.8	15.1	5.0	8.3
알레르기결막염	유병률	17.8	13.0	24.0	20.3
	진 단	10.4	13.2	5.6	8.4
	치 료	7.0	7.1	3.6	4.3

1995년, 2000년 어린이 청소년 알레르기 질환의 전국적 역학조사 결과, 대한 소아알레르기 및 호흡기학회

결막염의 유병률이 증가하였으며, 진단율에 비하여는 치료율이 낮은 것으로 보아 의사들의 역할과 일반인들의 인식의 변화가 필요함을 암시하고 있다(표 1-2). 아토피피부염은 특히 서울보다는 지방에서 더 급격한 유병률의 증가가 있었고, 여학생에서 더 많이 발생하였다. 한편, 알레르기 유발 식품 종류로는 계란, 우유, 돼지고기, 생선, 콩의 순이었다. 그 외에도 다양한 식품첨가물의 발달로 식품 알레르기의 종류도 다양해진 것이 알레르기질환의 증가요인의 하나로 생각되었다.

나. 증가요인

어린이 청소년 천식의 유병률 증가와 지역 간 차이의 원인에 대해서는 아직 명확히 밝혀져 있지 않으나, 몇 가지 요인이 증가 원인으로 생각되고 있다. 첫째, 주거환경이 서구화되면서 따뜻하고 밀폐된 공간에서 생활하게 되어 집먼지진드기와 애완동물 같은 알레르기 원인물질에 노출이 많아졌으며, 둘째로 여성의 사회활동이 늘어나면서 모유 수유가 감소하고 식생활 변화와 흡연에 의한 영향이 적지 않은 것으로 알려져 있다. 셋째로 산업이 발달되고 자동차가 증가하여 이산화탄소, 오존, 아황산가스, 디젤 입자들(예, PM_{10})로 대기오염이 증가되었고, 넷째로 우리 몸은 자연 친화적 환경에서 미생물의 자극을 받으며 훈련을 받아야하는데 인위적인 환경으로 인해 이런 자극이 적어져 면역계가 약해지게 된 것 등이 원인으로 제시되고 있다.

그 외에도 최근 생활환경의 개선과 예방 백신의 개발로 세균감염의 기회가 감소하는 등 감염과 알레르기 발생 사이의 역상관관계가 있다는 위생가설(hygiene hypothesis)이 제시되고 있다. 즉, 형제의 수가 적고 환

경이 청결해지면서 호흡기계통 등 감염의 기회가 줄어들고, 위생적으로 처리된 깨끗한 음식이 장 림프조직에 면역학적인 자극을 줄이고, 장에서 공생하는 장내세균에 영향을 주어 면역체계를 알레르기질환의 발생위험을 증가시키는 방향으로 변화시키기 때문이라는 가설이다. 이 외에도 국제적으로 교통이 편리해지면서 무역이나 여행을 통해 두드러기 쑥 화분처럼 외국으로부터 새로운 알레르기 원인물질이 들어오게 되었다.

천식의 유병률과 연관된 위험인자로는, 천식의 가족력 중 부모의 병력이 중요하며, 어머니 쪽의 영향이 더 큰 것으로 알려져 있으며 그 밖에 경제 수준, 간접흡연, 애완동물과 약물 복용 등이 유의한 위험인자에 해당된다.

2. 알레르기질환과 유전

최근에 발표된 국제적 역학조사인 international study of asthma and allergies in children (ISAAC) 보고에 의하면 천식의 유병률이 5~30%로 국가에 따라 차이가 많음을 알 수 있다. 유병률에 차이가 있는 이유를 각국의 산업화, 실내외 오염과 항원에 대한 노출 등 환경이 다르다는 이유로 설명할 수도 있으나, 다른 하나의 중요한 요인은 종족 간 유전적 특성 때문이라고 생각된다. 또한 알레르기에 대한 부모의 병력 유무와 형태에 따라 자녀에게서 발생할 가능성이 달라지는데, 병력이 없을 경우는 12.5%에 불과하지만 부모가 모두 같은 질환을 가지고 있을 경우는 70% 이상 크게 증가하게 된다(그림 1-1). 이처럼 천식을 포함한 알레르기질환이 유전적인 소인을 가지고 있다는 사실은 1916년 Cooke과 Vander Veer에 의해 처음으로 보고되었으며 1989년 Cookson 등이 염색체 11q13과 아토피의 연관성을 보고한 후로 알레르기질환에 대한 유전학적 연구가 활발히 이루어지기 시작했으나 아직도 규명되어야 할 부분이 많이 남아 있다. 알레르기질환에 대한 최근의 연구는 질환의 발생, 중증도, 치료효과에 관여하는

부모의 알레르기 병력	자녀의 알레르기성향 빈도
알레르기성 질환이 없는 경우	12.5%
한쪽 부모가 알레르기성 질환이 있는 경우	19.8%
양친이 알레르기성 질환이 있는 경우	42.9%
양친이 모두 같은 알레르기성 질환이 있는 경우	72.2%

그림 1-1. 부모의 알레르기병력에 따른 자녀의 알레르기 빈도

유전인자를 규명하는데 초점이 모아지고 있다.

가. 다인자성 질환의 특징

천식 등 알레르기질환은 그 발생에 있어서 유전인자와 환경적 요인이 복잡하게 연관되어 있어서 다인자성 질환(complex genetic diseases)으로 불리고 있다. 지금까지 보고된 자료들을 분석해보면 천식의 유전율은 35~75%정도이고 비교위험도(relative risk)는 2~4정도인 것으로 알려져 있다. 그리고 형제간에 다인자성 질환이 발생할 위험도는 5~15% 정도인데, 그 위험도는 발단자가 앓고 있는 질환의 중증도, 가족 중에서 앓고 있는 환자의 수 그리고 환경적 요인에 의해 영향을 받는다.

이처럼 알레르기질환은 유전적 성향을 가지고 있지만 그 유전 양상은 멘델법칙을 따르지 않고 매우 복잡하며 단일유전질환과는 달리 유병률이 매우 높다는 특징이 있다. 따라서 천식과 아토피는 개개인에 따라 서로 다른 유전자가 관여하고(genetic heterogeneity), 한 개인에게서도 여러 개의 유전자가 관여(polygenic inheritance)할 것으로 생각된다.

나. 유전학적 연구의 필요성

알레르기질환을 효과적으로 관리하기 위해서 천식이 발생한 뒤에 치료하기보다는 발생 자체를 예방하

는 1차 예방(primary prevention)이 가장 바람직한 방법이다. 만일 알레르기질환의 발생에 관여하는 새로운 유전인자를 규명하게 되면 알레르기 위험성이 높은 사람을 조기에 찾아내어 예방약물을 투여하거나 환경을 조절해줌으로써 발생을 효율적으로 예방할 수도 있다. 또한 유전적 성향이 다르면 약물에 대한 반응도 다르기 때문에 현재의 치료에 효과가 없는 사람을 대상으로 개개인에 적합한 맞춤형 치료약물을 개발할 수도 있다(표 1-3).

다. 유전학적 연구의 접근방법

다인자성 질환과 연관된 유전인자를 규명하기 위해서는 일반적으로 다음과 같은 3단계를 밟는다(그림 1-2). 첫째로 특정 집단이나 가족(쌍생아, 핵가족, 형제, 근친결혼 또는 개개인)을 대상으로 역학적인 조사를 실시하여 동일한 가계에서 많이 발생하는 지를 확인하는 것이다. 둘째로 만일 많이 발생한다면 이것이 유전적인 영향인지 아니면 환경 또는 문화적인 차이에 따른 영향인지를 확인한 뒤에 유전방식을 결정하게 되는데 이를 위해 사용하는 방법이 segregation

표 1-3. 알레르기 질환의 유전적 연구의 이득

질병의 병태생리에 관한 보다 폭넓은 지식
- 새로운 유전자를 밝혀내고, 치료 방법을 발전시키기 위한 새로운 약물학적 표적으로의 길을 열어준다.

환경적인 인자와 질병의 발생을 일으키는 개개인의 유전자와의 상호관계 규명
- 환경 조절로 질병의 발생을 예방한다.

질병 발생의 위험성이 있는 개인을 발견
- 조기에 선별검사로 발견하여 질병 발생의 위험이 있는 환자의 발병을 예방

치료의 목표
- 유전에 기초를 둔 질병의 세분화와 이 분류에 따른 특별한 치료 목표 지정
- 특정한 치료에 개인이 반응하는 정도를 결정(약물유전학), 그리고 개인적인 치료 계획

analysis이다. 이것은 자손이나 형제에게서 나타난 유전적 특성(trait)의 빈도를 다양한 유전양식에서 나타날 수 있는 빈도와 비교하는 방법이다. 셋째로 만일 유전적 영향이 관여한다면 어떤 유전학적 기전이 관여하는지를 분석하는 것이다.

천식과 같이 정확한 병인과 생화학적 특성을 모르는 대부분의 다인자성 질환에서 후보 유전자를 찾아내는 방법에는 2가지가 있다. 첫째는 positional cloning (genomic scanning)으로 질환의 표현형과 관련이 있는 인간 게놈(genome) 전체를 적당한 간격을 두고 유전자표지(marker)를 철저히 검색하는 방법이다. 따라서 이 방법은 연관성 분석(linkage analysis)을 대규모로 실시해야 되기 때문에 많은 시간과 비용이 요구된다. 두 번째는 candidate gene approach로 각각이 유전자가 질병의 발생과 연관되어 있는지를 검사하는 방법이다. 예를 들어 혈청 총 IgE의 발현은 IL-4, IL-5 및 IL-9과 같은 사이토카인에 의해 결정된다. 그런데 이들 사이토카인에 대한 유전 부호를 가지고 있는 유전자는 염색체 5번에 위치하고 있으므로 이들 유전자와 혈청 총 IgE치 사이의 관계를 평가하기 위해서 염색체 5번에 대한 조사를 실시하는 것을 말한다. 따라서 다인자성 질환의 유전학적 연구를 위해서는 'positional cloning'과 'candidate gene approach'를 단독 또는 조합하여 접근하는 것이 추천되고 있다.

유전학적 연구에서 중요한 것은 대상 질환의 표현형을 어떻게 정하느냐 하는 것이다. 여기에는 천식이나 아토피와 같이 복합적인 표현형(complex phenotype)을 사용하는 경우와, 천식을 기관지과민성으로, 아토피를 총 IgE치가 증가되어 있거나 집먼지진드기와 같은 흔한 흡입항원에 대한 특이 IgE 항체검사나 피부시험에 양성반응을 보이는 경우 등의 중간 표현형(intermediate phenotype)을 사용하는 경우의 두 가지 방법이 있다. 이처럼 천식이나 아토피가 다양한 표현형으로 설명될 수 있기 때문에 그 정의가 통일되어 있지 않고 그 특성을 나타낼 수 있는 생물학적 지표(biological marker)가 없기 때문에 유전학적 연구에

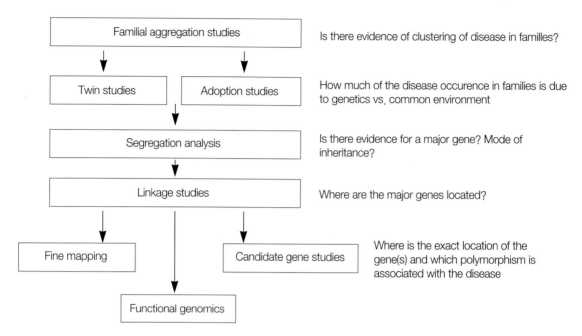

그림 1-2. 유전적 연구의 개요

어려움이 있다. 또한 동일한 표현형을 사용한다고 해도 집단이 다르거나 집단이 같더라도 표현형을 달리하면 서로 다른 결과가 나올 수 있다. 따라서 이런 분야의 연구자들 사이에 합의를 바탕으로 한 공동 연구가 필요하다.

라. 천식 및 알레르기와 관련된 유전인자

천식과 알레르기질환은 유전과 환경적 요인들의 상호작용에 의해 감작과 알레르기 염증반응이 일어남으로써 임상 증상이 나타난다. 알레르기 반응이 일어나는 과정에는 여러 가지 유전자가 관여한다(그림 1-3). 그런데 아토피 자체보다는 천식에 관여하는 유전적 요소가 더욱 복잡하다. 왜냐하면 천식에는 아토피 발생뿐만 아니라 표적장기 또는 천식 자체에 대한 유전인자도 관여하기 때문이다. 이와 관련하여 지금까지 많은 연구들이 진행되었는데, 이들 중에서 천식 또는 알레르기질환과 연관이 있는 유전자는 다음과 같다(표 1-4).

1) HLAD 유전자와 특이 면역반응

염색체 6p21.3에 위치한 HLAD 부위는 특정 항원에 대한 면역반응을 조절하는 유전자(immune response gene; Ir gene)를 가지고 있으면서 항원을 제시하는데 관여하며, TNF-α의 유전자도 가까이 가지고 있다. HLAD 유전자에 대한 DNA typing 검정을 실시한 결과, Amb a 5의 주요 항원결정기(epitopes)와 특이적 결합이 일어나는 부위가 DR2.2의 DRβ1*1501과 DR2.12의 DRβ1*1502임이 밝혀졌다. 최근에는 집먼지진드기(Der p1, Der p2) 감작과 HLAD 사이의 연관성에 관한 보고도 있다.

2) Chromosome 5q31-35

염색체 5q31은 아토피 및 천식 표현형 사이에 연관성이 인정되고 있는 유일한 염색체로 알레르기 반응에서 중요한 역할을 하는 사이토카인 IL-3, IL-4, IL-5,

IL-9, IL-12 (β-chain), IL-13, GM-CSF가 위치하고 있다. 따라서 염색체 5q31-33은 총 IgE, 기관지과민성, 집먼지진드기 양성 아토피 천식과 연관되어 있으며, 염색체 5q는 기도 과민성 및 β2-수용체와 연관성이 있는 것으로 알려져 있다. 그래서 여기에 위치한 후보 유전자의 다형성(polymorphism)에 대한 연구도 활발히 진행되고 있다.

3) Chromosome 11q13

염색체 11q13은 '아토피' 유전자와 관련이 있다는 사실은 일찍이 알려져 있었다. 이후 11q13의 표현은 오로지 모계를 통해서만 유전된다는 발표가 있었지만 그 후에는 확인되지 않았다. 그리고 이 부위에 대한 연구가 진행됨에 따라 FcεRIβ 유전자가 일차 후보 유전자로 밝혀졌으며, 이 FcεRIβ가 IgE 생성에 간접적으로

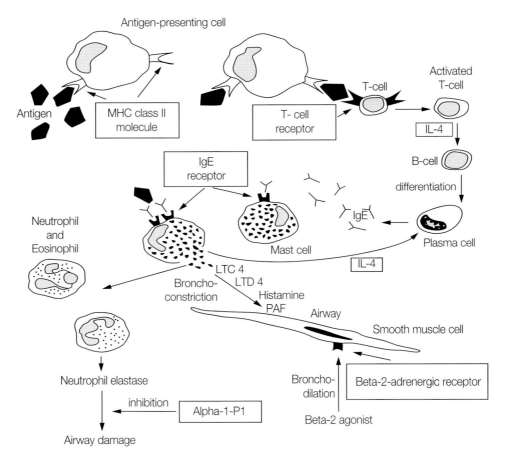

그림 1-3. 알레르기 질환 발생 기전에 관여하는 유전자. (맨처음 왼쪽 위): (1) 특정한 MHC class II 항원으로 인해 특정 흡입 항원이 보다 효과적으로 단핵구나 수지상세포에 의해 T 림프구로 전달된다. (2) 특정한 T 세포 수용체 유형들로 인해 보다 효과적으로 MHC II 항원과 알레르겐의 특수 결합체와 T 세포간의 반응이 활성화 된다. (3) 보다 많은, 또는 보다 활성화 된 IL-4는 IgE의 생성을 매우 증가시킨다. (4) 비만세포, 호염기구, 그리고 다른 작동 세포의 보다 효과적인 고친화도의 IgE 수용체는 한층 강화된 알레르겐-IgE 상호작용을 유도하고, 보다 많은 면역 매개체들과 IL-4의 분비를 일으키며, 이로 인하여 positive feed back loop를 통한 IgE의 생산이 증가하게 된다. (5) α1-antitrypsin (α1-P1)과 다른 antiprotease의 항단백분해 작용이 감소함에 따라 매개체와 사이토카인에 대한 알레르기 염증반응은 증가한다. (6) 작동 세포에서 유래하는 수축 길항제에 대한 평활근의 반응은 β2-교감신경 수용체의 결함 또는 감소 조절로 인하여 항진된다.

표 1-4. 알레르기 질환과 연관된 후보 유전자(candidate genes) 및 염색체 위치

유전자(Candidate genes)	염색체 위치	기능
IL-3	5q31-33	Eosinophil and basophil growth factor
IL-4	5q31-33	IgE switching, T_H2 polarization, up-regulation of VCAM-1, induction of mucus genes
IL-9	5q31-33	Mast cell growth factor
β_2-Adrenoreceptor	5q31-33	Cyclic AMP-dependent signaling
LTC_4 synthase	5q35	Cysteinyl Leukotriene generation
MHC class II	6p31.3-23	Antigen recognition
TNF-α	6q21.3-23	Pleiotropic cytokine
5-Lipoxygenase	10q11.2	Leukotriene synthesis
FcϵRIβ chain	11q13	Regulation of IgE signaling
CC16(CC10, uteroglobin)	11q12-13	Lung anti-inflammatory protein
NOS-1	12q24.3	Neural nitric oxide production
TCR α chain	14q11.2	Antigen-driven immune responses
IL-4rα	16q12	IL-4 signaling
TGF-β_1	19q13.1-13.3	Increased IgE synthesis, profibrotic cytokine

VCAM-1: vascular cell adhesion molecule-1, LTC4: leukotriene C4, FcϵRI: high-affinity receptor of IgE, NOS-1: nitric oxide synthase-1; TCR: T-cell receptor

관여한다고 추정되고 있다. 최근에는 FcϵRIβ 옆에 위치하고 있는 FGF3(INT2)도 IgE 생성에 관여하는 것으로 보고되고 있다.

4) Chromosome 12q14.1-q24.1

비교적 긴 분절에 해당하는 염색체 12q14.1-q24.1은 여러 가지 면에서 염색체 5q와 비슷하여 천식과 알레르기와 관련된 후보 유전자를 많이 가지고 있다. 천식과 관련된 유전자는 종족에 따른 영향뿐만 아니라 환경 요인의 영향을 동시에 받는 것으로 생각되고 있다.

5) ADAM33

ADAM33 (a disintegrin and metalloprotease 33) 유전자는 아연의존성(zinc-dependent) metalloprotease 계통의 단백질분해효소(protease) 중의 하나로 사이토카인이나 그 수용체와 같은 세포 표면에 있는 단백질의 활성화 과정에 관여한다. ADAM33은 기관지 평활근, myofibroblasts, fibroblast 등 폐세포에 존재하지만, 기관지 상피세포, T 림프구, 백혈구에는 없다. 최근 연구에 의하면 ADAM33은 주로 기도개형과 기도과민성에 관여하는 것으로 생각되고 있다.

6) SPINK5

최근에 단백질분해효소인 SPINK5 (serine protease inhibitor kazal type 5) 가 피부의 염증과 면역을 조절함으로서 아토피피부염의 병인과 관련 있는 후보 유전자로 주목 받고 있다.

마. 단일염기 다형성

인간 게놈에서 확인할 수 있는 유전자 부위를 유전자 표지(genetic markers)라고 한다. 연관성 분석에 사용하는 유전자 표지는 매우 작은 부수체(microsatellite marker)인데 이것은 특정한 배열이 반복되면서 구성된 DNA의 짧은 조각이다. 이들 유전자 표지의 반복정도는 개인별로 다르기 때문에 다형성(polymorphism)

이 존재하게 되는 것이다. 인간 게놈에는 5,000개 이상의 매우 작은 부수체가 존재하는데 평균 2 cM의 간격으로 배열되어 있다.

단일염기다형성(single-nucleotide polymorphism, SNP)은 단일 염기서열에 변이가 나타나는 것으로 다형성 중에서 가장 간단한 형태이다. 즉 핵산 하나가 다른 핵산으로 대치된 것이다(예: cytosine이 thymidine으로 대치). 이렇게 펩타이드를 형성하는 틀인 mRNA를 만드는 exon 내의 염기서열에 변이가 일어나게 되면 형질의 표현형이 달라지게 된다. SNP는 인간 게놈에서 흔히 볼 수 있으며 현재 100여개의 유전자에서 200개 이상의 SNP가 조사되었다. 따라서 천식이나 알레르기질환과 연관성이 있는 유전인자의 SNP를 조사함으로써 이들 질환의 병태 생리에 관여하는 유전학적 원인을 규명하는데 필요한 정보를 제공해준다.

그래서 천식의 중증도와 치료효과에 대한 개인간의 차이는 여러 가지 수용체의 유전자의 다형성에 의한 것으로 해석되고 있다. IL-4 수용체의 경우에 수십 개의 다형성이 보고되고 있으며 이들 중 일부는 아미노산의 변화를 초래하여 IL-4의 신호전달체계에 영향을 미친다고 한다. β2-수용체에 대해서도 여러 개의 SNP가 알려져 있는데 이중에서 Gly16 (Arg16Gly)은 심한 천식이나 야간 천식과 Glu27 (Gln27Glu)은 기도과민성의 감소와 관련이 있다고 알려져 있다. 최근에는 IL-13 다형성은 소아에게서 아토피와 연관이 있지만 천식과는 관련이 없고, 5-lipoxygenase (ALOX5) 다형성이 항류코트리엔제제 치료에 대한 반응을 감소시킨다고 보고되어 있다.

질병의 중증도와 관련하여 TNF-α, IL-4, IL-4Rα 유전자의 다형성과 천식의 중증도사이의 연관성을 검증한 보고가 많이 있다. β2-수용체 다형성(Gly16)이 야간 천식환자와 스테로이드 의존형 천식환자에게서 많이 표현되는 것으로 미루어 천식의 중증도에 영향을 줄 수 있는데 다형성이 β2-기관지확장제에 대한 반응에 영향을 주어 치료효과를 저하시키는 것인지, 이와 별개로 다형성 자체가 중증 만성 천식을 유도하는 것인지는 확실하지 않다.

바. 우리나라의 연구 현황

과거 우리나라에서 보고된 연구들은 내용을 보면 알레르기질환의 유전적 경향을 관찰하거나 알레르기질환과 HLA 형의 관계 또는 혈청 총 IgE와 HLA-DR typing의 상관관계를 분석한 것이 대부분이었다. 그러나 최근에 '혈청 총 IgE 농도와 염색체 11q13의 연관성', 'β-2 수용체의 다형성과 야간 천식의 연관성' 그리고 'IL-4 수용체의 다형성과 소아 아토피 천식과의 연관성'에 관한 연구 등 다양한 방면에서 많은 결과들이 보고되고 있다. 앞으로 활발한 연구활동을 통해 우리나라 국민의 게놈과 관련된 고유의 자료들이 더 많이 발표될 것으로 기대되고 있다. 알레르기의 유전인자에 대한 거의 모든 자료들이 Caucasian, Hispanics 또는 Africa-American 등 소위 서구인을 대상으로 한 연구 결과이므로 단일 민족이라는 특성을 가진 우리나라 국민을 대상으로 알레르기의 발생과 관련된 유전학적 연구를 수행하여 그 결과를 서로 비교함으로써 좋은 자료를 얻을 수 있을 것이다.

3. 과민반응의 종류와 기전

민감성(sensitivity)이라는 용어는 과거에 항원에 노출되었던 인체가 동일한 항원에 재접촉하게 되면 면역계가 예민한 반응을 나타내는 임상적인 현상에서 유래되었다. 외부 물질에 대한 면역 또는 과민반응에 의해서 나타나는 질환을 과민성 질환(hypersensitivity diseases)이라 한다. 과민성 질환은 인체가 자가항원에 대해 면역반응을 나타내지 않는 자가관용(self-tolerance) 면역반응 특성이 상실되어서 발생하는 질환이다. 일반적으로 자가관용이 상실되어 자가항원에 대한 면역반응이 초래되어 발생하는 질환은 자가면역질환(autoimmune disease)으로 분류하고, 외부항원에

표 1-5. 과민반응의 분류

과민반응 유형	병리적 면역 기전	조직 상해 및 질병의 기전	질병
제1형 : 즉시형	IgE 항체	비만세포 및 염증반응매개체 (혈관활성 아민, 지질매개체, 사이토카인) 세포의 옵소닌화 및 포식작용	천식, 두드러기, 알레르기비염, 아토피피부염, 아나필락시스
제2형 : 항체 매개형	세포 표면 혹은 세포외 기질 항원에 대한 IgM 혹은 IgG 항체	백혈구(호중구, 대식세포)의 보체 및 Fc 수용체-매개적 보충 및 활성화 세포 기능의 비정상(예: 호르몬 수용체 신호전달)	용혈성 빈혈, 혈소판 감소증, 수혈반응, Myasthenia gravis, Thyrotoxicosis
제3형 : 면역복합체형	순환 항체 및 IgM 혹은 IgG 항체에 대한 면역복합체	백혈구의 보체 및 수용체 매개적 보충 및 활성화	혈청병, 혈관염, 사구체신염, 과민성 폐렴, SLE
제4형 : 세포 매개형 지연형	CD4⁺ T 세포(지연형 과민반응) CD8⁺ CTLs (T 세포 매개적 세포용해)	대식세포 활성화, 사이토카인-매개적 염증 표적세포의 직접 용해, 사이토카인-매개적 염증	접촉성 피부염, 결핵, 이식거부, 갑상선염, 악성빈혈, 제1형 당뇨, 류마티스 관절염

대하여 나타나는 과민반응은 알레르기질환(allergic disease)이라 분류한다.

가. 과민반응 분류

1963년 Gell과 Coombs가 처음 과민반응을 면역반응 유형과 조직손상에 관여하는 기전에 따라 네 가지 체계로 분류하였다(표 1-5). 이 같은 분류는 과민반응의 발생기전을 이해하는데 매우 유용하다. 그러나 과민반응은 조직에 대한 항원 특이성이 다르고 면역반응에 따른 조직손상이 다른 유형으로 나타나기 때문에 임상 및 병리학적으로 다양한 특성을 나타낸다.

제1형 과민반응은 감작된 조직의 비만세포(mast cell)가 항원과 반응한 IgE 항체와의 결합작용에 의해서 나타나는 면역반응으로서 즉시형(immediate type, anaphylactic type, reaginic type) 과민반응이라고도 한다. 제2형 과민반응은 세포 표면의 항원과 IgM 또는 IgG 항체가 결합반응하여 정상세포 기능 이상을 초래하거나 조직을 손상하는 항체 매개형 과민반응이다. 이 과민반응을 세포독형(cytotoxic type), 세포용해형

(cytolytic type), 항체매개형(antibody mediated type) 과민반응이라고도 한다. 제3형 과민반응은 항원이 많은 혈중에서 항원과 항체가 결합반응한 면역복합체가 혈관 같은 조직에 침착하여 조직을 손상시키는 면역복합체 매개형 과민반응으로서 독성결합체형(toxic complex type), 면역복합체형(immune complex type) 과민반응이라고도 한다. 제4형 과민반응은 항원에 의해 활성화된 T 림프구 작용에 의해 나타나는 세포 매개성 과민반응으로서 지연형(delayed type), 세포 매개형(cell mediated type) 과민반응이라고도 한다.

나. 과민반응의 발생기전

1) 제1형 과민반응(즉시형)

제1형 과민반응에는 많은 면역세포와 사이토카인들이 관여한다(그림 1-4). 초기에는 IgE 항체와 비만세포가 중심적 역할을 하고, 후기에는 보조 T 림프구(T helper lymphocyte, Th2)와 호산구가 작용한다. 항원과 반응한 대식세포(macrophage), 수지상세포(dendritic cell), B 림프구 같은 항원제시세포(antigen

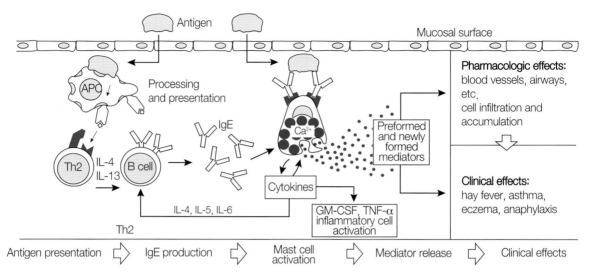

그림 1-4. 비만세포와 보조 T 림프구 작용에 의한 제1형 과민반응의 실행기전

presenting cell, APC)가 Th2와 결합반응하면 Th2는 활성화되어 GM-CSF, IL-3, IL-4, IL-5 등의 사이토카인을 생성, 분비한다. IL-4는 IgG 또는 IgM을 생성하는 B 림프구의 동형전환(isotype switching) 과정에 작용하여 항원 특이 IgE 항체를 생성하는 형질세포(plasma cell) 분화과정에 작용한다. IL-5와 GM-CSF는 호산구 증식과 분화에 작용한다. 즉시형 과민반응에서 IgE 항체의 Fc 부분과 결합 반응하는 면역세포의 수용체에는 IgE 항체와의 강한 친화력을 갖고 있는 FcεRI 수용체와 친화력이 약한 FcεRII 수용체가 있다. 친화력이 강한 FcεRI 수용체는 주로 대식세포와 호염기구 표면에 존재한다. 상피의 랑게르한스 세포와 진피의 대식세포에도 존재하지만 그 기능은 잘 알려져 있지 않다. IgE 항체에 대한 친화력이 낮은 FcεRII 수용체에는 FcεRIIA와 FcεRIIB (CD23) 수용체의 두 가지 동형이 있다. FcεRIIA 수용체는 B 림프구에서 특이적으로 나타나며, FcεRIIB 수용체는 IL-4의 작용에 의해 B 림프구, 단핵구 및 호산구에서 발현되는데 기능은 아직 명확하게 밝혀지지 않고 있다. 그러나 IgE 항체에 의해 FcεRII 수용체가 활성화된 대식세포와 단핵구에서 화학매개체가 분비된다는 것이 밝혀지면서 제1형 과민반응과 관

계가 있는 것으로 알려졌다.

비만세포 또는 호염기구의 FcεRI 수용체와 항원 특이 IgE 항체가 교차 반응하여 비만세포 또는 호염기구가 활성화되면 세포질 과립 내에 있는 히스타민, eosinophil chemotactic factor of anaphylaxis (ECF-A), neutrophil chamotactic factor (NCF), thromboxane 등의 매개물질들과 염증세포에서 생성된 IL-3, IL-4, IL-5, IL-13, TNF-α 등의 사이토카인을 포함하여 비만세포의 세포막 지질 대사과정에서 새로이 생성된 prostaglandin, leukotriene, 혈소판 활성인자(platelet activating factor, PAF) 등의 매개체들이 분비된다. 이러한 물질들이 국소적으로 작용하면 수 십분 내에 표적기관에서 혈관 투과성 증가, 혈관 확장, 평활근 수축, 분비선 기능 항진 등과 같은 염증반응들이 나타난다(그림 1-5). 이러한 기전에 의해서 나타나는 과민반응을 조기반응(early phase reaction)이라 한다. 후기반응(late phase reaction)은 조기 반응에서 분비된 화학매개체들의 작용에 의해서 축적되고, 활성화된 호중구, 호산구, 호염기구, Th2 등에서 분비된 물질들의 작용에 의해서 나타난다. 후기반응은 평균 12~48시간 동안 지속하는데 항원과 반응한 지 2~4시간 후에 나타나기 시작하여 6~8시간에 가장

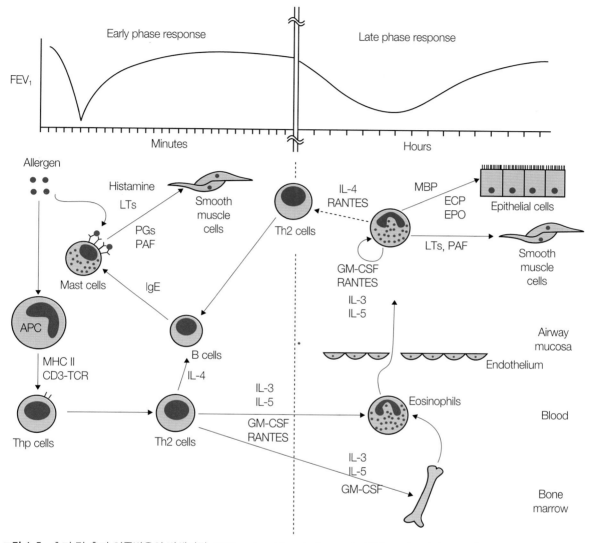

그림 1-5. 초기 및 후기 염증반응의 발생기전. ECP: eosinophil cationic protein, EPO: eosinophil peroxidase, PG: Prostaglandin, PAF: platelet activating factor, APC: antigen presenting cell, TCR: T cell receptor, MBP: major basic protein

심해진 다음 점차 사라진다. Th2와 호산구는 후기반응을 유발하는 과정에서 중심적인 역할을 한다. 호산구는 Th2에서 분비된 IL-3, IL-5, GM-CSF 등의 사이토카인 작용에 의해서 증식, 분화된다. 활성화된 호산구에서 분비되는 호산구 양이온단백질(eosinophil cationic protein, ECP) 등과 같은 세포독성단백질과 류코트리엔과 같은 화학매개체들에 의해서 염증반응

이 계속 진행되면 표적기관이 손상을 받게 된다. 또한 활성화된 비만세포, 호산구 및 Th2에서 분비된 물질들은 혈관 내피세포 표면의 백혈구 유착분자(E-selectin), 세포간 유착분자(intercellular adhesion molecule-1, ICAM-1) 및 혈관세포 유착분자(vascular cell adhesion molecule-1, VCAM-1)들이 발현되는데 작용한다. 이러한 분자물질들이 혈관내피세포 표면에 발현되는 것은

염증부위에 염증세포들을 집결시켜 작용하게 함으로써 염증반응을 증폭시키는 결과를 초래하게 된다. 표적기관 조직의 손상과 개형(remodeling)은 염증세포에서 분비된 물질들과 염증세포들과의 상호작용에 의한 후기 염증반응이 증폭되고 만성화되면서 나타난다.

2) 제2형 과민반응(항체 매개형)

항체 매개형 과민반응은 특정 세포나 세포외 조직에 존재하는 항원과 IgG 또는 IgM 항체가 결합 반응하여 형성된 면역 복합체가 보체계를 활성화시키면서 나타난다. 임상증상은 전신적으로 나타나지 않고 항원이 존재하는 세포나 조직에서 국소적으로 발생한다. 항체 매개형 과민반응은 옵소닌작용 및 세포 포식작용(그림 1-6), 보체 및 Fc 수용체 매개형 염증 및 조직손상(그림 1-7), 호르몬과 같은 물질 또는 호르몬을 분비하는 세포의 수용체와 결합하여 정상 세포 기능 이상을 초래하는 기전 등에 의해서 나타난다. 임상적으로 적혈구나 혈소판 등에 부착된 항원과 이에 대한 IgG 또는 IgM 항체가 결합 반응하는 과정에서 보체가 활성화되어 적혈구가 파괴되는 자가면역 용혈성 빈혈과 혈소판이 파괴되는 자가면역 혈전성 혈소판 감소증이 있다. 항체가 조직항원과 특이적으로 결합하여 보체를 활성화시키고 호중구 같은 염증세포에 의해서 조직손상을 초래하는 Goodpasture 증후군이 있다. 다른 한편으로는 갑상선 자극 호르몬(TSH) 수용체에 IgG 항체가 작용하여 갑상선 호르몬 분비를 자극하여 갑상선 기능 항진증을 유발하는 Graves병과 신경전달물질에 대한 항체가 신경전달물질이 수용체와 결합하는 것을 방해해서 나타나는 myastenia gravis에서와 같이 항체가 세포표면 항원과 결합 반응하여 독성작용을 나타내지 않고 세포작용과 기능을 변화시킨다(그림 1-8).

3) 제3형 과민반응(면역 복합체매개형)

인체 내에서 자가 또는 이종 항원이 항체와 결합하여 형성된 면역 복합체가 형성되고 제거되는 면역반응은 정상적으로 나타나는 면역작용이다. 그러나 면역복합체가 과다하게 형성되어 효과적으로 처리되지 못하면 면역복합체가 조직에 침착되어서 염증반응을 유발하게 된다(그림 1-9). 면역 복합체 매개성 과민반응에 의한 임상 및 병리학적 양상은 항원이 유래된 세포가 아니라 면역복합체가 침착되는 조직에 의해 결정된다. 그러므로 면역복합체에 의한 과민반응 증상은 항원과 관계있는 조직이나 장기와는 관계없이 전신적으로 발생하는 특징이 있다. 면역복합체가 혈관 조직에 침착되는 정도는 면역복합체 본성과 혈관 특성에 따라 결정된다. 신사구체와 관절 활막의 미세혈관은 높은 유체정력(hydrostatic) 압력에 의해 혈장이

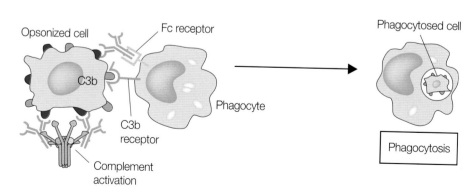

그림 1-6. 옵소닌화와 포식작용. 항체는 세포에 옵소닌화 되고 보체를 활성화 시켜 Fc 수용체 또는 C3 수용체를 통해서 세포 포식 작용을 한다.

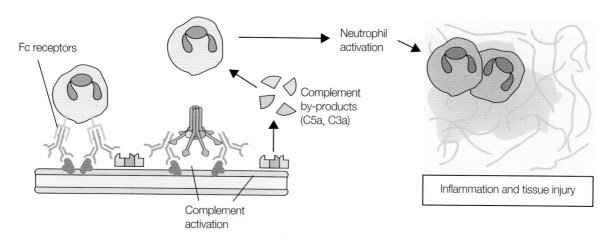

그림 1-7. 보체 활성화 및 Fc 수용체와의 결합에 의한 염증반응. 항체는 Fc 수용체와 결합 또는 보체를 활성화시켜 백혈구 화학 주성물질에 의한 염증과 조직손상을 초래한다.

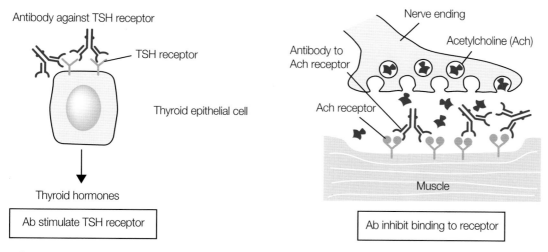

그림 1-8. 조직손상 없이 세포기능 변화를 초래하는 염증반응. 항체가 갑상선 자극호르몬의 수용체 기능을 증가시키거나, 신경전달 물질이 수용체와 결합하는 것을 방해한다.

여과되기 때문에 면역복합체가 용이하게 침착된다. 작은 복합체는 큰 복합체 보다 포식세포에 의해서 포식되지 않기 때문에 혈관에 잘 침착되는 경향이 있다. 면역복합체와 반응하여 활성화된 염증세포와 비만세포는 사이토카인과 혈관활성(vasoactive) 매개체를 분비하여 혈관 내피세포에 백혈구 부착, 혈관투과성 증가, 내피세포 간격 확대 등을 유발함으로써 면역복합체가 혈관벽에 용이하게 침착되고 염증반응이 확대된다. 면역복합체가 혈관벽에 침착되면 보체계가 활성화되어 Fc 수용체 매개성 염증이 유발되어 혈관과 주위조직이 염증반응에 의해서 손상 받게 된다.

혈청병은 면역복합체에 의해서 나타나는 대표적 질환이다. 실험적으로 혈청병을 유발하기 위하여 대량의 이종단백질로 실험동물을 면역하면 단백질 항원에 대한 항체가 생성된다(그림 1-10). 항체와 이종단백질인 항원과 결합하여 생성된 면역복합체는 초기에 간과 비장의 대식세포에 의해서 제거된다. 그러나 항원이 항체보다 많은 상태에서는 면역복합체가 계속 생성되어 조직에 침착되고 보체계가 활성화된다. 또한 호중구 같은 염증세포가 침윤하여 염증반응과 조직손상을 초래하게 된다. 면역복합체가 작은 동맥, 신사구체, 관절의 활막 등에 침착하여 염증반응을 나타내면 침착된 부위에 따라 혈관염, 신우염, 관절염 등과 같은 임상증상이 발생한다. 항원이 반복적으로 유입되면 작은 복합체들이 신장, 동맥, 폐 등에 계속 침착되어 만성 질환으로 이행된다. 아티스(Arthus) 반응은 혈청병과는 다르게 어떤 항원에 대한 항체가 형성되어 있는 상태에서 항원을 피하로 주사하면 혈중 항체와 항원과 결합반응한 면역복합체가 작은 동맥벽에 침착되어 국소적 피부 혈관염증과 괴사를 나타내는 과민반응이다. 인체의 많은 질환들은 급성 및 만성 혈청병과 아티스 반응과 동일한 기전에 의해 발생된다.

4) 제4형 과민반응(지연형)

세포용해 T 림프구 또는 보조 T 림프구의 Th1 세포가 항원과 반응하여 나타나는 지연성 반응(delayed type hypersensitivity, DTH)이나 표적세포 살해작용에 의해 조직 손상이 나타나는 면역반응이 제4형 과민반응이다. 지연성 과민반응은 크게 세포용해 T 림프구와 Th1 세포에 의해서 활성화된 대식세포에 의해서 나타나는 지연성 염증반응(그림 1-11)과 세포용해 T 림프구 자체의 작용에 의해서 조직이 손상되는 면역반응으로 구분한다. 지연성 염증반응은 세포용해 T 림프구 또는 Th1 림프구에서 분비된 interferon-γ (IFN-γ)의 작용에 의해서 활성화된 대식세포의 염증작용에 의해서 조직이 손상되는 세포매개성 염증반응이다. 대식세포에서 분비되는 활성산소 물질, 산화질소, 라이소좀 효소 등의 물질은 포식용해소체내 미생물을 살균하는데 작용한다. 또한 IL-12를 분비하여 1형 보조 T 림프구(Th1)의 증식과 분화를 유도하는 IFN-γ 생성을 촉진하여 대식세포를 더욱 활성화시켜 세포성 면역반응을 증폭시킨다. 대식세포와 Th1 림프구에서 분비되는 TNF-α, IL-1, 림포톡신(lymphotoxine) 등은 백혈구를 염증 부위로 유도하여 염증반응을 촉진시킨다. 이와 같은 면역반응에 의해 활성화된 대식세포 또는 호중구에서 분비된 물질들은 미생물을 살해하는데 작용한다. 그러나 이러한 물질들의 작용에 의해 정상 세포도 손상될 수 있다.

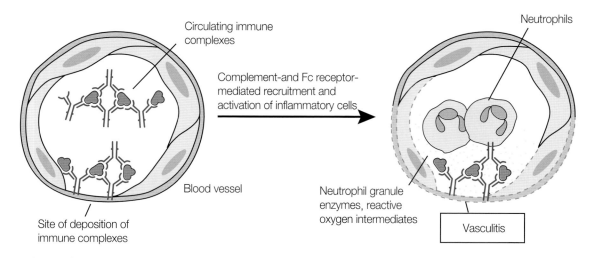

그림 1-9. 면역 복합체에 의한 염증반응. 혈중에서 형성된 면역복합체가 혈관에 침착하여 염증반응 초래한다.

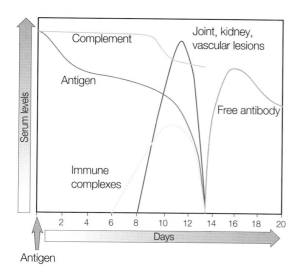

그림 1-10. 급성 혈청병에서의 면역반응 경과. 항원을 주사하여 형성된 면역복합체가 많은 조직에 침착되어 보체를 활성화시켜 염증반응을 초래한다.

세포내재성 미생물 또는 항원이 단기간 내에 제거되면 면역반응은 종결되어 문제가 발생하지 않지만 미생물과 항원이 제거되지 않을 경우에는 계속적으로 염증반응이 진행되어 만성 지연성 반응이 나타난다. 지연성 반응이 만성화되면 CD4⁺ T 림프구와 대식세포에서 분비되는 사이토카인을 포함하여 섬유모세포 증식과 콜라겐합성을 자극하는 성장인자들이 작용하여 조직이 섬유화되고, 활성화된 대식세포들이 융합하여

다핵거대세포를 형성하여 육아종이라는 염증조직의 결절들이 형성된다.

제4형 과민반응에서의 다른 세포면역작용은 세포 용해성 T 림프구 작용에 의해서 나타난다. 세포 용해성 T 림프구가 MHC class I 분자와 항원이 결합한 복합체와 반응하여 활성화되면 T 림프구가 세포 용해 기능을 갖는 작동세포로 분화하게 된다. 활성화된 세포 용해성 T 림프구는 perforin과 granzyme 같은 세포 용해 과립단백질을 표적세포 내로 운반하여 세포를 파괴한다. 또한 T 림프구 표면에 발현되는 Fas 배위자(FasL)는 표적세포의 Fas 단백질과 상호 결합하여 표적세포를 사멸하는데 작용한다. 그러나 세포 용해 T 림프구는 정상조직 세포와 미생물을 구별하지 못하기 때문에 경우에 따라서는 자가 반응적이거나 세포나 조직과 결합한 이종 단백질 항원과 반응하여 조직을 손상시킨다.

많은 장기 특이적 자가면역질환들은 자가반응 T 림프구에 의한 지연성 반응에 의해서 발생한다. T 림프구 매개성 면역 질환에서는 염증성 사이토카인이 비정상적으로 과도하게 생산되어 염증이 유발된다. Th1 림프구 매개성 질환에서의 조직손상은 IFN-γ나 TNF-α의 작용에 의해 시작된다. 미생물이나 이종 단백질에 대한 세포매개성 면역반응은 감염부위나 항원노출 부위 조직을 손상시킬 수 있다. 화학물질이나 환경 항원

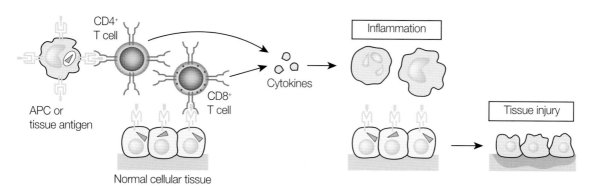

그림 1-11. CD4⁺와 CD8⁺ T 림프구에 의한 지연형 과민반응. 림프구에서 분비된 사이토카인의 작용에 의해 염증반응이 나타나고 포식세포가 활성화되어 조직 손상을 초래한다.

의 국소적 노출로 인하여 나타나는 접촉성 피부염은 지연성 반응에 의해서 발생한다. 결핵균과 같은 세포 내재성 세균은 Th1 림프구와 대식세포 반응을 강력하고 만성적으로 유도하여 육아종성 염증과 섬유화를 초래한다. 폐에서는 광범위한 조직파괴와 기능손상이 나타난다. 인슐린 의존성당뇨병(IDDM)은 CD4+ Th1 림프구에 의한 지연성 과민반응, 세포용해성 T 림프구에 의한 조직손상, 랑게르한스 췌도세포(islets of Langerhans) 부위에 침윤된 CD4+ 및 CD8+ T 림프구와 대식세포에서 생성된 TNF-α와 IL-1 같은 염증성 사이토카인 또는 췌도세포에 대한 자가항체의 작용으로 인해서 인슐린을 분비하는 췌도세포가 파괴되어 발생하는 질환이다. 류마티스 관절염은 염증을 유발하는 항원은 밝혀지지 않았지만 활막에서 활성화된 CD4+ T 림프구와 대식세포가 염증성 사이토카인을 분비하여 나타나는 염증반응에 의해서 발생한다.

바이러스에 감염된 세포는 바이러스 자체에 의한 병변이 나타나지 않아도 세포용해성 T 림프구 작용에 의해서 감염된 세포가 손상됨으로써 세포매개성 면역 질환이 발생한다. 심장조직이 coxsackie B 바이러스에 감염되어 병리학적 변화가 발생하지 않아도 세포용해성 T 림프구는 바이러스 감염으로 유발된 염증반응에 의해서 감염조직에 침윤하여 작동세포로 활성화되어 감염된 바이러스를 사멸시키는데 작용한다. 이러한 면역작용 과정에서 세포용해성 T 림프구는 바이러스에 감염되지 않은 정상 조직세포도 손상시켜 심근염을 유발시킨다. 이러한 현상은 바이러스가 감염된 심장조직에 세포용해 T 림프구가 침윤하여 조직을 손상시키게 됨으로써 정상 심장조직에 대한 자가항원이 생성되거나, 변질된 조직에 대한 자가면역 반응에 의해서 자가면역 질환인 심염이 발생하게 된다.

4. 알레르기 염증반응의 병인

면역반응은 자기(self)와 남(non-self)을 구별함으로써 자기가 아닌 미생물의 침입에 의한 질병으로부터 숙주를 보호하는 반응이다. 그러므로 인체가 건강한 생활을 영위하기 위해서 면역반응은 필수적으로 존재하여야 할 인체의 방어기전이다. 그러나 이러한 면역반응의 존재에 의하여 도리어 질병이 생기는 경우가 있다. 인체 내에 존재하는 일부 장기를 자기가 아니라고 생각하여 이를 제거하려는 노력의 일환으로 면역반응이 발생하여 질환이 유발되는 자가면역 질환 그리고 대부분의 사람들이 자기의 일부라고 생각하여 면역반응을 일으키지 않았던 물질(식품, 화분, 동물의 비듬, 집먼지진드기 등)을 남이라고 생각하여 면역반응을 일으켜 유발되는 알레르기질환이 그 대표적인 예이다. 알레르기란 어원은 희랍어의 allos (changed)와 ergos (action)의 합성어로서 변형된 면역반응을 의미한다. 그러므로 알레르기질환은 면역반응이 일반적인 양상을 따르지 않고 너무 과민하게 변형되어 반응함으로써 도리어 질병이 발생되는 것이다. 과민반응에 의한 알레르기질환들의 발병은 각각의 과민반응에 따라 특이적으로 관여하는 면역글로불린, 림프구, 작동세포 그리고 이들 세포에서 생성, 분비되는 화학매개체들의 상호 작용에 의한 알레르기 염증에 의하여 다양한 형태로 나타난다.

가. 알레르기 염증의 발생 기전

아토피피부염, 기관지천식, 알레르기비염, 알레르기결막염 등과 같은 알레르기질환들은 대부분 Gell과 Coombs의 과민반응 4가지 유형 중 IgE 매개에 의한 제 I 형, 즉시형 과민반응 시 작동세포에서 분비되는 화학매개체의 생물학적 작용에 의하여 유발된다.

항원 특이 IgE가 부착된 비만세포가 동일한 항원에 다시 노출되어 비만세포 표면의 IgE들이 항원에 의하여 교차결합(bridging)되면 이것이 신호가 되어 세포막에 존재하는 methyltransferase가 활성화되고 이에 따라 세포막 인지질(phospholipid)에 변화를 초래한다. 인지질의 변화에 의하여 세포막의 칼슘 경로가 열려 세포외 칼슘이 세포 내로 유입되고 이런 칼슘 유입에 의하여 과립주위 미세관(perigranular microtubule)이 활성화되면 과립은 세포막과 연결되어 과립 내에 이미 존재(preformed)하고 있던 히스타민 등과 같은 화학매개체가 세포 외로 분비된다. 이렇게 과립 내에 존재하던 화학매개체가 세포 외로 분비되면서 동시에 세포막 인지질에서 새로운 화학매개체(newly generated chemical mediator)가 대사과정을 통해 생성된다.

칼슘에 의하여 활성된 phospholipase A2가 세포막 인지질을 아라키돈산(arachidonic acid)으로 대사하며 아라키돈산은 다시 cyclooxygenase에 의하여 prostaglandin 등으로, lipoxygenase에 의하여 류코트리엔(leukotriene) 등과 같은 화학매개체로 대사되어 세포 외로 분비된다.

이들 화학매개체에 의하여 즉시형 과민반응의 조기 반응과 후기 반응이 나타나는데 조기 반응은 항원 노출 후 수 분에서 수십 분 내에, 후기 반응은 2~4시간 뒤에 나타나 6~8시간에 정점에 이르며 24~48시간까지 지속하기도 한다.

기관지 천식을 예로 들면, 항원 노출 후 두 단계의 기관지 수축 반응이 나타나는데, 조기 천식 반응과 후기 천식 반응이다. 조기 천식 반응은 기도 조직에서 기도 염증이나 형태의 변화 없이 나타나는 단순한 기관지 수축 반응이 특징이다. 이러한 조기 천식 반응은 비만세포-IgE 매개에 의해 분비되는 기관지 수축의 강력한 매개체인 경련인자들(히스타민, 프로스타글란딘 D$_2$, cysteinyl-peptide 류코트리엔(LTC$_4$, LTD$_4$, LTE$_4$))의 생물학적 작용에 의해 일어난다.

즉시형 반응에 뒤이어 후기 천식 반응이 나타나는데 기도의 광범위한 염증반응과 형태학적 변화를 동반한 지속적 기관지 수축이 특징이다. 후기 천식 반응은 염증 세포의 증가, 특히 활성된 T 림프구와 호산구의 증가와 연관이 있다. 활성화된 T 림프구와 호산구 수의 증가는 기도 상피 세포의 손상, 기도 반응성의 증가, 질병의 중증도와 상관성이 있다고 하며 이와 같은

후기 반응이 반복적으로 일어나면 기도의 만성 염증 소견과 기도개형이 유발된다.

이와 같이 과거에는 후기 반응이 단순히 조기 반응에서 분비된 화학매개체에 의하여 병변으로 이동된 호산구와 호산구의 MBP, ECP, EDN, EPO 등과 같은 독성 과립 단백질의 세포 및 조직 손상에 의한다고 생각하였다. 그러나 근래에는 후기반응이 호산구의 관여에 의해서만이 아니라 세포 매개성 과민반응에 의해서도 유발된다고 한다. 즉 T 림프구, 특히 Th2 세포에서 여러 작동세포에 영향을 주는 다양한 사이토카인들이 생성되어 이런 사이토카인들에 의한 여러 세포들의 염증작용에 의하여 유발된다고 한다.

기관지 천식에서 나타나는 기도과민성, 만성 폐쇄성 증상, 기도개형 등은 반복적으로 항원에 노출되어 발생한 지속적인 후기 반응에 의한다고 할 수 있다(그림 1-12).

나. IgE

면역글로불린 E(IgE)는 혈장에 아주 소량이 존재하는데 IgG, IgA, IgM이 발견된 지 10년 후인 1967년에야 Ishizaka 등에 의해 밝혀졌다. IgE는 MALT (mucosal associated lymphoid tissue)의 형질세포(plasma cell)에서 주로 생성되며 천식, 알레르기비염, 아토피피부염 같은 아토피 상태를 가진 사람들에게서 증가되어 있다. 아토피 소인의 사람에서 알레르기 항원 특이 IgE (allergen-specific IgE)가 생성되는 것은 유전적인 것이 원인일 수도 있고, 만성적인 알레르기 항원 노출 등 환경 요인이 원인일 수도 있다. B 세포에서 IgE가 생성되는 일련의 과정들은 heavy chain gene locus의 비가역적인 변화를 포함하며 이것은 아주 세밀하게 조절된다. 그 과정에는 사이토카인(IL-4와 IL-13) 신호와 B cell CD40과 활성화된 T cell 배위자(ligand) 간의 상호작용이 필요하다.

IgE는 친화력이 높은 IgE 수용체인 FcεRI과 친화력이 낮은 수용체 CD23을 통해 기능을 발휘한다. 즉시

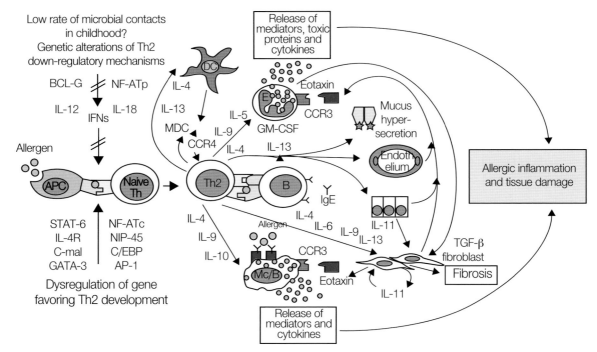

그림 1-12. 알레르기 염증반응의 기전

형 과민반응에서 FcεRI을 통해 비만세포에 부착된 IgE
에 항원이 결합하여 급성 조직 염증반응의 혈관 작용
및 화학주성 매개체(vasoactive and chemotactic
mediator)가 분비되는 일련의 과정이 시작된다. IgE
유발성 즉시형 과민반응에는 음식, 약물, 벌레물림에
의해 유발되는 전신성 아나필락시스, 알레르겐 흡입
후의 급성 기도폐쇄, 항원 피부시험에서 팽진과 발적
이 나타나는 것들이 있다.

IgE가 항원 특이 즉시형 과민반응에서 주된 기능을
한다고 잘 알려져 있지만 항원과 상관없이 IgE 수용체
를 발현시키고 세포기능을 발현 하기도 한다. IgE는
비만세포와 B세포에서 각각 FcεRI와 CD23의 발현을
상향 조절하여 지속적인 알레르기 반응을 증강시킨
다. 또한 FcεRI을 통하지만 항원과 상관 없는
monomeric IgE 신호는 비만세포가 생존하는데 필요
하다. CD23에 IgE가 부착되면 B세포에 의한 항원 흡
수가 증가해서 특이 T 세포에 포획된 항원을 제시하여

2차 면역반응이 증강되며 또한 면역 조절 능력을 가진
soluble fragment인 sCD23이 단백용해작용으로 없어
지는 것을 막는다.

1) IgE의 단백 구조와 유전자 구성

IgE는 2개의 중쇄(ε-heavy chain)와 2개의 경쇄(light
chain; κ or λ)로 구성된 tetramer이다(그림 1-13).

한 개의 중쇄는 하나의 가변부위(variable region:
VH)와 4개의 불변부위(constant region)를 가지며 가
변부위는 경쇄의 부위(VL)와 함께 항체에 특이성을 부
여하며, 불변부위는 FcεRI, CD23과의 상호작용을 포
함해서 각 면역글로불린 별로 특별한 기능을 갖는다.

IgE는 상대적으로 많이 당화(glycosylation)되어 있
고, 내부에 수 많은 쇄간 이중 설파이드 결합(interchain
disulfide bonds)을 갖는다.

IgG는 반감기가 3주인데 반해 IgE는 혈장에서는 하
루 이하이며 조직의 비만세포에 부착되어 있는 경우

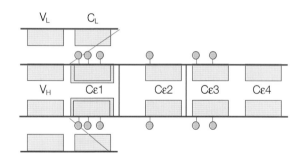

그림 1-13. IgE 항체 구조

수 주 또는 수개월 존재할 수 있다.

2) IgE의 생성과 조절

IgE isotype switching을 위한 T와 B 세포의 상호작용에는 다음과 같은 과정이 필요하다. Isotype switching이 일어나려면 먼저 항원 또는 알레르겐이 항원 또는 알레르겐 특이 T 세포와 상호 작용하여 B 세포와 접촉이 일어나야 한다. 이 때 알레르겐 특이 IgM 항체를 세포 표면에 발현하고 있는 B 림프구에 알레르겐이 결합하면 알레르겐은 세포 내로 이동 후 처리(processing)되어 MHC class II를 통해 알레르겐 특이 제2형 조력 T 세포(Th2)에 제시(presentation)된다.

제시된 B 세포의 MHC class II와 T 세포 항원 수용체(TCR)/CD3 복합체의 결합으로 CD154가 빠르게 발현되어 B 세포의 CD40과 결합하게 된다. CD40/CD154에 의한 T/B 세포 상호작용은 CD28/CD80-CD86 배위자/수용체와 같은 협력 자극 분자 사이의 상호작용에 의해 증폭된다. CD40 결합으로 B 세포의 CD80 (B7.1)-CD86 (B7.2) 발현이 상향 조절되며 CD28과 결합하여 IL-4와 IL-13의 분비가 유도되어 B 세포의 사이토카인 수용체와 결합한다. 이 단계에서 B 세포는 IgE switching을 위해 2단계가 필요하게 된다. T 세포에서 분비된 IL-4에 의해 ε 배선전사(ε germline transcription: GLT)가 촉진되고 CD40과 CD40 배위자의 가교결합을 통해 ε switch 영역에서의 DNA 재조합을 활성화시켜 IgE isotype switching과

IgE 분비가 일어나게 된다. B 세포들이 IgE를 합성하기 위해서 요구되는 두가지 신호 중 하나는 사이토카인 의존적으로 Ig locus의 특별 부위에서 전사(transcription) 과정의 활성화가 일어나 isotype의 특이성을 결정하는 것이고, 두번째는 CD40에 의존적으로 CD40/CD40 ligand (CD154)의 상호관계를 통해 재조합과정을 활성화시켜 DNA switch 재조합을 일으키는 것이다(그림 1-14).

IL-4와 IL-4 수용체간의 상호관계로 인해 IgE에 대한 switching의 최초 신호가 발생한다.

최근에는 또 다른 사이토카인인 IL-13이 B세포에 의한 IgE의 생성 유도 기능 뿐 아니라 IL-4의 기능적 특성의 다수를 보이는데, 이것은 이들 사이토카인의 수용체가 IL-4R-α chain을 공유하기 때문이다. 즉 IL-4 수용체는 ligand-binding IL-4Rα와 spinal- transducing common cytokine receptor γ-chain γ c로 구성(IL-4Rα: γc)되어 있으며, IL-13 수용체는 IL-13 binding chain (IL-13 Rα_1 or IL-13 Rα_2)과 IL-4R-α chain을 포함하고 있다(IL-4Rα:IL-13α1과 IL-13Rα_1:IL-13Rα_2). IL-4 수용체가 전하는 신호는 IL-4Rα를 통하여 Janus family tyrosine kinase Jak-1과 γc를 통해 Jak-3 활성화를 일으키게 한다. IL-13Rα는 Jak-2와 TYK2와 연관되어 있다. 이 활성화된 Jaks는 receptor chain의 세포내 영역에 있는 tyrosine residue를 인산화시킨다. 이때 생긴 phosphotyrosine이 STAT-6의 결합 부위로 작용하여 교대로 인산화된 후 이합체화(dimerization)되고 핵으로 이동하게 된다(그림 1-15).

IL-4와 IL-13의 차이점으로 IL-4는 항원 수용체를 통한 T 세포의 자극 후에 생성되어 첫 24시간 동안 소량만이 분비되는 반면 IL-13은 최소한 6일 동안 다량이 분비되며, IL-4와 달리 IL-13은 인간 T 세포에 어떠한 영향을 미치지 않는다는 것이다.

3) IgE 수용체

고친화력 IgE 수용체 FcεRI 는 2가지의 동형으로 표현되는 다중 결합 복합체인데, 4중 결합 αβγ_2 수용체

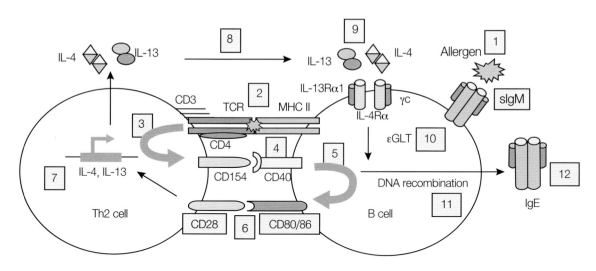

그림 1-14. IgE를 생산하기 위한 T/B 세포 상호작용

는 비만세포와 호염기구에, 3중 결합 $\alpha\gamma_2$수용체는 비록 10~100배 정도 적은 수준으로 존재하지만, 호산구, 혈소판, 단핵구, 수지상 돌기세포, 표피 랑게르한스 세포에 표현되어 있다. α-chain은 2개의 세포외 면역 글로불린 관련 도메인을 포함하고 있고 IgE와 결합하는 역할을 한다. 수용체의 β-subunit은 원형질막의 세포질에 N-, C-terminal을 가진 4개의 transmembrane-spanning domain들로 구성되어 있다. FcϵRI-β는 수용체의 활동성을 증가시킬 수 있는 두 가지 기능을 가지고 있다. β-chain의 표현은 세포 표면에서 FcϵRI 의 밀도를 증가시키고 IgE 응집에 의해 수용체가 활성화된 후 전달된 신호를 증폭시킨다. T 세포 수용체에서 신호를 전달하는 데 중요한 역할을 하는 ζ, η chain과 상동관계인 γ-chain은 교막성 영역과 세포질 꼬리를 가지는 disulfide-linked dimers로 존재한다. β와 γ-chain은 신호전달에서 중요한 역할을 한다

5. 면역계의 조절과 알레르기

가. 알레르겐 특이 T 세포반응의 조절

B세포에서 IgE 스위치 재조합이 일어나기 위해서는 IL-4와 IL-13같은 사이토카인과 조화를 이루면서 전달되는 CD40 ligand (CD154)를 필요로 하는데, 이 두 자극들은 Th2 형태의 알레르겐 특이 조력 T 세포에 의해 제공되어 진다. 따라서 Th2 세포들의 확장과 생존을 조절하는 기전들은 IgE반응을 조절하는데 중요한 역할을 한다.

1) 보조 T 세포의 발달

CD4$^+$ T 세포는 분비하는 사이토카인 종류에 따라 인터페론 감마(IFN-γ)와 IL-2를 만드는 Th1과 IL-4, IL-5, IL-6, IL-9, IL-10, IL-13과 GM-CSF를 생산하는 Th2로 분류할 수 있다(그림 1-16).

알레르기가 있는 경우 Th2 발달을 증진시키는 숙주와 환경 요소들 모두가 관찰된다. 인간에서 항원에 대한 알레르기 반응을 발전시키는 성향은 거의 동일한 환경에서 성장한 개인들 사이에서도 크게 다양하며 이

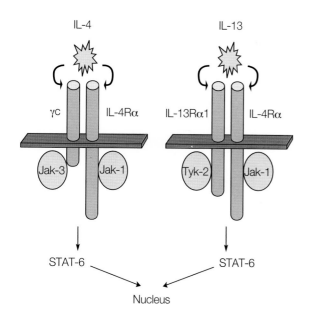

그림 1-15. IL-4와 IL-13 수용체 구조

러한 알레르기 경향은 가족성을 띤다. Th1 또는 Th2에 대한 유전적 경향은 Th1 대 Th2 사이토카인을 전사하는 T 세포의 자동적 성향에 의해 설명되나 역시 T 세포에 대한 여러 가지 외부적 영향의 결과일 수 있다. 대부분의 Th1/Th2 분극 효과(polarizing effect)는 사이토카인 환경, 특히 IL-4, IL-12, IFN-γ의 조직농도에 의해 나타난다. IL-4는 Th2 반응을 증진시키고 Th1 발달을 억제하며, IL-12는 Th1 분화를 유도하고 이 효과는 IFN-γ가 존재할 때 더 크게 나타나서 Th2 발달을 방해하거나 심지어 역전시킬 수 있다. 진행 중인 면역반응에서 이러한 사이토카인은 특별한 Th 표현형에 이미 초회 감작된 T 세포에 의해 제공될 수 있다. 새로운 항원을 만날 때 "선천"(innate) 면역반응을 가진 세포에 의해 생산된 사이토카인들이 균형을 뒤집을 수 있다.

2) T 세포 이외의 IL-4 공급원

항원 특이 조력 T 세포가 알레르기 조직에서 IL-4의 중요한 공급원이지만 호흡기나 위장관 점막에 풍부한 비만세포도 IgE/FcεRI를 통해 활성화된 후 IL-4와 IL-

13을 많이 생산해 낸다. NK1.1⁺ CD4⁺ T 세포도 IL-4를 생산한다. 이 세포들은 αβT 세포 수용체의 매우 제한된 저장소이며 non classical MHC class I molecule CD1과 상호작용 한다. NK1.1 세포를 많이 가지고 있는 쥐는 IL-4의 생산과 IgE 합성을 촉진시키는 반면, 부족한 쥐는 Th2 반응을 억제한다. 또한 NK 세포는 항원에 대한 면역반응에서 초기에 IL-4를 제공한다. 사람의 NK 세포들은 IL-10과 IFN-γ를 분비하는 NK1 또는 IL-5와 IL-13을 분비하는 NK2로 분화한다. 천식과 바이러스 호흡기 감염 사이의 밀접한 관계에서 보면 특히 첫 2~3년 동안 NK 세포는 조직 사이토카인의 농도에 중요한 역할을 한다.

나. IgE와 환경

위생가설에 따르면 내독소(endotoxin)와 lipopolysaccharide (LPS)와 같은 세균 생성물과의 접촉이 알레르기 감작에 영향을 줄 수 있다.

LPS/내독소 같은 세균병원체, CD14 그리고 조력 T 세포(Th) 분화는 외부 자극에 의해 개시되는 회로에서 역할자로서 작용하여 IgE 반응을 상승 또는 억제시킬 수 있다. 알레르겐은 제 2형 조력 T 세포(Th2) 분화, IL-4/IL-13 발현과 IgE 생산 증가를 유도하며, CD14의 하향 조절과 그로 인해 감소된 LPS에 의한 IL-12와 IL-18의 유도 발현 억제는 Th2 분화를 일어나게 한다. 반대로 알레르겐이 세균 배위자에 의해 동시에 자극된 항원제시세포에 제시되면 자연 면역 경로를 택하게 되어 CD14 발현과 LPS 반응이 증가됨으로써 IL-12와 IL-18 발현이 증가되고 Th2 분화 감소와 IgE 반응 억제가 일어나게 된다(그림 1-17).

다. IgE의 조절에 대한 치료적 전략

IgE 조절에 대한 자세한 이해는 IgE 합성의 유도에 대한 몇 가지 단계를 치료적 전략의 중요한 목표로 하여 다수의 접근방법들이 최근 들어 개발되고 있으나 아직 그 대부분은 실험적 단계에 있다.

1) 수용성 사이토카인 수용체

세포 활성화에 매개되지 않고 자연히 발생된 사이토카인을 비활성화시키는 용해성 사이토카인 수용체들의 잠정적인 유용성이 최근 관심을 받고 있다.

네불라이져를 이용하여 재조합 인간 IL-4R를 흡입시킴으로 천식환자에서 폐기능을 의미있게 증가시키고, 알레르겐에 의해 유도된 쥐의 폐 염증을 감소시키는 임상적인 연구가 시도되었다. 수용성 IL-13R 또한 쥐에서 천식과 같은 증상을 제거하는 것으로 나타났으나 아직 사람에서는 연구되지 않았다. 이들은 사이토카인 경로를 막아 IgE 수치를 감소시킨다.

2) IL-12

최근 많은 전략들이 Th2 반응보다는 Th1반응을 향한 Th 세포 발달을 유도하는데 목적을 두고 있다. 이를 위해 특히 시험관과 생체내에서 모두 Th1의 발달을 시작하는데 필수적인 사이토카인인 IL-12를 이용하여 사이토카인 망에 영향을 가하는 것이 가능할 것이라고 제안하였다.

세균의 DNA에서 흔한 탈메틸화 처리된 CpG 모티프가 쥐에 주사되면 Th1 사이토카인인 IL-12와 IFN-γ 발현이 유도된다. CpG 모티프를 함유하고 있는 합성 oligonucleotide들은 항원-특이성 인간 CD4⁺ T 세포로부터 Th1 사이토카인의 발현을 유도하게 한다. 쥐에게 CpG DNA를 주입하면 IL-13, IL-4, IL-5 뿐 아니라 IgE의 발현까지도 감소시킨다. 이러한 면역자극 결과물(immunostimulatory sequences, ISS)들은 면역치료에서 Th1반응을 유도하는 항원보강제(adjuvant, 애쥬번트)로 간주되고 있다. 항원-ISS 결합물의 투여는 단순히 그 화합물들을 동시에 주입하는 것 이상으로 더 강력한 Th1반응을 일으킨다. 더욱 더 중요한 것은 Th2반응이 일어나도록 준비된 쥐에 항원-ISS 결합물을 주입할 때 새로이 Th1반응이 시작되고 더 높은 특이 IgG치와 함께 IgE 형성의 억제가 일어나는 것으로

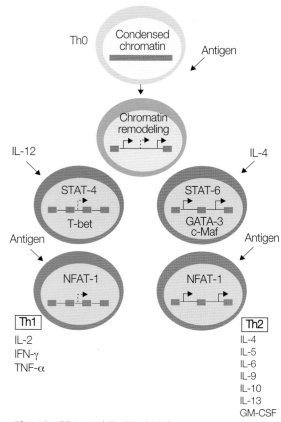

그림 1-16. CD4⁺ 조력 T 세포의 분화

이 결합체는 현재 임상 실험단계에 있다.

3) Glucocorticoids

Glucocorticoids는 생체내에서 장기간 IL-4와 IL-13의 생성을 억제하도록 유도하여 결국은 IgE 생성의 첫 단계를 막게 한다. 최근에 국소적으로 glucocorticoid를 주입하여 기도점막에서 εGL 전사와 IgE 합성을 방해하는 것이 관찰되어, 조직에서 IgE 생성을 막는 능력 때문에 국소적인 corticosteroid의 사용이 유용하게 보인다.

4) STAT-6 차단제

다수의 전사 인자들이 직간접적으로 IgE 합성을 매개하는데 관련되어 있지만 이들 대부분은 다른 조절 경

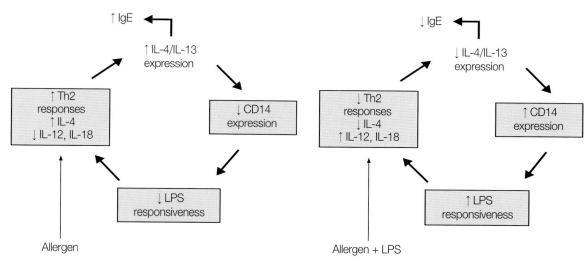

그림 1-17. 알레르기 감작과 내독소

로에 관여하고 있고 그 자체로 좋은 치료 목표는 제공하지 않는다. 그러나 STAT-6는 IL-4R 경로에 대해 특이성을 나타내기 때문에 STAT-6 차단제는 특히 Th2 commitment와 IgE 유도에 대한 IL-4의 영향을 없애는데 효과가 있어서 적극적으로 연구되고 있다.

5) Disodium cromoglycate와 nedocromil sodium

천식의 예방약으로 쓰이는 이들 약제는 B세포에 직접적으로 작용하고 결손 스위치 재조합을 목표로 함으로써 IgE isotype switching을 막는다. IgE 이외의 다른 isotype들의 합성도 억제되나, 반대로 GL 전사는 영향을 받지 않는다. IgE 합성에 대한 억제효과는 알레르기 반응과 연관된 다양한 염증세포도 억제하여 이 약제들의 효율성을 좀 더 강화시킨다.

6) 항 IgE 항체

최근 많은 연구들이 다양한 항 IgE 항체들의 치료적 잠재력을 평가하는데 진행되고 있는 실정이다. 첫 번째 방법은 분비된 IgE가 아니라 막의 일부인 IgE의 부분에 대한 항체를 생성하는 것으로 B세포막에 선택적으로 발현된 IgE isoform이 구조적으로 확실하게 존재하였을 때 예상되며, 표면에 IgE를 갖고 있는 세포들(surface IgE-bearing cells)을 제거하는 것이 목적이다. 두번째 방법은 고 친화력 IgE 수용체(FcεRI)에 대한 특이 IgE 부착부위를 목표로 하는 접근 방법으로 IgE/FcεRI 상호관계를 광범위하게 분석하고, FcεRI 결합에 연관된 IgE 잔재를 확인하며 또 높은 친화력을 가진 IgE가 수용체에 결합하는 것을 예방할 수 있는 인간화된 항체들(rhuMab-E25)을 생성해 내는데 달려 있다. 현재까지의 임상적 시도들은 E25가 FEV$_1$ 감소와 같이 알레르겐에 의해 유도된 천식의 증상 억제와 혈청 IgE를 감소시키는데 효과적이어서 비만세포와 호염기구의 표면에 부착된 IgE 밀도를 주로 낮추는데 관여하는 것으로 추측된다. 이러한 치료는 glucocorticoid의 용량을 차츰 줄일 수 있도록 하기 때문에 중등증-중증 천식 증상을 가진 환자 치료에 유효하게 보인다.

7) 정맥주사용 면역글로불린

정맥주사용 면역글로불린(IVIG)은 면역증강 그리고 면역조절제로서 자주 쓰이는 IgG의 cocktail로 고용량의 IVIG 치료는 천식의 증상을 호전시킨다. Anti-

CD40/IL-4와 IVIG로 배양된 B세포들의 εGL 전사 뿐 아니라 IgE마저 의미 있게 덜 발현되기 때문에, IgE isotype switching의 감소가 효과의 부분적인 원인이 된다. F(ab´)2 와 Fc 부위 모두 IVIG가 매개하는 IgE 생산의 억제에 기여 한다. 수용체 FcγRIIB는 FcεRI의 작용을 억제하는 immunoreceptor tyrosine-based inhibition motif (ITIM)부위를 포함하는데 이러한 작용을 위해 필요할 것으로 밝혀졌다.

6. 알레르기 염증반응에 관여하는 세포

알레르기질환의 특징은 호산구, 호중구, 림프구, 호염기구, 대식세포 등의 염증세포가 비정상적으로 많이 염증부위에 침윤되는 것이다. 이러한 염증세포가 알레르기질환의 병인에 있어 중요한 역할을 한다.

가. T 세포

T 세포는 세포표면에 표현되는 항원특이 수용체의 종류에 따라 구분하는 특이 림프구로서 CD4항원과 CD8항원의 표현여부와 기능에 따라 두 가지 아형으로 분류하고 있다. CD4⁺ T 세포는 MHC class II 분자와 연관된 항원을 인식하고 다양한 면역반응을 조절하며 CD8⁺ T 세포는 MHC class I 분자 연관 항원을 인식하며 주로 세포독성 기능을 나타낸다.

CD4⁺ T 세포는 IgE 생성, 비만세포와 호산구의 기능 조절 등 알레르기질환의 면역병태생리에 있어 중추적 역할을 하는 것으로 알려져 있다. CD4⁺ T 세포는 다시 생성하는 사이토카인 종류와 면역기능에 따라 CD4⁺ Th1 세포와 CD4⁺ Th2 세포로 구분된다. CD4⁺ Th1 T 세포는 IL-2, tumor necrosis factor (TNF)-β와 interferon (IFN)-γ을 생성하며 지연형 과민반응에 중요한 역할을 하며, CD4⁺ Th2 T 세포는 IL-4, IL-5, IL-9, IL-10, IL-13를 분비하여 항체 생성과 알레르기반응을

촉진한다. 두 아형 모두 IL-13과 granulocyte - macrophage colony-stimulating factor (GM-CSF)를 생성하지만 알레르기질환에서는 CD4⁺ Th2 아형이 주로 활성화 된다. 즉 CD4⁺ Th2 T 세포는 알레르기질환의 심한 정도와 밀접히 관련된 것으로 보아 이 질환의 병태생리에서 중요한 역할을 함을 알 수 있다. Th2 세포는 특히 IL-4, IL-13을 생성하여 알레르기질환의 여러 특징적 소견을 나타내지만 다른 세포 즉 호산구, 호염기구, 비만세포 등도 동일한 사이토카인 을 생성한다. IL-4는 Th2 세포 분화와 IgE 생성을 촉진하고 조직 내 호산구 증가를 초래하며, IL-13은 IgE 생성, 점액분비, 호산구수와 생존기간의 증가, 유착능력증가, 기관지 과민반응 등을 유도한다. 실험적으로 IL-4나 IL-13의 수용체가 결핍되거나 차단된 동물에서 천식의 특징적인 소견들이 나타나지 않는 것으로 보아 위의 염증반응 경로를 차단함으로써 다양한 치료약제의 개발이 가능할 것으로 보인다. 현재 anti-IgE, anti-IL-4, anti-IL-5와 같은 알레르기 반응을 억제할 수 있는 초기단계의 임상적 실험이 진행 중이다.

나. 호산구

호산구(eosinophil)는 다양한 기능을 가진 백혈구로 특히 알레르기 염증반응에 관여한다. 호산구는 IL-5 수용체를 갖고 있는데 IL-5는 호산구수 증가와 호산구 생존기간의 연장, 활성화 자극에 대한 호산구의 반응을 증가시킨다. IL-5가 결핍된 쥐는 알레르겐으로 자극 후에도 골수나 혈액 내의 호산구수 증가나 기도 내 호산구의 선택적인 증가가 나타나지 않을 뿐 아니라 기관지 과민반응도 나타나지 않음이 관찰되고 있다. 또한 호산구는 세포 표면에 다양한 수용체를 갖고 있으므로 케모카인, 면역글로불린, 보체단백 등과 결합하게 되면 호산구가 활성화되어 호산구과립단백이 유리된다. 과립단백에는 major basic protein (MBP), eosinophil cationic protein (ECP), eosinophil derived neurotoxin (EDN), eosinophil peroxidase (EPO) 등이

있으며 세포독성작용으로 인하여 기도조직에 심각한 손상을 미치게 된다. 이러한 ECP와 EDN의 세포독성작용은 세포의 리보핵산을 파괴하는 과정을 통해 이루어지며 한편으로 이러한 독성작용이 항바이러스 효과도 있는 것으로 간주되고 있다. 이와 같은 염증반응으로 인한 조직손상은 불안정한 산소기(oxygen radicals)의 작용에 의해 더욱 증대되고 MBP는 비만세포와 호염기구를 직접 탈과립시켜 염증반응을 증가시킨다. MBP는 세포독성작용 외에도 직접 미주신경 M2 수용체 기능을 마비시킴으로써 기도평활근 활성을 증가시키고, M2 수용체에 대한 경쟁적 억제작용을 통해 아세틸콜린 유리를 증가시켜 기도과민반응을 유도하기도 한다. 호산구 활성화는 많은 양의 LTC4의 생성을 초래하여 혈관투과성과 점액분비를 증가시키고 평활근 수축을 일으킨다. 또한 활성화된 호산구는 다양한 사이토카인 IL-1, -3, -4, -5, -13, GM-CSF, transforming growth factor (TGF)-α/β, TNF-α, RANTES, macrophage inflammatory protein (MIP)-1α, eotaxin을 분비함으로써 염증반응을 증대시키므로 조직손상은 더욱 심해지게 된다. 호산구는 또한 신경활성물질 (substances P, vasoactive intestinal peptide)을 생성하는데 호산구성 질환을 앓는 환자들의 검체에서 신경주위에 많은 탈과립된 호산구가 관찰되는 것으로 보아 신경의 염증성 변화도 초래하는 것으로 생각된다. 이외에도 호산구는 항원제시세포로 작용하여 항원특이 면역반응을 일으킨다. 이와 관련하여 호산구는 co-stimulatory molecules (CD40, CD29, CD86, B7)을 표현하며 T 세포의 증식과 성숙을 유도하는 사이토카인들인 IL-2, -4, -10, -12 등을 분비하며 MHC class II 분자를 표현하고 있다.

다. 비만세포

비만세포(mast cell)는 알레르기반응의 주된 세포로 알려져 있지만 선천성 면역반응에 중요한 역할을 하는 사이토카인을 생성하기도 한다. 골수 내에서 분화가 완료되는 다른 혈액 세포들과는 달리 비만세포의 모세포는 골수를 벗어나서 피부, 위장관, 호흡기점막, 결막 등의 조직에서 분화를 완성한다. 비만세포는 위치해 있는 조직과 면역학적 상태에 따라 서로 다른 아형으로 존재하여 함유하는 neural protease 종류에 따라서도 구분되는데 tryptase만 갖는 MC$_T$은 주로 폐와 소장의 점막에 분포하고, tryptase chymase, carboxypeptidase, cathepsin G를 함유하는 MC$_{TC}$는 주로 위장관 점막하조직에 분포한다.

비만세포의 활성화 경로는 다양하나 전형적인 경우는 비만세포나 호염기구 표면에만 존재하는 고친화성 IgE 수용체(FcϵRI)에 결합한 IgE에 다가항원 (multivalent allergen)이 교차결합하여 이루어진다. 이외에도 비만세포는 다른 물질들 즉 calcium ionophore A23187, basic polypeptide (polylysine, polyarginine), eosinophil granule protein, morphine sulfate, 케모카인, formyl-methionyl-leucyl-phenylalanine (fmlP) 펩타이드, 보체분해산물(C5a), substances P 등과도 반응한다.

비만세포는 배위자가 표면의 수용체와 결합하면 활성화되어 과립단백을 세포 밖으로 유출시키는데 이때 히스타민, 신경분해효소, 사이토카인, acid hydrolases, proteoglycans 등 이미 생성된 화학매개체들이 유리된다. 이어서 비만세포는 강력한 화학매개체를 새롭게 생성하여 유리하는데 prostaglandin D2, LTC4 등이 대표적이다. 비만세포내 단백성분의 20%는 tryptase로 염증전구 단백분해효소로서 보체단백분해 등 다양한 기능이 있다. 비만세포 과립 내에는 다양한 사이토카인(TNF-α, IL-1, IL-4, IL-5, IL-6, IL-8)이 존재하며 알레르겐이나 사이토카인으로 활성화된 비만세포는 사이토카인의 생성과 분비를 증가시키게 된다. 비만세포 생성물 중 히스타민 등은 알레르기반응의 초기단계에 중요한 역할을 하는 것으로 알려져 있지만 사이토카인의 역할은 아직 분명히 밝혀지지 않고 있다.

라. 호염기구

호염기구(basophil)는 호산구와 같은 계열의 조혈세포로서 실제 호산구와 호염기구의 모세포는 동일한 것으로 알려져 있다. 호염기구는 골수 내에서 완전히 성숙되어 혈류 내 전체 백혈구의 2%를 차지한다. 비만세포와 유사하게 세포표면에 FcεRI가 존재하며 과립 내 히스타민을 함유하고 있다. 비만세포와는 핵의 분엽 여부, 전자현미경적 구조, 성장인자, 과립성분, 세포표면의 표식자 등으로 구분할 수 있다. 인간의 호염기구는 IL-3에 반응하여 성장하며 성숙한 호염기구는 세포표면에 IL-3 수용체를 표현하는 등 IL-3는 호염기구의 강력한 활성화 사이토카인이다.

호염기구 역시 다양한 과정을 통해 활성화되며 세포표면 IgE의 교차결합에 의해 미리 생성된 히스타민, 단백분해효소 등의 화학매개체를 유리하고 이어 LTC4도 생성한다. 호염기구는 미량의 tryptase를 제외하고는 비만세포에 존재하는 단백분해효소는 없으나 IL-4나 IL-13 같은 사이토카인을 분비하며 IL-4 분비량은 Th2와 유사하다. 호산구처럼 호염기구는 FcαR를 표현하므로 IgA나 CCR3 배위자에 의해서도 활성화되며 강력한 히스타민 유리물질인 macrophage chemoattractant protein (MCP-1)의 배위자인 CCR2와 같은 다양한 케모카인 수용체도 표현하고 있다. 최근 호염기구를 특이적으로 인식할 수 있는 2D7이나 basogranin에 대한 단클론항체가 개발되어 알레르기 조직내의 호염기구 검출과 분석이 가능하게 되었다. 이러한 시약들을 이용하여 호염기구가 알레르겐으로 유발된 후기피부반응에서 증식되고 RANTES나 MCP-3의 출현과도 관련된 것으로 밝혀지고 있다.

마. 대식세포

대식세포(macrophage)는 조직 내 분포하는 세포로 골수 내 조혈모세포에서 기원하며 혈류 내에서는 단핵구(monocyte) 상태로 존재한다. 정상 건강상태에서 는 골수 colony-forming세포는 monoblast와 promonocyte를 거쳐 빠르게 monocyte로 되어 3일 내에 혈류에 유입되어 혈류 내 백혈구의 5%를 차지한다. 조직으로 이송된 단핵구는 분포하는 조직에 따라 형태학적, 조직화학적, 기능적으로 서로 다르게 분화하여 수개월까지 생존하게 된다. 분포조직에 따라 피부나 장의 수지상세포(dendritic cell), 간의 Kupfer cell, 폐의 폐포대식세포(alveolar macrophage) 등이 있으며, 분포하는 기관의 기능유지에 중요한 역할을 한다. 즉 안구나 유선 발달에 기여할 뿐 아니라 surfactant lipid와 protein의 분해에도 관여하여 정상 폐의 surfactant 대사과정에도 필요하다.

Macrophage colony-stimulating factor (M-CSF)-1은 단핵구가 대식세포로 분화하는 것을 촉진하는데 M-CSF-1 유전자의 돌연변이가 쥐에서는 조직 내 대식세포가 결손되어 있다. 게다가 GM-CSF는 대식세포의 분화와 기능 뿐 아니라 골수계 모세포의 생존, 분화, 기능도 촉진하는데 예로 GM-CSF 유전자를 제거한 실험적 쥐에서 폐포단백질증(pulmonary alveolar proteinosis)이 나타나고 폐포대식세포의 기능이상이 발견된다.

조직 내 대식세포는 조직으로의 이송, 탐식작용 뿐 아니라, 다른 염증세포의 특정 조직 내 증식 및 활성화도 유발하므로 선천면역에 크게 기여한다. 예로 대식세포에는 toll과 같이 수용체를 매개로 하여 병원체를 인식할 수 있는 분자가 표현되어 있으므로 후천성면역반응에 중요한 역할을 하는 사이토카인인 IL-12, IL-18 등을 유리하여 선천면역과 후천면역의 가교역할을 한다. 또한 대식세포는 IgG 수용체 중 고친화성(FcγRI) 및 저친화성(FcγRII) 수용체와 보체수용체를 표현하며 이들을 통해 활성화되면 IL-1, TNF-α, IL-8, leukotrienes, prostaglandins 등의 다양한 염증전구 사이토카인을 생성 유리한다. 특히 대식세포는 CD86과 같은 co-costimulatory 분자를 표현하므로 강력한 항원제시세포로서 항원 특이 T 세포를 효과적으로 활성화할 수 있다.

바. 수지상세포

수지상세포(dendritic cell)는 항원표식세포로 작용하므로 선천성면역과 후천성면역 모두에서 매우 중요하다. 이들 세포는 골수에서 유래하여 혈류로 이동한 후 다시 피부, 위장관, 기도 등 알레르겐에 많이 노출되는 조직에 일단 미성숙 상태의 수지상세포로 분포한다. 미성숙 수지상세포는 항원섭취, 병원소 탐식, 강력한 사이토카인인 IFN-γ, IL-12 생성 등의 기능이 있다. 수지상세포는 toll 수용체와 같은 항원인식 수용체를 표현하므로 직접 다양한 병원소의 인식이 가능하다. 미성숙 수지상세포는 CC 케모카인 수용체(CCR)6를 표현하며 폐조직에서 국소적으로 생성되는 MIP-3α나 β-defensin과 결합한다. 항원섭취 후 수지상세포는 림프관을 통해 이차 림프조직으로 이송하는데 이 기간 중에 미성숙 수지상세포는 성숙하게 되어 항원섭취 기능은 저하되나 항원을 가공처리하고 표식하는 능력은 증가하게 된다. 또한 수지상세포는 CD80, CD86 등 co-stimulatory 분자의 표현과 CCR7의 표현이 증가되어 이차 림프조직에서 증식하며 항원특이성을 갖는 T 세포에 항원을 표식시킨 후 수지상세포의 세포자사가 일어난다.

수지상세포는 세포 미세구조에 따라 이종군으로 이루어지는데 인체의 수지상세포는 2종의 골수성아형과 다른 림프계아형인 형질세포양(plasmacytoid) 수지상세포의 세 종류로 분류된다. 골수성아형은 다시 CD1⁺와 CD1⁻로 나뉘며 CD1⁺는 T 세포의 glycolipid 표식에 관여하는 분자로 CD1c⁺ 골수성 수지상세포는 CD11c(complement receptor-4)가 많이 표현되어 있으나 CD1c⁻ 수지상세포는 CD11c가 적게 표현되어 있다. 형질세포양 수지상세포는 CD1c⁻, CD11c⁻이나 CD123(IL-3 수용체)이 높은 수준으로 표현되어 있기 때문에 구별할 수 있다. 골수성 수지상세포는 GM-CSF, TNF-α, IL-4 등의 자극으로 성장하나 형질세포양 수지상세포는 IL-3에 의해 성숙한다.

수지상세포는 naive CD4⁺ T 세포와 CD8⁺ T 세포를 각각 초회항원자극(prime)하며 Th1세포와 Th2세포 반응을 유도한다. 이러한 분화과정은 같은 종류의 수지상세포라도 여러 인자들에 의하여 다른 역할을 수행한다. 예를 들어 수지상세포와 T 세포의 비율은 Th1 세포 또는 Th2세포로의 분화에 많은 영향을 미치며, IFN-γ로 성숙된 수지상세포는 Th1 반응을 유발하고 prostaglandin E2로 성숙한 수지상세포는 Th2 반응을 유발한다. 또한 형질세포양 수지상세포를 IL-3로 자극한 후 CD40리간드로 자극하면 강한 Th1 반응이 일어나나 Th2 사이토카인 생성은 나타나지 않는다. 또한 수지상세포 중 특이 co-stimulatory 분자를 표현하는 경우에는 독특한 Th 분화가 일어나는데 예를 들어 B7 관련 단백(ICOS 배위자)을 표현하면 Th2 반응이 촉진된다. 이와 같이 수지상세포는 알레르기반응 발생에 중요한 역할을 하는 것으로 보이며 최근의 연구에서 항원 흡입 후 호산구성 기도염증 발현에도 수지상세포가 필요한 것으로 밝혀졌다. 또한 실험실 방법을 통해 알레르겐 펩티드를 알레르기 천식 환자의 피부에 주입하면 폐조직 내로 이송되어 온 피부 수지상세포에 의해 후기천식반응이 나타나는 것이 관찰되었다. 한편 아토피성 천식 환자의 폐조직에는 천식이 없는 경우에 비해 CD1a⁺, MHC classII⁺ 수지상세포가 증가되어 있다.

사. 호중구

호중구(neutrophil)는 골수에서 유래하는 과립구로 대부분의 염증부위에서 가장 흔히 관찰된다. 성장인자인 GM-CSF 등의 영향 하에 모세포(progenitor cells)가 myeloblasts, promyelocytes, myelocytes의 순서로 골수 내에서 분화한다. 호중구는 granulocyte-CSF에 의해 최종 분화하며 혈류 내에서 6~8시간 정도 머물다가 선택된 염증 조직의 혈류 가장자리에 모인 후 여러 자극(IL-8, LTB4, platelet activating factor)에 반응하여 조직으로 급속히 이동하게 된다.

활성화된 호중구는 여러 화학적 생성물을 염증부위

에서 유리하여 조직손상을 일으키는데 대표적 생성물로는 단백분해효소, 산소기, 지질성 매개체(LTB4, PAF, thromboxane A2) 등이 있다. 호중구 과립에는 20가지 이상의 효소가 존재하는데 elastase, collagenase, gelatinase에 의해 조직 손상이 오는 경우가 많으며, 호중구에서 유래한 defensin, lysozyme, cathepsin G 등은 항균작용이 있다. 실제로 최근의 연구에서는 superoxide의 탐식소포 내 유리가 직접 항균작용을 일으키는 것이 아니라 superoxide에 의해 소포 내 H^+, K^+ 농도가 증가되어 단백분해효소에 의한 적절한 세균살해 환경이 조성되기 때문으로 알려지고 있다.

호중구는 알레르기질환과 주로 관련된 세포는 아니지만 알레르기질환의 병태생리에 중요한 역할을 하는 것으로 보이는 소견들이 있다. 실제로 급성천식발작으로 1시간 내에 사망한 환자의 병리학소견에서 호중구가 주로 침윤된 기도염증이 관찰되는 것으로 보아 호중구가 특정 조건에서는 천식의 병인 역할을 하는 것으로 보인다. 또한 세포독성약물로 호중구를 제거한 실험 결과 천식에서의 호중구 역할이 제기되고 있다.

7. 알레르기 염증반응과 화학매개체

가. IgE의 생산과 조력 T 세포의 기능

알레르기 반응은 몇몇 특정 주조직적합 복합체(major histocompatibility complex: MHC) 대립유전자(allele)와 유전적 소인이 있는 개체에서 항원의 초기 노출(감작)로 시작된다. 항원이 기도로 흡입되면 기도의 점액에 의해 머물게 되어 상피세포와 랑게르한스(Langerhans) 수지상세포에 항원단백과 펩티드를 제공한다. 또한 몇몇 항원들은 점막하(submucosa)를 관통하여 식세포와 접촉 후 림프선으로 들어간다. 항원제시세포(antigen presenting cell: APC)들은 항원을 그 내부에서 효소로 분해시킨 후에 단백조각들을 림프구에 제공한다.

B 림프구들은 사이토카인 자극과 CD4+ 림프구의 표면의 부가분자(accessory molecule)를 통한 세포-세포 간 작용(cell-cell interaction)으로 항체의 동형을 바꾸어(isotype switch) IgE를 생산하게 된다. Interleukin(IL)-4나 IL-13은 단독으로 B 림프구의 ε-germ line을 충분히 유도할 수 있다. 이들 IL-4와 IL-13 사이토카인의 존재하에 B 림프구의 수용체에 항원이 결합되면 IgE의 생산을 자극하고 IgE는 조직으로 들어가 기도주변으로 퍼지게 되며 비만세포와 호염기구에 결합된다. IL-4, IL-13과 함께 T 림프구 표면의 CD40 ligand(CD40L)는 IgE의 완전한 전환(switching)을 유도하는데 필요한 또 다른 신호이다. CD40L은 antigen-MHC(항원-주조직적합 결합체)와 T 림프구의 수용체에 결합한 후 T 림프구에서 일시적으로 유도된다. 이후에 CD40결합체는 세포내 물질인 tumor necrosis factor receptor-associated factors(TRAFs)를 통해 신호전달(signal transduction)을 촉진시킨다.

보조 T 림프구(Th)의 서로 다른 두 종류의 clone은 생쥐를 사용한 실험에서 알려졌는데 이들은 넓게는 IgE의 생산을 자극시킬 수 있는지의 여부와 더 자세히는 각각의 사이토카인 프로필(profile)에 의해서 구분된다. Th1은 interleukin-2 (IL-2), tumor necrosis factor beta (TNF-β)와 interferon gamma (INF-γ)를 분비하는 반면 Th2는 IL-4, 5, 10, 13을 분비한다. Th1은 지연성 과민반응에 중요한 역할을 하고 INF-γ를 통해 식세포에 의해 조절되는 숙주방어(host defense)반응에서 실질적으로 가장 중요한 인자이다. 최근 몇 년간의 수많은 연구 결과는 CD4 림프구 같은 Th2의 아형(subtype)에 의해 알레르기질환이 유발된다는 것을 제시한다.

IL-4는 naive T 림프구(Th0)의 Th2로 분화에 필수적이다. 비만세포와 호염기구가 IL-4를 분비하나 이 세포들은 우선 이들 세포 표면의 IgE에 항원이 결합하여 Fc 수용체를 활성화 시켜야만 자극이 된다. IgE의 생산은 IL-4나 IL-13에 의존하므로 이들 비만세포나 호염기구들은 IL-4의 초기 공급원이 아닌 것으로 여겨지며 이후의 면역반응에서 IL-4의 중요한 공급원이다. Th0의 자체가 IL-4의 공급원으로서의 가능성에 대해서는 아직도 논란이 많다.

나. 초기 반응의 세포와 분자 매개물질

1) 비만세포

전형적인 즉시형 과민반응에서 비만세포의 고친화성 IgE 수용체(FcεRI)에 부착된 IgE가 다가항원에 의해 교차결합(cross-linking)되면 이미 합성된 매개체들의 방출과 프로스타글란딘(prostaglandin)과 류코트리엔(leukotriene)의 생성 및 저장되어 있던 사이토카인의 방출이 유도된다. 비만세포는 항원유발 후의 아나필락시스나 천명과 같은 급성 알레르기 반응에 중요한 역할을 하며 후기반응이나 만성염증에서 역할에 대해서는 아직 불명확하다. 비만세포는 CD34 조혈전구세포(hematopoietic progenitor cell)에서 유래되며 피부, 점막표면 및 신경이나 혈관근처에 위치하여 알레르기반응에 기여하게 된다. 이미 합성된 비만세포의 매개체들은 비만세포의 활성화와 함께 방출되며 histamine, proteoglycan, serine protease, carboxy peptidase A 와 sulfatase 등이 있다. 또한 지질 매개체(lipid mediator)인 prostaglandin D2 (PGD2)와 cyteinyl leukotriene은 비만세포가 활성화 된 후 바로 생산되어 분비된다.

중성단백분해효소(neutral protease)는 비만세포의 분비성 과립의 주된 단백이며 tryptase가 주된 효소이다. 또한 비만세포는 사이토카인의 주된 공급원이며 몇몇 사이토카인은 비만세포에 저장되어 있다가 분비되고 다른 것들은 유전자 전사과정(gene transcription)을 거친다. 몇몇 비만세포들은 vascular permeability factor (VPF)와 vascular endothelial cell growth factor (VEGF)를 저장하고 있다. 비만세포와 관련된 광범위한 사이토카인에는 IL-3, 4, 5, 6, 8, 10, 13, 16, TNF (tumor necrosis factor)-α, VPF/VEGF, granulocyte-macrophage colony-stimulating factor (GM-CSF), basic fibroblast growth factor (bFGF)와 macrophage inflammatory protein-1 alpha (MIP-α) 등이 포함된다.

2) 림프구

앞서 기술된 바와 같이 Th2 림프구는 항원 감작과 IgE의 생산에 결정적인 역할을 한다. Th2 림프구에서 생산되는 중요한 사이토카인은 IL-2, 3, 4, 5, 9, 10, 13과 GM-CSF 등이다. IL-5는 호산구의 분화, 활성 및 수명 연장을 유도한다. IL-4, 13은 B림프구의 IgE의 생산과 호산구의 내피세포로의 rolling과 adhesion에 중요한 역할을 하며 이후에 IL-5와 eotaxin에 의해 목표조직(target tissue)에 부착된다. 이들 중 IL-3, 4, 9, 10은 비만세포와 호염기구의 성장에 영향을 주는 인자로 밝혀졌다.

이들 사이토카인의 일부는 천식에서 기도개형(airway remodeling)에 중요한 역할을 한다. 점액분비세포의 화생(metaplasia)과 점액의 과분비는 IL-4, 9, 13에 의해서 유발된다. IL-4, 13은 섬유아세포의 성장, 화학주성(chemotaxis), 세포외기질(extracelluar matrix: ECM) 단백생산을 자극시킨다. IL-5, 6, 9는 TGF-β를 통해 천식기도의 상피하섬유화(subepithelial fibrosis)와 기도개형에 중요한 역할을 하는 것으로 밝혀졌다. 이는 Th 2가 천식의 특징인 기도개형에 기여한다는 것을 뒷받침하는 것이다.

3) 호산구

호산구는 IL-5에 반응하여 골수의 CD34 전구세포에서 발생하여 성숙한다. 호산구의 조직침윤은 알레르기 염증의 특징이다. 호산구는 유착분자(adhesion molecule)와의 상호작용에 의해 모양을 변화시켜 내피세포사이로 이동하여 기저막(basement membrane)을 통과한 후에 혈관 밖의 조직에 도달하게 된다. Intracellular adhesion molecule-1 (ICAM-1)을 항체로 치료하면 항원에 노출된 영장류의 기도에 호산구의 침윤이 억제되고 기도의 과반응이 저하된다. IgE-매개 반응에서 주된 eosinophil chemotaxin은 명확치 않으나 platelet activating factor (PAF), 류코트리엔, eosinphil-active CC, eotaxin과 같은 chemotaxin, RANTES (regulated on activation, normal T cell expressed and secreted)와 macrophage inflammatory protein (MIP)-1α 등이 거론되고 있는 물질들이다. 이 가운데 eotaxin은 호산구 선택적 물질(eosinophil-selective agent)로 대표된다. GM-CSF, IL-3, 5는 화학주성매개물질과 호산구의 반응을 유발시키는데 중요하고 국소생산은 세포자사(apoptosis)를 방해하여 기도의 호산구증을 유지 시킨다. 동물모형에서 IL-5를 항체로 처리하면 기도의 호산구 침윤을 막아 기도과민반응이 억제된다.

다. 급성기 반응의 매개체

1) 히스타민

히스타민(histamine)은 평활근을 수축시키고 혈관을 확장시키며 점액분비와 위산분비를 촉진하고 혈관의 투과성을 증가시킨다. 히스타민은 즉시형 과민반응에 중요한 역할을 하면서 H2 수용체에 작용하여 호중구의 리소솜효소(lysosomal enzyme)의 억제와 억제 T 림프구의 활성화 등의 항염증작용을 나타낸다. 감작된 개체에서 특정 항원이 비만세포와 호염기구 표면의 IgE의 결합되면 칼슘의존성 탈과립 반응이 일어난다. 흥미로운 것은 비만세포와 호염기구에서 히스타민의 분비가 면역반응(IgE 매개)이나 비면역성반응(운동유발성) 모두에서 일어난다는 것이다.

2) 프로스타글란딘, 류코트리엔과 다른 지질성 매개체

프로스타글란딘(PGs)들은 아라키돈산(arachidonic acid)에서 유래되며 알레르기 반응에서 중요하다. PG생산의 초기과정에는 cyclooxygenase (COX)가 관련되며 현재 기본형(COX-1)과 유도형(COX-2) 두 형태의 COX가 알려져 있다. 사람 폐의 비만세포 활성화는 IgE 수용체 활성화나 칼슘 inophore를 통한 칼슘의 유입을 통해

PGD2를 생산하고 소량의 thromboxane A2 (TXA2)를 생산한다. PGD2과 TXA2은 평활근 수축, 혈소판 응집 및 탈과립, 혈관투과성의 증가, 통증과 가려움증의 유발 등 광범위한 전구염증성(proinflammatory) 활성을 갖고 있다. COX-2는 이러한 염증반응을 하향조절하는 것으로 여겨진다. 그 예로 TGF-β1는 사람 기도의 평활근에 대하여 COX-2를 유도하여 PGE2와 같은 항염증 프로스타글란딘을 생산하게 한다.

류코트리엔(LT)은 아라키돈산에서 5-lipoxygenation을 비롯한 여러 대사과정을 통해서 화학주성(chemotactic) 및 세포활성(cell activating) LT인 LTB4 또는 cysteinyl LT인 LTC4와 이들의 대사물인 LTD4와 LTE4 (anaphylaxis의 slow reacting substance)가 생산된다. 대부분의 염증세포들이 LT를 합성하지만 생산되는 주된 LT는 각각의 세포마다 다르다. 일반적으로 cysteinyl LT는 비만세포, 호염기구, 호산구의 중요한 산물인 반면 LTB4는 호중구와 폐포 대식세포의 주된 대사물이다. 몇몇 비만세포와 대식세포/단핵구는 이 두 종류의 LT를 생산할 수 있는 것으로 추측된다. Cysteinyl LT는 가장 강력한 평활근 수축인자 중의 하나로서 점액분비, 혈관투과성 증가 및 생체에서 염증세포를 염증부위로 이동시키는 능력을 포함하는 중요한 기능을 갖고 있다. 5-lipoxygenase inhibitor는 폐분절 알레르겐유발시험(segmental allergen challenge: SAC) 후에 호산구의 보충(recruit)에는 낮은 효과를 보이나 LT생산의 현저한 감소를 초래한다.

3) Platelet activating factor

Platelet activating factor (PAF)는 대식세포, 호중구, 호산구와 비만세포를 포함하는 많은 염증세포에 의해 생산되며, 혈소판, 호중구의 활성화와 평활근의 수축에 관여한다. 또한 PAF는 호산구를 내피세포에 결합시키고 호산구와 단핵구에 대한 상피세포의 수용체를 유도한다.

4) 유착분자

유착분자(adhesion molecule)도 천식과 알레르기 염증반응에서 중요한 역할을 한다. 염증부위로의 백혈구의 이동과 침윤은 백혈구와 세포외기질 요소(ECM component), 내피세포, 상피세포사이의 일련의 유착분자들에 의해 연계되는 반응이다. 유착분자들은 이들의 기능에 따라 integrin, immunoglobulin superfamily, selectin 세 가지로 구분된다.

L-selectin은 단핵구, 림프구, 호중구와 호산구가 염증내피세포에 유착되는 과정에서 rolling을 조절한다. P-selectin과 E-selectin은 내독소(endotoxin)나 사이토카인에 의해 자극된 내피세포에서 발현되고 이들은 호중구, 호산구와 결합한다. E-selectin은 모세혈관정맥(postcapillary venule)에서 발현되어 염증반응 동안에 백혈구의 혈관 유출에 중요한 역할을 하고 피부에서 알레르기 염증반응과 관련이 있다.

알레르기 천식이나 비염환자에서 SAC후에 BAL에서 호산구, sVCAM-1, IL-4, IL-5의 증가가 있으며 sVCAM-1치는 호산구의 농도와 관련이 있다고 보고가 있다. 이는 VLA-4와 VCAM-1이 호중구의 보충에 중요한 역할을 강조하는 증거이다.

라. 알레르기반응의 진행과 유지

1) 항원 투여 후의 조기반응(48시간까지)

가) 매개체의 분비와 세포 보충

항원유발시험 후 초기(1시간이내)에는 tryptase, histamine, PGD$_2$, thomboxane, LTC$_4$ 등 비만세포에서 이미 만들어져 있거나 새로 만들어 내는 화학매개체나 지질성 매개체의 분비가 염증반응의 특징이다. 기도의 세포 구성은 기본적인 구성과 다르지 않다. 그러나 6시간 후에는 세포 구성에 변화를 보이기 시작하여 48시간 후에 가장 큰 변화를 보여서 활성화된 림프구, 호산구, 폐포대식세포/단핵구, 호중구의 유입이 일어난다. 이중 가장 큰 변화는 호산구로 약 25배 이상 증가한다.

분절항원유발(segmental allergen challenge; SAC) 시험 후에 아토피 개체에서 세포와 사이토카인 반응의 정도는 천식과 천식이 없는 비염 개체에서 유사하여 IL-4, IL-5, VCAM-1의 발현, 기간지폐포세척액(BAL)에서의 호산구증가증, 호중구 탈과립, 알부민의 누출 등을 보인다.

나) 아나필락시스

아나필락시스(anaphylaxis)란 비만세포와 호염기구에서 IgE에 의한 매개체의 유출로 인해 생기는 전신의 즉각적인 과민반응으로 SAC에서 관찰되는 초기반응과 유사하다.

가장 중요한 매개물질은 비만세포나 호염기구에서 유래된 것으로 히스타민, PGD2 등이 포함되며 이 두 물질은 가장 중요한 증상 발현에 중요한 역할을 한다. 이들 매개물질에 의해 유발된 생리적 반응은 평활근의 수축, 혈관투과성의 증가, 혈관확장, 심근 운동저하 등이다. 이러한 반응은 저혈압, 천명, 두드러기, 혈관부종과 일부 개체에서 오심, 구토와 설사를 일으킨다. 아나필락시스에서 이들 매개물질의 분비는 매우 많지만 지속적이지는 않다. 아나필락시스 후에 회복이 되는 경우에는 일반적으로 완전하게 회복된다.

아나필락시스와 비교할 때 항원유발 후의 알레르기 반응은 약간의 전신증상이 있을지라도 일반적으로 국소적이고 즉각적인 생리적 반응뿐만이 아니라 몇 시간 또는 몇 일 동안 지속되는 국소적 반응을 일으킨다. 이는 항원유발이 된 장소에서 염증을 증폭시키고 조절하는 사이토카인이나 케모카인 등의 매개체에 의한 결과이다.

2) 항원투여 48시간이후 반응

항원유발시험 후 48시간 이후의 후기반응을 보면, 호산구의 유입에서 호산구수의 최고치는 대략 유발시험 24시간(48시간까지도) 후에 관찰되고 1주 동안 지속된다. 이후에 절대 호산구수는 감소되나 초기반응이 우세하였던 개체에서는 2주 후에도 그 수가 증가되어 있다. BAL에서 호산구증가증과 이들의 탈과립 산물치는 차이를 보이는데 ECP (eosinophil cationic protein)는 1주후에 기존 수치로 저하되는 반면에 호산구수는 여전히 많이 증가되어 있다. 이는 노화하는 호산구나 늦게 새로 보충되는 호산구는 최대 염증반응을 일으키는 시기가 다르며 이들이 세포자사(apoptosis)를 일으키고 있다는 것을 시사하는 것이다. BAL에서 주된 호산구 활성 사이토카인인 IL-3, 5,와 GM-CSF의 동태도 각각 다르다. 분절항원유발시험 동안 IL-3의 농도는 변하지 않았던 반면에, IL-5는 24시간에 최고농도에 도달하였다가 1주에 기존수치로 저하되었다. IL-5처럼 GM-CSF는 24시간에 확연한 증가를 보여주었으나 2주에 걸쳐 증가를 유지하였다(표 1-6).

알레르기성 비천식환자에 대한 기초 연구들은 IL-5의 반응이 천식 및 비염환자에서 유사하였으나 연장된 GM-CSF의 반응은 천식환자들에 국한되는 반응임을 제시하고 있다. 따라서 IL-5는 초기 호산구의 유입을 용이하게 하고 GM-CSF는 이 반응의 지속에 기여하는 것 같다. 또한 BAL에서 IL-4와 IL-13은 다른 면을 보여주는데 SAC는 지속적인 IL-4의 증가를 일으키나 IL-13은 24시간 후에는 기존수치로 회복된다. 따라서 전구염증 Th2형의 사이토카인은 IgE-매개 기도반응에서 상호적으로 잘 조절되는 것으로 추측된다.

표 1-6. SAC후의 세포와 매개체의 역할

효과	24시간	1주	2주
호산구	++++	+++	+
Eosinophilic cationic protein	++++	+	+/-
Ablumin	++++	+/-	-
IL-5	++++	-	-
IL-3	+	+	+
GM-CSF	+++	++	++
IL-10	+++	-	-
IL-12	+++	-	-
IL-1 receptor agonist	++++	-	-

++++: 매우 증가, +++: 확연히 증가, ++: 증가,
+: 약하게 나타남, +/-: 다양함, -: 없음

마. 천식반응의 생리

항원 노출 후 2단계의 기도수축은 1950년대에 Herxheimer에 의해 처음으로 제시되었고 주어진 개체에서 시간이 흐르면서 반복된다는 것을 밝혔다. 더 나아가 Herxheimer는 개체마다 보이는 반응이 다르다는 것을 주목하였다. 즉 몇몇은 조기 및 후기반응을 모두 나타내지만 다른 개체들은 조기 또는 후기반응만을 보여 줄 수 있다는 것이다.

조기 천식반응은 주로 비만세포에 의해 매개되며 평활근의 수축, 점액 분비 및 기도부종으로 인한 기도의 폐쇄가 특징이다. 최고의 수축은 30분 이내에 일어나며 2시간에 정상으로 돌아온다. 조기 기도반응은 충분한 항원이 기도에 도달된다면 천식환자 여부에 관계없이 아토피성 개체에서 실제적으로 일어날 수 있는 반응이다.

이와는 달리 후기반응은 SAC 2~3시간 후에 일어나며 8~12시간 이상 지속 된다. 특정 항원이 후기 천식반응을 일으키는 빈도는 다양하다.

8. 알레르기 염증반응과 사이토카인, 케모카인

가. 사이토카인

면역반응의 특성을 조절하고 결정하는 활성화된 기능을 가지고 분비되는 단백질로 실제로 모든 면역작용과 염증반응 즉 항원제시, 골수 분화, 세포 귀환 및 활성화, 유착분자의 발현, 급성기 반응 등에 관여하는 단백질을 말한다.

이들 사이토카인(cytokine)은 표적세포에 대한 자가분비형 활성(autocrine activity) 즉, feedback 기전을 이용하여 기원이 되는 세포의 기능에 영향을 미치고, 측분비형 활성(paracrine activity) 즉, 기원이 되는 세포로부터 농도 의존적으로 연속된 조직에 국소적으로 영향을 미치고, 또한 내분비형 활성(endocrine activity) 즉, 먼 곳에 떨어져 있는 조직에도 영향을 미친다(그림 1-18). 이와 같이 사이토카인의 연결고리는 아주 복잡하여 분비되는 세포의 다양성과 각각의 사이토카인에 대한 생물학적 활성의 정도가 중복되어 있어 그 기능이 다양하다. 또한 반응 과정에서 여러 사이토카인이 적절한 기능의 발현을 위해서 연속적으로 작용하게 된다. 그리고 사이토카인 연결고리의 중복 현상과 사이토카인 수용체도 공유하게 되는 경우가 많아 그 기능성의 유사성을 많이 공유하고 있다. 또한 사이토카인은 전형적으로 다른 사이토카인의 합성을 유도하기도 한다. 사이토카인의 역할과 기능은 사이토카인에 대한 반응의 정도와 면역세포 종류 및 존재 여부에 따라 매우 다양하다.

이러한 사이토카인은 우선적으로 세포독성, 체액성 면역 반응, 세포매개성 면역 반응 및 알레르기 면역과정을 조절하고 있다(표 1-7).

1) IgE의 조절

아토피는 알레르겐에 대한 반응으로 부적절한 IgE 항체가 생성되는 것을 말하며, 이러한 IgE의 조절은 IL-4, 13, 9, 25, IFN-γ의 상대적인 활성화 정도에 기인한다.

가) IL-4

IL-4는 원래 항원에 대한 적절한 B세포 자극을 이끌어내는 B세포 성장인자로 밝혀진 사이토카인으로 잘 알려져 있으며 IgM에서 IgE로 면역글로불린 동종전환(isotype switch)을 유도한다. 이 과정은 IL-2, 5, 6, 9 등 B세포 활성화 사이토카인과 함께 작용하여 IgE 생산을 증가시킨다. 또한 MHC class II 항원, B7.1 (CD80), B7.2 (CD86), CD40, 표면 IgM, 저친화성 IgE 수용체(CD23)를 B세포 표면에 발현시켜 B세포의 항원제시 능력을 증진시킨다.

IL-4의 생산 세포는 조력 T 세포, NK1.1+natural T 세포, 호산구, 호염기구 및 비만세포 등으로 알려져 있다. 특히 호산구와 비만세포에서는 이미 만들어져 있

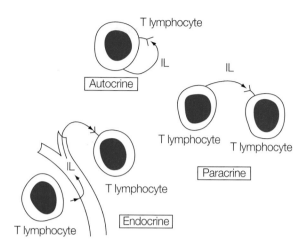

그림 1-18. 사이토카인의 작용 기전 모델

는 펩타이드로 존재하여 알레르기 염증반응에서 빠르게 분비될 수 있다.

실제로 IgE 생산을 돕는 T 세포의 능력은 IL-4 생산 정도와 직접적으로 비례한다. IL-4는 혈액내 또는 기관지폐포세척액과 천식 환자의 폐조직, 알레르기비염 환자의 비 점막에서 발견되며, 알레르기 염증반응에서 중요한 영향을 미치는 T 세포의 성장, 분화 및 생존에도 중요한 영향을 끼친다.

특히 naive Th0세포를 Th2 아형으로 분화시키는 과정에 절대적인 영향을 끼치는 것으로 알려져 있다. 뿐만 아니라 T 세포의 세포자사를 억제하고, 조력 T 세포를 활성화시킴으로써 사이토카인의 생산과 분비를 증가시켜 알레르기 면역반응을 유지하는데 중요한 역할을 한다. IL-4에 의한 세포자사의 억제는 T 세포의 항-세포자사 단백으로 알려져 있는 Bcl-2를 증진시켜 유지하는 능력에 의해서 부분적으로 조절된다. T 세포의 세포자사는 Fas (CD95) 수용체를 통해 FasL와 결합함으로써 조절된다. 천식 환자 폐에서 T 세포는 Fas의 발현이 억제되어 세포자사에 대한 저항성이 증가되어 알레르기 염증을 보이는 폐조직에서 T 세포가 지속적으로 존재하게 된다. 또한 천식환자의 폐에서 Th2세포에 의한 IL-4 생산은 스테로이드의 항염증 영

표 1-7. 천식과 알레르기반응에 관여하는 사이토카인의 종류와 그 기능

	Cytokines	Activity
IgE regulation	IL-4, IL-13	Epsilon(ε) isotype switch
	IL-25	Enhanced production of IL-4 and IL-13
	IL-9	Synergizes with IL-4 and Il-13
	IFN-γ, TGF-β	Inhibition of IL-4 and IL-13
	IL-4	Generation of IL-4-producing (Th2-like) T lymphocytes
	IL-12, IL-18, IL-23	
IgA regulation	TGF-β	Alpha(α) isotype switch
	IL-5	Eosinophilopoietin
	IL-25	Enhanced production of IL-5
	IL-5, IL-3, GM-CSF, IL-4, TNF-α,	Inhibition of apoptosis
Eosinophilia	IFN-γ	Eosinophil chemotaxis, degranulation, and activation
	IL-5, IL-3, GM-CSF, RANTES, MIP-1α, eotaxin	
	MCP-3, IL-1, TNF-α, IFN-γ	
Basophil activation	MIP-1α, MCP-1, MCP-3, RANTES	Basophil chemotaxis and histamine release
Mast cell development	Stem cell factor	Mast cell growth and differentiation
		Mast cell histamine release
	IL-3, IL-4, IL-9, IL-10, IL-11, nerve growth factor	Cofactors for mast cell growth
Adhesion molecule expression	IL-1, IL-4, IL-13, TNF-α	Induction of VCAM-1
	IL-1, TNF-α, IFN-γ	Induction of ICAM-1
	IL-1, TNF-α	Induction of E-selectin
Airway hyperresponsiveness	IL-4, IL-5, IL-9, IL-13	Mucus production, epithelial cell damage, inflammation
Airway fibrosis and remodeling	IL-4, IL-6, IL-9, IL-11, IL-13, IL-17, TGF-α, TGF-β, PDGF, bFGF	Promote fibroblast proliferation & collagen deposition; subepithelial fibrosis
	IL-4, IL-9, IL-13	Smooth muscle hyperplasia

향에 대한 저항성을 제공할 수 있다.

또한 IL-4는 혈관 내피세포에서 VCAM-1의 발현을 증진하여 알레르기 염증반응에서 혈관내피에 T 세포, 호산구, 호염기구, 단핵구 등 염증세포의 부착력을 증진시켜 염증반응 부위에 염증세포를 모이게 한다.

기능적으로 IL-4 수용체는 IL-13Rα1 chain 또는 γ chain과 같이 결합하여 heterodimer를 이룬다. 그러나 IL-4Rα chain과 주로 고친화성 결합을 하여 기능을 하게 된다. IL-4 수용체는 호산구에서도 발현되어 호산구의 세포자사를 억제할 수 있다. 또한 SCF의 보조인자로서 비만세포의 분화와 증식을 증진시킬 수 있다. 또한 IL-4 수용체는 비만세포에도 있어 FcεRI α chains의 전사를 유도함으로써 IgE 수용체의 발현을 증가시킬 수 있다.

아토피 환자에서 CD4+ T 세포 클론은 세균 항원에 대해서 IL-4, 5를 생산하는 반면에 비아토피 개체에서는 CD4+ T 세포 클론이 IFN-γ 등 Th1 사이토카인을 생산하는 경향이 있다(표 1-8).

나) IL-13

IL-13은 IL-4와 30%의 유사성(homology)을 가지며 포식세포, 내피세포, B세포에 대하여 IL-4와 유사한 생물학적 기능을 보인다. 특히 단핵구 매개성 ADCC를 억제하고, 항염증성 사이토카인과 케모카인을 유도하고, IgE 동종전환과 VCAM-1 발현을 유도한다.

IL-13 수용체는 IL-13 수용체 α1과 IL-13 수용체 α2의 결합에 의해서 이루어지는데 IL-13 수용체 α1은 IL-4 수용체보다 제한적으로 발현되어 내피세포, B세포, 단핵 포식세포, 호염기구 등에서 발현되지만 비만세포와 T 세포에는 발현되지 않는다. 이로 미루어 IL-4는 Th2세포의 분화와 비만세포의 활성화를 유도하지만 임상적으로 알레르기질환에서 IL-13이 IL-4보다 항염증성 영향력에서 더 중요하다. 즉, IL-4가 측분비형 형태로 면역계에 영향을 주는 반면에 IL-13은 내분비형 형태라고 볼 수 있어서 IL-13이 알레르기 염증 조직에서 더 쉽게 더 많은 농도로 발견된다.

IL-13은 동물 모델에서 IL-4와 달리 천식을 직접 유발할 수 있으며, 사람에서 기도과민성을 유발할 수 있는 효과적인 사이토카인이다. 즉, IL-13을 기도내에 주입하면 호산구 침윤을 유도하고 IL-13이 과발현된 쥐에서 점액의 과다분비, 기도의 섬유화 및 비특이적 기도과민성을 관찰할 수 있다.

IL-4와 13은 Th2세포와 비만세포에서 생산되지만 IL-13은 사람에서 Th1-유사 세포들에 의해서도 합성될 수 있다.

IL-13은 수용체와 결합할 때 IL-13Rα와 IL-4Rα를 공유하여 STAT-6를 활성화시키는데 IL-4와 유사한 기능을 많이 나타낸다.

다) IL-9

IL-9은 비만세포 성장인자(mast cell growth factor)로서 비만세포 protease와 고친화성 IgE 수용체 α chain의 생성을 자극하여 비만세포 매개 알레르기 반응에 기여하며, T 세포 성장인자로서 항원-특이 T 세포의 성장과 생존을 증가시킨다. Eotaxin과 IL-5 수용체,

표 1-8. 조력 T 세포의 아형

T helper cell subtypes
T Helper Type 1 (Th1)
Interferon-gamma (IFN-γ)
Tumor necrosis factor beta (TNF-β)
Th1 and Th2 cells
Tumor necrosis factor alpha (TNF-a)
Granulocyte-macrophage colony-stimulating factor (GM-CSF)
Interleukin-2 (IL-2)
IL-3
IL-10
Il-13
T Helpr Type 2 (Th2)
Interleukin-4 (IL-4)
IL-5
IL-9
IL-25
Th3/Tr1 Cells
Transforming growth factor beta (TGF-β)
Inteleukin-10 (IL-10)

케모카인 수용체 4의 발현을 유도하고, 알레르기 염증 반응에서 IL-4, 5, 25 등과 함께 중요한 역할을 한다. IL-4와 함께 IgE 생성을 증가시키고 호산구 생산에 상승작용을 보이며 IL-4와 유사하게 기도의 상피세포를 자극하여 케모카인과 점액의 생성을 자극한다. IL-9은 주로 호산구와 Th2-유사 세포로부터 생산된다.

라) IL-25

IL-4와 IL-13의 생산을 자극하여 IgE 생산에 기여하는데 주로 Th2-유사 세포에서 생산된다. 비림프구계 보조세포(nonlymphoid accessory)로부터 IL-4, 5, 13의 분비를 자극한다.

복강내 IL-25를 주입하였을 때 IL-4와 13의 생산이 증가하고, 이것은 IgG1, IgA 뿐만 아니라 IL-5의 생산을 자극하여 혈중 호산구를 증가시킨다. 즉, IL-25를 투여한 쥐에서 호산구성 염증반응이 폐와 위장관에서

발견된다.

마) IFN-γ

IgE 합성과정을 억제 조절할 수 있는 다른 사이토카인 중 하나가 IFN-γ이다. 즉, IL-4에 의한 저친화성 IgE 수용체의 발현을 억제하고, IL-4와 IL-13에 의한 IgE 동종전환을 억제하여 알레르기 반응을 조절할 수 있는데, 이러한 기능은 IFN-γ를 유도할 수 있는 IL-12, IL-18 및 IL-23 등의 활성에 기인한다. T 세포에 의해 생산되는 IgE는 INF-γ의 생산에 역비례하며, 또한 IFN-γ는 Th2세포의 증식과 Th2 사이토카인의 생산을 억제하여 전반적인 Th2 면역반응을 조절할 수 있다.

천식에서 IFN-γ의 역할은 아직 명확하지 않으나 천식 환자에서 IFN-γ를 생산하는 T 세포가 감소되어 있다는 보고가 있다. 마우스모델에서 재조합 IFN-γ를 투여하면 IgE 생산이 감소하고, IL-5 생산이 억제되며, 호산구 및 CD4+ T 세포 유입이 억제되고 또한 기도과민성이 억제된다.

마우스모델에서 재조합 IFN-γ를 흡입 투여할 경우 항원-특이 IgE 항체 생산이 억제되고, IL-13 유발성 배세포(goblet cell) 증식과 기도내 호산구 유입이 억제되며, 또한 기도과민성이 억제되는 것으로 알려졌다.

바) IL-12

IL-12는 B세포, 대식세포 및 수지상세포에서 생산되고, Th1 분화를 항진시키며, Th2 세포를 억제하는데 그 효과는 IFN-γ 분비를 통하여 나타난다. 알레르기 천식 환자에서 IL-12와 IFN-γ생산에 결함이 있다고 증명된 바 있다.

2) 호산구증가증

알레르기질환의 다른 특징은 혈액내 순환하는 호산구가 증가되어 있는 소견이며, 이러한 호산구의 증가는 T 세포 매개 반응이다.

가) IL-5

B세포의 증식과 분화를 조절하고 IgM 분비를 유도하는 B세포의 자극인자로 알려져 있으나, 알레르기 염증반응에 있어서 중요한 물질로 인식되는 가장 중요한 이유는 호산구 증가와 관련이 있는 사이토카인이기 때문이다.

조력 T 세포 이외에도 알레르기 염증반응에서 IL-5의 다른 생산지는 비만세포와 호산구이다. IL-5는 IL-5 수용체와 결합하는데 IL-5수용체 α는 GM-CSF 수용체 및 IL-3 수용체와 공유하는 β chain (CD131)과 IL-5수용체 α로 구성되어 있다.

IL-5는 골수의 전구세포에 노출되어 호산구의 성숙을 유도하고, 호산구에 대한 화학주성이 특성이며, 또한 성숙된 호산구를 활성화시키며, 호산구 분비를 유도하며 항체의존성 세포독성을 유도한다.

알레르기 염증반응에서 호산구가 축적되는 다른 기전으로 혈관내피세포의 VCAM-1과 결합하여 내피세포를 통과하여 이동을 증진시키는 케모카인으로 기능을 한다.

저밀도(hypodense) 호산구의 생산에 관여하며 또한 호산구의 세포자사를 억제하여 호산구의 생존을 연장시킨다.

사람의 알레르기질환에서 IL-5의 중요성은 과호산구 증후군(hypereosinophilic syndrome)에서 혈청내 IL-5 농도가 증가되어 있고 기도내 항원으로 자극시 IL-5 농도가 증가해 있다. 또한 기도내로 IL-5를 주입할 경우 점막내 호산구가 증가되고 기도과민성을 증가시킨다. 그리고 IL-5의 다른 기능중 하나는 호염기구의 발달과 세포독성 T 세포의 성숙을 조절하는 T 세포와 작용하는 것이다.

나) IL-3 및 GM-CSF

IL-5와 더불어 활성화된 저밀도 호산구를 생산하고 호산구의 생존을 연장시켜 알레르기 염증반응에서 호산구의 활동에 기여한다. 특히 IL-3는 수지상세포, 적혈구, 호염기구를 포함한 과립구, 대식세포, 비만세포,

림프구 등 전구세포의 성장을 돕는다. IL-3의 주요 생산지는 T 세포이나 알레르기 염증반응에서 호산구나 비만세포에서도 유래되며 폐 조직에서도 발견된다.

GM-CSF는 수지상세포, 호중구, 대식세포의 성숙을 도우며, 다른 CSF와 함께 megakaryocytes, 적혈구의 발생을 도우며, 상승작용을 한다. 성숙한 호중구와 단핵 식세포에 대한 활성화 인자 기능을 하며, 또한 세포 자사를 억제하여 알레르기 염증반응에서 호산구의 생존을 연장시킬 수 있다. 또한 성숙한 호산구에서 탈과립, 세포독성, 화학주성에 대한 반응을 증가시킨다.

이러한 호산구 활성과 관련한 사이토카인인 IL-5, IL-3 및 GM-CSF는 유일한 α chain과 공유하는 공통된 β chain을 가지는 αβ heterodimer 수용체와 결합하여 기능한다.

다) C-C 케모카인

RANTES, MIP-1α, MCP-3, MCP-4 및 eotaxin을 포함하는 CC 케모카인은 호산구에 대한 화학주성 및 활성화 시킨다. 이러한 케모카인은 LTB4, platelet-activating factor, C5a와 같은 다른 호산구 화학주성인자보다 호산구에 더 선택적으로 작용한다.

RANTES 또는 eotaxin을 기도내 주입시 호산구와 단핵구가 침윤되며, 또한 IL-5와 상승작용하여 알레르기 염증반응에서 호산구 화학주성인자로 가장 중요하며 실제로 RANTES와 IL-5는 사람에서 알레르기 염증조직에서 발견된다. 그리고 IL-1, IFN-γ, TNF-α도 호산구의 활성화에 기여한다.

3) 비만세포의 증식과 활성화

비만세포 수의 증가는 IgE 농도 증가와 호산구 증가와 함께 알레르기질환의 특징이다. 이 중 비만세포의 성장과 증식에서 가장 중요한 사이토카인은 stem cell factor (SCF 또는 c-kit ligand) 이다.

SCF는 골수의 stromal cell과 섬유아세포(fibroblast), 내피세포(endothelial cell)에서 생성되고, 인간의 비만세포에서 히스타민의 분비를 유도하는 능력을 가지는

유일한 사이토카인이다. 사람에서 SCF를 국소적으로 주입하면 비만세포에서 히스타민이 유리되고, 전신적으로 주입시에는 만성 두드러기와 피부내 비만세포의 증식을 유발한다. 또한 비만세포의 분화에 있어서 필수적이며 다른 조혈성장인자(hematopoietic growth factor)와 상호 작용하여 과립구, 림프구, 적혈구의 전구세포를 자극하고 생존을 유지하는 역할을 한다.

비만세포의 증식에 IL-3, 5, 6, 9, 10, 11, nerve growth factor 등이 기여한다. 특히 IL-3는 다양한 기능을 가지는 SCF로서 megakaryocytes, 단핵구, 적혈구, 과립구의 분화를 유도한다.

IL-10은 다기능성 줄기세포로부터 비만세포의 성장과 증식에 관련되며 비만세포에서 사이토카인의 분비를 증가시킨다.

비만세포의 증식을 자극하는 인자로서 뿐만 아니라, 호염기구로부터 히스타민 분비를 유도하는 다양한 사이토카인으로 RANTES, MIP-1α, MCP-3, MCP-1 등이 있다. 이들 중 MCP-1과 RANTES는 가장 중요한 히스타민 유리 인자이며 RANTES는 가장 효과적인 호염기구 화학주성인자이다.

4) 항염증성 사이토카인

이상의 알레르기 염증반응 사이토카인 외에 최근에 IL-10, TGF-β 등 항염증성 사이토카인이 관심의 대상이 되고 있다.

가) IL-10

IL-10은 T 세포에서 IL-5 생산을 억제할 뿐만 아니라 호산구 유입을 억제할 수 있다. 반면에 마우스모델에서 Th2 사이토카인과 호산구성 염증반응을 감소시키지만 또한 기도과민성을 증가시킬 수 있다. 그리고 IL-10은 IL-1β, TNF-α, GM-CSF 및 케모카인(eotaxin, RANTES) 등의 생산을 억제한다. 또한 iNOS (insoluble nitric oxide synthase)와 Cox-2 (insoluble cyclooxygenase) 등 염증성 효소를 억제한다. 즉 IL-5 작용을 억제하고, Th2 사이토카인을 억제하며, 알레르기반응을 감소시킨다.

천식환자의 폐포내 대식세포에서 IL-10 생산이 감소되어 있다는 보고가 있어 이는 천식 환자에서 IL-10 감소에 의해 염증성 사이토카인이 증가될 수 있음을 시사한다. 또한 스테로이드 혹은 theophylline, phosphodiesterase-4 억제제 등은 IL-10 생산을 증가시켜 염증반응을 억제할 수 있을 가능성이 제시되고 있다.

동물모델에서 IL-10이 알레르기 반응을 억제할 수 있음이 밝혀졌고 인간화된 재조합 IL-10이 염증성 대장질환을 억제할 수 있다는 연구 결과가 있다.

나) TGF-β

TGF-β는 여러 종류의 세포에 상승 또는 조절 작용을 나타내어 세포 성장을 조절할 수 있는 사이토카인으로 그 생산세포는 chondrocyte, osteocyte, 섬유아세포, 혈소판, 단핵구 및 일부 T 세포 등에서 생산된다. TGF-β를 생산하는 조력 T 세포는 조절 T 세포(T regulatory 1) 또는 Th3세포 등으로 분류되고 있다.

TGF-β 수용체는 대부분의 세포에 발현되며 다양한 생물학적 기능을 나타낸다. 흔히 TGF-β는 섬유화를 자극하고 상처의 재생에 도움을 주는 것으로 알려져 있다. 면역반응에서는 B세포에서 면역글로불린 생산을 억제하고, 단핵구와 NK세포의 세포독성반응을 억제하며, 조력 T 세포의 활동을 억제한다. 세포자사에 빠진 T 세포에서 TGF-β가 분비되면 면역억제 환경을 조성하게 된다.

이와 반대로 TGF-β는 대식세포의 화학주성을 가지며, B세포에서 IgA 생산을 증가시킴으로써 장관내에서 정상세균총에 대한 면역관용을 유지시킨다.

알레르기 면역반응에서 TGF-β는 지속적인 천식에서 폐섬유화와 관련이 있는 것으로 예상되며, 비만세포 증식을 억제하고 B세포에서 IgE 생산을 억제하고 Th2세포의 분화를 억제함으로써 알레르기 면역반응을 약화시킬 것으로 기대된다. 마우스 천식 모델에서 TGF-β를 과잉 생산하는 T 세포를 주입하면 기도과민성이 억제되고 사람에서 면역요법 과정에서 TGF-β가

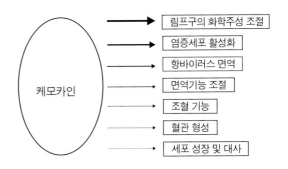

그림 1-19. 케모카인의 주요 기능

증가되는 것을 관찰할 수 있다.

나. 케모카인

케모카인(chemokine)은 직접적으로 세포의 운동성을 유발하는 화학주성 사이토카인으로 새롭게 분류된 그룹이다. 어떤 케모카인은 부가적인 기능을 가지지만 주로 화학주성이 기능적인 지표이다(그림 1-19). 케모카인의 분자량은 8~12 kD정도이다.

1) 분류

대략 50개 정도의 케모카인이 알려져 있다. 이 중 3~4개의 cysteine 잔기(residues)를 가지며, 하나의 아미노산 잔기에 의해 분리된 2개의 N-terminal cysteine (C) 잔기를 가지는 그룹을 CXC (X=아미노산) 케모카인이라 부르며 alpha 케모카인 군으로 분류되고, 2개의 N-terminal cysteine (C) 잔기를 가지는 그룹을 CC 또는 beta 케모카인 군으로 분류한다. 세 번째 군은 하나의 cysteine 잔기를 가지는 C 또는 gamma 케모카인 군으로 불린다. 네 번째 군은 이상의 3가지와는 다른 특징을 가지는 CX3C군(fractalkine)으로 분류한다. CXCL16을 제외한 모든 CC, CXC, C 케모카인은 수용성 단백의 형태로 존재한다.

2) 구조

CC 케모카인과 CXC 케모카인은 공통된 구조적 특징을 보이고, 이들은 N-terminal strand와 beta-pleated sheet에 이어 C-terminal alpha helix를 가지며, CC 케모카인은 CXC 케모카인에 비해 더 긴 N-terminal strand 를 가진다. 이와 같이 3차원 구조에서 유사한 케모카인들은 기능적으로도 유사함을 알 수 있다. 많은 CXC 케모카인은 N-terminal에 ELR (Glu-Leu-Arg) motif를 가지고 있으며, 이러한 ELR motif를 가지지 않는 CXC 케모카인(IP-10, PF4 Mig)은 혈관 생성 능력이 없다.

3) 분비 세포

Fractalkine, CX3C 케모카인을 제외하고는 대부분의 케모카인은 모든 백혈구와 혈소판 등에서 생산되며, 그 외 상피세포, 섬유세포, 대식세포, 비만세포, keratinocytes, 내피세포 등 다양한 세포에서 분비된다 (표 1-9). 케모카인은 바이러스, 세균, 항원, 기생충, 사이토카인(IL-1, IFNs, TNF-α), 산소자극, 보체(C5α), 류코트리엔(LTB4) 등 다양한 자극에 의해서 분비된다.

4) 케모카인 수용체

지금까지 6 종류의 CXC 케모카인 수용체(케모카인 receptor), 11종류의 CC 케모카인 수용체, 그리고 1 종류의 CX3C 케모카인 수용체 등이 있으며, 모든 케모카인 수용체는 7 transmembrane spanning G protein coupled receptor superfamily에 속한다. 대부분의 케모카인 수용체는 하나 이상의 배위자와 결합하므로 수용체를 통한 기능이 중복된다는 것을 설명할 수 있다.

케모카인 수용체는 세포 표면에 1,000~20,000/세포가 발현된다. 그러나 호산구에 발현되는 CCR3는 40,000~50,000/세포 정도 발현된다.

5) 기능

케모카인의 기능으로 가장 중요한 것은 화학주성이다. 이러한 케모카인은 염증반응, 면역반응, 태아 생성

표 1-9. 케모카인의 생산조직

기관/조직/세포	케모카인
Epithelium	CCL2, CCL7, CCL11, CCL13, CCL26, CCL28, CXCL8, CXCL14
Lymphoid tissue	CCL17, CCL18, CCL19, CCL20, CCL21, CCL22, CCL25, CXCL12, CXCL13
Inflammatory cells	CCL1, CCL2, CCL3, CCL4, CCL5, CCL8, CCL22, CXCL1-3, CXCL8

과정, 조직의 재생, 전이 등의 과정에서 세포의 화학주성을 유도한다. 최근 밝혀진 기능으로 염증세포를 활성화시키고, 항바이러스 면역기능, 면역조절기능, 조혈기능의 조절, 혈관 생성 과정의 조절, 다른 조직 세포 성장과 대사에 기여하고, 그 외에도 다양한 기능이 있을 것으로 생각되나 아직 모두 밝혀져 있지 않다 (그림 1-20).

가) 면역세포의 발달

T 세포 및 B 세포의 발달 과정에 있어서 적절한 이동과 귀환은 중요하다. 케모카인은 이 과정에 관련되어 있는데 미성숙 B세포의 성숙 과정에 CCR9이 관여하며 CXCL13과 CCL20, CCR7은 성숙된 B세포의 귀환에 관여한다. 또한 T 세포의 성숙 과정에도 관여하는데 미성숙 흉선세포는 CCR9을 발현하며, 성숙되면 일시적으로 CCR4를 발현하여 CCL17 및 CCL22와 반응하고, 더 성숙하면 CCL19, CCL21이 작용하여 림프조직으로 이동과 귀환을 유도한다. 또한 분화된 Th1, Th2 세포는 특정 케모카인 수용체를 발현하는데, Th1 세포는 CCR5, CXCR3, CXCR6 등을, Th2 세포는 CCR4, CCR8와 적은 양의 CCR3를 발현하지만, 이러한 Th1, Th2 세포에서 수용체 발현은 절대적인 것은 아니며 중복되기도 한다. 이와 같이 염증반응을 선택적으로 활성화시키는 관련에 케모카인이 관련되어 있다.

나) 백혈구와 기타세포

① CXC 케모카인

대부분의 CXC 케모카인은 호중구에 대해서 화학주성을 가진다. 특히 CXCL8 즉 IL-8은 다핵백혈구의 가장 강력한 화학주성 인자로 미량으로도 생물학적 작용을 나타낸다. IL-8은 식작용을 위해 다핵백혈구를 자극한다.

② CC 케모카인

거의 대부분의 CC 케모카인은 단핵구, T 세포에 대한 화학주성이다. 대부분의 CC 케모카인은 알레르기 염증반응에 주로 관여하는 세포를 우선적으로 끌어당긴다. Monocyte chemotactic protein (MCPs: CCL2, 7, 8, 13), CCL3 (MIP-1α), CCL5 (RANTES) 등은 호염기구에 대한 화학주성을 유발한다. MCPs는 NK세포를 끌어당긴다.

③ 호염기구와 비만세포의 활성화

호염기구를 활성화시키고 히스타민과 류코트리엔 분비를 야기하는 케모카인으로 CCL2, 7, 8, 13, CCL11 (eotaxin-1), CCL3 (MIP-1α), CCL5 (RANTES), CXCL4 (SDF-1) 등이 있다. CCL2 (MCP-1)는 가장 유력한 호염기구 활성화 인자이고, CCL3 (MIP-α), CCL2 (MCP-1)는 비만세포를 활성화한다.

④ 호산구의 활성화

호산구와 관련있는 케모카인으로 CCL3 (MIP-1α), CCL5 (RANTES), CCL7 (MCP-3), CCL8 (MCP-2), CCL11 (eotaxin-1), CCL13 (MCP-4), CCL24 (eotaxin-2), CCL26 (eotaxin-3), CCL20, CXCL4 (SDF-1) 등이 있다. 이들은 호산구의 내피세포를 통한 이동을 유도한다.

⑤ 조혈기능

CXCL12 (SDF-1)는 stem cell의 귀향에 중요한 역할

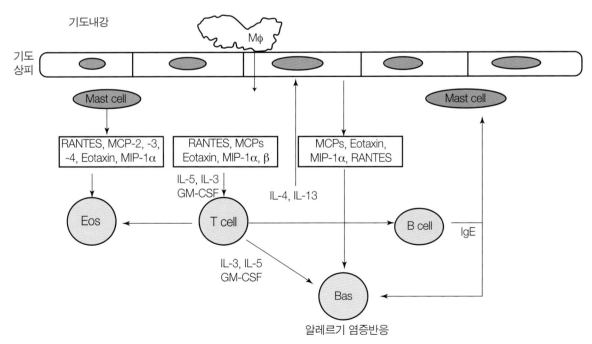

그림 1-20. 알레르기 염증반응에서 케모카인의 작용 기전

을 하고, CCL2, CCL3, CCL9/10, MIP-related protein-2 (MRP-2)는 myeloid cell 성장과 stem cell의 증식과 분화를 억제한다.

⑥ 혈관 생성 기능

ELR motif를 가진 CXC 케모카인은 내피세포에 대한 화학주성 활성이 있어 신생혈관 생성(angiogenesis)을 자극한다. CXCL1-3 (Gro-α,β,γ), CXCL5 or epidermal cell-derived neutrophil chemotactic activator (ENA-78), CXCL6 or granulocyte chemotactic protein-2 (GCP-2) CXCL7 또는 neutrophil-activation peptide (NAP-2), CXCL8 (IL-8) 등이 있다.

다) CX3C 케모카인(Fractalkine)

새로운 CX3C 케모카인 군으로, 분비된 fractalkine은 화학주성 케모카인으로 기능하며 이는 CC 케모카인과 기능적으로 유사하여 단핵구와 림프구의 화학주성에 관여한다. IL-1, TNF-α와 같은 염증성 사이토카인에 의해서 자극되어 내피세포에서 발현되고 다른 케모카인과 달리 말초혈액의 백혈구에서는 발현되지 않는다.

라) 천식에서의 역할

CCL5 (RANTES), CCL2 (MCP-1), CCL3 (MIP-1α)는 천식 환자의 기관지폐포 세척액에서 증가하고, 기관지폐포 세척액내 세포에서 CCL7 (MCP-3) mRNA와 단백이 증가되어 있다. 또한 기도폐포세척액에서 CCL3 (MIP-1α), CCL5 (RANTES)가 증가되어 있으며 조직검사에서 eotaxin-1, eotaxin-2, MCP-3, MCP-4가 증가되어 있다. 천식 환자에서 항원유발시험시 CCL26 (eotaxin-3)에 대한 mRNA 농도가 증가하며 항원 유발시 천식 환자의 기도에서 CCL4를 발현하는 T 세포가 모인다. 또한 케모카인 유전자 다형(polymorphism)이 천식의 병인과 연관이 있다는 연구 결과가 보고되고 있다.

9. 알레르기 염증반응에서 유착분자

염증반응의 대표적 현상 중 하나는 염증 조직부위에 일련의 유핵세포가 축적되는 현상인데, 예를 들어 세균성 폐렴인 경우 호중구가 축적이 되고, 알레르기 염증반응 경우 Th2 세포나 호산구가 축적되는 반면 과민성 폐염인 경우 Th1이 축적되게 된다. 이 때 각 세포들과 기질간에는 서로 유기적인 관계로 염증반응이 진행되도록 조화를 이루게 된다. 이런 경우 세포 유착분자(cell adhesion molecule)가 중요한 역할을 하게 된다. 이 세포 유착분자는 세포간, 세포-기질간 상호작용을 중개하는 세포 표면 수용체로서 염증반응 및 면역학적 반응, 상처치유, 응고, 종양전이, 세포성장 및 분화 등 다양한 병태생리학적 과정에 중요한 역할을 한다. 특히 혈관 내에서 염증부위로 이동하기 위한 백혈구-내피세포 유착과정은 조직으로 침윤하는 백혈구의 이동을 조절하는데 결정적 역할을 하며 궁극적으로 급성 및 만성 염증성 반응의 진행을 결정하는 진행 제한 요소로서 작용할 수 있다. 최근 많은 세포유착분자들의 생화학적, 기능적 특성이 밝혀지면서 세포 상호간, 세포-기질간 구체적인 병태생리학적 현상이 규명되고 있다.

가. 유착분자의 분류

세포 유착분자는 생화적 구조 및 특성에 따라 selectins, integrins, immunoglobulins superfamily, cadherins, cartilage link proteins 및 sialomucin 등으로 분류된다.

1) Selectin과 selectin 배위자

Selectin family에는 3개의 selectin이 알려져 있는데 이는 E-selectin, L-selectin, P-selectin으로 CD62계로서 첫 이니셜을 붙여 CD62E, CD62L, CD62P로도 알려져 있다. Selectin family는 백혈구, 혈소판, 혈관내피세포에서 발현되는 당단백분자로서 렉틴영역, 표피성장인자 영역 및 일련의 반복되는 보체수용체 영역으로 구성된 공통된 분자구조를 갖는다. 이 분자들은 모두 백혈구-혈관내피세포의 유착 및 백혈구 유주(trafficking)에 중요한 역할을 한다.

E-selectin은 자극되지 않은 내피층에서는 관찰되지 않으나 IL-1, TNF-α와 세균내독소 등으로 자극된 내피층 표면에서는 E-selectin의 발현을 유도할 수 있으며, nuclear factor kappa B (NF-κB) 등의 조절로 2~4시간만에 최대치에 이르렀다 24시간 내에 사라지는 빠르게 나타났다 사라지는 발현 현상을 보인다. E-selectin은 염증성 피부질환의 조직으로부터 시행한 면역 조직화학검사에서는 T 세포의 침윤을 보이는 만성 염증성 피부질환의 조직 내에서도 관찰되며 특히 기억 T 세포의 유착에 관여할 것을 시사하는 보고도 있다. Selectin의 배위자는 sialyl Lewis X moiety (sLex)를 함유한 분자로 silaomucins으로 구성되어 있다. P-selectin의 배위자의 하나로 P-selectin glycoprotein ligand-1 (PSGL-1)이 알려져 있다. E-selectin에 대한 배위자로는 sLex를 발현하는 CD65, CD66, L-selectin, E-selectin ligand (ESL-1) 등 많은 분자들이 알려져 있다.

2) Integrin family

Integrin 유착분자는 가장 잘 알려져 있고 가장 많은 종류와 기능을 갖고 있는 세포 유착분자군으로서 각기 다른 α-chain과 β-chain이 non-convalent하게 연결되어 조합에 따라 나눠지는데 지금까지 18개의 α-chain과 8개의 β-chain이 있어 이들이 서로 조합을 이루어 24가지의 heterodimers로 조합을 이루고 있다. 각 integrin은 짧은 cytoplasmic domain, single transmembrane domain 및 비교적 큰 구형의 extracellular domain으로 구성되어 있다. Cytoplasmic domain은 talin, vinculin, α-actinin 등을 통해 cytoskeletal actin filaments와 간접적으로 연결되어 있어 세포의 유주 및 형태유지에 중요한 역할을 한다. 세포외 부위 domain은 주름이 잡혀있고 이 부위에 배위분자가 부착하게 된다. Integrin 중 가장 종류가 많은 아군(subunit)은 β1-integrin군으로서 소위 VLA (very late antigens of activation)군으로 부른다. 이 아군은 모두 collagen, laminin, fibronectin 등의 세포외 기질과 세포의 유착을 중개한다. 이중 VLA-4 (α4β1)는 세포의 기질과의 유착 뿐 아니라 호산구, 단핵구, 기억 T 세포에 발현되어 활성화된 내피세포 표면의 vascular cell adhesion molecule (VCAM-1)과의 부착에도 관여한다. β2 integrin군은 주로 백혈구간에 혹은 백혈구-다른 세포(혈관내피세포, 섬유아세포, 각질형성세포)간의 유착에 관여하여 LEU-CAMs (leukocyte cell adhsion molecules)이라고도 부른다. β2공통 chain은 CD18로 표기되며 α-chain에 따라 부른다. β2 공통 chain은 CD18로 표기되며 α-chain에 따라 다시 세 아군으로 분류한다. αLβ2 (CD11a/CD18)는 LFA-1 (lymphocyte function associated antigen)이라고 부르며 모든 성숙된 백혈구 표면에 발현된다. αMβ2 (CD11b/CD18)는 Mac-1 (Mo-1, OKM-1, CR3)이라고 부르며 골수 세포의 표식자로 림프구와 대식세포에서 발현된다. αxβ2 (CD11c/CD18)는 gp 150/95로 단핵구 및 대식세포에서 발현된다. LFA-1 및 MAC-1의 주된 배위자는 intercellular cell adhesion molecule-1 (ICAM-1)이며 LFA-1은 ICAM-2와도 부착한다. 최근 새로운 β2군으로 CD11d/CD18이 보고된 바 있는데 대식세포에서 발현하며 ICAM-3와 부착한다. β2 integrin은 백혈구가 혈관강 밖 염증부위로 빠져나가기 전에 반드시 필요한 백혈구와 혈관내피세포의 강한 부착을 중개하는 주요 유착분자이다(표 1-10).

3) Immunoglobulin superfamily

Immunoglobulin superfamily는 면역글로불린의 구조와 유사하게 disulfide bonds에 의해 연결된 일련의 globular domain을 가진 25개 이상의 분자로 구성되어져 있다. Integrin과 같이 다른 세포표면의 배위자에 붙어 중요한 신호전달을 담당하게 되며 대부분이 면역학적 반응 및 염증반응에 관여하며 ICAM-1, VCAM-1, PECAM-1 등의 유착분자가 관련된다. ICAM-1 (CD54)

표 1-10. 각 세포에서 integrin의 surface expression

Subunit (CD/name)	림프구	단핵구	호중구	호산구	호염기구	비만세포
$\alpha_1\beta_1$ (49a/29,VLA-1)	+	-	-	-	-	-
$\alpha_2\beta_1$ (49b/29,VLA-2)	+	+	-	-	-	-
$\alpha_3\beta_1$ (49c/29,VLA-3)	+	-	-	-	-	+
$\alpha_4\beta_1$ (49d/29,VLA-4)	+	+	-	+	+	+
$\alpha_5\beta_1$ (49e/29,VLA-5)	+	+	+	-	+	+
$\alpha_6\beta_1$ (49f/29,VLA-6)	+	+	+	+	-	-
$\alpha_L\beta_2$ (11a/18,LFA-1)	+	+	+	+	+	-
$\alpha_1\beta_2$ (11a/18,Mac-1)	-	+	+	+	+	-
$\alpha_M\beta_2$ (11c/18,p150,95)	+	+	+	+	-	+
$\alpha_X\beta_2$ (d/18)	+	+	+	+	+	-
$\alpha_d\beta_3$ (51/61)	-	+	-	-	-	+
$\alpha_V\beta_7$ (49d/ 7,ACT-1)	+	+	-	-	+	-
$\alpha_E\beta_7$ (103/ 7,HmL-1)	+	-	-	-	-	-

는 heterotypic 세포 유착분자로 발견되었는데, 섬유아세포, 각질형성세포 및 혈관내피세포 표면에 발현되는 분자량 90~114 kDa의 유발성 표면 당단백이다. 이 분자들의 상호작용은 백혈구-표적세포, 백혈구-혈관내피세포 상호작용이 관여하는 염증질환의 면역조절에 필수적이다. 정상상태에서는 혈관내피세포 표면에서 발현이 경미하나 lipopolysaccharide (LPS), interleukin-1 (IL-1)α, tumor necrosis factor (TNF)-α, interferon (IFN)-γ 등의 자극에 의해 현저히 증가한다. 그러나 ICAM-1의 발현은 세포에 따라 각기 다르게 조절되며, 더욱이 혈관내피세포간에도 생물학적 반응 조절물질 (biological response modifier: BRM)에 의한 반응양상이 다르다. ICAM-1의 배위자는 LFA-1과 MAC-1이다. ICAM-2 (CD102)는 혈관내피세포에 상존하는 분자로서 배위자는 LFA-1로 동일하나 혈관내피세포 활성에 의해 발현이 변화되지 않는다. ICAM-3 (CD50)는 혈관내피세포에서 발현되지 않으며 대부분의 백혈구에서 상존하고 LFA-1과 αdβ2 integrin이 배위자이다. VCAM-1 (CD106)은 혈관내피세포 표면에 여러 사이토카인에 의해 유발되는 내피세포 구조인 당단백으로서 자극하지 않은 혈관내피세포에서는 관찰되지 않는

다. 그러나 TNF-α자극 후에는 VCAM-1발현이 시간과 용량 의존성으로 증가하지만, IL-1α자극 후에는 VCAM-1발현이 세포 종류에 따라 다르게 나타난다. IL-4나 IL-13도 혈관내피세포 표면 VCAM-1 발현을 선택적으로 유도시킬 수 있다. VCAM-1은 백혈구의 VLA-4 (α4β1) 혹은 α4β7과 부착하여 백혈구 유주에 관여한다. VCAM-1은 림프구와 호산구, 단핵구의 유착을 위한 배위자로 작용하는 한편 대식세포, 수지상세포, 골수기질 세포, 기도상피세포에서도 발현된다. PECAM-1 (platelet -endothelial cell adhesion molecule-1)은 6개의 immunoglobulin domain으로 구성되어 있는데 혈관내피세포, 혈소판과 백혈구의 homotype 유착에 관여할 뿐 아니라 백혈구의 혈관내피세포 통과에도 관여한다.

4) 기타 유착분자

Cadherin family는 Ca 의존성 transmembrane 당단백으로 세포와 세포간을 유착시키는 힘이 가장 강력한 것으로 알려져 있으며 E-, N-, P-, T-, VE- cadherin, protocadherin, 7개 transmembrane cadherin, 그리고 FAT-family cadherin 등이 있다. Cadherin family는 동

종 유착을 통하여 조직의 발생과 형태유지, 그리고 조직 재생 과정에서 세포를 종류별로 선별하는데 중요한 역할을 하며, 세포간의 tight junction과 gap junction의 조절에 관여하여 세포간극을 유지하는 것으로 알려져 있다.

Vascular adhesion protein-1 (VAP-1)은 sialyted 림프구 배위자로서 자극이 없는 정상상태에서는 발현되지 않다가 염증이 발생할 경우 관절낭 림프절, 점막 림프절, 말초 림프절 등의 내피층에서 발현한다.

그 외에도 lymphocyte-vascular adhesion protein-2 (L-VAP-2), CD44 등이 있으나 이에 대한 역할에 대해서는 아직 명확하게 밝혀져 있지 않다.

나. 유착분자의 표현과 역할

최근 면역조직화학적인 시험방법을 통하여 피부, 코점막, 하부기도 등에서의 알레르기 반응에서의 내피층의 세포간 유착분자의 역할에 대한 연구가 활발하게 보고되고 있다.

알레르겐 유발시험에서 아토피피부염의 조직에서 E-selectin, ICAM-1, VCAM-1 등의 뚜렷한 발현이 관찰되었으며 이러한 발현 양상은 호산구, 호중구, 단핵구 등의 염증세포 침윤과 상관이 있다고 알려져 있다. 비만세포의 탈과립 후 TNF-α가 유리되며, 4~6시간 후 E-selectin 발현이 유도되고, 이 시간은 알레르겐 유도성 비만세포 탈과립 후 후기반응에 관련된 백혈구 침윤 시기와 일치한다. 알레르겐 자극 24시간 후에는 VCAM-1이 증가하게 되며 이 때 VCAM-1 발현과 호산구 침착과 연관이 있어 알레르기 염증반응에 중요한 역할을 시사한다. 한편 급성 천식환자에서 가용성 ICAM-1치가 정상대조군에 비해 상승되었으나 만성 천식환자에서는 정상이며 가용성 E-selectin의 수치도 유사한 양상을 보인다. 알레르기비염이나 알레르기 결막염인 경우에도 비액이나 누액 뿐 아니라 조직 생검에서도 ICAM-1, VCAM-1, E-selectin 등이 호산구 증가와 연관되어 발현이 증가된다.

알레르기 염증반응에서 유착분자의 역할은 매우 중요하며 알레르겐의 종류, 염증반응의 시기, 알레르겐 침입 경로 등에 따라 어떤 유착분자가 발현되고 소멸되는 지가 다르기 때문에 이에 대한 좀 더 명확한 연구가 필요하다. 최근 유착분자에 대한 항체를 만들어 동물모델 시험에서 단클론 차단항체를 이용한 연구결과 여러 유용한 결과를 얻고 있지만 아직까지 동물종에 따라 그 결과에 차이가 많고, 유착분자항체를 체내에 주입하였을 경우 세포 유입을 억제하는데 실패하여 아직 임상적으로 유용하게 이용되기에는 더 많은 연구가 필요하지만 미래 유전자조절 치료 등과 함께 알레르기 질환의 치료에 일조할 수 있을 것으로 기대된다.

10. 알레르기 염증반응과 신경전달 물질

면역계와 신경계의 상호작용은 숙주 면역에 중요하다. 기도에서 면역계는 미생물의 침범으로부터 호흡기를 보호하는 역할을 하며 신경계는 콧물, 재채기, 점액분비, 기도폐쇄 등의 증상을 조절하는 역할을 한다. 사람의 호흡기에는 인두로부터 세기관지까지 신경 전달물질을 분비하는 자율신경이 배치되어 있어 이를 통해 뇌가 면역계를 조절한다. 반대로 신경을 자극하면 염증반응이 자극되어 면역반응이 증폭되는 신경염증반응(neurogenic inflammatory reaction) 현상도 존재한다. 이와 같은 면역계와 신경계의 상호관계가 알레르기질환 발현에 관여한다(그림 1-21).

알레르기 증상은 동일한 알레르기 염증반응의 결과가 표적 장기에 따라 피부 가려움증, 눈의 가려움증이나 분비물, 기침, 콧물, 위장 장애, 기도 수축 등으로 표현된다. 이런 현상은 감각신경과 자율신경의 전달작용으로 작동세포에서 화학매개체를 생성하고 분비함으로써 일어난다. 알레르겐과 신경의 상호작용에 히스타민, 아라키돈산 유도체, 신경전달물질, 케모카인, 사이토카인이 관여한다. 생체 실험에서 bradykinin을

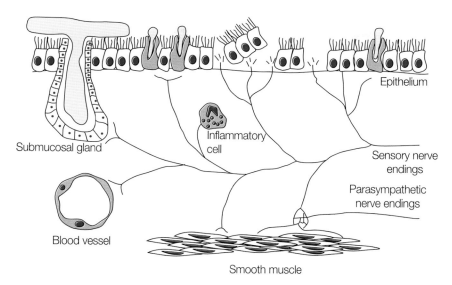

그림 1-21. 기도에서 신경전달물질이 분비되는 감각신경의 분포

외부에서 주면 아무 증상이 없지만 알레르겐 유행 시기에는 기침, 콧물 등 호흡기 증상을 유발한다.

말초신경기능은 4가지 단계로 반사궁을 형성한다. 1단계는 조직에 분포된 감각신경의 자극, 2단계는 활동전위(action potential)이 감각신경을 따라 전달되어 central terminal에 도착한 후 중추신경계의 제2 neuron과의 synapse에서 신경전달물질을 분비하는 단계, 3단계는 활동전위가 신경절이전섬유 (preganglionic fiber)에서 신경섬유 끝까지 이동하여 자율신경절과의 synapse부위에서 아세틸콜린 분비를 유도하는 과정, 4단계는 synapse의 활성화로 신경절 이후(postganglionic) 자율신경에서 신경전달물질이 기도평활근, 혈관세포 등의 작동세포에 분비되도록 하는 과정이다. 따라서 이 전달 과정을 차단함으로써 알레르기 증상을 완화시킬 수 있다.

가. 기도의 일차 구심성 신경

기도의 구심성 신경(afferent nerve)은 물리적 자극에 예민하므로 알레르겐뿐만 아니라 그 외의 자극에도 반응한다. 알레르겐에 의한 자극의 기전은 명확하지는 않지만 알레르기 염증반응 때 나타나는 화학매개체와 신경 표면의 특이 이온 채널의 상호작용으로 자극에 대한 과민성이 증가한다. 또한 감각신경의 말단에서 신경전달물질의 분비를 촉진시킨다. 반사작용에 의해 통각수용기(nociceptor) 신경말단에서 역시 신경전달물질이 분비되어 신경성 염증을 일으킨다. 적은 농도의 알레르겐에 의해서도 이런 반응이 일어나며 2시간 이상 지속되고 히스타민이나 류코트리엔이 강력한 매개체이다. Substance P를 비롯한 신경펩타이드는 기도의 neutral endopeptidase에 의해 대사되는데 알레르기 염증은 이 효소의 작용을 둔화시켜 신경성 염증반응을 일으킨다.

나. 중심 신경계의 통합

장관 조직의 알레르겐으로 인한 자극은 nucleus tractus solitarius (nTS)에 분포된 미주신경 자극으로 일어난다. 일반적으로 말초 염증으로 인한 통증 자극은 2차 신경의 synapse 활성화를 통한 경로 이외에도 척수 신경내에서 신경 전달이 증폭되도록 하는 효율적 과정을 거친다. 이런 현상은 중심성 감작(central sensitization)이라 칭한다. 알레르기 염증반응, 위장관 과반응, 체감각기관 통각과민(somatosensory hyperanalgesia)이 같은 중심성 감작의 경로를 통한다. 즉, 알레르기 염증이 중추신경으로 유입되는 자극을 변화시켜 뇌간부 신경세포의 생리 변화에 영향을 준다.

기도의 통각수용기와 속반응성 수용기(rapid adapting receptor)는 서로 유사한 반사 효과가 있어서 상승효과를 가진다. 뇌의 고립로(solitary tract) 맞교차핵(commissural nucleus)에서 이런 반사들이 통합됨으로써 과민반응과 통각과민반응이 서로 관련되어 위식도역류, 비염, 상기도염 등에서 모두 기침, 반사적 기도수축과 기도과민성까지도 초래하게 된다.

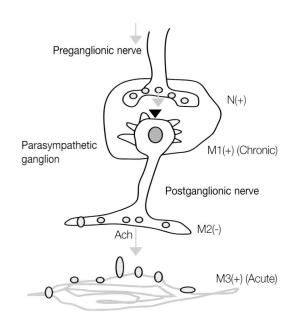

그림 1-22. 기도에 존재하는 muscarine 수용체의 종류

다. 자율신경 조절

알레르기 염증이 자율신경에서 시냅스의 전달 효과를 증진시켜 자율신경의 장력(tone)을 증가시키는 것을 신경절 감작(ganglionic sensitization)이라 한다. 기도에는 교감신경, 부교감신경, 비교감 비콜린성 신경이 분포하지만 기도의 자율신경은 주로 부교감신경지배를 받는다. 부교감신경은 미주신경 장력을 증가시키고 기도수축을 일으키며 아세틸콜린(acetylcholine)을 분비한다.

무스카린(muscarine) 신경 수용체는 M1, M2, M3의 3종류가 있다. M1 수용체는 주로 서서히 일어나는 신경전달 조절에 관여하며, M3 수용체는 급성 기도 수축에 관여한다. M2 수용체는 acetylcholine이 과도하게 분비되면 분비를 억제하는 음의 되먹임 자가 조절 수용체이다(그림 1-22). 호흡기 바이러스 감염 후 M2 수용체의 감소가 나타난다. 알레르겐에 의해 호산구 침윤이 생기면 콜린성 무스카린 수용체를 억제하여 acetylcholine 분비를 증폭시킨다. 알레르겐 유발시험을 하면 호산구의 major basic protein이 M2 수용체를

억제한다. 또한 호산구에서 분비되는 superoxide가 신경조직에서 나오는 nitric oxide (NO)를 억제하거나, 비만세포의 tryptase가 vasoactive intestinal peptide (VIP)에 의한 비콜린성 근육 이완을 약화시킨다. 실제 천식 환자에서는 기도를 보호하는 자가 NO 생성이 감소하여 있고 VIP도 역시 감소한다.

교감신경도 기관-기관지 혈관조절에 관여하나 인체 기도 근육에는 교감신경이 분포하지 않는다. 한편 기도 근육에는 베타 교감신경수용체가 풍부하게 분포하고 있으며 기관지 확장에 관여한다. 그러나 천식 환자에서 베타 교감신경수용체의 기능은 정상이며 베타 교감수용체의 수적, 기능적 저하는 기도 염증에 의한 이차적 결과이다.

비교감 비콜린성 신경(non-adrenergic non cholinergic, NANC) 중 인체에서는 IVP와 NO를 분비하는 비교감비콜린 억제신경(inhibitory nonadrenergic noncholinergic, iNANC)이 기관지 확장기능을 하는 유일한 신경작용경로이며 천식 환자에서 NANC 억제신경의 기능 이상이 제시되기도 하였으나 천식과 정상인

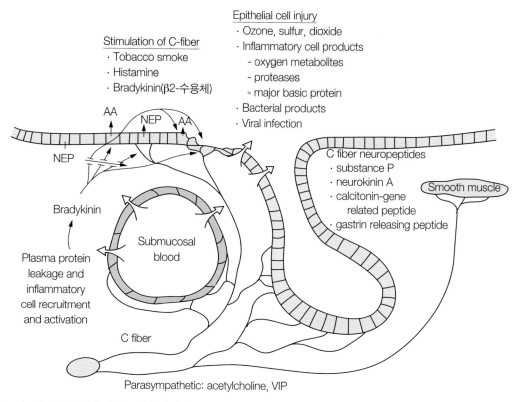

그림 1-23. 기도의 자율신경에 의한 조절과 신경전달물질

사이에서 NANC 억제신경의 차이는 관찰되지 않았다. 동물에서는 NANC 흥분신경(excitatory NANC, eNANC)의 자극으로 기도수축, 점액분비 증가, 혈관과투과, 기침, 혈관확장 등 신경성 염증을 일으킬 수 있다. eNANC에 의한 기관지 수축 반응은 기도의 비수초감각 C 신경섬유(nonmyelinated sensory C fiber)에서 분비되는 신경 펩타이드에 의해서 일어난다. eNANC에서 분비되는 신경 펩타이드로는 calcinogen gene related peptide (CGRP), substance P (SP), neurokinin A (NKA) 등이 밝혀져 있다. NK1과 NK2 수용체는 주로 기도의 세포에 표현되며 NK1 수용체는 점액분비와 미세혈관 투과를 자극하는 tachykinin 염증효과를 매개하는데 관여하고 NK2 수용체는 기관지 수축을 일으킨다(그림 1-23).

라. 면역과 신경의 상호작용

사람의 감각신경 말단에는 신경 펩타이드인 SP와 NKA가 존재하며 알레르겐, 오존, 독소, 염증성 자극에 의해 분비된다. 또한 호산구, 대식세포, 수지상세포에서도 SP와 NKA를 분비할 수 있다. SP는 비만세포에서 히스타민을 분비시키며 반대로 미주신경을 자극하면 비만세포 탈과립이 일어난다. 고농도의 SP를 투여하면 호산구 탈과립도 유도할 수 있다. 알레르겐을 SP와 동시에 투여하면 IgE반응이 연장된다. 또한 SP는 기도 과민성을 유도하며 폐포내로 대식세포를 유인하는데 관여한다. 이렇듯 실험적으로 다양한 알레르기 반응과 신경 전달물질의 상호 작용이 증명되고 있다. 따라서 알레르기 반응에서 신경계 반응과 이에 관여하는 신경전달물질을 규명하는 것은 천식의 병태생리를 이해하고 적절한 치료를 개발하는데 유용하다.

11. 알레르기질환의 자연경과

알레르기질환이 잘 생기는 경향을 아토피라고 하며 이런 사람에서는 아토피피부염, 천식, 알레르기비염, 알레르기결막염, 두드러기 등의 증상이 동시에 혹은 시간적 차이를 두고 나타나는데 이런 현상을 알레르기 행진이라고 한다. 대개는 생후 2~3개월경부터 아토피피부염 증상이 나타나기 시작하며 이어서 잦은 호흡기 증상이 나타나고 차차 특징적 천식과 비염 증상이 나타나게 된다. 그러나 모든 소아가 이러한 전형적 과정을 거치는 것은 아니며 영유아에서도 알레르기비염이 관찰되기도 하고 2세 이전에도 천식이 진단되는 경우도 흔히 있다. 일부에서는 이러한 증상들이 성장하면서 자연 소실되기도 하며 일부에서는 수년 내지 일생동안 지속하게 된다. 소아 천식의 장기적인 예후를 보면 약 50~70% 정도는 사춘기에 증상이 사라지지만 약 1/4 정도는 성인까지 증상이 이어진다. 더욱이 임상 증상은 사라진다 하여도 폐기능의 저하나 기도과민성은 상당수에서 남아있게 되어 수면 아래 가라 앉아 있는 빙산에 비유되기도 한다. 따라서 아토피 요인을 가진 고위험군에서는 특히 환경적인 요소들을 조절하고, 나타난 증상을 조기에 적절히 치료함으로써 알레르기질환의 자연 경과를 조절하여 질병을 예방하고 만성화를 방지하는 것이 중요하다.

참고문헌

1. 신태순. 이금자, 윤혜선. 국민학교 아동에서의 알레르기 질환에 관한 조사. 알레르기 1990;10:201-12.

2. 편복양, 김창휘, 이동환, 이상주, 이임순, 이권해 등. 알레르기 질환의 모자간 이행에 관한 연구. 알레르기 1992;12: 239-50.

3. 이충은. Signal transduction in allergic reaction. 소아 알레르기 및 호흡기학회지 1996;6:1-14.

4. 손병관, 임대현, 김정희, 전용훈, 김순기. 초등학교 아동의 알레르기 질환 빈도 및 알레르기 질환과 유관한 요인이 있는 아동과 정상 아동 사이의 폐기능 검사 비교. 소아알레르기 및 호흡기학회지 1997;7:198-206.

5. 김윤근, 손지웅, 조상헌, 이명현, 고영률, 민경업 등. 천식 환아의 형제에서 혈청 총 IgE 농도와 염색체 11q13 유전형 사이의 연관성. 천식 및 알레르기학회지 1998;18:473-82.

6. 김규언. 아토피 및 천식의 유전학적 이해. 소아알레르기 및 호흡기학회 1999;9:343-50.

7. 손근찬. 소아 알레르기의 역학 : 알레르기질환이 늘고 있다. 제49차 대한소아과학회 추계학술대회 초록집. 1999, A1-A3.

8. 홍수종, 김봉성, 김자형, 오홍범, 이무송, 최수옥 등. 천식환아와 정상아에서 β_2-아드레날린 수용체 유전자 다형에 관한 연구. 소아알레르기 및 호흡기학회지 2002;12:253-262.

9. 김지영, 김희라, 김형진, 정지태. 가족의 흡연으로 인한 간접 흡연이 천식에 미치는 영향. 소아알레르기 및 호흡기학회지 2003;13:238-47.

10. 최일환, 한수지, 이헌구. 알레르기 염증 반응에서 후기반응의 새로운 조명. 천식 및 알레르기학회지 2003;23:715-24.

11. Herxheimer H. The late bronchial reaction in induced asthma. Int Arch Allergy Appl Emmunol 1952;3:323-8.

12. Schwartz LB, Austen KF. Structure and function of the chemical mediators of mast cells. Prog Allergy 1984;34:271-321.

13. Mosmann TR, Cherwinski H, Bond MW, et al. Two types of murine helper T cell clone: Definition according to profiles of lymphokine activities and secreted proteins. J Immunol 1986;136:2348-57.

14. Corrigan CJ, Kay AB CD4. T-lymphocyte activation

in acute severe asthma: Relationship to disease severity and atopic status. Am Rev respir Dis 1990; 141:970-7.

15. Romagnani S. Regulation and degranulation of human IgE synthesis. Immunol Today 1990;11:316.

16. Naclerio RM, Baroody FM, Togias AG. The role of leukotrienes in allergic rhinitis: a review. Am Rev Respir Dis 1991;143:S91-5.

17. Sur S, Crotty TB, Kephart GM, et al. Sudden-onset fatal asthma. A distinct entity with few eosinophils and relatively more neutrophils in the airway submucosa? Am Rev Respir Dis 1993;148:713-9.

18. Schall TJ, Bacon KB. Chemokines, leukocyte trafficking, and inflammation. Curr Opin Immunol 1994;6:865-73.

19. Rivier A, Pene J, Rabesandratana H, et al. Blood monocytes of untreated asthmatics exbit some features of tissue macrophages. Clin Exp Immunol 1995;100:314-8.

20. Shaver JR, O'Connor JJ, Pollice M, et al. Pulmonary inflammation after segmental ragweed challenge in allergic asthmatic and nonasthmatic subjects. Am J Resp Crit Care Med 1995;152:1189-97.

21. Inman MD, Watson R, Cockcroft DW, et al. Reproducibility of allergen-induced early and late asthmatic responses. J Allergy Clin Immunol 1995;95:1191-5.

22. Sandford A, Weir T, Paré P. The genetics of asthma. Am J Respir Crit Care Med 1996;153:1749-65.

23. Evans CM, Freyer AD, Jacoby DB, Gleich GJ, Costello RW. Pretreatment with antibody to eosinophil major basic protein prevent hyperresponsiveness by protectiong M2 neuronal muscarinic receptors in antigen challenged guinea pigs. J Clin Invest 1997;100:2254-62.

24. Shaver JR, Zangrilli JG, Cho SK, et al. Kinetics of the development and recovery of the lung from IgE-mediated inflammation: dissociation of pulmonary eosinophilia. lung injury, and eosinophil-active cytokines. Am J Resp Crit Care Med 1997;155:442-8.

25. Costa JJ, Church MK, Galli SJ. Mast cell cytokines in allergic inflammation. In Holgate ST, Busse W, editors: Inflammatory mechanisms in asthma, New York, 1998, Marcel Dekker, p 111.

26. Lambrecht BN, Salomon B, Klatzmann D, et al. Dendritic cells are required for the development of chronic eosinophilic airway inflammation in response to inhaled antigen in sensitized mice. J Immunol 1998;160:4090-7.

27. Leung DY. Molecular basis of allergic diseases. Mol Genet Metab 1998;63:157-67.

28. Mirakian R. Hypersensitivity reactions. In: Delves PJ, Roitt IM. Encyclopedia of Immunology. 2nd ed. London: Academic Press Ltd., 1998;1169-79.

29. Chang AB. Cough, cough receptors and asthma in children. Pediatr Pulmonol 1999;28:59-70.

30. Holgate ST. Genetic and environmental interaction in allergy and asthma. J Allergy Clin Immunol 1999;104:1139-46.

31. Wiesch D, Meyers DA, Bleecker ER. Genetics of asthma. J Allergy Clin Immunol 1999;104:895-901.

32. Jone CA, Holloway JA, Waner JO. Does atopic disease start in foetal life? Allergy 2000;55:2-10.

33. Joos GF, Germonpre PR, Pauwels RA. Role of tachykinins in asthma. Allergy 2000;55:321-37.

34. Silkoff PE, Sylvester JT, Zamel N, Permutt S. Airway nitiric oxide diffusion in asthma. role in pulmonary function and bronchial responsiveness. Am J Respir Crit Care Med 2000;161:1218-28.

35. Lee SI, Shin MH, Lee HB, Lee JS, Son BK, Koh YY, Kim KE, Ahn YO. Prevalences of Symptoms of Asthma and Other Allergic Diseases in Korean

Children: A Nationwide Questionnaire Survey. J Korean Med Sci 2001;16:155-64.

36. Moser B, Loetscher P. Lymphocyte traffic control by chemokines. Nat Immunol 2001;2:123-8.

37. O' Bryne PM, Inman MD, Parameswaran K. The trials and tribulations of IL-5, eosinophils, and allergic asthma. J Allergy Clin Immunol 2001;108:503-8.

38. Roitt I, Brostoff J, Male D. Immunology. 8th ed. London: Mosby 2001:323-83.

39. Ricciardolo FL, Timmers MC, Gepitti P, van Schdewijk A, Brahim JJ, Sont JK, et al. Allergen induced impariment bronchoprotective nitric oxide synthesis in asthma. J Allergy Clin Immunol 2001;108:198-204.

40. Undem BJ, Carr MJ. Pharmacology of airway afferent nerve activity. Respir Res 2001;2:234-44.

41. Abbas AK, Lichtman AH, Pober JS. Cellular and Molecular Immunology. 4th. ed. Health Sciences Asia Pte: Elsevier Science 2002: 404-16.

42. Van Bever HP. Early event in atopy. Eur J allergy 2002;161:542-6.

43. Alam R. Chemokines in cell movement and inflammation. In Middleton' s Allergy Principles and practice. 6th eds. Philadelphia: Mosby 2003:159-76.

44. Borish L, Rosenwasser LJ. Cytokines in allergic inflammation. In Middleton's Allergy Principles and practice. 6th eds. Philadelphia: Mosby 2003:135-57.

45. Bradley J, Undem J, Brendan J, Cannig. Neural control of airway fucntion in allergy. In Middleton' s Allergy; Priciple and practice. Adkinson NF Jr et al(eds.), Mosby, 2003, Philadelphia p231-41.

46. Guilbert T, Krawiec M. Natural history of asthma. Pediatr Clin North Am 2003;50:523-38.

47. Leung DY, Sampson HA, Geha RS, Szefler SJ. Pediatric allergy, Principles and Practice. St. Louis: Mosby 2003:39-68.

48. O' Conneell EJ. Pediatric allergy: a brief review of risk factors associate with developing allergic diseases in childhood. Ann Allergy Asthma Immunol 2003;90:53-80.

49. Holt PG. The role of genetic and environmental factors in the development of T cell mediated allergic disease in early life. Paediatr Respir Rev 2004;5 Suppl A:S27-30.

50. Peebles RS Jr. Viral infections, atopy, and asthma: is there a causal relationship? J Allergy Clin Immunol 2004;113:S15-8.

제 2 장

진단

1. 병력 청취와 진찰

가. 소아 알레르기질환의 특성

성장과 발달 상태에 있는 소아들은 증상의 발현과 경과 등 여러 가지 면에서 성인과 많은 차이점을 가지고 있다. 따라서 알레르기질환의 진단을 위해 병력을 청취하고 진찰을 실시하기에 앞서서 아래와 같은 소아 알레르기질환의 특성에 대해 충분히 이해하는 일이 매우 중요하다.

알레르기질환은 아토피 소인을 가지고 있는 소아에서 나타나게 되는데, 최초에는 영유아기에 식품과 관련된 위장관 증상(설사, 구토, 복통 등)이 나타나거나 피부 증상(영아 습진)이 나타나는데, 대개의 경우에 나이가 들어가면서 호전된다.

생후 6개월쯤 되면 쌕쌕거리는 천명이 들리고 호흡곤란을 나타내는 세기관지염에 잘 걸리게 되는데, 이런 상태가 자주 반복되면 기관지 천식이란 진단을 받게 된다. 기관지 천식 증상은 이후 반복하면서 호흡기의 성장과 노출 알레르겐의 변화에 따라 일부는 6~7세경에 치유되기도 한다. 그러나 어떤 환자는 학령기 동안에 천식이 호전과 악화를 거듭하면서 사춘기에 이르게 되는데, 일부 환자에서는 천식 증상은 호전되지만 알레르기비염이 발생한다. 소아 알레르기질환의 약 50~70% 정도는 사춘기를 지나면서 치유되지만,

20~30% 정도는 성인이 되어서도 계속 앓게 된다.

위와 같은 알레르기질환의 발병 과정을 자세히 살펴보면, 아토피 소인을 가진 소아가 출생 후부터 연령이 증가함에 따라 원인과 표적 기관(피부 → 하기도 → 상기도)이 변화하면서 각종 알레르기질환이 순차적으로 나타나는 경향을 보이고 있다. 이처럼 소아가 성장함에 따라 알레르기 증상도 변하여 나타나는 과정이, 마치 군대가 대열을 이루어 차례 차례로 행진하는 모습과 비슷하다 하여 '알레르기 행진(allergic march)' 이라고 부르고 있다(그림 2-1).

나. 병력 청취

천식을 포함한 알레르기질환을 진단하는 과정은 환자의 병력이나 여러 증상에 근거하여 알레르기질환을 의심하는 데에서부터 시작한다. 병력청취와 진찰을 통해 일차적으로 알레르기질환이라고 의심이 되면, 폐기능 검사나 유발시험과 같이 객관적으로 알레르기질환이라고 증명해줄 수 있는 검사방법을 이용하여 확진한다. 따라서 병력 청취와 진찰은 알레르기질환을 진단하는 첫 단계에 해당되는 사항으로 매우 중요하다(표 2-1).

그리고 최근에는 알레르기질환을 조기에 진단하여 조기에 치료함으로서 합병증이나 다른 알레르기질환으로 발전되는 것을 예방하도록 권장하고 있다. 따라

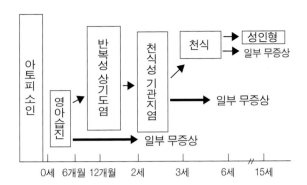

그림 2-1. 소아 알레르기 질환의 자연경과(알레르기 행진)

표 2-1. 알레르기 질환의 병력 청취와 진찰시에 포함되어야 할 사항
병력 청취
가족력
과거력
출생력, 수유의 종류, 이유시기와 종류
알레르기의 발생 및 경과
과거에 시행 받았던 검사 소견
치료 과정 및 치료에 대한 효과
식품이나 약품에 의한 부작용
현병력
증상의 양상: 빈도, 계절성 또는 통년성
증상의 중증도: 증상일기
증상의 유발 또는 악화요인: 증상일기, 식품일기
주거 환경: 침구류 종류, 애완동물 사육
일상 생활에 대한 영향: 삶의 질
진찰
폐: 천명, 흉곽함몰(retraction)
코: allergic salute, rabbit nose(nasal twitching), nasal crease(transverse bar), allergic shiner, nasal mucosa
눈: 결막부종(chemosis), cobble stone appearance
피부: 아토피피부염, 발진, 두드러기
소화기: 영양평가, 구강알레르기증후군(oral allergy syndrome)

서 조기 진단이 매우 중요한데, 소아에서는 각종 검사를 실시하는데 어려움이 많아 주로 병력과 진찰 소견에 근거하여 진단을 내리기 때문에 병력청취가 더욱 중요하다고 할 수 있다.

병력 청취는 여타 다른 질환에서와 마찬가지로 철저히 이루어져야 한다. 알레르기질환이 다인자성 요인에 의해 발생되지만, 특히 유전적인 성향이 높기 때문에 가족들 중에서 알레르기질환을 앓고 있는 사람이 있는지 여부를 확인하는 일은 매우 중요하다.

알레르기질환을 앓고 있는 환자 자신의 병력을 자세히 파악하는 것은 무엇보다 중요하다. 따라서 병력 청취를 통해 임신 및 출생과 관련된 알레르기 유발요인(저체중아, 미숙아 등)이 있었는지 그리고 수유의 종류, 이유시기와 종류에 대해서도 알아보아야 한다. 질병의 발생에서부터 현재 상태에 이르기까지의 진행 과정, 시행 받았던 검사의 종류와 결과, 투약의 내용과 그에 따른 효과의 정도, 그리고 환경관리와 지시에 대한 순응도 등을 평가하도록 한다. 아울러 특정 식품이나 약물에 의한 유해한 반응(adverse reaction)이 있었는지도 확인한다.

알레르기 증상이 하루 또는 일 년 중에 주로 언제 나타나고, 얼마나 자주 나타나는지 등을 알아내도록 한다. 그리고 증상의 정도는 어느 정도인지를 평가하도록 한다. 이때 증상일기 등을 활용하면 많은 도움을 받을 수 있다(그림 2-2).

알레르기 증상은 집먼지진드기나 화분 그리고 간접흡연과 같은 실내외 환경요인에 의해 영향을 받는 경우가 많으므로, 환자가 호소하는 증상이 어떤 경우에 심해지는지, 즉 증상을 유발하고 악화시키는 요인에는 어떤 것들이 있는지를 확인하도록 한다. 특히 병력청취에서 의심되는 원인이나 검사결과와 환자의 증상사이에 연관성이 있는지를 평가해야 되는데, 이런 경우에는 증상일기나 식품일기를 이용하면 원인을 찾아내거나 확인하는데 많은 도움을 받을 수 있다(그림 2-3).

사용하는 침구류의 종류는 무엇인지, 카페트를 사용하는지, 애완동물을 사육하는지 등과 같이 특정 알레르겐에 노출되기 쉬운 주거환경을 갖고 있는지 등에 대해서도 평가하도록 한다.

증 상 일 기

번호 ＿＿＿＿＿＿＿　　이름 ＿＿＿＿＿＿＿　　　　　해당란에 ○표 하십시오.

증상 ＼ 날짜		월 일			월 일			월 일			월 일			월 일			월 일			월 일		
		아침	낮	밤	아침	낮	밤	아침	낮	밤	아침	낮	밤	아침	낮	밤	아침	낮	밤	아침	낮	밤
숨찬 증상	심했다																					
	약간 있었다																					
	없었다																					
하는 숨소리 (쌕쌕 또는 가랑가랑)	심했다																					
	약간 들렸다																					
	들리지 않았다																					
기침	많이했다																					
	약간했다																					
	하지 않았다																					
코증상	코가 막혔다																					
	콧물이 나왔다																					
	재채기를 했다																					
	증상이 없었다																					
눈증상	눈을 부볐다																					
	부비지 않았다																					
수면	잘 못잤다																					
	잘 잤다																					
일상생활 (뛰놀거나 학교거나 출석)	지장이 많았다																					
	약간 지장이 있었다																					
	지장없었다																					
투약	흡입약을 썼다																					
	먹는 약을 썼다																					
	약은 쓰지 않았다																					

이 일기는 환아의 상태와 치료경과를 판단하는데 큰 도움이 되오니 매일매일 기록해서 병원에 오실 때 꼭 갖고 오셔서 주치의에게 제출해 주십시요.

그림 2-2. 증상일기의 예

식 품 일 기

성명 :

	200 년 월 일	200 년 월 일	200 년 월 일	200 년 월 일	200 년 월 일	200 년 월 일	200 년 월 일
아침							
간식							
점심							
간식							
저녁							
증상 및 기타	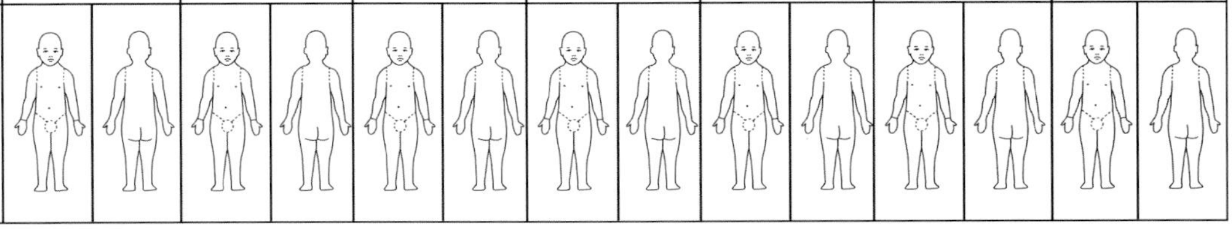						

그림 2-3. 식품일기의 예

알레르기질환을 앓음으로서 본인뿐만 아니라 가족들도 이로 인해 일상생활에 얼마나 지장을 받는지, 즉 환자와 가족들의 '삶의 질'에 대한 평가도 같이 해야 한다.

나이가 어린 소아일수록 자신의 증상을 표현하기가 불가능하기 때문에 의사는 보호자의 설명에 의존하여 판단할 수 밖에 없다. 그런데 보호자의 설명은 질병에 대한 보호자 자신의 이해와 관심의 정도에 따라 그 표현의 정도가 다를 수 있기 때문에 실제의 중증도와 차이가 있을 수 있다. 따라서 충분한 시간을 가지고 보호자와 면담을 하는데, 체크 리스트처럼 정리된 병력기록지를 활용하면 도움이 된다. 그리고 중증도를 객관적으로 판단하기 위해서 증상일기와 같은 평가표를 사용하면 도움이 된다. 이런 증상일기는 약물에 대한 효과를 평가하는데도 사용된다.

다. 진찰

환자의 병력으로 미루어 알레르기질환이 의심되면, 알레르기 반응이 나타나는 주요 표적 장기인 폐(천식), 코(비염), 눈(결막염), 피부(아토피피부염, 두드러기 등) 및 소화기(식품알레르기)에 대해 철저히 진찰한다.

천식에 의한 중요한 증상은 천명, 흉부압박감, 호흡곤란 그리고 기침인데, 이들 증상은 다른 호흡기 질환이 있을 때도 나타날 수 있다. 또한 나이가 어릴수록 기도가 좁기 때문에 여러 원인에 의해 천명이 쉽게 나타나고, 단순히 기침만을 특징으로 하는 천식(cough variant asthma)도 있으므로 증상만을 가지고 진단하는 것이 그리 용이하지는 않다(표 2-2, 그림 2-4).

어린이들은 감기를 일 년에 6~8회 정도 앓지만, 대부분의 경우 감기로 인한 호흡기 증상은 7일 이내에 소실된다. 그러나 천식은 증상이 반복적으로 나타나는 특성을 가지고 있기 때문에, 비슷한 호흡기 증상이 반복되거나 3주 이상 지속되는 경우에는 일단 천식의 가능성을 생각해보아야 된다.

천식 발작이 심한 경우에는 처음 진찰할 때에는 천명이 들리지 않다가 오히려 나중에 기관지 수축이 어느 정도 풀린 뒤에 천명이 들릴 수도 있다는 사실을 기억하고 있어야 한다. 따라서 환자를 진료하자마자 곧바로 진단을 내려야 되겠다는 마음보다는 일정한 간격을 두고 환자에게서 나타나는 증상의 양상을 면밀히 관찰하는 자세가 필요하다.

천식의 주요 증상인 천명이 진찰할 때에 들리면 진단이 한결 용이해지겠지만, 천명이 천식 이외에 다른 원인에 의해서도 나타날 수 있다. 그리고 때로는 천명이 들리지 않는 경우도 있고 만성 기침의 형태로 나타나는 경우도 있기 때문에 천식과 감별해야 될 질환들을 먼저 확인하는 것이 필요하다.

알레르기비염 환자는 진단기준이 되는 특유의 증상(pathognomonic symptom)은 아니지만, 몇 가지 특징적인 소견을 보이는 경우가 있다. 비점막 부종으로 인해 코가 막혀서 호흡이 답답하므로 이를 완화시키기 위하여 코를 아래서 위로 또는 좌우로 비비는데(allergic salute), 만일 코를 비비지 못할 경우에는 토끼가 코를 씰룩씰룩 거리듯이 코를 비틀게 된다(rabbit nose, nasal twitching). 코를 오랜 기간동안 비비게 되면 콧잔등에 주름이 생길 수 있다(nasal crease, transverse bar). 그리고 비점막 부종으로 인해 코 주변의 혈액 순환이 좋지 않아서 정맥혈의 정체가 일어나게 되면 눈 밑이 보랏빛(퍼렇게 멍든 것처럼 보이는)으로 변하게 된다(allergic shiner). 따라서 진찰할 때에는 이런 특징적인 소견이 있는지를 확인한 뒤에 비경을 가지고 코 점막을 직접 관찰하여 점막의 상태를 평

표 2-2. 천명이 있는 영유아에서 천식을 시사하는 소견

천식에 대한 가족력
반복적인 발생
바이러스 감염을 의심할 만한 증상 없이 갑자기 발생
호기 연장
호산구증가증 (> 250/mm³)
기관지확장제 투여후 증상의 신속한 호전

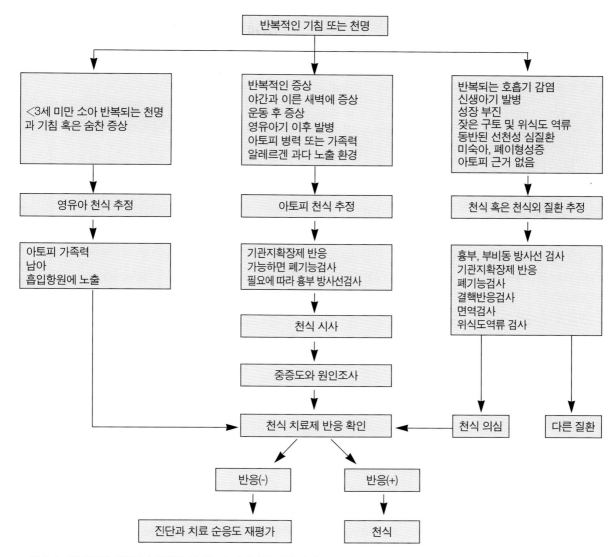

그림 2-4. 반복적인 기침이나 천명을 보이는 소아에서의 진단 과정

가하도록 한다.

알레르기비염 환자의 상당수가 결막염을 같이 가지고 있는 것으로 알려져 있다. 결막염이 있을 경우에 충혈, 눈물이 주로 나타나는데, 때로 결막에 심한 부종(chemosis)이 나타날 수 있다.

피부를 진찰할 경우에는 아토피피부염이 있는지 여부와 그 정도를 확인하고, 발진이나 두드러기 등이 나타나 있는지를 관찰한다. 그리고 설압자나 볼펜 끝으로 피부를 긁어봄으로써 피부묘기증의 존재 유무를 확인한다.

식품알레르기 증상으로 설사나 변비 등과 같은 소화기 증상이 나타날 수 있으므로, 환자의 영양상태 평가와 더불어 복부를 진찰하도록 한다. 때로 구강알레르기증후군이 나타날 수 있다.

그런데 앞에서 설명한 천식뿐만 아니라 비염이나 아토피피부염 등 여러 알레르기질환과 비슷한 증상을 나타내는 질환들이 많기 때문에 이들과 감별진단이 필요하다.

위와 같은 과정을 밟아서 환자의 증상이 알레르기 질환으로 의심되면, 다음 단계로 이들 질환으로 확진할 수 있는 객관적인 진단방법을 실시한다.

2. 원인 및 유발인자

가. 실내항원

집먼지 항원이 천식과 관련이 있다는 것은 1920년 대에 Kern과 Cooke에 의해 발표된 이래 많은 연구가 보고되었다.

천식의 유병률은 지난 40년 동안 꾸준히 증가하여 현재는 미국에서는 소아의 약 10% 정도가 천식을 갖고 있다. 실내 항원(집먼지진드기, 동물 배설물, 바퀴, 진균 등)에 대한 감작과 노출이 천식의 가장 중요한 위험 인자이다. 진드기에는 *D. pteronyssinus*와 *D. farinae*가 가장 중요하며 미국 가정의 먼지 샘플의 진드기군의 90%이상을 차지한다. 알레르기를 일으키는 다른 진드기로는 *Euroglyphus maynei*와 *Blomia tropicalis*가 있다. 이 진드기들은 플로리다나 남부 캘리포니아, 텍사스와 같은 아열대지방에서 주로 발견된다. *Lepidoglyphus destructor, Tyrophagus putrescentiae, Acarus siro*와 같은 저장 진드기들은 농부나 농장 종사자나 그 가족들에게 직업성 천식을 유발할 수 있다. 항원 노출과 감작 그리고 천식에 대한 관련성은 집먼지진드기의 경우 잘 연구되어져 있다. 진드기 group 1 항원에 2 μg/g 노출되면 감작이 일어나며, 천식의 정도는 진드기 항원에 대한 노출 정도와 관련이 있다.

고양이 항원(*Fel d* 1)은 주위에 널리 편재되어 있어서 고양이를 키우지 않더라도 집안에서 임상적 의의를 가질 정도의 농도로 발견되며 이는 개 항원에서도 유사하다. 설치류의 소변에 있는 단백질은 실험실이나 연구실의 동물 취급자들의 직업성 천식과 깊은 관련이 있다. 바퀴 항원은 대단히 강력한 항원으로서 집먼지진드기나 고양이 항원의 1/10~1/100의 용량으로도 IgE 반응을 유발한다.

천식에 있어서 실내 항원의 역할을 조사하기 위해서는 중요 항원을 확인하고 이 항원에 노출 정도를 정확히 감시하는 방법이 필요하다.

1) 항원의 구조와 기능

항원은 분자량이 10~50 kDa 정도인 단백질이나 당단백이다. 대부분의 주요 항원은 아미노산 서열까지 밝혀져 있다. 500개 이상의 항원이 서열이 밝혀져 단백질 data base에 저장되어 있고 20개 이상이 그 삼차원적 구조가 x-ray crystallography로 밝혀졌다. 항원은 다양한 생물학적 기능을 보이며 효소, 효소억제제, lipocalin, 또는 조절 단백이거나 구조 단백이다. 항원은 Th2 경로를 밟아 IL-4와 IL-13을 생성을 촉진시킬 수 있는 T 세포의 분화를 촉진시킨다.

가) 항원의 명명법

항원은 여러 단백과에 속하며 다양한 생물학적 특성을 지닌다. IUIS (International Union of Immunological Societies)의 항원 명명 분과위원회 (Allergen Nomenclature Subcommittee)에서 체계적 명명법을 제안하여 사용된다. 첫 세글자는 속(genus)을 의미하며 다음 한 글자는 종(species)을 의미하며 숫자는 항원 동정의 연대순 순서이다. 예를 들면 *Dermatophagoides pteronyssinus* allergen 1은 *Der p* 1으로 표기된다. 동종 알레르겐(isoallergen)은 2/3이상의 아미노산 서열이 동일한 알레르겐을 말한다. 동종알레르겐과 그와 동일한 알레르겐 군에 속하는 변형형은 마침표를 한 후에 4개의 아라비아 숫자로 표현한다. 예를 들어 큰조아재비화분(Timothy grass, Phleum pratense)의 두 가지 동종 알레르겐을 전에는 *Phl p Va*와 *Phl p Vb*로 표시했으나 지금은 각각 *Phl p* 5.0102와 *Phl p* 5.0201로 표시하며 후자의 2가지 클론은 *Phl p* 5.0201과 *Phl p* 5.0202

로 표시한다. IUIS 명명법에 포함되려면 항원이 순수하게 정제되어야 하고 피부반응검사나 IgE 항체 검사법으로 IgE 항체 생성이 증명되어야 한다.

나) 항원의 구조

대개의 집먼지진드기 항원은 배설물 내의 소화효소이다. 즉 *Der p* 1은 cysteine protease이며 *Der p* 3는 serine protease, *Der p* 6는 chymotrypsin이다. 고양이 항원(*Fel d* l)을 제외하고 대부분의 동물 항원은 리간드 결합 단백(lipocalins)이거나 알부민이다. Lipocalins은 20~25 kDa 단백으로 잘 보존되어 있는 여덟가락의 비평행선의 P-barrel 구조이다. 이들은 작은 소수성(hydrophobic) 화학물질과 결합하여 운송하는데 기여한다. 대체로 lipocalins은 다양한 리간드 결합 작용을 한다. 바퀴 항원 *Bla g* 4 역시 lipocalin이다. *Bla g*를 포함하는 또 다른 바퀴 항원 *Bla g* 2는 비활성 aspartic proteinase이며, *Bla g* 5는 glutathione transferase과에 속하며 *Per a*7은 tropomyosin이다. 진균 항원은 *Alternaria, Aspergillus, Cladosporium, Penicillium, Trichophyton* spp.에서 유래되며 이 항원 중 수개는 단백분해효소, heat shock proteins, 또는 ribonucleases이다.

다) 항원의 기능

생물학적 기능이 항원성에 영향을 미치는지의 여부에 대해서는 논란이 많다. 진드기 항원의 효소가 활성화되면 B세포 표면의 CD23과 CD25 수용체의 균열을 통해 기관지 상피세포에서 유래된 proinflammatory 사이토카인(IL-8, IL-6, MCP-1, GM-CSF)이 방출되어 IgE 합성과 국소 염증반응을 촉진시킨다. 진드기 protease 항원은 시험관내에서 기관지 상피세포의 탈락을 유발하고 세포간의 단단한 연결을 와해시킨다. 반면에 몇가지 강력한 항원(*Der p* 2, *Fel d* I, *Bla g* l, *Bla g* 2 등)은 효소 활성도가 없고 *Can f* l과 *Fel d* 3와 같은 동물 항원은 cysteine protease 차단제이다.

라) 재조합 항원

재조합 항원(recombinant allergen)은 박테리아(*Escherichia coli*), 진균(*Pichia pastoris*), baculovirus 등에 대한 표현능이 높다. 일반적으로 재조합 항원의 항원능(피부반응 검사와 IgE 항체 검사로 평가)은 자연 상태의 항원의 항원능과 비교한다. 재조합 항원의 장점은 정확하게 조작되고 표적될 수 있으며 처리될 수 있어서 그 농도와 효능을 정확히 공식화 할 수 있다는 것이다. 일반 항원에서와 같이 3~4 종류의 주요 항원을 섞어서 진단 목적으로 사용될 수 있다. 재조합 항원은 microarrays와 lateral flow devices를 포함해서 새로운 세대의 진단법으로 개발되고 있으며 알레르기 진단의 피부검사를 대체할 수 있을 것으로 기대한다. 또한 알레르기질환의 새로운 치료법의 개발과 예방주사 개발에도 사용될 수 있을 것이다.

2) 항원 노출에 대한 검사
가) 항원 탐지 방법

먼지샘플내 집먼지진드기나 바퀴벌레의 수를 세는 방법이 있다. 이 방법은 계절 변화에 따른 수의 변동이나 집먼지진드기나 바퀴들의 수를 줄이는 방법들의 효과 판정에 이용될 수는 있으나 많은 시간과 노력이 요구되고 기본 검사로는 적절하지 못하다. 또한 집먼지진드기나 바퀴들의 수는 감소되나 그 항원은 여전히 높은 상태로 유지될 수 있으므로 단순 숫자 파악은 항원 노출에 대한 적절한 지표가 되지 못한다.

① ELISA 방법

1980년 중반 이후 항원 노출에 대한 정량적 분석이 가능하게 되어 집먼지가 많은 곳(침대, 카페트, 가구 등)에서 주 항원을 측정하게 되었다. 이 정량적 분석은 단클론 항체를 이용한 ELISA 방법이다. 이 검사법은 높은 민감도(~1 ng/ml), 높은 처리능(하루에 수백개 처리 가능), 정확한 정량분석, 높은 특이도가 장점이다. 세계보건기구(WHO)/IUIS 항원 표준화 위원회(Allergen Standardization Committee)에서 순수 정제된 항원에 대한 국제적 표준화 작업을 시도하였다. 표준화 작업은 서로 다른 연구소에서 만들어진 항원을 서로 직접 비교할 수 있게 해 주므로 매우 중요하다. ELISA로 실내 항원을 측정하는 것은 항원에 대한 노출 정도를 분석하는 가장 좋은 방법이다.

② 최근에 개발되고 있는 방법

알레르기 클리닉이나 외래 또는 환자 자신이 시행 가능한 간단한 정성분석이나 정량분석법이 최근에 개발되고 있다. 이러한 검사법은 환자 자신이 각자 집에서 항원을 모니터 할 수 있게 해 주며 궁극적으로는 천식 발병에 있어 항원의 역할을 교육시키는 목적으로도 이용될 수 있다.

Acarex 검사법은 독일에서 고안된 검사법으로 집먼지 내의 구아닌을 dipstick으로 측정한다.

Dustscreen 검사법은 스위스에서 개발된 단클론 항체를 이용하여 nitrocellulose strip 상에서 여러 항원을 측정하는데 알레르기 클리닉과 같은 전문기관에서 사용할 수 있다.

Lateral flow technology는 미국에서 개발된 검사법으로 특정 항원을 10분내에 측정한다. 이 방법은 임신 검사법이나 HIV 검사법처럼 환자 자신이 쉽게 검사할 수 있다. 진드기 항원 검사에 mite group 2 ELISA와 같은 단클론 항체를 이용하여 *D. pteronyssinus*와 *D.farinae*를 찾아낼 수 있다. 이 검사는 2분 내에 먼지를 모아서 추출할 수 있는 MITEST 먼지 collector를 이용한다. 항원 농도를 저, 중, 고로 보여주는 지시선으로 표시하여 판정하며, ELISA로 정한 group 2 농도와 잘 비례한다. 독일에서 개발된 "wipe test"도 유사한 lateral flow technology를 사용한 검사법이다. 이 lateral flow test는 모든 항원에 사용할 수 있다.

나) 항원 채집

항원은 먼지와 대기에서 채집한다.

① 먼지에서의 채집

항원의 측정은 1 m²의 면적을 2분 동안 진공 청소기로 채집된 먼지 샘플을 2 ml 완충액에 희석하여 미세한 먼지 100 mg을 추출해서 측정한다. 보통 집안의 서너 군데에서(예; 매트리스, 침구, 침실이나 거실, 카페트, 가구, 부엌 바닥 등) 채집하게 된다. 결과는 먼지 1 g당의 항원 ng이나 μg으로 표기하며 침구에서의 group 1 항원을 측정하는 것이 진드기 노출에 대한 가장 좋은 지표가 된다. 단위 면적당 먼지 1 g에 포함된 μg으로 표기되는 항원의 양과 좋은 상관관계를 보인다.

개나 고양이 항원은 집안에 널리 분포되어 있고 또 집안에 애완 동물이 없는 경우에도 임상적 의미를 가질 정도의 양이 축적되게 된다. 바퀴 항원은 부엌에서 가장 높은 농도로 발견되지만 바퀴 수가 많으면 마루나 침구에서도 축적된 항원이 발견된다. 먼지 속의 항원을 측정하는 것은 항원에 대한 노출을 의미하는 것이고 이를 개인의 노출 정도의 지표로 사용해서는 안 된다.

② 대기에서의 채집

진드기와 바퀴 항원은 직경이 10~40 μm의 큰 입자로 발생되어 와류를 일으키지 않는 한 방에서 발견되지 않는다. 그러나 여과기가 없는 공기 청소기로 와류를 일으키면 이 입자들은 방 대기 중에서 20~40분 동안 발견되게 된다. 반면에 개나 고양이 항원은 와류가 없더라도 방 대기내에서 쉽게 발견되며 수 시간 동안 머물게 된다. 동물 배설물 입자(피부 박편)는 진드기 박편보다 엉성해서 동물 항원의 25%는 대기에 남아있을 수 있는 직경이 5 μm 정도의 작은 입자로 발생된다.

HALOGEN Inhalix는 흡입 항원 입자를 항체가 묻어져 있는 슬라이드에 가시화 할 수 있는 새로운 개인용 채집기로 호주에서 개발되었다. 이 방법은 Silicone air samplers를 코에 4~8시간 동안 장치하고 정상적 일상 활동을 한 뒤, 흡입 입자가 항체 coated 슬라이드에 침착되게 되면 이를 면역화학 염색으로 관찰하는 방법이다. 슬라이드 위에 항원을 포함한 입자 주변을 따라 측정이 가능한 halo가 형성되게 된다. 또는 항원은 민감도가 높은 증폭 ELISA를 이용해 측정할 수도 있다. 이 HALOGEN inhalix 검사법은 진드기, 고양이, 화분, 진균 항원에 대한 개인의 노출 정도를 평가하는데 사용된다.

IBQ (ionic breeze quadra)는 미국에서 개발된 방법으로 세 개의 전기날로 입자를 채집하는 장치이다. 전기날을 씻은 다음 이를 여과시켜 이 속에 있는 항원의 양을 ELISA로 측정하는 방법이다. IBQ로 24시간 동안 0.5~8 μg Fel d 1이나 Can f 1을 모을 수 있다. IBQ의 장점은 실내 공기에서 샘플링을 할 때 조용하며 작업장이나 구성 인원에 불편을 주지 않고 수일간에 걸쳐 채집할 수 있다는 점이다.

다) 항원 노출

① 항원 노출에 대한 한계치

실내 항원에 대한 감작이 소아기 천식의 가장 위험인자 중 하나이다.

개나 고양이를 키우는 가정에서의 Fel d 1이나 Can f 1 의 농도는 10 μg/g이상이지만 키우지 않는 가정은 10 μg/g 미만이다. 집에서 개나 고양이를 키우지 않더라도 개나 고양이가 있는 곳을 방문하여 감작될 수도 있다. 고농도의 Fel d 1 (20 μg/g이상)에 노출되면 관용(tolerance)이 생겨 IgE 반응이 잘 일어나지 않는다. 이 관용에는 Fel d 1 특이 IgG4 항체가 관련한다. 저농도의 Fel d 1 (1~8 μg/g)이라도 IgE 생성에 강력하게 작용한다. 이는 고양이에 대한 감작률이 집먼지진드기에 비해서 낮다는 것을 설명해 준다. 실제로 뉴질랜드는 전 인구의 78%가 고양이를 키우고 집안에 항원이 고농도로 존재하지만 고양이에 대한 감작률은 10%정도이며 천식의 중요한 원인이 되지 못한다.

바퀴 항원에 대한 노출은 Bla g 1과 Bla g 2를 분석하여 평가한다. 감작을 일으키는 바퀴 항원의 농도는 집먼지진드기나 동물 항원에 비해 몇 배 낮다. 이는 바퀴 항원이 IgE 생성을 더 강력하게 자극하는 것을 의미한다. 바퀴 항원의 농도는 경제적 여건이 낮든가, 도심에 살든가, 흑인이나 히스패닉계에서 더 높은 농도를 보인다.

진균에 대한 평가는 다른 실내 항원보다 더 어렵다. 다클론 항체 ELISA 검사법은 항원인 진균뿐만 아니고 비항원인 진균의 단백질까지 측정되므로 임상에서의 이용이 제한된다. 기타 다른 방법이 시도되고 있으나 현재까지는 공기 중에서 진균의 포자를 헤아리고 공기와 먼지에서 진균을 배양하는 것이 표준 검사법이다.

집먼지진드기나 동물, 바퀴 항원의 경우 감작을 일으키는 항원의 농도는 비교적 명확하지만 임상 증세를 유발하는 농도는 명확하지 않다. 특히 집먼지진드기나 바퀴의 경우에는 항원에 노출된 것과 증세 발현과는 잘 비례하는 것 같지 않다.

② 천식 관리를 위한 항원 노출에 대한 감시

회피요법은 천식치료의 기본이다. 회피요법의 지침에는 환자의 병력이나 항원에 대한 감작과 노출정도뿐 아니라 환경적 요소에 대한 평가도 포함되어야 한다.

항원의 측정은 회피요법에 이용되는 여러 물리 화학적 방법(매트리스 싸개, 진공 청소 여과기, 진드기 살충제, 단백 변성제나 청정제, 카펫 청소기, 스팀 청소기, 습도 조절, 공기 정화 체계)에 대한 효과를 판정하는데 도움을 준다. 또한 환자교육의 중요성은 환자가 자신의 병을 조절하는데 자신이 중심 역활을 할 수 있다는 데에 있다.

나. 실외항원

실외에서 보내는 시간이 많아지면서 실외 항원의 역할에 대한 관심이 높아지고 있다. 그 중 화분(꽃가루)과 진균이 가장 중요한 실외 항원으로 알레르기를 일으킬 수 있으며, 공해 역시 알레르기를 유발시키거나 악화시키는 중요한 요인으로 알려지고 있다.

옥외 알레르겐으로 중요한 것이 화분과 진균이다. 전통적 공중 알레르겐 연구는 화분이나 진균 포자의 채집과 형태의 규명이며 이를 위해 다양한 공기 채집기구가 이용되고 있다. 가장 단순한 것은 Hurham shelter인데 대기 분진이 끈적끈적한 물질이 덮여있는 현미경 슬라이드에 붙도록 하는 방법을 이용하는 것이다. 채집된 화분 덩어리가 fuchsin 액(Calberla 염색)으로 염색되고 도본(atlas)을 이용하여 비교 결정하는 것이다. 결과는 슬라이드 면적 cm^2 당 입자수로 보고된다. 더 효과적인 공기 채집기로는 간헐적 회전식 arm impactor (Rotorod sampler)와 간헐적 suction trap (Kramer-Collins sampler)이 있으며 m^3 당 분진 수로 보고된다. 간헐적으로 작동하는 채집기는 갑자기 많은 양의 화분이나 진균이 쏟아지는 것은 채집하지 못하는 경우가 있어 지속적으로 작동하는 채집기로 Burkard spore trap, Andersen sequential sieve impringer 등이 있다.

최근 공기 중 화분이나 진균의 숫자, 또는 높다, 중등도이다, 낮다 등으로 화분 예보를 통해 화분이나 진균이 유행하는 계절의 시작, 최고기, 종료 등을 알 수 있게 되었다. 그러나 채집시기와 발표 시기에 차이가 있고 정확한 원인 항원이 발표되지 못하므로 실제로 환자 개개인의 원인 항원이나 증상과는 차이가 있을 수 있다.

1) 화분

공중화분에 의한 알레르기질환을 화분병 또는 화분증(꽃가루병; pollinosis)라고 하며 천식, 비염, 결막염은 물론 심지어는 위장관 질환과도 관련이 있으며 최근에는 아토피피부염을 악화시킨다는 보고도 있다.

화분이 인체에 질병을 일으킬 수 있다고 발표된 이후 1960년대 말부터 화분에 대한 역학연구가 계속 발표되었으며 1980년대 이후 화분과 알레르기질환 및 호흡기 질환과의 연관성이 계속 보고되고 있다. 이를 근거로 화분의 추출물을 이용하여 임상적으로 피부시험, 혈청 특이 IgE 등의 검사가 시작되고 면역치료에도 이용되고 있다.

모든 화분이 알레르기질환을 일으키는 것은 아니며 각각의 수정 방법에 따라 질병 발생과 연관이 있는데

풍매화가 충매화보다 더 알레르기를 잘 일으키며 옥외 화분의 수도 훨씬 많다. 이는 풍매화가 바람에 의해 화분이 전파되어 번식하게 되므로 충매화에 비해 생산량이 많고, 작고 가벼우며 공기 주머니 등 특수한 기관들이 있어서 공기 중에 잘 날아 다니기 때문이다. 소나무과의 화분은 봄부터 여름까지 많은 양이 분산되나 알레르기를 일으키는 경우는 드물다. 공중 화분이나 진균 포자 입자의 경우 크기가 알레르기 발생과 밀접한 관계가 있는데, 알레르기를 유발하는 공중 화분은 직경이 대부분 20~60 μm이며, 공중 진균포자는 3~30 μm이고, 분진은 1~10 μm 정도이다. 모세기관지나 폐포의 직경은 3~5 μm이므로 도달될 수 있는 입자 크기는 5 μm 미만이어야 하므로 화분이나 진균에 의한 천식은 화분의 조각을 흡입하여 생긴 것으로 해석된다.

출생 후 조기에 실내외 항원에 노출될수록 알레르기질환의 발생에 영향을 주는 것으로 알려져 있다. 공기 중의 화분에 노출되는 것은 지역에 따라 분포식물, 밀도, 분산의 용이성, 풍부성 등의 화분의 특성과 관계가 있다. 감작된 환자에서는 대개 20~100 화분 알갱이/m^3 이면 증상을 나타낸다. 직경이 10~100 μm인 화분이나 흡입성 알갱이의 대부분은 비강이나 비인두에 붙는다. 그러나 알레르겐은 micrometer 이하 크기의 녹말 알갱이와 외막 조각 등 화분에서 나온 매개체(vector)에도 있으며 이런 작은 알레르겐 입자들은 하기도에 갈 수 있기 때문에 감작된 환자에서 천식을 일으킬 수 있다.

항원성은 IgE 항체와의 반응 정도로 평가할 수 있는데 알레르기 환자에서 피부시험이나 혈액 검사에서 양성인 경우에 의미 있다고 판정하며, 화분의 여러 항원 중 오직 일부만이 분리되어 사용되기 때문에 어떤 화분에 알레르기가 있는 환자라도 그 화분에서 추출된 항원에 음성반응을 보이는 경우가 있다. 따라서 피부시험과 혈청 검사뿐 아니라 임상 소견을 참고하여야 한다. 주 알레르겐(major allergen)은 화분증 환자의 90%에서 화분 추출 항원 중 0.001 μm/mL 이하 농도에서 양성 반응을 보이는 항원이거나 화분증 환자

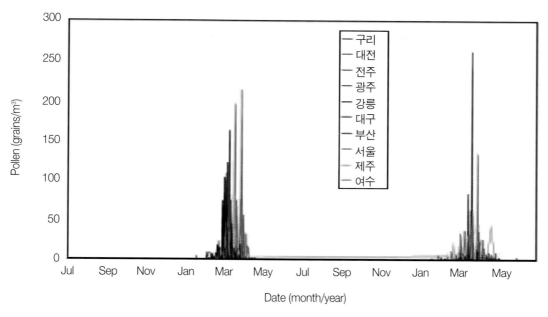

그림 2-5. 우리나라 수목류 화분 날라다니는 시기

50% 이상의 혈청 내 IgE와 결합하는 항원을 말한다. 대부분 화분 알레르겐은 분자량이 4,000~60,000 Da의 단백 혹은 당단백이다.

화분은 고등식물의 수술에서 나오는 배우체(gametophyte)로서 2~4개의 세포로 구성되어 있다. 각 화분의 내부는 외막과 내막으로 구성되어 있으며, 각 화분은 화분의 크기와 외막의 두께, 홈(pores)의 수나 위치, 구(furrows)의 수, 세포막의 모양(가시, 공기주머니, 방사모양 등)에 의해 구분된다. 일부 식물은 많은 양의 화분을 생산하는데, 예를 들면 하나의 두드러기쑥(돼지풀)에서 하루에 약 100만개의 화분을 생산하여 날려 보낸다. 이들은 하루 중 오전 6~8시에 가장 많이 날아다니며 기온과 습도에 따라 변하게 된다. 그러므로 화분증 환자는 아침에 조깅이나 운동, 창문을 열어놓는 것에 주의해야한다. 화분이 날아갈 수 있는 범위는 식물에 따라 다른데, 보고에 의하면 두드러기쑥 화분은 600 km 이상이며, 수목류 경우는 비산거리가 작기 때문에 도심에 생활하는 경우 수목류 보다는 초목류나 잡목류에 의한 화분에 더 영향을 받는다.

초목류 화분은 세계적으로 가장 많은 화분증의 원인이 되고 있는데, 수목이나 잡목 화분과는 달리 각 종 간의 교차반응이 크며, 각 초목 당 20~40개의 항원이 있다. 수목류 화분은 잡초류나 목초류 만큼 항원이 많이 연구되고 있지 않은데, 그 이유는 수목 화분의 경우 잡초류나 목초류에 비해 각 종간의 교차반응이 적고, 각 화분의 항원이 독특하고 단순하기 때문이다.

가) 우리나라에 분포하는 알레르기성 식물

① 수목류(trees)

2월부터 6월에 주로 날린다(그림 2-5).

측백나무과와 소나무과의 나자식물과 자작나무과, 참나무과, 버드나무과, 느릅나무과, 단풍나무과, 버즘나무과가 속하는 피자식물이 있다. 대부분의 알레르기를 일으키는 수목류는 피자식물군에 속한다.

측백나무과 화분의 크기는 20~30 μm로 2월 중순부터 나타나기 시작하며, 알레르기비염 등을 잘 일으키는 것으로 알려져 있다. 노간주나무(junipers), 삼목(cedars), 삼나무의 일종인 cypress 등이 속한다.

소나무과 화분의 크기는 45~65 μm 정도로 2개의 주머니를 가지고 있으며, 알레르기 발현성은 적다. 소나무(pines)(그림 2-6A), 가문비나무(spruces) 등이 속한다.

피자식물에 속하는 자작나무과는 초봄에 화분이 가장 먼저 나타나는 식물과로서 강력한 알레르기 발현성을 가지고 있으며 크기는 20~30 μm이며 3개의 홈(pores)과 얇은 외막(exine)을 가지고 있다. 자작나무(birch), 오리나무(alder 그림 2-6B), 개암나무(hazelnut) 등이 속한다.

참나무과는 풍매화로 자작나무와 비슷하게 2월말부터 나타나기 시작하는 식물과로 역시 이 시기에 대표적인 화분이며, 강력한 화분증을 유발한다. 크기는 40 μm 정도로 크며, 불규칙한 외막층과 3개의 특징적인 구(furrow)를 갖고 있다. 너도밤나무(beeches) 떡갈나무(oaks 그림 2-6C) 등이 속한다.

버드나무과의 대부분은 충매화에 속하나 포플러나무 등은 풍매화로서 알레르기성이 강하며 화분의 크기는 27~34 μm이며 두꺼운 내막(intine)을 가지고 있다. 5~6월에 솜털처럼 날아다니고 술이 많이 있으나 실제로 이는 알레르기를 유발하는 것은 아니다. 버드나무(willow), 포플러나무(poplars) 등이 속한다.

느릅나무과는 5~6월에 화분증 유발에 중요한 화분이며, 크기는 30~40 μm로, 5개의 홈과 두껍고, 물결모양의 외막을 가지고 있다.

단풍나무과는 우리나라에서 매우 다양하게 있는 식물과로 역시 알레르기성이 있은 것으로 알려져 있으나 비교적 화분증은 많지 않은 것으로 되어 있다.

버즘나무과는 알레르기성이 있는 식물과로 크기는 20 μm이며 3~4개의 구와 얇은 외막을 가지고 있다.

② 목초류(grasses)

목초류(그림 2-6D)는 피자식물문의 단자엽강이다. 화분의 크기는 20~25 μm로 1개의 홈 또는 구가 있고, 비교적 두꺼운 내막을 형성하고 있다. 4월말부터 11월까지 화분이 날아다니며, 특히 사람이 많이 거주하는 지역에 많이 경작되고 있어 이것에 의한 화분증의 유병률이 더욱 높게 나타난다. 이 목초류는 수 십 종이 우리나라에 서식하고 있는 것으로 알려져 있으나 광학현미경상 각 종별로 화분을 구분하는 것은 매우 힘들고, 알레르기 유발과의 연관성도 비슷하여 그것의 동정은 별 의미가 없으나 우리나라에서 많이 채집되는 종으로 잔디(korean lawngrass), 큰조아재비(timothy grass), 우산잔디(bermuda grass), 오리새(orchard grass) 등이 많다.

③ 잡초류(weeds)

잡초류는 일반적으로 경작되지 않는 식물로 사람이 많이 거주하는 길가나 개울가에 많이 산재해 있는 식물로서 피자식물문의 쌍자엽강에 속한다. 이는 늦여름부터 화분이 날아다니기 시작하여 우리나라에서는 가을철 화분증의 주종을 이루고 있다.

국화과(Asteracea)는 우리나라 가을철에 가장 많이 날아다니는 화분으로 알려져 있으며 다양한 종이 있는데 그중 쑥(sagebrush; artemisia), 돼지풀(두드러기쑥, ragweed; Ambrosia)은 대표적인 알레르기성 화분을 생성하는 식물이다.

쑥족(Tribe asteraceae 그림 2-6E)은 크기는 20~30 μm이고 3개의 구와 비교적 두꺼운 외막을 형성하고 있으며, 우리나라 가을철 화분증을 유발하는 대표적 식물이다.

두드러기쑥족(Tribe ambrosieae 그림 2-6F)은 가을철 화분증의 대표적인 식물로 원래 북미에서 서식하는 식물로 1960년대 국내 화분조사에서는 발표되지 않았으나 1970년대에 외국과의 교역이 활발해 지면서 수입되어 1980년대 초부터 중요한 알레르기 화분으로 대두되어 현재는 우리나라 전역의 가을철에 대표적 알레르기를 유발하는 화분으로 보고 되고 있다. 줄기 높이가 1~2.5 m 되는 단풍잎 돼지풀(Ambrosia trifida; giant ragweed), 둥근잎 돼지풀(Ambrosia integrifolia), 줄기 높이가 1 m 정도의 돼지풀(Ambrosia artemisiifolia; short ragweed)이 대표적인 식물이다. 화분의 크기는 15~20 μm이며, 여러 개의 가시로 둘러싸인 공 모양으로 비교적 두꺼운 외막을 형성하고 있다.

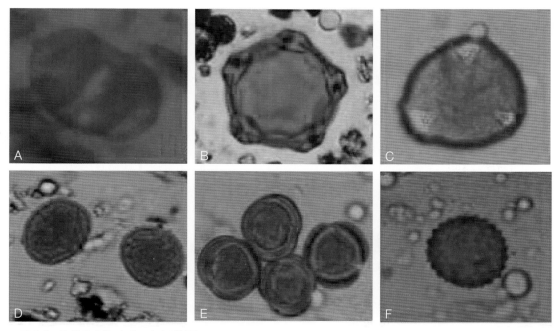

그림 2-6. 국내에 흔한 알레르기성 화분들. 소나무(A), 오리나무(B), 떡갈나무(C), 목초류(D), 쑥(E), 돼지풀(F).

명아주과(Amaranthaceae; pigweed and waterhemp family) 또는 비름족(Chenopodiaceae; goosefoot family)은 쑥, 두러러기쑥 다음으로 많은 화분을 날리며, 가을철 화분증을 유발하는 중요한 식물이다. 그 모양은 특징적으로 골프공 모양을 하고 있어 동정이 용이하며, 크기는 20~30 μm 정도이며 광학현미경상 명아주족과 비름족을 구분하기는 불가능하며, 공중 화분 조사에서는 비름-명아주족(Chenopod-Amaranth)으로 명기하기도 한다.

삼과(Cannabaceae)는 덩굴성 한해 살이 초본으로 꽃은 암수 딴 그루이며 8~9월에 개화한다. 전국 각처의 들, 빈터, 개천가 등에 집단으로 군생하며 길가의 축대, 아파트 담장 밑 등 도시 및 근교 가릴 곳 없이 도처에서 흔히 발견되는 생명력이 강한 잡초이다. 한강의 지천인 양재천, 중랑천, 안양천, 탄천 및 여의도 주위, 난지도 주변에 집단으로 군락을 이루어 자생한다. 가을철의 주요한 알레르기 화분증의 원인으로 중요하게 고려해야 할 식물이다. 환삼덩굴(Japanese hop) 등이 속한다.

질경이과(Plantaginaceae)는 원산지가 유럽으로 현재는 전국 각 지역에 분포되어 있는 식물로 화분은 우리나라에서는 6~7월경에 날아다니며, 모양은 구형으로 여러 개의 홈이 있으며, 크기는 25~40 μm이며, 창질경이(Plantago lanceolata; English plantain)는 중요한 알레르기성이 높은 식물로 알려져 있다.

나) 우리나라 공중 화분의 분포

공중 화분은 날씨, 특히 기온과 밀접한 관계가 있어 영하의 날씨에서는 개화하지도, 날아다니지도 않으며 영상 10도 이상에서 활발하게 날아다닌다. 연 2회 봄과 가을(3월 7일~3월 30일, 8월 12일~9월 21일)이 절정기로 그 이후 현격히 감소한다(그림 2-7). 종류별로는 2월 말부터 5월까지 수목류가 주를 이루며, 8~9월까지는 돼지풀(Ambrosia) 쑥(Artemisia)과 환삼덩굴(Japanese hop) 화분이 주를 이룬다. 지역별로 비교하면 남부지방과 중부지방간에 날아다니는 시기와 종류에 차이를

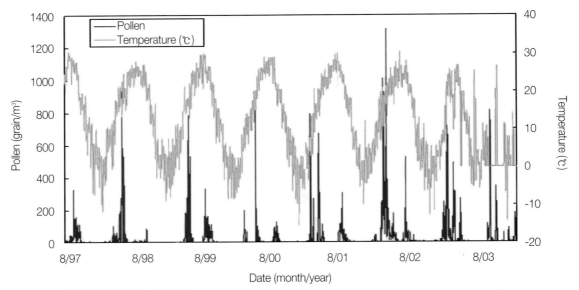

그림 2-7. 우리나라 공중 화분의 연중 분포

보이나, 서울과 경기 지역은 큰 차이가 없다.

각 화분 종류 별로는 오리나무가 가장 먼저 2월 23일~3월 28일에 날아다니며, 노간주나무와 같이 남부 지역에 많이 분포한다. 소나무는 가장 많이 채집되는 화분으로 4월 22일~5월 13일에, 초목류는 8월 10일~9월 27일에 많이 날아다니며, 돼지풀은 8월 22일~10월 11일에, 쑥은 8월 10일~10월 7일에, 환삼덩굴은 8월 20일~9월 30일에 절정기를 이룬다.

국내 소아 알레르기 환자에서는 피부단자시험 결과 수목 중 자작나무(birch), 초목 중 새발풀(orchard grass), 잡초 중 쑥이 각각 약 4% 정도의 양성률을 보였다.

다) 외국의 알레르기성 화분

미국의 경우도 우리나라와 비슷하게 늦겨울부터 봄까지는 수목류, 봄부터 여름 동안에는 초목류, 여름 후기부터 가을까지는 잡초류에 의한 화분증에 노출된다. 우산잔디(bermuda grass)나 온대지역의 풀 등이 미국 이외의 지역에서 가장 흔한 화분 알레르기의 원인이다. 자작나무(birch)와 오리나무(alder) 화분이 스칸디나비아 지역의 봄철 알레르기비염의 주 원인이고

일본 삼나무 화분은 일본에서 가장 중요한 화분이다. 쑥(mugwort)은 유럽의 여러 지역에 서식하지만 short ragweed가 프랑스 동부와 발칸반도 지역에서 발견된다. 러시아 엉겅퀴(thistle) 화분은 중동지역에서 가장 중요하다. 펠리토륨(남유럽산 국화과 식물) 화분은 지중해 지역의 중요한 공기 알레르겐이다.

2) 진균

진균은 단단한 세포벽을 가진 유핵(eukaryotic) 생물이며 영양을 위해서 외부로부터 탄수화물을 제공받아야 한다. 진균은 단일세포(yeast)로도 존재하며 다세포로도 존재한다. 생화학적으로 진균은 chitin과 셀루로오스로 구성되어 있다. 진균의 분류는 아직 정확하지 않고 단일 진균 알레르겐의 특성화도 어렵다. 그 이유는 진균을 반복적으로 배양할 때 자발적인 생화학적 변화가 나타나는 경향 때문이다.

알레르기를 일으키는 진균은 현미경을 통해 제일 많이 밝혀지고 있지만 육안적으로 보이는 basidiomycetes (버섯, 말불버섯, bracket 진균) 역시 알레르기를 일으킨다. 대부분의 버섯에 있는 알레르겐은 포자, 모자

(caps), 줄기에 있다고 알려져 있다.

진균은 어디에서나 발견되며 살아있는 진균이 사막의 공기 배양에서도 검출되기도 한다. 진균 알레르기의 유병률은 어떤 인구를 대상으로 하였느냐, 어떤 추출물을 사용했느냐, 어떤 종을 선택했느냐에 따라 3%에서 91%까지 보고되고 있다. 피부시험에 이용되는 진균 추출물은 아직 표준화되어 있지 않기 때문에 비교 연구가 더욱 어렵다.

진균 포자가 발견되는 계절적 양상은 화분같이 잘 알려져 있지 않으며, 진균에 민감한 사람들은 여러 종류의 진균에 감작되어 있는 것이 보통이다.

진균과 이스트는 실내 항원으로 뿐만 아니라 실외 항원으로도 작용하는데, 주로 *Alternaria*와 *Cladosporium*이 천식을 악화시키는 것으로 밝혀져 있다. 이들은 따뜻하고 습한 여름철에 대기 중에 많이 분포한다.

*Alternaria*는 임상적으로 가장 중요한 진균 알레르겐으로 농장지역에서 흔히 늦여름과 가을에 천식을 유발시킨다. *Alternaria*의 민감성은 소아와 청소년에서 심하고 갑작스런 천식 발작과 관련이 있다. *Alternaria*의 주 알레르겐은 *Alt a* 1으로 정확한 기능은 알려져 있지 않다.

*Aspergillus*는 *Asp f* 1이 주 알레르겐이다.

*Cladosporium*의 포자가 가장 흔한 실외 진균이며 적어도 8가지 알레르겐이 알려져 있다.

*Penicillium*은 실외보다는 실내 알레르겐으로서 더 중요하며 serine protease, acetylglucosaminidase 등 두 가지가 알레르겐으로 알려져 있다.

3) 대기 오염

실외 오염물질에 의한 현상은 두 가지, 즉 공업성 스모그(아황산가스 복합물)와 광화학성 스모그(오존, 일산화질소) 형태로 나타난다. 이들 오염물질의 농도는 기상 조건과 지형적인 특성에 의해 결정된다.

오염된 도시에서 볼 수 있는 아황산가스, 오존, 질소산화물과 같은 환경오염물질은 기관지를 수축시키고 일시적으로 기도과민성과 알레르기반응을 증가시킬 수 있다. 그리고 자동차 엔진이 불완전연소할 때 발생되는 일산화질소와 같은 오염물질은 기도 상피세포에 손상을 일으켜 알레르기성 물질이 쉽게 침투할 수 있게 한다. 미세먼지 특히 PM_{10}도 호흡기 증상을 유발하고 폐기능을 떨어뜨리며, 특히 1~4세 소아에서 천식 입원율과 관련이 있다. 최근 천식 유병률의 증가는 이들 대기 오염물질과 실내 거주환경이 복합적으로 작용하여 나타나는 도시화의 산물이라고 할 수 있다.

자동차에서 배출되는 매연은 천식을 악화시킬 수 있으나 천식이나 아토피의 발생과는 아직 명확히 밝혀져 있지 않다. 아황산가스는 자극성 물질로서 천식 환자에서 기류 장애를 유발할 수는 있지만 정상인은 아황산가스에 노출되어도 별다른 영향을 받지 않는다.

대기 오염물질에 노출된 경우 항원 자극에 대한 기도과민성이 증가된다. 특별히 천식을 비롯한 알레르기 질환은 알레르겐에 대한 반응도가 증가한다는 것뿐만 아니라 대기 오염물질에 비특이적인 반응도 증가한다는 특성이 있다. 대기 환경 기준으로 삼고 있는 대기 오염물질은 우리나라에서는 PM_{10}, SO_2, NO_2, CO, O_3 등 5가지 물질이며 국제 기준은 여기에 납이 추가된다.

가) 이산화황(SO_2)

이산화황은 주로 석탄을 태우는 공장지역, 발전소 등 특정 장소에서 배출된다. 천식 환자에게 이산화황은 대기 농도 0.5 ppm에서 기관지수축을 일으키며 이 기관지 수축 효과는 운동시나, 차고 건조한 공기에 노출시 더 강하게 나타난다. 대기 중 이산화황에 많이 노출되는 것은 호흡기 증상으로 응급실 방문이 증가하는 것, 입원하는 것과 관련이 있다. 또한 이산화황은 산성 에어로졸을 만드는데도 역할을 한다.

나) 오존(O_3)

오존은 이산화질소, 태양열 그리고 휘발성 유기물질에 의해 대기 중에서 나타나는 반응의 부산물이다. 오존의 농도가 0.11 ppm을 넘을 때 천식 발작으로 응급실을 방문하는 학생들이 증가하는 것과 관련이 있는 것으로 보고되었다. 오존에 노출되면 즉시 FEV_1이 감소하고 기관지내 염증반응이 점진적으로 증가하는 것이 알려졌으며 이런 현상은 운동을 하면 더욱 강하게 나타난다.

다) 미세분진(PM_{10})

대기 중 미세분진으로 중요한 의미를 갖는 성분으로는 규산, 금속성 물질, 산성 에어로졸, 내독소, polyaromatic 탄화수소 등이다. PM_{10}의 증가는 소아에서 천식의 악화와 관련 있는 것으로 알려져 있다. 돼지풀에 감작된 사람에게 비강 내 유발 시험을 실시한 결과 디젤 배출물의 존재하에 돼지풀을 이용하여 비강 내 유발시험을 하였더니 디젤 배출물이 없이 돼지풀만을 이용한 유발시험과는 달리 돼지풀 특이 IgE와 IgG의 증가, Th2 싸이토카인 표현 증가, INF-γ 표현 감소 등의 소견이 있었다. 결론적으로 실외 화분 알레르겐이 대기 오염물질과의 상호작용을 통해 알레르기가 있는 사람들의 하부기도에서 Th2 염증반응을 유발시키고 지속시킨다고 볼 수 있다.

4) 무정형 실외 알레르겐

화분이나 진균 이외에 공기 중에 다른 입자들도 알레르겐으로 작용한다는 것이 알려지고 있으나 형태학적으로 확인하기가 어렵고 면역화학적으로 측정이 가능하다.

가) 곤충

몇 가지 수생곤충이 광범위한 흡입성 알레르기를 일으킬 수 있다. 물여우(caddisfly), mayfly, lakefly, 나방(lepidoptera) 등이 알려져 있고, 일본에서도 나방과 나비에 의한 감작이 보고된 바 있다.

나) 곡물 먼지

스페인의 바르셀로나에서 1980년대 배에서 대두(soybean)를 하역할 때 생기는 먼지가 천식의 유행을 일으키는 것이 보고되었고, 그 때 원인이 된 알레르겐이 대두 껍데기의 당단백이라는 것이 증명되었다. 비슷한 천식의 유행이 수십 년 전 New Orleans에서도 있었다.

3. 알레르기 피부시험

특이 알레르겐에 대한 IgE 항체를 확인하는 가장 간편하고 효과적인 방법은 알레르기 피부시험이다. 특히, IgE 매개성 알레르기질환의 원인 항원 규명에 일차적 검사로 가장 널리 사용하고 있고, 민감도가 높으며 비용이 적게 든다는 장점이 있다.

가. 병태 생리 기전

알레르기 피부시험은 IgE 매개성 알레르기 반응을 의미하므로 조기반응(immediate response)과 후기반응(late response)으로 나눌 수 있다.

조기반응은 약 5분에서 히스타민 및 트립타제(tryptase)를 분비하며, 약 30분에 최고조에 이른다. 히스타민이 주요 매개물(mediator)로써, substance P, neurokinin A, calcitonin gene-related peptide (CGRP)가 팽진(wheal) 및 발적(flare)과 연관성이 있다. 또한 조기 반응은 히스타민이 주요 매개물이므로 항히스타민제에 영향을 받는다.

후기반응은 1~2시간에 시작해서 6~12시간에 최고조를 이룬다. 매개물로는 비만세포(mast cell), 림프구(lymphocyte), 호산구(eosinophils) 등이 관여한다. 후기반응은 항히스타민제에 의해서는 억제되지 않으며 스테로이드에 의해 감소된다. 후기반응은 조기반응보다 면역요법에 의해 현저히 감소된다.

나. 영향을 주는 인자

1) 나이

알레르기 피부시험의 양성 반응은 나이에 연관된

다. 팽진(wheal)의 크기는 나이에 따라 증가하다가 50세 경부터 급격하게 감소하기 시작하고 75세경에는 16%이하로 감소하게 된다. 음식물 항원의 경우 3개월 정도의 영아에서부터 양성 반응이 나타나기 시작하며 흡입성 항원은 3세경부터 양성을 나타내기 시작한다. 영아의 경우 팽진 보다는 발적(flare)이 많이 나타나기 때문에 양성 반응은 양성 대조액에 의한 팽진의 상대적 크기로 결정하여야 한다.

2) 일중 변동

피부반응은 일중 변동(circadian rhythm)이 있어서 아침에 반응도가 낮고 늦은 저녁에 반응도가 높지만 아주 미약하여 임상적인 의미는 없다.

3) 계절 변화

알레르기 피부시험 반응은 계절간에 큰 차이가 없으며 단지 화분 알레르기가 있는 환자에서 화분이 날리는 시기 직후에 화분 항원의 반응도에 차이가 있다.

4) 성별 및 인종

성별에는 차이는 뚜렷하지 않으며 알레르기가 있는 여성과 비알레르기성인 여성에서 에스트로젠(estrogen)의 농도가 높은 배란시기인 생리 12~16 주기에 히스타민의 크기에 영향을 미친다는 보고가 있었으나 임상적으로 의의는 없다. 피부가 검은 비아토피성 흑인이 백인에 비해 반응도가 높다.

5) 검사부위

일반적으로 등(back)이 팔의 전박부(forearm)보다 민감하며, 허리쪽보다는 중간이나 위쪽의 반응도가 높다. 팔에서는 손목이 반응도가 가장 낮고, 척골쪽(ulnar)이 요측(radial)보다 반응이 높고 전주와(antecubital fossa)가 반응도가 높기 때문에 손목에서 5 cm 이상, 전주와에서 3 cm 이상 원위부에서 검사를 하는 것이 좋다.

6) 약물

가) 항히스타민제

전형적인 제1형 항히스타민제는 대부분 약 24시간 정도 피부반응도를 억제한다. 그러나 ketotifen, cetirizine, ebastine, loratadine, azelastine, mizolastine, terfenadine 등 최근에 새롭게 개발된 항히스타민제는 3~10일 정도, astemizole의 경우는 6주에서 60일까지도 억제 효과가 나타난다(표 2-3).

나) 기타 약물

부신피질스테로이드를 경구 혹은 흡입으로 단기간 투여 (1주일 이내)하는 것은 영향이 없으나 장기간 투여하면 피부반응도가 감소한다. 그리고 국소도포에 의해서는 조기 또는 후기반응 모두가 억제된다.

테오필린이나 β 항진제(theophylline, β-adrenergic agents) 등은 임상적 의미는 없으나 formoterol이나 salmeterol과 같은 새로운 지속성 교감신경 자극제는 피부반응도를 감소시킨다는 보고가 있으며 반대로 propranol은 반응도를 증가시킨다.

Cromolyn, nedocromyl sodium은 영향이 없으나 dopamine, clonidine 등은 반응도를 억제하며 항 고혈압제인 ACE inhibitor는 반대로 반응도를 증가시킨다. 특이적 면역요법 역시 반응도를 감소시키며 특히 화분 면역요법은 후기반응을 억제한다.

7) 피부시험에 사용되는 항원

피부시험에서 결과의 오류를 피하기 위해서는 표준화된 항원을 사용하는 것이 중요하다. 그러므로 항원의 역가가 떨어진 시약을 사용하면 시험 결과를 위음성으로 판독할 수 있다. 과거 항원을 병원 검사실에서 만들어서 사용하였고, 이들 제조과정의 오류로 다른 항원이 첨가될 수 있으며, 혼합된 항원에 의해서 교차반응 등이 나타나는 여러가지 문제점이 있어서, 최근에는 표준화된 항원이 널리 사용되어지고 있다. 반면 음식물 항원인 과일, 샐러리, 생선, 땅콩, 호두 등에서 신선한 음식물로 직접 시험하는 것이 시판되는 항원

표 2-3. 알레르기 피부시험에 영향을 주는 약물

약물	기간(일)
Anti-H₁ histamines	
Chlorpheniramine	1~3
Clemastine	1~10
Cyproheptadine	1~8
Diphenhydramine	1~3
Hydroxyzine	1~10
Azelastine	3~10
Cetirizine	3~10
Ebastine	3~10
Loratadine	3~1
Mequitazine	3~10
Epinastine	no data
Fexofenadine	no data
Oxatomide	no data
Levocabastine topical	possible
Doxepin topical oint.	3~11
Anti-allergic drugs	
Ketotifen	>5
Anti-H₂ histamines	
Cimetidine	no
Ranitidine	no
Corticosteroids	
Systemic, short term	no
Systemic, long term(> 1 week)	possible
Inhaled	no
Topical skin	yes
Beta-2 Agonists	
Inhaled (short-acting)	no
Oral, injection(short-acting)	no
Formoterol (inhaled)	possible
Salmeterol (inhaled)	possible
기타	
Theophylline	no
Cromolyn	no
Specific immunotherapy	no
Montelukast	no?
Chlorpromazine	yes
Imipramines	>10

보다 더 좋은 것으로 보고되고 있다.

다. 피부시험 방법

알레르기 피부시험 방법에는 피부단자시험(prick skin test), 소피시험(scratch test), 피내시험(intradermal test), 첩포시험(patch test) 등이 있다.

1) 피부단자시험

1924년 Lewis와 Grant에 의해 시행되었으며, Pepys에 의해서 1970년대 체계화 되었다. 환자의 등이나 팔의 전박부를 75% 알콜솜으로 닦고 건조시킨다. 그 위에 검사를 요하는 항원 용액과 양성 대조액(히스타민 1 mg/mL, 또는 10 mg/mL), 음성 대조액(항원 희석액 또는 phosphate buffered saline)을 한 방울씩 점적한다. 이때 팽진(wheal)이나 발적(erythema)이 혼합되고 너무 근접하여 있으면 각 항원의 양성도를 정확히 측정할 수 없으므로 검사 항원들을 2 cm 이상의 거리를 두고 피부에 점적하는 것이 바람직하다. 이후 란셋이나 주사바늘(25~26 gauge)로 점적 부위를 살짝 찌르거나 주사바늘로 피부를 약간 들어 올려 점적한 검사액이 표피(epidermis)까지 도달하도록 한다(그림 2-8). 검사과정 중 너무 깊이 찔러 피가 비치거나 통증을 유발하지 않도록 주의해야 하며, 각 항원의 검사에는 각각의 다른 침을 사용하여야 한다. 바늘로 찌른 후 1분이 경과하면 조심해서 점적한 항원을 닦아낸다. 나타나는 반응이 최대에 이르는 시간은 피부단자에 사용한 도구나 검사 부위에 따라 약간 차이가 나지만 흔히 15~30분 뒤에 팽진과 발적을 측정하여 판독한다.

다른 방법으로는 기구를 사용할 수 있는데, 그 기구들로는 Morrow Brown standardized needle, Allergy Pricker, Stallerpointe, Phazet 등이 있다.

단자시험은 안전한 검사이지만 소아에서 신선한 음식물로 검사하는 경우 0.5%에서 전신 증상이 나타났다는 보고는 있지만 위험했던 경우는 보고된 적이 없다.

2) 소피시험

항원을 점적한 뒤 3~5 mm 크기로 피부를 긁고 15~30분 뒤 판독하는 방법이다. 단자시험과 동일한 원리이지만 덜 예민하고 시간은 더 소요되므로 현재는 거의 사용하지 않고 있다.

3) 피내시험

피내시험은 Mantoux에 의해 시작되어 현재에도 임상적으로 널리 사용하고 있다. 상박부(upper arm)의 외측이나 후면을 알콜솜으로 닦아서 말린 뒤 멸균 소독한 1 mL 주사기(26~27 gauge)로 알레르겐 용액을 피내 주사하여 지름이 약 3 mm 정도 되는 팽진이 생기도록 한다(그림 2-8).

피내 주사 용액의 최초 농도는 단자시험용 항원액 농도의 1/100~1/1,000 정도가 적당한데, 표준화된 항원 용액인 경우 항원성이 강한 것은 10~100 AU에서, 약한 것은 100~1,000 AU에서부터 시작하는 것이 보통이다.

글리세린을 피내 주사하면 통증이 심하므로 피부단자시험 용액을 피내시험에 사용하면 안 된다. 피부단자시험과 마찬가지로 10~15분 후에 판독한다.

4) 피부단자시험과 피내시험의 비교

피내시험은 단자시험보다 100~1,000배 많은 양의 항원이 체내에 들어가기 때문에 보다 예민한 검사법이나 나타나는 신체 반응도 훨씬 심할 수 있다. 단자시험과 비교해 보면 위양성률이 높고 민감도와 재현성은 높으나 특이도는 떨어지며 임상 증상과의 연관성도 낮아 진단목적으로는 많이 사용하지 않는다(표 2-4). 병력상 의심스러운 원인 항원임에도 불구하고 단자시험에서 음성이나 약양성을 보인 경우나 양성 반응을 보인 항원에 대한 피부반응역치(skin threshold, end point)를 구하고자 할 때 사용한다.

5) 양성 대조액과 음성 대조액

알레르기 피부시험에서 나타나는 반응은 개인차가 있으며, 동일한 사람이라도 시간이나 상태에 따라 차

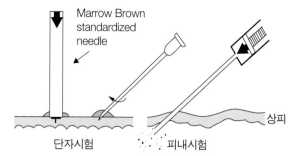

그림 2-8. 알레르기 피부시험의 기본적인 방법

표 2-4. 단자시험과 피내시험간의 비교

	단자시험	피내시험
Simplicity	+++	++
Speed	++++	++
Interpretation	++++	++
Discomfort	+	+++
False-positive	rare	possible
False-negative	possible	rare
Reproducibility	+++	++++
Sensitivity	+++	++++
Specificity	++++	+++
Safety	++++	++

이가 생길 수 있으므로 객관적인 상대 지표가 필요하여 양성 및 음성 대조액을 설정하여 검사를 시행한다. 양성 대조액은 히스타민으로써, 단자시험에서 히스타민 농도가 1~10 mg/mL (0.1~1.0 w/v %, 5.43~54.3 mmol/L) 용액을 사용하며 피내시험의 경우에는 0.01 mg/mL (0.001 %, 0.0543 mmol/L)의 히스타민 용액을 사용하여, 약물이나 질병, 또는 피부 반응 자체가 미약한 사람이나 시술상의 문제로 위음성이 나오는 경우를 파악하는 상대적 지표이다. 반면, 음성 대조액으로는 희석액이나 생리식염수를 사용한다. 음성 대조액은 피부묘기증의 경우와 같이 면역학적인 자극이외의 비특이적 자극에도 강한 피부반응을 보이는 경우에 이를 객관적으로 확인하는데 도움이 된다.

라. 판독

동일한 항원으로 피부시험을 시행하더라도 여러 상황에 따라 그 결과가 다르게 나타날 수 있어서, 결과를 판독할 때는 팽진 및 발적만으로 판정하는 것보다는 양성 및 음성 대조액과 비교하여 판정하는 것이 좋다. 단자시험에서 음성 대조액에 의한 발적이나 팽진이 관찰되지 않고 항원에 의해서 발적과 소양증 그리고 1~2 mm 크기의 팽진이 관찰되면 양성 반응으로 간주하며 이는 항원 특이 IgE가 존재함을 의미하나 임상적 의미는 미약하다. 10 mm이상의 발적과 3 mm이상 크기의 팽진이 관찰되거나 양성 대조액과 동일한 크기 이상의 팽진이 관찰되면 원인 항원으로서의 임상적 의미가 있다.

측정 방법으로는 팽진과 발적의 크기를 가장 큰 장경과 그 중간 부위에서 90°를 이루는 단경을 측정하여 장경과 단경의 길이를 2로 나누어 팽진과 발적의 크기를 팽진은 분자로, 발적의 크기는 분모로 표시한다(그림 2-9).

검사 결과는 단자시험 및 피내시험 모두에서 팽진 크기에 따라서 등급을 나누기도 하고, 알레르겐에 대한 팽진 반응과 히스타민에 대한 팽진 반응의 비 (Allergen/Histamine=A/H 비)를 구해서 0부터 6+까지 반정량적으로 등급을 부여하는 방법을 쓰기도 한다 (표 2-5, 6).

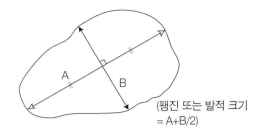

(팽진 또는 발적 크기 = A+B/2)

그림 2-9. 알레르기 피부시험의 판독방법

을 보이면 대부분 원인 항원으로 간주할 수 있다.

피부시험을 시행할 때 적절치 못한 술기나 검사액은 위양성이나 위음성 반응을 초래할 수 있다. 특히 단자시험에서는 강양성을 보이는 인접 항원에 의할 수도 있으며 피내시험에서는 항원을 고농도로 투여하였을 때 나타날 수 있다.

식품 알레르기에서의 진단적 가치는 호흡기 알레르기에 비해 떨어지는데, 피부시험에 양성 반응을 보이는 많은 환자들이 실질적으로 음식물을 섭취하였을 때 반응을 보이는 경우도 있으나 그렇지 않은 경우도 있는 등 일률적이지 않다. 특히 피내시험은 가양성 반응을 보이는 경우가 많으므로 유용성이 높지 않다. 벌독(venom)이나 라텍스 알레르기는 단자시험으로 확인이 가능하나 약물 알레르기는 페니실린, 인슐린, chymopapain, myorelaxant 등 일부 약제를 제외하고는 피부시험의 임상적 의미가 크지 않다.

마. 결과의 해석

피부시험에서의 양성 반응은 피검자가 양성 반응을 보이는 항원에 대하여 특이 IgE를 보유하고 있음을 의미하며 무증상 감작군이 있을 수 있으므로 반드시 이 항원이 임상증상 유발의 원인이라고 할 수는 없다. 그러나 양성 반응을 보이는 무증상 감작(asymptomatic sensitizer)자는 향후 이들 항원에 의하여 임상증상을 나타낼 수 있다고 예견할 수 있다. 가장 효과적인 진단 방법으로서 병력에서 의심되고 피부시험상 양성 반응

바. 기타 사항

1) 피부시험의 안전성

피부시험으로 인한 사망이 보고된 적이 있다. 대부분의 경우 말의 혈청 또는 다른 강한 알레르겐과의 반응으로, 피내시험과 연관이 있다. 하지만 희석하지 않은 제품이나 신선한 음식물 추출물로 치료한 매우 민감한 환자에서 피부단자시험으로 심한 반응이 발생할 수 있다. 흡입 알레르겐에 대한 피부단자시험의 전신 반응 및 생명을 위협할 정도의 위험성은 상당히 낮다.

표 2-5. 단자시험의 판독 기준

| Grade | Skin prick test | | | |
| | Conventional | | Allergen/Histamine | |
	Wheal	Erythema	Wheal	Erythema
Negative	0	0	0	0
1+	1~2 mm	<21 mm	*R<1	<21 mm
2+	1~3 mm	≥21 mm	R<1	≥21 mm
3+	3~5 mm	≥21 mm	1≤R<2	≥21 mm
4+	>5 mm	≥21 mm	2≤R<3	≥21 mm
5+	-	-	3≤R<4	≥21 mm
6+			4≤R<5	≥21 mm

*R : Ratio of wheal of allergen and histamine (1 or 10 mg/dL) control

표 2-6. 피내시험의 판독기준

| Grade | Intradermal test | | | |
| | Conventional | | Allergen/Histamine | |
	Wheal	Erythema	Wheal	Erythema
Negative	0	0	0	0
0	<5 mm	<5 mm		
±	5~10 mm	5~10 mm	Equal with	negative control
1+	5~10 mm	11~20 mm	*R<1	<21 mm
2+	5~10 mm	21~30 mm	R<1	≥21 mm
3+	5~10 mm	31~40 mm	1≤R<2	≥21 mm
	or pseudopods			
4+	>15 mm	>40 mm	2≤R<3	≥21 mm
	or many pseudopods			

*R : Ratio of wheal of allergen and histamine (1 or 10 mg/dL) control

2) 국소 알레르기의 유발시험

몇몇 연구는 어떤 항원에 대한 단자시험과 혈청 검사가 음성이라도 직접 유발시험에서는 양성으로 나온 경우가 있다. 결막, 코, 폐에 대한 알레르겐 유발시험과 비교할 때 피부시험은 시간을 덜 소비하고 환자에게 더욱 편리하다. 유발시험은 주관적인 반면, 피부시험은 객관적이라 할 수 있으며, 한 번에 다양한 종류의 항원을 검사할 수 있다.

4. 혈청학적 검사

면역학적으로 특히 제1형 과민반응이 의심되는 환자의 진단과 치료를 위해서는 자세한 문진과 생체내 검사를 시행한다.

알레르겐을 확인하는 방법으로 피부시험과 혈청내 항원 및 항체검사, 항원 유발시험 등이 있다. 이들 중에서 피부시험과 혈액 검사를 비교해보면, 혈액 검사는 첫째 환자에게 위험하지 않고, 둘째 검사가 특이적이면서 정량적이다. 셋째 투여 약물의 영향을 덜 받으며, 넷째 항원의 안정성 높고, 다섯째 영아(<3~4세)

및 아토피피부염 등 환자에서도 문제없이 이용가능한 장점이 있다(표 2-7).

제 1형 과민반응(Type 1 hypersensitivity)의 기전은 생선 알레르기가 있는 Kustner의 혈청을 Prausnitz의 피부에 주사함으로 Prausnitz와 Kustner에 의해 처음 증명되었다. 생활 주위 항원을 흡인하거나 피부에 접촉하거나 주사하면 이것은 초기 노출로 이때에는 점막 주위의 항원 제시 세포(antigen-presenting cell)에 이종분자들(foreign molecules)이 노출된다. 대식세포나 수상 세포(dendritic cell) 같은 항원 제시세포가 항원을 인지하면 세포내로 탐식하여 항원을 분해한 후 T 세포를 활성화 한다. T 세포는 T-helper (Th)2 세포로 분화하여 cytokine (IL-4, IL-10, IL-13)이 분비되고 이것은 B 세포 증식을 유도한다. 항원 특이 IgE 항체는 B 세포 면역반응의 일부로 생산된다. IgE 항체는 혈액 내에서 순환하고 비만세포와 호염기구의 표면에 존재하는 FcεRI 수용체에 결합한다. 다시 노출되면 일부 항원은 비만세포 표면의 IgE 항체와 교차 반응을 이루고 칼슘 유입을 야기시킨다. 그 결과 이미 저장된 매개 물질(histamine, proteases)과 새로이 합성된 매개물질 (leukotrienes, prostaglandins)의 방출이 자극된다. 사이토카인(IL-4, IL-5, IL-6)들은 반복적으로 비만세포부터 방출되고 염증과 IgE 반응을 강화한다.

항원은 면역원과 반응하여 생산된 항체 또는 작동세포와 특이하게 반응하는 물질을 말한다. 또한 당단백(glycoprotein), 지단백(Lipoprotein), 합텐(hapten)으로 융합된 단백질의 혼합물이기도 하다. 모든 알레르기 에피토프(epitopes)들은 알레르기 소인이 있는 사람들에게서 명확하고 측정 가능한 생물학적 반응을 일으킨다. 임상적으로 중요한 200개 이상의 항원이 잡초(weeds), 목초(grasses), 동물(animal danders), 진균(molds), 집먼지진드기, 기생충(parasites), 곤충 독, 직업항원(occupational allergens), 약물, 식품에서 규명되었다.

가. 혈청내 IgE 검사

알레르기질환을 진단하기 위해서 앞에서의 설명처럼 가장 우선적인 방법의 하나로 혈청내 총 IgE 농도를 측정하는데, 이는 연령에 따른 정상치를 기준으로 비교하여야 한다. 특히 소아에서는 5세에서 7세가 되어야 성인의 농도에 접근하는 것으로 알려져 있다. 사용되어지는 방법으로는 동위원소를 이용한 PRIST (paper radioimmunosorbent test)와 발광을 이용한 MAST (multiple allergen simultaneous test), 효소를 이용한 CAP system 및 Ala-STAT RIA 방법 등이 있다.

나. 특이 IgE 항체 측정

혈청내 특이 IgE 항체는 원인 항원 물질을 확인하는데 유용한 방법이다. 그러나 특이 IgE 항체가 검출된다고 하여 환자의 병을 유발하는 항원이라 할 수는 없으며, 임상소견과 부합될 경우에 원인 항원으로 판정할 수 있다. 많이 사용되는 측정방법으로는 RAST와 MAST, CAP system 및 Ala-STAT RIA 방법 등이 있다.

1) 방사면역측정법
가) 경합반응을 이용한 방사면역측정법
방사면역측정법(radioimmunoassay, RIA)의 원리는 일정량의 표지항원과 한정된 양의 항체를 반응시키면 표지항원이 항체와 결합하여 표지항원-항체의 복합체

표 2-7. 피부시험과 혈청검사의 비교

피부시험	혈청검사
Less expensive	No patient risk
Greater sensitivity	Patient-doctor convenience
Wide allergen selection	Not suppressed by antihistamines
Results available	Results are quantitative
immediately	Preferable to skin testing in:
	dermatographism
	widespread dermatitis
	incooperative children

를 형성하게 되는데 이때 표지항원의 분포를 보는 방법이다.

나) 비경합반응을 이용한 방사면역측정법

① 면역방사계수측정법

면역방사계수측정법(immunoradiometric assay, IRMA)의 원리는 다량의 표지항체로 항원을 모두 결합시킨 후 표지항체의 분포를 조사하는 방법이다. 이 방법의 전형적인 형태는 이중부위 샌드위치법(two-site sandwich method)으로 알려져 있다.

② 방사성 알레르겐 흡수검사(RAST)

RAST는 IgE 항체를 검출하기 위해 개발된 첫 번째 분석 방법으로 면역방사계수측정법의 일종이다. 특정 알레르겐을 흡착시킨 종이 디스크와 검체 혈청을 반응시키면 혈청 IgE 중 특이 IgE만 디스크상의 알레르겐과 결합한다. 여기에 표지한 항IgE 항체를 첨가하여 알레르겐에 결합한 특이 IgE와 다시 반응시킨다. 이 알레르겐-특이 IgE-표지 항IgE 항체를 계측하여 혈청 내 특이 IgE를 반정량적으로 검출한다. 현재 사용되고 있는 측정방법은 특이 IgE 알레르겐 분석 데이타를 IgE의 정량적인 측정방법으로 전환하기 위하여 이종 혈청 총 IgE 곡선을 이용하는 흔한 방법이다. 또한 자동화로 인하여 현재 개량된 RAST 방법은 민감도와 특이도에 있어서 훨씬 우세하였고 더 정량적 방법이다. 이러한 향상은 IgE 항체의 혈청학적 분석법을 피부시험과 함께 더 경쟁력있는 진단법으로 만들어 주었다(그림 2-10).

2) 효소면역측정법

효소면역측정법(enzyme immunoassay, EIA)은 방사면역측정법과 동일하나 방사성 동위원소 대신 효소를 사용하여 반응시킨 후 측정한다. 항원-항체 반응을 효소표지를 이용하여 검사하는 방법으로, 항원-항체 반응의 여부와 그 정도를 알기 위해 효소기질을 첨가하여 나타나는 발색반응 정도를 분광 광도계로 측정

한다. 방법으로는 경합반응을 이용하는 법과 비경합 반응을 이용하는 법이 있다.

가) MAST

1985년 Brown 등이 화학발광법을 이용하여 혈청 총 IgE와 여러 알레르겐 특이 IgE 항체를 동시에 측정하는 MAST chemiluminescent (MAST CLA)를 고안하였다. 여러 가지의 알레르겐이 부착된 Mast pette라는 튜브에 환자의 혈청을 넣어 알레르겐과 특이 IgE 항체를 결합시킨 후 효소가 부착된 항IgE 항체와 발광물질을 첨가하여 발광의 강도를 폴라로이드 필름에 감작시켜 발광계로 반정량적으로 측정한다. 그러나 검사 결과가 반정량적이고, RAST 및 피부단자시험과 비교하여 예민도가 낮은 것이 단점이나, RAST에 비하여 여러 항원을 동시에 검색할 수 있으며, 경제적이고 쉬우며 빠른 장점이 있다.

나) Fluorescent allergen simultaneous test (FAST)

기본적으로 RAST 방법과 유사하지만, 방사선 동위원소 대신 형광물질을 표식자로 사용하며, IgE 농도를 정량적으로 측정할 수 있다는 장점이 있으나, 예민도에서 RAST나 MAST보다 뛰어나지 못하며, 결과 판독에 문제점이 있어 더 이상 사용되지 않고 있다.

다) Ala-STAT RIA

1980년대 후반에 고안된 이 방법은 고형상의 알레르겐 대신 soluble polymer에 결합시킨 알레르겐을 이용한다는 특징이 있다. 검사과정을 자동화할 수 있고, 단백 외에 탄수화물이나 핵산 등에 대한 특이적 IgE항체도 측정할 수 있다. 예민도와 특이도는 RAST나 MAST와 차이가 없으나 검사항목이 제한적이며 재현성에 문제가 있다.

라) CAP system

원리는 RAST와 동일하나 방사성 동위원소 대신

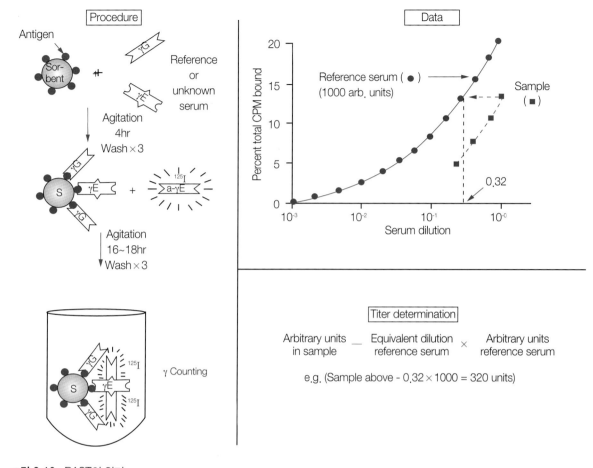

그림 2-10. RAST의 원리

cyanogen bromide activated nitrocellulose carrier를 사용한다. 이 방법은 기존의 paper disc 방법에 비하여 알레르겐 결합능이 3배 이상 높아 검체와 쉽게 결합하며 20분만에 알레르겐-항체 결합이 평형상태에 도달한다. 특히 특이도를 유지하면서 예민도를 높였으며, 혈청 총IgE 농도가 높은 경우에도 위양성 반응이 없으며, 분석과정이 표준화, 자동화되어 사용이 편리하고 정량적으로 분석이 가능하여 혈청내 특이 항체를 측정하는데 적절한 방법이다. 국내보고에 의하면 피부단자시험에 비하여 CAP system의 예민도는 약 80% 정도이고, 특이도는 82%이며, 경우에 따라서는 피부단자시험에서 음성이더라도 환자의 병력에서 특정 알

레르겐이 의심되면 CAP system을 이용한 특이 IgE 항체검사를 시행하는 것이 도움이 된다.

3) 다항원에 대한 특이 IgE 항체 검사

환자의 알레르기 병력이 애매모호할 때 적절한 특이 IgE 항체만을 뽑아서 진단하기는 어렵다. 아토피질환에서 다항원(multiallergen) 선별검사로 RAST식 검사는 가장 음성 예측도가 높다. 다항원 선별검사(Phadiatop, Pharmacia)는 대부분의 호흡기 및 음식물과 연관된 알레르기질환에서 실내, 실외, 식품 흡입항원에 대한 특이 Ig E 항체의 존재를 측정하는 방법이다. 다항원 선별검사에서 음성인 경우에는 환자에서

알레르기질환이 원인이라는 가능성을 줄여준다. 다항원 시험은 감작화의 표시자로서 혈청내 특이 IgE 항체를 검출할 필요성 있는 알레르기질환의 진단에 유용하다.

다. 히스타민 유리 시험

말초 혈액 호염기구를 분리하여 환자 혈청과 원인 항원으로 반응시켜 히스타민의 분비 정도를 측정함으로써 알레르기 면역 반응이 실험에서 일어나는 것을 확인하는 방법이다. 또한 배양중인 비만 세포를 이용하여 환자 혈청으로 감작시킨 후 알레르겐과 반응시켜 히스타민이 분비되는지를 조사하기도 한다. 주로 연구 목적으로 시행된다.

라. 화학매체 측정

혈액 내 또는 체액에서 히스타민, eosinophil cationic protein (ECP), major basic protein (MBP), leukotriene, tryptase 등을 측정할 수 있다. 화학매체의 측정은 환자에서 나타난 반응이 알레르기 기전에 의해서 일어난 것인지 여부를 밝히는 보조적인 자료로 이용된다.

마. 혈청내 IgG, IgA, IgM 농도 및 IgG 아형 검사

소아에서 만성적이거나 반복적인 호흡기계 감염에 의해 천식증상이 악화되거나 천식이 있는 경우에 면역글로불린 생산에 이상이 보이는 IgG, IgA 또는 IgM 결핍 등의 경우가 있다. 그 외에 IgG 아형의 결핍으로 초래될 수도 있다.

IgG 아형은 아토피피부염 환자에서 식품 항원에 대하여 IgE외에 IgG 아형에 의한 과민반응이 가능하다고 알려져 있다. 또한 알레르겐을 이용한 면역요법의 기전으로 면역주사 후 수개월 내에 알레르겐 특이 IgG1 항체가 증가하지만 약 1년 이후에 IgG4 항체가 증가하여 지속되는 것으로 알려져 있으며 이러한 차단항체가 임상증상의 호전과 관계가 있어 IgG 아형이 면역반응의 지표로 사용될 수 있다.

바. 트립타제 검사

혈청 트립타제(tryptase)의 농도는 아나필락스의 진단에 있어 비만세포의 표시자로서 유용하다. 트립타제는 4 아단위(subunit)로 구성된 134,000 Da tetramer로서 호염기구에 존재한다. α-트립타제와 β-트립타제의 두 종류가 있는데, α-트립타제는 constitutive하게 생산되고 mastocytosis 환자의 경우 혈중농도가 증가되어 있다. 혈액내 α-트립타제 농도는 비만세포의 수를 측정하는 것이며 총 트립타제 농도로부터 β-트립타제 농도를 뺌으로써 계산될 수 있다. 반면, β-트립타제는 과립내에서 저장되어 있다가 자극에 의해 분비됨으로써 비만세포 활성화의 표시자로 이용된다.

트립타제가 heparin으로부터 분리되었을 때 이것은 자연적으로 효소적으로 불활성화된 monomeric 아단위으로 퇴화된다. 이것은 미리 저장되어있던 히스타민과 다른 새롭게 생성된 vasoactive 매개물과 함께 활성화된 비만세포로부터 유리된다.

건강한 사람에서 혈청 총 트립타제 농도는 1~10 ng/mL 이다. 기저 총 트립타제 농도가 20 ng/mL를 초과한다면 전신성 mastocytosis 가 의심된다. 질환이 없는 사람에서는 β-tryptse 가 1 ng/mL 이하이고 β-tryotase 가 1 ng/mL 이상인 것은 비만세포의 활성도를 나타낸다. 적절한 결과를 얻기 위해서는 비만세포에 의해 매개되는 전신성 반응이 시작되고 나서 0.5~4 시간 후 혈액검사를 시행하여야 한다.

5. 폐기능 검사

소아 만성 호흡기 질환의 주요 원인인 기관지 천식은 간헐적인 기도 폐쇄를 특징으로 하고, 기도 폐쇄는 호흡곤란, 기침, 천명, 그리고 가슴 답답함 등의 증상으로 나타난다. 그러나 때로 중등도의 기도 폐쇄에도 불구하고 증상이 나타나지 않는 경우도 있다. 천식에서 기류 제한은 경미한 정도에서 심한 호흡 곤란까지 다양한 증상으로 나타날 수 있기 때문에 이러한 기류 제한의 정도를 객관적으로 평가하는 것이 중요하다. 폐기능 검사는 호흡 상태를 객관적이며 정량적으로 평가할 수 있어 천식의 진단, 치료에 대한 반응의 평가 및 환자의 장기적인 경과를 관찰하는데 매우 유용하다.

가. 폐기능 검사 방법

천식은 기도 내에 염증 세포의 침윤, 기도 평활근의 비대와 부종 등을 특징으로 한다. 최근 소아에서 기관 폐포 세척술과 기관지경을 통한 조직 검사가 가능해짐에 따라 천식의 병태 생리를 이해하는데 도움이 되고 있다. 그러나 천식은 다른 폐 질환과 달리 특이한 병리학적 소견이나 특정한 진단 방법보다는 기도 반응성의 증가, 기류 제한과 가역적 기도 폐쇄 등의 생리적인 이상으로 특징지어진다. 따라서 천식의 진단은 특징적인 임상 양상 및 폐기능의 측정으로 이루어져야 할 것이다. 폐기능을 측정하는 몇 가지 방법과 천식에서 폐기능 검사의 중요성에 대해 알아보고자 한다.

1) 폐활량 측정법
가) 최대호기속도

최대호기속도(peak expiratory flow rate: PEFR)는 노력성 폐활량(forced vital capacity: FVC)의 처음 0.1초 동안의 결과이며 가장 널리 사용되는 폐기능 검사이다(그림 2-11). 집 또는 진찰실에서 간편하게 측정할 수 있어 천식의 경과를 추적하고 치료의 효과를 평가할 수 있다. 피검자가 정상적인 호흡근의 강도를 가지고 있고 협조적이라고 할 때 최대호기속도는 중심 기도(central large airway)의 직경의 변동을 반영한다. 그러나 결과가 피검자의 노력과 기술 여하에 따라 좌우될 수 있어 재현성이 떨어지는 단점이 있다.

정상적으로 최대호기속도는 오후 4시에 가장 높고, 새벽 4시에 최저에 이른다. 정상인에서 이러한 일중 변동은 8% 정도이지만, 천식 환자에서는 50% 이상을 보이기도 한다. 임상적으로 유용한 지표는 변동률(variability)이다. 변동률은 하루 중 최대호기속도의 최고값에서 최저값을 뺀 값을 평균값으로 나눈 것으로 과도한 변동률은 기관지과민성 증가를 반영하며 천식의 악화를 의미한다(그림 2-12). 실제로 천식 환자가 증상이 없더라도 변동률의 증가는 치료 약제나 용량 변경의 객관적인 지표로 이용할 수 있다. 최대호기속도의 지속적인 추적 관찰은 천식의 진단이나 일중 변동 뿐 아니라 치료의 효과를 판정하는데 도움을 줄 수 있다.

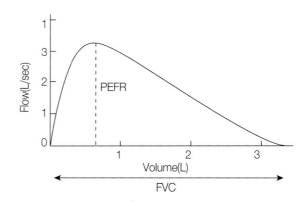

그림 2-11. 최대 호기 속도

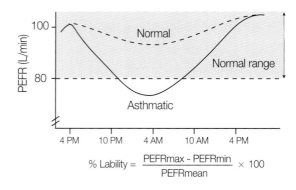

$$\% \text{ Lability} = \frac{\text{PEFRmax} - \text{PEFRmin}}{\text{PEFRmean}} \times 100$$

그림 2-12. 최대 호기 속도의 변동률

나) 1초간 노력성 호기량

1초간 노력성 호기량(forced expiratory volume in 1 second: FEV_1)은 전폐용적에서 1초 동안의 노력성 호기의 용적이다. 노력에 의한 기량이 대부분을 이루고 있어 재현성이 우수하고 환자의 증상이나 이학적 소견보다 더 예민하게 기류 제한을 반영하므로 임상에 널리 사용되고 있다. 천식 환자에서 1초간 노력성 호기량은 기류 제한의 정도와 반비례하여 나타난다. 1초간 노력성 호기량은 또 증상 유발인자나 약제의 투여 전후에 측정치를 비교하여 천식의 원인 규명 및 치료 효과를 판정하는데 이용된다. 가역적 기도 폐쇄는 천식의 가장 중요한 특징의 하나로 기관지 확장제 투여 후 1초간 노력성 호기량이 투여전에 비해 12% 이상, 200 mL 이상 증가하면 의미가 있다. 정상인의 경우 기관지 확장제 투여 후 1초간 노력성 호기량의 증가는 2.5% 정도이다.

다) 노력성 폐활량

노력성 폐활량(forced vital capacity: FVC)은 호기시 총 폐용량(total lung capacity: TLC)에서 잔기량(residual volume: RV) 까지 내쉰 공기의 총 용량이다. 폐쇄성 폐질환의 일부 환자에서는 FVC가 실제 폐활량(vital capacity: VC)보다 낮게 측정될 수 있다. 이것은 노력성 호기법을 시행하는 동안 흉곽 내의 압력이 증가하여 기도를 압박하고, 일찍 기도가 막혀 공기의 저

류가 생길 수 있기 때문이다. 천식에서 FVC의 중요성은 첫째 FVC는 폐용적을 간접적으로 측정할 수 있으며, 둘째 1초간 노력성 호기량/노력성 폐활량 비의 중요성이다. 이 비율의 정상값은 80%이며, 제한성 폐질환에서는 1초간 노력성 호기량이 노력성 폐활량과 같은 비율로 감소하지만, 천식과 같은 폐쇄성 폐질환에서는 1초간 노력성 호기량이 보다 더 많이 감소하여 결국 비율도 감소하게 된다. 한편 심한 천식에서 기도가 점액과 부종으로 완전히 막혀있을 때에는 1초간 노력성 호기량의 감소가 상대적으로 적어 1초간 노력성 호기량과 노력성 폐활량이 같은 비율로 감소하기도 한다. 천식에서 1초간 노력성 호기량/노력성 폐활량의 비는 기류 제한의 악화와 함께 감소하며, 초기 경한 기류 제한을 알아내는데 있어서 가장 예민한 방법이다. 그러나 노력성 폐활량은 폐용적의 간접적인 측정으로, 노력의 여하에 따라 또는 제한적인 검사 과정에 의해 달라질 수 있어 그 결과의 해석에 주의를 기울일 필요가 있다.

라) 노력성 호기 중간 유량

노력성 호기 중간 유량(mean forced expiratory flow during the middle half of FVC: FEF 25~75%)은 노력성 폐활량에서 호기의 시작과 끝 부분의 25%를 제외한 중간 50%의 기량을 시간으로 나누어 계산한 값으로, 노력과 상관없는 부분이 많고 측정할 때마다 일정한 결과를 얻기 어려워 흔히 사용되고 있지 않다. 그러나 정확히 측정하면 말초 기도의 유량을 측정하는 데는 좋은 검사이며 천식의 악화 시에 감소된다(그림 2-13).

마) 유량-용적 곡선

폐질환에 의한 변화를 시각적으로 진단할 수 있는 유량-용적 곡선(flow-volume loops)은 정상적으로 볼록 곡선으로 그려지는데, 천식에서 폐쇄가 진행함에 따라 특징적으로 오목 곡선이 점차 심해지고 또 곡선의 전체 면적도 줄어든다. 그러나 제한성 폐질환의 경우에는 곡선의 전체 면적은 작지만 오목 곡선을 그리

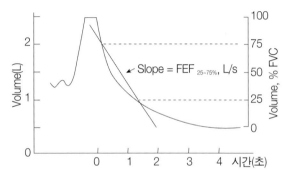

그림 2-13. 노력성 호기 중간 유량

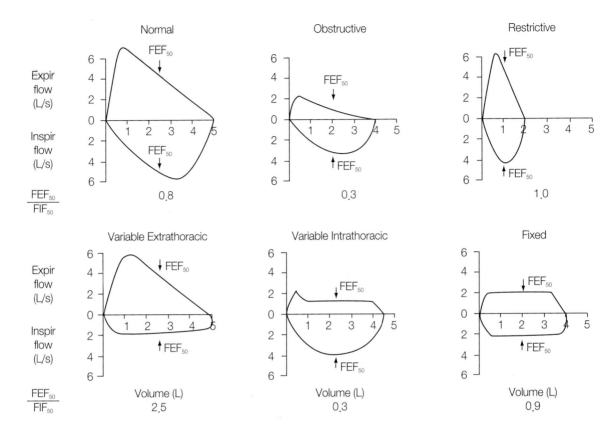

그림 2-14. 폐 질환에서 유량 용적 곡선

지는 않는다. 특히 흡기 시의 유량은 중심기도 폐쇄에 의해 영향을 받으며 말초기도의 폐쇄나 폐 실질의 질환에 의해서는 별로 영향을 받지 않으므로 중심 기도의 폐쇄를 진단하는데 매우 유용하다. 유량 곡선의 모양으로 흔히 천식과 비슷한 증상을 나타낼 수 있는 여러 폐질환을 감별할 수 있다(그림 2-14). 유량·용적 곡선의 제한점은 노력성 폐활량을 위해 완전 흡기 시 기도 평활근의 긴장도가 일시적으로 감소하게 되어 실제 평상 호흡에서의 평활근 긴장도를 반영하지 못한다는 점이다.

2) 폐용적

폐용적(lung volume)의 중요성은 첫째, 천식의 악화 동안 폐용적의 변화는 기도 폐쇄와 공기 저류이다. 따라서 잔기량, 기능적 잔기 용량(functional residual capacity: FRC)과 총 폐용량은 증가하는 반면 폐활량(vital capacity: VC)은 감소한다. 이러한 폐용적의 변화는 성인이나 소아에서 모두 천식의 악화 때에 나타나고, 기관지 확장제 치료로 호전된다. 그러나 기관지 확장제 치료 후에도 폐기능의 회복을 보이지 않을 때에는 기도 개형(airway remodeling)을 생각할 수 있다. 둘째, 잔기량은 소기도의 폐쇄를 예민하게 반영하므로 예측치의 150% 이상 증가는 소기도의 기능의 변화를 의미한다. 셋째, 폐용적 변화 자체가 기도와 폐 실질의 상호의존성으로 인해 기도 저항에 영향을 주게 된다. 이러한 상호의존성은 기도와 폐 실질이 서로 단단히 연결되어 있기 때문으로 기도 반경이 커짐에 따라 기도 저항이 감소하고 따라서 폐용적은 증가하게 된다.

3) 기도 저항

천식은 기도 저항(total airway resistance: Raw)의 증가에 의한 기류 제한으로 특징지어질 수 있다. 기류 제한을 측정하는 폐활량계 지표와 달리 구강의 유량(airflow)과 상자 내부와 흉곽 내부의 압력 차이의 관계로 기도 저항성을 직접 측정할 수 있다. 가장 흔한 방법은 체적변동기록기(body plethysmography)로 특정 폐용적에서 유량·압력의 관계를 측정하는 것이다.

특이 기도 전도(specific airway conductance: sGaw)는 기도 저항의 역수로, 단위 압력 당 생성되는 유량이다. 기도 저항 측정에 비해 몇 가지 장점이 있는데 첫째, 기도 폐쇄를 반영하는데 기도 저항보다 좀 더 예민하고 둘째, 노력성 호기가 필요 없어 측정의 오류를 줄일 수 있으며 셋째, 숨이 차면 성대가 열리므로 특이 기도 전도는 좀 더 예민하게 하기도 직경을 반영할 수 있으며 넷째, 기도 저항이 90% 이상 중심기도의 저항을 반영한다면, 특이 기도 전도는 중심 기도와 말초 기도의 저항에 모두 예민하고, 기류 제한이 있는 부위를 국소화 할 수 있다.

4) 폐확산능

폐포-모세혈관 사이에서 폐의 가스 교환 능력을 측정하는 것으로 폐모세혈관의 산소 분압 측정이 어렵기 때문에 일산화탄소를 이용한다. 폐확산능(lung diffusion capacity)은 폐포모세혈관막의 두께, 폐포의 총면적, 모세혈관내의 혈액량, 혈색소 농도 등의 영향을 받으며 간질성 폐 질환, 폐기종 등에서는 감소하고 천식의 경우에는 정상이거나 약간 증가될 수 있다. 천식에서 폐확산능의 증가는 염증의 진행을 의미하며 조절되지 않는 천식에서 볼 수 있다. 그러나 심한 천식에서 기도 폐쇄가 점차 심해지면서 폐확산능이 감소될 수도 있으며 치료 후 폐기능이 호전됨에 따라 점차 증가된다. 폐확산능은 폐기종으로 인한 심한 기류 제한을 보이는 환자와 천식으로 인한 기류 제한을 구별할 수 있다.

5) 동맥혈 가스 검사

동맥혈 가스 검사(arterial blood gas analysis: ABGA)는 이산화탄소를 산소로 교환하는 호흡기계의 전반적인 기능을 평가하는 가장 기본적인 검사이다. 동맥혈 가스 검사는 호흡 곤란을 평가하는데 매우 중요하며 천식이 조절되지 않을 때 이 검사의 결과도 변하게 된다. 대개 기도 폐쇄의 정도와 동맥혈 가스 검사의 결과는 일치한다고 한다.

동맥혈 산소 분압(PaO_2)은 동맥혈 내에 용해되어 있는 산소의 양을 측정하는 것인데 이는 대기로부터 폐의 모세혈관까지 효과적으로 산소가 운반되는지를 총체적으로 평가하는 방법이다. 동맥혈 산소 분압은 환기량의 변화나 폐포 질환에 민감하기 때문에 거의 모든 중증 폐질환들은 저산소혈증을 유발할 수 있다. 급성 천식에서는 저산소혈증과 호흡성 알칼리증을 보인다. 또 1초간 노력성 호기량의 감소에 따라 동맥혈 산소 분압이 감소하고 기류 폐쇄의 정도와 저산소혈증의 정도는 일치한다. 산소 분압과 달리 이산화탄소 분압($PaCO_2$)은 1초간 노력성 호기량이 예측치의 20% 이하로 감소하여도 탄산과잉증(hypercapnea)은 나타나지 않으며 이후 기도 폐쇄가 계속 증가하면 효과적인 폐포 환기가 감소하게 되고 이산화탄소 분압은 증가하게 된다. 이산화탄소 분압은 폐포 환기와 역상관관계에 있다. 천식에서 동맥혈 pH는 대개 호흡성 알칼리증을 나타낸다. 그러나 심한 천식에서는 대부분 대사성 산증을 보이며, 이러한 산-염기 불균형은 매우 심한 기도 폐쇄와 연관이 있다.

나. 어린 소아의 폐기능 검사

어린 소아에서 동맥혈 산소와 가스 교환의 측정은 상대적으로 간단하나 기류와 폐용적을 포함한 폐역학(lung mechanics)의 측정은 좀 더 복잡하고 어렵다. 통상적인 폐기능 검사가 환자의 협조를 필요로 하기 때문에 어린 소아에서 적용하기가 쉽지 않다. 최근 호흡 생리학의 발전과 이를 측정하는 기기의 발달로 환자의 협조가 안 되어 불가능하던 학령 전기 천식에서도 일부 제한적인 종목의 폐기능 측정이 시도되고 있다. 학령 전기 천식에서 강제 진동 기법(forced oscillation technique)을 이용한 호흡기계 저항(respiratory system resistance: Rrs) 측정, 체적변동기를 이용한 특이 기도 저항(sRaw) 측정, 차단 기법(interrupt technique)을 이용한 호흡 저항(Rint) 측정 등이 그것이다. 또한 최근에 통상적인 폐기능 검사가 어려운 학령 전기 천식을 진단하는데 비특이적 기관지 수축제 투여 후 청진 상 천명의 감지나 산소 포화도의 감소, 호흡수의 증가 등으로 기도 폐쇄의 정도를 평가하는 방법이 시도되고 있다.

다. 임상적 적용

통상적인 폐활량계로는 천식에서 현재의 기도 염증 상태를 평가하기 어렵다. 특히 말초 기도에서 진행되는 염증은 기류 제한과 같은 생리적 폐기능 검사로는 측정하기 어렵다. 정상 폐기능을 보이는 무증상 천식에서도 건강인에 비해 말초 저항이 더 큰 것으로 나타났고, 흉부 CT와 청진음 분석에서 지속적인 이상 소견을 보일 수 있다. 따라서 여러 방법에서 무증상 천식 환자에서도 말초 기도에서 뿐 아니라 폐 실질에서 지속적인 생리적 이상이 진행되고 있음을 보이고 있고, 이것은 현재 염증이 진행되고 있기 때문으로 생각하고 있다. 폐활량계나 최대 호기 속도의 단독 측정은 경증 천식의 치료 지침으로 이용될 수 있지만 좀 더 심한 천식의 진단에는 유량-용적 곡선과 폐확산능의 측정이 더 중요하다.

1) 천식 유사 증상을 보이는 호흡기질환

임상적으로 천식과 유사한 증상을 보이는 경우에 스테로이드와 같은 약물을 불필요하게 장기간 사용하게 되는 경우가 종종 있다. 이런 경우에 보다 정밀한 폐기능 검사로 환자를 감별 진단할 수 있다. 천명이나 호흡 곤란을 보이는 소아의 감별 진단은 나이에 따라 달라지는데 영아의 경우는 선천적인 기도의 이상을 생각할 수 있다. 또 폐쇄성 세기관지염에서도 폐기능 검사상 천식에서와 같이 폐쇄성 패턴과 기류 속도의 감소를 볼 수 있다. 그러나 이때 스테로이드와 같은 치료로 폐쇄가 회복되지 않는 것을 관찰할 수 있다. 또 간질성 폐질환의 경우 1초간 노력성 호기량은 감소되지만 폐용적 또한 감소하므로 1초간 노력성 호기량/노력성 폐활량 비는 정상으로 유지되며, 유량-용적 곡선에서 제한성 패턴을 보인다.

2) 급성 천식

급성 천식의 중증도는 이학적 검사, 폐기능 검사, 동맥혈 가스 검사 등으로 산소화와 환기의 정도를 평가한다. 천명, 호흡 곤란이나 심각한 기류 장애를 의미하는 이학적 소견을 인지하는 것도 중요하지만 폐기능에 대한 정량적인 평가 또한 중요한 의미를 갖는다. 심한 호흡 곤란을 보이는 천식에서 폐기능을 측정하기는 매우 어렵다. 반복적인 노력성 폐활량 검사는 중증 천식에서 더욱 기도 폐쇄를 초래할 수 있다. 검사가 가능한 경우 최대 호기 속도, 1초간 노력성 호기량이나 기류 속도가 중요하지만 초기 치료 후 폐기능의 호전 여부는 치료전 폐기능 수치보다 입원의 필요성을 더욱 잘 예측할 수 있는 지표이다. 급성 천식에서 치료에 대한 반응이 좋은 경우는 최대 호기 속도가 예측치 또는 개인의 최고치의 80% 이상이면서 4시간 이상 지속되는 경우이다. 최대 호기 속도의 반복 측정은 급성 천식의 중증도 평가 뿐 아니라 치료에 대한 반응을 감시하는데 유용하다. 중증 천식에서 가스 교환이나 임상적 상태를 평가하기 위해 동맥혈 가스 검사의 반복적인 시행이 필요하다. 그러나 급성 천식에서 산소 포화도는 맥박 산소 측정기(pulse oximetry)를 통해서 비침습적으로 측정될 수 있다. 맥박 산소 측정기는 손가락이나 귓불에서 적색선과 적외선 흡수를 이용해서 동맥혈 산소화 헤모글로빈의 퍼센트를 측정한다. 이 방법은 반복적으로 혈액을 채취하지 않고 환자의 동맥혈 산소화 정도를 감시할 수 있는 매우 유용한 방법이다.

3) 만성 천식

무증상 천식에서도 기도 폐쇄가 있을 수 있다. 만성 천식에서 연속적인 폐기능 측정은 여러 가지 면에서 도움이 된다. 첫째 환자 개인의 최고치는 현재 상태에 대한 참고치가 될 수 있다. 둘째 치료에 대한 폐 능의 반응으로 가역성 정도를 알 수 있다. 가역성이 적거나 없는 경우에는 폐쇄성 세기관지염과 같은 심한 폐쇄를 생각할 수 있다. 셋째 간단한 폐기능 검사로 천식 발작의 위험 증가를 확인하는데 도움을 줄 수 있다. 기도 폐쇄에 대한 임상적인 증상은 치료 후 회복되지만 폐기능은 상당 시간 동안 정상화되지 않을 수 있고, 일부 환자에서는 폐기능이 완전히 정상으로 회복되지 못하는 경우도 있다.

6. 유발시험

가. 비특이적 기관지 유발시험

유발시험은 천식의 진단과 중증도와 투약 결정에 도움이 된다. 폐기능이 75%미만으로 감소되어 있으면 기관지 확장제를 투여 후 FEV_1이 12%이상 증가하는 것으로 기관지과민성을 증명하는 것이 가장 유용하다. 직접 유발시험은 메타콜린 등으로 특이 수용체를 통한 기도 평활근의 수축을 유도하고 간접유발시험에는 운동, 과호흡, 고장성 생리식염수, 증류수 등이 있으며 기도 염증의 결과로 내인성 물질을 분비하게 해 기도를 수축시키고 그 심한 정도는 염증의 정도와 비례하여 음성이면 천식이 경증이라는 것을 시사한다. 약물 기도과민성은 치료후 수 주 내에 일부 호전은 되지만 정상이 되는 데는 폐기능과 증상이 정상이 된 후에도 수 개월 내지 수 년 이상 걸리고 약물유발시험에 음성인 아동의 15%가 운동유발시험에 양성이기도 하여 기도 과민성을 배제하기 위해서는 직접, 간접시험을 모두 다 해야 한다.

1) 메타콜린 유발시험

현증을 보이는 천식환자에서 거의 모두가 메타콜린의 PC_{20}가 8 mg/mL 이하로 나오는 등 민감도가 높아 천식이 의심되나 기관지 확장제 검사 등으로 확진이 안 될 때 이용하고 음성예측도가 높아서 천식을 배제하는데도 유용하다. 양성예측도는 낮아 기관지염, 만성 폐쇄성 폐질환, 낭성섬유증, 알레르기비염, 울혈성 심부전에서도 위양성을 보일 수 있다. 16%의 위음성율을 보이며 계절성, 직업성천식에서 일시적으로 음성이 나올 수 있다. 유발시험에서 측정되는 기관지과민도는 천식의 진단뿐만 아니라 천식의 심한 정도를 추정하는데 이용될 수 있다. 역학조사에서 무증상이면서 메타콜린 유발시험 양성인 소아를 추적시 FEV_1이 감소되고 천식이 되기 쉽다.

기도내경으로 인한 기관지과민성의 영향을 배제하기 위하여 유발시험은 폐기능이 정상이거나 최상일 때 검사하는 것이 바람직하다. 흡입스테로이드를 10~14일 사용하여 폐기능을 호전시키고 기도 부종을 감소시킨 후 시행하여야 기관지 평활근의 진정한 과민성을 반영할 수 있다. 상기도 감염이나 자극제나 항원노출은 기도내경을 변화시키므로 4주 이상 경과하고 무증상 일 때 검사한다. 다른 약물에 의한 영향을 배제하기 위하여 평소 사용하던 약을 중지한다(표 2-8).

먼저 폐기능검사를 시행하여 예상치의 70% 이상임을 확인하고 코마개를 하고 생리식염수를 흡입시키고 폐기능이 10% 이상 감소하지 않은 상태에서 이를 기저치로 간주한다. 이후 약물을 저농도부터 흡입하고 폐기능은 3~5분에 측정하고 5분 간격으로 농도를 올린다. 흡입방법으로 2분 동안 평상호흡으로 연속적으로 흡입하는 방법(tidal breathing method)과 전량계(dosimeter)를 이용하여 0.6초 동안 개폐함으로써 일정한 용량을 5회 흡식용적호흡(inspiratory capacity breathing)을 하는 전량계 흡입 방법(dosimeter method)이 널리 쓰인다. 평상호흡 흡입방법과 전량계 흡입방법을 비교하면 큰 차이가 없는 것으로 알려져 있다(표 2-9). 판정방법은 FEV_1이 20% 감소하는 유발

농도(PC_{20})를 권하는데 축적용량(PD20)과 혼란이 빚어지기 때문이다. 판정은 PC_{20}을 8 mg/mL 이하로 잡을 때의 특이도는 95%이고 25 mg/mL 이하를 잡으면 위양성이 25%이어서 8 mg/mL 또는 16 mg/mL 이하를 기준으로 한다(그림 2-15). 폐활량측정을 할 수 없는 소아에서는 기관(trachea)에 청진기를 놓고 들어 천명이 들리는 농도(PCw)가 FEV_1이 20% 감소하는 농도(PC_{20} FEV_1)와 잘 비례한다. PCw보다는 경피산소분압($Ptco_2$)의 10~15% 감소가 더 민감한 측정법이지만 비용이 많이 들고 나이에 따라 감소정도가 다르다.

2) 간접 유발시험

기도 염증의 결과로 내인성 물질을 분비하게 해 기도를 수축시키는 간접유발시험에는 운동, 과호흡, 고장성 생리식염수, 증류수흡입 등이 있는데 장점은 양성이면 천식이 현증이고 운동이나 찬공기 흡입 등은 천식발작을 유발시키는 흔한 자극이라는 점이다. 치료 전 후 간접유발시험을 측정함으로써 치료의 종류, 용량, 감소를 결정할 수 있고 적절한 치료로 간접유발에 대한 기도과민성이 정상이 되면 환자는 그 자극에 대해서는 더 이상 증상이 없게 된다.

가) 운동유발시험

운동 자체가 천식반응을 일으키는 것이 아니라 호흡수와 그 호흡수가 유지되는 시간으로 중증도가 결정되며 흡입하는 공기의 수분과 열손실(osmotic and thermal effect)로 공기가 건조할수록 증발에 의한 수분손실이 증가해 천식반응이 크다. 운동유발성 천식 환자를 발견하는 표준자극은 최대자발호흡수(maximal voluntary ventilation rate: 예상 FEV_1x35, MVV)의 60~75%로 4~8분 간 건조공기를 과호흡하는 것이다. 기관지과민성을 밝혀내는 자극으로 과호흡을 이용하는 검사의 이점은 여러 가지가 있는데 운동은 소아에서 매일 접하는 자연스러운 자극이고 기본 폐기능의 정도와 운동에 대한 반응은 관련이 없다. 또 건조한 공기의 과호흡은 기도수축과 더불어 기침도 유발하는 장

점이 있어 환자가 기침이 있으면 그 환자에서 기침이 기도 수축과 동반되어 나타나는지 아니면 단독으로 일어나는지 알 수 있다. 건조한 공기 과호흡시 유발되는 기도 수축과 기침은 같은 기전에 의해 일어나는데도 불구하고 기도수축은 천식환자에서만 일어난다.

운동유발시험은 기도과민성을 발견하는데 메타콜린 검사보다 덜 민감하여 천식의 75~80%에서 양성을 보이는데 운동유발시험에서 양성이면 천식이 있다고 진단하지만 음성이라고 천식을 배제할 수 없다. 그러나 임상적으로 천식이 있다고 생각되는 환자가 운동유발시험에 음성이고, 특히 폐기능이 정상이면 오래 천식 치료를 할 필요가 없다. 숨참증상은 아이들에게 있어 운동 시 흔한 증상인데 운동에 대한 정상반응으로 간주된다. 천식의 50%에서는 운동에 불응기가 있어 운동유발성 천식은 간헐적으로 나타나므로 흔히

표 2-8. 기도과민성을 감소시키는 인자들

종류	중지해야 할 시간
약물	
Short-acting inhaled bronchodilators (isoproterenol, isoetharine, metaproterenol, albuterol, terbutaline)	8 시간
Medium-acting bronchodilators (ipratropium)	24 시간
Long-acting inhaled bronchodilators (salmeterol, formoterol, tiotropium)	48 시간
Oral bronchodilators	
liquid theophylline	12 시간
intermediate-acting theophyllines	24 시간
long-acting theophyllines	48 시간
standard β_2-agonist tablets	12 시간
long-acting β_2-agonist tablets	24 시간
Cromolyn sodium	8 시간
Nedocromil	48 시간
Hydroxyzine, cetirizine	3 시간
Leukotriene modifiers	24 시간
Oral or inhaled corticosteroid	검사당일
음식	
콜라, 쵸코렛, 커피, 홍차	검사당일

표 2-9. 메타콜린 유발시험

Label strength	Take	Add NaCl (0.9%)	Obtain dilution
A. Dilution schedule using 100mg vial of methacholine chloride and the 2 min tidal breating protocol			
100 mg	100 mg	6.25 mL	A: 16 mg/mL
	3 mL of dilution A	3 mL	B: 8 mg/mL
	3 mL of dilution B	3 mL	C: 4 mg/mL
	3 mL of dilution C	3 mL	D: 2 mg/mL
	3 mL of dilution D	3 mL	E: 1 mg/mL
	3 mL of dilution E	3 mL	F: 0.5 mg/mL
	3 mL of dilution F	3 mL	G: 0.25 mg/mL
	3 mL of dilution G	3 mL	H: 0.125 mg/mL
	3 mL of dilution H	3 mL	I: 0.00625 mg/mL
	3 mL of dilution I	3 mL	J: 0.003125 mg/mL
B. Optional dilution schedule using 100 mg vial of methacholine chloride and five-breath dosimeter protocol			
100 mg	100 mg	6.25 mL	A: 16 mg/mL
	3 mL of dilution A	9 mL	B: 4 mg/mL
	3 mL of dilution B	9 mL	C: 1 mg/mL
	3 mL of dilution C	9 mL	D: 0.25 mg/mL
	3 mL of dilution D	9 mL	E: 0.0625 mg/mL

문제점으로 인식되지 않는다. 진단은 기저치 FEV$_1$의 10% 또는 15% 감소로 진단되나 대부분의 아이들은 25%이상 감소되어야 증상을 호소하고 천명은 30%이상 감소되어야 들린다.

검사방법으로는 Bicycle ergometer와 motor-driven treadmill이 있는데 자전거법이 민감도가 낮고 treadmill은 같은 속도, 경사로 뛰더라도 운동량이 몸무게에 의존하므로 동량의 환기를 유발하지 못한다. 운동시간은 6~8분으로 12세 미만에서는 6분 운동, 12세 이상은 8분으로 심박동수가 최소 2분간 분당 175회 또는 예상 최대치(220-age in years)의 80~90%이상으로 유지되게 한다. 20~25도에서 상대습도 50% 미만이거나 압축 medical air를 들이마시게 한다. 호흡수로 하면 목표 호흡수, 즉 MVV의 45~60%를 얻어지면 4분을 유지한다. 항히스타민제는 48시간, 서방형 테오필린이나 베타 길항제, 또는 long-acting β$_2$ 흡입제는 24시간, 일반형은 12시간, nedocromil, cromolyn sodium, 속효성 β$_2$ 흡입제는 6시간 전부터 금하고 흡입 또는 경구

스테로이드는 검사당일 아침에만 금한다. Bicycle ergometer의 목표일량은 watts= (53.76 x measured FEV$_1$)-11.07로 1분 60%, 2분 75%, 3분 90%, 4분에 100% 로 재빨리 올리는 것이 중요하다. 코마개를 하고

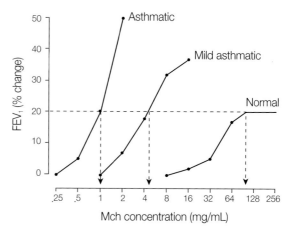

그림 2-15. 천식의 중증도에 따른 기관지 민감도(PC$_{20}$)와 최대기도협착도의 변화

분당 호흡수와 심박을 재면서 폐활량기로 FEV_1을 1, 3, 5, 7, 10, 15, 20, 30분에 각각 두 번 불어 높은 것을 기록하고 15%이상 감소를 양성으로 간주한다.

나) 과호흡법

4.9% CO_2, 21% O_2, balanced N_2의 건조가스를 흡입하는데 이 검사는 미국 국방부에서 운동유발성 천식 검사로 사용하나 가끔 심한 반응을 보일 수 있다. MVV의 30%, 60%, 90%, 100%를 각각 3분간 호흡 후 3분 후 FEV_1을 측정한다. 양성은 10% 감소를 보이는 경우로, 90% MVV에서 양성이면 경증, 60% MVV에서 양성시 중등증, 30%에서 양성시 중증으로 판정하는데 아이들은 과호흡을 하기 어렵다. 90% MVV에서 음성이면 운동유발성 천식을 배제할 수 있다. 호흡수는 예상 FEV_1에 의해 결정되므로 같은 키의 소아는 같은 자극을 받게 되어 약물시험에서 용량과 환자 크기가 조절 안 되는 문제를 극복할 수 있다. 과호흡이 유발시험으로서의 가장 큰 장점중의 하나는 건강인에서는 가장 큰 호흡범위에서 조차도 기도 반응이 없다는 것이다. FEV_1의 10%이상 감소가 비정상이지만 역학조사에서는 15%이상을 더 채택한다.

다) 고장성 생리식염수 유발시험

운동에 아이의 협조가 필요하고 과호흡 검사를 제대로 시행하려면 FEV_1이 1.5 L이상 되어야 하는 단점들과 고농도(hyperosmolarity)가 천식발작의 강력한 방아쇠라는 발견은 고장성 생리식염수 유발시험(hypertonic saline)의 사용을 야기시켰다. 안전성이 증명되었고 4.5% 식염수에 반응을 보이면 운동유발성 천식을 가지고 있을 가능성이 높다. 작용기전은 운동과 비슷하게 비만세포 물질유리와 감각신경에서 신경 펩티드를 유리하여 기도수축을 유발한다. 건조공기 과호흡과 고장성검사는 서로 교차불응을 지니고 시간 경과, 중성구 화학주성인자유리, 기침유발, 민감도와 특이도, 약에 대한 반응도 두 검사가 비슷하다. 장점은 검사를 시행하는데 운동유발시험에 비해 장비가 싸고 환자의 협조에 의존하지 않는다는 것이다. 최대 기도수축은 운동 후 5~10분 걸리는데 반해 흡입이 끝난 후 60초 내 반응을 보이고, 고장성 식염수에 대한 기도반응의 중증도는 기도의 염증세포의 존재와 그 매개물을 반영하고 기도 생검과 기관지 세척물의 비만세포 및 호산구의 수나 활성도와 상관관계가 좋다. 더구나 큰 장점은 유도객담을 동시에 채취할 수 있어 기도염증을 평가할 수 있다. 방법은 초음파 네불라이저로 4.5% 생리식염수를 30초 들이마시고 60초, 90초에 FEV_1을 검사하고 1분, 2분, 4분, 8분(최대 흡입시간 20분)까지 1분 간격으로 지속한다. 가래가 안 나오면 기관지 확장제 흡입 후 가래가 나오면 냉동고에 넣고 4시간 내 처리한다. FEV_1 기저치의 15%이상 감소를 양성으로 한다. 건조 만니톨 분말을 증량하면서 흡입하는 방법도 있다.

라) 증류수 유발시험

기침을 유발해 덜 쌓이게 하여 다른 유발시험보다 천식을 발견하는데 덜 민감하다.

나. 특이적 기관지 유발시험

폐기능검사를 시행하여 예상치의 70% 이상임을 확인하고 생리식염수 흡입 후에 폐기능이 10% 이상 감소하지 않는 것을 확인한다. 항원 피내 반응시 양성반응을 나타내는 최저 농도(2+:음성대조군의 팽진보다 5 mm 더 큰 정도) 항원 추출액을 농도를 두 배씩 올리면서 흡입 후 10~15분에 FEV_1이 15%이상 감소하지 않을 경우 다음농도로 진행하고 15~19%의 감소시에는 다음농도의 1/2(전농도의 1.5배)을 흡입한다. 초기반응과 수시간 후에 나타나는 후기반응이 있다. 초기반응은 10~15분에 시작하여 1~3시간 내 기저치로 회복되고 주로 중심기도의 폐쇄이며 후기반응은 서서히 진행하여 4~8시간에 최대에 도달하는데 중심기도와 말초기도의 폐쇄이며 폐기능 저하 정도가 초기반응보다 심하고 10시간 내지 수일 후에 기저치로 회복된다.

이중 반응은 18~84%, 단독 초기반응은 9~53%, 단독 후기 반응은 7~50%에서 나타난다. 반응의 정도는 피부시험으로 예상된 알레르기 민감성뿐만 아니라 메타콜린 등에 대한 기도과민성에도 영향을 받는다.

이론적으로는 원인 항원을 찾아내는 방법이고 천식의 병태생리와 발생기전을 이해하는데 도움을 주며, 특이항원에 의한 기도반응의 형태로서 임상적 증상정도를 예측 할 수 있고 면역요법이나 장기간의 치료에 대한 반응을 평가하거나 새로운 약제의 효과를 판단하는데 이용될 수 있다. 그러나 실제적인 임상적 적용에서 의의는 분명치 않아 실제 피부시험과 병력에서 얻어진 이상의 효과를 얻을 수 없고 음성 반응을 보였다고 해도 그 결과에 완전히 의존 할 수 없으며 검사후 기도 과민성과 증상이 수주 지속하는 위험이 따라 대신 분절 항원 유발시험(segmental allergen challenge)을 연구목적에만 이용하고 있다.

다. 비 유발시험

항원 비내유발시험은 접근이 쉬워 비염뿐 아니라 천식의 원인 항원의 확진, 항원의 순위를 정하며 면역요법을 위한 항원의 선택, 약물요법의 효과판정 등 진단, 병리생태적 측면에 대한 연구 및 신약의 효과를 판정할 목적으로 많이 사용된다. 여러 방법이 있지만 쉽게 이용되는 방법은 피부시험에서 양성으로 나타난 항원을 묻힌 소절편을 하비갑개 전단(하비갑개의 전방에서 1/3위치)에 부착시키고 15분경과 후에 증상발현여부를 관찰하는 검사로 재채기, 콧물, 코막힘의 중증도를 점수화하여 결과를 판정한다. 조기 반응과 후기 반응이 관찰된다. 비저항, 비강내 용적의 변화를 측정하는 방법도 있고 조기반응 및 후기반응시 생산되는 염증세포 산물을 비강내 세척을 통하여 정량화하는 방법, 조직검사 등이 있다. 환자가 불쾌해 하거나 비특이적 재채기를 일으키는 경우가 많아 소아에서는 드물게 행해지고 주로 연구목적으로 실시되고 있고 표준화가 필요하다. 비특이적 비 과민성(nasal hyperreactivity)의 연구는 메타콜린이나 히스타민으로 하지 않고 bradykinin으로 시행한다.

라. 결막 유발시험

50 μL의 항원액을 각 농도마다 10분 정도의 간격을 두고 결막낭에 점적한 후 결막발적, 부종, 눈물, 소양증 등의 주관적 및 객관적 증상의 점수를 측정하여 양성판정과 반응의 심한 정도를 판정한다. 피부시험 양성자중 결막유발시험에서 83.6%의 양성반응을 보였다.

7. 체액 검사

신장 질환이 있는 환자에서 요로를 통해 배출되는 소변의 검사가 가장 기본적이면서도 중요한 검사이듯이 천식이나 알레르기비염과 같은 알레르기질환과 호흡기 질환에서는 기도를 통하여 배출되는 객담이나 콧물, 타액의 검사가 가장 기본적이고도 중요한 검사이며, 비침습적으로 직접 조사할 수 있는 쉽고도 편리한 방법이다.

가. 객담검사

객담은 천식과 대부분의 호흡기 질환에서 동반되는 중요한 증상이며, 동시에 호흡기 질환의 진단과 평가를 위한 좋은 검사 재료이다. 기관지 천식 환자에서 객담은 흔히 기도의 일부를 폐색시켜 환기를 저해하고, 무기폐를 발생시키며, 특히 급성 천식사의 많은 경우가 점액성 기도 분비물이 기도를 폐색시킴에 따른 질식사라고 한다. 또한 객담은 기도의 객출물로서 객담의 물리화학적 및 세포학적 조성은 알레르기 및 호흡기 질환의 진단 및 그 치료 경과를 잘 반영해 준다.

1) 객담의 채취 방법
객담은 원칙적으로 아침 기상 시에 채취한다. 물로

충분히 입안을 헹구어낸 후 멸균 용기에 객담을 뱉게 하여 채취한다. 채취한 객담은 냉장고에 보관하여 표본을 제작한다. 환자가 객담을 배출시키지 못하는 경우는 3~5% 식염수를 흡입시켜서 객담 배출을 유도한다. 환자로부터 채취한 객담에는 항상 타액이 같이 섞여 있으므로 타액을 분리 후 검사를 시작한다.

2) 객담의 임상적 진단법

가) 객담의 양

정상 기도에서는 하루에 약 50~100 mL 정도의 기도액이 생겨서 흡기의 온도와 습도의 조절 및 기도 상피의 섬모 운동과의 협조에 의해 기도의 clearance에 기여하고 있다. 이들 기도액의 기원은 기도 점막의 표면에 있는 분비성 상피세포와 점막하 분비선으로부터의 분비물과 혈액 여출 성분이다. 생리적 기도액은 기도 점막의 재흡수와 환기에 동반되는 증발에 의해 줄어들어서 후두개에 도착하는 양은 하루에 약 10 mL 정도이며, 이것마저도 무의식중에 삼켜진다고 한다. 기관지 천식이나 폐렴, 기관지염, 기관지확장증 등 기도에 염증성 변화가 있을 때 이 기도액이 생리적 한계를 초과하여 과량 생산되어 객담으로 나오는 것이다.

나) 육안적 성상

객담은 육안으로 점액성, 점액농성, 농성으로 나눌 수 있다. 점액성은 투명하고 농성은 황색 또는 녹색을 띠며 점액농성은 섞여있는 모양을 보인다. 기관지 천식 환자의 객담은 호산구가 많이 포함된 경우에는 황색을 띨 수도 있다. 객담이 녹색인 경우는 폐 감염의 지표로 간주되나, 1일 이상 방치한 객담도 녹색으로 되는 경향이 있다.

다) 세균학적 검사

객담을 슬라이드 글라스에 도말하여 그람 염색을 하거나 배양하여 세균 검사를 할 수 있으나 임상적으로 큰 의미를 갖지 못한다.

라) 세포검사

객담은 기도의 점액성 분비물에 염증성 삼출물과 탈락한 기도 상피 세포 그리고 그 외의 여러 세포 성분들이 섞여 있는 것으로서 각각의 질병에 따라 서로 다른 세포상을 보이며, 또 동일한 질병에서도 질병의 경과에 따라 특이한 세포 비율을 보일 수 있기 때문에 객담의 세포검사가 아주 중요하다. 객담의 세포검사를 위한 염색법에는 Papanicolaou 염색, Giemsa 염색, Hansen 염색, Toluidine blue 염색 등이 있다.

① 기관지 상피세포

기관지 천식이나 만성 기관지염 환자의 객담에서 관찰된다. 기관지 상피세포가 덩어리로 되어 나타나는 것을 크레올라 소체(Creola body)라고 하며, 기관지 천식 환자의 객담에서 특징적으로 나타난다.

② 호산구

기관지 천식 환자의 객담에서 증가되어 있다. Charcot-Leyden crystal은 호산구 유래의 단백 결정체로서 양 끝이 뾰족한 6각형의 모양을 하고 있다. Dulfano는 객담내 총 세포의 20% 이상이 호산구인 경우 기관지 천식을 강하게 의심할 수 있다고 하였다.

③ 기타 세포나 결정체

호중구는 폐렴이나 기관지염 등의 염증이 있을 때 증가된다. 그 외 대식세포나 임파구도 천식의 병리에 관여하지만 객담 특이성이란 면에서는 그다지 역할이 없다. Curschmann's spiral (p. 338 참조)은 점액이 농축된 나선형의 물질로서 세기관지에서 진한 기도 점액으로부터 만들어지는 것으로 생각된다.

나. 비즙검사

비즙검사를 위해서는 비닐 종이에 코를 풀게 하거나 면봉으로 중비도나 하비도의 천정을 도말하여 검사할 수 있다. 염색법으로는 Wright-Giemsa, Hansen,

Leishman, Randolph 염색법 등이 있다. 기관지 천식이나 알레르기비염이 있을 때 비즙내 호산구 수가 증가한다. 감염성 비염이 있을 때는 당연히 호중구가 증가된다.

8. 영상 진단

가. 흉부 영상진단

1) 단순 흉부 X선검사

단순 흉부사진은 흉부 전체의 윤곽 파악이 쉽고, 추적검사가 용이하여 병변의 변화를 관찰할 수 있다. 병변의 위치 및 특성 파악이 흉부 X선검사로 불충분한 경우 고해상 CT를 포함한 CT를 하게 된다.

2) 흉부 CT

고해상 CT는 형태학적인 측면에서 육안적으로 보는 병리 조직 표본에 필적하는 영상을 보여줄 수 있어 만성 폐질환의 발견과 진단에 대단히 유용하다.

나선식 CT는 빠른 스캔 시간과 기능적인 평가를 할수 있다.

가) 고해상 CT

고해상 CT(high-resolution CT: HRCT)는 단순 흉부사진에 비해서 대조해상도가 높아서 감쇄도의 차이가 0.5% 까지도 구분이 가능하며 단면 영상이므로 영상의 중첩이 없다.

임상적으로 사용하고 있는 10 mm collimation의 고전적 흉부 CT와 고해상 CT의 가장 기본적인 차이는 고해상 CT의 경우 첫째, 영상 중첩 효과를 최소화시키기 위하여 절편 두께를 얇게(1~1.5 mm)하는 것과 둘째, 영상 재구성시 물체의 경계면을 선명하게 하는 연산법을 사용하는 것이다. 고해상 CT는 기도의 내강 및 기도벽을 가시화하고 정량화 할 수 있다. 기도 수축 및 과반응성과 확장제에 대한 반응 등의 역동적인 변화를

관찰할 수도 있다. 소기도 질환이나 공기포획, 혈관 폐쇄 등이 있는 환자에서는 통상적인 흡기(inspiratory) CT에서 폐의 국소적 통기의 차이를 볼 수 있으며 과도 팽창 (hyperinflation)상태의 폐와 정상 폐를 구분할 수 있다. 이러한 비균질적 통기(inhomogenous aeration)에 의한 모자이크 모양의 감쇄(mosaic attenuation)가 보일 수 있고, 이 소견은 소기도의 폐쇄성 질환의 소견이다.

호기(expiratory) CT에서는 대조해상력이 증가하여 통상적인 흡기 CT에서 보이는 감쇄도 차이를 강조시켜 보임으로써 기도 질환에 의한 저음영과 혈관 폐쇄 등에 의한 저음영을 구분할 수 있다.

나) 나선식 CT

나선식(helical 또는 spiral) CT가 기존의 고전적 CT와 다른 점은 연속적으로 용적 자료(volume data)를 얻으므로 임의의 간격으로 영상을 재구성할 수 있어 스캔이 끝난 후 관심부위의 영상을 중첩시켜서 영상을 얻을 수 있다. 또 임의의 축으로 빠른 시간 내에 다면(multiplanar)의 영상 재구성이 가능하며 3차원적으로 영상을 재구성할 수 있어서 기관 및 기관지 병변의 평가에 유용하여 종괴나 협착성 병변의 위치 및 범위를 진단하는데 유용하다.

한번 숨을 참은 상태에서 단시간 내에 스캔이 가능하여 호흡운동에 의한 간섭이 없어 소아에서 유용하며, 심장 운동에 의한 간섭이 감소되어 우중엽이나 설상분절 영상의 흔들림이 덜하게 된다.

나. 미만성 과도팽창을 보이는 질환

세기관지는 병변이 있지 않으면 단순 흉부 사진이나 CT상에서 보이지 않으며 세기관지 질환의 주된 방사선 소견은 미만성 과도 팽창(generalized hyperinflation)이다.

작은 기도를 침범하는 질환들은 폐탄성이 감소하거나 폐동맥압이 증가하며, 기관지주위 부종으로 인해

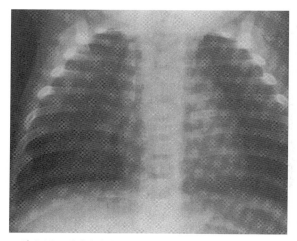
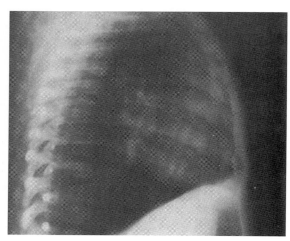

그림 2-16. 세기관지염. 4개월 세기관지염 환자. 횡격막이 편평해지고 흉부 전후 직경이 증가하였다.

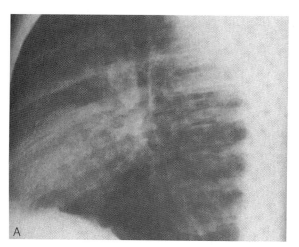
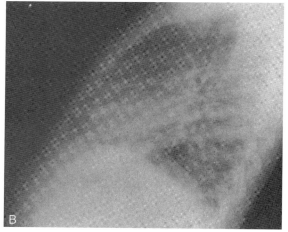

그림 2-17. 천식환자의 흉부 방사선 소견. 2세 천식환아에서 천식발작시 폐 과팽창과 흉골 뒤 및 심장 뒤의 공간이 증가된 소견이 보인다(A). 5일후 정상소견(B).

기관지 저항이 증가하여 과도 팽창을 일으킨다.

소기관지 질환의 HRCT 소견은 기관지벽의 비후, 이차 소엽내 혼탁(centrilobular opacities), 이차 소엽내 결절, 간유리 음영감쇠(ground glass attenuation), 폐경화(consolidation), mosaic perfusion, 공기 포획(air trapping)으로 음영감소등이 나타난다. 공기포획을 올바르게 평가하기 위해서는 호기시 영상이 필요하다.

미만성 폐 과도팽창을 보이는 질환에는 세기관지염, 기관지천식, 바이러스 폐렴, 폐이외의 질환으로 설사로 인한 탈수, 아스피린 중독과 큰 좌우 단락을 가진 심질환 등이 있다.

단순 흉부 사진에서 횡격막이 편평해지고 흉부전후 직경이 증가하고, 흉골 뒤 및 심장 뒤의 공간이 증가된 소견이 보인다(그림 2-16, 2-17).

1) 기관지 천식

방사선 소견은 질병 정도에 따라 다르게 나타난다. 간헐성 천식이 있는 아이들은 대부분 발작이 없는 동안에는 정상 방사선 소견을 보인다.

그러나 유지요법으로 스테로이드나 기관지 확장제를 사용하는 아이들은 20%이상에서 이상소견을 나타낸다. 합병증이 없는 천식 환자에서는 과도 팽창과 폐고혈압을 시사하는 폐문혈관의 직경이 폐내 혈관보다 크게 나타난다. 폐문부에 경도의 기관지벽 비후가 나타난다(그림 2-18).

기도 개형이 온 환자에서는 기도 개형의 소견을 HRCT상에서 볼 수 있으며, 나선식 CT에서는 기도 과민성에 의한 가역적 기도 수축을 볼 수 있다.

세분절(subsegmental) 무기폐나 감염에 의한 불규칙한 혼탁(opacity)이 보일 수 있으며 이는 바이러스 감염 때 흔하며 이를 감별하기 어려운 경우도 있다. 무기폐가 심하면 한 엽을 모두 침범할 수 있으며 대부분의 무기폐는 저절로 호전되나 우중엽이나 좌하엽의 무기폐는 자연적으로 호전되지 않을 수 있다.

대부분의 천식 환자들이 단순 흉부사진에서 이상소견을 보이나 이것으로 천식을 진단하는 것이 아니고, 합병증을 찾거나 천명을 일으키는 다른 원인들을 배제하기 위하여 단순흉부사진을 찍는 것이다.

입원이 필요할 만큼 심한 천식이 있는 환자들의 3/4에서 과도 팽창과 기관지벽 비후가 관찰되며, 15~25%에서 무기폐나 폐침윤이 보인다.

천식으로 입원한 환자의 0.3~5.4%에서 기종격동(pneumomediastinum)이 발견되는데 대부분 다른 합병증 없이 좋아진다. 이 때 증상이 없거나, 있다면 흉통, 연하곤란, 피하기종을 보이기도 한다.

천명이 들리는 아이들이 모두 천식은 아니다. 천식이 아니면서 천명이 들리는 경우로는 이물 흡인, 혈관륜, 기관내의 종괴, 종격동 종괴나 종격동 결절 등이 있다. 혈관륜은 흡기시 천음을 유발하나 기관내 이물질이나 종양이 있는 경우처럼 천식으로 오인되기도 한다.

단순사진에서 보이지 않는 식도내 이물질이 천식과 유사한 호흡곤란을 일으켜 진단이 어려운 경우도 있다. 임파절에 의한 기관, 기관지 압박이나 기관지 낭종, 종격동 종괴 등도 천명을 일으킬 수 있으므로 감별

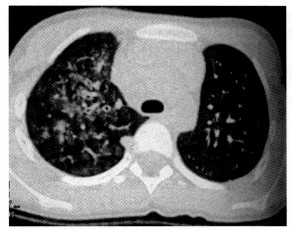

그림 2-18. 천식환자의 HRCT 소견. 기관지벽의 비후, 이차 소엽내 혼탁(centrilobular opacities), 간유리음영감쇠(ground glass opacities), mosaic perfusion, 공기 포획(air trapping)으로 음영감소 등이 나타난다.

하여야 한다.

그 외 좌심방 비대, 폐렴, 세기관지염 같은 호흡기 질환들도 임상적으로나 단순 흉부사진상 천식과 유사하게 보일 수 있다.

처음 천명으로 온 천식환자에서 단순 흉부사진을 찍은 후에는 다른 병발질환이나 합병증이 의심되지 않는 한 관행적으로 단순흉부사진을 시행하지는 않는다.

2) 만성 세기관지염
가) 폐쇄성 세기관지염

폐쇄성 세기관지염(bronchiolitis obliterans)은 소위 제한성 세기관지염(constrictive bronchiolitis)라 한다. 비가역적이며 병리학적으로 종말 세기관지와 호흡 세기관지의 점막하/기관지 주위의 제한성 섬유화로 세기관지가 좁아지는 질환이다.

주로 아데노바이러스 21형과 7형에 의한 폐렴 후에 생기며 그 외에 홍역, 인플루엔자 바이러스 감염, 마이코플라즈마 폐렴, 유독가스 흡입에 의해서도 발생된다.

방사선 소견은 국소 과투시성(hyperlucent)이 특징이다. 침범된 부위는 과투시성 뿐 아니라 혈류 감소가 나타난다. 이것은 CT나 폐혈류 스캔에서 쉽게 발견된다.

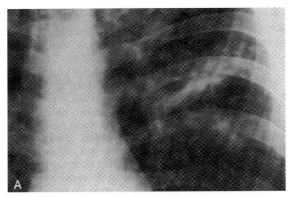

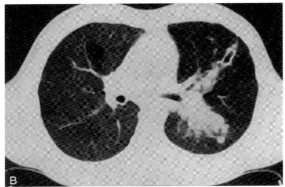

그림 2-19. ABPA환자의 방사선소견. 좌상엽 혼탁(A) 및 tooth paste 또는 gloved finger sign(B).

CT 소견으로 기관지벽의 비후, mosaic attenuation, 작은 혈관의 감소가 나타나는데 이것은 천식이나 세기관지염 같은 가역성 질환에서의 소견과 비슷하다.

나) 증식성 세기관지염

증식성 세기관지염(proliferative bronchiolitis)은 일명 BOOP (bronchiolitis obliterans with organizing pneumonia), 기질화 폐렴을 동반한 폐쇄성 세기관지염이라고 한다. BOOP는 손상된 폐조직을 수선하는 주된 증식 반응의 하나이다. 병리학적으로 폐포와 세기관지를 점유하는 세포성 섬유화 반응이다. 단순흉부사진상 양측성, 경계가 분명치 않은 폐주변의 폐경화(consolidation)를 보인다. CT 소견으로 간유리 음영 감쇠(ground glass attenuation)를 보이며 흉막하로 분포하는 혼탁이 보인다. BOOP는 대체로 가역성이며

스테로이드 치료에 반응한다.

3) Allergic Bronchopulmonary Aspergillosis (ABPA)

ABPA는 기관지내의 *Aspergillus fumigatus*에 대한 면역 과민반응에 의한 질환이다. 대부분 청소년 또는 10대에서 발생하나 2세 소아에서도 보고되고 있다.

거의 대부분 천식이나 cystic fibrosis가 있는 환자들에서 발생한다. 단순 흉부 사진은 질병이 급성인가 만성인가에 따라 다양하나 전형적인 소견은 폐문에서 주변부로 방사하는 patchy infiltration과 대량의 폐경화이며, 무기폐와 기관지벽 비후도 흔히 관찰된다. 소위 점액의 기관지내 매복 소견인 tooth paste나 gloved finger sign이 진단에 중요하다(그림 2-19).

CT 소견은 주로 상엽에 중심성 기관지확장증이 전형적인 소견이다.

ABPA의 진단기준은 천식, 혈액 호산구 증가, Aspergillus에 대한 피부검사 양성, Aspergillus 에 대한 항체 증가, IgE 상승, 중심성 기관지 확장증이다.

참고문헌

1. 김성원, Nishima S, Motojima S, Makino S. 소아 기관지 천식 환자에 있어서 객담 Creola body에 관한 연구. 알레르기 1990;10:243-50.

2. 이동근. 저장 진드기 Aleuroglyphus ovatus에 있어서의 단백 분해능에 대한 연구. 소아알레르기 및 호흡기학회지 1995;5:123-9.

3. 김용관, 김규언, 이현희, 박경화. 이영진, 이기영. 실외, 실내(아파트) 및 지하 상가 공기중 진균 포자 분포에 관한 조사-1995년 하절기(6,7,8월). 소아알레르기 및 호흡기학회지 1996;6:123-35.

4. 손병관, 임대현, 김정희. 기류차단방법을 이용한 유치원 아동의 기도저항 예측치에 관한 연구. 소아알레르기 및 호흡기학회지 1998;8:198-204.

5. 신용승, 편복양. 천식환자의 기도내 변화. 고해상단

촬영을 이용. 소아알레르기 및 호흡기학회지 1998;8:190-7.

6. 나영호, 배종우, 정사준. 최대호기속도 측정에서 Mini Wright Peak Flow Meter와 Microplus Pocket Spirometer의 비교. 소아알레르기 및 호흡기학회지 1999;9:178-83.

7. 이하백, 박규창, 양승, 김용주, 오재원, 문수지 등. 학동전 정상 소아에서 연령별 혈청 총 IgE, 집먼지진드기 특이 IgE 및 ECP 치에 관한 전국적 조사 연구. 소아알레르기 및 호흡기학회지 1999;9:157-66.

8. 오재원, 편복양, 김성원, 이혜란, 김정수, 이경일 등. 전국의 공중 화분 및 공중 진균 포자 분포에 관한 연구. 소아알레르기 및 호흡기학회지 2000;10;1:22-33.

9. 오재원, 이하백, 이준성. 피부단자시험을 기준으로 한 시험관내 집먼지진드기와 식품 알레르겐 특이 IgE 항체 측정 방법의 효용성 비교. 소아알레르기 및 호흡기학회지 2003;13:72-80.

10. Grassi J, Didierlaurent A, Stadler BM: Quantitative determination of total and specific human IgE with the use of monoclonal antibodies. J Allergy Clin Immunol 1986;77:808-22.

11. Sporik R, Holgate ST, Platts-Mills TA, Cogswell SS. Exposure to house-dust mite allergen (Der p 1) and the development of asthma in childhood: a prospective study. N Engl J Med 1990;323:502-7.

12. Koller DY, Pirker C, Jarisch R, Gotz M. Influence of the histamine control on skin reactivity in skin testing. Allergy 1992;47:58-9.

13. Barnes RMR: Principles and interpretation of laboratory tests for allergy. In Kay AB (ed): Allergy and Allergic Diseases. p997-1005, Blackwell Science Ltd, Oxford, 1997.

14. Park CS, Muller NL, Worthy SA, Kim JS, Awadh N, Fitzgerald M. Airway obstruction in asthmatic and healthy individuals: inspiratory and expiratory thin-section CT findings. Radiology 1997;203:361-7.

15. Goldin JG, McNitt-Gray MF, Sorenson SM, Johnson TD, Dauphinee B, Kleerup EC, et al. Airway hyperreactivity: assessment with helical thin-section CT. Radiology 1998;208:321-9.

16. Nelson HS, Lahr J, Buchmeier A, McCormick D. Evaluation of devices for skin prick testing. J Allergy Clin Immunol 1998;101:153-6.

17. Eggleston PA, Bush RK. Environmental allergen avoidance: an overview. J Allergy Clin Immunol 1999;103:179-91.

18. Nuhoglu Y, Bahceciler N, Yuksel M, Kodalli N, Barlan IB, Yildizeli B, et al. Thorax high resolution computerized tomography findings in asthmatic children with unusual clinical manifestations. Ann Allergy Asthma Immunol 1999;82:311-4.

19. Custovic A, Woodcock A. Clinical effects of allergen avoidance. Clin Rev Allergy Immunol 2000;18:397-419.

20. Liesl MB. Isolated late cutaneous reactions to allergen skin testing in children. Ann Allergy 2000;84:294-8.

21. Chapman MD, Wood RA. The role of remediation of animal allergens in allergic disease. J Allergy Clin Immunol 2001;107:S414--21.

22. Eggleston PA. Methods and effectiveness of indoor environmental control. Ann Allergy Asthma Immunol 2001;87:44-7.

23. Hamilton RG. Responsibility for quality IgE antibody results rests ultimately with the referring physician. Ann Allergy Asthma Immunol 2001;86:353-4.

24. Rasmussen EH, Taylor DR, Flannery EM, et al: Outcome in adulthood of asymptomatic airway hyperresponsiveness in childhood: A longuitudinal population study. Pediatr Pulmonol 2002;34:164.

25. Demoly P, Piette V, Bousquet J. In vivo methods for study of allergy. In: Adkinson NF, Yunginger JW,

Busse WW, Bochner BS, Holgate ST, Simons FER, editors. Allergy : Principles and Practice. 6th ed. P631-43, St. Louis : Mosby 2003.

26. Fih JE, Peters SP Bronchial challenge testing In : Adkinson NF, Youninger JW, Busse WW, Bochner BS, Holgate ST, Simons ER , editors. Middleton's Allergy:Principles and Practice. 6th ed. P657-70, St Louis:Mosby 2003.

27. Hamilton RG. Laboratory(in vitro) analyses. In:Leung DYM, Sampson HA, Geha RS, Szefler SJ, editors. Pediatric Allergy : Principles and Practice. 1th ed. P233-42, St. Louis : Mosby 2003.

28. Nelson HS. In vivo testing for immunoglobulin E-mediated sensitivity. In:Leung DYM, Sampson HA, Geha RS, Szefler SJ, editors. Pediatric Allergy :

Principles and Practice. 1th ed. P243-51, St. Louis : Mosby 2003.

29. Yunginger JW. Outdoor allergen. In: Leung DYM, Sampson HA, Geha RS, Szefler SJ, editors. Pediatric allergy: principles and practice. P252-60, St Louis: Mosby 2003.

30. Rajakulasingam K Nasal provocation testing In : Adkinson NF, Youninger JW, Busse WW, Bochner BS, Holgate ST, Simons ER , editors. Middleton's Allergy:Principles and Practice. 6th ed. P644-55, St Louis:Mosby 2003.

31. Jerald PK. Diseases of the airway and abnormalities of pulmonary aeration. In: Jerald PK., Thomas LS, Jack OH., editors. Caffeys Pediatric Diagnostic Imaging. 10th ed. P929-82, St. Louis : Mosby 2004.

1. 역학

가. 서론

천식은 전 세계적인 문제로, 사회 경제적으로 부담이 되고 있다. 천식의 유병률이 여러 나라에서 증가하고 있지만, 왜 증가하고 있는지 그리고 지역 간에 큰 차이를 보이는지 아직 명확히 알려져 있지 않다.

그러나 최근에 뉴질랜드를 중심으로 우리나라를 포함하여 전 세계 156개 센터에서 약 70여만 명을 대상으로 ISAAC (International Study of Asthma and Allergies in Children) 연구가 시작되어 전 세계적인 소아 천식의 유병률 및 국가 간의 비교 가능한 대단위 연구가 진행되고 있어 소아 천식과 관련한 새로운 연구 결과를 기대하고 있다.

유병률 조사를 위해서는 흔히 설문조사(survey) 연구가 수행된다. 천식의 유병률을 결정하기 위해 증상 또는 질병의 과거력에 대한 설문지와 폐기능검사 및 기도과민성 검사 등을 이용한다. 그리고 대조군 연구와 코호트 연구는 질병의 위험인자를 찾는데 이용되고, 특히 코호트 연구는 자연경과를 이해하는데 도움이 된다. 이러한 역학연구는 이환율, 사망률 등 질환의 예방을 위한 계획을 세우는데 기초가 될 뿐만 아니라 직접적으로 환자의 치료에 도움이 될 수 있다.

나. 역학과 관련된 용어

1) 유병률(prevalence)

질환을 가지고 있는 대상군의 분율(%)을 말하는데, 누적유병률(cumulative prevalence)은 일정한 주어진 기간 동안에 어떤 질병을 가지고 있는 환자들의 총 숫자를 말하며, 전체 인구에서의 분율로 표시된다. 시점유병률(point prevalence)은 일정 시기에 이 질환을 보이는 환자들의 분율을 말한다.

2) 발생률(incidence)

일정한 기간(일반적으로 1년)안에 질병이 새로이 발생하는 숫자를 말하며, 이는 전체 대상군 중에서의 분율(%)로 표시한다.

3) 이환율(morbidity)

질환으로 인한 효과(즉, 입원 등)와 질병으로 인한 개인의 삶의 질(quality of life)이 손상되는 정도를 말한다.

4) 사망률(mortality)

질환으로 인하여 사망한 환자수를 말하며 이는 전체 대상군 중에서의 분율(%)로 표시한다.

5) 기도반응성(airway responsiveness)

자극에 대하여 기도가 반응하는 정도를 말하며, 일반적으로 유발농도(FEV_1이 20% 감소하게 되는 농도)로 표시하거나 용량-반응 곡선의 기울기로 표현한다.

6) 기도과민성(airway hyperreactivity)

자극에 의해 기도가 쉽게 또는 많이 좁아지는 조건을 말하는데, 대개 조절된 조건하에서 폐기능 수치로 표시한다. 지속적인 천식에서 여러 다른 자극에 의해 기도는 과민성을 가지게 된다

7) 아토피(atopy)

외부 환경에서 흔히 노출되는 알레르겐(항원)에 반응하여 비정상적으로 IgE 항체를 생산하는 성향을 말한다.

다. 역학연구 방법

천식의 정확한 진단이나 특성은 한마디로 판정하기 매우 어렵다. 흔히 천식의 진단은 증상 또는 생리적 임상 양상에 기초를 둔다. 그러나 어떠한 검사방법도 역학조사에서 천식을 진단하는데 있어서 만족할 만한 민감도와 특이도를 보이는 방법은 아직 없다.

특히 서로 다른 국가 간에 유병률을 비교하기 위한 정확한 천식의 정의가 없어 문제가 되고 있다. 최근에 천식 유병률 조사를 위해 표준화된 방법이 적용되어, 지역 간에 또는 국가 간에 비교가 시도되고 있다. 소아를 대상으로 한 제1차 (Phase I) ISAAC 연구에서 기도과민성, 폐기능, 최대호기속도의 변동률, 아토피 등에 관한 비교 연구가 진행되고 있다. ECRHS(European Community Respiratory Health Study) 연구에 의해 성인에서 기도과민성, 아토피, 천식의 증상에 관한 비교가 가능하게 되었으나 이들 각 요소들 사이에 관련성은 관찰되지 않았다.

결국 최근 자료에 의해서도 천식의 역학적인 정의가 명확히 규명되지 못하여, 천식의 역학조사의 중요한 요소는 설문지 조사, 기도과민성의 측정 및 아토피 상태를 포함한 관련된 원인 요소 등에 대한 규명 등을 위주로 이루어지고 있다.

1) 설문조사

대부분의 역학조사는 설문조사를 이용하며, 천식을 어떻게 정의하느냐에 따라서 천식의 유병률이 과소 또는 과대평가될 수 있다. 최근에 소아와 성인에서 모두 표준화된 설문지를 사용하고 있으나, 설문조사는 다양한 문화적 배경의 차이에 의해 용어를 어떻게 설명하고 기술하는 지에 따라 그 결과가 달라질 수 있다.

그러나 ISAAC 연구에서 사용한 비디오 설문조사는 이러한 문제점을 극복할 수 있어 일반 설문 조사에 의한 과대평가되는 문제를 해결할 가능성이 있다. 그러나 설문조사는 증상의 유무 평가를 기억력에 의존하는 문제점을 내포하고 있으며, 기도폐색의 측정이나 호기속도의 변동율 등 객관적인 측정 자료가 없다는 문제가 있다. 그리고 진단에 의한 천식 정의는 의사나 병원에서 진단받은 경우를 포함하므로 의미가 있으나, 특히 소아에서는 천식이 과소 진단되는 경우가 발생할 수 있다.

2) 기도과민성의 측정

"현증 천식"의 정의는 히스타민이나 메타콜린, 고농도 생리식염수 유발검사 또는 운동유발검사에 의한 기도과민성이 있으면서 지난 1년 동안에 천식의 증상이 있는 경우로서, 이는 임상적으로 의미있는 천식을 정의하기 때문에 유용하다.

그러나 기도의 반응성을 평가하는 것은 천식의 진단에 민감한 방법이나, 이것 역시 비특이적이다. 기도과민성의 유병률은 의사 진단에 의한 유병률과 다를 뿐만 아니라 일정한 관계를 보여 주지도 못하고 있다.

또한 기도과민성은 천식의 한 요소에 불과하다. 즉, 기도과민성을 가지고 있는 대상 중 일부에서는 천식의 증상이나 악화를 경험하지 못한 경우도 있다. 그럼에도 불구하고 기도과민성은 천식의 표현형을 객관적

으로 평가할 수 있는 중요한 요소이다.

　기도과민성과 천식의 증상은 기도에서 나타나는 다른 이상 소견을 측정하는 것으로서 두가지 요소가 모두 있는 경우 임상적으로 중요한 지속되는 천식을 시사한다. 이 정의에 합당한 경우에 원인 또는 예후 그리고 치료법과 관련된 자료는 중요한 의미를 내포한다.

3) 원인 요소의 평가

　흔히 아토피가 천식과 관련이 있으므로 각 지역에 해당되는 표준항원을 이용한 피부단자시험은 중요하며, 혈청에서 특이-IgE 항체를 측정하는 것이 의미 있다. 혈청내 총IgE 항체의 측정은 기생충 감염이나 아직 잘 알려지지 않은 항원에 대한 반응에 의해 영향을 받을 수 있을 뿐만 아니라 특이-IgE 항체를 정확히 반영하지 못하므로 아토피 유무를 판정하는 좋은 방법은 아니다.

라. 소아 천식의 유병률

　소아 천식의 유병률은 각기 다른 인종에서 다양하게 보고되어 있으며, 국가간에 큰 차이를 보이고 있다. 특히 호주, 뉴질랜드 및 영국 등에서 유병률이 높으며, 한국, 일본, 중국 등에서 비교적 낮은 유병률을 보이고 있다(그림 3-1). 그러나 아직 이러한 다양한 차이가 환경적 차이, 또는 산업화 정도의 차이, 다른 알레르겐의 노출정도에 따른 차이인지 명확하지 않다.

　소아 및 성인에서 천식 증상의 유병률의 변화를 살펴보면, 적어도 9년 정도의 차이를 두고 동일한 방법으로 조사한 결과 천식의 유병률이 증가한다는 것이 밝혀졌다. 국내 보고에 의하면, 소아 천식의 유병률은 1983년 5.7%, 1990년 10.1%, 2000년에 초등생 13.0%, 중학생 12.8%의 천식 증상의 유병률을 보였다. 대한소아 알레르기 및 호흡기학회에서 전국의 초등 및 중학생을 대상으로 조사한 결과를 보면, 천식증상의 유병률은 1995년 초등학생 17.0%, 중학생 13.9%, 2000년 초등생 13.0%, 중학생 12.8%, 천식진단의 유병률은

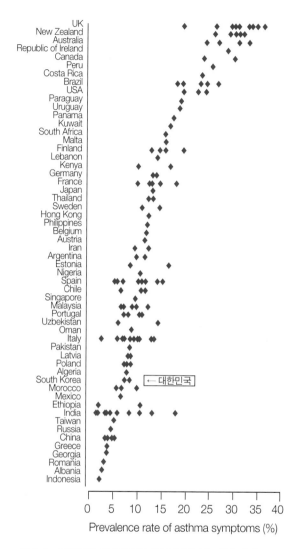

그림 3-1. 천식증상의 유병률(1995년 ISSAC 연구 결과)

1995년 초등학생 7.7%, 중학생 2.7%, 2000년 초등생 9.1%, 중학생 5.3%이었다. 이상의 결과로 미루어 국내에서도 소아 천식의 유병률이 증가하고 있으며, 특히 진단과 치료의 유병률이 증가하고 있으나, 아직 치료를 받고 있는 환자가 적다는 것을 알 수 있다.

　국내에서 서울의 한 중학교를 대상으로 조사한 메타콜린 기도과민성 검사에 의한 천식 유병률을 조사한 결과 4.5% 로 보고하였다. 그러나 국내 ISAAC 연구

에서 중학생을 대상으로 video 설문 조사를 이용한 결과에서 최근 1년 동안의 천명의 유병률이 1995년 3.9%에서 2000년 5.5%로 증가하였으며, 운동시 천명의 유병률은 6.6%에서 11.7%로 증가하였다(표 3-1).

마. 소아 천식의 발생률

국내에서 천식에 대한 발생률 자료는 보고 된 바 없으며, 약 58,000명을 대상으로 의사 진단에 의한 천식의 발생률은 어린아이에서 많은 것으로 보고되고 있다.

이 결과에 의하면 발생률은 연령이 어린 남자아이에서 많이 발생하는 것을 알 수 있다. 그러나 최근에 Martinez 등에 의하면 처음 3세까지 천명을 보였던 환자 중 일정 부분의 환자가 6세 때 천명을 보이지 않아, 이들 중 어린 연령에서 천식으로 오진되는 경우가 있을 가능성이 시사된다.

바. 천식의 사망률

천식으로 인한 사망률은 낮으나, 점차 증가하고 있다고 알려져 있고, 국가 또는 지역에 따라 증가하기도 하고 감소하는 곳도 있다.

미국의 자료에 의하면 전체적인 천식으로 인한 사망률이 증가하고 있으며, 1978년에서 1989년 사이에 약 2.5배 정도 증가하였는데, 이는 아마 진단의 정확성이나 질병 코드의 변화 등의 원인 외에도 다른 원인이 있을 것으로 추정된다.

1960년 이후로 천식으로 인한 사망의 증가 추세가 세계적으로 두 번 있었지만, 그 원인으로 1976년 이후의 fenoterol 판매가 증가되었던 것과 관련이 있다는 보고가 있으나 아직도 명확히 인과 관계가 밝혀져 있지 않다.

사. 위험인자

소아 천식의 유병률이 증가하는 원인에 대해서는 아직 명확히 밝혀져 있지 않다. 환자와 의사의 천식에 대한 인지도가 높아지고 대기오염 및 주거환경의 변화로 인한 옥내 알레르겐의 변화, 흡연 및 가스에 의한 실내오염, 식생활 변화, 사회 경제적인 발전 상태, 가족 수의 변화, 비만 등의 여러 사회 및 환경조건의 변화들이 그 원인으로 거론되고 있다.

최근에는 생활 여건의 발전과 예방백신의 효과 및 세균감염의 기회 감소 등으로 인한 환경적인 변화에 기인한다는 가설(위생가설, hygiene hypothesis)도 있다. 이와 관련하여 감염과 알레르기와의 역상관관계에 대한 연구들을 보면, 음식과 입을 통한 세균감염에 많이 노출되었던 사람들에게서 호흡기 알레르기질환이 적다는 보고가 있다. 이는 위생적으로 처리된 깨끗한 음식이 장에 있는 림프조직의 자극을 줄이고, 장에서 공생하는 장내세균에 영향을 주어 면역체계를 알레르기질환의 발생 위험을 증가시키는 방향으로 변화

표 3-1. 한국 중학생을 대상으로 비디오 설문조사를 통한 지난 12개월 동안 천식 증상에 의한 유병률 조사

	서울		지방도시		전체	
	1995	2000	1995	2000	1995	2000
천명	6.3%	4.8%	2.9%	5.7%*	3.9%	5.5%*
운동시 천명	9.8%	10.3%	5.3%	12.2%*	6.6%	11.7%*
야간 천명	1.0%	1.2%	0.4%	1.4%*	0.6%	1.4%*
야간 기침	6.0%	6.7%	3.0%	7.3%*	3.9%	7.1%*
심한 천명	3.1%	2.4%	1.6%	2.7%*	2.0%	2.6%*

*$p < 0.05$, 2000년도 유병률 vs. 1995년도 유병률

시키기 때문이다.

국내 ISAAC 연구에 의하면 부모에서 알레르기질환의 가족력이 가장 중요한 위험인자로서 유전적인 영향이 가장 중요하다는 것을 시사하고 있으나, 환경의 영향을 배제할 수는 없다. 그 외에 체질량지수(BMI)와 간접흡연, 생후 12개월 내 발열의 병력이나 항생제의 사용 병력 및 개나 고양이를 키우는 것 등이 위험인자였다. 그러나 서울과 지방 사이의 유병률은 격차가 없이 비슷하였다.

아. 천식의 자연경과

1) 영유아 천식

천식 증상의 시작은 출생 후 수개월 내에 발생할 수 있지만, 어느 정도 연령이 될 때까지는 명확하게 진단하기 어렵다. 영유아 천명과 관련하여 1세 이전에 천명이 발생하여 6세 이전에 소실되는 조기일과성 천명 환자들은 호흡기계의 구조적인 문제로 인해 폐기능이 감소되었다가 성장함에 따라 회복되는 것으로 미루어 1세 때 천명이 반드시 심한 천식의 예후인자는 아닐 수 있다.

그리고 3세 이전 천명이 들렸던 조기 천명군에서 6세까지 지속적으로 천명이 들리는 경우는 천식을 시사하며, 엄마가 천식의 병력이 있거나 혈청 IgE농도가 높은 경우가 많다(그림 3-2).

일반적으로 영유아기에서 천명은 바이러스 감염이 가장 흔한 유발인자이다. 그러나 출생 코호트 연구에서, 부모의 천식 또는 아토피 병력이 있는 고위험군 신생아에서 생후 첫 주에 이미 기도반응성이 증가되어 있음을 보여 주었다. 영유아기 천명이 있는 경우 위험군을 판단하는 기준으로는 주인자로 의사에 의해 진단된 부모의 천식과 의사에 의해 진단된 아토피피부염이 있고, 부가인자로서 의사에 의해 진단된 알레르기비염, 감기과 관련이 없는 천명, 그리고 4% 이상의 호산구 증가증이 있으며, 이 때 적어도 주요인자 중 1개 이상 또는 보조인자 중 2개 이상인 경우에는 학동기에 천식이

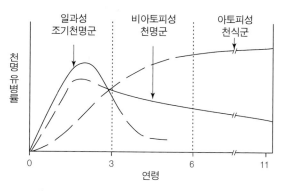

그림 3-2. 영유아 천명의 종류와 그 빈도 및 경과

발생할 위험이 높다는 연구 결과가 보고된 바 있다.

영유아때 천식을 보인 환자에서 성인이 되어도 폐기능이 약 20% 정도 감소할 수 있다는 사실은 천식 자체가 폐의 성장에 영향을 미칠 수 있음을 시사한다. 한편 CAMP (Childhood Asthma Management Program) 연구에서 5세에서 15세까지 추적한 결과 폐기능이 잘 유지되어 있었지만, 특히 천식을 앓은 기간이 긴 경우에 폐기능이 더 감소한 소견을 보여 이는 천식을 앓고 있는 기간이 길수록 폐기능에 장애를 줄 가능성이 있음을 시사한다.

2) 소아 천식

소아기 천식은 알레르기와 밀접한 관련이 있으며, 특히 집먼지진드기에 노출되는 정도와 감작된 정도가 천식의 발생과 밀접한 관련이 있는데 국내에서도 3~6세 경에 흡입항원에 감작이 되기 시작하여, 아토피 천식이 증가하기 시작한다. 이 시기에서 바이러스 감염에 의한 천명의 빈도는 감소되고 바이러스 감염은 천식의 발생보다는 악화와 관련이 있다. 특히 비아토피 천식은 성인과는 달리 연령이 증가함에 따라 약간 감소하는 경향을 보이고 있다.

소아 천식의 경우 폐기능은 대부분 정상 범위 내에 있지만, 중증 또는 지속적인 증상이 있는 경우 감소될 수 있다. 과거에는 소아 천식 환자의 30~50% 환자가 사춘기에 증상이 완화되는 것으로 보여 소아 천식이

성인이 되면서 소멸되는 것으로 알려졌으나 이들 중 상당수에서 성인이 되면서 천식이 다시 발생한다.

소아 천식환자의 약 20~30%는 사춘기를 지나 성인이 되어도 증상이 지속되며, 더구나 증상이 소실되어도 폐기능은 변화된 상태로 유지되어 기도과민성이나 기침이 지속된다. 소아기에 경증 천식 환자더라도 5~10%에서 성인이 되어 심한 천식을 나타낼 수 있으며, 심한 천명을 보인 경우에 폐기능이 감소되고 메타콜린에 대한 기도과민성이 증가되는 경향을 보이고 있어, 소아 천식이 모두 관해 될 것으로 속단할 수는 없다. 특히 천식의 예후는 본인이나 가족력상 아토피 피부염의 병력을 가지고 있는 천식 환자에서 나쁘다고 알려져 있다.

2. 병인

천식은 유전적인 소인을 가진 사람들이 여러 가지 환경 요인들에 노출되면서 발생하는 매우 복합적인 특징을 가진 알레르기질환이다. 천식 환자들의 폐조직에서 일어나는 특징적인 면역 반응은 type 2 T helper cell (Th2) 림프구에 의해 유도되며 이러한 Th2 면역 반응은 기도 점막의 부종을 일으키고 기도내 점액의 분비를 증가시키며 기도과민성을 유발하고 기도 평활근의 수축을 야기하여 기도 폐색을 일으킴으로써 천식 증상을 유발하게 된다.

천식과 관련된 염증반응은 아토피, 즉 증가된 혈청 IgE와 실내 또는 실외의 알레르겐에 대한 감작을 특징으로 하는 유전적 성향과 깊은 관련이 있으며 따라서 아토피는 천식의 발생과 지속에 있어 가장 중요한 위험인자로 작용한다. 그러나 최근에 천식 및 아토피 질환의 유병률이, 특히 사회경제적으로 발달된 서구 지역에서 급격히 증가하는 추세를 보이는 현상은 천식의 발생에 있어 유전적 요인 이외에 환경적 요인이 중요하게 작용할 가능성을 강력하게 시사한다.

가. 위생가설

호흡기의 바이러스 감염은 천식의 발생과 악화에 관여하는 가장 중요한 인자로 알려져 있다. 영아기에는 바이러스 감염에 의해 천식의 형질을 획득하게 될 수 있다고 하며 이미 천식을 가진 유,소아의 경우에는 바이러스에 의한 잦은 기도 감염이 천식을 악화시키는 중요한 원인이 된다. 반면에 일부 역학적 연구에서 영아기 초기의 감염은 나중에 천식의 발생을 억제하는 역할을 하는 것으로 보고되었다. 즉, 출생 후 일찍 유아원에 다니거나 형제가 많은 가정에서 자라면서 호흡기의 바이러스 감염에 자주 노출된 경우 성장한 후에 아토피(atopy) 또는 천식의 유병률이 낮아지는 경향을 보인다는 것이다. 또한 신생아기에 위장관 점막이 세균성 항원에 노출되는 것은 위장관의 면역계를 성숙시켜 그 결과로 천식 및 알레르기질환의 발생을 억제할 수 있다고 하였는데 최근의 연구에 의하면 소아의 위장관 내 bifidobacteria 또는 lactobacillus 균종의 군집이 감소하는 현상이 알레르기질환의 발생이 증가하는 것과 의미 있는 연관성을 가진다고 하였다.

바이러스 또는 세균에 의한 감염이 나중에 아토피 및 천식의 발생을 억제시킬 수 있다는 이론은 1989년 David Strachan에 의해 처음 제시되었으며 아직 논란이 많은 이 이론을 위생가설(hygiene hypothesis)이라고 한다. 이 가설은 출생시 신생아의 면역계가 Th2 반응 쪽으로 치우쳐 있다는 사실에 근거를 두고 있다. 실제로 출생시에 Th1 반응이 현저하게 감소되어 있는 소견을 보인다는 연구 결과들이 이를 뒷받침하고 있다. 출생 이후의 바이러스 및 세균 감염에 의해 자극을 받아서 신체 내에서 Th1 면역 반응이 일어나게 되는데, 이러한 과정을 반복하면서 신체의 면역계는 Th2 반응이 억제되고 상대적으로 Th1 반응이 증가하는 방향으로 발전하여 그 결과로 알레르기질환이 발생할 가능성이 감소하게 된다는 것이다. 이와 관련된 많은 역학적 연구 결과들이 발표되었으며 이 가설은 알레르기질환의 유병률이 경제력이 낮은 지역, 농장을 가진 농촌 지역 등에서 낮고 비교적 부유하고 도시화된 서구 사회에서 높게 나타나는 현상을 해석하는 근거가 되었다.

Th1 반응은 T2 반응을 억제하여 알레르기질환과 천식의 발생을 억제할 수 있다고 인식되어 왔으나 Th1-Th2 면역 반응에 대한 연구가 계속되면서 최근에는 다른 결과들이 보고되고 있다. Th1 세포들에 의해 생성되는 IFN-γ가 알레르기질환과 천식을 악화시킬 수 있다는 보고들이 나오고 있고 동물 실험에서 폐로 주입된 알레르겐 특이 Th1 세포들은 Th2 반응을 억제하지 못할 뿐 아니라 오히려 심한 기도의 염증을 유발한다는 결과도 보고되었다. 따라서 Th2 세포가 천식의 발생에 가장 중요한 역할을 하는 것은 확실하지만 단순히 Th1-Th2 반응으로만 천식과 관련된 모든 면역 기전이 설명되지는 않으며 만약 '비위생적'인 환경에서 천식의 발생이 억제된다면 그것은 이러한 환경적 요인이 Th1-Th2 반응이 아닌 다른 형태의 면역 반응을 유도하여 나타나는 결과가 아닌가하는 이론이 제시되었다. 그리고 지난 20년간 서구 사회에서 알레르기질환의 유병률이 증가함과 동시에 Th1 면역 반응과 관련된 자가면역질환들의 유병률도 함께 증가하였다는 사실은 천식 및 알레르기질환의 발생에 Th1-Th2 면역 반응 외에 다른 기전이 작용한다는 것을 시사한다(그림 3-3).

나. T 세포 면역 관용

천식의 발생을 억제하는 면역 기전 중 한 가지는 호흡기 또는 위장관의 점막이 항원에 노출되면서 유도되는 T 세포 면역 관용(T cell tolerance)이다. 정상적으로 호흡기나 위장관과 같은 부위에서는 주변 항원에 광범위하게 노출되어도 면역 반응이 유발되지 않는다. 이러한 이론은 동물 실험의 결과들에 의해 뒷받침되고 있는데 호흡기가 처음으로 알레르겐에 노출되었을 때 CD4+ T 세포의 면역 관용이 유도되고 그로 인해 이후의 Th2 반응과 기도과민성이 억제되는 현상이 관찰되

었다. 생후 첫 1년간 고양이나 개에 노출되는 것이 이후 다양한 항원에 감작될 위험을 감소시킨다는 최근의 연구 결과와 도시에서 자란 아이들에 비해 농장에서 가축들과 접촉하면서 생활하여 호흡기가 내독소(endotoxin)에 많이 노출되면서 자란 아이들에서 알레르기질환의 발생이 적다는 보고들은 어릴 때 호흡기나 위장관의 점막을 통해 접하는 외부 항원에 대한 면역 관용이 나중에 천식의 발생을 억제하는 기전으로 작용한다는 것을 시사한다. 이러한 T 세포 면역 관용을 유도하는 가장 중요한 기전으로 IL-10과 TGF(transforming growth factor)-β를 분비하는 CD4+ 조절 T 세포(regulator T cell)의 역할이 제시되고 있다.

호흡기의 면역 관용이 형성되는 과정을 보면 먼저 호흡기가 항원에 노출되면 미성숙한 단계의 수지상 세포(dendritic cell)가 항원을 처리하면서 성숙한 수지상 세포로 발달하게 되고 이 때 수지상 세포로부터 분비되는 IL-10은 CD4+ 조절 T 세포의 발달을 자극하게 된다. 항원 특이 CD4+ 조절 T 세포는 호흡기에서 T 세포 면역 관용을 유도하여 기도의 염증과 과민성을 억제하는 역할을 하게 되는데 여기에는 조절 T 세포로부터 생성되는 IL-10과 TGF-β가 중요한 역할을 하는 것으로 알려져 있다.

Th2 세포들의 발달과 그와 관련된 알레르기질환의 발생은 조절 T 세포의 발달이 제대로 이루어지지 못할 때 일어나며 이는 수지상 세포로부터 조절 T 세포의 발달에 필수적인 IL-10의 생성이 충분하지 못했기 때문으로 생각된다. 따라서 알레르기성 천식은 IL-10의 생성이 억제되는 반면 IL-4와 IL-13은 생성이 증가하는 결과로 인해 알레르겐 특이 조절 T 세포의 발달이 제대로 이루어지지 못해서 발생하는 것이며 Th1 세포들이 발달하지 못해서 발생하는 것이 아니라고 할 수 있다.

이러한 면역 관용을 획득하기 위해서는 호흡기 또는 위장관 점막이 출생 직후부터 바이러스나 세균성 항원에 노출될 필요가 있으며 현재의 서구화된 사회에서는 항생제의 잦은 사용, 식습관의 변화 등 환경적 요인의 변화로 인해 과거에 비해 그러한 기회를 상실하게 되

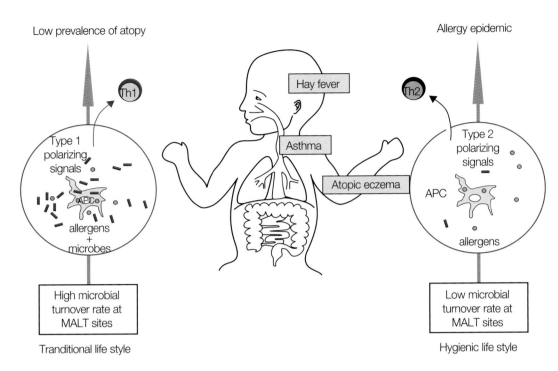

그림 3-3. 위생가설 (hygiene hypothesis). MALT: mucosa-associated lymphoid tissue

어 정상적인 면역 관용을 획득하지 못하게 될 수 있다는 것이다. 이로 인해 아토피 체질을 가진 개체에서 알레르겐 특이 조절 T 세포의 생성이 제대로 이루어지지 못하고 오히려 Th2 세포가 발달하게 되어 천식을 비롯한 알레르기질환이 발생하게 된다고 한다.

다. 바이러스 감염과 기도 과민성

1) 바이러스 감염과 알레르기 발생

천식 증상의 발현에 있어 아토피와 바이러스 감염의 연관성에 대해서는 지금까지 많은 연구가 있어 왔다. 특히 영아기에 respiratory syncytial virus (RSV) 감염에 의한 세기관지염을 앓게 되면 이후의 반복적인 천명성 질환과 소아기의 천식으로 이행할 위험이 매우 높은 것으로 밝혀졌고 RSV 세기관지염과 아토피의 관련성에 대한 연구가 많이 이루어졌다. RSV의 유행 시기에 급성 세기관지염은 아토피를 가진 경우에 더

잘 발생하며 RSV 세기관지염을 앓은 후 혈청 IgE가 증가한다는 등의 보고가 있었으나 모든 연구자들의 결과에서 동일한 결과가 관찰되지는 않았으며 상반된 보고들도 많았다. 최근까지의 연구 결과들을 종합해 보면 RSV 감염은 개체 내에서 즉시형 과민 반응(type 1 immediate hypersensitivity)을 포함하는 면역 반응을 유도한다고 생각되고 있다. 그 기전을 보면 하부 기도의 상피를 감염시키는 바이러스들은 기도 점막을 통해 흡입항원의 유입을 증가시켜 감작을 일으키게 할 수 있으며, RSV 특이 IgE는 비만 세포의 염증 매개 물질들을 기도 내로 분비하게 하여 기도의 수축을 유발하고 호산구의 유입을 유도한다. 또한 바이러스 감염에 의해 유입된 염증 세포들로부터 분비되는 여러 사이토카인, 케모카인, 류코트리엔, 유착분자들은 염증반응을 더욱 심화시키고 지속시키며, 끝으로 아토피 소인을 가진 개체에서 RSV 항원의 특정 부위 (protein G)가 다른 알레르겐처럼 Th2 반응과 유사한

면역 반응을 유도한다는 것이다. 이러한 기전은 동물 실험에서는 비교적 잘 밝혀져 있으나 RSV 감염 자체가 실제로 사람에게서 알레르기를 발생 또는 항진시키느냐에 대해서는 아직 논란이 많다.

또한 rhinovirus (RV) 감염은 알레르기 유발시험에서 하부 기도의 히스타민 반응과 호산구 유입을 증가시키며 알레르겐에 대한 조기 및 후기 반응을 모두 항진시키는 작용을 하는 것으로 관찰되었다. 자연 감염 상태에서도 급성 천식 증상의 유발을 일으키는 위험 인자로서 RV 감염과 아토피는 서로 상승 작용을 하며 아토피를 가진 경우에 심한 증상을 나타내는 경우가 더 많았다.

2) 바이러스 감염이 기도과민성에 미치는 영향

바이러스 감염은 천식의 생리적 특성인 기도과민성을 증가시키는 것으로 알려져 있다. 여러 연구들에서 바이러스에 의한 호흡기 감염 중 기도과민성이 증가하며 이 현상이 수 주일 동안 지속되는 것으로 밝혀졌다. 이와 관련된 기전을 살펴 보면, 먼저 지속적인 tachykinin의 활성화가 있다. Tachykinin은 지각 신경에서 분비되는 물질로 기도 수축과 혈관 확장에 관여하는데 정상적으로는 기도의 상피 세포에서 효소 (neutral endopeptidase)를 분비하여 이를 조절한다. 바이러스 감염에 의해 상피 세포가 손상되면 이러한 작용이 제대로 이루어지지 못하게 되므로 tachykinin에 의한 기도 수축이 지속되면서 심해지게 된다. 다음으로는 바이러스 감염이 기도와 혈관의 톤을 조절하는 nitric oxide (NO)의 생성에 영향을 미치게 된다. 또, 바이러스 감염에 의해 기도의 신경 조절에 변화가 일어나서 기도의 수축과 기도과민성이 증가하게 된다. 바이러스 감염에 의해 분비되는 IFN-γ에 의해 무스카린 수용체(M2 muscarinic receptor)의 손상이 오게 되면 미주 신경 말단부에서 분비되는 아세틸콜린의 분비 조절이 잘 안되어 기도의 수축이 항진되고 기도 폐색이 잘 발생하게 된다.

이러한 연구 결과들은 바이러스 감염에 의해 악화된 천식 증상이 기존의 치료에 잘 반응을 하지 않을 때 고려할 수 있는 새로운 치료의 가능성을 제시하고 있다.

라. 감염에 의한 천식의 악화

급성 천식 증상은 소아에서는 85%, 성인에서는 50% 정도까지 바이러스 감염에 의해 유발된다. 그 중에서도 RV에 의한 감염이 가장 빈번하게 연관되어 있는 것으로 관찰되며 2세 이상의 소아 또는 성인에서 응급실을 방문하게 하는 급성 천식 증상의 약 50%에서 유발 요인으로 작용한다. RV에 비하면 빈도는 적으나 겨울철에는 RSV나 influenza virus에 의해 급성 천식 증상이 잘 유발된다. 바이러스에 의한 상기도 감염은 정상인에 비해 천식을 가진 환자에서는 하부 기도를 침범하여 심한 증상으로 진행하게 될 위험이 특히 높다. 이는 바이러스 감염이 하부 기도에 미치는 영향이 천식 환자들에서 근본적으로 다르다는 것을 시사한다.

RV는 상부 기도의 온도인 33~35℃에서 증식이 가장 잘 일어나므로 원래 상기도 감염을 일으키는 병원체로 인식되어 왔다. 그러나 기관지의 온도는 폐의 가장자리를 제외하고는 35℃를 거의 넘지 않는다는 사실이 밝혀졌고 또 실제로 하부 기도의 세포와 분비물로부터 RV가 분리되고 배양되었다. 따라서 RV가 하부 기도의 상피 세포에서 증식하고 기도 내로 호중구, T 세포, 호산구 들을 유입시켜 염증반응을 일으킬 수 있으며 천식을 가진 환자에서 천식 증상을 악화시킬 수 있는 것으로 생각되고 있다. 그러나 실제로 상기도 감염에 의해 천식이 악화되는 기전이 RV가 직접 하부 기도까지 침범하여 증상을 일으킬 만큼 충분하게 증식을 할 수 있기 때문인지 아니면 상기도 감염에 의해 전신적 면역에 영향을 받아서인지, 상기도의 염증으로 인해 하부 기도가 영향을 받아 그 반응으로 기도의 수축이 일어나게 되는 것인지, 상기도의 염증 물질이 하부 기도로 흡인되어 일어나는 현상인지에 대해서 연구가 더 필요할 것으로 생각된다.

급성 천식 증상의 유발에 주로 관여하는 바이러스 감염과 달리 호흡기의 세균 감염은 천식 환자에서 만성적인 하부 기도의 염증을 일으키는데 관여하는 것으로 알려져 있으며 주로 문제가 되는 것은 *Chlamydia pneumoniae*와 *Mycoplasma pneumoniae* 등이다. 이 중 mycoplasma는 급성 천식 증상의 유발과도 관련이 있는 것으로 보고되었다. 최근에 만성 천식을 가진 환자에서 PCR 법으로 기관지폐포세척액(bronchoalveolar lavage fluid) 내 이 들 두 세균의 검출을 조사한 결과 50% 이상에서 양성 반응을 보였다는 보고가 있는데 앞으로 더 많은 연구가 필요하겠지만 이 결과는 만성 천식의 발생 기전과 세균 감염과의 관련성을 시사하는 것으로 생각된다. *Mycoplasma pneumoniae*에 의한 급성 감염시 IL-4/IFN-γ비의 상승이 관찰되며 IFN-γ의 감소와 관련된 기도 과민성이 관찰되는데 이는 mycoplasma 감염에 의한 기도의 염증반응이 Th2 면역 반응과 관련되어 있음을 시사한다.

3. 병태생리

천식은 복잡한 면역반응을 보이는 질환이다. 즉, 천식은 유전적으로 소인이 있는 개체에서 알레르겐에의 노출, 호흡기계의 감염, 대기 오염 등과 같은 환경적인 요인에 의해 나타나는 면역반응의 결과로서 나타나며 이 때의 염증반응은 Th2 림프구, 호산구 호중구 등으로 특징지워진다. 이러한 Th2 면역반응은 점액 분비의 증가, 점막 부종, 기도 평활근의 수축, 기관지과민성 및 기도개형을 일으킴으로써 다양한 천식의 임상 증세가 발현된다(그림 3-4).

가. T 세포

천식에서의 Th2 염증반응은 많은 염증세포와 사이토카인, 화학매개체 등이 관여하고 있다. 천식의 임상 증상은 조기 반응(immediate-phase response: IPR)과 후기 반응(late-phase response: LPR)로 나누어 볼 수 있다. IPR은 알레르겐에 노출된지 수분 이내에 나타나는 반응이며, 비만세포 표면에 있는 알레르겐 특이 IgE에 알레르겐이 결합하면 비만세포가 활성화되어 탈과립화 현상이 일어나고 이 때 분비되는 물질들에 의해 혈관 투과성이 증가하고 부종이 일어나는 일련의 현상을 말한다. 한편 LPR은 4~12시간이 경과한 후에 나타나는 반응으로서 호산구, 호중구, 활성화된 T 림프구 등이 염증 부위에 축적됨으로써 일어난다. LPR에 의한 염증반응은 기관지과민성과 연관되어 있다고 알려져 있다.

Th2 사이토카인을 생산하는 CD4⁺ T 림프구는 천식에서 중요한 역할을 하며 이러한 세포들은 천식 환자의 기관지 생검조직이나 기관지세척액에서 발견된다. CD4⁺ T 림프구나 Th2 사이토카인의 증가는 천식의 중증도와도 관련이 있다. Th2 사이토카인의 분비는 CD4⁺ T 림프구뿐만 아니라 비만세포, 호중구, 자연사 T 세포 등에서도 이루어지나 가장 중요한 세포는 CD4⁺ T 림프구이다. 동물실험에서도 CD4⁺ T 림프구의 결여는 천식 발생을 억제한다고 하며, B 세포, 비만세포 등이 결핍된 마우스에서는 천식이 발생하지만 CD4⁺ T 림프구이나 IL-13이 결핍된 마우스에서는 천식이 일어나지 않는다고 한다.

Th2 사이토카인 중 가장 중요한 것은 IL-4이다. IL-4는 Th2 세포의 분화, IgE 생성, IgE 수용체의 발현 증가에 필요하다. 또한 IL-4는 기관지과민성을 유도하고 호산구를 기관지로 유입시키며 내피세포(endothelial cells)에서의 VCAM-1 (vascular cell adhesion molecule-1)의 발현을 유도한다. 그 외에도 IL-4는 점액 생산을 증가시키고 평활근 세포에 직접적인 영향을 미치는데, 이러한 반응은 복잡한 일련의 과정을 거쳐서 일어나고 IL-13에 의해서도 발생한다.

IL-5는 IL-4와 마찬가지로 중요한 Th2 사이토카인의 하나이다. IL-5는 IL-3, GM-CSF와 함께 골수에서 호산구 전구세포의 분화 및 성숙에 관여하며, 성숙한 호산구를 골수로부터 말초순환계로 나오도록 한다. IL-3와

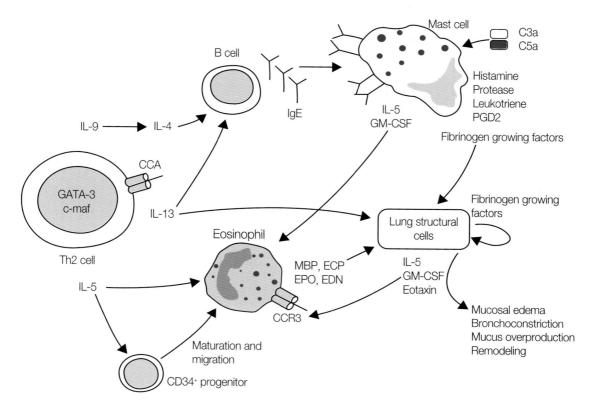

그림 3-4. 천식의 병태생리

GM-CSF는 호산구이외의 다른 세포의 분화에도 관여하는 반면 IL-5는 호산구의 최종 분화와 생존, 그리고 외부자극에 대해서 반응할 수 있도록 기폭하는 역할을 한다. 임상적으로는 천식 환자의 기도 및 말초혈액에서 호산구가 발견되어 기관지과민성이나 천식의 발생에 호산구에 의한 손상이 관여할 것으로 추정된다. 그러나 다른 연구에 의하면 IL-5의 작용을 억제하여 호산구의 기능을 저하시켜도 기관지과민성이 줄어들지 않았으며, 따라서 천식의 병태생리에서 호산구는 기존의 기관지과민성을 악화시킬지는 모르나 천식이나 기관지과민성의 발생 자체에 중요한 역할을 하지는 않는 것으로 보인다.

IL-13은 IL-4와 30%의 구조적 상동성(homology)을 가지고 있고 IL-13의 수용체를 구성하는 두개의 사슬(chain) 중 하나가 IL-4 수용체와 동일한 IL-4Rα이다.

따라서 IL-13과 IL-4간에는 STAT-6과 같은 동일한 신호전달체계를 가지고 있고 IgE 전환(switch)에 관여하는 등 공통된 기능을 가지고 있다. 반면 IL-4와 달리 T 림프구에는 IL-13 수용체가 없기 때문에 IL-13이 Th2 세포로의 분화를 유도하지는 못한다. 그러나 IL-13은 기도 평활근 세포에 있는 IL-13 수용체에 결합함으로써 점액 생산을 증가시키고 기도과민성을 직접 일으키는 작용을 한다. 이러한 증거로서 천식 환자의 기관지 생검 조직과 아토피성 천식 환자의 기관지폐포세척액이나 혈청에서 IL-13 이 높은 수준으로 발견되고 있고 IL-13 결핍 마우스에서는 기관지과민성이 나타나지 않는다는 것이 보고되었다. 또한 IL-13이 과도하게 발현되는 동물실험 모형에서는 폐포의 염증, 기관지 상피세포 및 배세포(goblet cell)의 증가, 점액 생산 증가, 콜라겐 침착 증가, eotaxin의 발현 증가, 기관지과민반응의 증가 등을 볼 수 있어 IL-13은 천식의 발생에 가장 중요한 역할을 하는 사이토카인 중 하나로 여겨진다.

IL-9은 또 다른 형태의 Th2 사이토카인으로 비만세포의 발달에 관여하며 IL-4에 의한 IgE 생성을 증가시킨다. 천식환자의 기관지 조직에서 IL-9과 IL-9 수용체의 발현이 증가되어 있다고 하며 IL-9의 과도한 발현은 기관지과민성, 염증 발생, 점액생산 증가, 비만세포의 증식 등과 관련된다. 이러한 IL-9의 작용은 직접적이기보다는 IL-4, IL-5, IL-13 등을 통해 간접적으로 이루어지는 것으로 보인다. 그 이외에도 Th2 사이토카인으로서 IL-25, IL-17E 등이 새로이 알려지고 있다.

IL-4나 IL-12같은 사이토카인은 표적세포 표면에 있는 수용체에 결합한 후 일련의 신호전달체계(signal transduction)를 통해 T 림프구를 분화시킨다. IL-4, IL-13 등의 Th2 사이토카인은 STAT6를 활성화시킴으로써 전사인자(transcription factor)인 GATA-3에 결합하고 그 결과 Th2 사이토카인의 생성을 증가시킨다. 반면 IL-12와 같은 Th1 사이토카인은 STAT-4를 활성화시키고 T-bet라는 전사인자에 결합함으로써 IFN-γ의 생성을 증가시키게 된다.

나. 기타 세포들

조기 반응은 비만세포 및 IgE에 의해 매개되어 일어난다. 비만세포는 골수에서 발생하여 미성숙한 전구세포로서 각 조직으로 이동하게 되며 이후 줄기세포 인자(stem cell factor) 등에 의해 성숙한 비만세포로 발달하게 된다. 천식 환자에서는 정상인에 비해 기도 평활근에 많은 수의 비만세포가 침윤하는 것을 관찰할 수 있어 비만세포는 평활근에 직접적으로 작용함으로써 기관지과민성 발생에 관여하는 것으로 보인다.

후기 반응에는 주로 호산구가 작용하며 그 외에도 호중구, 중성구, 활성화된 T 림프구 등이 관여한다. 최근에는 중증 천식에 호중구가 연관되어 있다는 보고가 있으며 호중구가 IL-4와 IL-13을 생산, 분비하는데에 중요한 역할을 하는 것으로 여겨진다.

CD8+ T 림프구, NK 세포, NK T 세포, γδ T 세포, C3a, C5a 등도 천식의 병태생리와 관련되어 있음이 알려지고 있으나 이들의 정확한 기전 및 역할에 대해서는 아직도 논란이 많다.

외부로부터 들어오는 알레르겐은 항원제시세포(antigen presenting cell: APC)에 의해 인식되고 적절한 과정을 통해 획득면역에 관여하는 세포에 제시된다. 이러한 역할을 하는 항원제시세포에는 수지상세포(dendritic cell: DC), B 림프구, 대식구 등이 있으며 이중에서도 수지상세포는 기도 점막에 많이 분포되어 있기 때문에 천식 환자에서 naive T 림프구에 알레르겐을 제시하는 가장 중요한 세포로 알려져 있다. 반면에 폐포내 대식구는 폐내에 풍부하게 존재하기는 하지만 CD80 (B7.1), CD86 (B7.2)와 같은 보조자극항원(co-stimulatory antigen)의 발현을 증가시키지 못하기 때문에 T 림프구를 활성화시키지는 못한다. 수지상세포는 골수에서 발생한 후 각 조직으로 이동하여 분포하게 되는데 각 조직에 분포되어 있는 수지상세포는 아직 co-stimulatory molecule을 발현하지 못한 미성숙한 상태로서 T 림프구를 효과적으로 활성화시키지는 못한다. 이러한 미성숙 수지상세포는 국소림프절로 이동한 후 성숙세포가 되며 이때에 화학주성인자 수용체나 MHC class II, CD80, CD86 등의 co-stimulatory molecule을 발현하게 되므로 T 림프구나 B 림프구를 활성화시키게 된다.

수지상세포는 DC1과 DC2의 2가지 형태로 분류된다. DC1은 단핵구로부터 분화되며 naive CD4+ T 림프구에서 IFN-γ를 주로 분비하도록 유도하는 기능을 한다. 반면 DC2는 형질양 세포(plasmacytoid cells)로 여겨지며 CD123을 많이 발현하고 CD4+ T 림프구로부터 IL-4, IL-5와 같은 Th2 사이토카인이 생산되도록 분화시킨다. DC1과 DC2가 서로 다른 세포로부터 발생되어 나온 세포인지, 아니면 같은 세포로부터 발생하였지만 분화 및 성숙되는 과정이 다른 세포인지는 아직 확실하지 않다. Pre-DC2는 세포표면에 toll-like receptor (TLR) 7과 9을 발현하고 있고 여기에 미생물

내 TLR9 배위자(ligand)인 CpG-oligodeoxynu-cleotides가 결합하면 IFN-α가 분비된다. 반면 pre-DC1은 TLR1, 2, 4, 5, 8을 발현하고 있고 여기에 미생물내 TLR2 리간드인 peptidoglycan, lipoteichoic acid 또는 TLR4 리간드인 lipopolysaccharide (LPS)가 결합하게 되면 TNF-α, IL-6의 생성이 유도된다.

다. 천식 발생의 내인성 요인

알레르겐에 대한 감작 및 Th2 면역반응이 많은 천식 환자에서 병태생리에 관여하고 있지만 감작이 일어난 모든 개체에서 천식이 발생하는 것은 아니다. 따라서 천식의 발생에는 아마도 이러한 면역반응과는 다른 기전이 있을 것으로 추정된다. 여기에 관련이 있을 것으로 생각되는 것이 epithelial-mesenchymal cell interaction과 상피세포의 외부손상에 대한 반응이다. 정상적인 경우 상피세포와 주간엽세포(mesenchymal cell)간에는 사이토카인이나 성장인자를 통해 신호가 전달되기 때문에 외부로부터의 손상에 대해서 동시에 반응하게 된다. 천식에서는 주간엽세포가 근섬유모세포(myofibroblast)로 분화하여 간질부위에 콜라겐이 침착되도록 함으로써 상피세포하 기저막(subepithelial basement membrane)의 비후를 초래한다. 이러한 구조적 개형은 부분적으로는 가역적인 변화를 보이지만 지속적인 손상으로 폐기능의 악화가 나타나기도 한다. 기도개형의 구조적 변화에는 기관지 벽의 비후, 상피세포하 섬유화, 점액 증가, 평활근의 비후 및 혈관 신생(neovascularization) 등이 있다.

따라서 천식의 발생에는 Th2 면역반응과 상피세포의 손상에 대한 반응이 관여하는 것으로 보인다. 상피세포의 복구기전과 관련된 유전자에서의 다형(polymorphism)은 천식의 발생과 깊은 연관이 있을 것으로 보이며 이러한 유전자로서는 ADAM33 유전자가 알려져 있다. 이 유전자는 metalloprotease를 발현시키는데에 관여하며, metalloprotease는 호흡기내 상피세포의 외부 손상에 대한 반응을 조절하는 기능을

가지고 있다. 따라서 ADAM33 유전자에서의 특정 다형은 상피세포의 복구기전을 증가시켜 염증반응과 기도개형을 악화시키게 되고 그 결과 천식이 발생하는 것으로 보인다.

4. 기도개형

천식의 발생에 있어서 기도의 염증이 중요한 역할을 한다는 점은 이미 널리 알려져 있는 사실이지만 염증만으로는 설명되지 않는 부분이 있다. 예를 들어 IL-5에 대한 단클론항체를 투여하여 호산구의 침윤을 줄이더라도 천식의 치료에는 효과가 없었고, 아토피와 기관지과민성에 대한 유전패턴은 서로 다른 양상을 보여 주었다. 또한 스테로이드, 류코트리엔 수용체 길항제, 비만세포 안정제 등 기도의 염증을 감소시키는 약물이 천식의 치료에 사용되어 왔으나 환자에 따라서는 이러한 항염증치료에도 불구하고 만성적인 임상 증세를 보이는 경우도 있다. 따라서 병인론적인 관점에서 보면 아마도 천식의 발생에는 기도 염증이외에 다른 요인이 관여하는 것으로 생각되며, 아직 논란의 여지가 있지만 기도개형이 이러한 역할을 하는 것으로 보인다.

기도개형이란 원래 외부 손상에 대한 정상적인 치유과정으로 생각된다. 그러나 천식의 경우에는 이러한 과정이 부적절하게 지속됨으로써 배세포의 증식 및 화생(metaplasia), 콜라겐 침착, 그물층(lamina reticularis)의 비후, 근섬유모세포(myofibroblast) 증식, 평활근의 증식, 기도내 혈관 증식 등의 구조적 변화가 초래된다. 기도개형이 부적절하게 지속되는 기전은 처음에는 기도의 지속적인 염증때문인 것으로 생각되었지만 소아에서의 기관지생검 소견을 보면 증상이 나타나기 전에도 이미 구조적인 변화가 관찰된다고 한다. 따라서 기도 개형은 천식의 발생 초기에 이미 나타나는 과정이라고 생각되며 이후에는 기도내 염증과 비례하여 진행하는 것으로 보인다.

기도개형의 발생 원인은 아직 모르지만 그 중 한가지로 유전적 요인이 거론된다. 천식에서 볼 수 있는 기도과민성과 관련하여 염색체 20p13에 있는 ADAM33 유전자와의 연관성이 알려졌다. ADAM33이 천식 환자에서 기관지과민성과의 연관성을 강하게 보이는데에 비해 아토피와의 연관성은 약하게 나타내는 것으로 미루어 볼 때 ADAM33은 기도내 염증보다는 기도개형과 같은 기도의 기능변화와 더 연관이 있는 것으로 보인다. ADAM33은 평활근, 근섬유모세포, 섬유모세포 등에 분포하며 상피세포, T 림프구, 염증세포 등에는 존재하지 않는다. 아직 ADAM33의 기능에 대해서는 명확하게 알려져 있지 않지만 주간엽세포에 여러 가지 영향을 미치는 기능을 하는 것으로 보이며, 따라서 이러한 기능에 변화가 생기면 기관지과민성이 일어날 것으로 추정된다. 아마도 ADAM33 유전자의 intron이나 coding region에서의 single nucleotide polymorphism (SNPs)은 구조적 변화를 초래함으로써 기관지과민성을 유발하는 것으로 추측된다.

기도개형의 발생은 외부로부터의 자극에 대해 기도의 상피세포가 먼저 반응하고 그 신호가 조직학적으로 상피세포 아래에 있는 주간엽세포에 전달됨으로써 이루어진다. 상피세포와 주간엽세포 간에는 여러 가지 사이토카인, 효소, peptide endothelin 등에 의해 상호간에 영향을 미치게 되는데 이를 epithelial-mesenchymal trophic unit (EMTU)라고 한다. 천식 환자의 기관지 상피세포는 정상인에 비해 외부의 자극에 취약하다는 증거가 보고되었으며 그 결과 세포 투과성의 증가, 세포자사(apoptosis) 발생, IL-8 및 GM-CSF 등의 사이토카인 분비 증가 등의 변화를 보이는 것으로 여겨진다. 천식에서 특징적으로 나타나는 기관지 상피세포의 탈락은 세포자사세포(apoptotic cell)의 증가 및 표피성장인자 수용체(epidermal growth factor receptor: EGFR)발현 증가와 관련이 있다. 또한 상피세포에 대한 손상으로 인해 TGF-β2 등의 사이토카인이 분비되면 섬유아세포가 근섬유아세포로 분화하고 콜라겐의 침착이 일어나게 된다. 이러한 변화는 EMTU를 중심으로 발생하고 주위 조직으로 전파되는 것으로 보인다.

병태생리적으로 기도 개형은 기도과민성의 한 요인으로 작용하리라고 생각된다. 또한 기도 개형이라는 기도의 구조적 변화는 스테로이드 치료에 반응하지 않는 기관지과민성의 원인으로도 생각되며, 이미 발생한 천식 환자에 있어서 치료에도 불구하고 점진적인 증상의 악화를 초래하는 이유로 설명되기도 한다. 즉, 천식 환자에서 처음에는 스테로이드 치료에 반응하다가 시간이 지나감에 따라 스테로이드에 반응하지 않고 점차로 비가역적인 폐기능의 저하가 오는 것도 기도 개형이 원인일 것으로 추정된다. 그러나 이러한 비가역적인 폐기능의 저하가 기도의 만성 염증과 기도개형에 의해서 일어난다는 직접적인 증거는 아직 없다.

기도 개형이라는 구조적 변화가 치료에 전혀 반응하지 않는 비가역적인 변화인지에 대해서는 아직 연구 중이다. 천식의 치료에서 사용하고 있는 흡입용 스테로이드의 경우 일정기간 치료 후 조직소견에서 상피하층의 비후가 감소됨이 관찰되는 것으로 보아 기도개형을 일부 호전시키는 것으로 보인다. 또 다른 형태의 항염증 치료제인 류코트리엔 수용체 길항제나 테오필린 등도 in vitro에서는 섬유아세포와 기관지 평활근 세포에서 증식 및 합성 능력을 저하시키는 것으로 알려졌으나 in vivo에서도 같은 효과를 보이는 지에 대해서는 아직 연구가 진행되고 있다.

기도개형은 Th2 염증과 더불어 천식 발생의 중요한 한 가지 기전으로 이해되고 있으며, 이러한 기도개형의 진행은 구조적 변화를 초래함으로써 흡입용 스테로이드를 포함한 고식적 치료에도 반응하지 않는 중증 천식의 원인으로 생각된다. 이와 관련하여 ADAM33 유전자와의 연관성이 알려지고 있으며 앞으로 기도개형과 관련된 천식의 명확한 병태생리가 규명되면 기도개형을 목표로 하는 새로운 치료방법이 개발되고 천식의 예후를 예측할 수 있게 될 전망이다 (그림 3-5).

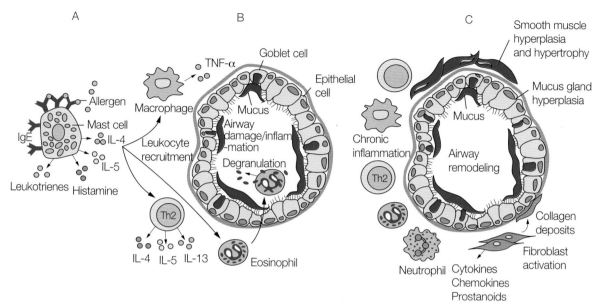

그림 3-5. 천식에서의 기도염증 반응. 급성 염증반응(A), 만성 염증반응(B), 기도개형(C).

5. 영아 천명과 영유아 천식

영유아 천식도 연장아나 성인과 마찬가지로 기도 염증, 기도 과민성, 기도 수축의 주요한 세 가지 특성을 공유한다.

영유아는 해부학적으로 기도가 작고 바이러스 감염의 빈도가 높아 천명을 나타내기 쉽다. 국내의 자료는 없지만 미국의 경우, 생후 첫 1년 동안 천명의 유병률은 60%에 이르는 것으로 보고되어 있다. 과거에는 바이러스 감염과 동반될 때만 천명을 보이는 유아에게 천명성 기관지염(wheezy bronchitis)이라는 진단 용어를 사용하여 천식과 구분을 지으려고 노력하였으나 이는 천식의 과소 진단(underdiagnosis), 부적절한 치료 등의 문제점을 야기하였다.

천명은 단순히 기도가 좁아져 나타나는 증상이므로 여러 다양한 질환에서 나타날 수 있다. 영유아의 천명에서 감별해야 할 질환으로는 천식과 세기관지염 이외에도 이물흡인, 선천적 기도 기형, 대혈관의 해부학적 이상, 선천성 심질환, 반복 흡인, 면역결핍 질환, 감염, 섬모 운동이상, 종격동 종양, 위식도 역류, 비부비동염 등과 감별이 필요하다.

National Heart Lung Blood Institute (NHLBI)에서는 지난 1년 동안 1일 이상 지속되고 수면장애를 동반한 천명이 3회 이상 발생한 천식의 위험 인자를 지니고 있는 환자를 천식이라고 진단하는 임상적인 가이드라인을 발표하였다. 천식의 위험 인자에는 부모의 천식의 가족력 또는 의사에 의해 진단된 아토피성 피부염, 또는 다음 3가지(의사에 의해 진단된 알레르기 비염, 감기증상 없이 발생한 천명, 말초혈액의 호산구증) 중 2가지를 만족하는 경우로 정의하였다.

영유아 천식은 일시적인 조기 천명, 비아토피성 천명, 아토피성 천식 등의 세 가지 표현형으로 분류하고 있다.

가. 영유아 천식의 표현형

1) 일과성 조기 천명

일과성 조기 천명은 특징적으로 3세이내에 완해된

다. 조기 천명환자의 경우는 알레르기의 가족력이 없으며 폐기능의 감소가 조기 천명의 발생에 중요한 역할을 하는 것으로 생각된다. 이러한 폐기능의 감소는 계속 유지되어 6세 때도 폐기능의 저하를 보인다. 그 외에도 미숙아와 임신 중 및 출산 후 엄마의 흡연도 3세 미만 영유아에서 일시적인 천명의 위험인자이다.

2) 비아토피성 천명

학동기 천식환자의 대부분이 생후 2~3세 이내에 기도 폐쇄의 과거력이 있다. 영아의 가장 흔한 기도폐쇄의 원인은 바이러스 감염이며 respiratory syncytial virus (RSV)가 가장 흔한 원인이다. RSV 감염은 첫 10년 이내에는 천명의 위험을 유의하게 증가시키지만 13세 때에는 천명의 위험과 상관이 없을 뿐더러 알레르겐 감작과도 연관이 없었다는 연구 보고가 있어 RSV와 천식과의 관계는 아직도 규명해야 할 과제로 남아 있다.

3) 아토피성 천식

지속성 천식의 50% 이상이 3세 이전에 증상이 시작되고 80%는 6세 이전에 증상이 시작된다. 3세 이전에 증상이 시작된 조기발현 천식(early-onset asthma)은 질환의 중증도와 기도 과반응성도 증가한다. 또한 폐기능의 발달에도 결손을 보여 결정적인 기도 변화가 생후 초기에 시작되는 것으로 추측된다.

조기 천명환자에서 생후 9개월의 혈중 총 IgE치가 증가되어 있는 경우 지속성 천명의 위험이 높으며, 조기 알레르겐의 감작이 지속성 천식에 중요한 역할을 하는 것으로 여겨진다(그림 3-2).

나. 영유아 천식의 평가

천식의 증상 자체가 다양하고, 유사한 증상을 보일 수 있는 질환들도 많아 특히 어린 영유아에서 천식을 진단하기는 쉽지 않다. 일반적으로 다음과 같은 5가지 요소들이 영유아 천식의 진단에 필요하다. 이들은 반복적인 천명, 기관지확장제 사용 후 증상의 호전, 반복적인 기침, 다른 질환의 가능성의 배제, 천식에 합당한 최대호기유속 등이다.

폐기능 검사를 영유아에서 실제적으로 시행하기는 어려우므로 영유아 천식의 진단은 임상 판단과 증상 및 신체검사 소견에 기초한다. 따라서 치료에 대한 반응을 관찰하는 것도 진단을 위한 한 가지 방법이다.

영유아에서는 천식의 객관적인 진단이 힘든 것과 마찬가지로 치료에 대한 반응의 객관적인 평가 역시 어렵다. 이들에서 치료에 대한 효과를 판정하는 객관적인 지표로 천식 증상 점수, 기관지 확장제나 경구용 스테로이드 사용 횟수, 응급실 방문이나 입원 횟수 등을 사용한다.

다. 치료

1) 영유아의 흡입치료

6세 미만의 소아에서 흡입제를 사용할 때에는 몇 가지 사항을 고려해야 한다. 첫째, 영아는 구강호흡보다는 비강호흡을 하고, 기도가 좁고, 평상 호흡량(tidal volume)이 작고, 호흡수는 빠르기 때문에 하부 기도까지 약물이 도달하기 어렵다. 두 번째로, 영유아에서는 흡입약제에 따라 적절하게 약물이 투여될 수 있도록 흡입하는 기술이 어렵다. 예를 들면 가압 정량분무식 흡입기의 경우에는 입으로 천천히 흡입하고 숨을 멈추는 시간을 갖는다던지, 분말 흡입기의 경우에는 세게 흡입해야 한다던지 하는 흡입요건을 따르기 힘들다. 셋째로 어린 소아에서 흡입요법을 위한 운반 기구는 흡입 기술이 어렵지 않고 보호자가 투여하기 쉬운 기구들만 사용이 가능하다. 소아 및 성인에서는 3가지의 흡입을 위한 운반 기구가 모두 이용될 수 있지만 영유아에서는 가압 정량 분무식 흡입기(metered dose inhaler: MDI)와 보조기구, 그리고 네뷸라이저의 두 가지 기구만이 실제적으로 이용가능하다.

5세 미만 소아를 대상으로 한 연구에서 스페이서와 마스크를 이용한 MDI로 흡입했을 때 정량의 2% 미만이 하부기도에 침착하고 나머지는 스페이서에 남아있었다. 2~9세의 천식환자에서 MDI와 보조기구, 네뷸라이저를 이용하였을 때 두 기구 모두 살부타몰 정량의 약 5%가 하부기도로 운반되었다. 그러나 네뷸라이저를 이용할 때, 살부타몰의 총량이 더 많으므로 상대적으로 기도내에 침착되는 양이 MDI를 통한 흡입보다 많다.

영유아에서는 속효성 β_2 항진제의 흡입은 MDI와 보조기구나 네뷸라이저의 효과가 비슷하다. 그러나 일반적으로 영유아에서 심한 급성천식이 발생하면 호흡이 쉽고 산소를 동시에 투여할 수 있어 네뷸라이저를 통한 흡입이 선호된다.

2) 영유아에서 지속성 천식의 조절 치료

NHLBI NAEPP에서는 지난 1년간 1일 이상 지속되고 수면장애를 동반한 천명이 3회 이상 발생한 천식의 위험 인자를 가지고 있는 환자들은 조절 치료를 권하고 있다. 이외에도 장기간의 조절치료를 시작하는 적응증에는 일주일에 2회 이상 증상에 따른 치료가 필요하거나 6주 이내에 증상의 심한 악화를 보이는 경우가 포함된다.

영유아에서도 연장아나 성인과 유사하게 천식의 치료에 대한 단계별 접근은 주로 주간과 야간 증상의 빈도에 기초한다. NHLBI 에 따르면 지속성 천식에는 중증도와 무관하게 흡입용 스테로이드를 사용하는 것을 기본으로 한다. 최근에는 류코트리엔 조절제를 크로몰린, 네도크로밀과 서방형 테오필린 등과 함께 경증 지속성 천식의 대체 치료제로 사용할 수 있다. 연장아와 성인의 중등증 지속성 천식에서는 저용량 또는 중간용량의 흡입용 스테로이드나 지속성 β 항진제의 병합요법을 우선적으로 시행하고, 류코트리엔 조절제나 테오필린의 병합치료를 대체요법으로 시행한다. 네도크로밀은 영유아에서 더 이상 중등증 지속성 천식의 보조치료제가 아니다. 또한 영유아에서는 중등 용량의 흡입용 스테로이드가 중등증 지속성 천식의 우선적인 치료제이다. 반면 이러한 치료는 연장아와 성인의 중등증 지속성 천식에서는 대체 치료법에 해당한다. 중증 지속성 천식에서는 고용량 흡입용 스테로이드와 지속성 흡입용 β 항진제와 전신적 스테로이드만으로 치료한다(표 3-6).

6. 운동유발성 천식

운동유발성 천식(exercise induced asthma)이란 천식환자가 심한 운동을 하고 난 뒤 수 분이 지난 후 일시적으로 기도 저항이 증가 되어 천식의 전형적인 증상이 발현하는 현상을 말한다.

Global Initiative for Asthma (GINA)에서는 운동유발성 천식이 천식의 특별한 형태가 아니라 기관지과민성(bronchial hyperresponsiveness)의 한 형태라고 하였다. 즉 운동유발성 천식은 기관지과민성이 있는 개체에서 운동이 유발인자로 작용하여 천식의 증상을 나타내는 것이며, 이는 천식이 적절히 조절되고 있지 않음을 시사한다. 따라서 천식 치료지침의 목표 중의 하나가 환자가 원하는 신체 활동을 증상 없이 할 수 있는 것이라는 측면에서 적절한 치료가 필요하다.

천식 환자에서 운동유발성 천식 유병률은 연구들마다 45~94%정도로 상이하게 보고하고 있으며 이는 환자의 선정, 검사방법, 평가기준 및 투약기간 등이 연구마다 서로 다르기 때문이다. 실제로 여러 보고에 의하면 운동유발시험 결과 천식 소아의 대부분에서 운동유발성 천식이 있었으며 실제로 운동은 소아 천식의 보편적인 유발인자이다. 임상적으로 천식이 완해된 환자에서도 운동유발 기도 과민성이 지속되기도 한다. 이는 과거 소아 천식이 있었던 환자에서 염증과 기도개형(remodelling)을 지속적으로 보이는 것과 연관이 있을 것으로 여겨진다.

가. 병태 생리

1) 기전

운동유발성 천식이 차고 건조한 공기 흡입할 때 잘 발생한다는 사실에서, 또한 운동을 하지 않더라도 과호흡(hyperventilation)이나 저장성 또는 고장성 용액의 흡입시에 운동유발성 천식과 같은 기관지 수축이 발생한다는 사실에서 기도 점막의 상태 변화가 운동유발성 천식의 발생에 주된 역할을 할 것이라 짐작할 수 있다. 운동유발성 천식의 기전은 한가지로 설명되기 어려우며 여러 복합적인 작용에 의해 이루어진다고 생각되며 대표적인 두 가지 가설이 있다.

삼투압 가설(osmotic theory)은 운동중에 기도에서 증발이 일어나고 따라서 섬모주위액의 삼투압 차이가 생겨서 세포의 부피 감소를 야기하며 기도 근육의 수축을 초래한다는 이론이다. 다시 말하면, 수분 손실이 증가되면 섬모주위액의 Na^+와 Cl^-의 농도가 증가 되어 삼투압이 증가하게 된다. 기도의 비만세포는 이러한 삼투압의 변화에 쉽게 반응하여 화학매개체를 분비하게 된다.

하지만 운동유발성 천식의 기전에서 염증매개체에 대한 중요성은 아직 논란이 되고 있다. 류코트리엔 조절제나 항히스타민제가 운동유발성 천식을 억제하는 효과가 서로 다른 결과를 보이고 있으며, 운동 전후 기관폐포세척액에서 히스타민을 비롯한 여러 매개체의 농도를 조사하였으나 특별한 차이를 보이고 있지 않았다.

운동유발성 천식 기전을 설명하기 위한 또 하나의 가설은 열 가설(thermal theory)이 있는데, 과호흡시 열이 기도 점막에서 기도로, 다시 기도에서 기도 점막으로 전달되면서 기도 점막의 반응성 충혈(reactive hyperemia)이 일어나 기도 폐쇄의 기전이 된다는 가설이다. 즉 운동이나 과호흡시에 기도가 냉각되어 있다가 운동이나 과호흡의 중단시에 기도가 재가온(rewarming)되는 과정에서, 이 과정이 급격히 진행되면 기관지 혈관의 반동 충혈이 과도하게 일어나 기도 폐쇄가 된다는 설이다.

2) 후기 반응

후기 반응(late phase reaction)은 항원유발시험에서 잘 밝혀져 있으며 운동유발에 의해서도 후기 반응이 시현됨이 알려져 있다. 즉 운동유발성 천식이 점차 회복되어 기저치의 폐기능을 나타내다가 운동 후 4~8시간에 폐기능이 다시 한번 저하된다. 이러한 후기 반응은 항원 유발시의 후기반응에 비해 빈도가 적고 폐기능의 저하도 덜하다. 운동에 의한 후기 반응의 실체에 대하여는 아직 논란이 되고 있다. 그러나 특히 소아에서는 주간에 운동을 하고나서 야간에 심한 천식증상을 호소하는 경우가 많기 때문에 이에 대한 관심과 연구가 필요하다.

3) 불응성

운동유발성 천식의 특징중의 하나는 운동을 반복적으로 하는 경우 두 번째 운동 후의 운동유발성 기관지 수축 정도는 첫 번째 운동에 의한 정도보다 감소되는데 이러한 반응을 불응성(refractoriness)이라 한다. 그 기전은 명확하지 않지만 과거에 유력하게 생각되었던 화학 매개체 고갈설보다는 운동 후 분비되는 카테콜라민(catecholamine)과 억제성 프로스타글란딘(prostaglandin) E_2의 역할이 강조되고 있다.

나. 중증도에 영향을 주는 인자

운동유발성 천식은 운동의 종류나 소아의 노력, 운동시 흡입공기 상태, 개체의 기관지과민성, 항원노출, 대기오염, 치료 등에 따라 달라질 수 있다.

1) 운동의 정도, 시간, 종류

호흡량의 증가가 많이 되는 운동일수록 운동유발성 천식을 심하게 일으킨다. 또한 같은 운동의 정도나 시간에서도 운동의 종류에 따라 운동유발성 천식을 일으키는 정도가 다르다. 운동유발성 천식을 일으키는 정도로 운동량을 순서대로 나열하면 뛰기, treadmill, 자전거, 수영, 걷기라고 알려져 있다.

2) 운동시 흡입공기 상태

따뜻하고 충분한 습도에서의 운동보다 차고 건조한 운동에서 운동유발성 천식이 심하다. 따라서 여름에는 운동유발성 천식이 잘 나타나지 않는 환자가 겨울에는 심한 운동유발성 천식이 나타날 수 있다.

3) 기도 과민성

운동유발성 천식은 기관지과민성의 한 양상으로 해석된다. 즉 천식의 기본적 특징인 기도 과민성에 의해 운동이 비특이적인 유발요인으로 작용한다는 것이다. 실제로 메타콜린이나 히스타민 등으로 측정되는 비특이적 기관지과민성과 운동유발성 천식은 일반적으로 비례한다. 또한 운동유발성 천식은 천식을 진단하는 데 특이도가 높아 천식 진단에 도움이 된다.

4) 항원노출, 바이러스 감염, 대기오염

항원 노출이나 바이러스 감염시 운동유발성 천식의 정도가 현저히 증가된다. 대기오염은 직접 평가하기는 어렵지만, 실험적으로 흡입공기에 SO_2를 첨가하면 운동유발성 천식이 심하게 나타나는 것으로 그 역할을 추정할 수 있다.

다. 증상

운동유발성 천식 증상은 운동으로 인하여 숨이 차거나 기침, 천명, 가슴 답답함, 호흡 곤란 등으로 나타난다. 운동유발성 천식 증상을 감지 못하는 경우가 흔하기 때문에 많은 환자나 보호자나 의료진에게서 과소 진단, 과소 치료되는 경향이 있다. 많은 소아나 청소년에서 유일한 증상이 운동을 좋아하지 않아서 비만이 되는 것으로 나타나기도 한다.

라. 진단

운동 도중에는 폐기능의 변화가 없거나 약간 증가되다가 운동후 폐기능이 점차 저하되며 약 5~10분 후 최저치를 기록한다. 이후 점차 회복되어 30~45분에는 운동전 폐기능 상태로 회복한다(그림 3-6). 운동유발성 천식의 진단 기준으로 운동 후 1초간 노력성 호기량(FEV_1)의 15% 감소 또는 최대호기속도(PEFR)의 20% 감소를 주로 사용한다. 하지만 운동유발성 천식은 운동의 종류, 운동의 정도, 운동 시간 등에 따라 그 결과가 서로 다르게 나타날 수 있다. 또한 운동유발성 천식 조절약제의 투여 대상 환자를 분류하는 데 아직까지 결정된 기준치와 객관적인 증상 기준이 없는 실정이다. 정상인에서 운동후 FEV_1의 감소의 평균치는 5%이다.

운동유발성 천식의 진단은 천식의 적절한 진단에서 시작되는데, 흡입용 속효성 β_2 항진제에 대한 반응을 포함한 자세한 병력 청취와 5세 이상의 소아에서 폐기능 측정이 유용하다. 운동유발성 천식은 천식 환자에서 운동으로 인한 활동 제한 등을 포함한 적절한 문진을 통해 진단될 수 있다. 더 중요하고 어려운 문제는 진단되지 않은 천식 환자에서 운동유발성 천식이 있는지 측정하는 것이다. 이전에 천명의 과거력이 있거나 천식의 가족력이 있거나 알레르기성 비염의 진단을 받은 소아들에서 임상적인 운동유발성 천식 유무에 관계없이 운동유발성 기관지과민성의 위험이 있다. 임상적인 증상이나 신체적 활동의 제한 없이 운동유발성 기관지과민성이 있는 알레르기성 비염 소아에서 치료적 방향에 대한 다음의 질문, 즉 이러한 소아를 치료하는 것이 이로운 것인지, 이러한 소아가 성인 천식으로 이어지는 것인지에 대해서는 아직 불명확하다.

또한 운동유발성 천식 증상이 있는 소아들에서 운동 종류, 운동 시간, 호흡곤란과 관련된 제한점 등을 확인하는 것이 중요하며 여러 가지 치료에 대한 반응도 역시 중요하다. 경험적 치료로 속효성 흡입용 β_2 항진제를 사용하여 치료가 성공적이면 운동유발성 천식

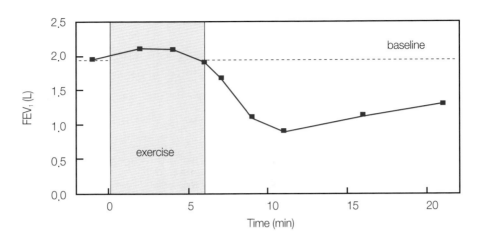

그림 3-6. 운동유발성 천식 소아의 6분간의 운동 후 1초간 노력성 호기량(FEV₁)의 변화

표 3-2. 운동유발성 천식의 감별

운동유발성 과호흡(exercise induced hyperventilation)
성대 기능 이상(vocal cord dysfunction)
중심 기도 폐쇄(central airway obstruction)
심질환
다른 폐쇄성, 제한성 폐질환
근육 질환

진단을 추정할 수 있다. 진단이 힘든 경우는 증상 없이 FEV₁의 유의한 감소가 있는 운동유발성 천식 환자들이다. 이러한 소아들은 운동을 싫어하고 운동을 하지 않아 진단이 어렵다.

마. 감별 진단

운동유발성 과호흡이나 성대기능이상(vocal cord dysfunction)과 감별을 해야 한다. 운동유발성 천식과 성대기능이상은 동반되기도 한다. 성대기능이상은 증상이 갑자기 나타났다가 없어지는 점에서 운동유발성 천식 증상과 구별된다. 또한 성대기능이상은 흡입성 천명을 보이고 낮시간에 나타나는 경우가 많다. 심질환, 다른 제한성 폐질환이나 폐쇄성 폐질환과도 감별

을 요한다(표 3-2).

바. 치료 및 예방

운동유발성 천식을 가지고 있는 많은 환자가 지속성 천식을 가지고 있으며 운동이 유발 인자 중 한 가지로 작용하는 것이라는 측면에서 전반적인 치료계획의 수립이 필요하다. 또한 운동유발성 천식 환자에서 운동을 일방적으로 금지시키는 것은 옳지 않으며 환자가 천식증상이 나타나지 않고 어떠한 활동도 할 수 있게 하는 것이 올바른 방법이다.

천식의 병태생리로 염증의 중요성이 인식 되면서 지속성 천식의 가장 효과적인 치료로 흡입 스테로이드를 조기에 사용하는 것을 추천하게 되었다. 그 외에 조절제로 쓰이는 약물은 크로몰린(cromolyn), 네도크로밀(nedocromil), 테오필린(theophylline), 살메테롤(salmeterol), 류코트리엔 조절제 등이다. 이러한 조절제는 기도 염증을 감소시켜 기관지과민성의 호전을 가져오게 된다. 스테로이드는 단기적으로는 운동유발성 천식 예방에 효과가 없으나 장기적인 사용후에는 운동유발성 천식을 경감시키는 것으로 알려져 있다. 이는 기관지과민성의 경감에 의한 2차적 효과로 생각

된다. 류코트리엔 조절제를 사용한 연구들에서도 운동 유발시 폐기능 저하에 대한 보호 효과가 있으며, 회복시간도 단축시킨다고 하였다.

항히스타민제는 지속성 천식에서 제한되어 사용되고 있으며 운동유발성 천식의 가능한 치료로 제시된바 있지만 일반적으로 항히스타민제를 이용한 운동유발성 천식 치료는 결론적이지 못하다.

운동 전에 약을 사용하는 방법은 잘 알려진 치료법으로 조절제 사용 중이거나 운동유발성 천식만 보이는 경우 단독적으로 사용할 수 있다(그림 3-7). 운동전에 사용하는 약으로 가장 효과적인 것은 흡입 속효성 β_2 항진제이다. 크로몰린과 네도크로밀 제제도 어느정도 효과가 있지만 경구용 기관지 확장제나 흡입용 항콜린제는 효과가 제한적이다.

비약물 요법으로는 두 가지가 추천되고 있는데 그중 한 가지는 운동요법이다. 규칙적인 운동이 중요한데, 초기에 일반적인 천식약을 사용하면서 규칙적인 운동을 시도해야한다. 유산소 운동은 활동에 의한 호흡 곤란과 폐활량을 호전시킬 수 있다. 운동유발성 천식의 불응성을 이용하여 준비 운동을 운동 전에 해주는 것도 본격적인 운동 후의 운동유발성 천식을 경감시킬 수 있다. 이는 초기에 프로스타글라딘 (prostaglandin) E_2가 생성되어 기도 근육을 이완시켜주기 때문이다. 다른 한 가지는 가능하면 따뜻하고 습한 공기에서 하는 수중운동(수영 등)이 추천 되는데, 이는 따뜻하고 습한 공기의 흡입은 차고 건조한 공기에 비하여 같은 정도의 운동에 의한 운동유발성 천식이 덜하기 때문이다.

7. 천식과 심리적 문제

천식과 같은 만성질환의 성공적 치료를 위해서는 환경개선 등 생활 방식의 상당한 변화를 필요로 하고, 환자들이 의사들의 처방에 잘 따라주어야 한다. 이를 위해서는 의사와 환자간의 충분한 대화가 있어야 하

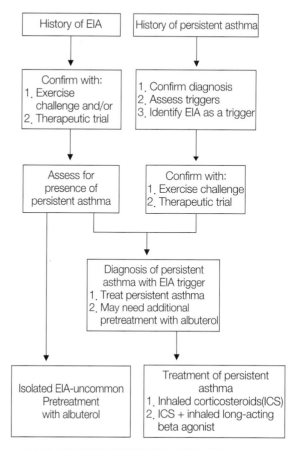

그림 3-7. 운동유발성 천식의 진단과 치료 과정

고, 질병과 치료에 대한 교육, 적극적인 정책적, 사회적 지원, 적절한 삶의 질에 대한 희망 등이 필요하다.

가. 감정적 유발인자

두려움, 분노, 흥분, 등의 강한 감정적 반응들이나 스트레스 등이 천식의 유발인자로 알려져 있다. 천식환자의 약 20~40%에서는 이러한 감정적 유발인자에 노출되면 폐기능의 유의한 감소를 보인다. 특히 스트레스는 천식 환자와 그 가족들에게도 중요한 영향을 미칠 수 있으며 사이토카인 등의 생성이나 호흡기 감염에 대한 감수성을 높임으로써 직간접적으로 영향을 미칠 수 있다. 또한 생리식염수의 흡입 후 암시(suggestion)효과에

의해서도 천식환자의 과반수에서 기도저항의 증가를 볼 수 있다고 한다. 이러한 암시효과에 의한 기도 수축은 ipratropium bromide의 투여로 호전되는 것으로 보아 암시에 의한 기도 과민성이 콜린성 신경계에 의한 반응의 가능성을 시사하기도 한다.

나. 일상생활에서의 심리적요인

중등도 또는 중증 천식 환자를 대상으로 한 연구에서 질병기간, 심한 합병증, 검사 전 스테로이드의 사용기간이나 용량, 운동유발성 천식의 유무, 천식으로 입원한 횟수, 폐기능 등의 의학적 특징보다 오히려 심리상태가 심폐기능과 유의한 연관성을 보인다고 하였다. 이와 같이 천식 환자의 일상생활에서의 심리상태는 환자의 치료에 상당한 영향을 미칠 수 있다.

천식은 지속적인 치료를 필요로 하는 질환으로 적절한 치료를 위해 사회적 지원를 필요로 한다. 즉 가족 구성원, 친구, 동료의 협조는 심리적 천식 유발인자로부터 벗어나는데 도움을 줄 수 있다.

호흡장애가 반복될 경우 불안감이 커지고 심각한 만성질환에 대한 절망감, 우울증을 느끼게 된다. 이러한 감정으로 남들과 다르다는 격리감에 의해 천식증상이 더욱 악화 될 수 있고, 이러한 악순환이 지속되어 간혹 심한 천식으로 죽음을 초래할 수도 있다. 천식의 자각 증상들을 무시하거나, 적절치 않은 자가 치료로 사망할 수 있다. 그 외에도 환자와 치료자의 대립, 부모와 치료자의 대립, 환자와 부모의 대립, 감정적 혼란, 우울 증상, 상실 또는 분리에 대한 감정적 및 행동적 반응들의 병력, 가족 내 협력부족 등이 죽음을 예고하는 심리적 변수로 작용할 수 있다.

천식환자를 관리하는 의사는 잠재적 심리문제들을 파악하기 위한 자세한 문진을 필요로 한다. 즉 자살의 위험요소를 평가하기 위해서는 생활에 흥미를 잃어버리고 있는지, 친구들로부터 고립되고 있는지, 최근 가족이나 친구와의 이별을 경험하였거나 소중한 물건을 잃어 버렸는지 등을 보다 직접적으로 조사하여야 한다. 이와 같이 심리적인 문제에 대한 관심을 인지하고 환자에게 긍정적 사고를 가질 수 있게 하기 위하여 정신건강 관리자가 천식의 공동치료에 포함되어야 한다.

다. 천식에 동반되는 심리적 문제

1) 불안감

천식환자들은 광장공포증(agoraphobia), 공황장애(panic disorder)등의 빈도가 정상인에 비해 높다. 이러한 불안 증상들은 천식 발작을 일으킬 수 있으며, 특히 '공황-공포(panic-fear)' 성격이라는 특별한 정신적인 특성을 보일 수 있다. 즉 이들은 특징적으로 불안하고, 감정적이고, 두려워하며, 천식치료에 있어서 약물을 과다하게 투여하는 경향을 보이고 있어 치료자의 더 많은 관심을 필요로 한다.

2) 우울증

천식 환자에서 우울증은 약 25%정도에서 관찰되며 특히 우울증은 어린 소아에서도 발생할 수 있다. 우울증을 보이는 소아는 성인처럼 자살 충동을 흔히 경험한다. 우울증을 보이는 아동들은 자주 격앙된 정서를 보이며 기면증상 보다는 흥분증상이 관찰되며, 두통, 복통 등의 일반적 신체증상들이 흔하다

라. 심리학적 치료

천식 환자는 의학적 및 심리학적 측면에 대한 지식을 가지고 있거나 적어도 만성 질환 환자들을 다루어 본 경험이 있는 정신 건강 관리자의 협조를 받아야 한다.

1) 심리학적 평가

심리학자에게 의뢰된 후에는 일반적으로 자세한 면담을 포함한 초기 평가가 이루어 져야 한다. 즉 부모들과 다른 가족 구성원들이 직면한 문제점, 이러한 문제점과 관련된 병력, 관찰되는 행동들, 간단한 의식 상태 등에 대한 정보들이 포함된다. 평가를 시작하면서 심

리학자는 환자와 친밀한 치료적 관계를 형성하여야
하며, 환자가 가진 문제점들이 치료받을 필요가 있다
는 것을 환자와 부모에게 인식시켜야 한다.

2) 치료 방법

의사에 의해 인지되기 쉬운 가장 흔한 정서적인 문
제는 불안, 우울증, 그리고 가족 내 갈등 등이 있다.

가) 약물 치료

성인에서의 중증 우울증은 일반적으로 정신치료와
함께 동반된 약물치료를 필요로 하나, 소아나 청소년
에서는 항 우울제의 사용에 대한 연구는 아직 부족한
상태다.

나) 인지 및 행동치료

인지 및 행동치료는 공황장애, 광장 공포증, 외상 후
스트레스 등과 같은 불안 장애의 치료에 매우 효과적
인 것으로 알려져 있다. 약물 치료만큼의 효과를 기대
할 수 있고 부작용 없이 치료에 대한 순응도도 약물치
료보다 높다. 불안을 유발하는 자극이나 상황을 환자
에게 반복적으로 노출시키는 방법 등의 인지 치료와
병행하면 환자들이 불안에 대한 사고를 재구성 하는
데 도움이 된다.

다) 가족 치료

가족은 심리적으로 서로 영향을 줄 수 있는 구성원
으로, 부모의 심리학적 기능이 가족의 안정성과 자녀
의 천식 치료에 영향을 미치는 가장 결정적인 요소이
다. 또한 부모의 심리학적 기능은 자녀의 천식을 잘 감
시하고 적절한 치료시기를 결정하는데 많은 영향을
미친다. 가족 내 갈등이 있는 경우는 천식 환자를 잘
돌볼 수 없으며, 질병의 변화나 스트레스 등 고통을 주
는 상황에 효과적으로 대처할 수 없다. 소아 천식의 성
공적인 치료를 위해서는 환자 개인보다는 가족 단위
에서의 협동적인 노력이 필요하다. 천식 가정들 사이
의 사회적 교류를 위한 프로그램은 천식 아동의 갑작

스런 근심이나 불만 등을 감소시키는 데 큰 역할을 할
수 있다.

8. 치료불응성 천식

천식 환자의 대부분은 경증 또는 중등도의 증상을
가지지만 약 5~10% 정도는 일반적 치료에 반응하지
않는 중증 천식 환자로 이들의 상당수가 치료불응성
천식에 해당하고 이들 환자 중 스테로이드 치료에 더
이상 반응하지 않는 군을 스테로이드 불응성
(refractory asthma) 혹은 스테로이드 저항성 천식이라
한다. NHLBI에서는 천식 전문가에게 위탁 된 병력이
있거나, 고용량의 흡입 제제나 경구용 스테로이드로
치료를 받은 병력, 지속적으로 FEV_1이 70% 이하인 경
우, 지속적인 증상과 생활의 질의 감소가 있는 경우,
이전에 호흡 부전이나, 생명의 위협을 받을 정도의 심
한 발작 등 이런 몇 가지 조건 중 3가지를 만족할 때를
치료불응성 천식이라 하였다. 한편 하루 40 mg이상의
고용량의 경구용 스테로이드를 7일 내지 14일간 사용
후 FEV_1이 최소한 15%의 향상을 보이지 않는 경우 스
테로이드 불응성 혹은 스테로이드 저항성이라는 진단
을 할 수 있다고 하였다.

치료불응성 천식은 어아, 사회·경제적 빈곤층, 2세
이하에서 천식증상이 시작한 경우, 아토피 병력이 있
는 경우, 입원 당시 개나 고양이와 함께 생활한 경우,
소수 민족 등에서 높은 빈도를 보인다. 그 외에도 이들
의 절반이 비만 증세를 가지며, 특히 사춘기에는 우울
증, 불안 등 한 두 가지 이상의 정신 사회적 문제를 동
반한다.

가. 병인

비정상적인 스테로이드의 약리작용 중 경구용 스테
로이드의 빠른 제거는 흡수의 저하, 빠른 배출, 프레드
니손(prednisone)의 프레드니솔론(prednisolone)으로

의 전환 장애등과 관련이 있다. 흡수 저하는 제산제와 같은 약물과의 상호작용의 가능성을 고려하여야 하고, 항경련제 및 리팜핀(rifampin) 같은 항 결핵제는 스테로이드의 빠른 제거와 관련이 있고, 환자의 유전적 소인이 역시 관여할 수 있다. 따라서 빠른 제거와 관련이 있는 약물은 가능하면 투여를 중지하거나 다른 약물로 대체하고, 스테로이드의 용량, 사용 횟수 등을 조절하므로 치료에 도움을 얻을 수 있다.

치료불응성 천식 환자에서 스테로이드 수용체의 수나 결합에 이상이 있거나, 변형된 수용체의 발현의 증가 등이 스테로이드 치료의 반응 저하와 관련될 수 있다.

나. 진단

소아의 경우 흡입용 스테로이드 사용 방법이 적절치 못하고, 치료에 대한 순응도가 떨어져 있는 경우가 많다. 따라서 흡입방법이 적절한지 우선 확인할 필요가 있다. 또한 지속적인 항원 노출이 치료불응성 천식과 관련이 있고 이러한 외적인 요인 이외에 환자가 위식도 역류질환이나, 부비동염이 동반된 천식치료를 어렵게 한다. 그 외에 성대의 기능장애가 치료불응성 천식으로 오인되어 과도한 치료를 받을 수 있다. 따라서 이런 요인들을 찾아내기 위해 다음의 진단적 접근법이 필요하다(표 3-3).

다. 치료

치료불응성 천식환자는 가정이나 클리닉에서 PEFR 등 폐기능을 객관적으로 측정하여 약제의 사용에 관한 주기적인 관찰이 필요하다. 약물치료는 일반적인 천식 치료지침에 준한다. 즉 고용량의 2세대 흡입용 스테로이드제, 류코트리엔 길항제, 테오필린과 함께 경구용 스테로이드의 사용이 필요할 수 있다. 경구용 스테로이드는 환자의 증상과 폐기능, 주기적인 혈중 코티솔 농도를 참조하여 점차 감량해야 하며, 감량 할 경우 환자의 증상이 증가하거나 폐기능이 감소하는

시점에서 역치 용량(threshold dose)을 결정해야 한다. 만일 소아에서 역치 용량(threshold dose)이 2일에 1회 20 mg 이상이면 다른 대체치료를 고려해야 한다. 치료불응성 천식에서 대체약제로 methotrexate나 cyclosporine 등이 사용되기도 하나 그 효과와 안전성에 대해서는 아직 논란이 있다. 그 외에 고용량의 정맥주사용 면역글로불린을 매달 사용할 때 스테로이드 의존 천식환자에서 경구용 스테로이드의 사용량을 1/3로 줄일 수 있고, 증상의 감소 및 PEFR의 호전을 기대할 수가 있다는 보고가 있으나, 비용이 많이 드는 단점이 있다. 항 IgE 주사제가 최근 중등도의 천식 환자에서 흡입 스테로이드의 용량을 감량시키는데 효과적이며 안전하다는 보고가 있으나, 치료불응성 천식 환자의 치료에 어떤 역할을 하는지 앞으로 연구가 더 필요하다. 이외에 경구용 gold (auranofin)와 nebulized lidocaine 의 스테로이드 감량 효과가 보고되었으나 더 많은 연구가 필요하다.

표 3-3. 치료불응성 천식 환자에 대한 진단적 접근법

폐기능 검사
가정이나 클리닉에서의 규칙적인 PEFR 검사
폐용적을 알기위한 body box plethysmography
메타콜린에 의한 기관지과민도검사
면역 및 약물학적 검사
혈중 총 호산구치, 아침 코티솔 농도, 총 IgE 치
흔한 항원에 대한 피부반응검사
유도객담 호산구치 및 호기 nitric oxide치
방사선 검사
흉부 방사선검사
부비동 컴퓨터 단층촬영
고해상 흉부 컴퓨터 단층촬영
기타 검사법
24 시간 식도 pH probe 와 barium swallow
성대기능이상을 보기 위한 Rhinolaryngoscopy

9. 치료

천식 치료의 목적은 급성 천식 증상을 완화시키고 재발과 악화를 예방하여 가능한 한 정상적인 폐기능을 유지시키면서 정상적으로 일상 생활을 유지할 수 있도록 하는 것이다. 또한 치료약제의 부작용을 최소한으로 줄이고 폐기능이 비가역적으로 악화되는 것을 예방하며 천식으로 인한 사망을 최소화하는 것이다.

따라서 급성 천식 발작 시의 증상을 완화시키는 치료와 함께 지속적으로 기도내의 염증을 조절하는 장기적인 유지 치료를 병행하여야 한다.

그러나 소아는 신체적으로나 정신적으로 성장, 발달하는 과정이기 때문에 천식 치료에 대한 효과와 부작용이 성인과는 다른 점이 있어 각별한 주의를 요한다.

천식의 중증도, 치료제의 사용 가능성 여부, 사회 경제적 여건 등을 고려하여 치료를 선택하여야 한다.

가. 천식 치료 약제

천식 약제는 급성 천식 증상을 해소시키는 완화제(reliever)와 알레르기 염증반응을 지속적으로 조절하는 조절제(controller)로 나눌 수 있다. 또한 투여 방법에 따라 경구, 주사제, 흡입약제 등이 있으며, 환자의 중증도나 나이, 약제사용 가능여부 등을 고려하여 선택해야 한다.

1) 증상완화제
가) 속효성 β₂ 항진제

β_2 항진제는 기도의 평활근을 이완시키고 점액섬모운동을 증가시키며 혈관 투과성을 감소시키는 동시에 비만세포, 호염기구로부터의 화학매개체 분비를 억제하여 오랫동안 천식의 주 치료 약물로 사용되어왔다.

특히 속효성 β_2 항진제는 급성 천식 발작시의 증상을 신속히 완화시키기 위한 가장 적절한 약물이며, 운동유발성 천식의 예방에도 사용한다. 경구나 흡입 모두 투여가 가능하지만, 주로 흡입 투여가 선호되며, 흡입 투여가 불가능한 영유아에서 경구제를 투여할 수 있다. 흡입 방법에는 정량분무식 흡입기(metered dose inhaler; MDI)와 분말 흡입기(dry powder inhaler; DPI) 및 네불라이저를 이용하는 방법이 있다.

나) 속효성 테오필린

테오필린은 기도 평활근을 이완시키고 횡경막의 수축력을 증가시켜 기관지를 확장시킨다. 테오필린(80%)에 에틸렌디아민(20%)기를 붙여 수용성으로 만든 아미노필린은 정맥주사가 가능하여 급성 천식 발작에 사용된다. 그러나 유효혈중 농도(5~15 μg/mL)와 부작용을 일으킬 수 있는 농도(> 20 μg/mL)간의 안전역이 좁으며, 개인별로 유효혈중농도에 차이가 있어 일반적인 치료 농도에서도 경미한 부작용을 경험할 수 있다. 오심, 구토, 설사 등 위장관 증상이 흔히 첫 부작용 증상으로 나타나고 그 외에 두통, 불안증, 심계항진 등을 호소하는 수도 있다.

테오필린의 청소율은 소아에서 성인보다 빠르며, 에리스로마이신, 클린다마이신, 린코마이신, 트롤레안도마이신 등 마크로라이드계 항생제나 씨메티딘, 라니티딘 등 H₂-수용체 차단제 등 약물에 의하여 감소된다. 또한 발열, 바이러스성 질환, 간 질환, 심부전, 폐부종을 앓고 있는 경우에도 테오필린 청소율이 감소하므로 감량하여야 한다.

다) 이프라트로피움 브로마이드

흡입성 항콜린제로서 다른 항콜린제에 비하여 기도에 대해 특이성이 높고 심계항진 등의 전신적 부작용이 적다는 장점이 있다.

β_2 항진제에 비하여 기관지 확장 효과가 떨어지며 최대 효과의 발현 역시 약 30~60분으로 늦어 급성 천식 발작에서 1차적으로 선택되는 약물은 아니다. 그러나 β_2 항진제와 병용하면 기관지 확장효과가 상승한다는 보고도 있어 급성 천식 발작에서 보조 약물로 사용하기도 한다.

2) 천식 조절제

가) 스테로이드제

스테로이드 흡입제는 천식조절제로서 1차적으로 선택되어지는 약제이다.

경증 지속성 천식이나 운동유발성 천식의 예방을 위해 스테로이드 흡입제를 저용량으로 사용한다. 중등증 천식 경우 1일 400 μg의 부데소나이드이나 200 μg 이하의 후루티카손을 사용한다. 중증 천식에서는 용량을 증가시킬 수 있으나 1일 총량이 1,000 μg을 초과하지 않도록 한다.

흔한 부작용으로서는 구강 내의 캔디다증, 쉰 목소리, 후두 이물감, 기침 등이 있다. 구강 내 캔디다증은 스페이서를 사용하거나, 매 흡입마다 입을 헹구면 예방할 수 있다.

스테로이드 흡입제의 장기 사용이 성장에 큰 영향이 없다고 보고되어 있으나 고용량을 장기간 사용하는 경우에는 주의를 요한다. 그러나 소아에서 천식이 적절히 조절되지 않으면 천식 자체만으로도 성장 장애를 초래할 수 있으므로 스테로이드의 투여 용량과 기간은 개별적으로 평가되어야 한다.

니) 비스테로이드성 항염증제

크로몰린 소디움과 네도크로밀 소디움은 비만세포막을 안정시켜 화학매개체의 분비를 억제시킴으로써 항알레르기 작용을 나타낸다. 알레르기 조기반응과 지연반응 모두를 예방할 수 있다. 흡입용 스테로이드에 비해 효과는 떨어지나 소아에서 안전하게 사용할 수 있다.

다) 서방형 테오필린

최근 테오필린이 기관지 확장 효과 이외에도 항염증 작용이 있다고 보고되어 증상 조절제로서의 역할이 부각되고 있다. 테오필린의 항염 효과는 최대 기관지 확장효과의 절반 농도에서 나타난다. 서방형 테오필린은 경증 지속성 천식소아에서 유지요법으로 스테로이드 흡입제 대용으로 사용될 수 있으며, 스테로이드 흡입제와 병용해서 add-on therapy로 사용할 수도 있다. 고농도로 장기간 투약하면 집중력이나 인지력의 저하를 초래할 수도 있으며 위식도역류를 악화시키기도 한다.

라) 지속성 β_2 항진제

지속성 β_2 항진제는 기관지확장 발현시간이 느리므로 급성 천식 발작에는 사용하지 않는다. 지속형 β_2 항진제의 기관지확장효과는 12시간 정도 지속하므로 야간 천식이나 운동유발성 천식의 예방 약제로 또는 중등증 혹은 중증 지속성 천식에서 스테로이드 투여와 함께 장기간 증상 조절약제로서 사용된다.

부작용은 속효성 β_2 항진제와 유사하게 빈맥, 손떨림 등 교감 신경계 항진 증상과 두통이 있다. 최근에는 스테로이드 흡입제와 함께 제조된 복합제가 개발되어 시판되고 있다.

마) 류코트리엔 수용체 길항제

류코트리엔 수용체 길항제는 기관지 점액분비와 호산구의 화학주성을 억제하여 항알레르기 작용을 나타낸다. 폐기능을 호전시키고 증상 발작 횟수와 속효성 β_2 항진제의 사용을 줄일 수 있으며 경증 및 중등증 환자에서 스테로이드와 함께 사용할 경우 스테로이드 용량을 줄일 수 있다.

급성 천식 발작에는 도움이 되지 않으며 운동유발성 천식, 아스피린 과민성 천식에 사용될 수 있다. 효과는 투약 후 수 시간이나 수일이 걸리므로 급성 천식 발작의 완화제로는 사용하기 어렵다.

나. 급성 천식발작의 치료

급성 천식발작 시에는 천명의 유무 및 정도, 심박수, 호흡수, 흉곽 함몰과 동맥혈 산소포화도, 폐기능 검사 소견 등 전체적인 환자 상태를 기준으로 중증도를 판단하여 즉각적으로 이에 적절한 치료를 시작하여야 한다(표 3-4). 발작 이전에 치료를 받고 있던 환자의

표 3-4. 급성 천식 발작의 중증도 분류

	경증	중등증	중증	천식지속상태
호흡곤란	걸을 때	말할 때 영유아-짧게 기침 잘 먹지 못함	쉴 때 영유아-먹지 못함	
	누울 수 있음	앉는 자세가 편함		
대화	문장을 말함	구절로 끊어짐	단어만 말할 정도	
정신 상태	초조할 수 있음	계속 초조	계속 초조	혼미한 상태
흉골 함몰	거의 없음	항상	항상	역리적 호흡
천명	중등도, 호기시	크게 들림	항상 크게 들림	천명이 안 들림
분당 맥박수	<100	100~120	>120	서맥
역리 맥박	없음 <10 mmHg	가끔 10~25 mmHg	가끔 20~40 mmHg	호흡근피로에 의해 소실
최대호기속도 (기관지확장제 후)	>80%	60~80%	<60%	
PaO₂	정상	>60 mmHg	<60 mmHg 가끔 청색증	
PaCO₂	<45 mmHg	<45 mmHg	>45 mmHg	
SaO₂	>95%	91~95%	<90%	

탄산과잉증(hypercapnea)이 성인보다 소아기에서 잘 나타남

경우에는 이전의 치료를 재점검하여 치료 약제의 선택과 용량을 다시 고려하여야 한다.

1) 경증 발작

경증 발작은 대부분 β₂ 항진제 흡입만으로도 호전된다. β₂ 항진제는 증상에 따라 30분~1시간 간격으로 반복 흡입시킬 수 있다. 약 15분에서 1시간 정도 관찰하여 증상이 호전되면 환자나 부모에게 교육을 시키고 통원 치료를 하도록 한다.

2) 중등증 발작

산소를 분당 2~3 L/min으로 투여함이 바람직하며 정맥 수액 공급이 필요하다. 치료는 기관지확장제와 항염증제를 병용 투여하여야 한다. 우선 β₂ 항진제를 네뷸라이저로 필요에 따라 30분~1시간마다 반복적으로 흡입시키면서 관찰하여 환자 상태가 호전되지 않으면 아미노필린 4~6 mg/kg를 부하량으로 정맥주사하고 유지량으로 0.6~1.0 mg/kg/hr를 환자의 나이와

제반 사항을 고려하여 투여한다. 발작 전 4시간 이내에 이미 경구용 서방형 테오필린을 복용한 환자는 혈중 농도를 고려하여 부하량을 반으로 줄이거나 생략할 수 있다.

적어도 1시간마다 환자 상태와 치료 효과를 재평가하여 치료에 반응이 없을 때에는 반복하여 β₂ 항진제를 흡입시키고 테오필린은 혈중 농도가 15~20 μg/mL를 초과하지 않도록 조절한다.

환자가 호전되면 경증 발작 치료단계로 약제 용량을 낮출 수 있고, 치료에 반응이 없거나 오히려 증상이 심해지면 중증 발작 단계로 치료를 강화시키거나 입원 치료를 고려해야 한다.

3) 중증 발작

산소 투여와 수액 공급이 요구된다. 네뷸라이저로 β₂ 항진제를 20~30분 간격으로 흡입시키고 아미노필린 부하량을 중등증 발작 때와 동일하게 투여하면서 호흡과 맥박의 변화를 관찰한다. 특히 기도가 심하게

좁아져 있는 경우에는 우선 1:1,000 에피네프린이나 터부탈린 주사액(0.01 mL/kg, 최대 0.3 mL)을 피하 주사하여 기도를 넓힌 후 네뷸라이저로 β_2 항진제를 흡입시키는 것이 더욱 효과적이다. 메틸프레드니솔론(솔루메드롤) 1~2 mg/kg를 5~8시간마다 정맥주사하면서 증상 호전에 따라 감량 또는 중단한다. 경증 발작이나 중등증 발작에서는 과호흡으로 인한 호흡성 알칼리혈증이 초래될 수도 있으나 기도폐쇄가 심한 발작에서는 대사성 산혈증($PaCO_2 > 40$ mmHg)을 보이며, 흔히 영아기에서는 젖산의 증가로 인한 대사성 산혈증이 동반되므로 7.5% $NaHCO_3$ 1 mg/kg를 서서히 정맥 주사하는 것이 필요하다.

4) 치명적 발작

치료에 잘 반응하지 않는 호흡 곤란이 지속되는 상태로서 경우에 따라 천명이 들리지 않을 수도 있다. 환자를 입원시켜 활력 증후, 진찰 소견과 임상 증상을 면밀히 관찰하여야 한다. 급성 천식 발작의 과거력과 이전에 반응이 있었던 약제에 대한 정보가 치료를 결정하는 데 도움이 된다. 저산소증이 있으므로 산소 투여와 수액 공급이 필수적이다.

네뷸라이저로 β_2 항진제를 매 20분마다 지속적으로 폐기능이 호전될 때까지 흡입시키며, 메틸프레드니솔론 1~2 mg/kg을 매 6시간마다 주사하고 아미노필린을 지속적으로 정맥투여한다. 이때 최대호기속도와 동맥혈 가스 소견 그밖에 임상 상태를 재평가하여야 한다. 치명적 발작에서는 환자의 상태에 따라 기계적 환기 요법을 고려해야 한다.

다. 장기적 유지치료

급성 천식 증상이 조절되면 천식 증상의 재발을 막고 폐기능을 가능한 한 정상으로 유지하여 일상 생활에 지장이 없도록 유지치료를 하여야 한다. 유지치료는 환자의 중증도에 따라 사용약제의 종류와 용량이 다르게 적용되어야 하며 경과에 따라 적절히 단계를 조절해야 한다. 최상의 상태가 3개월 정도 유지되면 용량을 단계적으로 감소하여 약물의 부작용을 최소화하여야 한다.

천식은 다양한 요인에 의하여 유발될 수 있으므로 유지요법을 받고 있는 상황에서도 천식 발작이 일어나거나 악화될 수 있다. 이런 경우에는 새로운 유발 인자에 노출되지 않았는지, 약물의 투여 방법이 적절한지를 확인한 후 약물의 용량을 증가시키고 투여 기간도 늘린다.

유지요법은 여러 종류의 약물을 복잡하게 투여하는 것보다는 가능한 한 간단하고 단순하게 처방하고 투여 횟수도 1일 3~4회보다는 1~2회로 줄여 장기간 사용하기가 쉽게 한다(표 3-5).

1) 경증 간헐성 천식

경증 간헐성 천식은 증상이 주 1회이고, 야간 증상이 월 2회 이하이며, 최대호기속도 또는 1초간 노력성 호기량이 예측치의 80% 이상인 경우로 장기적인 유지 치료가 필요 없이 속효성 β_2 항진제의 간헐적 흡입만으로도 호전된다.

경구용 β_2 항진제는 흡입제보다 효과도 떨어지고 부작용도 더 흔하나 투약이 편리해서 흡입제 사용이 용이하지 않은 경우에 사용할 수 있다.

2) 경증 지속성 천식

증상은 가볍지만 천식 증상이 주 2~6회 있거나, 야간 발작이 월 3~4회 있으며, 최대호기속도나 1초간 노력성 호기량이 예측치의 80% 이상이지만 일중변동률이 20~30%인 경우는 경증 지속성 천식에 해당한다.

이 경우는 저용량의 흡입용 스테로이드가 추천된다. 그 외에 크로몰린이나 서방형 테오필린, 경구용 항알레르기약제, 류코트리엔 수용체 길항제가 대신 사용될 수 있다.

3) 중등증 지속성 천식

거의 매일 천식 증상이 있고, 야간 발작이 주 1회 이

표 3-5. 천식의 중증도에 따른 유지 치료

중증도	임상 소견	일일 천식 조절제 용량	다른 치료약제
제1단계 간헐성 천식	증상 주 1회 야간발작 월 2회 이하 PEFR >80% 예측치 일중변동률 <20% 증상 주 2~6회	필요 없음	
제2단계 경증 지속성 천식	야간발작 월 3~4회 PEFR >80% 예측치 일중변동률 <20~30%	스테로이드 흡입제 (100~400 μg 부데소나이드)	서방형 테오필린, 또는 크로몰린, 또는 류코트리엔 수용체 길항제
제3단계 중등증 지속성 천식	거의 매일 증상 야간발작 월 5회 이상 PEFR 60~80% 일중변동률 >30%	스테로이드 흡입제 (400~800 μg 부데소나이드)	스테로이드 흡입제(<800 μg)와 지속성 β₂ 항진제, 또는 스테로이드 흡입제의 고용량 (>800 μg) 투여, 또는 스테로이드 흡입제(<800 μg)와 류코트리엔수용체 길항제

제4단계
중증 지속성 천식
	지속적인 증상
	잦은 야간발작
	치명적 발작
	PEFR <60% 예측치
	일중변동률 >30%
		스테로이드 흡입제
		(>800 μg 부데소나이드)와 함께
		아래 약제를 병용
		  서방형 테오필린
		  지속성 흡입 β₂ 항진제
		  류코트리엔 수용체 길항제
		  경구용 스테로이드제	

모든 단계: 매일 천식 조절제를 추가할 경우 흡입용 속효성 β2 항진제는 증상을 완화시키기 위해 필요시 사용하여야 하며, 하루 3~4회 이상 초과되지 않도록 한다.
모든 단계: 최소 3개월 간 증상이 호전된 경우 유지요법을 위한 최소 용량을 유지하기 위하여 점차적으로 유지요법을 감소시켜야 한다.

상이며, 최대호기속도나 1초간 노력성 호기량이 예측치의 60~80%이며 일중 변동률이 30% 이상인 경우는 중등증 지속성 천식으로서 스테로이드 흡입제가 1차 선택약제이다.

특히 야간 증상이 있을 경우, 지속성 β₂ 항진제를 경구 또는 흡입제로 투여하거나 서방형 테오필린을 경구 투여할 수 있다. 속효성 β₂ 항진제를 필요에 따라 간헐적으로 흡입하거나 경구용 스테로이드가 단기간 필요한 경우도 있다. 약 1~3개월 간격으로 증상 호전 및 최대호기속도 기록을 참조하여 평가한 후 투여 약제를 조절한다.

4) 중증 지속성 천식

지속적으로 증상이 있고 잦은 야간 발작이 있어 일상생활에 지장을 초래하는 경우나 1초간 노력성 호기량이나 최대호기속도가 예측치의 60% 미만이며 일중 변동치가 30% 이상인 경우를 중증 지속성 천식이라고 한다.

중증 지속성 천식에는 고용량의 스테로이드 흡입제를 투여하거나 혹은 경구제를 1~2 mg/kg으로 5일 간

사용한 후 격일로 감량한다

라. 특수 상황의 치료

1) 수술

천식이 있는 소아에서는 기도의 과민반응, 점액 과잉 분비, 기도 협착 등이 예상되기 때문에 수술 동안이나 수술 후에 호흡기 후유증이 나타날 수 있다. 이 후유증은 천식의 중증도, 수술의 종류나 수술 시간 그리고 마취 종류에 따라 다르다. 이러한 여러 변수 때문에 수술하기 전 환자의 병력이나 이학적 소견, 폐기능 측정이 요구된다. 필요하다면 수술 시기를 늦추고라도 철저히 검사를 하여야 한다. 만약 FEV_1이 80% 미만인 경우에는 기도 협착을 방지하기 위하여 적절한 스테로이드제가 필요하다. 지난 6개월 내에 스테로이드를 전신적으로 처방받은 경우에는 수술기간 동안 전신적 스테로이드제 투여가 필요하며(즉, 매 8시간마다 hydrocortisone 60 mg/m² 정주), 수술이 끝난 후 24시간 내에 즉시 스테로이드제 용량을 줄인다. 오랫동안 스테로이드제를 사용하게 되면 수술부위의 치유가 늦어질 수 있게 된다.

2) 운동

운동은 천식악화의 중요한 원인 중 하나이다. 운동으로 인한 기도 협착은 운동 후 5~10분 사이에 발생하며 대부분은 치료하지 않아도 30~45분 내에 좋아지게 되는데 이를 '운동유발성 천식'이라고 한다. 이는 건조하고 차거운 날에 운동하는 경우 자주 일어나게 되며, 따스하고 습한 날씨에는 비교적 덜하다.

운동하기 전에 속효성 β_2 항진제를 흡입함으로써 천식발작을 예방할 수 있다. 최근에는 크로몰린 소디움, 네도크로밀, 항콜린제, 테오필린, 스테로이드흡입제, 항히스타민제, 항류코트리엔, 지속성 β_2 항진제 등이 운동성 천식을 조절할 수 있다고 보고되고 있다.

그 외에도 운동하기 전에 충분한 준비운동과 훈련을 함으로써 천식 증상의 악화와 빈도를 억제할 수 있다.

3) 비염과 부비동염

가) 비염

천식과 비염이 공존하는 경우가 종종 있는데 이는 집먼지진드기, 동물의 털, 화분 등 공통적인 알레르겐이 기도 뿐 아니라 코에도 동시에 영향을 미칠 수 있기 때문이다. 대개 알레르기성 천식의 75%, 비알레르기성 천식의 80%에서 계절성 혹은 연중 알레르기비염을 갖고 있다고 알려져 있다. 비염을 치료함으로써 천식 증상을 호전시킬 수 있다.

나) 부비동염

부비동염은 알레르기비염, 비 용종, 상기도 감염 등의 후유증으로 올 수 있으며, 천식을 악화시킬 수 있다. 비염을 갖고 있는 환자에서 동반되는 경우가 많다. 치료로는 최소한 10일 이상의 항생제투여가 필요하며, 비충혈제나 스테로이드비액 등을 추가하여 비충혈을 억제할 수 있다.

4) 호흡기 감염

호흡기 감염은 소아 천식 발작과 아주 밀접한 관계가 있다. 연구에 따르면 호흡기바이러스 종류에 따라 천식발작 정도가 다를 수도 있다고 알려져 있다. 일반적으로 가장 잘 알려진 바이러스로는 영유아기에는 respiratory syncytial virus이며, 소아기나 성인에서는 rhinovirus이다. 그 외 parainfluenza, influenza, adenovirus, coronavirus인 경우 천식 증상을 악화시킬 수도 있다. 이러한 바이러스에 의해 악화된 천식인 경우도 일반 천식과 마찬가지로 β_2 항진제나 스테로이드흡입제 등을 사용하여 증상을 억제할 수 있다.

5) 위식도 역류

천식이 있는 아이에서 위식도 역류의 빈도가 3배가 높은 것으로 알려져 있으나 야간 천식 증상악화와 위식도 역류와의 관계는 아직도 논란이 많다. 아미노필린 등과 같은 메틸잔틴계를 사용하게 되면 하부 식도 괄약근이 이완되어 위식도 역류 증상이 악화될 수도 있다.

위식도 역류는 식도 pH와 폐기능을 측정하여 진단할 수 있다. 음식을 적게 먹고 식사를 여러번 나누어 하고, 식사중간이나 취침 전 간식을 피하고, 테오필린, 경구용 β_2 항진제 등을 피하면서 H2 길항제 등을 복용하거나 잠잘 때는 머리를 올려줌으로써 하부 식도압을 증가시켜 위식도 역류를 방지할 수 있다. 이러한 치료가 효과가 없을 경우에는 수술도 고려할 수 있다.

6) 아나필락시스

아나필락시스는 생명을 위협하는 가장 위험한 상황이다. 아나필락시스는 면역치료의 알레르겐, 식품알레르기, 예방접종, 곤충 등에 물리는 경우, 라텍스 과민반응, 페니실린과 같은 약물알레르기, 운동 등에 의해 발생될 수 있다. 아나필락시스의 증상은 얼굴이 붉어지면서 가려워하고, 두드러기나 혈관 부종 등 피부증상과 쉰 목소리나 호흡곤란, 천명, 무호흡 등 호흡기증상 뿐 아니라 저혈압, 어지러움, 실신 등의 증상과 구토, 오심, 설사, 복통 등 소화기 증상을 나타내기도 한다. 운동유발성 아나필락시스는 식품알레르기나 약물알레르기와 연관되는 경우도 있다. 아나필락시스와 천식발작이 동반되는 경우 에피네프린이나 항히스타민 주사, 부신피질호르몬 정주 등이 필요하다. 필요한 경우 증상 악화를 막거나 예방을 위하여 휴대용 에피네프린(EpiPen® 등)을 소지할 필요가 있다.

10. 천식 교육

예전에는 환자 자신이 자신의 병에 대하여 충분히 이해하고 있기보다는 의사의 치료에 무조건 따르는 경향이 있었으나, 정보 사회인 현대에는 여러 가지 다양한 매체로부터 수많은 의료 정보가 쏟아져 나오고 있으므로 정확한 정보를 확실히 알려주어야 할 필요성이 제기되고 있다. 또한 최근에는 'informed consent' 라는 개념이 보급되면서 환자를 치료하는 데에도 환자의 동의를 구하여야 하는 경우도 많아지고 있으며, 다양한 의료 정보와 급속히 발전하는 새로운 지식들을 정리하여 환자 치료에 적절히 응용하는 것이 효과적인 치료를 하기 위해서 매우 중요하다.

가. 교육의 필요성

기관지천식은 그 원인이나 발생 기전이 매우 다양하며, 만성적인 경과를 취하고, 나타나는 증상이나 치료 방법도 환자 개개인에 다라 모두 다르다. 그러므로 의사를 포함한 모든 의료인들, 환자와 그 가족이 충분한 교육을 통하여 천식에 대한 정확한 지식을 갖고, 환자 개개인의 특성을 잘 파악하여 적절한 치료 방법을 세워 끈기 있게 치료에 임할 수 있도록 직접 또는 간접적으로 협조하는 것이 가장 중요하다.

나. 교육의 내용과 그 대상

1) 의료진에 대한 교육

천식 환자 교육을 성공적으로 시행하기 위하여는 모든 의료진들이 공통된 인식을 갖고 치료에 임하는 자세가 필요하다. 기관지천식과 같은 만성 질환을 앓고 있는 환자들일수록 여러 병원을 찾아 돌아다니고, 여러 의사들을 통하여 그 질환에 대한 정보를 얻게 되므로 이런 경우에 각기 다른 의견을 접하게 되면 치료에 혼란을 가져와 꾸준한 치료를 할 수 없게 되는 경우가 많기 때문이다. 이런 혼란을 막기 위한 방법의 하나로 천식의 진단 및 치료에 대한 지침(guideline)을 이용하는 방법이 있다. 지침서를 통해서 천식의 진단 및 치료에 대한 기본적인 지침이 공통적이어야 하며, 이것을 기본으로 하여 환자 개개인의 특성을 살린 치료 방침이 정해져야 한다.

의료진의 교육, 환자의 교육은 의사가 중심이 되어야 하며, 그 외에 환자와의 접촉이 많은 간호사, 약제사, 검사실 요원(폐기능 검사, 알레르기 피부시험 등), 훈련요법사 및 임상심리사들이 팀을 이루어 담당하여야 효과적이다. 그러나 모든 의료진이 천식에 대하여 충분히 이해하고 있는지의 여부와 숙련된 사람들이 언제라도 환자 지도를 할 수 있도록 시간적으로 가능한지 등에 따라 교육의 효과는 달라질 수 있다.

2) 임상심리사의 역할

천식과 같은 만성 질환의 치료에 있어서는 약이나 주사 등 좁은 의미의 치료 뿐 아니라, 증상 악화시의 대처법, 투약 방법(흡입 지도 포함), 환경 정비, 식사 등 환자와 그 가족 전체의 일상 생활 지도에 대한 교육이 강화되어야 한다. 이러한 교육은 의사와 간호사 등 직접 환자를 치료하는 의료진 외에도 임상심리사가 담당하여야 하는 분야이기도 하다. 임성심리사의 역할을 통하여 환자 개개인이 만성 질환으로부터의 불안감과 정신적 스트레스를 해소하고, 가족내에 그리고 의료진과 환자사이의 협력 관계의 중요성을 인식시킨다. 따라서 자가관리(self management)의 능력을 향상시킬 수 있을 것이다.

3) 환자 및 가족에 대한 교육

환자 본인의 천식 정도와 발작 양상 등을 정확히 파악하고 적절한 치료를 위한 실제적인 방법을 터득할 수 있도록 교육하여야 한다. 특히 장기적인 유지 및 예방 치료를 꾸준히 할 수 있도록 치료의 순응도를 높일 수 있는 방법을 제시하고 습득시켜야 한다.

다. 교육의 방법

1) 의료진에 대한 교육

대학에서의 의학 교육의 연장으로 시행할 수 있다. 각종 집담회나 연수 강좌, 강습회 등을 통하여 정기적으로 지속적인 교육을 실시하여야 한다. 표준화된 지침서에 기초를 한 기본적인 교육과, 환자 증례를 중심으로 한 교육, 각종 약제 및 수기에 대한 실기 교육이 병행되어야 한다.

2) 환자 및 가족에 대한 교육

신문, 잡지 등 활자화된 매체, TV와 라디오, 인터넷 등의 다양한 정보 매체를 이용할 수 있다. 그러나 매체를 통한 교육은 정확한 정보만을 제공하기보다는 미확인, 부정확한 정보도 제공할 수 있으므로 각별한 통제가 필요하다. 의료진과의 직접 대화를 토한 교육이 가장 효과적이며 정확할 수 있다. 이 방법으로는 천식 교실, 천식 환자 동우회 모임 등의 소규모 교육 프로그램과 천식 캠프 등 일정 규모의 집단교육 프로그램이 있을 수 있다.

각종 팜플렛, 치료 지침서, 설명서 등을 이용한 간접 교육도 도움이 된다.

천식 공개강좌 등을 통한 집단 교육은 많은 환자를 대상으로 교육시킬 수 있는 장점이 있으나, 개별적인 교육 효과가 미흡할 수 있으므로 정기적으로 실시하는 것이 효과적이다.

3) 일반인에 대한 교육

신문이나 잡지, TV 등의 다양한 정보 매체를 통하여 홍보 교육한다. 일반인들의 교육은 천식환자를 이해하고 치료할 수 있는 제반 여건을 조성하는데 도움이 되므로 장기적으로 꾸준히 시행되어야 한다.

11. 치료 순응도의 개선

순응도가 좋은 경우는 환자가 의사와 합의된 치료를 올바로 따르는 상태라고 말 할 수 있다. 그러나 천식 환자의 치료에 대한 순응도는 여러 요인들에 의해 감소될 있다(표 3-6). 그러므로 순응도를 개선시키기 위해서는 다음과 같은 노력이 필요하다. 처방된 약제의 사용법을 수시로 확인하고, 남은 약의 수 혹은 약물 농도 검사로 확인한다. 또한 임상적으로는 환자가 실제로 얼마나 자주 증상완화제를 흡입 또는 복용 하였는지 등을 질문하여 확인할 수 있다. 성인과 소아들을 대상으로 한 연구결과 정기적인 예방약물 치료와 관련된 비순응도(noncompliance)가 약 50%이었다.

소아의 경우에는 천식을 포함한 알레르기질환의 예방을 위한 방법이 포함되어야 한다.

천식의 발생기전에 대한 기본적인 개념을 이해시키도록 한다. 천식의 치료에 사용하는 약제에 대하여 교육한다. 약제의 사용은 단계적으로 증상이나 천식의 정도에 따라 조정하는 것임을 주지시킨다. 천식 발작을 유발시키는 원인, 천식이 악화되는 증상 등을 정확히 파악할 수 있도록 교육하여 곧 대처할 수 있도록 한다. 일반적인 또는 환자 개개인의 천식 유발 인자 및 증상 악화 요인들을 파악할 수 있도록 알려주어야 한다. 약제의 사용법에 대한 지도를 한다. 약제의 종류, 형태, 작용 기전, 치료 적응증, 부작용 등을 교육한다. 흡입제의 정확한 사용법을 지도하고, 자주 확인하는 것이 중요하다. 최대호기유량계(peak flow meter)의 사용법과 이용법을 교육한다. 증상 일기와 작성법과 이용법을 교육한다. 운동유발성 천식에 대하여 교육하고 예방법을 알려준다. 환경 요법에 대해 교육한다. 소아 천식의 경우에는 천식의 빈도 및 호발연령, 유발

인자 등이 성인과 다른 점을 교육시키고, 자연 경과에 대하여도 알려주도록 한다. 훈련요법에 대해 교육한다. 무엇보다도 환자 자신의 치료하려는 의지, 행동 및 생활 태도의 변화가 중요하다는 것을 인식시킨다.

참고문헌

1. 신충호, 고영률. 천식 환아에서 반복 운동에 의한 기관지 수축의 불응성에 관한 연구. 소아알레르기 및 호흡기학회지 1995;5:61-72.

2. 정순미, 정지태. 소아천식관리에 대한 어머니의 인식도 조사. 소아알레르기 및 호흡기학회지 1996;6:92-104.

3. 편복양. 천식환자교육. 알레르기 1996;16:3-7.

4. 편복양. 중증 천식. 소아알레르기 및 호흡기학회지 2001;11:1-6.

5. 현재호, 이준성. 세기관지염에서 Interleukin-5와 RANTES 생성에 미치는 Respiratory Syncytial 바이러스의 영향. 소아알레르기 및 호흡기학회지 2001;11:33-40;

6. 대한 소아알레르기 및 호흡기학회. 소아 천식 진료 가이드라인. 서울. 군자출판사, 2003.

7. 서동인, 유영, 김도균, 유진호, 강희, 고영률. 학령전기 아동의 천식 진단에서 흉부 청진과 산소 포화도를 이용한 기관지과민성 측정의 진단적 의의. 소아알레르기 및 호흡기학회지 2004;14:133-41.

8. Toogood JH, Jennings B, Baskerville J, et al. Clinical use of spacer systems for corticosteroid inhalation therapy: a preliminary analysis Eur J Respir Dis Suppl 1982;122:100-7.

9. Lewis CE, Rachelefsky GS, Lewis MA. A randomized trial of act(asthma care training) for kids. Pediatrics 1984;74:478-86.

10. Gustafsson PA, Kjellman M, Cederblad M. Family therapy in the treatment of severe childhood asthma. J Psychosom Res 1986;30:369-74.

표 3-6. 순응도를 감소시키는 요인들

약물 관련 요인
흡입기구 사용의 어려움
투약횟수나 약물의 종류가 너무 많은 경우
부작용
약물 비용의 부담
약물에 대한 낮은 선호도
약물외 요인
사용방법을 알려주지 않았거나 잘못 알고 있는 경우
부작용에 대한 염려
의료진에 대한 불만족
치료효과에 대한 부적절한 기대
질병상태나 치료에 대한 불만
심하지 않다고 생각함
학교나 사회로부터의 소외감
부주의하거나 괜찮다는 생각
종교적인 문제
막연한 두려움

11. Wilson-Pessano SR, Mellins RB. Workshop in asthma self management. J Allergy Clin Immunol 1987;80:487-90.

12. Sly RM, Shapiro GG. Principles of Diagnosis and Treatment of Allergic Diseases. In Bierman CW, Pearlman DS (ed): Allergic Diseases form Infant to Adulthood. 2nd ed. p217-38, WB Saunders Co. Philadelphia 1988.

13. Hill MR, Szefler SJ, Ball BD, et al. Monitoring glucocorticoid therapy: a pharmacokinetic approach Clin Pharmacol Ther 1990;48:390-8.

14. Hargreave FE, Dolovrich J. The assessment and treatment of asthma. J Allergy Clin Immunol 1990;85:1098-111.

15. Whelan AM, Hahn NW. Optimizing drug delivery from metered-dose inhalers DICP 1991;25:638-45.

16. National Asthma Education Program. Patient Education. NIH Publication No. 91-3042, Bethesda, Maryland 1991.

17. Sher ER, Leung DYM, Surs W, et al. Steroid-resistant asthma: cellular mechanisms contributing to inadequate response to glucocorticoid therapy J Clin Invest 1994;93:33-9.

18. Woolcock AJ, Jenkins C. Asthma-Diagnosis, Management and Outcome. In Holgate S, Church MK (ed): Allergy. p14.1-14.12, Gower Medical Publishing, London 1994.

19. Lane SJ, Arm JP, Straynov DZ, et al. Chemical mutational analysis of the human glucocorticoid receptor cDNA in glucocorticoid-resistant bronchial asthma Am J Respir Cell Mol Biol 1994;11:42-8.

20. Stephen JG, Edwin BF, Robert CS. Identification and management of psychosocial factors. In: Bierman CW, Pearlman DS, Shapiro GG, Busse WW. Allergy, Asthma, and Immunology from infancy to adulthood. 3rd ed. Philadelphia: W.B.Saunders Co, 1996:256-67.

21. Leung DYM, Hamid Q, Vottero A, et al. Association of glucocorticoid insensitivity with increased expression of glucocorticoid receptor beta J Exp Med 1997;186:1567-74.

22. The International Study of Asthma and Allergies in Childhood (ISAAC) Steering Committee. Worldwide variation in prevalence of symptoms of asthma, allergic rhinoconjunctivitis, and atopic eczema: ISAAC. Lancet 1998;351:1225-32.

23. Martinez FD, Helms PJ. Types of asthma and wheezing. Eur Respir J supple 1998;27:S3-8.

24. Gern JE, Busse WW. The role of viral infections in the natural history of asthma. J allergy Clin Immunol 2000;106:201-12.

25. The Childhood Asthma Management Program Research Group. Long term effects of budesonide or nedocromil in children with asthma. N Engl J Med 2000;343:1054-63.

26. Bratton DL, Hanna PD. Gastroesophageal reflux in severe asthma. In Leung DYM, Szefler S, eds: Severe asthma, New York, 2001, Marcel Dekker.

27. Bratton DL, Price M, Gavin L, et al: Impact of a multidisciplinary day program on disease and healthcare costs in children and adolescents with severe asthma: a two-year follow-up study, Pediatr Pulmonol 2001;31:177-89.

28. Busse WW, Banks-Schlegel S, Wenzel SE. Pathophysiology of severe asthma J Allergy Clin Immunol 2000;106:1033-42.

29. Bruce GB. Psychosocial factors mediating asthma treatment outcomes. In: Textbook of Pediatric Asthma An International Perspective. Naspitz CK, Szefler SJ, Tinkelman DG, Warner JO:Martin Dunitz Ltd, 2001: 293-307.

30. Lee SI, Shin MH, Lee HB, Lee JS, Son BK, Koh YY,

Kim KE, Ahn YO. Prevalences of symptoms of asthma and other allergic diseases in Korean children: a nationwide questionnaire survey. J Korean Med Sci 2001;16:155-64.

31. Roche WR, Jeffery PK. Remodelling and inflammation. In: Silverman M, editor. Childhood asthma and other wheezing disorders. London: Arnold 2002;93-105.

32. GINA: Global strategy for asthma management and prevention. NIH National Heart Lung and Blood Institute. 2002. NIH Publication No.02-3659.

33. Martinez FD. Development of wheezing disorders and asthma in preschool children. Pediatrics 2002;109:362-7.

34. Covar RA, Spahn JD, Szefler SJ. Special considerations for infants and young children. In: Leung DYM, Sampson HA, Geha RS, Szefler SJ, editors. Pediatric allergy: principles and practice. St Louis: Mosby 2003:379-91.

35. Global Initiative for Asthma: Global strategy for asthma management, Washington, DC, February 2002, U.S. Department of Health and Human Services. NIH Pub No. 02-3659.

36. McFadden ER. Exercise Induced Airway Narrowing: Adkinson F: Middletone's Allergy p1323-32.

37. Busse WW, O'Bryne PM, Holgate ST. Asthma pathogenesis. In: Adkinson NF, JR, Yunginger JW, Busse WW, Bochner BS, Holgate ST, Simons FE, editors. Middleton' s Allergy, Principles & Practice. Philadelphia: Mosby 2003;1175-208.

38. S-J Hong, S-W Kim, J-W Oh, Y-H Rah, Y-M Ahn, K-E Kim et al. The validity of the ISAAC written questionnaire and the ISAAC video questionnaire (AVQ 3.0) for predicting asthma associated with bronchial hypersensitivity in a group of 13-14 year old Korean school children. J Korean Med Sci 2003;18:48-52

39. Godfrey S. Exercise Induced Asthma. In: Barnes PJ, Grunstein MM, Leff AR, Woolcock AJ: Asthma p1105-19.

40. Macaubas C, Dekruyff RH, Umetsu DT. Immunology of the asthmatic response. In; Leung DYM, Sampson HA, Geha RS, Szefler SL. Pediatric Allergy; Principles and Practice. St Louis; Mosby 2003;337-49.

41. Busse WW, Rosenwasser LJ. Mechanism of asthma. J Allergy Clin Immunol 2003;111:s799-804.

42. Macaubas C, DeKruyff RH, Umetsu DT. Immunology of the asthmatic resonse. In: Leung DYM, Sampson HA, Geha RS, Szefler SJ, editors. Pediatric Allergy. Principles and Practice. St. Louis: Mosby 2003;337-49.

43. S-J Hong, S-W Kim, J-W Oh, Y-H Rah, Y-M Ahn, K-E Kim, SI Lee. The validity of the ISAAC written questionnaire and the ISAAC video questionnaire (AVQ 3.0) for predicting asthma associated with bronchial hypersensitivity in a group of 13-14 year old Korean school children. J Korean Med Sci 2003;18:48-52.

제4장

비염

1. 정의 및 역학

가. 정의

비염은 코를 덮고 있는 점막에 염증이 생긴 것으로서 재채기, 가려움, 콧물과 코막힘 같은 증상이 하나 이상 나타나는 것이 특징이다. 비염은 눈과 귀와 인두의 증상이 보통 같이 나타난다.

소아에서 비염의 원인은 매우 다양하다. 전체 비염의 약 50%는 알레르기에 의해서 생긴다. 알레르기비염의 증상은 화분, 진균, 동물 털과 집먼지진드기 등과 같은 특이 알레르겐에 대한 면역항체가 생겨서, IgE 매개성 면역반응이 생기고, 이에 의한 알레르기 염증에 의해서 증상이 나타난다. 이러한 알레르기 면역 반응은 코점막으로 이동한 알레르기 염증 세포의 활성화 및 동원(recruitment)과 세포로부터 분비된 분비물질에 의해서 일어난다.

세심한 병력청취와 신체검사가 소아에서 알레르기비염을 진단하는데 가장 효과적인 진단법이다. 알레르기비염과 다른 비염들을 증상으로 감별진단하기가 어려운 경우가 많고, 치료 방법이 서로 다르기 때문에 정확하게 진단하는 것이 매우 중요하다(표 4-1). 필요하다면 여러 가지 진단 검사를 하는 것이 좋다. 알레르기비염의 치료법은 약물 요법과 환경(회피, 예방) 요법과 면역 요법이 있다.

나. 역학

알레르기비염의 빈도가 높음에도 불구하고, 비염의 원인에 대한 자료들을 해석하기가 어렵다. 그 이유는 임상 의사들에 의해서 내려진 진단을 자료로 사용한 연구에서는 증상이 있음에도 불구하고 병원을 찾지 않는 사람들이 적지 않기 때문에 실제 빈도보다는 저평가 되고, 설문지나 전화 통화를 이용해서 비염 진단을 할 경우에는 그 진단의 정확도에 문제가 있기 때문이다.

화분 유행시기에 따라서 증상이 심해졌다가 사라지는 계절성 알레르기 비염을 대부분의 역학 연구에서 이용하고 있다. 이는 통년성 알레르기 비염은 만성 비염, 재발성 상기도 호흡기 질환, 만성 비후성 비염 등과 그 증상이 비슷하기 때문에 감별진단이 어려워 역학 연구에 쉽게 사용하기가 어렵기 때문이다.

역학 연구에서 보고된 비염의 유병률은 나라마다 다르지만 대략 3~19% 이다. 전체 인구에서 약 10% 정도가 계절성 알레르기비염을, 10~20% 정도가 통년성 알레르기비염을 앓고 있다. 결국 알레르기비염으로 고생하는 한국인은 대략 50만~100만 명으로 추정된다.

대한 소아알레르기 및 호흡기학회에서 전국의 초등학교 및 중학교 학생을 대상으로 실시한 ISAAC 역학조사 결과에 따르면, 알레르기비염 증상의 유병률이

1995년에 초등학생 37.7%, 중학생 36.8%, 2000년에 초등학생 35.4%, 중학생 40.6%이었다. 알레르기비염 진단의 유병률이 1995년에 초등학생 15.5%, 중학생 7.7%, 2000년에 초등학생 20.4%, 중학생 13.6%이었다. 이와 같은 역학조사의 보고로 미루어 보아 우리나라에서도 소아 비염의 유병률이 증가하고 있음을 알 수 있다.

1) 성별

아동기에는 남아가 여아보다 더 많지만, 청소년기에는 차이가 없다.

2) 나이

전체 알레르기비염의 80%에서 20세 전부터 증상이 나타나기 시작한다. 부모가 모두 알레르기질환을 가지고 있을 경우에는 일반적으로 사춘기 전에 증상이 나타나기 시작하고, 부모 중 한 사람만 알레르기질환을 가지고 있을 경우에는 좀더 늦게 증상이 나타나는 경향이 있다. 20%에서 2~3세 전부터 증상이 나타나고, 약 40%에서 6세 전까지 증상이 나타난다. 청소년기 이후에 증상이 나타나는 경우가 약 30%다.

3) 위험 인자

대부분의 연구에서 보면 알레르기비염의 빈도는 나이가 들어감에 따라 증가하고, 알레르기 피부시험 양성이 알레르기비염의 새로운 증상이 나타나는 중요한 위험인자다. 사회경제적 여건이 높을수록 알레르기비염의 빈도가 높아지고, 알레르기질환의 가족력이 있는 경우, 화분 유행 시기에 태어난 사람인 경우와 첫번째로 태어난 사람인 경우에 그 빈도가 더 높다. 이유식을 조기에 시작하는 경우, 생후 1세 전에 아이 어머니가 심한 흡연자인 경우, 동물 털과 집먼지진드기와 같은 실내 알레르겐에 노출된 경우, 혈청 IgE가 100 IU/ml 이상인 경우, 알레르기 피부 검사에서 양성인 경우, 부모에게 알레르기질환이 있는 경우가 생후 1세에 알레르기비염에 걸릴 수 있는지를 예측할 수 있는 인자이다.

4) 사회 경제적 영향

알레르기비염은 그 빈도가 높다는 것 뿐 아니라, 삶의 질(quality of life), 치료비와 그리고 천식, 부비동염과 중이염처럼 같이 동반하는 질환으로 인해 사회에 미치는 영향은 적지 않다. 알레르기비염의 중증도는 경증부터 아주 심한 중증까지 다양하고, 알레르기비염을 치료하는 직접 비용과 알레르기비염으로 인하여 미치는 작업장의 손실과 같은 간접 비용은 실제로 상당하다. 1995년 미국에서 알레르기비염으로 인한 직·간접 비용은 부비동염과 천식과 같이 동반될 수 있는 질환 치료비를 제외하였을 때, 약 5천억 원 이었다. 소아에서 알레르기비염은 아이들의 학업에 지장을 줄 뿐 아니라, 아이와 부모의 삶의 질에 큰 영향을 주고 있다.

2. 천식과의 관계

알레르기비염, 부비동염, 그리고 천식에 대해 최근 새로이 부각되는 개념은 이러한 질환들이 서로 분리된 별개의 질환이기 보다는 근본적으로는 동일한 염증성 반응이라는 병리학적 과정이 단지 호흡기계 내에서의 서로 다른 표적기관(target organ)에서 표현되는 차이를 보일 뿐이라는 것이다. 내재된 기전에 대해서 충분히 납득할 만큼 밝혀지지는 않았지만 역학적, 생리적, 면역병리학적 측면이나 치료적 차원에서의 많은 연구 결과들을 보면 알레르기비염, 부비동염, 그리고 천식 사이에는 공통된 연관성이 있음을 알 수 있다.

알레르기비염은 매우 흔한 질환이며, 미국에서 4천만 명의 환자가 이환되어 있다. 그것으로 인해 매우 고비용의 대가를 치르는데 직접적으로는 화폐의 지불에 의해 간접적으로는 생활 유형의 손상으로 나타난다. 알레르기비염과 흔히 특징적으로 동반되는 질환으로는 알레르기 결막염, 부비동염, 중이염, 그리고 천식이 있다.

알레르기비염, 부비동염, 그리고 천식에 대하여 하나의 연계된 기도 질환으로서 생각하게 되는 증거들 즉, 많은 역학적 연구 결과 특히 그들 질환의 comorbidity와 함께 상기도 질환의 효과적 치료가 하기도 질환의 여러 측면에서 임상 증상의 호전을 포함한 긍정적인 영향을 미치는 증거들은 다음과 같다.

가. 역학적 증거

여러 종류의 연구 보고서를 분석해 보면 이러한 질환의 유병률은 사용하는 방법에 따라서 매우 다른 결과를 보인다는 사실을 알게된다. 역학적인 연구에서는 알레르기비염의 유병률이 천식을 동반하는 경우 30%에서 80%에 이르는 등 다양한 결과를 보이지만 일반인을 대상으로는 20%의 유병률을 보인다. 그러나 이러한 비율은 아마도 저평가된 것으로 생각된다. 왜냐하면 표준화된 설문지를 사용했을 때, 알레르기 천식 환자 군에서는 비염의 유병률이 98%였고, 내인성 천식 환자 군에서는 68%를 나타냈다.

여러 기관의 후향적 연구 결과들에서는 알레르기비염이 천식의 중요한 위험인자로 작용한다는 사실을 알 수 있다. 알레르기비염 환자의 15% 내지 40%가 천식을 앓고 있었으며, 이러한 결과는 일반인을 대상으로 한 유병률 5% 내지 15%보다 훨씬 높은 비율이다. 뿐만 아니라 천식의 증상은 비염이 없거나 경한 비염 증세를 보이는 환자보다 심한 비염 증세를 앓는 환자에서 더욱 심하게 나타났다. 그러나 비염이 있는 사람이 그렇지 않은 사람보다 천식에 잘 이환되는 지는 명확히 밝혀지지 않았다.

나. 해부학 · 생리학적 유사성

상기도와 하기도 사이에는 많은 유사성이 있다. 예를 들면 기저막의 연속성이나 위중층 섬모원주상피 (pseudostratified columnar epithelium), 점액 이동, 장

액선, 배세포, 부교감 및 교감신경 분포, 그리고 circardian rhythm 반응 등이다.

상기도와 하기도 반응의 촉발인자는 동일하며, 찬공기나 담배연기 등의 비특이성 자극과 알레르겐 등을 포함한다. 상하기도의 염증에서 세포성 매개체는 비만세포, 호산구, 호염기구, 그리고 Th2 림프구이다. 코 점막의 호산구 수는 기관지내의 호산구 침윤 정도와 상관성이 있다. 마지막으로, 코와 폐에서 모두 기도과민성과 조기반응 및 후기반응의 양상이 나타남을 알 수 있다. 천식이 없이 비염만 있는 환자에게도 메타콜린 흡입을 시키면 하기도 반응이 유발되며 천식 환자에서 나타나는 양상을 보이게 된다.

다. 천식과의 연관성

알레르기비염과 천식의 밀접한 연관성을 명확히 보여주는 많은 연구 결과들이 있다. 많게는 비염 환자의 58%에서 천식을 공유하고 천식 환자의 85~95%에서 비염을 공유한다는 연구 결과도 있다. 한편 비염 증상이 없는 천식 환자의 비강 점막에서 염증 변화가 입증된 연구 결과도 있다. 따라서 대부분의 천식 환자에서 호흡기계 전반에 걸쳐 염증 변화가 초래된다는 것에 대한 가정이 있을 수 있다. 이러한 배경 하에서 "만성 알레르기 기도 증후군"(chronic allergic airways syndrome)이라는 용어도 사용되고 있으며 이는 상기도 질환만을 지닌 환자에서부터 알레르기비염과 천식을 모두 갖는 환자까지를 포함한다.

비알레르기비염(nonallergic rhinitis)도 천식 환자에서 공유되는 것이 확인되었다. 최근의 연구 결과에서 통년성 비염 환자들이 비염이 없는 경우보다 천식의 발생 빈도가 4배 이상 높은 것으로 보고되었다.

비염과 천식의 유병률 공유의 또 다른 예는 아스피린과 비스테로이드성 항염증약물에 예민한 환자에서 나타난다. 작업장에서 비염의 증상은 보통 직업성 천식과 흔하게 연관된다. 예를 들면 한 연구에서는 직업성 천식 환자의 92%에서 비염 증상을 경험했음을 보

고하였다.

위에 열거된 여러 경우들로부터 알레르기 혹은 비알레르기비염 모두 천식과 강하게 연관됨을 알 수 있다.

1) 위험인자로서의 비염

Graisner 등은 대학 신입생을 연구 대상으로 하여 피부시험과 알레르기 검사를 실시한 후 결과를 분석하였다. 그 집단에는 천식 환자는 없었으며 일부는 알레르기비염에 이환되었고 피부시험에 양성이었다. 나머지는 병력이나 피부시험에서 음성이었다. 나중에 천식으로 이환된 경우의 86%에서 알레르기비염이 함께 이환되었다. 천식과 계절성 알레르기비염에 모두 이환된 경우는 처음에 계절성 알레르기비염이 발병하고 34.5%는 처음에 천식이 발병하였으며 20.7%는 동시에 두 질환이 발병하였다. 또한 핀란드에서는 성인 쌍둥이에 대한 15년간의 연구 결과에서 계절성 알레르기비염이 보통 천식 이전에 진단되고 천식의 이환 가능성도 상당히 증가됨을 확인하였다.

알레르기비염과 천식사이에는 면역병리학적으로 여러 가지 차이점이 있다. 알레르기비염은 호흡기 상피의 존재와 기저막의 비후가 없는 것이 특징적이다. 한편 천식에서 상피는 쉽게 손상되고 상피하 조직에서 콜라겐의 침착이 발생하는 것이 특징적이다. 그러나 두 질환은 유사한 조기 알레르기 반응과 만성 알레르기 염증반응을 공유하고 있다.

알레르기비염을 갖는 어떤 환자들은 비특이적인 기도 과민성을 나타내고 시간이 지남에 따라서 천식에 이환된다. 찬공기나 메타콜린 흡입에 의한 비유발(nasal provocation)로 인하여 기도 수축이 발생된다. 코와 기관지 사이의 병리생리학적 관계에 대한 정보는 상기도와 하기도의 기도 과민성에 대하여 동시에 연구한 임상연구로부터 알 수 있다. 알레르기비염 환자에서 지속적인 기침과 유사 천식 증세를 보이지만 흉부 검사에서 정상이며 폐기능도 정상인 경우에 히스타민을 이용하여 기관지 유발 검사를 시행한 결과 흉곽외 기도과민성만 나타난 경우는 26.5%였으며, 흉곽외 기도과민성과 기도 과민성을 모두 보인 경우는 40.6%이었다.

2) 중증도에 미치는 영향

비염과 천식 모두를 갖고 있는 즉, 호흡기 전체에 병변이 있는 환자의 경우에서 비염의 증상이 천식 증상의 중증도를 증가시키는 증거를 보인다. 매우 심한 비염 환자에서는 많은 천식지표가 악화되며, 주당 악화의 빈도, 야간 발작, 그리고 일상생활의 장애 등을 모두 포함한다. 비염의 증상도 비염만 단독으로 갖고 있는 환자보다는 천식이 있는 환자에서 더욱 심하게 나타난다.

3) 상기도와 하기도의 연관성

비염과 천식은 수평적 관련성 뿐만 아니라 상기도인 코에서 일어나는 변화에 의해서 하기도가 영향을 받는 수직적인 관계도 나타낸다. 한 예로, 코는 흡인한 공기를 데우고 습기를 함유하게 하는 중요한 역할을 한다. 만약 흡입한 공기가 코를 거치지 않으면 차고 건조한 공기가 폐로 직접 가게 된다. 운동 유발성 천식에 관한 연구에서 보면 코나 입으로 자발적인 호흡을 하는 사람에서는 코로만 숨을 쉬는 사람보다 FEV_1의 감소가 더 현저하며 입으로만 숨을 쉬는 경우는 운동시 FEV_1이 훨씬 더 심하게 감소된다.

비유발 시험으로 하기도의 기능의 변화를 초래할 수 있다. 순수한 알레르기비염 환자에서 히스타민으로 코를 자극하면 임상적으로 뿐만 아니라 폐기능 검사에서도 FEV_1의 감소가 초래된다. 계절성 비염과 천식을 모두 보이는 환자에서 문제가 되는 계절이 지난 후에 비강 내 항원 유발을 시행하면 하기도의 기도반응이 현저히 증가된다.

상기도와 하기도의 관계에 관한 또 다른 예는 바이러스성 상기도 감염이 천식의 악화에 따른 응급실 방문과 입원과 관련되는 가장 중요한 원인이라는 사실이다. 바이러스성 상기도 감염 동안에는 하기도가 히스타민과 알레르겐 흡인 모두에서 더욱 반응성이 증가됨을 알 수 있다.

비-기관지반사(nasal-bronchial reflex)의 증거는 신경이 절단된 편측성 삼차신경통(unilateral trigeminal neuralgia) 환자의 연구에서 확인된다. 이 경우 양쪽 코에 silica를 노출시키면 하기도 저항의 증가가 유의하게 증가하는데 신경이 절단된 부위에서는 발견되지 않는다.

4) 비염의 치료와 천식

많은 임상연구에서 적절히 치료된 계절성 알레르기비염에 의한 천식에 관련된 이로운 영향들이 관찰된다. 첫 번째로 계절성 비염과 천식을 모두 갖고 있는 환자에서 비강내 스테로이드제(intranasal corticosteroid)를 사용하면 비염 증상의 호전을 초래할 뿐 만 아니라 천식 증상점수의 개선을 유의하게 나타내었다. 비강내 스테로이드제의 사용으로 하기도 반응의 계절적 상승이 억제되고 운동 유발성 기도과민반응의 감소를 유도하였다. 이와 유사한 천식에 대한 이로운 영향은 항히스타민제나 항히스타민-혈관수축제의 혼합 약물의 경우에도 볼 수 있다. 마지막으로 비염의 면역요법이 천식의 발병을 감소시킬 수 있는 것으로 보고되었다.

3. 진단

가. 병력청취와 진찰

소아의 알레르기비염을 진단하는데 있어 자세한 병력청취와 진찰은 가장 효과적인 진단적 방법이다. 소아에서 적절한 시기에 정확한 진단을 내리기 위한 중요한 요소는 환자 상태와 잠재적인 동반이환(comorbid) 가능성에 대한 주의를 항상 기울이는 것이다. 소아의 알레르기비염은 진단이 되지 않거나 재발성 감기와 같은 다른 질환으로 오진되는 경우가 흔히 있다. 기침이 주된 증상인 경우, 특히 야간 기침일 경우에는 기침이형천식(cough-variant asthma)으로 오인되기도 한다. 정확하고 적절한 시기에 올바른 진단을 내리기 위해서 소아 알레르기비염의 증상, 징후 그리고 감별진단을 충분히 이해하고 주의를 기울여서 의심되는 소아에게 비염의 증상과 원인을 유도하는 구체적인 질문을 하여야 한다(표 4-2). 또한 알레르기비염과 동반될 수 있는 질병(기관지천식, 부비동염, 중이염)에 대해 주의를 기울여야 하고 필요할 경우에는 이에 대한 적절한 진단적 검사를 시행하고 항염증제제 투여의 치료적 시도를 해볼 수 있다.

가벼운 증상을 보이는 경우에는 진단이 불가능할 수 있기 때문에 부모들도 증상과 징후에 대해 주의를 기울여 의사에게 알리도록 해야 한다. 흔히 소아들은 자신의 증상을 이야기하지 않아서 제대로 진단되지 않는 경우가 많으며 공교롭게도 매일 알레르기 증상을 보이는 소아들은 자신들의 변화된 상태가 정상이라고 착각하는 실수를 범하게 된다.

알레르기비염의 전형적인 증상은 재채기, 가려움증, 수성 비루와 비충혈 등이다. 비충혈은 일측이나 양측에서 나타날 수 있으며 한쪽에서 다른 쪽으로 옮겨갈 수 있다. 일반적으로 이런 증상은 야간에 나타난다. 비폐색으로 환자는 입으로 숨을 쉬게 되며 코골음이 야간증상으로 나타나며 수면 장애가 있을 수 있다. 만성일 경우 안면 발달의 장애, 치아 부정교합, 멍하게 입을 벌리고 있는 아데노이드 얼굴(adenoid face)이 나타난다.

큰 소아는 자주 코를 풀지만 어린 소아는 그렇게 하지 못한다. 그 대신 킁킁거리거나 훌쩍거리고 반복적으로 헛기침을 하며 목소리는 비정상적으로 비음을 낼 수 있다. 비소양증에 때문에 환자는 코를 찡그리거나 코를 후비게 되며 코피가 날 수 있다. 소아들은 자주 손바닥으로 코를 위쪽으로 문지르며(allergic salute) 이 때문에 종종 콧등의 하부 1/3에 두드러지는 수평 주름인 알레르기 비 주름(transverse nasal crease)이 나타난다. 알레르기비염을 가진 소아는 부비동염, 중이염, 습진, 천식 등을 함께 나타낼 수 있다.

환자들은 충혈되고 가려운 눈과 목과 귀의 가려움을 호소하기도 한다. 그들은 또한 미각과 후각을 소실할 수도 있다. 잔디 깎는 일을 한 후와 같이 원인 알레르겐에 접촉이 증가할 때 증상이 심해진다.

알레르기비염 증상으로 수성 비루, 비점막 부종을 보이나 발적은 심하지 않으며 점막은 습하고 청회색 빛이 난다. 지속적으로 알레르겐에 노출되면 비갑개가 부풀어 오르고 비 기도를 막을 수 있다. 알레르기결막염을 갖는 환자에서 자주 나타나는 증상은 결막 부종, 가려움, 눈물, 충혈 등 이다. 알레르기비염 환자들, 특히 심한 비폐색과 정맥 울혈을 보이는 소아들은 눈 아래쪽 조직에 부종이 나타나며 거무스름해진다 (allergic shiner). 이는 만성 비염이나 부비동염에서도 볼 수 있으므로 알레르기비염의 특징적인 증상은 아니다.

심한 경우에서 특히 원인 화분의 유행 시기에는 안구, 귀인두관(eustachian tube), 중이, 부비동까지 이환될 수 있으며 결막의 자극(가려움, 눈물), 충혈, 귀의 충만감, 인후 소양감, 빰과 이마의 압박감 등이 나타나며 신체 무력감, 허약감, 피로 등도 함께 나타날 수 있다. 아토피피부염, 기관지천식, 그리고 아토피의 가족력 등의 알레르기 증후군이 함께 나타나는 것은 알레르기의 병리가 관여하는 것을 시사한다. 알레르기비염 환자의 약 20%에서는 천식의 증상이 함께 나타난다.

원인 화분의 유행 시기와 전형적인 비염 증상의 발현 사이의 명확한 상관관계가 있는 경우 진단은 비교적 간단하다. 그러나 전형적이 비염증상이 나타나지 않는 경우의 진단은 어려워진다. 지속적인 염증과 알레르기 후기 반응의 결과인 만성적인 비폐색만이 통년성 알레르기비염의 주 증상이 될 수도 있다.

명확하고 일시적인 증상의 발현은 진단에 도움을 줄 수 있다. 환자가 털이 많은 애완동물에 노출 될 때마다 비염의 증상이 나타나는 것은 애완동물에 대한 IgE 매개 민감성이 있음을 시사한다. 더군다나 동물단백에 민감한 환자는 특정 동물이 있던 실내에 들어가면 수 시간 전에 동물을 치웠을지라도 알레르기비염과 천식의 증상이 나타날 수 있다. 학교와 직장 환경에서 알레르겐에 노출되는 경우에는 주 중에만 증상이 나타나며 주말 동안에는 증상이 나타나지 않는다. 마찬가지로 방학 기간에는 특징적으로 증상이 나타나지 않는다.

몇몇 과정들과 비정상적인 병력은 알레르기비염의 진단을 어렵게 만들 수 있다. 예를 들면 어느 특정한 날 화분에 노출되어 증상이 나타났을 경우 그날 노출된 화분에 영향을 받은 것 일 수 있으나, 시동현상 (priming phenomenon)에 의해 그 전날의 영향을 받았을 수도 있다. 결과적으로 원인 화분 유행이 끝나는 시기에 증상 감소의 속도가 화분 양의 감소에 비해 천천히 나타날 수 있다. 통년성 비염의 경우 증상은 만성적이고 지속적일 수 있으며 환자들은 구강호흡, 코골, 부비동염, 중이염, 혹은 "감기를 달고 삶"과 같은 2차적 증상들을 호소 할 수 있다.

나. 감별진단

비염의 원인은 다양하다(표 4-1). 소아에서 가장 흔한 비알레르기(non-allergic) 비염은 감염성 비염으로 급성 혹은 만성으로 발생한다. 환자가 지속적인 감기 증상을 보일 때 알레르기비염의 증상은 감염성 비염과 혼동될 수 있다. 감기와 같은 급성 감염성 비염은 보통 다양한 바이러스에 의하나 2차적인 세균성 비부비동염(rhinosinusitis)이 합병되는 경우에는 점액농성 비루, 안면통, 후각이상, 기침을 동반한 후비루 등과 같은 증상을 보인다. 만약 2주 이상 증상이 지속될 경우에는 감염이외의 원인에 대한 즉각적인 검사가 필요하다. 만일 아토피나 기관지 천식에 대한 검사가 정상이면 이물질에 의한 비염을 감별하여야 하며 이 경우에는 증상은 급성이거나 만성이며, 일측 혹은 양측에서 피가 섞여 나오거나 악취가 나는 분비물을 보인다. 이미 알레르기비염이 있는 환자에서 주로 맑은 비루가 나오는 증상이 악화되는 경우는 진단이 어렵다. 활동성 감염과 알레르기와 차이점에 주목해야 한다. 병력이나 진찰로 진단이 어려운 경우에는 비즙 도말 (nasal smear)이 감별진단에 도움이 될 수 있다. 비즙

표 4-1. 비염의 원인

알레르기비염
　계절성
　통년성
　계절에 따른 증상 악화를 보이는 통년성
　　(perenial with seasonal exacerbation)
비알레르기비염
　구조적/기계적 요인
　　비중격 굴곡(deviated septum)/비중격 기형
　　비대 갑개골(hypertrophic turbinate)
　　아데노이드 비대
　　이물질
　　비 종양(양성, 악성)
　　Choanal atresia
　감염(급성, 만성)
　염증성/면역학적
　　Wegerner granulomatosis
　　Sarcoidosis
　　중앙 육아종(midline granuloma)
　　전신성 홍반성 낭창
　　Sjogren 증후군
　　비 용종
　생리적
　　섬모 운동장애 증후군(ciliary dyskinesia syndrome)
　　위축된 비염
　　호르몬 이상
　　　갑상선 기능저하증
　　　임신
　　　경구 피임약
　　　생리 주기
　　　운동
　　약물
　　　Rhinitis medicamentosa
　　　경구 피임약
　　　항고혈압약
　　　아스피린
　　　비스테로이드성 항염증제
　　반사에 의한 유발
　　　Gustatory rhinitis
　　　화학물질 또는 자극 물질에 의한 비염
　　　자세 반사(posture reflexes)
　　　비 주기(nasal cycle)
　　환경 요인
　　　악취
　　　기온
　　　날씨/대기 압력
　　　직업성
　호산구증가를 동반하는 비알레르기성 비염 (NARES,
　　nonallergic rhinitis with eosinophilia syndrome)
　통년성 비알레르기비염(혈관운동성 비염)
　감정 요인(emotional factors)

도말에서 호산구가 5% 이상 있을 때 알레르기로 진단할 수 있으며 호중구가 우세할 경우에는 감염을 의심할 수 있다.

어떤 경우에는 만성 감염의 발생 이전에 알레르기, 점막섬모의 이상, 그리고 면역 결핍이 선행될 수 있다. 점막섬모의 이상은 일차적인 섬모 운동장애, Young 증후군, 혹은 낭성 섬유증과 같이 선천적인 질환일 수 있으며 면역결핍 또한 선천적이거나 후천적일 수 있다.

비염을 나타낸 소아는 비 폐색의 원인으로 선천적 혹은 후천적인 해부학적 이상에 대한 검사를 받아야 한다. 종양이나 비용종(nasal polyp)뿐만 아니라 그 밖의 질환 (비중격 만곡, 아데노이드 비후, 비갑개 비후)들도 비기도 폐색을 유발 할 수 있다. 소아와 영아에 있어 비폐색의 가장 흔한 원인은 아데노이드 비후이다. 비용종은 낭성 섬유증을 가진 소아에서는 흔하나 알레르기비염 소아에서는 잘 나타나지 않으며 종양은 소아에서 흔한 비염의 원인이 아니며 해부학적 이상이 더 흔한 원인이다. 그러나 어떠한 경우라도 종양이 의심되면 신속히 이비인후과 전문의에게 의뢰하여 상기도의 완벽한 검사가 이루어져야 한다. 비중격 만곡, 아데노이드 비후, 비갑개 비후 등은 비 분비물의 흐름을 막아 비루, 후비루과 함께 비폐색을 초래할 수 있다. 영아에서는 선천적인 후비공폐쇄증(choanal atresia)에 의해 비 통로를 통한 기도의 폐색이 발생할 수 있다. 치료에 반응하지 않는 맑은 콧물은 외상이나, 최근 수술의 병력이 없더라도 뇌수막액 누출에 의한 것일 수 있다.

다. 진단방법

1) 진단적 검사

집먼지진드기, 화분, 동물비듬 과 같은 특정 알레르겐의 IgE 항체의 여부에 대한 검사를 통한 확인은 특이 항원을 확인하는데 도움을 주며 특히 특이 항원 노출이 명확하지 않은 경우에 필요하다. 많은 경우에 있어서 특정 항원의 확인을 위한 검사는 알레르기의 진

표 4-2. 알레르기비염의 증상과 징후

귀, 구개, 인후 소양감
재채기
수성 비루
비충혈
동성 두통(sinus headache)
이관 기능장애
구(강)호흡, 코골음
만성 후비루
만성 건성기침
빈번한 목 가다듬기
수면곤란
주간 피로

단을 가족과 환자에게 이해시키고 환경 조절의 중요성을 강화하는데 있어 필수적이다. 피부시험은 모든 소아, 모든 나이에서 시행될 수 있으나 생후 2세 이내의 영아에서는 양성 반응이 나타나지 않을 수 있다. 종종 계절적 호흡기 알레르기를 가진 소아는 항원에 두 계절 이상 노출된 후에야 양성 반응을 보일 수 있다. 의사들은 피부시험에서 항원을 선택적으로 사용하여야 하며 임상적으로 중요한 잠재성을 갖는 흔한 항원만을 사용하여야 한다. 통년성 호흡기 알레르기를 갖는 환자의 진단에 있어 가장 유용한 항원은 집먼지진드기, 동물 비듬, 진균 등이다. 계절성 알레르기비염의 진단에 중요한 항원은 잡초, 잔디, 나무 화분 등이다. 화분의 경우에는 지리학적인 특이성이 중요하므로 중요한 계절성 항원은 1년 중 계절 뿐 아니라 지리학적 분포에 따라서도 달라진다. 그러므로 피부 단자시험에 사용하는 항원은 개별적으로 선택되어야 하며 환자가 생활하는 학교와 집의 환경, 지리적 지역에 따라 선택되어야 한다.

특이 IgE 항원의 검사에는 *in vitro* 피부시험과 *in vivo* 혈청검사의 두 가지 방법이 있다. 각각의 검사에는 장점과 단점이 있다. 현재 항원 특이 IgE의 존재여부를 진단하는데 있어서 가장 유용한 방법은 적절한 방법에 의한 피부시험이다. 피부단자시험은 puncture,

epicutaneous skin test 라고도 불리며 IgE 항체 검사에서 선호되는 방법이다. 소파시험(scratch test)은 침습적이어서 흔히 사용되지 않고 있다. 만일 알레르기가 매우 의심되는 환자에서 피부단자시험이 음성으로 나올 경우, 적응증일 경우 피내시험(intradermal test)을 사용할 수 있으며 이는 특이도는 낮으나 민감도는 높은 검사이다.

검사실(in vitro)검사는 환자가 피부묘기증과 같은 비정상적 상태이거나 심한 피부염을 앓는 경우, 환자가 항히스타민제와 같이 결과에 영향을 미칠 수 있는 제제의 복용을 중단할 수 없거나 중단하지 않은 경우, 환자의 병력에서 심한 알레르기가 있거나 아나필락시스의 위험성이 있는 경우, 환자가 피부 검사에 대해 협조적이지 않은 경우 피부시험으로 대체할 수 있다.

항히스타민제는 피부 반응을 억제하므로 위음성 반응을 피하기 위해 검사 72시간 전에는 사용을 중단하여야 한다.

그러나 항원 특이 IgE 검사의 양성 결과만으로 알레르기질환을 진단하기에 부족하다. 이러한 검사들은 면역학적 특이성을 갖는 특정한 IgE가 존재한다는 것을 나타낼 뿐이며 특이 IgE 항체가 외견상 보이는 임상적 질환과 인과 관계에 있는가 하는 것은 진단하는 의사가 전체적인 임상 양상을 토대로 결정해야 한다. 알레르기질환을 진단하는 데는 병력, 특이 IgE 항체의 존재, 증상이 IgE에 의한 염증의 결과라는 증거 등이 있어야 한다.

혈중 호산구수와 총 IgE 치는 알레르기질환의 1차적 검사로 권장되어 왔으나 알레르기비염의 진단에 비교적 낮은 민감도를 보인다. 호흡기 알레르기 환자의 비 분비물이나 타액에서 관찰되는 호산구수의 증가는 유용한 비 특이적 검사의 기본이 되나 원인 항원을 밝히지는 못한다. 비 분비물의 호산구/호중구 치는 진단이 확실치 않을 경우 감별진단에 도움이 된다.

2) 경과 관찰

최근의 발전하는 진단과 치료의 경향은 Joint Task

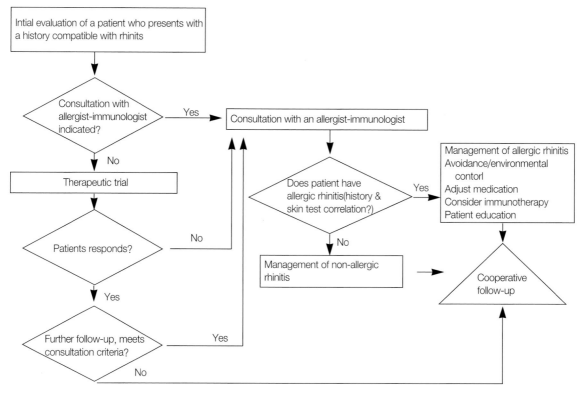

그림 4-1. 비염의 진단과 치료

Force on Practice Parameters in Allergy and Asthma and Immunology 에서 제시한 알고리듬(algorithm)에 서술되어 있다(그림 4-1). 여기에서는 비염의 증상(콧물, 비충혈, 재채기, 비 소양증, 후비루와 결막염 등)의 초기 진단이 1차 의료진에 의해 이루어져야 한다고 제시하고 있다. 1차 의료진은 증상의 양상과 병력, 합병증 유무, 동반 질환 상태, 증상을 유발하는 시기와 요인, 약물 치료시의 비염증상의 변화, 그리고 비염 증상이 환자의 생활의 질과 기능에 미치는 영향 등에 대해 특히 주의를 기울여야 한한다. 초기의 평가 소견에 따라서 환자는 1차 진료로 경험적 치료를 받을 수도 있으며 혹은 알레르기전문가에게 진료를 의뢰할 수도 있다(표 4-3).

이에 따르면 경한 환자 혹은 진료의뢰가 필요할 중등도 이상의 환자에서의 치료로는 의심되는 유발요인을 회피하고 단독 혹은 병합 제제 요법의 사용이 포함된다. 치료 반응의 정기적인 평가에는 비 증상의 향상, 기능적 능력, 삶의 질, 동반 질환의 상태 등이 포함된다. 환자의 치료가 성공적일 경우에는 지속적인 증상의 억제와 부작용의 결여, 향상된 삶의 질을 확실히 하기 위해서 추적 관찰이 중요하다. 치료에 반응을 잘 하지 않거나 지속적으로 향상되지 않는 경우에는 알레르기/면역 전문가에게 의뢰를 하여야 한다. 또한 환자에게 면역요법이 이로울 경우, 알레르기 유발 요인을 밝히는 것이 회피 요법의 실행을 용이하게 해주며 이에 대한 환자 교육이 필요한 경우, 또한, 합병증이나 동반 질환이 지속되거나 심해지는 경우이다.

알레르기/면역 전문의에게 진료를 의뢰하는 일차적 목적 중 하나는 상세한 의학적 병력, 기도의 진찰, ancillary test, 특정한 피부시험 등의 종합적인 결과를

표 4-3. 알레르기 전문의에게 의뢰하여야 하는 경우

지속적인 알레르기비염 증상이 있는 경우

합병증이 있거나 천식, 중이염, 부비동염과 같은
동반질환이 있는 경우

이전에 스테로이드 치료를 받았거나 여러 가지 약물로
장기간 치료를 받은 경우

치료에 잘 반응하지 않거나 부작용이 발생한 경우

환자의 일상생활을 방해하거나 삶의 질을 떨어뜨릴 정도의
증상이 있는 경우

비염을 유발하는 유발물질을 규명하기 위해

바탕으로 알레르기비염의 감별 진단을 하기 위한 것이다. 알레르기비염의 효과적인 치료는 적극적인 회피방법, 알레르겐 회피와 약물 주입에 관한 환자 교육, 알레르기 면역요법, 동반된 증상의 치료, 그리고 적정 약물 요법의 조절 등의 조합이 요구된다. 협조적인 추적 관찰은 효과적인 알레르기비염의 치료에 있어 필수적인 부분이며 이상적으로 환자, 환자의 가족, 그리고 모든 의료진들(예: 1차 의료진, 알레르기/면역 전문의, 이비인후과 전문의)이 여기에 포함된다. 관련된 모든 이들은 증상의 완화와 기능적 능력의 향상이라는 공통의 목표를 가지고, 환경 회피 요법, 약물 치료, 적절히 선택된 환자들에서의 면역 요법 등을 가장 알맞게 이용하여 협조적으로 치료할 것이다. 정기적인 평가와 지속적인 환자 교육은 또한 추적 관찰 지침에 포함되어야 할 것이다.

4. 치료

알레르기비염 치료의 목적은 비 통기성(nasal patency)의 복구, 비 분비액의 조절, 폐색과 관련된 합병증의 치료, 재발성 증상의 예방 등이다. 알레르기비염의 치료 방법은 환경 조절 등을 통한 항원 회피요법, 약물요법, 면역요법 등이 있으며 환자의 연령 및 중증도를 고려하여 치료 방침을 세운다(그림 4-2).

가. 항원 회피요법

회피 가능한 항원이나 증상을 악화시킬 수 있는 유발 요인에 노출되는 것을 피하도록 하는 가장 근본적인 치료이다. 가장 대표적인 원인 알레르겐인 화분과 집먼지진드기에 대한 환경요법은 다음과 같다.

1) 화분에 대한 대책

화분 항원에 의한 계절성 알레르기비염의 경우 공기중 화분 수(pollen count)와 증상의 중증도와는 매우 밀접한 관련성이 있다. 그러나 대기중의 화분을 완전히 회피한다는 것은 현실적으로는 불가능하므로 현재의 환경에서 가능한 최대로 화분에의 노출을 줄인다. 다음과 같은 방법들이 도움이 될 수 있다.

원인 화분이 날리는 시기에는 창문을 밀폐하며 에어컨을 이용해서 실외환기를 하고 실내에는 고효능입자공기(high-efficiency particulate air: HEPA)필터나 전자 침전기(electronic precipitator)가 장착된 공기 정화기를 설치하면 도움이 될 수 있다. 또 침구류도 밖에 널지 않는다.

원인 화분의 유행시기에는 될 수 있으면 외출을 삼가며 특히 바람이 강하게 부는 맑은 날에는 주의하여야 한다.

외출할 때는 마스크, 모자, 안경을 착용하며 외출후 옷을 잘 털어 낸 후 집안에 들어온 다음에는 손을 씻고 양치질을 한다.

2) 집먼지진드기에 대한 대책

통년성 비염의 가장 흔한 원인 항원인 집먼지진드기는 실내의 먼지속에서 발견되며 집먼지진드기의 죽은 몸체 또는 배설물이 강력한 알레르기 유발물질이다. 이들은 25℃ 내외의 온도와 상대 습도 75~85%에서 잘 번식하며, 주로 양탄자, 매트리스, 이불, 베개 커버 등에 서식한다. 다음과 같은 방법들이 집먼지진드기에 노출을 줄이는 데 도움이 될 수 있다.

아이 방이나 주로 활동하는 곳에서 천으로 된 가구

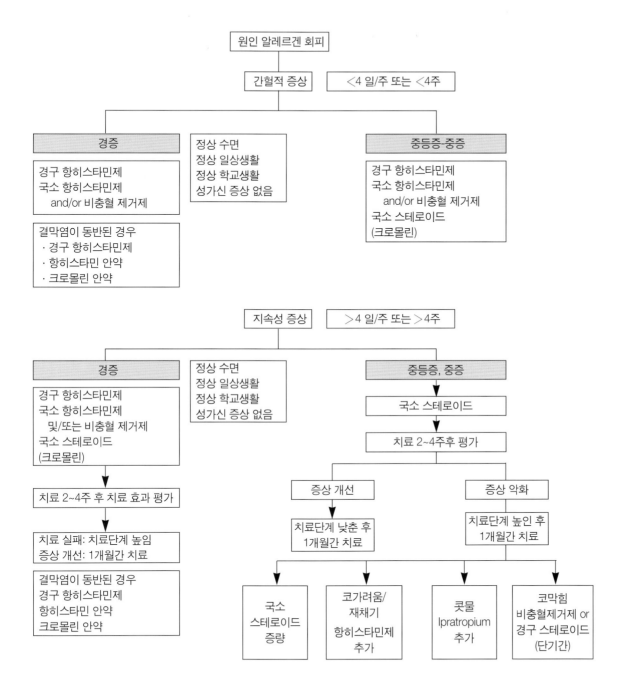

그림 4-2. 알레르기비염의 단계적 치료지침(청소년 및 성인)

나 카페트를 치운다. 두꺼운 천커튼은 닦을 수 있는 플라스틱 블라인드로 바꾸거나 주기적으로 세탁한다. 모 담요, 새털침구 혹은 쿠션 등을 방에서 치운다.

아이 방에서 쌓아놓은 책, 봉제인형 등 먼지 쌓이기 쉬운 것들을 치운다. 모든 옷은 옷장에 넣고 문을 항상 닫아 놓는다.

매트리스와 이불, 베개 등 침구류를 집먼지진드기 항원이 투과 못하는 커버로 싸서 밀봉한다.

침구류를 최소한 2주에 1회 이상 뜨거운 물(55℃이상)로 세탁한다. 이때 벤질 벤조에이트액을 물에 타서 세탁하면 살균력을 높일 수 있다.

더운 계절에는 에어컨이나 제습기를 사용하여 상대 습도가 50%이하가 되도록 한다.

나. 약물요법

약물치료로 알레르기비염을 완치할 수는 없으나 증상은 호전시킬 수 있다. 알레르기비염에 사용되는 대개의 약물들은 예방적으로 사용되는 경우에 더 효과적이므로 가능하면 증상이 나타나기 전에 사용이 시작되어야 한다. 알레르기비염의 치료에 사용되는 약물은 항히스타민제, 충혈제거제, cromolyn sodium, 스테로이드제, 항콜린제(ipratropium bromide)이다.

1) 항히스타민제

항히스타민제는 알레르기비염의 주요 치료약제로 조직내에서 히스타민과 경쟁하여 히스타민 수용체에 결합함으로써 히스타민의 작용을 차단한다. 항히스타민제는 화학 구조에 따라 5가지로 분류되나 모두 H1-수용체에서 히스타민을 차단하는 약리 효과를 공유한다. 항히스타민제는 알레르기비염시 나타나는 재채기, 코가려움증, 콧물에는 효과적이나 비폐색에는 별로 효과가 없다. 항히스타민에 의한 증상 호전은 대개 30분에서 2시간내에 나타난다. 항히스타민제 사용시 주의점은 초기에는 저용량을 사용하다가 점차 용량을 증가시키며, 한 가지 약제에 효과가 없는 경우에는 반복 사용할 때 효과가 떨어질 수 있으므로 화학 구조가 다른 약제를 교대로 혹은 병합 사용해야 한다는 점 등이다. 항히스타민제의 주요 부작용은 진정 작용(졸음)과 항콜린 작용(구갈증, dry mouth) 등이다. 1세대 항히스타민을 처음으로 사용한 사람의 25%에서 졸음 증상이 있을 수 있으며 심지어는 졸음의 주관적인 느낌

이 없이도 작업 능률이 떨어질 수 있다. 그러나 2세대 항히스타민제는 졸음 증상이 적다. 또한 1세대 항히스타민제는 항콜린성 부작용인 소변 저류(urinary retention), 구갈증, 변비 등을 일으킬 수 있다.

1세대 항히스타민제의 부작용을 줄이고 작용시간을 연장시킨 2세대 항히스타민에는 astemizole, terfenadine, cetrizine, loratadine, azelastine 등이 있다. 그러나 2세대 항히스타민제는 1세대에 비해 값이 비싸며, terfenadin과 astemizole 등은 간에서 cytochrome P-450 경로로 대사되는 다른 약물들과 상호 반응할 수 있어서 erythromycin, clarithromycin과 같은 macrolide 항생제나 imidazole 항진균제인 ketoconazole, itraconazole 등과 병용할 때 심전도 검사에서 QT간격을 연장시킴으로써 생명에 위협을 초래하는 심실성 부정맥을 일으킬 수 있어 사용할 때 주의를 요한다. 최근에는 졸음과 심부정맥의 부작용이 거의 없는 3세대 항히스타민제인 fexofenadine이 개발되어 사용되고 있다.

2) 충혈제거제

충혈제거제(decongestants)는 비점막 혈관을 수축시키고 혈류를 감소시킴으로써 코막힘을 일시적으로 호전시켜 호흡을 원활히 해주고 점액 배출을 용이하게 해주는 작용을 한다. 전신제제인 pseudoephedrine, phenylpropanolamine, phenylephrine 등과 국소제제인 oxymetazoline, phenylephrine 등이 있다. 전신제제는 국소제제에서 나타나는 반동현상 없이 비충혈을 제거할 수 있으나 고혈압과 방광 저류를 악화시킬 수 있다. 또한 충혈제거제 사용으로 불면증이 초래될 수 있는데, 이것은 약물을 아침에만 투여함으로써 피할 수 있다. 그러나 알레르기비염 환자의 경우에는 국소 코 충혈제거제를 장기간 사용하게 되면 반동현상으로 오히려 더 비점막이 더 붓게 되어 코막힘이 더 심해지며 약물성 비염(rhinitis medicamentosa)의 발생 가능성이 있기 때문에 되도록 사용하지 않도록 권한다. 예외적으로 급성 감염성 부비동염을 동반한 환자나 비행

알레르기학

기 여행을 하게 되는 환자의 경우에 비충혈 제거 스프레이가 도움이 될 수 있으나 3~4일 이상 연속해서 사용해서는 안된다. 시판 약제의 많은 종류는 1세대 항히스타민제와 충혈제거제의 복합제제이며 이 경우 1세대 항히스타민제에 의한 졸음 증상은 충혈 제거제의 자극 효과에 의해서 상쇄될 수 있고 항히스타민제만으로 완화 시킬 수 없는 코막힘 증상에 충혈제거제가 도움이 되어 효능이 증가 될 수 있다.

3) 크로몰린제

크로몰린제(cromolyn sodium)는 작용 기전은 확실치 않으나 비만세포막을 안정시켜서 탈과립(degranulation)을 억제함으로써 히스타민 등의 화학 매체의 유리를 억제하고, 비점막에 염증 세포의 침윤을 억제하여 조기 및 후기 알레르기 반응을 감소시키는 효과가 있다. 크로몰린제는 계절성 혹은 통년성 비염 환자에서 재채기, 수양성 비루, 비 소양증의 예방에 있어서 효과적이며 계절 증상이 시작되기 전이나 혹은 간헐적인 항원 노출 전에 예방적으로 사용하면 최대 효과를 나타낸다. 계절성 비염에 대한 예방 치료는 적어도 원인 항원에 노출되기 1~2주전부터 시작하여 해당 계절 동안 계속해야 한다. 그러나 크로몰린제는 증상 조절 면에서는 국소 스테로이드제나 항히스타민제보다 덜 효과적이다. 부작용은 거의 없으나 분무시의 비특이적 자극으로 일시적인 인후자극, 재채기, 비강내 작열감 등을 간혹 호소할 수 있다.

4) 스테로이드제

스테로이드제는 알레르기비염의 치료 약제 중 가장 강력한 약제로서 비점막의 염증을 감소시키고, 중성구의 화학주성을 억제하며, 경미한 혈관 수축 작용이 있고, 알레르기 후기 반응을 억제하는 효과가 있다. 스테로이드제의 약리 효과는 염증반응을 억제하는 단백을 합성하는데 필요한 세포 및 핵내의 일련의 반응 때문에 효과를 보이는데 수 시간이 필요하다. 전신 스테로이드제의 부작용을 줄이기 위해 개발된 국소 제제

인 비강내 분무제에는 beclomethasone, flunisolide, triamcinolone, budesonide 등이 있으며, 알레르기비염에서 증상 조절에 계속적인 약물 치료를 필요로 하는 경우에 1차 선택 약제이다. 단지 일부의 증상만을 조절하는 항히스타민제나 충혈제거제와는 달리 비 스테로이드 분무제는 장기간 지속적으로 사용하는 경우에 알레르기 조기 및 후기 반응을 억제하며 눈 증상의 부분적인 호전을 보이고 작용 시간이 길어서 1일 1~2회 투여로 효과적이다. 비 스테로이드 분무제는 그 사용이 알레르겐에 의한 노출 전에 시작되고 매일 규칙적으로 사용될 때 가장 효과적이다. 비 스테로이드 분무제는 코막힘, 재채기, 콧물을 효과적으로 감소시키나 알레르겐 노출에 의한 급성 증상을 호전시키는데 있어서는 항히스타민제-충혈제거제 복합제 만큼은 효과적이지 않으며 증상을 효과적으로 조절하기 위해서는 항히스타민제를 병용해야 한다. 증상은 대개 1주내에 호전되며 흔히 비 스테로이드 분무제 사용 48시간 이내에 호전되는 경우가 많다. 사용할 때는 환자의 증상 호전이 있는 가장 낮은 용량이 권장되며 만약 증상이 초기 권장 용량으로 호전되는 경우에는 용량을 줄여도 효과가 지속되는 경우가 흔하다. 스테로이드 분무제 가장 흔한 부작용은 자극 증상 및 작열감이다. 그 외에 비강 건조, 비출혈, 가피 형성 등이 나타날 수 있다. 심한 부작용인 비중격 천공은 극히 드물지만 국소 비강내 스테로이드 사용 후 비출혈이 발생되면 분무제의 사용을 중단해야만 한다. 비중격에 자극을 피하기 위해서 환자에게 비 스프레이를 코의 외측으로 향하여 사용하도록 교육해야 한다.

스테로이드의 경우 투여나 주사제(점막하 주사) 등 전신적 요법은 중증의 계절성 알레르기비염이나 약물성 비염에만 단기적으로 사용한다.

5) 항콜린제

알레르기비염 혹은 비염시 콧물은 주로 부교감신경(콜린성) 자극에 의하며 ipratropium은 콜린성 신경전달물질인 아세틸콜린과 수용체에서 경쟁 결합하여 과

분비를 차단시키는 점막건조효과를 나타낸다. 항콜린 성제제인 ipratropium 분무제는 알레르기 및 비알레르기비염과 감기에서 콧물을 감소시키는데 효과적이며 모든 경우에서 동등한 효능을 보인다. 그러나 후비루나 코막힘, 재채기를 감소시키는데는 효과적이지 않다. 감기에서 효능은 1시간이내에 나타나며 사용 중단 후 반동성 비루 증가는 없다. Ipratropium 분무제를 사용할 때 코와 입의 건조 현상이 올 수 있으나 용량을 줄이면 호전될 수 있다.

6) 기타 약물

스테로이드 안약은 감염과 백내장의 위험성으로 해로울 수 있기 때문에 눈 증상 조절에는 경구용 항히스타민제나 국소 항히스타민제와 충혈제거제의 복합제가 증상의 일시적 완화를 위해서 사용될 수 있다. 크로몰린제와 lodoxamide tromethamine 등을 알레르기 계절 동안만 증상 예방을 위해서 규칙적으로 사용할 수 있다. cromolyn 안약은 눈 가려움증, 염증, 분비물을 감소시키는데 효과적이며 최대 효과에는 1주 혹은 그 이상이 필요하다. Lodoxamide는 보다 심한 형태인 봄철 각결막염(vernal keratoconjunctivitis)에만 사용되도록 되어있다. 최근 개발된 항히스타민제인 levocabastine hydrochloride는 눈에서 국소 사용이 가능하며 눈가려움증 조절에 terfenadine보다 탁월한 것으로 알려져 있다. Levocabastine의 효과는 즉시 나타나며 크로몰린이나 lodoxamide 등은 효능을 보이는데 수일이 소요된다.

경구용 항알레르기 약제인 ketotifen은 항히스타민 효과와 함께 알레르기 후기 반응을 억제시키는 작용이 있다.

7) 보조 치료

생리 식염수로 규칙적으로 콧속을 세척하는 것이 코의 진한 점액을 제거하는데 도움을 줄 수 있어 치료 효과가 있을 수 있다.

다. 면역요법

면역요법은 피부시험에 양성반응을 보이고 약물치료나 일반 대증치료로 증상의 호전이 없는 경우 고려해 볼 수 있다(8장 4. 면역요법 참조).

참고문헌

1. 나영호. 한국 소아알레르기질환의 전국적 역학조사 결과 보고. 한국 어린이 청소년의 알레르기성 비염, 결막염에 관한 전국적 역학 조사. 소아알레르기 및 호흡기학회지 1997;7:21-2.
2. 박경애, 김성은, 도성숙, 정승희, 송도영, 강임주. 알레르기 비염 환아에서 유도객담 호산구와 최대호기속도의 변화. 소아알레르기 및 호흡기학회지 2000;10:131-40
3. Grossman J. One airway, one disease. Chest 1997;111:11S-16S.
4. Dykewicz MS, Fineman S, Skoner DP, Nicklas R, Lee R, Blessing-Moore J, et al. Diagnosis and management of rhinitis: complete guidelines of the Joint Task Force on Practice Parameters in Allergy, Asthma and Immunology. American Academy of Allergy, Asthma, and Immunology. Ann Allergy Asthma Immunol 1998;81(5 Pt 2):478-518.
5. Skoner DP. Allergic rhinitis: definition, epidemiology, pathophysiology, detection, and diagnosis. J Allergy Clin Immunol 2001;108(1 Suppl):S2-8.
6. Lack G. Pediatric allergic rhinitis and comorbid disorders. J Allergy Clin Immunol 2001;108(1 Suppl):S9-15.
7. Settipane RA, Lieberman P. Update on nonallergic rhinitis. Ann Allergy Asthma Immunol 2001;86:494-507.

제5장

아토피피부염

1. 역학

　아토피피부염은 심한 가려움증이 동반된 만성 염증성 피부질환으로 흔히 영유아기에 발현한다. 호흡기 알레르기의 병력이나 가족력과 연관성이 높으며 삶의 질, 직업의 선택, 사회생활에 큰 영향을 미친다. 최근 전세계적으로 아토피피부염의 유병률이 증가하면서 이에 대한 관심도 증가하고 있다.

　아토피피부염은 미국, 서유럽, 북유럽, 일본과 같은 서구화된 생활양식을 갖는 나라에서는 소아에서 10~20%의 유병률을 갖는 흔한 피부 질환이다. 각 국에서의 연구에 의하면 1970년대에 비하여 아토피피부염의 유병률이 2~3배정도 증가하고 있다. 아토피 질환의 표준화된 국제적 비교를 위하여 ISAAC (international study of allergy and asthma in children)이 시행되었고 이에 따르면 유병률은 저위도 지역에서는 낮게 나타나고 고위도 지역에서 높게 나타났다. 그리고 중국, 동유럽, 중앙아시아, 아프리카의 농경을 하는 지역에서 낮았고 급속히 발전하고 있는 개발도상국의 도시에서 높았다.

　공통된 유전적 배경을 지닌 유사 민족에서도 유병률이 다양하게 나타나서 이 다인성인(multifactorial) 질환의 발병에는 환경적 요인이 중요한 역할을 하리라는 것을 뒷받침하고 있다. 가능성 있는 위험 인자로는 소가족, 높은 수입과 고학력, 시골 지역에서 도시로

의 이주, 증가된 항생제의 사용 등이 있다.

　국내에서도 ISAAC의 설문지를 바탕으로 1995년과 2000년도에 초등학생(6~12세군)과 중학생(13~15세군)을 대상으로, 그리고 2003년 유치원생(5세군)을 대상으로 서울과 지방에서 대규모 역학 조사가 실시되었다. 지금까지 한 번이라도 아토피피부염이 있었던 경우의 유병률은 1995년(6~12세 15.3%, 13~15세 7.2%)에 비해 2000년(6~12세 17.0%, 13~15세 9.2%)에 증가되었다. 그리고 5세군은 23.8%로 나타나 연령이 어릴수록 유병률이 높았다. 성별에 따른 유병률의 차이는 여학생이 남학생보다 높게 나타났으며 지역간의 차이로는 서울이 지방보다 높게 나타났으나 지방이 더 급격한 유병률의 증가를 나타냈다. 부모의 알레르기질환과 아토피피부염의 병력이 자녀의 아토피피부염 진단율에 유의하게 영향을 미치는 것으로 나타났다.

2. 병인

가. 발병 기전

　아토피피부염의 발병에는 유전적 소인, 환경, 약리학적 이상, 그리고 면역학적 요인 간의 상호 작용이 관여한다. 선천성 T 림프구 면역결핍질환들에서 빈번히

IgE가 증가하고 습진성 피부병변이 동반되며 골수 이식으로 질환이 완치된 후 저절로 피부 병변이 깨끗해지는 현상들은 아토피피부염이 면역학적 이상을 가지고 있음을 강력히 시사한다.

1) 전신적 면역 반응

아토피피부염 환자의 대부분에서 말초 혈액에서 호산구가 증가하고 IgE치가 상승되어 있다. 또한 아토피피부염을 가진 소아의 80%에서 알레르기비염이나 천식이 발병한다. 왜냐하면 IgE치는 천식의 유병률과 강하게 연관되어 있으며 이는 피부감작으로도 전신의 알레르기 반응을 통하여 환자에게 호흡기 알레르기를 야기할 수 있다는 것을 시사한다.

IL-4, IL-5, IL-13은 분비하나 interferon (IFN)-γ는 분비하지 못하는 피부 귀소 T 세포(skin homing T cell)가 아토피피부염 환자의 말초혈액에서 증가한다. 이러한 변화는 다음과 같은 이유로 매우 중요하다. 우선, IL-4와 IL-13은 IgE로 동형 전환(isotype switching)을 촉진시키는 데 영향을 주는 유일한 사이토카인이고 Th1-사이토카인을 억제하며 VCAM-1과 같은 혈관세포유착분자(vascular adhesion molecule)의 발현을 증진한다. 그리고, IL-5는 호산구의 생성, 활성화, 생존에 가장 중요한 역할을 한다. 마지막으로, IFN-γ는 IgE 생성, Th2 세포의 증식, T 림프구의 IL-4 수용체의 발현을 억제한다. 이 이외에 세포독성 T 림프구가 거의 사라지는 경우도 보고되었다.

많은 연구 결과들이 아토피피부염에서 Th2 세포의 생성을 증명하였다. 이는 사이토카인 환경도 포함하는데 IL-4는 Th2 세포의 생성을 증가시키고 대식세포나 수지상 세포(dendritic cell), 호산구에서 분비되는 IL-12는 Th1 세포를 유도한다. 아토피피부염 환자의 단핵구에서는 cyclic adenosin monophosphate (cAMP)- phosphodiesterase (PDE)의 활성이 증가되어 있는데 이러한 세포의 이상은 아토피피부염환자에서 T 림프구의 의한 IL-4증가, B 림프구에 의한 IgE 생성의 증가와 체외에서 PDE-억제제 사용시 IgE와 IL-4의 생성의 감소에 기여한다.

휴식기의 T 림프구의 활성화를 위해서는 co-stimulatory 신호가 필요하며, 이는 항원 제시 세포 표면의 CD80이나 CD86과 T 림프구 표면의 CD28 사이의 상호작용이다. 아토피피부염 환자의 B 림프구 표면의 CD86은 정상인이나 건선 환자에 비하여 월등히 높은데 이는 혈청내 총 IgE치와 높은 상관관계를 갖는다. CD80 단클론항체로는 불가능하나 anti-human CD86 단클론항체는 IL-4나 anti-CD40 단클론항체에 의해 유도되는 말초혈액 단핵구의 IgE 생성을 감소시킬 수 있다. 이는 아토피피부염 환자에서 CD86의 발현이 IgE 생성을 촉진한다는 가설을 뒷받침한다. 또한 IL-4와 IL-13은 B 림프구 표면의 CD86 발현을 유도한다.

2) 피부 면역 반응

아토피피부염 환자에서 병변이 없는 부위의 피부는 경한 표피 증식(epidermal hyperplasia)이 있으며 혈관 주위에 T 세포 침윤이 드물게 나타난다. 급성 습진성 피부는 표피의 세포간부종(해면화, spongiosis)이 심한 것이 특징이다. 아토피피부염 환자의 병변부위와 비병변부위의 수지상 항원 제시 세포(Langerhans 세포나 대식세포)는 표면에 IgE가 결합되어 있다. 급성 병변의 진피에서는 정맥 주위로 T 세포의 침윤이 크게 증가되고 단핵구와 대식세포도 종종 섞여있다. 침윤된 림프구는 CD3+CD4+CD45RO+를 지닌 활성화된 기억 T 세포가 주를 이루며 이들은 이전에 항원과 접촉한 적이 있다고 여겨진다. 호산구, 호염기구, 중성구는 급성 아토피피부염 병변에서는 거의 나타나지 않는다. 비만세포의 수는 정상이나 탈과립의 정도가 다양하다.

만성 태선화 병변은 망상 조직(rete ridges)의 신장, 특징적 각화증, 적은 해면화가 동반된 과증식한 표피 등이 특징이다. 표피에는 IgE가 결합된 랑게르한스 세포가 증가하고 진피내 단핵구 침윤에서는 대식세포가 가장 많다. 비만세포의 수는 증가되어 있으며 과립화되어 있다. 만성 아토피피부염 피부에서는 호산구의 수가 증가한다. 호산구는 알레르기 반응을 증대시키는 사이토카인과 매개체를 분비하며 반응성 산소 중간 매개물(reactive oxygen intermediate)를 생산하고 독성 과립 단백질을 분비함으로써 피부의 손상을 야기한다.

Th2형과 Th1형 사이토카인은 아토피피부염의 피부 염증 발병에 기여한다. 정상 대조군과 비교하여 보면 아토피피부염 환자의 비병변부위의 피부에는 IL-4, IL-13을 나타내는 세포의 수는 증가되어 있으나 IL-5, IL-12, IFN-γ mRNA는 증가되어 있지 않다. 정상인의 피부나 아토피피부염 환자의 비병변부위의 피부를 급성, 만성 피부병변부위와 비교하여 보면 IL-4, IL-5, IL-13 mRNA에 대하여 양성으로 나타내는 세포가 크게 증가되어 있다. 그러나 급성 아토피피부염에서는 IFN-γ나 IL-12 mRNA를 표현하는 세포가 유의하게 나타나지 않는다.

만성 아토피피부염의 피부 병변은 IL-4와 IL-13 mRNA를 표현하는 세포를 매우 적게 갖고 있으나 IL-5, GM-CSF, IL-12, IFN-γ mRNA를 표현하는 세포는 급성기 때보다 많으며 IL-5와 GM-CSF는 호산구와 대식세포의 수를 증가시키는데 기여하리라 생각된다. IL-12는 IFN-γ의 생산에 중요한 역할을 하여 만성 아토피피부염의 호산구나 대식세포에서 Th1이나 Th0 세포 발생으로의 전환을 시작할 수 있다.

활성화된 T 세포의 침윤은 각질세포(keratinocyte)의 자사(apoptosis)를 초래하며 이는 아토피피부염 피부 병변에서 발견되는 세포간부종 과정에 기여한다. 이러한 일련의 과정은 IFN-γ가 각질세포의 Fas를 상향 조절하여 매개된다. 표피에 침윤된 T 세포의 표면에 발현된 Fas-ligand와 T 세포에서 분비된 용해성 Fas-ligand가 각질세포를 치명적으로 공격한다.

아토피피부염의 피부에는 IgE를 지닌 랑게르한스 세포가 증가되어 있는데 이는 피부의 알레르겐을 Th2 세포에 전달해 준다. IgE를 지닌 랑게르한스 세포는 집먼지진드기의 알레르겐을 T 림프구에 전달하여 기억 T 세포를 활성화시키거나 혹은 림프선으로 이동하여 원시(naive) T 세포를 자극하여 Th2 세포계로 발달, 증식시킨다.

랑게르한스 세포와 IgE의 결합은 고친화력 IgE 수용체(high affinity IgE receptor: FcεRI)를 통하여 일어난다. 랑게르한스 세포에 있는 FcεRI는 비만세포나 호염기구와는 다르게 사량체(tetrameric) 구조를 나타내는데 이 수용체는 전형적인 β-사슬이 없이 개체에 따라 다양하게 표현된다. 아토피피부염의 염증성 피부병변에서는 정상인이나 호흡기 알레르기를 지닌 환자와는 다르게 랑게르한스 세포에 FcεRI의 발현이 높다. FcεRI의 높은 발현은 알레르겐의 획득 뿐 아니라 수용체 결합에 있어 랑게르한스 세포의 활성도를 증대시킨다.

아토피피부염 환자의 피부병변에 있는 랑게르한스 세포는 CD86을 두드러지게 표현하는데 이는 T 세포 활성화를 위한 동시 자극 분자(costimulatory molecule)로서 중요한 역할을 한다.

C-C 케모카인(chemokines), RANTES, monocyte-chemotactic protein-4 (MCP-4), eotaxin과 CD4⁺ T 림프구에 대하여 화학주성물질(chemoattractant)인 IL-16은 아토피피부염 병변에서 증가되어 있으며 호산구와 Th2 림프구의 피부로의 화학주성에 기여한다. CLA+ T 림프구가 우선적으로 피부로 이동하는데 피부 T 림프구 친화성 케모카인(CTACK/CCL27)이 작용하고 있다.

아토피피부염 환자의 표피 각질세포는 tumor necrosis factor (TNF)-α와 IFN-γ로 자극할 때 건선 환자의 각질세포보다 RANTES의 발현이 더 높다. 이는 만성 아토피피부염에서 TNF-α와 IFN-γ의 생성이 피부 병변의 만성화와 중증도를 증가시키는데 하나의 기전으로 작용할 수도 있음을 시사한다. 물리적 자극은 또한 표피 각질세포로부터 TNF-α와 다른 염증성(proinflammatory) 사이토카인의 분비를 유도할 수 있다. 그러므로 만성적으로 긁는 행위는 아토피피부염에서 피부 염증을 지속화하고 야기시키는데 중요한 역할을 한다.

나. 유전

아토피피부염은 모계의 영향을 강하게 받으며 유전된다. Th2 림프구에 의해 발현되는, IL-3, IL-4, IL-5, IL-13, GM-CSF와 같은 사이토카인 유전자가 위치한 5q31-33의 잠재적 기능이 주목받고 있다. 또한 아토피 소인에 영향을 주는 것으로는 IL-4 유전자 촉진자(promoter) 영역 -590C/T 다형(polymorphism)의 T 대립유전자(allele), IL-4 수용체 α 소단위(subunit)의 돌연변이 등이 보고되었는데 이들은 아토피피부염의 발현에 IL-4 유전자의 발현이 중요한 역할을 함을 의미한다. 이러한 가능성 있는 유전자들은 아토피피부염이 다른 아토피 질환들과 공통된 유전적 바탕을 가지고 있음을 시사한다.

천식이나 알레르기비염과는 달리 아토피피부염은 비만세포 chymase 유전자특이다형과의 높은 연관성이 증명되었다. 이는 피부의 비만세포에서 분비되는 serine protease인 chymase의 유전적 변이가 장기별로 다른 효과를 보일 수 있으며 아토피피부염의 유전적 소인에 영향을 줄 수 있음을 시사한다. 아토피피부염에서는 T 림프구의 활성을 억제하는 중요한 조절 유전자인 TGF-β의 생산이 낮기 때문에 피부의 염증이 증가할 수 있다.

이 이외에도 co-stimulatory 유전자인 CD80과 CD86를 생성하는 염색체 3q21, 건선과 연관된 염색체 1q21와 17q25가 보고되었다. 이는 아토피피부염은 알레르기 기전과는 독립적으로 피부의 반응을 조절하는 유전자에도 영향을 받음을 나타낸다.

아토피피부염의 유전 양식은 아직 불분명하지만 Uehara 등에 의한 연구에서는 아토피피부염을 갖고 있는 성인 환자의 60%에서 아토피피부염을 가진 자녀가 있었다. 양측 부모가 모두 아토피피부염을 갖고 있는 경우는 자녀의 81%, 한 부모는 아토피피부염, 다른 한 부모는 호흡기 알레르기를 가진 경우에는 59%, 한 부모는 아토피피부염이나 다른 부모는 알레르기질환을 갖지 않은 경우에 56%로 아토피피부염이 나타났다. 다른 연구에서는 아토피피부염의 가족내 발생은 부모보다는 형제, 아버지보다는 어머니가 있을 때 위험도가 더 높게 나타났다. 어머니가 더 높게 나타날 수 있는 이유로는 아버지보다는 어머니와 출생 전 태내 환경과 물리적 환경을 더 공유함을 들 수 있다. 그리고 형제가 부모보다 높음은 유아기에 노출되는 환경 요인이 최근 아토피피부염의 유병률이 증가하는 현상을 설명할 수 있다는 가설을 뒷받침 해주고 있다.

3. 유발 및 악화인자

가. 면역학적 유발 인자

1) 식품

식품 알레르겐은 아토피피부염을 지닌 소아에서 피부 발진을 유발한다. 중등증 이상의 아토피피부염을 가진 영유아에서 이중맹검식품유발시험을 시행하여 보면 약 40%에서 식품알레르기가 나타났다.

식품알레르기를 가진 영유아는 일반적으로 다양한 식품에 대하여 즉시형 피부시험과 혈청 특이 IgE 항체 검사에 양성반응을 나타낸다. 그러나 특정 알레르겐에 대한 즉시형 피부시험은 임상적인 민감도와 항상 일치하지는 않는다. 그러므로 임상적으로 의미 있는 식품 알레르기는 반드시 식품 유발시험을 하거나 식품 제거 이후 임상 증상을 관찰하여 확인하여야 한다(표 5-1).

2) 대기 알레르겐

아토피피부염 환자에서 집먼지진드기, 잡초(weed), 동물의 비듬, 진균 등의 대기 알레르겐(aeroallergen)으로 비강이나 기관지에 유발시험을 시행하거나 피부 첩포(patch) 시험을 시행하면 아토피피부염 환자의 30~50%에서 습진성 피부병변이 야기되었다.

그리고 특수 매트리스 커버 등을 이용한 효과적인 진드기 감소 방법을 시행한 군에서 집먼지진드기의 감소는 아토피피부염을 크게 호전시킨다고 보고되었다.

표 5-1. 아토피피부염의 유발인자

면역학적 인자	환경적 인자
식품 알레르겐	기후
우유, 계란	극한 온도와 습도
땅콩, 대두	화학적 자극
밀, 조개	세탁 세제와 표백제
생선	비누
흡입 알레르겐	청소 세제
꽃가루	향기 있는 화장품
곰팡이	물리적 자극
집먼지진드기	긁음
동물 비듬	발한
바퀴벌레	합성 섬유
미생물	거친 촉감의 섬유
세균	산성 식품
Staphylococcus aureus	감염
Streptococcus	심리사회적 스트레스
곰팡이/Yeasts	만성 질환
Pityrosporum ovale	감정적 스트레스
Pityrosporum orbiculare	수면장애
Trichophyton species	직업
Candida, Malassezia	자극물질 노출

집먼지진드기에 대한 IgE 항체가 천식 환자는 42%에서 발견된데 비하여 아토피피부염 환자는 95%에서 발견되어 대기 알레르겐에 대한 감작의 정도는 아토피피부염의 중증도와 직접적으로 연관이 있었다. 아토피피부염 병변부위와 알레르겐 첩포시험 자리에서 유럽형 집먼지진드기(*Der p* 1)나 다른 대기 알레르겐에 대하여 선택적으로 반응하는 T 림프구 분리는 대기 알레르겐이 아토피피부염에서 면역반응을 일으킬 수 있다는 것을 시사한다.

3) 감염

아토피피부염을 가진 환자들은 세균, 바이러스, 진균 감염이 증가되는 성향을 지니고 있다. *Staphylococcus aureus*는 아토피피부염 피부의 90% 이상에서 검출되며 감염 증상이 없어도 염증이 있는

아토피피부염 병변에서 *S. aureus*의 농도는 10^7 CFU (colony-forming-units)/cm^2에 이를 수 있다. *S. aureus*의 중요성은 명백한 감염이 없는 아토피피부염 환자에서 국소 스테로이드 제제만을 사용한 경우보다 staphylococcus에 대한 항생제를 같이 사용한 경우에 아토피피부염의 중증도를 크게 감소된다는 사실로 뒷받침된다.

*S. aureus*가 아토피피부염의 염증을 악화시키거나 유지시키는 방법은 초항원(superantigen)으로 작용하는 것으로 알려진 독소를 분비하는 것이다. 초항원은 T 세포와 대식세포를 크게 활성화시키며 대부분의 아토피피부염 환자들은 초항원에 대한 특이 IgE 항체를 형성하며 이를 가진 환자들의 호염기구는 적절한 초항원에 노출시 히스타민을 방출한다. 그리고 초항원은 가려움증-긁음의 순환에서 아토피피부염의 발진을 악화시키는데 결정적 역할을 한다.

아토피피부염 피부에 대하여 *S. aureus*의 결합이 증가하는 것은 다음의 근거들로 기본적인 아토피성 피부 염증과 관계된 것으로 생각된다. 첫째 피부에 국소 스테로이드 제제나 tacrolimus만을 도포하여도 아토피피부염 피부병변에서 *S. aureus*의 수를 감소시킨다. 둘째, *S. aureus*는 만성 아토피피부염 피부나 정상 피부에서 보다는 급성 염증성 병변 부위에 더 많다. 긁는 행위는 피부의 보호막을 깨뜨리고 *S. aureus*가 부착하는 데 작용하는 extracellular matrix molecule (fibronectin, collagen)을 노출시켜 *S. aureus*가 결합하는 것을 더 증가시킨다. 셋째, 쥐에서 Th1과 Th2 염증 반응을 지닌 피부에 *S. aureus*의 결합을 비교한 연구에서 세균은 Th2-매개 염증을 가진 피부 병변에 훨씬 더 많이 결합하였다.

사람의 아토피피부염 피부에서는 fibrinogen이 *S. aureus*가 피부에 결합하는데 역할을 함이 발견되었다. *S. aureus*는 아토피피부염의 피부에 일단 결합하면 국소 면역 반응의 저하로 매우 빠르게 번식한다. 포유류의 피부에는 항균 펩타이드인 β-defensins과 cathelicidins이 중요하다고 알려져 있다. 이들은 세균,

진균, 바이러스에 대하여 항균 작용을 가지고 있으며 작용 기전은 균의 막을 파괴시키거나 통과하여 세포 내 기능들을 방해하는 것이다. 최근에 아토피피부염 환자의 피부에서는 β-defensin과 cathelicidin의 생산이 크게 부족함이 밝혀졌다.

아토피피부염에서는 *S. aureus*의 감염 이외에도 반복적인 바이러스 피부감염이 나타나는데 이는 피부 장벽의 손상 뿐 아니라 알레르기질환 자체로 인한 Th1/Th2 세포 불균형으로 인해 interferon-γ 생성이 저하되어 있는 점, plasmacytoid dendritic cell의 피부로의 동원(recruitment) 저하로 interferon-α, β 생성이 저하되어 있는 점 등이 원인이 된다. 가장 심각한 감염을 일으키는 것은 *Herpes simplex*인데 모든 연령에서 나타나며 Kaposi varicelliform 발진이나 eczema herpeticum을 일으킨다. *H. simplex*에 의한 반복되는 피부염은 *S. aureus*에 의한 것으로 오진되기도 하는데 punched-out erosion, 수포 병변 그리고 경구용 항생제에 반응하지 않는 경우에는 *H. simplex*를 고려해야 한다. 아토피피부염의 지루성 병변에서는 lipophilic yeast인 *Malassezia furfur (Pityrosporum ovale)*가 흔히 존재하는데 이에 대한 IgE가 머리나 목 부위의 피부병변에서 자주 발견된다. 알레르기 첩포시험에 양성을 나타내며 항진균제로 치료할 때 아토피피부염의 중증도가 감소함이 증명되었다(그림 5-1).

4) 자가 알레르겐

1920년대에 사람 피부의 비듬이 중증의 아토피피부염 환자의 피부에서 즉시형 과민 반응을 야기할 수 있다고 보고되었다. 이는 피부에서 자가알레르겐 (autoallergen)에 대한 IgE를 만든다는 것을 시사하며 중증의 아토피피부염을 지닌 환자들의 혈청 대다수에서 인간의 단백질에 대한 IgE 항체를 포함하고 있다는 것이 밝혀졌다. 이러한 IgE-반응 자가 알레르겐중의 하나인 *Hom s* 1는 피부 각질세포의 55 kDa 세포질 단백질로서 이에 대한 항체는 만성 두드러기, 전신성 홍반성 낭창(SLE), 이식대숙주병(GVHD) 또는 정상인에

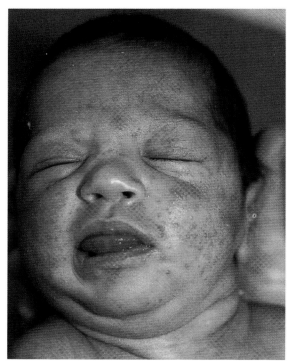

그림 5-1. 신생아 *Malassezia furfur* 농포증 (*Textbook of Pediatric Dermatology* Volume 1 Figure 1.7.2 ⓒ2000, Blackwell Publishers)

서는 발견되지 않는다. 비록 이제까지 규정된 자가 알레르겐이 주로 세포내 단백질들이지만 아토피피부염 환자의 혈청에서 IgE 면역 복합체가 발견된 것은 상처받은 조직으로부터 이들 알레르겐이 유리되어 IgE나 T 세포에 의해 조절되는 반응을 유발시킬 수 있음을 시사한다. 이러한 결과들은 IgE 면역반응이 초기에는 환경 알레르겐에 의하여 시작되지만 이후 특히 중증의 아토피피부염에서는 사람의 내인성 항원에 의하여 지속될 수 있다는 것을 시사한다.

나. 악화 인자

아토피피부염의 경과에는 구별하기 어려운 많은 1차적 그리고 2차적 인자들이 영향을 미친다. 환경적 자극은 아토피피부염을 악화시키는데 결정적 작용하나 1차적 인자는 아니다. 환경적 악화 인자에는 다음

과 같은 것들이 있다.

1) 기후

개개인에 따라 기후의 영향에 다르게 반응한다. 대부분은 겨울철에 악화되고 여름에 호전되는데 Rajka는 그 이유로 더 많은 피지와 땀의 분비, 태양에 대한 노출로 받는 자외선, 수영하는 동안 물에서의 노출, 감염의 감소, 여름 휴가동안의 스트레스의 감소 등을 제시하였다. 또한 같은 영향으로 다른 아토피피부염의 환자에서는 상태를 악화시킬 수도 있다고 하였다. 적절한 피부 보호 없이 자외선에 대한 노출은 해로울 수 있으며 실외활동의 증가로 실내 항원에의 노출은 감소하지만 지역에 따라서는 목초 화분(grass pollen)와 같은 실외항원이 병변을 악화시킬 수도 있다. 일반적으로 춥고 건조한 기후는 피부를 건조하게 하는 작용으로 인하여 2차적으로 아토피피부염이 악화된다. 덥고 습한 기후 역시 악화시킬 수 있는데 이는 증가되는 발한과 2차 감염의 기회가 증가하기 때문이다. 그리고 온도나 습도의 급격한 변화 역시 아토피피부염을 악화시킬 수 있는데 이는 즉각적으로 피부가 적응할 수 있는 능력이 떨어지기 때문이다. 이러한 기후의 영향은 대부분의 환자에서 2차적으로 작용하며 개인마다 다양하게 나타난다.

2) 화학 물질

세탁 세제, 표백제, 비누, 집안을 청소하는 화학제품들은 아토피피부염을 가진 환자에게 자극제로서 작용한다. 표백제를 사용하지 않고 약하게 세탁 세제를 사용하는 것이 좋으며 일부 환자에서는 헹굼을 2배로 하는 것이 세제 제거에 도움이 된다. 목욕할 때는 순한 무향의 비누를 사용하여야 한다. 그리고 장갑이나 옷을 이용하여 청소 약품으로부터 피부를 보호하여야 한다. 아토피피부염 환자의 피부 보호막은 빈번히 변하고 보통 피부에는 문제를 일으키지 않는 일반적 상처에도 잘 견디지 못한다.

3) 물리적 자극

심각한 가려움증으로 인한 긁은 자국은 아토피피부염의 특징이다. 긁는 것은 급/만성 아토피피부염을 시작하거나 지속하게 하며 피부를 벗겨지게 하고 알레르겐이나 균들이 침입하게 한다.

아토피피부염 환자들은 발한 기전에 장애를 나타내어 자극하는 동안에도 발한의 감소가 보고되었고 땀을 흘리는 동안 가려움증이 증가되었다. 그리고 표피를 통한 수분의 소실이 증가하는 것이 관찰되었는데 이는 아토피피부염의 피부에서 피지선이 적고 전체 지질 성분이 적기 때문이다. 이러한 결과들은 임상적으로 피부가 건조해지고 가려움증이 증가하는데 기여한다.

4) 식품

일부 식품들은 자극과 가려움증을 유발시키는 요인으로 작용한다. 토마토, 오렌지, 그레이프푸르츠, 딸기 등이 이에 속하며 이들은 알레르겐으로 작용하는 것이 아니라 그들의 산성 성분으로 인하여 가려움증을 유발하는 자극원으로 작용한다.

5) 심리사회적 자극

직업, 학교생활, 불안정한 가정환경과 같은 심리사회적인 스트레스는 아토피피부염의 경과에 악화요인으로 작용할 수 있다. 과거에는 아토피피부염을 "prurigo Besnier"라고 하여 신경성 질환과 연관되어 있다고 하였고 일부 연구자들은 심리적 영향이 자율신경계의 불균형과 비정상적 혈관반응, 매개물 분비를 유도하고 이들이 여러 원하지 않는 반응을 유발한다고 하였다. 아토피피부염 환자에서 모두 나타나는 만성 가려움증은 악순환을 일으키게 만드는 수면장애, 과잉 자극 감수성, 감정 장애를 유발한다. 이들이 질환의 근본적 원인은 아니지만 환자를 치료하는 데 증상을 최대한 완화시켜주는 필수적인 요인이다.

6) 직업

경력이나 직업의 선택은 성인 아토피피부염 환자의 질환의 경과에 영향을 미칠 수 있다. 아토피피부염의 건조하고 과민한 피부는 자극에 대하여 쉽게 갈라지고 인설이 생기며, 감염이 호발하기 때문에 먼지, 양모, 직물, 화학물질 등에 노출되는 직업에서 아토피피부염이 더 많다고 보고되었다. 아토피피부염 환자의 65~75%에서 손의 습진이 나타났는데 대부분의 경우 작업 환경에서 비특이적 자극과 연관되어 있었다. 손의 습진과 아토피피부염의 악화는 노출을 최소화하기 위해 근무 시간을 조정하거나 직업을 바꾸어야 할 정도로 심각할 수도 있다.

4. 증상

아토피피부염은 만성 재발성 피부염으로 심한 소양증, 피부 병변의 특징적인 모양 및 분포 그리고 본인 혹은 가족에 있어서 아토피 병력을 보이는 것을 특징으로 하는 피부 질환이다.

가. 임상적 특징

아토피피부염은 주로 생후 초기(생후 2~3개월)에 발병하는 만성 피부염으로서 피부 소양증과 피부 병변이 특징적이다.

가려움증은 가장 특징적인 증상으로 주로 초저녁이나 한밤중에 심하고 이로 인해 환자는 침구나 침대 면에 얼굴을 비비는 등 쉴 새 없이 긁게 되어 피부에 수포와 딱지가 생기며 2차 감염이 빈번하다.

피부병변의 특징은 급성기에는 홍반성 구진(erythematous papule)으로서 이들이 판(plaque)을 형성하고 가려워서 긁게 되면 진물이 나는 홍반성 습윤성 피부염(erythematous weepy patches)이 된다. 질병이 아급성 또는 만성으로 경과하면 습성 병변이 건성 병변으로 변하고 피부가 두터워지는 태선화

(lichenification)양상을 보인다. 이런 다양한 피부 소견들은 질병 자체가 만성 질환이기 때문에 혼합되어 나타나거나 급성 증상이 반복하면서 만성화하는 특성을 가지고 있으며 병의 경과 그리고 연령 등에 따라 나타나는 부위에 차이가 있다(그림 5-2, 3, 4).

아토피피부염은 환자의 연령에 따라 비교적 특징적인 양상을 보여 다음 세 가지 형태로 분류할 수 있는데, 영아형(infantile phase: 2세 미만)(그림 5-5)은 흔히 '태열'이라 표현되며 생후 2~3개월에 뺨에 건조하고 붉고 비늘이 있는 습진 소견이 나타나기 시작한다. 점차 얼굴의 나머지 부분, 목, 손목, 복부, 사지의 신전부위(extensor aspects)로 퍼진다. 굴곡 부위의 침범은 나중에 나타나지만 슬와부와 전주와부의 피부염으로 나타나기도 한다. 기저귀를 차는 영아에서는 기저귀 부위를 긁지 못해 이곳에 습진이 없는 경우도 많다. 대부분 3~5세경에 호전되는 경향이 있으나 일부는 소아 및 성인형으로 진행하거나 또는 다른 알레르기질환을 앓게 된다.

소아형(childhood phase: 2~12세)(그림 5-6)은 신체의 굴측 부위(flexural areas; antecubital, popliteal fossae, volar surface of wrist, ankle, neck)가 주로 침범된다. 습진 병변은 건성으로 구진(papule)이 나타나 빠르게 융합하여 판을 형성한 뒤 심하게 긁으면 태선화 한다.

성인형(adult phase: 12세 이후)(그림 5-7)은 대부분 사춘기경에 발병하는데 원인은 뚜렷하지 않으나 호르몬의 변화 또는 스트레스 등에 의한다고 한다. 소아형과 유사하며 여러 부위의 태선화 양상을 보이는 피부염증 소견을 보인다. 소아형에서 관찰되는 신체의 굴곡부위가 많이 침범되며 그 외에 손, 눈, 항문 생식부위의 습진도 특징적이다.

면역학적으로는 제1형 알레르기 반응에 관여하는 IgE가 대부분(80%)의 아토피피부염의 면역 병태생리에 관여한다. 따라서 아토피피부염 환자는 향후 다른 알레르기질환(기관지 천식, 알레르기비염 등)을 앓을 가능성이 높으며 특히 심한 피부염을 앓는 영아에서는

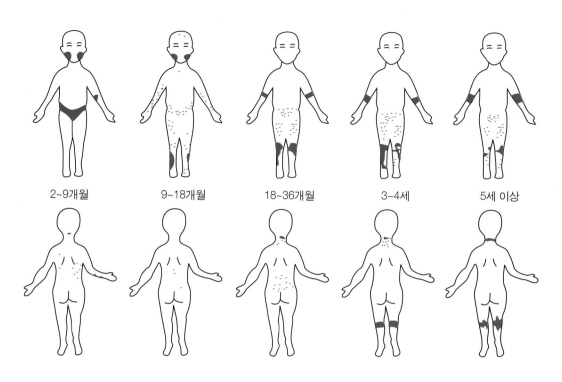

| 2~9개월 | 9~18개월 | 18~36개월 | 3~4세 | 5세 이상 |

그림 5-2. 연령별 아토피피부염의 특징적인 분포

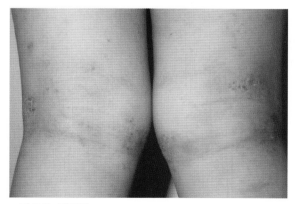

그림 5-3. 줄까짐

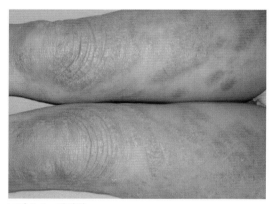

그림 5-4. 태선화

음식물 알레르기가 원인일 가능성이 높다. 소수에서는 IgE의 관여 없이 제4형 알레르기 반응에 의하여 유발되며 면역 기능의 저하에 의하여 포도상구균, 단순포진 바이러스(herpes virus) 등의 감염 빈도가 높다.

나. 진단기준

아토피피부염의 진단은 임상 양상에 의하는데 이러한 임상 양상은 개개인, 연령, 종족 등에 따라 매우 다양하여 절대적으로 확립된 기준은 없다. 그러나 대부

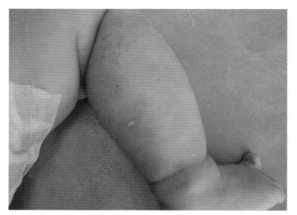

그림 5-5. 아토피피부염, 영아형

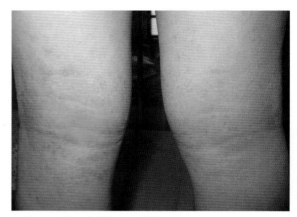

그림 5-6. 아토피피부염, 소아형

분은 1980년 "Haniffin과 Rajka"가 제시한 주요 임상 증상들을 진단 기준으로 인용하고 있다(표 5-2).

1) 주증상

아토피피부염의 진단을 위한 주증상으로는 가려움 증, 연령에 따른 특징적인 병변의 부위와 모양, 그리고 만성 혹은 재발성 경과를 취하는 병의 진행과정, 본인 또는 가족력에서 아토피의 병력(아토피피부염, 기관 지 천식, 알레르기비염 등)이 있으며 이중 3가지 이상 이 있으면 아토피피부염이라 진단할 수 있다.

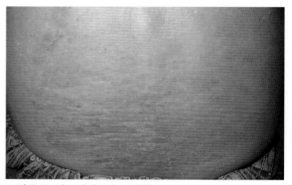

그림 5-7. 아토피피부염, 성인형

가) 소양증

가장 중요한 주증상으로 아토피피부염에서 관찰되 는 피부의 변화는 피부를 긁어서 유발되는 2차적인 병 변이 대부분이다.

가려움증은 하루 종일 계속될 수도 있으나 주로 초 저녁과 밤에 심해진다. 소양증의 원인은 뚜렷하지 않 으나 여러 염증세포에서 분비되는 화학매개물질에 의 한다고 생각된다. 한편 아토피피부염 환자는 소양증 에 대하여 역치가 낮아 쉽게 가려워하고 알레르겐, 낮 은 습도, 과도한 발한, 다양한 자극물질(양모, 아크릴, 비누 세정제) 등에 의하여 더욱 악화된다.

나) 연령에 따른 병변의 모양과 부위

영아기에는 주로 안면(cheek)과 사지 신측부 (extensor surface)의 삼출성 습성 병변이, 유소아기 이 후에는 사지의 굴곡부위인 전주와부(antecubital)와 슬 와부(popliteal fossae)에, 성인기에는 이마, 목 , 손목, 발목의 건성 습진과 태선화 양상의 병변이 특징이다.

다) 만성 재발성 경과

아토피피부염은 특히 호전과 악화를 반복하는 만성 경과를 취하며 완전히 호전된 뒤에도 수년 후 재발하 는 경우가 많다.

표 5-2. 아토피피부염 진단기준

주증상
소양증
특징적 발진 모양 및 호발 부위
만성 및 재발성의 임상경과
아토피질환의 동반 및 가족력

부증상
피부 건조증
피부 감염
어린선(icthyosis), 모공 각화증(keratosis pilaris)
백색 비강진(pityriasis alba)
손이나 발의 비특이적 습진과 두드러진 손금
유두의 습진
반복되는 결막염, 전낭하 백내장, 원뿔각막(keratoconus)
눈 주위 색소 침착, Dennie lines
구순염(cheilitis), 안면 창백, 안면 피부염, 목주름
백색 피부 묘기증(white dermographism and delayed blanch)
환경이나 감정 요인에 의한 악화
혈청 IgE 증가 또는 피부 시험 양성

라) 아토피의 개인 및 가족력

아토피피부염 환자에서 아토피의 개인력은 50%, 가족력은 70%에서 관찰된다.

2) 부증상

부증상은 주증상보다 드물게 나타나거나 비특이적일 수 있으며 개개인에 따라 또는 인종에 따라 차이가 많다. 또한 부증상은 계절에 따라, 연령에 따라 증상의 발현에도 차이가 있다. 특히 주증상을 3가지 이상 나타내지 않더라도 부증상을 3가지 이상 나타나면 아토피피부염이라 진단할 수 있다.

피부건조증: 아토피피부염에만 국한되는 증상은 아니나 중요한 임상적 특징이다. 피부가 건조하면(xerosis) 각질층의 장벽기능이 손상되어 피부를 통한 수분손실이 증가하고 외부의 자극물질이나 항원이 쉽게 피부 내로 침투될 수 있다. 춥고 습도가 낮은 겨울철, 목욕 후에는 더욱 건조해진다. 그러므로 목욕 후 즉시 보습제를 발라 피부에서의 수분 손실을 막아야 한다.

피부감염: 아토피피부염 환자는 포도상구균의 피부 감염이 빈번하며 그 외에도 단순 포진, 전염성 연속증(molluscum contagiosum) 등과 같은 바이러스의 잦은 감염 그리고 지연성 피부반응의 감소 등을 보여 세포 매개 면역력이 감소되어 있음을 시사한다.

손이나 발의 비특이적인 습진 병변: 손발의 습진성 병변(non-specific dermatitis of the hands or feet)은 대부분 손, 발의 바닥보다는 등쪽 또는 손가락, 손목이나 발목 부위에서 흔히 나타나며 소아 환자의 40%정도에서 이를 관찰할 수 있다.

일부 환자의 경우 발의 앞쪽(forefoot)이나 엄지 발가락에 습진 병변이 관찰되며 다른 부위에는 병변이 없이 발바닥 혹은 손바닥에만 병변이 있는 경우도 있다.

어린선/손바닥 손금의 두드러짐/모공 각화증: 상기 3가지 증상은 함께 동반되는 경우가 많아 어린선 삼증후군(ichthyosis triad)으로 알려져 있다.

아토피피부염 환자의 손금은 정상인보다 훨씬 많고 두드러져 보이는(palmar hyperlinearity, increased palarmar marking) 경우가 많으며 모공 각화증(keratosis pilaris)은 사지의 외측에서 주로 관찰되며 동양인과 흑인에서 보다 뚜렷하다(그림 5-8).

습진: 유두 또는 유륜(areola)에 습성, 건성 병변(nipple eczema)이 관찰되는데 소아에서 보다 성인에서 주로 관찰되는 소견이다. 사춘기 이후 여성에서 발생될 경우 아토피피부염과 관련성이 많다. 대개 진물이 나고 가피를 동반한 병변이 양측 유두에 발생하며 주위 유방 피부로 확산될 수 있다.

백색 피부묘기증: 피부염이 있는 부위 특히 홍반이 심한 부위를 자극하면 그 부위에 정상적인 3중 반응(triple response of Lewis) 대신에 하얀 선(white dermographism)이 형성된다(그림 5-9).

말초 혈관을 확장할 수 있는 acetylcholine이나 methacholine을 피부에 주사할 경우 정상적으로는 홍

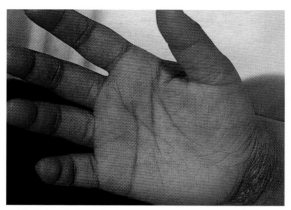

그림 5-8. Palmar hyperlinerarity (*Textbook of Pediatric Dermatology* Volume 1 Figure 3.6.21 ⓒ2000, Blackwell Publishers)

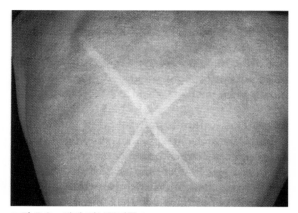

그림 5-9. 백색 피부묘기증 (*Textbook of Pediatric Dermatology* Volume 1 Figure 3.6.24 ⓒ2000, Blackwell Publishers)

그림 5-10. Dennie-Morgan 안와밑 주름 (*Textbook of Pediatric Dermatology* Volume 1 Figure 3.6.23 ⓒ2000, Blackwell Publishers)

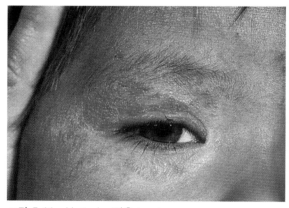

그림 5-11. Hertoghe 징후 (*Textbook of Pediatric Dermatology* Volume 1 Figure 3.6.26 ⓒ2000, Blackwell Publishers)

반이 나타나나 아토피피부염에서는 창백(blanching) 한 소견을 보인다.

원추 각막/백내장: 원추각막(keratoconus)은 과거에는 현저한 증상으로 기술되었으나 현재는 비특이적인 것으로 생각하며 정확한 안과적 검사로만 진단이 가능하다. 백내장(anterior subcapsular cataract)은 피부염이 심한 경우 약 30% 이상에서 관찰되며 장기간의 스테로이드 투여에 의하여 발생될 수도 있다. 사춘기, 성인기에 드물게 관찰된다. 증상이 나타나지 않는 경우가 많으므로 정기적인 검사를 하여 진단하여야 한다.

혈청 IgE치의 상승: 환자의 약 80%에서 정상인보다 4~5배 이상 혈청 IgE치가 증가되어 있으나 20% 정도에서는 정상치를 보이고 있다. 혈청 IgE치의 증가와 질병의 경중간에는 상관성이 적다고 하나 호흡기 알레르기가 동반될 가능성은 높다.

즉시형 피부시험 양성반응: 대부분의 환자에서 즉시형 피부시험(immediate skin test reactivity)을 시행하면 음식물과 흡입항원 등에 대하여 양성 반응을 보이는 경우가 많다.

이른 초발 연령(early age of onset): 소아 아토피피부염의 60%가 1세 이내에, 그리고 90%가 5세이내에 초발한다.

세로기본형

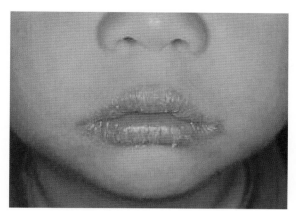

그림 5-12. 구순염

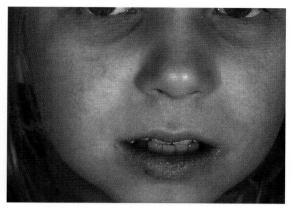

그림 5-13. 눈 주위 색소 침착 (*Textbook of Pediatric Dermatology* Volume 1 Figure 3.6.25 ©2000, Blackwell Publishers)

Dennie-Morgan 안와밑 주름: 눈꺼풀의 홍채 중앙부를 넘는 한 개 또는 두 개의 주름으로 눈꺼풀(안검)의 습진성 병변과 밀접한 상관성이 있어 환자가 눈주위가 가려워 만성적으로 긁거나 비벼서 생긴다(그림 5-10). 눈썹을 반복하여 긁거나 문지름으로써 바깥 눈썹이 빠지는 'Hertoghe 징후' 도 나타날 수 있다(그림 5-11).

안면 창백/안면 홍반: 안면 주로 양쪽 뺨에 홍반과 함께 창백함(facial pallor/erythema)이 관찰된다.

환경이나 감정에 의한 영향: 사춘기, 성인기의 중요한 요인으로 정신적인 스트레스등 감정 요인(course influenced by environmental/emotional factors)에 의하여 피부염이 악화되는 경향이 있다. 또한 거주하는 주거 환경을 바꾸면 피부염이 저절로 호전되는 경우도 많다.

구순염: 대개 입술에 국한되지만 주위 피부로 확대될 수 있다. 소아기에 시작되며 입술이 건조해져 자주 침을 바르게 된다. 입술이 건조하고 갈라지는 양상을 보이는 소견으로서 주로 윗입술이 많이 침범된다. 그외에 입가가 잘 찢어지는 형태(angular chelitis)의 구순염도 소아에서 흔히 관찰되는 소견이다(그림 5-12).

재발성 결막염: 알레르기비염과 흔히 동반되며 눈주위의 안검 염도 함께 동반되어 심한 경우 외반(ectropion)이 되는 수도 있다.

눈 주위 색소 침착(orbital darkening): 눈 주위의 눈

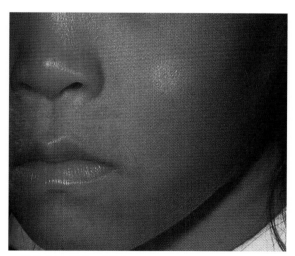

그림 5-14. 백색 비강진 (*Textbook of Pediatric Dermatology* Volume 1 Figure 4.2.1 ©2000, Blackwell Publishers)

꺼풀과 속눈썹 부위의 만성 피부염이 흔히 동반된다(그림 5-13).

백색 비강진(Pityriasis alba): 뺨, 상박 및 체간부에 경계가 불분명한 병변으로 햇빛에 노출되는 얼굴같은 부위에 약간의 인설(scale)을 동반하는 저색소반(hypopigmentation)을 의미하며 흔히 "버짐" 이라 표현하기도 한다. 자외선 조사 후 더욱 두드러지며 초기에 약간의 염증이 선행할 수 있다(그림 5-14).

목의 주름: 정상적으로 관찰되는 목의 평행한 주름

(horizontal crease)이 아토피피부염 환자에서는 매우 뚜렷하게 관찰되며 목 부위의 습진이 오래되면 될 수록 더욱 뚜렷하게 관찰된다.

땀 흘릴 경우의 소양증: 아토피피부염 환자들의 특징적이며 공통적인 증상으로서 운동, 스트레스, 바람이 잘 안통하는 옷을 입어 땀을 흘릴 경우 피부를 많이 가려워하는 소견이다. 특히 여름같이 땀을 많이 흘리는 계절에는 가볍게 샤워를 하여 땀을 제거하여야 병변의 악화를 막을 수 있다.

양털 및 기름 용매에 대한 불내성: 아토피피부염 환자는 피부에 자극적인 로션을 바르거나 양모로 된 옷을 입었을 경우 다른 사람보다 좀더 예민하게 반응하여 가려움증을 심하게 느낀다.

모공 주위의 두드러짐(perifollicular accentuation): 아토피피부염 환자들의 체간 특히 복부를 보면 닭살 모양의 작은 모공성 구진이 관찰되고 만지면 모래알을 만지듯 거칠게 느껴진다. 피부가 만성적으로 건조한 것과 상관성이 있다하며 주로 유색인종의 아토피피부염에서 잘 관찰된다.

식품에 대한 불내성: 우유, 계란, 밀 ,땅콩, 콩 등은 영유아기 아토피피부염의 중요한 유발 또는 악화인자이나 이러한 식품의 불내성은 성장하면서 점차 소실된다. 환자가 어릴수록 증상과 식품의 관련성이 높다.

다. 소아에서 흔히 관찰되는 증상

1) 두부 인설

유아나 소아의 머리에 가려움증을 동반한 인설(비듬)을 보이는 경우가 많다(scalp scaling). 영아에서는 지루성피부염과의 감별을 요한다.

영아 지루성 피부염은 생후 첫 수개월내에 두피나 사타구니 등에 끈끈한 갈색 인설을 동반한 습성 습진을 특징으로 하며 수주 내에 자연스럽게 호전된다.

2) 이개 균열

소아 아토피피부염의 특징적인 소견으로서 50~80%의

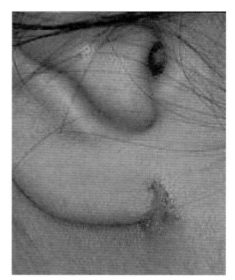

그림 5-15. 이개 균열

환자에서 관찰된다. 하이개 균열(infraauricular fissure)이 후이개 균열(postauricular fissure)보다 좀더 빈번하고 습진이 동반되는 경우도 많으며 이런 소견은 피부염이 심한 경우에 흔히 나타난다. 포도상 구균이 서식하고 있는 경우가 많아 국소 항생제를 함께 사용하면 치료에 도움이 된다(그림 5-15).

3) 둔부하 습진

앉아서 생활을 많이 하는 학동기 아토피피부염 환자의 특징적인 병변이다. 주로 둔부 및 대퇴부 후면 등에 대칭적인 만성 태선화 병변(infragluteal eczema)을 보인다.

4) 전두부 태선화

소양증에 의하여 만성적으로 이마를 긁어 이마에 특징적으로 두껍게 주름(forehead lichenification)이 생긴 것 같은 태선화 병변이다.

라. 새로운 국제 진단기준

천식이나 알레르기비염과는 다르게 전세계적으로

표 5-3. 아토피피부염을 정의하는 새로운 국제 진단기준

A. Essential features (must be present):

　　1. Pruritus

　　2. Eczema (acute, subacute, chronic)

　　　　a. Typical morhology and age-specific patterns*

　　　　b. Chronic or replapsing history

　　　　* Patterns include: I) facial, neck and extensor involvement in infants and children; II) current or prior

　　　　　flexural lesions in any age group; III) sparing of groin and axillary regions

B. Important features (seen in most cases, adding support to the diagnosis):

　　1. Early age of onset

　　2. Atopy

　　　　a. Personal and/or family history

　　　　b. IgE reactivity

　　3. Xerosis

C. Associated features (three clinical associations help to suggest the diagnosis of AD but are too nonspecific to be used for

　　defining or detecting AD for research or epidemiologic studies):

　　1. Atypical vascular responses(e.g. facial pallor, white dermographism, delayed blanch response)

　　2. Keratosis pilaris/hyperlinear palms/ichthyosis

　　3. Ocular/periorbital changes

　　4. Other regional findings(e.g. perioral changes/periauricular lesions)

　　5. Perifollicular accentuation/lichenification/prurigo lesions

Exclusionary conditions: It should be noted that diagnosis of AD depends upon excluding conditions such as: scabies, seborrheic dermatitis, allergic contact dermatitis, ichthyoses, cutaneous lymphoma, psoriasis and immune deficiency diseases.

통일된 아토피피부염의 기준은 아직 없다. 이에 미국 피부과 학회에서는 2001년 아토피피부염에 대한 진단 기준 회의를 개최하여 1980년 Haniffin과 Rajka의 기준을 바탕으로 하여 새로운 기준을 제시하였다(표 5-3).

5. 감별진단과 합병증

아토피피부염은 앞에서 기술한 임상 증상을 토대로 진단한다.

가. 감별진단

소아에서 습진성 질환이 있는 경우 아토피피부염으로 진단 전에 감별해야 할 질환들이 있다(표 5-4). 소아에서는 특히 면역결핍질환에서 습진성 피부염이 동반되는 경우가 많으며 아토피피부염 자체가 피부면역이 저하되어 있다. 삼출(oozing) 부위를 통해 단백질이 소실되기도 하며 또한 식품알레르기와 연관이 있는 경우 단백 섭취를 제대로 못해서 2차적으로 면역결핍이 동반될 수도 있다. 따라서 병력과 임상 증상 및 징후, 검사를 통해 다른 질환과의 감별을 하는 것이 중요하다. 이들 질환들은 아토피피부염에서 볼수 있는 알레르겐 특이 IgE 항체가 없다. 하지만 아토피피부염의 20% 정도에서도 알레르겐 특이 IgE 항체가 안나타나기 때문에 혈중 IgE치 보다는 다른 임상 증상 및 징후가 감별진단에 더 중요하다.

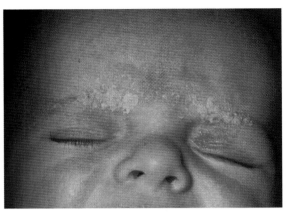

그림 5-16. 지루성 피부염 (*Textbook of Pediatric Dermatology* Volume 1 Figure 4.1.1 ⓒ2000, Blackwell Publishers)

표 5-4. 아토피피부염의 감별진단

선천성 질환(congenital disorders)
　Netherton 증후군(Netherton's syndrome)
　가족성 털각화증(familial keratosis pilaris)
만성 피부병증(chronic dermatoses)
　지루성 피부염(seborrheic dermatitis)
　접촉성 피부염(알레르기성/자극성)
　　contact dermatitis(allergic or irritant)
　동전 습진(nummular eczema)
　건선(psoriasis)
　어린선(ichthyosis)
감염(infection and infestations)
　옴(scabies)
　Human immunodeficiency virus-associated dermatitis
　백선증(dermatophytosis)
악성 종양(malignancy)
　피부 T 임파선종(cutaneous T cell lymphoma)
　　(mycosis fungoides/Sezary syndrome)
　Letterer-Siwe 병
자가면역질환(autoimmune disorders)
　포진피부염(dermatitis herpetiformis)
　낙엽천포창(Pemphigus foliaceus)
　이식대숙주병(graft-versus-host disease)
　피부근육염(dermatomyositis)
면역결핍증(immunodeficiencies)
　Wiskott-Aldrich 증후군
　중증복합면역결핍증
　　(severe combined immunodeficiency syndrome)
　과 IgE 증후군(hyper-IgE syndrome)
　대사성 질환(metabolic disorders)
　창자병증말단피부염
　　(acrodermatitis enteropathica[Zinc deficiency])
　비타민결핍증 (pyridoxine[vitamin B6] and niacin)
Multiple carboxylase deficiency
　페닐케톤뇨증(phenylketonuria)

1) 지루성피부염

대개 생후 1개월 내에 시작하여 1년 사이에 심하게 발병한다. 처음에는 두피에 낙설과 딱지(crusting)가 국소적 또는 미만성으로 생기며, 차츰 기름지고 비늘처럼 벗겨지는 홍반성 구진성 피부염이 얼굴, 목, 귀 뒤, 겨드랑이, 사타구니 부위에 생긴다. 대개 소양감은 없고 염증 후 색소침착(pigmentation)이 잘 발생한다. 청소년기에는 대개 두피와 사타구니 부위로 국소화되며 두껍고 기름지며 노란색의 딱지가 홍반 위에 생긴다. 소양감은 대개 없지만 심하게 오는 경우도 있다 (그림 5-16).

2) 알레르기 접촉성 피부염

알레르기 접촉성 피부염은 피부의 세포매개성 과민반응에 의하며 피부의 두께가 얇은 눈꺼풀, 귀바퀴, 성기 부위에 호발 한다. 치료는 원인물질을 회피하고 냉습포, 국소용 스테로이드제제를 사용하며 가려움증 조절을 위해서 항히스타민제를 사용하기도 한다.

3) 동전 습진

동전 모양의 습진성 병변(nummular eczema)이 주로 팔다리의 신전부위, 둔부, 어깨 등에 생긴다. 소양감이 매우 심하며, 만성화되면 피부가 두꺼워지고 태선화 된다. 치료는 스테로이드 국소 도포와 소양감을 감소시키기 위한 항히스타민제 투여, 2차 세균 감염 치료 등이다(그림 5-17).

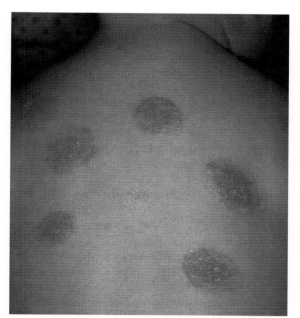

그림 5-17. 동전 습진 (*Textbook of Pediatric Dermatology* Volume 1 Figure 4.5.2 ⓒ2000, Blackwell Publishers)

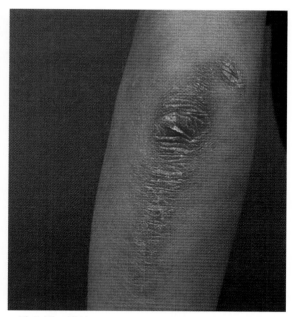

그림 5-18. 건선 (*Textbook of Pediatric Dermatology* Volume 1 Figure 11.1.2 ⓒ2000, Blackwell Publishers)

4) 건선

흔한 만성 피부질환으로 1/3 정도에서 20세 이전에 발병한다. 소아기에 발병하는 경우 50% 이상에서 가족력이 있고 여아에 더 흔하다. 표피의 회전(turnover) 시간이 정상인에 비해 빠르고 홍반성 구진이 판(plaque)을 형성하며 가장자리가 뚜렷하고 불규칙적이다. 치료에 제대로 반응하지 않는 경우 은색 또는 옅은 노란색의 낙설이 생기고 이것을 뜯으면 점상출혈이 생긴다(Auspitz sign). 충격을 받은 부위에 같은 병변이 생기는 Koebner 반응은 이 병변의 특징적인 징후이다. 호발부위는 두피, 무릎, 팔꿈치, 배꼽, superior intergluteal fold, 회음부 등이다. 손톱의 병변이 진단에 도움이 되며 손톱이 평편해지고 바닥과 틈이 벌어지며 손톱아래 황갈색의 색소 침착이 생기고 조직파편(debris)이 축적된다. 치료는 타르제제나 psoralens을 이용한 자외선 치료(PUVA)를 한다. 스테로이드 국소 도포는 피부 위축을 유발할 수 있으므로 조심해서 사용하여야 한다(그림 5-18).

5) 어린선

어린선(ichthyosis)은 임상적으로 낙설과 조직병리적으로 각화과다증(hyperkeratosis)이 있는 유전성 질환으로 유전양상, 임상적 특성, 관련된 결핍, 조직병리 변화를 기준으로 감별한다.

Ichthyosis vulgaris는 가장 흔하며 상염색체 우성으로 유전되고 출생아 300명당 한명의 빈도로 발생한다. 발병 시기는 생후 1년 이내이며 대개 피부가 약간 거칠어지는 정도로 시작한다. 피부 낙설은 다리와 등이 가장 심하며 굴곡부위에는 거의 안생기고 배, 목, 얼굴 등도 비교적 안 생기는 부위이다. 손바닥과 발바닥에 각화과다증과 위축이 비교적 흔히 발생한다. 낙설은 겨울에 가장 호발하며 따뜻한 계절에는 사라진다. 나이가 들면서 병변이 호전되거나 없어질 수 있다. 낙설은 목욕용 오일과 피부연화제(emollient)의 사용, urea, salicylic acid, lactic acid 등의 α-hydroxy acid가 함유된 윤활제(lubricant) 사용으로 없앨 수 있다.

6) 창자병증말단피부염

창자병증말단피부염(acrodermatitis enteropathica)은 드문 상염색체 열성 질환이며 아연 결핍에 의한다. 대개 첫 증상은 모유 수유에서 생우유로 바꾸는 시기에 시작되며 피부발진은 소포물집성(vesiculobullous), 습진성 양상으로 건조하고 비늘모양의 건선 피부병변이 입주변, 사지 말단부위, 회음부, 턱, 무릎, 팔꿈치 등에 대칭적으로 생긴다. 상처 회복이 지연되고, 세균, *Candida albicans* 감염이 반복된다.

7) 조직구증

조직구증(histiocytosis X)는 골수의 단핵구-대식세포 계열 세포의 과증식에 의한다. 피부 병변은 50%에서 나타나며 주로 두피의 지루성피부염이나 기저귀발진 양상으로 나타나며 등, 손바닥, 발바닥으로 퍼질수 있다. 발진은 혈소판 감소증이 없이도 점상출혈 또는 출혈반으로 될 수 있다.

8) 중증복합면역결핍증

중증복합면역결핍증(severe combined immuno-deficiency SCID)은 생후 1년 이내에 성장 부진(failure to thrive), 설사, 전신적 낙설 홍반 발진(generalized scaling erythematous rash)이 생기고, 피부 또는 전신 감염이 반복된다.

9) Wiskott-Aldrich 증후군

반성열성 유전성 질환이며 혈소판 감소증, 세포면역과 체액면역 결핍, 반복되는 심한 세균 감염을 보인다.

10) 과IgE증후군

과IgE증후군(Job syndrome)은 혈청 IgE치가 증가되며 T 림프구 및 B 림프구 기능 장애, *Staphylococcus aureus*에 의한 농포증(pustulosis), 농양, 연조직염(cellulitis), 심부 감염이 호발된다.

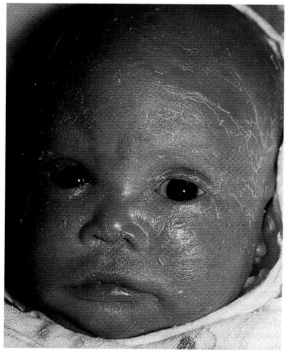

그림 5-19. Netherton 증후군 (*Textbook of Pediatric Dermatology* Volume 1 Figure 1.9.2(a) ⓒ2000, Blackwell Publishers)

11) Netherton 증후군

상염색체 열성 질환으로 피부에는 어린선이 있고, 머리카락이 짧고 잘 자라지 않고 듬성듬성 난다. 어린선은 생후 10일 이내에 나타나기 시작하며 주로 눈, 입, 회음부 주위에 뚜렷이 생긴다. 혈청 IgE가 증가되어 있고 세균 감염, 캔디다 감염이 반복되며 아토피피부염, 두드러기, 천식, 혈관부종 등이 잘 동반된다(그림 5-19).

12) 기타 질환

Human immunodeficiency virus(HIV), scabies, dermatophytosis 감염 시에도 습진성 피부염이 나타난다.

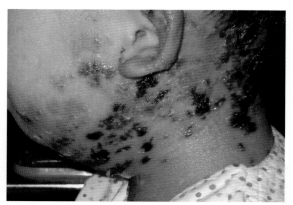

그림 5-20. 포도상구균 피부감염 (*Textbook of Pediatric Dermatology* Volume 1 Figure 5.7.1 ⓒ2000, Blackwell Publishers)

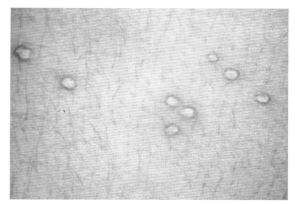

그림 5-21. 전염성 연속종 (*Textbook of Pediatric Dermatology* Volume 1 Figure 5.1.9 ⓒ2000, Blackwell Publishers)

나. 합병증

아토피피부염의 합병증은 크게 감염에 따른 합병증, 안과적 합병증, 단백 소실과 영양 결핍에 따른 저단백혈증, 치료에 따른 합병증이 보고되었다.

1) 피부 감염에 따른 합병증

가) 세균 감염

Staphylococcus aureus 피부 감염은 아토피피부염 환자의 40~70%에서 관찰된다. 아토피피부염 환자의 90%에서 피부에 *S. aureus*가 집락을 형성하고 있어 피부 감염을 쉽게 유발하고 소양감을 더욱 악화시킨다. 심하면 농양이나 연조직염 같은 심와부 감염, 골수염, 패혈증, 심내막염도 발생할 수 있다(그림 5-20).

나) 바이러스 감염

아토피피부염 환자에게는 여러 종류의 광범위한 바이러스 피부 감염이 잘 유발된다.

① 전염성 연속종

Molluscum contagiosum 바이러스에 의하며 대개 산발적으로 생기지만 수백개가 전신적으로 발생할 수도 있다. 소아에서는 주로 얼굴, 몸통, 팔, 다리에 잘 생기며 작고 중앙이 함몰되어 있고(umbilicated) 피부와 비슷한 색의 구진(papule)이 특징적 소견이다. 진단은 대개 임상적으로 할 수 있지만 진단이 확실치 않을 때는 조직 검사를 하여 표피과형성(epidermal hyperplasia)과 molluscum 또는 Henderson-Paterson body가 있는 함몰을 관찰할 수 있다. 대개 자연치유되지만 치유 속도를 빨리하고 퍼지는 것을 막기 위해 만곡 겸자(curved forcep)로 병변을 파괴하거나 긁어낸다. 스테로이드나 calcineurin 억제제의 국소 도포는 바이러스에 대한 자연 면역반응을 억제시켜 병변을 더 악화시킬 수 있다. 소양감으로 인해 긁으면 다른 곳으로 확산되므로 긁지 못하게 부위를 덮어놓는 것이 좋다(그림 5-21).

② Eczema herpeticum (Kaposi varicelliform eruption)

단순포진 바이러스에 의한 것으로 돔(dome) 모양의 수포가 생기며 머리, 목, 몸통이 흔히 감염되는 곳이고, 2주내에 수포가 마르면서 딱지가 형성된다. 그 이외에도 열, 무력감, 림프선 종대가 동반된다. 대개 2~6주 안에 치유되며 각막결막염, 바이러스혈증, 뇌염, 뇌수막염이 합병증으로 올 수 있다. 전신적 피부 감염은 응급 입원 처치가 요구된다. 항바이러스가 나

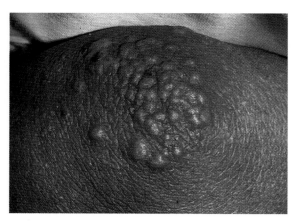

그림 5-22. Eczema herpeticum (*Textbook of Pediatric Dermatology* Volume 1 Figure 3.10.1 ©2000, Blackwell Publishers)

오기 전에는 사망률이 75%에 달했다. 진단은 전자현미경으로 수포액에서 herpes 바이러스를 검출하거나 PCR로 바이러스 DNA를 검출, 면역형광검사로 바이러스가 감염된 세포를 검출, 광학현미경으로 수포내의 거대다핵세포를 검사(Tzank test) 하는 방법이 있다. 또한 안과 검진을 하여 각막염 유무를 확인해야 하고, 뇌압이 증가된 증상이 보이면 뇌염, 뇌수막염이 있는지 확인해야 한다. 수두, 전신적 농가진, 접촉피부염 등과 감별진단을 해야 한다. 치료는 전신적 항바이러스제를 신속히 투여하는 것이다. 아토피피부염 치료로 쓰던 스테로이드 또는 calcineurin 억제제 국소 도포는 중단해야 한다. 치료는 정맥용 acyclovir (5~10 mg/kg/dose, 소아 750 mg/m²/dose, 3 회/일)를 7일간 투여한다. 경구제제는(400 mg/dose, 5 회/일) 생체 이용률이 정맥제제 보다 15~30% 정도 낮기 때문에 경증의 경우에만 제한적으로 사용한다. 2차 세균 감염을 예방하거나 치료하기 위해 경구용 항생제를 쓸 수도 있다. Acyclovir 이외에도 valacyclovir, peniclovir, famciclovir, phosphonate foscarnet 등이 있다. Acyclovir 국소 피부도포는 약물 알레르기의 부작용이 있어 치료제로는 적합하지 않지만 안과적 합병증의 예방 및 치료에는 도움이 된다. Trifluorothymidine 1% 점안액을 하루 7~9회 투여하거나 3% acyclovir ointment를 하루 3~5회 투여하는 것이 안질환의 예방과 치료에 쓰인다(그림 5-22).

다) 진균감염

*Trichophyton rubrum*에 의한 진균감염으로 특히 lipophilic 효모인 *Malassezia furfur*가 피부의 지루성 부분에서 잘 검출이 되고 *M. furfur*에 의한 IgE 항체가 생성되며 이런 경우 항진균제를 투여하면 아토피피부염 병변이 호전된다.

2) 안과적 합병증

안내수정체부분이탈(intraocular lens subluxation), 백내장(cataract), 망막박리(retinal detachment), 안검염(blepharitis), 각막결막염(keratoconjunctivitis), 원추각막(keratoconus), 홍채염(iritis), 봄철 결막염(vernal conjunctivitis) 등이 생길 수 있다. 만성 안검염은 각막반흔(corneal scarring)으로 인한 시력저하를 야기 시킬 수 있다. 아토피 각막결막염은 대개 양쪽으로 오고 화끈거리고 가려우며 눈물이나 눈꼽 등의 분비물이 생긴다. 원추각막은 만성적으로 눈을 자꾸 비벼서 생긴 각막 변형이며, 백내장은 아토피피부염 자체로도 생길 수 있고 스테로이드 합병증으로도 생길 수 있다.

3) 저단백혈증

혈중 단백 농도가 3~5 g/dL 정도로 정상인에 비해 저하되어 있고 이로 인한 피부부종, 심하면 수분 부족에 의한 핍뇨, 쇼크 등이 발생할 수 있다. 저단백혈증의 원인으로는 삼출성 피부병변 등 급성 피부 병변에 의한 단백 소실, 위장관을 통한 단백 소실, 단백 섭취의 부족 등이고, 특히 체표면적이 큰 영아에서 더 문제가 된다.

4) 치료에 따른 합병증

아토피피부염의 치료인 스테로이드 국소 도포로 인한 합병증이 일반적으로 나타날 수 있다. 국소 도포한 스테로이드의 전신적 흡수율은 스테로이드의 강도, 사용 기간, 사용 면적에 따라 좌우된다. calcineurin 억제제인 tacrolimus, pimecrolimus 등은 스테로이드 기피증이 있거나 스테로이드 치료에 대한 저항성이 있을 때, 스테로이드 치료 후 유지를 위해 사용된다.

6. 치료와 예후

아토피피부염은 다인자성 병인을 지니며 현재까지도 병태생리 및 원인, 자연경과 등에 대해 모르는 부분이 많으므로 결코 치료가 쉽지 않은 질환이다. 아토피피부염의 치료를 방해하는 세 가지 요소로 알레르기 원인을 지나치게 강조으로 인한 피부 관리의 소홀, 목욕과 보습제 사용에 대한 통일된 의견이 없는 점, 환자 혹은 보호자가 국소용 스테로이드제의 사용을 너무 주저하는 점 등을 들 수 있다. 그러므로 만성 경과를 취하는 중등도 이상의 아토피피부염 환자의 치료를 위해서는 환자와 의사 모두에게 인내심이 필요하며 정리된 이론과 실제로 사용 가능한, 그리고 환자와 보호자가 잘 적응할 수 있는 방법을 이용하여 적절하고도 순응도가 좋은 방법을 사용하여야 한다. 이를 위하여 아토피피부염의 전반적인 사항 뿐 아니라 개별 환자에 따른 질환의 중증도, 의학적, 비의학적 치료법 및 치료의 효과와 자연경과 등에 대한 확실한 설명과 상담이 필수적이다. 또한 아토피피부염은 다인자성 병인을 지닌 질환이고 단 하나의 원인을 정복하였다 하여 치료가 되는 질환이 아니라는 것도 상기시킬 필요가 있다. 특히 아토피피부염은 "완치(cure)" 되는 병이라기보다는 "조절(control)" 되는 병이라는 개념을 환자나 보호자에게 확실하게 이해시킴으로써 치료에 대한 실망과 포기를 최소화하여야 하고 희망을 가질 수 있도록 도와주어야 한다.

가. 악화 요인의 발견과 회피

아토피피부염 치료에서 가장 중요하고 기본적인 것은 환자의 가려움증-긁음-가려움증의 악순환 고리 (itch-scratch-itch vicious cycle)를 끊어주는 일이다. 따라서 피부 염증의 치료와 보습 외에도 증상을 악화시키는 다른 요인들에 대한 관리가 필수적이다.

1) 피부 자극 물질의 회피

아토피피부염 환자는 정상인에 비하여 다양한 자극에 더욱 예민하다. 따라서 악화요인을 제거해 주어야 가려워서 자주 긁게 되는 악순환 고리를 차단할 수 있다. 피부를 자극하는 물질이나 환경으로는 비누, 세제, 화학물질, 공해나 실내외 오염 물질, 목욕용 수건, 급격한 온도나 습도의 변화 등이 있다. 따라서 목욕용 비누는 지방제거능이 적은 중성 세제를 사용하는 것이 좋다. 새로 산 옷은 잔류된 화학물질의 제거를 위하여 미리 빨아서 입도록 하고, 빨래를 할 때는 세제가 철저히 제거되도록 여러 번 헹구는 것이 좋다. 일하거나 주거하는 공간은 너무 덥거나 춥지 않고 건조하지 않도록 온도와 습도를 조절하여야 하며, 땀이 나는 것을 최소화 할 수 있는 옷을 입도록 한다. 대부분 수영은 피부에 큰 문제를 야기하지는 않지만 수영장 물은 소독이 되어 있으므로 수영 후 잘 씻고 충분한 보습을 하도록 한다.

2) 알레르겐

가) 식품 알레르겐

중등도 이상의 소아 아토피피부염의 10~60% 가량에서 식품알레르기가 원인이 되며, 흔한 원인 식품은 계란, 우유, 땅콩, 대두, 밀가루 견과류, 생선, 갑각류 등이며 우리나라와 일본 북유럽에서는 메밀도 주요한 식품 알레르겐이다.

따라서 일부의 아토피피부염 환자에서는 식품알레르기가 주된 원인이 될 수 있으므로 철저한 병력의 조사, 알레르기 피부시험, 혈청학적 검사, 식품제거시험 및 식품유발시험 등을 통하여 원인 식품을 밝혀내고, 임상 증상과의 연관성이 확인된 경우에는 일정 기간 동안 해당 식품을 식이에서 제거함으로써 아토피피부염의 증상이 완화될 수 있다. 임상적으로 한 두 종류의 식품에 알레르기 반응을 보이는 아토피피부염 환자의 경우는 원인 식품의 제거가 비교적 쉽지만 다발성 식품알레르기 환자의 경우는 완전한 제거가 불가능한 경우가 많다. 또한 대체식의 선정도 충분한 주의가 필요하다. 식품알레르기가 있는 영아의 경우는 원칙적으로 6~12개월 동안 모유 수유가 적극적으로 권장되며, 이 경우에는 치료 목적으로는 원인이 되는 식품을 모체의 식단에서 제한하는 것이 바람직하며 예방목적으로는 견과류를 제외하고는 제한할 필요가 없다.

또한 원인 식품별로 완벽한 식품제거식이에 의하여 호전이 되는 경우도 있고, 성인 시기까지 알레르기가 지속되는 경우가 있는데 주로 계란, 우유, 대두 등은 자연경과가 좋으며, 땅콩, 견과류, 생선, 갑각류 등은 성인시기까지 지속되는 경우가 많다. 환자에게 어떤 식품을 제거할 것인지 혹은 언제 먹일 것인지는 알레르기 전문의와 상의하는 것이 바람직하며 대부분의 경우 1~3년 이상의 철저한 제한이 요구되고 해당 식품은 물론 해당 식품이 포함된 모든 유형의 식품을 철저히 제거하여야 한다. 그러나 과도한 식품 제거는 영양 장애를 초래할 수 있으므로 애매한 검사의 결과에 의거하여 식품제거식이를 시행하지 않도록 하여야한다. 또한 원인 식품의 제거를 시행하는 동안 체중과 신장을 자주 측정하여 영양 장애의 근거가 있는지를 재차 확인하도록 하며 매 6~12개월마다 재검사를 시행하여 식품알레르기의 유무를 재검토하여야 한다. 또한 필요한 경우에는 비타민과 무기질의 보충을 고려하여야 한다.

나) 흡입 알레르겐

아토피피부염을 앓고 있는 많은 환자에서 흡입항원에의 접촉성 노출에 의하거나 계절성으로 피부염의 증상이 악화되는 경우가 있다. 집먼지진드기와 계절성 화분도 아토피피부염의 원인이 될 수 있으며 피부시험, 첩포시험 등으로 확인할 수 있다. 우리나라에서도 소아 아토피피부염 환자를 대상으로 원인 알레르겐을 조사한 연구를 보면 환자의 연령이 증가함에 따라 식품 항원 감작률은 감소하는 한편 진드기 항원에의 감작률은 증가하는 것으로 보고되었다.

3) 심리적 스트레스

스트레스 혹은 정서적인 긴장은 아토피피부염의 증상을 악화시키는 하나의 요인이다. 환자들의 정서적 불안, 긴장, 좌절 등은 피부 소양증을 극도로 악화시키며, 또한 아토피피부염 자체로 인하여 환자가 타인과의 관계에 문제가 되거나 위축되는 경향이 많으므로 정신과적 평가나 상담이 필요하다.

4) 피부 감염의 관리

아토피피부염 환자는 세포성 면역이 떨어져 있고 피부 장벽의 장애로 인하여 피부 감염이 빈발한다. 주된 세균 감염으로는 포도상 구균 감염이 흔하며 피부 표면에 흔히 균 집락을 형성하여 만성적으로 문제가 되는 경우가 많다. 일차적으로 에리스로마이신이나 차세대 마크로라이드계 항생제로 효과를 볼 수 있지만 이에 내성을 보이는 경우가 많다. 반합성 페니실린제나 1세대 혹은 2세대 세팔로스포린계 항생제를 7~10일 정도 사용하면 대부분의 경우 효과를 본다. 국소적인 농가진의 경우는 항생제 연고인 mupirocin을 7~10일간 사용하기도 한다. 최근에는 피부의 세균 집락을 감소시키기 위하여 항생 물질이 함유된 소독액이나 비누가 사용되기도 하며 외국의 경우는 비강 내 포도상 구균의 집락을 없애기 위하여 mupirocin 스프레이를 사용하기도 한다.

또한 바이러스성 질환 중에는 단순포진 바이러스가 아토피피부염을 반복적으로 악화시키며, 간혹 포도상 구균에 의한 농가진성 피부 병변과 혼동된다. 단순포진 감염증은 자세히 관찰하면 수포가 군집되어 있거나 긁어서 옮은 자가 파종된 수포를 볼 수 있고, 수포의 중앙이 함몰되어 있거나 흑갈색의 점을 찍어 놓은 듯한 미란의 병변을 보이는 것이 특징이며, 항생제에 반응이 없는 경우 의심할 수 있다. 수포의 기저부를 긁어서 Tzank 염색을 하여 다핵거대세포를 확인하면 단순포진을 진단할 수 있다. 단순포진이 의심되면 스테로이드 연고를 중단하여야 한다. 항바이러스제(acyclovior)를 투여하여 전신으로 번지는 것을 막는 것이 좋으며 심한 포진상 습진의 경우는 항바이러스제를 정맥 투여하는 것이 좋다.

나. 건조 피부에 대한 관리

아토피피부염 환자의 특징적인 피부소견 중 하나는 피부 건조이며 이는 피부장벽의 이상에 기인한다. 건조 피부는 곧바로 가려움증의 원인이 되며 태선화 및 다양한 피부자극에 의한 역치를 감소시키는 작용을 한다. 또한 정상 피부에서는 침입이 어려운 세균, 알레르겐 및 단백의 침입이 쉬워져 피부 알레르기의 발생이 증가하고 만성화의 주요 원인이 된다. 이러한 건조 피부는 피부장벽을 유지하는데 매우 중요한 세라마이드(ceramide) 성분의 합성 혹은 유지의 이상과 연관이 많으며 피부회복이 불완전하게 되는 경향도 원인이 된다. 따라서 아토피피부염 환자에서는 피부의 건조를 최소화하고 이를 회복하기 위한 보습요법이 피부관리의 가장 중요한 목적중의 하나이며, 피부를 청결하게 유지하는 것도 악화와 만성화 방지에 중요하다(그림 5-23).

적절한 보습제의 기능은 결국 피부건조에 의한 손상을 방지하고 외부 미생물과 오염물질, 먼지 등으로부터 피부를 보호하며, 아토피피부염 환자의 고민거리 중 하나인 외관상의 문제를 호전시키는 효과를 나타내는 것이다. 이러한 보습제의 구성 성분은 수분, 지방, 유화제, 각질 제거제, 보존제, 색소제, 기타 첨가제 등이다. 아토피피부염 환자에게 추천되는 보습제의 요건으로는 다음과 같은 것들을 들 수 있다. 첫째 적절한 흡수능력이 있고 지속적이어야 한다. 둘째 온도, 바람, 습도 등의 환경 변화에 보습능력의 변화가 없어야 한다. 셋째 휘발성이 적고 응고점이 낮고 타 성분과 잘 어울려야 한다. 넷째 점도가 적절하고 사용할 때 촉감

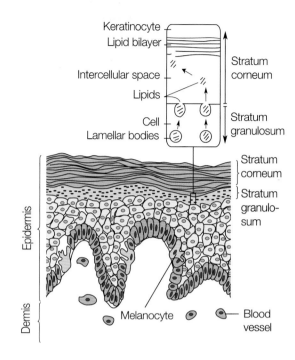

그림 5-23. 피부장벽

이 좋아야 한다. 다섯째 무색, 무취, 무미한 것이 좋다는 등이다.

기본적으로 보습제는 피부표면에 불투과성 막을 형성하는 지성 물질을 함유하는데 오일성분 내의 불포화 지방산에 의하여 보습효과를 나타내고 다양한 종류의 불포화 지방산이 사용되고 있다(mineral-derived fatty components: petrolatum, animal fat, vegetable oils: 포도씨 오일, 넛트 오일, 동백유, 달맞이꽃 종자유, 허브 오일). 또한 피부에 수분을 보유할 수 있게 도와주는 습윤제(humectant)도 주요 구성 성분으로 glycerin, sorbitol, glycosaminoglycans, elastin, collagen, natural moisturing factors 등이 해당된다. 또한 보습제는 수분함량에 따라 제형이 다른데 로숀(liquid emulsions) 타입이 수분함량이 가장 많고, 크림(cream)과 연고(ointments)의 순이다. 수분이 많이 포함된 보습제의 사용은 바람이나 찬 공기 노출된 경우 효과가 떨어지므로 주의를 요한다. 일반적으로 보습

제 사용의 지침은 샤워 후에 물기가 남아 있는 동안 즉시, 3분 이내에 바르고(3분 수칙), 피부에 자극이 가지 않도록 부드럽게 바르며, 피부가 건조할수록 여러 차례 사용한다. 보습제의 사용과 병행하여 효과적인 목욕법이 권장된다. 목욕은 세척과 피부 가습, 약물의 흡수를 돕는 효과 및 심리적으로 안정을 주는 장점이 있어 매일 하도록 한다. 피부 상태에 따라 탕욕 또는 샤워의 방법을 선택할 수 있고 목욕 시간은 15~20분 이내로 한다. 비누는 보습 효과가 있는 것으로 권장한다. '3분 수칙'에 따라 보습제를 바르고 보습제는 계절, 피부 상태, 피부 부위에 따라 결정하여 사용한다.

표 5-5. 국소용 스테로이드제의 일반적인 사용 지침

제제의 선택
  해당 피부 증상을 조절할 수 있는 한도 내에서 낮은 강도의 제제를 사용한다.
  어느 정도 피부 병변이 호전되면 더 약한 제제로 바꾼다.
  일단 피부 병변이 호전되면 보습제만으로 피부 관리를 한다.
  얼굴, 음부, 액와부의 피부는 국소 부작용이 우려되므로 주의를 요한다.
  14세 이하의 소아에서는 Group I~II 정도의 제제는 사용하지 않는다.
사용 방법
  목욕에 의하여 딱지를 제거하고 충분한 가습 후에 연고를 바르는 것이 효과적이다.
  스테로이드 제제는 보습제를 바르기 전에 바른다.
  피부 염증이 있는 곳에만 바른다. 단순히 건조하기만 한 피부에는 바르지 않는다.
  가능하면 짧은 기간 동안만 바른다.
  제제를 발라주는 사람의 손끝도 보호를 하도록 한다.
기타 고려 사항
  건조가 심하고 태선화 된 피부에는 연고 타입이 크림이나 로숀 타입 보다 효과적이다.
  머릿속에 바르려면 로숀이나 크림 타입이 적절하다.
  어린 소아의 경우는 반드시 전문의와 사용하여 선택하도록 한다.
  국소용 스테로이드 제제를 단순히 보습의 목적으로 사용하여서는 안 된다.

다. 피부 염증의 치료

1) 국소용 스테로이드제

스테로이드 외용제(연고, 크림, 로숀)는 아토피피부염에서 가장 중요한 치료제이며 이는 알레르기 염증반응을 매우 효과적으로 억제한다. 그러나 과하게 사용하는 경우 국소 및 전신적 부작용이 있을 수 있어 적절한 사용 원칙의 준수가 요구된다(표 5-5). 그러나 이러한 부작용을 너무 의식하여 치료에 난항을 겪는 경우도 종종 있다. 국소용 스테로이드제는 그 강도에 따라 Group I-V(혹은 Group I-VII)로 분류할 수 있다(표 5-6).

2) 비스테로이드성 국소 면역억제제

이에 속하는 약제로는 tacrolimus와 pimecrolimus가 있다. Tacrolimus는 macrolide 계 물질로 cyclosporin A보다 10~100배의 작용을 지닌 면역억제제로서 T 림프구의 활성화를 억제함으로써 알레르기 염증반응을 억제한다. 국소 도포에 의하여 전신 흡수가 거의 없으며 현재 1%와 0.03% 연고가 사용되고 있으며, 소아(2~15세)의 경우는 0.03% 제제의 사용이 허가된 상태이다. 1일 2회 사용하며 급성 염증성 병변, 특히 얼굴의 병변에 효과적이나 태선화 병변에는 효과가 없다. Pimecrolimus는 1% 크림이 사용되고 있으며 작용기전과 사용법은 tacrolimus와 동일하다. 이 제제들은 국소용 스테로이드로 치료 효과가 없는 경우 사용할 수 있고 얼굴 등의 약한 피부에 주로 사용한다. 스테로이드제와는 달리 만성적으로 사용하여도 부작용이 적다는 장점이 있으나 피부자극이 있어 도포 후 작열감을 호소하기도 하며 홍반, 감기 유사 증상, 두통, 여드름, 모낭염 등이 나타날 수 있다. 추후 피부암의 발생 등 부작용에 대한 연구가 더 필요하다.

라. 피부 가려움증에 대한 약물 치료

가려움증은 아토피피부염의 주된 증상이며 가장 조절이 힘든 증상이다. 가려움증의 원인은 다양하여 피

표 5-6. 국소용 스테로이드제제의 분류

Group V (less potent)
flucortin butylester 0.75%, hydrocortisone butyrate 0.1%, hydrocortisone valerate 0.2%, hydrocortisone 1%, hydrocortisone butyrate propionate 0.1%, prednisolone valerate acetate 0.15%
Group IV
clobetasone butyrate 0.05%, flumethasone butyrate 0.1%, prednicarbate 0.25%
Group III
budesonide 0.025%, desoxymethasone 0.05%, riamcinolone acetonide 0.1%, triamcinolone acetonide 25%, fluticasone propionate 0.05%, mometasone furoate 0.1%, methylprednisonlone aceponate 1%
Group II
amcinonide 0.1%, betamethasone dipropionate 0.05%, betamethasone valerate 0.1%, deoxymethasone 0.25%, fluocinolone acetonide 0.025%, fluocinoid 0.05%, fluclorilone acetonide 0.025%, fluocortolone 0.25%
Group I (most potent)
clobestasol propionate 0.05%, deflucortolone valerate 0.3%, halcinonide 0.1%, halobestasol 0.05%

참고: 동일 성분이라 할지라도 제제의 농도와 제형에 따라 그 강도가 차이가 있으며, 나라마다 상품명과 농도, 제형들이 다르기 때문에 단순히 성분명만으로 비교하기 어렵다.

부의 건조, 피부 염증, 자극성 물질에의 노출 등에 의하며 이러한 다양한 원인에 근거하여 치료 방침을 세워야 한다. 피부 염증이 가려움증의 원인인 경우는 국소용 스테로이드제를, 건조 피부가 주된 원인인 경우는 보습제를, 특정 알레르겐이 소양증의 주된 원인인 경우는 항원의 제거가 이루어져야 가려움증을 감소시킬 수 있다.

가려움증을 일으키는 화학매개체는 히스타민이 가장 잘 알려져 있지만 그 외에도 사이토카인이나 neuropeptide도 가려움증의 원인이 된다. 따라서 항히스타민제 뿐 아니라 cyclosporine이나 신경차단물질인 opioid 등도 가려움증 경감제로 사용되기도 한다. 아토피피부염의 가려움증 조절에 가장 흔히 사용되는 항히스타민제는 그 효과에 논란이 있기는 하지만 가려움증의 감소를 위하여 가장 흔히 사용되는 약제이다. 과거부터 사용 중에 있는 1세대 항히스타민제에는 hydroxyzine, chlorpheniramine, mequitazine, cyproheptadine 등이 있다. 최근 1세대 항히스타민제의 부작용인 진정작용을 감소시킨 2세대 항히스타민제가 개발되어 사용중에 있는데 이들은 fexofenadine, loratadine, cetrizine, acrovastine, azelastine, ebastine 등이며 일부의 약제들은 항히스타민 작용 뿐 아니라 비만세포의 탈과립을 억제하거나 호산구의 병변내로의 이동을 억제, 항류코트리엔 작용 및 항-PAF 작용 등의 항알레르기 효과도 함께 지니고 있다. 그 외에도 ketotifen, tranilast, oxatomide, epinastine 등도 있다. 이러한 2세대 항히스타민제들은 복용 횟수가 적어 사용이 편리하지만 6세 미만의 환자에서는 허가가 되지 않은 약제들이 많아 사용이 제한적이다. 대부분의 항히스타민제들은 심각한 부작용의 염려 없이 사용 할 수 있는 안전한 약들이지만 일반적인 항히스타민제로 효과가 없는 경우는 항우울제인 tricyclic antidepressant (doxepin)를 사용하여 효과를 보는 경우도 있다. 그러나 일반적으로 아토피피부염 환자에서의 가려움증은 약물로 치료가 잘 되지 않는 경향이 많다.

마. 기타 치료법

1) 습포와 폐쇄 요법

습포(wet dressing)은 목욕을 하지 않고 피부를 수화시키는 방법으로 국소 스테로이드제의 투과를 높여주기 위하여 사용할 수 있다. 폐쇄요법(occlusion therapy)은 피부 관리가 잘 안 되는 매우 심한 병변이나 만성 병변에 사용할 수 있는데 과하게 사용하면 피부감염의 원인이 되기도 한다.

2) 자외선 치료

태양광선은 아토피피부염 환자들에게 이로운 경우가 많지만 덥고 습기가 많은 조건하에서 일광욕을 하면 땀분비가 많아지고 가려움증을 유발하여 오히려 환자에게 해로운 경우가 많다. 따라서 여름철 바닷가에서는 덥지 않은 오전과 오후에 일광욕과 해수욕을 하도록 하여야 한다. 만성적인 아토피피부염 환자에서 단차장인 UV-B (ultraviolet-B) 치료가 효과적이라는 보고들이 있는데, UV-B에 장파장인 UV-A를 추가하면 치료효과가 더 좋다는 연구도 있다. 또한 PUVA (photochemotherapy with ultraviolet-A)는 국소 스테로이드제 치료에 효과가 없거나 스테로이드제로 인한 부작용이 있는 심한 범발성 아토피피부염 환자에서 사용할 수 있으나 단기적인 부작용으로는 홍반, 소양증, 착색 등이 있을 수 있다. PUVA의 치료가 성공적인 경우는 한 달에 1~2회 유지요법으로도 증상의 조절이 가능하다.

3) 타르 치료

콜타르(coal tar) 제제는 항소양, 항염증 작용이 있어 예부터 만성 아토피피부염 환자에 사용되었고 이의 사용으로 국소 스테로이드제의 사용 절감 효과를 볼 수 있다. 최근 제제의 단점으로 지적된 냄새와 착색의 문제가 해결된 상품이 소개되어 사용 중에 있으며 샴푸도 개발되어 있다. 유럽에서는 비교적 자주 사용되고 있으나 우리나라에서는 선호도가 떨어진다. 모낭염, 광선과민증 등의 부작용이 있을 수 있고 급성염증이 있는 시기에는 사용을 피하여야 한다.

4) 알레르기 면역요법

알레르기비염이나 기관지 천식과는 달리 아토피피부염에서의 알레르겐을 이용한 면역요법은 그 효과가 명확히 증명되지 못하였다. 그러나 비염 또는 천식을 동반한 일부의 아토피피부염 환자들에서 효과적이라는 임상 보고들이 있다. 그러나 일부의 환자에서는 증상이 악화되었다는 보고도 있어 아직은 논란이 있다. 최근에는 특정 사이토카인이나 면역 조절제 등을 복합적으로 투여하는 변형된 알레르기 면역치료도 개발 중에 있어 앞으로 일부의 환자에서는 치료제로 사용되기를 기대할 수 있다.

5) 인터페론 및 기타 면역치료제

IFN-γ는 IgE 항체 생성 반응을 억제하고 Th2 림프구의 증식과 기능을 하향 조절하는 사이토카인으로 알려져 있다. 재조합 IFN-γ를 이용한 치료는 임상적 호전과 함께 혈중 호산구 감소도 동반한다고 알려져 있고 치료 중단 3개월 까지도 효과가 지속되는 경우도 있다. 150만 단위를 주 3회 2~3주간 피하주사하고 반응을 보이는 환자에서는 8~10주간 치료를 지속하는 것이 바람직하다. 그러나 최근에는 22개월 지속 치료법이 보고되었다. 주사 후 수 시간부터 일정기간 동안 미열, 두통, 근육통 등을 호소할 수 있으나 일반적인 진통제 사용으로 치료가 가능하다. 그러나 이러한 부작용이 환자에 따라 심하거나 아토피피부염 자체가 악화되는 경우가 있는데, 이런 경우는 치료를 중단하여야 한다. 그러나 아직은 임상적 자료가 충분하지 않으며 기본적인 치료에 반응하는 환자에게 이 치료를 1차적으로 사용하는 것은 적절하지 못하다. 또한 환자마다 효과를 보이는 최소량이 다르므로 최근에는 환자마다 개별화한 용량을 사용하려는 시도가 있다.

Thymopoietin pentapeptide (thymopentin, TP-5)은 5개의 아미노산으로 이루어진 합성 thymopoietin으로 생물학적 기능을 지니는 최소 단위의 흉선자극 호르몬이다. 아토피피부염 자체의 치료보다도 아토피피부염 환자에서 기능이 저하되어 있는 T 림프구 기능을 보강해 주는 효과가 있어 임상적으로 도움이 된다. 특히 아토피피부염 환자의 경우 재발성의 단순포진 병력이 있는 환자는 예방적 차원에서 사용해 볼 수 있으며 아토피피부염 자체의 치료를 위해서도 사용이 가능하다. 즉 성인의 경우 50 mg을 주 3회 근육주사하고, 소아의 경우는 성인의 1/2~1/3 정도의 용량을 사용한다. 주사 후 발열이나 근육통 등의 부작용은 거의 없고 단지 주사 부위의 동통을 호소하는 경우가 있을 수 있다. INF-γ의 경우와 마찬가지로 2~3주 사용 후 효과가 있으면 8주간 지속적으로 치료를 한다. 이 제제도 역시 모든 환자에게 1차적으로 사용하지 말고 환자를 선별하여 사용하도록 하여야 한다.

정주용 감마글로불린(IVIG)도 심한 아토피피부염 환자에서 치료제로 사용할 수 있는데, 2 g/kg/day의 용량으로 한 달 간격으로 3회 정맥 주사하여 효과를 보았다는 보고가 있다. 그러나 전혀 치료효과가 없다는 보고도 있어 치료비용을 감안해 볼 때 아직까지는 아토피피부염의 치료제로 일반적으로 사용하기에는 무리가 있다.

6) 전신 부신피질 호르몬제 및 기타 면역 억제제

만성 아토피피부염 환자에서 일시적으로 병변이 심한 경우 경구용 스테로이드제를 단기간 사용할 수 있다. 사용 기간 중에 극적인 치료효과가 있지만 중단하면 증상이 갑자기 악화되는 반동현상이 있으므로 주의를 요한다. 이러한 현상을 최소화하기 위하여 점차적으로 용량을 줄여나가거나 어느 시점에서 국소용 스테로이드제로 바꾸어 사용하는 것이 좋다.

최근 강력한 T 림프구 면역 억제제인 cyclosporine을 아토피피부염에 저용량으로 사용하여 효과를 볼 수 있다고 보고되고 있다. 용량은 5 mg/kg/일로 사용하며 환자에 따라 변화를 줄 수 있다. 경구용 약제만이 효과가 입증되었고, 난치성 환자에서 증상의 완화가

유도되어 삶의 질을 높일 수 있다고 보고되었다. 부작용으로는 위장관 이상증상, 고혈압, 고빌리루빈혈증, 신장장애 등이 있고, 피부 다모증을 보이는 경우도 있다. 이 약제 역시 치료를 중단한 경우 증상이 급속히 악화되는 경향이 있다.

MMF (mycophenolate mofetil)는 면역억제제로서 체내에서 ester hydrolysis를 통하여 활성화 되어 mycophenolic acid (MPA)로 변하여 약리작용을 나타내는 물질이다. MPA는 purine 생합성을 억제하여 T 림프구과 B 림프구의 증식을 억제함으로써 면역억제 효과를 나타내는데 주된 작용은 IFN-γ를 증가시키고 IL-10을 감소시키는 것이다. 사용량은 첫 1주간은 매일 1 g을 경구로 사용하고, 그 다음부터는 하루 2 g을 복용하는 방식으로 총 3개월간 사용하여 효과를 보았다는 보고가 있다. 그러나 부작용으로 소화 장애, 혈액학적 변화(빈혈, 백혈구 감소증, 혈소판 감소증) 등이 흔하고 기타 신경학적 부작용이 있을 수 있다. 이외에도 methotrexate (MTX)를 사용할 수 있는데 1주에 4일간 하루 2.5 mg 씩 경구 투여하는 방법이 권장되며 cyclosporine에 비하여 효과가 떨어진다. Azathioprine도 항증식작용과 항염증작용이 있어 아토피피부염에서 사용될 수 있으나 심각한 부작용으로 골수억제가 있다.

7) 류코트리엔 길항제와 Phosphodiesterase (PDE) 억제제

현재 천식의 조절제로 사용되고 있는 류코트리엔 길항제가 아토피피부염에서의 어떤 효과가 있는지는 밝혀져 있지 않은 상태이다. 그러나 알레르기 염증반응이 중요한 병인중의 하나인 아토피피부염 환자에서 항염증 효과가 있을 것이라는 것은 예측할 수 있으며 부작용이 거의 없어 만성적으로 안전하게 사용할 수 있는 약제이므로 앞으로 치료제로서 사용 가능성이 기대된다.

아토피피부염 환자의 단핵구는 prostaglandin E2 (PGE2)와 IL-10의 생산이 증가되어 있는데, PDE 억제

제는 아토피 환자의 단핵구에서 PGE2와 IL-10의 생성을 감소시키고, 도포용으로 개발된 PDE 억제제가 아토피피부염 병변의 치료에 효과적이라는 임상연구 보고가 있다.

8) 기타 치료 방법

아토피피부염 환자의 일부는 필수 지방산의 대사에 이상이 있는 경우가 있으므로, n-3 지방산이 풍부한 생선류와 n-6 지방산이 풍부한 달맞이꽃 종자류가 상품으로 개발되어 사용되고 있다. 그러나 이들의 치료 효과는 뚜렷한 근거가 없는 실정이지만 효과가 있다는 보고도 있다.

최근 유럽에서는 아토피피부염 환자에서 장내세균인 유산균의 균총이 정상인에 비하여 극히 감소되어 있다는 보고가 있었고, 이런 영아에서 살아 있는 유산균(bifidobacteria 혹은 lactobacillus 등: probiotics)의 지속적인 복용으로 정상 균총의 회복과 아토피피부염 발생이 예방되었다는 보고들이 있다. 그러나 실제로 약제로서 사용하기 위해서는 용량과 투여기간 등에 대한 임상 연구가 이루어져야 하며 예방적 효과 이외에도 치료제로서 사용이 가능한지 등에 대한 임상 자료가 필요한 실정이다.

바. 예후

아토피피부염의 예후는 환자의 피부 상태 및 자극 요인의 회피 정도, 알레르기의 동반 여부 및 세균 감염의 정도 등에 따라 매우 다양하다. 일반적으로 아토피피부염은 어린나이에 임상 증상이 심하고 만성화 병변이 지속되다가 연령이 증가함에 따라서 호전되는 경향이 있다. 유아기에 경미한 아토피피부염을 지닌 환자는 40% 정도에서 5세 이후에 호전되며, 84%의 환자가 성인이 되어 증상이 소실되었다는 보고가 있다. 그러나 핀란드의 한 보고에 의하면 사춘기에 중등도 이상의 아토피피부염으로 치료 받았던 환자의 70~90%가 성인이 되어서도 피부 증상이 지속되거나

자주 재발하였으며, 경미한 피부염 환자의 경우는 50% 이상에서 성인시 호전되었다고 보고하였다. 아토피피부염 환자의 예후에 악영향을 미치는 요인으로는 소아기의 아토피피부염이 범발성이거나, 알레르기비염과 천식이 동반된 경우, 아토피피부염의 가족력이 있는 경우, 아주 어린 나이에 아토피피부염이 시작된 경우, 여자 환자의 경우 등이다. 그러나 환자에 따라서는 이러한 경향이 반대인 경우도 있으며 현재까지는 명확한 예후 인자가 밝혀진 바 없다.

참고문헌

1. 이해성, 김종서, 편복양. 소아아토피피부염의 빈도와 원인의 비교.10년전과 비교하여. 소아알레르기 및 호흡기학회지 2002;12:263-70.

2. 오재원, 김규언, 편복양, 이혜란, 정지태, 홍수종 등. 1995년과 2000년의 학동기와 2003년 학동전기 소아에서의 아토피피부염의 역학적 변화에 관한 전국적인 연구. 소아알레르기 및 호흡기학회지 2003;13:227-37

3. 이애영. 주요 임상소견 및 우리나라 환자에 흔한 소견. 대한 알레르기 학회 2003;23:569-75.

4. 김도영, 신용승, 공도연, 편복양. 아토피피부염 환아와 정상아에서의 Lactobacillus casei 균주의 비교 연구. 소아알레르기 및 호흡기학회지 2004;14:100-6.

5. 유재은, 전계리, 이기선, 이수영. 난맥에 감작된 아토피피부염 환아에서 난백제거식에 의한 임상 경과 및 특이 IgE 항체 농도의 변화. 소아알레르기 및 호흡기학회지 2004;14:100-6.

6. 이경은, 곽인근, 김영호, 정지아, 양승, 황일태 등. 아토피피부염의 중증도 평가 방법으로서 Three Item Severity Score의 유용성에 관한 연구. 소아알레르기 및 호흡기학회지 2004;14:62-70

7. Jones SM. Triggers of atopic dermatitis. In: Boguniewicz M editor. Immunology and allergy clinics of North America, W.B. Saunders, 2002;22:55-72.

8. Nomura I, Katsunuma T, Tomikawa M, Shibata A, Kawahara H, Ohya Y, et al. Hyperproteinemia in severe childhood atopic dermatitis: A serious complication. Pediatr Allergy Immunol 2002;13:287-94.

9. Beltrani VS, Boguneiwicz M. Atopic dermatitis. Dermatology Online J 2003;9:1-28.

10. Boguniewicz M and Leung DYM. Atopic dermatitis. In: Adkinson NF, Bochner BS, Yunginger JW, Holgate ST, Busse WW, Simons FER, editors. Middleton's allergy:principle and practice, St. Louise, Mosby 2003:1559-80.

11. Eichenfield LF, Hanifin JM, Luger TA, Stevens SR, Pride HB. Consensus conference on pediatric atopic dermatitis. J Am Acad Dermatol 2003;49:1088-95.

12. Leung DYM. Atopic dermatitis. In: Leung DYM, Sampson HA, Geha RS, Szefler SJ, editors. Pediatric Allergy: principle and practice, St. Louise, Mosby 2003:561-73.

13. Leung DYM, Bieber T. Atopic dermatitis. Lancet 2003;361:151-60.

14. Wollenberg A, Wetzel S, Burgdorf WH, Haas J. Viral infections in atopic dermatits:Pathogenic aspects and clinical management. J Allergy Clin Immunol 2003;112:667-74.

제6장

식품알레르기

1. 장관 면역

가. 장관 면역 조직

사람의 위장관계의 점막 상피세포와 장관 면역계(gut-associated lymphoid tissue: GALT)는 다량의 세균이나 식품단백에 노출되게 된다. 이러한 장관 면역계는 병원체에 대하여는 적극적인 면역반응을 작동하고, 영양소는 흡수하며, 나머지 다량의 섭취된 단백에 대하여는 면역 반응을 통하여 면역관용(immune tolerance)을 유도하도록 진화하였다. 이러한 정상 장내 면역계를 유지하기 위해서는 다양한 종류의 장 장벽(gut barrier)이 존재한다. 그러나 신생아나 영아의 경우 위액의 산도저하, 점막 상피의 미숙, 단백 소화 효소의 부족, 분비형 IgA의 부족 등의 다양한 장 장벽의 미숙으로 인하여 GALT로의 식품항원 노출이 증가되므로, 유전적 소인을 타고난 영아의 경우 식품항원은 IgE-매개 혹은 비-IgE-매개 면역반응을 자극하게 된다. 장 장벽이 성숙된 후에도 약 2%의 식품단백은 완벽한 항원성을 유지한 채 흡수되지만 대부분의 사람은 이미 면역관용이 유도되어 있으므로 문제가 되지 않으며 단지 감작된 개체에서는 극소량의 식품항원에 의하여도 과민반응이 유발된다.

GALT의 생리적 방어기전 중 하나는 상피세포의 항원 조작 과정이다. 상피세포 사이의 tight junction은 항원의 침입을 거의 불가능하게 막고 있으며, apical epitheltial membrane은 불용-성의 항원과 침투되지 않은 바이러스 및 세균을 꾸준히 걸러내는 작업을 한다. 또한 crypt에 존재하는 특성화된 상피세포는 defensin이라고 하는 자연 항생 물질을 분비하여 장관내의 병원체를 제거한다.

장관 면역계 중에서 유일하게 구조를 갖춘 체계적인 면역 조직인 Peyer's patch는 말초 림프절에 해당되며, 소장에 잘 발달되어 있고 대장에도 존재한다. Peyer's patch는 B 림프구와 T 림프구 영역이 있는 항원 특이적 IgA 생성이 유도되는 장소이며, 특수화된 상피세포인 M-세포에 의하여 항원이 선택적으로 통과되어 특이적 IgA 생성이 유도된다. 이곳에서 정보를 얻은 B 림프구와 T 림프구는 림프관을 따라 전신 순환을 거쳐서 다양한 점막 면역계에 위치하게 되는데 이때 이들의 표면에 존재하는 점막 귀소 수용체(mucosal homing receptor)(예: $\alpha 4 \beta 7$)가 면역 세포들이 국소 점막으로 이동하는 것을 돕는다.

한편 상피세포 사이에는 intraepithelial lymphocytes가 존재하며 상피세포 아래의 고유판(lamina propria)에도 림프구를 포함한 다양한 면역세포들이 자리하고 있다. 고유판에는 활성화된 T 림프구와 B 림프구, 대식세포, 수지상세포, 형질 세포 등이 존재하며 이들 세포들이 활성화되면 생리적 염증반응을 유도한다.

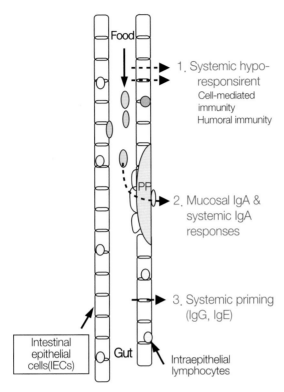

그림 6-1. GALT의 정상 면역반응

나. 항원 획득과 면역 조절 반응

장점막에 처음으로 항원이 노출되면 GALT에서는 다양한 과정의 인식체계를 거쳐 경구 면역 관용을 유도하고 국소적으로 분비형 IgA 생산을 유도하게 된다 (그림 6-1). 이러한 일련의 장점막 반응 중에서 가장 전형적인 것은 "면역 억제(suppression)"이며, 이를 통해서 방대한 양의 식품단백에 대한 무반응을 가능하게 하는데 이러한 경구 면역 관용 유도에 영향을 주는 요인들은 많다(표 6-1).

1) 경구 면역 관용

다양한 종류의 세포들과 사이토카인과 보조 인자 (cofactor)들이 필요하기는 하지만, 결국 경구 면역 관용 유도의 주된 면역세포로 T 림프구라는 것은 분명한 사실이며, 이러한 T 림프구의 면역관용 기전은 클론 결손(clonal deletion), 클론 무반응(clonal anergy), 능동적 억제(active suppression) 등의 세 가지로 설명할 수 있다. 식품단백에 대한 이러한 면역관용의 실패는 식품알레르기나 기타의 면역학적 장 질환을 유발하는 원인이 된다. GALT가 어떤 기전에 의하여 식품단백에 대한 관용을 획득하는지는 아직 명확히 밝혀지지 않았다. 초기에는 식품단백과 같은 수용성 단백도 Peyer's patch를 덮고 있는 M-세포에 의하여 획득된다고 알려진 바 있으나 최근에는 장점막 상피세포 (intestinal epithelial cells: IECs)가 항원 수용체 역할을 담당하여 면역관용을 유도하는데 크게 기여한다고 알려져 있다. 즉 비전문 항원 전달 세포인 IECs는 수용성 단백을 획득한 후 주변의 CD8+ 억제 세포(suppressor cell)를 선택적으로 활성화시키며, 또는 제2형 MHC 분자를 표현하지만 costimulating factor가 결여되어 있으므로 T 림프구 무반응을 유도한다고 알려져 있다. 그러나 최근에는 IECs은 저친화력 IgE 수용체인 CD23을 표현하며 이를 통하여 알레르겐/IgE 복합체를 능동 운반하는 기능이 있다고 알려져 있다. 따라서 IECs은 식품 단백에 대한 면역 관용 유도 뿐 아니라 식품알레르기를 유발하는 데에도 기여한다는 근거도 있다.

2) 분비형 IgA 생성 반응

이에 반하여 세균이나 바이러스 등은 M 세포에 의

표 6-1. 경구 면역 관용 유도에 영향을 주는 요인들

항원의 성상은 면역 관용 반응에 영향을 미친다
수용성 물질 >> 불용성 단백 >> 당질
: 수용성 물질은 면역관용을 더 잘 일으키고 당질은 알레르기 반응을 유도한다.
숙주의 유전적 배경
연령: 신생아는 면역 관용이 유도되기 어렵다.
항원의 양: 저용량 - 조절 T 세포 활성화
고용량 - T 세포 clonal anergy 혹은 deletion
항원 제시세포(antigen presenting cell)
: 상피세포, 대식세포, 수지상 세포

하여 획득되어 IgA 등의 항체를 생성하는 일련의 면역 활성을 유도한다.

GALT에서 일어나는 면역 반응 중에서 유일한 활성화된 면역 반응은 분비형 IgA 생성 반응이다. sIgA는 고유판에 존재하는 형질 세포에서 생성되는데 J chain에 의하여 연결된 이합체(dimer) 상태로 분비되어 상피 세포 유래의 당단백인 SC 혹은 pIgR 과 결합하여 장내로 분비된다. 이렇게 분비된 sIgA는 세균 혹은 바이러스와 결합하여 이들의 인체내 유입을 차단하나 sIgA는 보체를 활성화 시키지 못하므로 장점막의 염증반응을 초래하지 않는다. 선천적으로 IgA 생성이 저하된 IgA 결핍증 환자의 경우는 IgM이 IgA의 기능을 어느 정도 대신해 준다.

다. 생리적 염증반응과 장내 정상 균총

생리적인 염증반응은 고유판의 활성화된 면역세포들에 의하여 항상 일정하게 유지된다. 이러한 반응은 국소적으로 유지되며 인체에는 해가되지 않는 조절된 면역반응이다. 정상적으로 존재하는 장내 세균에 의하여 생리적으로 허용되는 범위내에서 조절된 염증반응이 유지되며, 식품단백에 의해서는 유도되지 않는다. 그러나 감염이나 NSAID 복용 등에 의하여 이러한 생리적 염증반응의 조절 기능이 깨지게 되면 "장점막 질환"이 야기된다.

장내 세균은 이러한 장점막의 생리적 면역 반응 유지의 주역이며, 때로는 전신면역 반응에 영향을 미치기도 한다. 장내 세균은 소화 기능을 돕고, 비타민을 생산하며, 장상피세포의 성장과 분화를 유도하고, 병원균의 번식을 억제하는 역할을 한다. 또한 최근 그 가치가 높아지고 있는 장내 세균인 probiotics는 병원균과 길항적으로 생존함으로써 세균의 번식을 막음과 동시에 IL-10, IL-12 등을 비롯한 다양한 사이토카인 분비를 증가시켜 장점막의 과도한 염증반응을 억제하는데 기여한다.

2. 식품 항원

식품알레르기의 발생 여부는 개별 식품항원에 대한 면역관용이 성공적으로 확립되었는지 여부에 기인한다. 또한 모든 식품이 알레르기를 일으키는 빈도와 정도가 동일한 것이 아니며, 이는 식품 단백의 알레르기 항원성 존재 여부와 깊은 관련이 있어, 흔히 알레르기를 일으키는 식품이 한정되어 있다. 식품 알레르겐은 IgE 항체의 생산을 유도하고, 반응하며, 또 비만세포와 호염기구로부터 화학매개체가 분비되어 즉각적인 과민반응을 일으키는 식품의 성분으로 정의되며, 경구로 섭취되는 식품 외에도 흡입성과 접촉성 식품알레르겐도 포함된다. 식품의 주요 알레르겐 대부분은 수용성 당단백으로 분자량은 약 10,000~60,000 dalton이며, 흡입성 항원과는 달리 위장관을 통과하는 동안 소화효소, 세균, 독소 등에 의해 변형될 가능성이 많고, 장점막에 머무르는 시간이 길어서 아나필락시스 반응뿐만 아니라 지연형 반응을 일으키는 경우도 많다. IgE 항체에 의한 알레르기 반응을 일으키는 흔한 식품으로는 계란, 우유, 콩, 땅콩, 견과류, 메밀, 밀, 생선, 어패류 등이 있다. 이외에 음식물 보존제(metabisulfite, nitrite), 향신료(monosodium glutamate), 색소(tartrazine)에 의해서도 이상반응이 일어날 수 있으나 이러한 경우는 면역학적 기전에 의한 경우가 아니므로 별도로 취급되어야 한다.

대부분의 식품알레르겐은 수용성인 당단백질로 열과 산, 단백질 분해효소에 안정성을 보인다. 소아의 경우는 우유, 계란, 땅콩, 대두, 밀 등이 가장 흔한 원인 식품알레르겐이며 약 90% 이상의 환자에서 감작되어 있고 연령이 증가할수록 생선, 갑각류, 견과류(호두, 잣, 밤) 등이 문제가 된다. 우리나라와 일본, 그리고 일부의 북유럽 국가에서는 메밀의 소비가 비교적 많아 메밀도 식품알레르기의 주된 원인이 된다. 이러한 식품 항원의 감작 경로는 일반적으로 경구 섭취에 의하며 장점막 면역계를 통하여 이루어진다.

1995년 우리나라에서 전국적으로 실시된 설문 조사

를 토대로 대한 소아 알레르기 및 호흡기 학회에서 보고한 바에 의하면 총 8,124명의 초등학생 중 식품알레르기를 경험한 경우는 10.9%로 조사되었고, 최근 1년 간에는 대상아의 6.5%가 식품알레르기를 경험한 적이 있다고 답변하였다. 한편, 병원에 가서 의사와의 진찰 및 면담을 통하여 식품알레르기가 있다고 진단 받은 경우는 4.2% 였고, 최근 1년 동안 병원에서 진단 받고 치료를 받은 경우는 2.7%라고 답변하였다. 식품알레르기의 병력이 있었다고 답변한 초등학생의 경우 증상은 두드러기, 가려움증, 위장관 증상, 호흡곤란의 순으로 발생하였고, 원인 식품으로는 계란, 우유, 콩, 땅콩, 메밀이 많았다.

3. 증상

가. 전신적인 증상

식품알레르기 증상은 설사, 구토, 복통 구강 점막 부종, 소양감과 같은 소화기 증상, 두드러기, 혈관부종 및 아토피피부염과 같은 피부증상, 코막힘, 재채기, 코 소양감 등 알레르기비염 증상과 기침, 천명, 호흡곤란 등의 천식증상 등 모든 기관에서 급성 또는 만성으로 나타날 수 있으며 그 양상도 매우 다양하다. 특히 식품에 노출된 후 수분 내에 전신성 아나필락시스 현상이 일어날 수 있어 여러 장기에 병변을 일으키고 심하면 쇼크에 빠지기도 한다(표 6-2).

이 밖의 증상으로 중국음식점증후군(Chinese restaurant syndrome: monosodium glutamate), 핫도그 두통(hotdog headache: sodium nitrite)이 나타날 수 있다. 그리고 운동유발성 천식의 심한 형태로서 운동 도중이나 후에 발적, 소양감, 두드러기 등 심한 피부 증상과 더불어 아나필락시스(exercise induced anaphylaxis)가 일어나기도 한다. 식품의존성 운동유발성 아나필락시스는 대부분이 운동 시작 1~2시간 이내에 특정한 음식물(조개, 샐러리, 밀가루, 복숭아, 사과, 포도, 계란, 헤이즐넛, 치즈샌드위치 등)을 섭취한 병력을 가지고 있어서 이들 식품이 아나필락시스와 관련 있을 것으로 추정되고 있다. 그러나 편두통, 행동장애, 경련성 질환, 관절염, 염증성 장질환과 식품알레르기와의 관련성에 대해서는 아직 확실한 증거는 없다.

나. 구강알레르기 증후군

구강알레르기 증후군은 1942년에 자작나무 화분에 과민한 환자에서 사과와 개암(hazelnut)에 의한 구강 내 접촉두드러기 증상이 보고 된 이후 화분과 식품에 대한 교차항원성에 의하여 구강 점막에서 제1형 과민 반응이 발생하는 것으로 이해되고 있다. 일반적으로 소아보다는 10대 이상의 청소년이나 성인에서 더 호발한다.

증상은 음식물을 섭취한 직후에 음식물과 직접 접촉하는 입술, 구강 점막에 소양감, 자극감, 구진, 맥관부종, 수포 등이 생기며 원인 음식물을 삼키면 전신적인 두드러기, 비염, 천식, 아나필락시스반응 등이 발생할 수 있다. 성문(glottis)부위에 맥관부종이 발생하면 질식사의 위험이 있다.

구강알레르기증후군 환자에서는 자작나무, 쑥, 두드러기쑥, 목초 화분 종류와 사과, 샐러리, 개암, 메론, 수

표 6-2. 식품 과민반응의 분류

즉시형 (IgE 매개형)
조기반응
위장관
두드러기, 혈관부종
비염, 천식
아나필락시스
조기반응/후기반응
아토피피부염
알레르기, 호산구 위장염
면역복합체(Immune complex)/세포 매개형
Gluten sensitive enteropathy (celiac disease)
식품단백 유도성 위장 증후군

박, 토마토, 바나나, 당근, 감자, 땅콩, 회향풀 등 식품과 교차반응이 있음이 보고되었고 그 중 자작나무 화분은 개암, 사과, 당근, 샐러리, 살구 등과 교차항원성이 있음이 여러 검사법에 의해 증명되었다.

다. 아토피피부염

식품알레르기 환자의 40~60%에서 아토피피부염과 연관이 있는 것으로 보고되었다. 모든 식품에서 알레르기를 일으키는 것이 아니고 한정된 일부 식품에서만 알레르기 반응이 주로 나타나고 각 나라마다 음식문화에 따라 알레르기를 일으키는 식품이 다를 수 있다. 일반적으로 계란, 우유, 밀, 콩에 대한 임상증상이 75%를 차지한다. 그 이외에 땅콩, 기타 넛트 종류, 생선을 포함하면 98%를 차지하게 된다(표 6-3).

라. 위장관염

식품에 의한 위장관염으로는 식품단백성 직장결장염, 소장결장염, 식품단백성 장병증과 Celiac 병 등이 있다.

식품단백성 직장결장염은 비교적 건강한 아이가 점액성 혈변을 보이며 알레르겐으로 추정되는 식품을 회피하고 증상이 호전되는지를 관찰해야 한다. 그 이외에 혈액응고 질환 등과 같은 전신적인 질환이 없는가를 확인한다. 소장결장염은 원인 식품에 만성적으로 노출되거나 혹은 재노출될 경우 심한 구토와 설사를 나타내며 패혈증과 유사한 심한 위장관 증상, 성장장애까지 나타낼 수 있다. 장병증은 다양한 위장관 증상, 특히 설사와 부종이 특징적이고 Celiac 병은 가족력, 지방변(steatorrhea), 빈혈, 성장장애 등의 증상이 나타날 때 의심할 수 있다(표 6-4).

증상을 감별하기 위한 질환은 감염성 질환, 외과적 질환(유문협착증, 항문열창, 장중첩증 등), 염증성 질환(염증성 장질환), 대사성 질환(효소 결핍 등), 면역결핍성 질환 등 매우 다양하다.

4. 진단

가. 병력

병력에 대한 문진은 병력을 근거로 정확한 진단을 할 수 있고, 식품유발시험에 의해 유발되는 증상과 징후가 병력과 관련성이 있는 지를 확인하기 위해 필수적이다. 식품 섭취 후에 즉시 증상이나 징후가 심하게 나타나는 경우에는 병력조사만으로도 원인 식품을 찾

표 6-3. 연령별 식품알레르기 유발식품

영유아	소아	청소년 및 성인
우유	우유	땅콩
계란	계란	견과류
땅콩	땅콩	생선
콩	콩	갑각류
	밀	
	견과류	
	생선	
	갑각류	

표 6-4. 식품단백성 장질환의 감별진단

	구토	설사	성장장애	식품	기타	발생시기
직장결장염	없음	소량, 혈변	없음	모유/우유/콩		수일~6개월
소장결장염	현저함	현저함	있음	우유/콩	재발, 중증	수일~1년
장병증	다양함	중등증	있음	우유/콩	부종	2~24개월
Celiac병	다양함	다양함	있음	글루텐	HLA DQ2	4개월이상

아낼 수 있지만, 그 임상 양상이 다양하고 지연형인 경우에는 나타나는 시간도 다양하여 원인을 찾아내지 못하는 경우도 많다. 따라서 의심되는 식품이나 식품의 종류, 섭취량 및 가공여부, 증상이나 징후가 발현된 시기, 횟수 및 중증도 등에 관한 병력을 자세히 조사하는 것이 무엇보다 중요하며, 운동이나 약물복용 등 연관이 있을 만한 요인을 명확히 기술하여야 한다. 이를 위해 식품 일기를 이용하기도 한다.

나. 진찰

위장관 진찰 소견뿐 아니라 동반되는 알레르기질환에 합당한 호흡기, 피부소견 등의 소견을 자세히 기술하여야 한다. 그 외에 성장 장애나 기타 질환으로 인한 소견이 있을 경우 이에 대하여 기술하여 연관성을 조사하여야 한다.

다. 피부시험

피부시험에는 단자시험, 소파시험, 피내시험 등이 있으며 소아에서는 일반적으로 단자시험을 많이 이용하고 있다.

식품항원을 이용한 단자시험으로 즉시형 반응을 일으키는 원인 식품을 찾아낼 수도 있으나 지연형 반응을 일으키는 식품에 대해서는 음성 반응을 보일 수 있으므로 최근에는 첩포시험을 시도하는 경우도 있다.

피부시험이 흡입항원보다 식품항원을 확인하는 데는 신뢰도가 낮은 것으로 알려져 있으며 식품 첨가물이나 대사산물에 의한 경우에는 위음성으로 나타날 수 있다. 일반적으로 피부시험에서 음성인 경우 그 음식이 즉시형 반응이 발생하지 않을 확률의 정확도는 95% 이상이나 식품에 대한 피부시험 양성에 대한 정확도는 50% 미만으로 낮다. 따라서 피부시험에 양성을 보인 식품이 식품알레르기의 원인식품이라고 단정할 수는 없으며 한편 피부시험이 음성이라고 해서 전신적인 알레르기 반응과 같은 즉시형 반응을 염려하지 않고 의심되는 식품을 섭취할 수 있음을 의미하는 것은 아니다. 한편 과일이나 야채에 대한 피부시험을 하고자 할 때에 주사침을 신선한 음식물 자체에 직접 한 번 찌른 뒤에 그 침으로 곧바로 단자시험을 하는 것도 유용한 검사 중의 한가지이다(prick-prick test with raw fresh food). 특정 식품에 아나필락시스나 두드러기 등과 같이 현저한 증상이 나타나고 식품 피부시험에 양성반응을 보인 경우 진단적 가치가 높다.

라. 검사실 검사

검사실 검사(*in vitro test*)는 radioallergosorbent test (RAST)와 enzyme-linked immunosorbent assay (ELISA)가 식품알레르기에 대한 특이 항체검사로 유용하다고 할 수 있으나 이들 검사는 피부시험에 비해 민감도(sensitivity)가 떨어진다. 그러나 RAST와 이중맹검식품유발시험(double blind placebo controlled food challenge test)을 비교한 연구에서 RAST score가 3이상이면 양성으로 간주하게 되며 피부시험과 유사한 민감도를 보인다. 이러한 검사실 검사가 유용한 경우는 피부묘기증이 있는 환자, 심한 피부질환이 있는 경우, 항히스타민제 등과 같은 약제를 끊을 수 없는 경우에 고려해 볼 수 있다. 최근 CAP-FEIA가 개발되어 민감도가 더 증가하게 되었는데 이를 이용하여 식품 특이 IgE를 측정하여 95% 예측치를 정할 수 있다고 보고되었다(표 6-5).

마. 식품제거와 유발시험

식품알레르기의 진단에서 가장 신빙성이 높은 진단 방법으로 먼저 의심되는 식품을 7~10일간 섭취하지 않도록 한 뒤에 환자의 증상이 소실되는지 여부를 확인한다. 일단 증상 소실이 확인되면 의심되는 식품을 다시 환자에게 투여하여 동일한 증상이 유발되는지를 확인하는 검사법이다.

식품유발시험은 그 실시 방법에 따라 개방(open),

표 6-5. 유발시험 없이 식품알레르기 진단이 가능한 특이 IgE치(CAP FEIA)

식품	혈청 IgE치 (kU/L)
계란	≥ 7.0
≤2세	≥ 2.0
우유	≥ 15.0
≤2세	≥ 5.0
땅콩	≥ 14.0
콩	≥ 30.0
밀	≥ 26.0
생선	≥ 20.0
견과류	≥ 15.0

단일맹검(single blind)과 이중맹검(double blind) 유발시험이 있는데 이 중에서 이중맹검시험이 가장 신빙성이 있는 검사이지만 진료실에서 실시하기에는 어려움이 있어서 주로 연구 목적으로 실시되고 있다.

제거 시험을 실시할 경우 의심되는 식품 한 가지 또는 여러 가지를 동시에 식단에서 제거한 뒤나 특수한 알레르기 제거식만을 투여하면서 증상의 소실 여부를 관찰한다. 그러나 식품에 의하여 아나필락시스 반응이 확실히 있었던 환자에서는 유발시험을 실시하지 않는 것이 좋다.

1) 개방식품유발시험

환자가 한 가지 종류에 대한 식품알레르기가 의심되는 경우 매우 유용할 수 있다. 실제 이 방법이 가정에서 이루어지는 경우가 많은데 이는 응급상황을 초래할 수 있기 때문에 병원과 같은 응급조치를 취할 수 있는 장소에서 시행하는 것이 안전하고 환자의 병력에 맞추어 시행을 하게 되면 진단에 도움이 된다.

2) 단일맹검식품유발시험

이중맹검식품유발시험에 비해 간단하기 때문에 외래에서 유용하게 할 수 있다. 유발시험 후 즉시형 반응을 확인하기 위해 1~2시간 관찰하여야 하며 의심되는 경우에는 2~4시간을 더 관찰하여야 한다.

3) 이중맹검식품유발시험

이중맹검식품유발시험은 식품알레르기를 진단하는 데 가장 정확하고 유용한 검사이다. 환자의 병력과 의심되는 물질이 애매한 경우 유용할 수 있으며 용량을 증가시키면서 증상을 즉시에서 관찰할 수 있는 장점이 있다. 이 검사는 환자 병력에 근거하여 디자인하게 된다.

투여하는 양이나 시간은 환자의 병력에 따라 결정하게 된다. 처음 시작하는 양은 반응이 일어나지 않을 것으로 예상하는 양으로 시작한다. 투여하는 시간의 간격은 환자의 병력에 따라 결정하게 되는데 대개 30분 간격으로 시행하고 점차적으로 양을 늘리면서 다음 회에는 이전 양에 비해 2배씩 용량을 증가하게 되고 1회 투여량이 건조된 식품의 총량 8~10 g이 되거나 수분이 포함된 총량 60~100 g이 될 경우 중단한다.

캡슐로 된 검사물을 이용하여 유발시험을 하는 경우에는 구강 조직에는 알레르겐이 직접 접촉되지 않아 구강내 알레르기 증상이 나타나지 않을 수도 있다.

다른 검사에 비해 수 시간 후 증상이 나타날 수 있는 지연형 과민반응을 관찰하는데 유용하며 입원하여 집중적으로 관찰할 경우 나타나는 시간과 증상을 좀 더 명확하게 기록할 수 있다.

이중맹검식품유발시험을 시행하기 전 검사에 영향을 미칠 수 있는 약물을 미리 중단해야 하는데, 항히스타민제, β 항진제, methylxanthine, 크로몰린제제 등이 이에 속한다. 의심되는 식품의 경우도 질환에 따라 적절한 기간 동안 해당 음식물 섭취를 절제해야 한다(표 6-6). 이중맹검식품유발시험에 사용되는 식품 전달체는 식품알레르기 종류에 따라 다양하게 이용할 수 있다.

4) 구강시험

구강 점막의 내측 입술부위에 의심되는 식품 추출액을 투여하여 식품 과민반응을 진단하는데 즉시형 반응으로 15 분내의 증상들(구강 가려움증, 입술 부종, 목이 조이는 증상 등)을 기록하게 된다. 이 검사는 증상을 유발하기 위해 다량의 식품이 필요한 경우는 불

표 6-6. 이중맹검 식품유발시험을 시행하기 전 질환에 따른 음식절제 기간

임상적 문제	음식 절제 기간	기타 설명
우유나 계란 알레르기에 의한 아토피피부염	1~2주	최소 기간
중증 아토피피부염	6주	호전되는 시점까지
위장관 증상을 나타내는우유알레르기	1~3일	성장장애 등이 있을 경우 2~4주
만성 두드러기	6~12주	증상 빈도에 의존
편두통	6~12주	

가능하다.

5. 치료와 예방

식품알레르기의 치료는 원인식품을 정확히 진단한 후 철저히 섭취하지 않도록 하는 것이 식품알레르기의 가장 중요하다.

가. 원인 식품 회피

식품 회피는 원인식품이 확인된 경우와 확인되지 않고 의심되는 식품이 여러가지 있을 경우를 구분하여 접근해야 한다. 한 가지 식품만이 원인이라면 원인식품을 철저히 제한하도록 하고, 그 식품자체는 물론 그 성분이 들어 있는 다른 식품의 섭취도 피하도록 한다. 이를 위해서는 평소 식품의 성분 표지(label)를 읽는 습관이 중요한데 이는 식품에 들어 있는 숨은 식품 알레르겐(hidden allergen)에 의해 증상이 악화되는 경우가 많기 때문이다. 또한 제한 식품을 대체할 수 있는 재료나 요리법 또한 중요하다. 여러 식품에 대한 알레르기 반응이 의심된다면 검사에서 음성이거나, 병력상 먹어서 증상이 없었던 몇 가지 식품만을 허용하는 "eat only"(oligoantigenic diet) 식이 요법을 이용한다. 이때 허용하는 음식은 환자에 따라 달라져야 한다. 제한해야 하는 식품이 환자에게 영양학적으로 매우 중요한 영양원이라면 영양 불균형이 초래되지 않도록 대체 식품을 공급해 주어야 한다. 예를 들면 우유

알레르기로 증명된 신생아나 영아는 완전 가수분해 조제분유(protein hydrolysate milk), 아미노산 조제분유(amino acid-based formula) 또는 콩단백 조제분유를 공급함으로써 영양을 보충할 수 있다. 그러나 우유 알레르기 환자 중에는 두유에 대해서도 알레르기를 보이는 경우가 있기 때문에 주의하여야 한다. 여러 식품에 알레르기를 보이는 환자에서 허용된 식품으로부터 필요한 단백질을 공급할 수 없는 경우에는 완전가수분해분유나 아미노산 분유를 보충식으로 이용해야 한다. 종종 원인 식품과 동일한 분류(family)에 속하는 식품에 대해서도 교차 반응을 보이는 경우가 많기 때문에 필요에 따라 이들 식품도 피해야 한다.

나. 약물 치료

H1과 H2 항히스타민제, ketotifen, 스테로이드, 류코트리엔 길항제 등이 식품알레르기 증상을 치료하기 위해 사용한다. 항히스타민제는 구강알레르기증후군의 증상과 IgE 매개 피부증상을 감소시킬 수 있으나 전신적인 증상을 줄이는 데는 비교적 그다지 효과적이지 못하다. 경구 스테로이드제는 천식이나 아토피피부염 등의 만성 IgE 매개 질환과 알레르기성 장염 등의 비 IgE 매개 장질환 치료에 사용해 볼 수 있으나 장기적으로 치료할 때 생길 수 있는 부작용 때문에 사용에 제한이 있다. 그 외 경구 크로몰린제, 면역치료, anti-IgE 항체 치료 등이 시도되고 있으나 아직 그 효과는 확실하지 않다. 식품알레르기의 가장 응급상황은 식품에 의한 아나필락시스이다. 이전에 아나필락

시스 경험이 있었거나, 조절이 잘 안 되는 천식의 과거력이 있거나, 땅콩, 견과류, 어패류에 대한 알레르기가 있었던 경우, 연령이 청소년기인 경우에는 심한 아나필락시스를 일으킬 위험이 높다. 심한 아나필락시스를 경험했던 환자는 응급용 에피네프린 주사를 가지고 다니도록 하고 응급시 대처사항을 교육한다.

다. 식품알레르기 환자의 영양관리

원인이 되는 식품을 어떻게 제한하는가가 식품알레르기의 치료에 가장 중요한 부분이 되지만 성장기에 있는 영유아에게는 영양공급에 차질이 생길 우려가 많아 이에 대한 대책도 함께 마련해야 한다.

1) 급성기의 영양관리

급성기에 원인이 되는 식품을 먹으면 점차 알레르기반응이 더 강하게 나타나게 된다. 따라서 급성기에는 원인이 되는 식품을 일정 기간 제한하는 것이 매우 중요하다. 이를 위해서 알레르기 증상이 나타났을 때 어떤 음식을 먹었는가에 대해 정확히 알아두고 금식할 식품을 정하는 것이 필요하다. 어느 정도의 기간 동안 제한해야 하는 가에 대해서는 개인차가 심해 일괄적으로 정할 수 없다. 생명을 위협할 만한 증상을 일으킨 식품의 경우에는 원인 식품을 완전히 피하도록 하고 제한하는 기간도 연장하여야 한다. 그러나 소아에서는 자연 소실의 가능성이 있으므로 6~12개월 정도의 간격을 두고 다시 먹여 볼 수 있다.

2) 장기적인 영양관리

식품제한의 기간과 정도에 따라 환자의 영양학적인 측면을 고려하여야 한다. 진단적 목적으로 1~2주 제한하는 경우에는 완전한 영양평가는 불필요하며, 오랜 기간 제한해야 할 경우 성장에 지장을 주지 않도록 영양 평가와 성장 평가는 필수적이다. 성장을 평가하는 데 있어서는 신장, 몸무게, 머리둘레를 평균과 비교해 보는 것이 기본이 되지만 시간을 두고 측정한 성장

곡선을 통해 성장속도를 측정하는 것이 더 중요하다. 그 외 신장 성장속도나 몸무게대비신장 성장비(weight-to-height ratios)를 측정하는 것도 도움이 되며, 체질량지수(body mass index)는 2세 이후부터 유용하다. 성장속도가 늦어진 경우 영양평가가 꼭 필요하다. 칼로리, 단백질, 탄수화물, 지방, 비타민, 무기질과 미량원소 각각에 대해 섭취량을 평가해야 한다. 우유 알레르기 환자의 경우 완전 가수분해 조제분유가 효과적임은 이미 널리 알려진 사실이며 완전 가수분해 조제분유로도 증상이 호전되지 않는 경우 아미노산 조제분유가 증상을 경감시킬 수 있다. 우유에 대한 대체 식품으로는 산양이나 염소 등 다른 동물의 젖이 사용되기도 하나 이들 단백질간의 교차반응이 있으므로 대부분의 환자에서 대체식품으로 적합하지 않다. 계란, 우유, 콩 등의 주된 단백질원이 제한되어야 하는 1세 이후의 환자에서도 양질의 단백질 공급을 위하여 완전 가수분해 조제분유나 아미노산 조제분유를 보충식으로 이용할 수 있다. 적어도 3개월 간격으로 성장속도 측정과 영양평가를 하여 발육부전을 예방할 수 있다.

우유 단백질이 들어있지 않다고 소개되는 비타민제나 미량원소 보충제에도 소량의 우유단백이 오염되어 있을 수 있으므로 제품의 선택에 신중을 기해야 한다.

여러 가지 음식에 알레르기를 나타내는 환자에 있어서 비타민, 칼슘이나 철분이 강화된 시리얼(fortified infant cereal)도 좋은 보충식품이 된다.

라. 예방

모든 알레르기와 마찬가지로 식품알레르기도 예방이 치료보다 우선한다. 알레르기의 발생에는 환경적인 요인도 많이 관여하지만 유전적인 요인의 영향을 많이 받기 때문에 근본적으로 이를 예방하기는 어렵다. 그러나 주의하면 알레르기 반응이 진행하여 중증화하는 것은 막을 수 있다.

식품알레르기의 예방은 크게 3단계로 구분할 수 있

는데, 제 1단계는 식품에 대한 감작을 미리 예방하는 것으로 가장 이상적인 알레르기 예방법이고, 제 2단계는 이미 감작이 된 후에 질병으로의 이환을 막는 것이며, 제 3단계는 질병으로 이환 후에 증상의 발현을 막는 것으로 임상에서 의심되는 식품을 제한하는 등 가장 흔히 이용된다. 그러나 식품알레르기를 일으킬 것으로 생각되는 고위험군을 구분하는 것이 쉽지 않고, 식품을 미리 제한하였을 때 생기는 득과 실, 경제적인 면을 고려할 때 더 많은 연구 및 조사가 필요하다.

1) 식품알레르기 고위험군

알레르기가 유전학적으로 연관되어 있다는 것은 이미 많이 보고되고 있으며, 또한 제대혈과 영아에서 증가된 IgE, 계란 특이 IgE, 낮은 IFN-γ/IL-4 비, 말초혈액의 호산구 증가, 비액의 호산구 증가 등의 여러 가지 면역학적 인자가 후에 식품알레르기 발생과 관련 있다고 보고되고 있다. 그러나 이러한 면역학적 인자는 임상적으로 식품 제한을 시행할 고위험군을 설정할 정도의 민감도와 예측도를 가지지 못하고 있다. 아직까지는 아토피의 가족력이 식품알레르기 고위험군 설정에 가장 유용한 인자이다.

2) 임신 중 식품 관리

임신 중에도 태반을 통하여 태아에게 식품단백질이 전달되어 감작이 가능하나 이러한 반응은 정상적인 면역 반응으로 이후의 식품알레르기와 반드시 연관되는 것은 아니다. 따라서 임신 중 알레르기를 예방하기 위한 식품관리에 있어서 땅콩을 제외한 다른 식품의 제한은 권장되지 않는다.

2) 수유 중 식품 관리

모유에는 알레르기 발생을 예방하는 물질이 들어있고 모유의 단백질은 대부분의 아기의 몸에서 이종 단백질로 인식되지 않으므로 적어도 6개월까지는 모유를 먹이는 것을 권장한다. 그러나 모유를 통해 알레르기 원인물질이 아기에게 전달될 수 있기 때문에 알레르기의 위험성이 높은 땅콩 및 견과류는 확실히 제한해야 하며 현재 증상이 있는 아기에게 모유를 먹일 때에는 아기에게 알레르기의 원인으로 판단된 식품을 엄마의 식단에서 제외하는 것이 바람직하다.

3) 저알레르기 조제유의 유용성

일반적으로 알레르기 반응이 유도되지 않는 단백질의 분자량은 1.6 kD 정도인 것으로 알려져 있는데 이를 근거로 열처리와 가수분해를 통해 우유 단백질을 작게 분해시킴으로써 항원성이 낮은 분유를 개발하였다. Casein이나 whey protein, 또는 casein/whey mixture를 분자량 0.5~1.2 kD 정도로 가수 분해 시킨 완전 가수분해 조제분유와 우유 단백질을 부분적으로 가수분해 하여 분자량이 1.5~5.0 kD 정도로 만든 부분 가수분해 조제분유가 있다. 현재까지의 보고에 의하면 우유알레르기 및 아토피의 예방에 있어 불완전 가수분해 조제분유보다는 완전 가수분해 조제분유와 아미노산 조제분유가 추천된다.

4) 이유식에 있어서의 식품 관리

알레르기 고위험군 환자에게는 이유식은 보통 5~6개월 이후에 시작하는 것이 좋다. 미국소아과 학회에 따르면 고위험군 환자의 경우 우유는 1세 이후, 계란은 2세 이후, 땅콩과 견과류, 어류는 3세 이후에 먹이도록 권장하고 있다. 그러나 계란, 우유, 콩 등의 알레르기를 잘 일으키는 식품들이 영유아에서는 중요한 영양공급원이기 때문에 이를 제한하는 것에는 신중을 기해야 한다. 땅콩 등의 견과류는 3세까지 반드시 제한해야 할 식품이고, 메밀과 토마토, 닭, 돼지, 양식어류와 잡식성 동물 식품은 1세까지 제한하는 것이 좋다. 기타 식품들은 1~2주 간격으로 먹여 보면서 문제가 발생되었을 때는 철저히 금하도록 하는데 이들은 다른 식품으로 대치가 가능하므로 영유아기에 서둘러 먹일 필요가 없기 때문이다. 그러나 알레르기의 발생 가능성이 높은 아기들에게는 이러한 예방조치를 보다 적극적으로 시도해 주는 것이 필요하다. 이 밖에도 식품알레기 환자가 성장하면서 집먼지진드기에 대한 알레르기를 가질 가능성이 높아지므로 호흡기 점막이 미숙한 영유아에게는 집먼지진드기가 없는 집안 환경을 만들어 주는 것도 호흡기 알레르기 발생을 예방하는 중요한 환경관리법이 된다.

6. 예후와 자연경과

대부분의 식품알레르기는 1세 전에 시작되어 첫 1년에 6~8%의 가장 많은 빈도를 보이다가 학령기 이후에 감소하여 성인까지 1~2%정도의 빈도를 보인다. 이는 장점막의 면역기능이 성숙되고 면역관용이 일어나 나타나는 자연 소실(natural outgrow)의 현상으로 설명하고 있다. 일반적으로 동물성 식품이 식물성 식품보다 자연 소실이 일찍 나타난다. 보통 1~2년 정도 원인 식품을 제한하면 약 1/3에서 알레르기 반응이 소실되는 것으로 알려져 있으나 환자와 식품에 따라 매우 다양한 경과를 취한다. 식품알레르기의 대부분은 일단 한번 소실되면 재발하는 경우가 드물지만 땅콩이나 어패류의 경우 유발검사에서 음성이 나온 후에도 알레르기 반응을 다시 일으킬 수 있으므로 주의해야 한다.

우유 알레르기의 자연 경과와 예후에 대해서는 많은 보고에서 우유 알레르기 환자의 약 50%는 1년 이내에, 70%는 2세까지, 85%가 3세까지 우유 알레르기가 소실되는 것으로 보고하고 있다.

계란 알레르기를 가진 대부분이 학동기까지는 알레르기 반응이 소실되는 것으로 보고되고 있다. 계란에 대한 알레르기 반응이 소실되는 군이 지속되는 군에 비해서 피부단자시험에서 팽진의 크기가 감소하거나 음성반응을 보인다.

콩 알레르기는 1년, 2년 경과 후 각각 50%, 67%에서 소실되는 것으로 보고되고 있으며, 땅콩 알레르기의 대부분은 평생 지속된다. 그러나 소수에서 소실되는 경우가 보고되고 있다. 밀에 대한 알레르기는 콩이나 우유에 대한 알레르기 보다는 오래 지속되는 것으로

표 6-7. 식품알레르기의 자연경과

학동기에 호전되는 식품알레르기
우유, 계란, 콩, 밀
학동기 후에도 사라지지 않는 식품알레르기
땅콩, 견과류, 생선, 갑각류(새우, 조개 등)

알려져 있다. 그 외 과일, 야채, 기타 곡류에 대한 이상반응은 일시적인 경우가 많으며 대다수에서는 6~12개월 이내에 재섭취 해도 알레르기 반응을 일으키지 않는다. 견과류, 어패류에 대한 알레르기는 잘 소실되지 않는다(표 6-7).

참고문헌

1. 김규언, 정병주, 이기영. 소아천식환자에서 식품 알레르기의 빈도 및 원인 식품. 소아알레르기 및 호흡기학회지 1995;5:96-106.
2. 이기영, 김규언, 정병주. 개방 경구유발시험으로 확진된 속발형 식품 알레르기 ; 병력 및 알레르기 피부시험의 진단적 의의. 소아알레르기 및 호흡기학회지 1997;7:173-86.
3. 이수영, 이기선. 계란 알레르기 환아에서 MMR 접종 후 발생한 전신적 부작용 2례. 소아알레르기 및 호흡기학회지 1998; 8:280-5.
4. 편복양. 아토피피부염에서 제거식 처방의 효과와 문제점. 소아알레르기 및 호흡기학회지 2000;10:112-6.
5. 이상일, 최혜미. 영유아 영양: 식품알레르기. 교문사, 2003:261-73.
6. 전필근, 권지영, 황은미, 편복양. 초기유아기의 식이 형태와 알러지 질환에 관한 조사. 소아알레르기 및 호흡기학회지 2003;13:65-71.
7. 정진아, 이주석, 이상일. 소아아토피피부염 환아에서 난백, 우유, 콩에 대한 혈청내 특이 IgE 농도.소아알레르기 및 호흡기학회지 2003;13:255-63.
8. 남승연. 식품 알레르기의 진단과 치료. 소아알레르기 및 호흡기학회지 2004;14:119-26.

9. Eigenmann PA. Egg allergy. 소아알레르기 및 호흡기학회지 2004;14:111-8.

10. J Brostoff, SJ Challacombe(eds). Food allergy and intolerance. 2nd ed. Saunders, St. Louis 2002.

11. Adkinson NF, Bochner BS, Yunginger JW. 6th ed. St. Louis: Mosby 2003.

12. Leung DYM, Sampson HA, Gegh RS, Szelfler SJ. Pediatric allergy: principle and practice. St. Louis: Mosby 2003:495-559.

13. Scott HS, Anne MF, Ramon M, Robert AW. Symposium: Pediatric food allergy. Pediatrics 2003;111:1591-671.

14. Shideh M. Nutritional management of pediatric food hypersensitivity. Pediatrics 2003;111:1645-53.

기타 알레르기질환

1. 두드러기 및 혈관부종

두드러기(urticaria, hives)는 창백하고 약간 올라온 중심부(팽진)와 주변부의 발적(erythema)으로 둘러싸인 가려움증을 동반한 전신적 발진이다(그림 7-1). 혈관 부종(angioedema)은 비대칭적이고 비중력성(non-dependent) 종창으로 일반적으로 전신적이지만 소양증이 없다(그림 7-2). 두드러기와 혈관부종의 병태생리는 비슷한데 두드러기는 표피층으로 혈관에서 새어나온 혈장이 유입되면서 생긴 것이고, 혈관 부종은 피부의 심부층으로 혈장이 유입된 것이다. 두드러기와 혈관부종은 일반적으로 쉽게 환자나 보호자에게 발견되며, 질환의 뚜렷한 양상과 진행에 근거하여 두드러기와 혈관부종은 비교적 쉽게 진단된다.

두드러기와 혈관부종은 모두 흔히 발견되는 질환으로 성인에서 더 많이 보고된다. 두드러기와 혈관부종은 고전적으로 급성 혹은 만성으로 분류하는데, 만성은 6주 이상 지속적으로 혹은 반복해서 발생하는 경우를 말한다. 이런 구분이 중요한 것은 종창의 원인, 경로와 치료의 관점에서 중요하기 때문이다. 두드러기와 혈관부종이 흔히 동시에 발생하지만 두드러기가 혈관 부종보다 흔한 것으로 보고된다.

국내에서의 두드러기 빈도는 정확한 보고가 없으나 외국의 통계에 의하면 전체 인구의 15~25%정도가 평생을 통해서 적어도 한 번 이상 두드러기를 경험한다고 한다. 소아에서는 두드러기와 혈관 부종을 합쳐서 6~7%정도 경험한다고 한다. 아토피 성향인 사람은 일부의 물리 두드러기/혈관 부종을 더 흔하게 경험하는 것으로 알려져 있다. 그러나 만성 두드러기/혈관부종을 가진 대다수의 환자는 비아토피성이다.

가. 원인

대부분의 두드러기와 혈관부종 초기 피부반응(early-phase cutaneous reaction)은 비만세포로부터 분비되는 히스타민에 의한 다양한 염증반응으로 일어

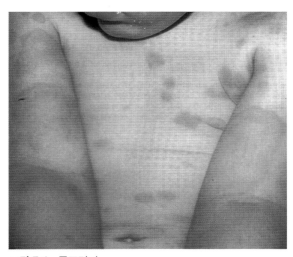

그림 7-1. 두드러기

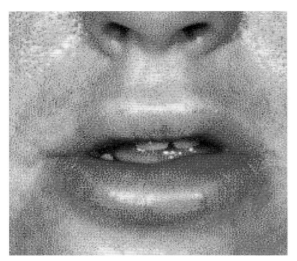
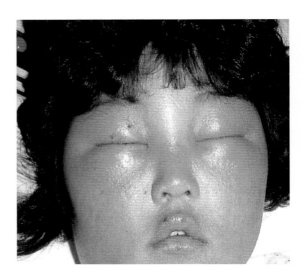
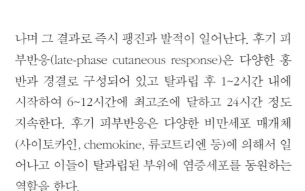

그림 7-2. 혈관부종

나며 그 결과로 즉시 팽진과 발적이 일어난다. 후기 피부반응(late-phase cutaneous response)은 다양한 홍반과 경결로 구성되어 있고 탈과립 후 1~2시간 내에 시작하여 6~12시간에 최고조에 달하고 24시간 정도 지속한다. 후기 피부반응은 다양한 비만세포 매개체(사이토카인, chemokine, 류코트리엔 등)에 의해서 일어나고 이들이 탈과립된 부위에 염증세포를 동원하는 역할을 한다.

소아에서의 대부분의 급성 두드러기/혈관부종은 IgE 항체매개 비만세포의 탈과립화와 연관되어 있다. 방아쇠의 역할을 하는 항원은 대부분 약물과 음식이다.

만성 두드러기/혈관부종뿐 아니라 많은 수의 급성 두드러기/혈관부종 환자에서 IgE-매개 알레르기와 연관성이 없는 경우가 많다. 이러한 경우는 비면역학적 기전이거나 비-IgE 매개 반응이 비만세포의 탈과립 및 두드러기/혈관부종을 야기했을 가능성이 있다. 여기에는 직접적으로 비만세포 탈과립을 유도하는 물질, 바이러스 감염, anaphylatoxin, 다양한 펩티드와 단백질, 물리적인 자극 등이 포함된다.

만성 특발성 두드러기 환자의 소정맥 주위에 단핵구의 침윤을 볼 수 있는데 면역조직화학 방법 등으로 관찰하면 호염기구, 호산구, 조력 T 세포가 정상인에 비해서 증가해 있음을 알 수 있다. 만성 두드러기/혈관부종을 가진 40%에서 자가 항체를 갖고 있고 IgE 혹은 FcεR에 특이성을 갖고 있어서 비만 세포의 탈과립에 기여한다. 많은 수의 만성 두드러기/혈관부종 환자에서 갑상선 anti-microsome 항체와 anti-thyroglobulin 항체를 가지며, 이들의 절반에서 갑상선 비대와 갑상선 기능이상을 경험한다. 특히 하시모토 갑상선염 환자에서 두드러기/혈관부종을 경험하는 수가 증가한다.

상염색체 우성으로 유전되는 가족성 종창을 보이는 질환인 유전성 혈관부종(hereditary angioedema, HAE)도 드물지만 중요한 원인이다. HAE는 두드러기 없이 재발성의 혈관부종을 보이는 질환으로 혈장 단백 C1 inhibitor (C1 INH)의 부족으로 야기되는 질환이다. 대부분이 I형으로 85%의 환자에서 낮은 C1 INH 농도를 보이며 II형은 15%의 환자에서 보이는 변이형으로 C1 INH 농도는 정상이거나 더 많은 데 기능적 활동성이 떨어져 있다. 후천성 C1 INH 부족은 성인에서 주로 관찰되고 소아에서는 보고되지 않고 있으며, C1 INH에 대한 자가항체 혹은 기저질환, 특히 림프망상계 악성종양에서 나타난다.

나. 증상

1) 급성 두드러기

급성 두드러기는 원인이 쉽게 밝혀지는 경우가 많다. 소아환자의 대부분이 IgE 매개 반응은 식품, 바이러스 감염에 의해 유발되며 약물, 특히 페니실린과 같은 항생제에 의해서도 유발된다. 약물은 이외에도 혈청병 반응(serum sickness reaction)으로 이차적인 반응의 두드러기 혹은 혈관부종을 일으킬 수 있으며 이런 경우 반응은 7~21일 후에 일어나고, 피부증상이외에 발열이나 관절통, 림프절 종대 등의 증상이 흔히 동반된다. 가장 흔한 식품과 연관된 IgE 매개 반응은 환자의 나이에 크게 좌우된다. 어린 소아의 경우에는 계란, 우유, 콩, 땅콩 그리고 메밀 등이 흔한 알레르겐이며, 반면에 보다 연장아의 경우에는 생선, 해산물, 견과류와 땅콩 등이 보다 흔한 원인이다.

소아 영역에서 급성 일과성 두드러기는 흔한 바이러스 감염과 연관되어 있는 경우가 많지만 대부분 그 기전이 명확하지 않다. 특정 감염(*Mycoplasma pneumoniae* 혹은 herpes)과 약물들이 다형 홍반을 일으키는데 경증의 다형 홍반의 경우 두드러기로 오인될 수 있다. 그러나 다형홍반의 경우 소양감이 없고 병변부위가 지속되면서 변연부가 두드러지거나(target lesions) 수포를 형성한다.

두드러기와 혈관부종은 벌독과 같은 곤충 자상에 의한 아나필락시스의 가장 흔한 증상이다. 구진성 두드러기는 빈대, 이, 진드기 등에 의한 것으로 소아의 다리에서 많이 발견되며 두드러기보다 오래 지속되는데 곤충의 침 성분에 대한 면역반응에 의해서 유발된다. 딸기, 환각제, polymyxin 항생제, d-tubocurarine, dextran, thiamine 등은 직접 비만세포의 탈과립을 일으키는 물질이다.

또한 두드러기는 특정 물질의 국소접촉으로도 일어날 수 있으나 대개의 경우 물질들이 피부를 통과해야 한다. 그러나 라텍스와 일부 식품, 약물, 직업성 화학물질, 벤조산(benzoic acids), sorbic acids 등은 단지 접촉만으로도 두드러기가 생길 수 있으며, 이는 면역학적 혹은 비면역학적인 기전이 모두 관여할 수 있다.

2) 만성 두드러기

만성 두드러기 환자의 대부분에서 원인을 찾기는 쉽지 않으며 이를 만성 특발성 두드러기(chronic idiopathic urticaria)라고도 부른다. 그러므로 진단은 환자병력과 진찰, 검사소견에 의해 다른 여러 원인이 배제될 때 가능하다.

만성 두드러기는 식품, 갑상선 기능이상, 기생충의 감염과 연관되어 있는 것으로 알려져 있으며, 최근에는 헬리코박터(*Helicobacter pylori*) 감염이 만성 두드러기와 관련이 있을 것으로 보고되고 있다.

물리적 두드러기는 비만세포의 탈과립를 유발할 수 있는 물리적 자극에 의한다. 만성 두드러기를 가진 소아의 1~10%에서 물리적 두드러기를 보인다(표 7-1). 물리적 자극에는 기계적 자극(압력, 타박), 온도자극(열, 한랭), 일광과 침수 등이 포함된다. 물리적 두드러기의 경한 형태인 피부묘기증은 전 인구의 2~5%정도에서 볼 수 있으나, 임상적으로 증상을 보이는 피부묘기증은 만성 두드러기를 가진 환자에서 중요한 증상으로 알려져 있다(그림 7-3).

지연성 압박 두드러기(delayed pressure urticaria)는 일반적인 두드러기보다는 심하여 혈관부종에 가까우며 증상을 보이기도 한다. 한랭 두드러기는 소아에서 자주 볼 수 있으며(그림 7-4), 한랭 두드러기를 가진 사람은 찬물에 노출되었을 때 저혈압을 동반한 심각한 부종이 초래될 수 있으므로 주의해야 한다.

콜린성 두드러기는 소아에서 비교적 흔하며 혈관부종, 천명, 심지어 기절하기도 하여 운동유발성 아나필락시스와 혼동하기 쉽다. 지속적인 콜린성 홍반은 약물 발진이나 피부 비만세포증과 혼동하기 쉽다.

두드러기성 혈관염(urticarial vasculitis)은 두드러기가 사라지고 난 후에도 만져지는 자반, 멍과 탈색 등이 24시간이상 지속되며 항히스타민제에 잘 반응하지 않는다.

표 7-1. 주요 물리적 두드러기

Type	Provoking Stimuli	Diagnostic Test	Comment
Mechanically provoked			
Dermographism (urticaria factitia)	Rubbing or scratching of skin causes linear wheals	Stroking the skin(especially the back) elicits linear wheal	Primary(idiopathic or allergic) or secondary(urticaria pigmentosa or transient following virus or drug reaction)
Delayed dermographism	Same	Same	Rare
Delayed-pressure urticaria	At least 2 hr after pressure is applied to the skin, deep, painful swelling develops, especially involving the palms, soles, and buttocks.	Attach two sandbags or jugs of fluid(5~15 lbs) to either end of a strap and apply over the shoulder or thigh for 10~15 min A positive test exhibits linear wheals or swelling after several hours	Can be disabling and may be associated constitutional symptoms such as malaise, fever, arthralgia, headache, and leukocytosis
Immediate-pressure urticaria	Hives develop within 1~2 min of pressure	Several minutes of pressure elicit hives	Rarely seen in conjunction with hypereosinophilic syndrome
Thermally provoked			
Acquired cold urticaria	Change in skin temperature rapidly provoked urticaria	Place ice cube on extremity for 3~5 min, then observe for pruritic welt and surrounding erythema as the skin rewarms over subsequent 5~15 min	Relatively common, may occur transiently with exposure to drugs or with infections; other rare cases may be associated with cryoproteins or may be transferable by serum
Familial cold autoinflammatory syndrome	Intermittent episodes of rash, arthralgia, fever, and conjunctivitis occur after generalized exposure to cold	Symptoms occur 2~4 hr after exposure to cold blowing air	Autosomal-dominant inflammatory disorder previously called familial cold "urticaria"; results from mutation of cryopyrin gene
Cholinergic urticaria	Heat, exertion, or emotional upsets cause small punctate wheals with prominent erythematous flare	Methacholine cutaneous challenge is sometimes helpful; better to reproduce the lesions by exercising in a warm environment of while wearing a wet suit or plastic occlusive suit	Differs from exercise-induced anaphylaxis in that it features smaller wheals and is induced by heat as well as by exercise but does not cause patients to collapse
Localized heat urticaria	Urtication occurs at sites of contact with a warm stimulus	Hold a test tube containing warm water against the skin for 5 min.	Rare
Miscellaneous provoked			
Solar urticaria	Urticaria develops in areas of skin exposed to sunlight	Controlled exposure to light; can be divided depending on the wavelength of light eliciting the lesions	Types include genetic abnormality in protoporphyrin IX metabolism as well as types that can be passively transferred by IgE in serum
Aquagenic urticaria	Tiny perifollicular urticarial lesions develop after contact with water of any temperature	Apply towel soaked in 37℃ water to the skin for 30 min	Rare

소아에서의 두드러기성 혈관염의 임상 양상은 알레르기 자반증(Henoch-Schönlein purpura)이나 과민성 혈관염으로 나타난다. 성인에서는 SLE, Sjogren 증후군, 본태성 혼합성 한성 글로불린혈증, 다발성 근염 등으로 나타난다. 심각한 임상형으로는 안구 염증과 사구체 신염, 폐쇄성폐질환이 혈관부종과 동반하여 나타나는데 7s C1q precipitin과 함께 나타날 수 있다.

대부분의 만성 두드러기는 국소 소정맥 주위에 다양한 정도의 단핵구의 침윤이 관찰된다. 반면에 두드러기성 혈관염은 다핵 중성구의 침윤이 관찰되고 백혈구파괴 증가증, 내피세포의 증식, 적혈구의 혈관외 유출 등이 있고 면역형광 검사에서 면역글로불린과 보체의 침착이 나타난다.

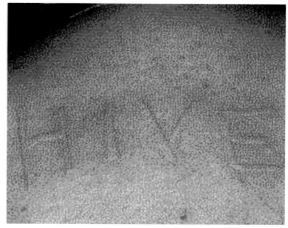

그림 7-3. 피부 묘기증

3) 혈관부종

혈관부종은 대부분의 다른 부종과 달리 병변은 비대칭적이고, 비중력성이며 일시적이다. 두드러기와 마찬가지로 진단은 대부분 명백하다. 감각신경이 적게 분포한 심부 진피와 피하조직에는 부종이 조금만 있거나 혹은 전혀 없다. 혈관 부종은 HAE의 한 증상으로 나타날 수 있다.

혈관부종은 외부 알레르겐에 의하지 않고 발생하는 아나필락시스를 특발성 아나필락시스라 한다. 일부의 특발성 아나필락시스는 설사, 천명음, 저혈압, 전신 발적 등의 전신증상을 일으키기도 하고, 또 다른 일부는 생명을 위협하는 혈관부종을 야기하기도 한다. 특발성 아나필락시스의 혈관부종은 HAE와 유사하지만 가족력이 없는 것과 보체계의 이상이 없는 점이 다르다.

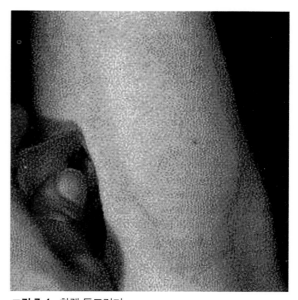

그림 7-4. 한랭 두드러기

다. 진단

두드러기와 혈관부종의 진단은 일반적인 진찰로 충분하다. 그러므로 감별진단의 가장 중요한 단계는 병변 부위의 종창이 있을 때 눈으로 직접 보는 것이다(그림 7-5). 부종에 대한 진단이 확실하지 않을 때 감별점으로는 개개의 피부병변이 몇 시간 이상(24시간

까지) 지속되는 경우는 드문데 이런 점으로 다른 피부병변과 구분을 할 수 있다. 그리고 두드러기는 압력을 가했을 때 창백해지는 특징이 있고 시간이 지나면 기존의 병변이 사라지면서 새로운 두드러기가 흔히 발생한다. 또한 가려움증이 없으면 다른 진단을 생각해 보아야한다. 혈관부종은 다른 부종과 달리 대칭적이지 않고 비중력성(non-dependent) 양상을 보인다.

1) 병력

피부병변양상, 발병양상, 악화인자 등에 대해서 자세한 병력 청취가 필요하다. 급성병변인지 만성병변인지, 소양증이 있는지, 언제 발생했는지, 병변이 어디에서 나타나는지(여행의 영향 등 어떤 특정 지역에서 시작했는지), 무엇이 의심 되는지(약물, 음식, 식품첨가제, 정신적인 요인, 흡입제, 물림과 찔림, 다양한 원인 물질과의 접촉, 교원성 질환, 물리적 인자에 노출) 등을 확인하여야 한다.

열, 운동, 감정적인 스트레스, 음주, 발열, 갑상선이상 등의 악화요인에 대하여도 물어 보아야 한다. 아스피린이나 다른 cyclooxygenase (COX)-1 억제 소염제 등도 두드러기나 혈관부종을 초래할 수 있고, 아토피 소아에서 비스테로이드성 소염제(NSAIDs)에 대한 안

면 혈관부종이 훨씬 더 많이 발생한다.

HAE의 경우는 특발성 혈관부종보다 종창기간이 더 길다. 보통 72시간 이상 지속되고 대개 12~24시간 동안 부종발작이 증가하다가 48~72시간에 천천히 회복된다. 종창이 생기기전에 소양감이 없는 구불구불한 모양의 홍반성 발진이 선행한다.

2) 진찰

두드러기는 신체 어떤 곳에나 발생할 수 있으며 각각의 병변은 종종 합쳐져서 큰 병변을 만들기도 한다. 혈관부종은 얼굴이나 입술 혹은 혀 점막 등에 호발 한다. 병변의 모양을 통해 두드러기 종류를 구별할 수 있는데 선상의 팽진은 피부묘기증을, 큰 홍반에 둘러싸인 작은 팽진은 콜린성 두드러기를, 노출된 부위에 한

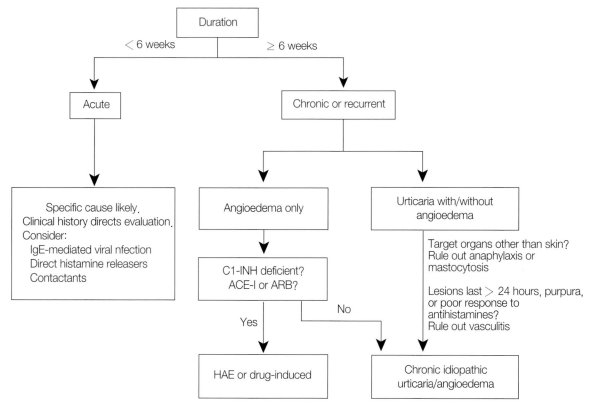

그림 7-5. 두드러기/혈관부종의 감별진단을 위한 단계. ACE-I: angiotensin-converting enzyme inhibitor, ARB: angiotensin II receptor blocker, HAE: hereditary angioedema

표 7-2. 만성 두드러기/혈관부종 환자에서 기저질환을 감별하기 위한 진단검사

Basic tests	Discretionary tests based on
Complete blood count with differential	If vasculitis is suspected:
Erythrocyte sedimentation rate	Antinuclear antibody
Urinalysis	Skin biopsy
Liver function tests	CH_{50}
Thyroid function and autoantibodies	If liver function tests abnormal:
Anti-Fcε R autoantibody (if available)	Serology for viral hepatitis

정된 팽진은 일광이나 한랭 두드러기를, 하지에만 국한된 팽진은 구진성 두드러기나 두드러기성 혈관염을 시사한다.

3) 검사

두드러기/혈관부종 환자에 대한 검사실 검사는 병력청취와 진찰 소견을 토대로 시행되어야 한다. IgE 매개 식품 알레르기를 검사하기 위한 피부시험을 제외하고는 대부분의 급성 두드러기의 경우는 특별한 진단적 검사가 필요하지 않다(표 7-2). 한랭두드러기의 진단 방법으로 ice cube test를 이용한다. 두드러기를 동반하지 않은 반복적인 혈관부종의 경우 HAE에 대한 평가가 필요하다.

라. 치료

만성 두드러기/혈관부종 환자는 대부분 좋은 예후를 보인다. 급성 두드러기/혈관부종의 경우 원인이나 유발요인을 찾아 피해주면 대부분 6주 이하의 경과를 보이며, 만성 특발성 두드러기를 가진 환자에서도 50%에서 3~5년 사이에 관해를 경험한다.

약물치료로는 H1 항히스타민제를 주로 사용한다. 두드러기/혈관부종 환자의 치료 원칙은 다음과 같다. 알려져 있는 유발자극을 회피하는 것이 치료의 결과를 높일 수 있다. H1 항히스타민이 주류이지만 2세대 H1 항히스타민이 부작용이 더 적다. 중증의 경우에는 2세대 H1 항히스타민과 1세대 H1 항히스타민, H2 항

히스타민, 류코트리엔 수용체 길항제 등의 다양한 조합이 필요할 수 있다. 지연성 압력 두드러기는 대체로 항히스타민에 잘 반응하지 않는다. 스테로이드는 지연형 압력 두드러기인 경우를 제외한 만성 두드러기나 혈관부종에서 사용해서는 안된다. HAE의 혈관부종에서는 항히스타민이나 스테로이드, 에피네프린에 반응 하지 않는다.

항히스타민은 급성 혹은 만성 두드러기/혈관부종 치료에 중심이 되는 약물이다(그림 7-6). 충분한 용량의 사용으로 가려움을 없애고 두드러기 형성을 막을 수 있다. 대부분의 1세대 H1 항히스타민인 hydroxyzine, doxepin 등은 경증의 두드러기에서 효과적이나 졸리움 등 부작용이 있다. 소아에서는 성인보다 부작용이 적다. 2세대 H1 항히스타민은 혈관-뇌 장벽을 잘 통과하지 못하므로 졸리움 같은 부작용이 훨씬 덜하여 두드러기/혈관부종 치료에 널리 사용되고 있다. 가장 널리 사용 되는 약물로 cetirizine, desloratadine, fexofenadine 등이 있다.

한랭두드러기의 치료에는 cyproheptadine이 효과적이지만 식욕 촉진으로 인한 체중증가 등의 부작용이 발생할 수 있다. 그러나 2세대 H1 항히스타민도 아주 심한 한랭두드러기를 제외하고는 한랭두드러기에 효과적이기 때문에 먼저 시도해 볼 수 있다. 지연형 압력 두드러기는 대부분 항히스타민에 잘 반응하지 않기 때문에 전신적인 스테로이드를 가능한 낮은 용량으로 사용하는 것이 좋다.

다른 병태생리를 갖고 있는 HAE는 일반적인 두드러

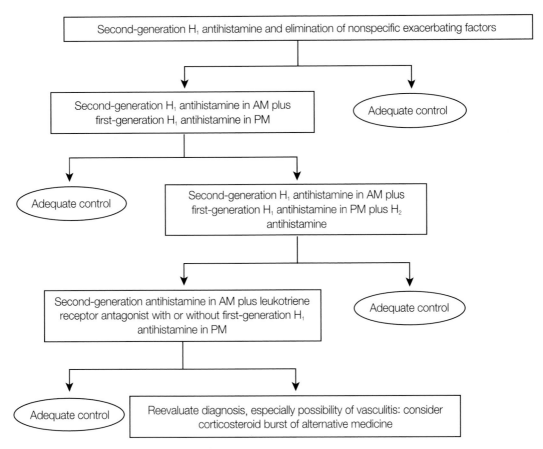

그림 7-6. 만성 두드러기/혈관부종 환자의 치료 단계

기/혈관부종 치료에 반응하지 않으며, 급성증상의 발작시 단기적, 장기적 예방의 3단계 원칙하에 치료하여야 한다. 장기예방은 상기도를 포함한 심한 악화가 빈발할 때 사용하는 방법으로 합성 anabolic androgen (stanozolon; 2 mg/day, danazol; 200 mg/day)을 우선 고려하고 그 다음 epsilon aminocapric acid를 고려한다. Oxandralone (2.5~7.5 mg/day)은 최근 HAE 치료에 사용한 또 다른 anabolic androgen으로 위의 약물들에 비해 효과는 비슷하면서 부작용이 적고 C1 INH와 C4 농도를 높이는 효과가 있다. 단기예방은 수술이나 치과적인 처치를 앞두고 고용량의 anabolic androgen을 사용하는 것으로 stanazolol을 2 mg씩 1일 3회 수술 전 7~10일 동안 사용한다. 다른 방법으로 수술 전에

신선동결혈장 2 단위를 사용할 수 있다.

만일 급성으로 후두부종이 발생하면 반드시 응급실을 방문해야 하고, 에피네프린 자가 주사기를 사용할 수 있도록 환자를 교육하는 것이 필요하다. HAE가 있는 환자 또는 ACE 억제제와 연관된 혈관부종이 있는 환자나 아나필락시스가 있었던 환자에서는 후두부종이 치명적일 수 있으므로 원인물질이나 약물을 회피하는 것이 제일 중요하다.

복부 발증(abdominal attack)이 발생했을 경우 적극적인 수액요법 그리고 통증과 구역/구토에 대한 치료가 필요하고, 구강인후 발증은 사망으로 이어질 수 있기 때문에 입원 후 기도에 대한 감시가 필요하다. 기도 폐쇄의 위험이 있으면 기도삽관을 시행하는데 일단

삽관이 되면 부종이 다 사라질 때까지 발관을 해서는 안된다. 정제된 C1 INH는 단기 예방뿐 아니라 혈관부종의 급성기에 효과적으로 유럽등지에서 사용이 가능하다.

최근의 보고에서 cyclosporine이 잘 조절되지 않는 만성 두드러기에 효과적이라는 보고가 있다.

2. 알레르기 눈 질환

알레르기질환을 앓고 있는 환자의 약 30%가 알레르기 눈 질환을 갖고 있다. 눈의 알레르기질환은 비알레르기성 눈 질환과의 감별진단을 해야 한다.

가. 증상

알레르기 결막염은 가려움증이 특징이며, 그 외에 눈물, 자극감, 작열감, 광과민성 등의 비특이적인 증상을 보인다. 이런 가려움은 몇 시간에서 몇 일까지 지속될 수 있다. 증상은 차고 습한 상태에서는 호전되지만, 더운 날씨에서는 악화된다.

상세한 병력이 소아결막염의 비알레르기 원인으로부터 알레르기를 구별하는 중요한 인자이다.

나. 진단

눈은 조심스럽게 진찰해야하며 안검염(blepharitis), 피부염, 부종, 변색(discoloration), 안검하수(ptosis), 안검경련(blepharospasm) 등을 관찰해야 한다. 결막은 결막부종(chemosis), 충혈(hyperemia), 반흔화(cicatrization), 유두형성(papillae formation)을 보아야 하며, 비정상적인 분비물을 관찰해야 한다. 검안경(funduscope) 검사로 포도막염(uveitis) 및 백내장(cataracts) 유무를 확인하여야 한다.

눈 주위와 얼굴을 관찰하여 다른 알레르기질환의 동반여부를 확인하여야 한다. 코에 수평적인 피부주름(skin crease)이나 allergic shiners는 알레르기비염을 나타내며, 혈관부종은 진피의 부종으로 전신적 과민반응이 나타나는 것으로 각막이 가장 흔한 부분이다. 환자는 전형적으로 눈 주위부종을 보이는데 중력에 의해 아래 눈꺼풀에 더 흔하다.

결막의 유백색(milky) 변화는 알레르기 눈 질환의 특징이며, 대조적으로 화농성의 분비물을 가진 beefy-red 결막은 바이러스나 세균감염이 원인인 경우가 많다.

결막의 염증은 소포(follicles)나 유두의 존재로 구별된다. 윗 검판(upper tarsal)결막의 거대유두가 알레르기 눈 질환의 특징으로 바이러스나 세균성 결막염에서는 볼 수 없다. 소포는 림프반응으로 바이러스나 클라미디아 감염에서 주로 나타나는 소견이다.

각막은 램프현미경을 이용하여 진단한다. 육안(naked eye)이나 검안경(ophthalmoscope)으로도 임상적 특징을 관찰할 수 있다. 건강한 각막은 매끈하며 투명하나 각막에 먼지 같은 것이 있으면 상피각막염(epithelial keratitis)을 의심할 수 있다. 국소적인 각막 손상은 형광염료를 넣어서 관찰할 수 있는데, 미란 또는 큰 궤양을 의심하며 이는 major basic protein의 침착과 관련이 있다.

각막윤부(limbus)는 각막을 둘러싸는 곳으로, 전방포도막염(anterior uveitis)이나 홍채염(iritis)이 있으면 분홍색으로 보인다. 작고 하얀 점들이 산재된 부종은 봄철 결막염(vernal conjunctivitis)에서 흔히 보인다. 전방(anterior chamber)의 관찰은 안구방수(aquous humor)의 혼탁 정도, 혈액의 존재, 농양의 분포 등을 알 수 있다. 깊이가 얕은 전방은 좁은 각의 녹내장을 의심할 수 있으므로 이는 축동물질을 피해야 한다. 전방 깊이는 펜라이트를 가지고 측면에서 비추면서 조사할 수 있다. 홍채(iris)가 빛으로부터 멀리 그림자를 생성한다면 증가된 안압상승을 의심할 수 있다.

다. 감별진단

소아 red eye는 크게 네 가지(알레르기, 감염, 면역,

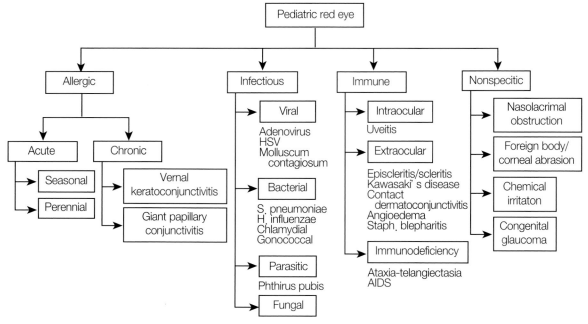

그림 7-7. 소아 'red eye' 감별법

비특이적)로 구별할 수 있다. 이런 분류는 구별되는 징후와 증상이 있다(그림 7-7).

IgE 매개반응(IgE-mediated reaction)에 의해 야기되는 알레르기 결막염은 눈의 가장 흔한 과민반응이다. 결막의 접촉면에는 약 5천만 개의 비만세포가 존재하며, 눈의 점막 표면이 항원에 직접 노출되면 비만세포가 자극되어 알레르기 결막염을 일으킨다. 급성기에는 결막에 다핵구, 호산구, 림프구, 대식세포와 같은 염증세포가 침윤되며 호산구의 증가가 뚜렷하지 않다. 그러나 만성적인 형태에서는 호산구와 면역학적 활성세포가 뚜렷이 증가한다.

1) 계절성 알레르기 결막염

계 절 성 알 레 르 기 결 막 염 (seasonal allergic conjunctivitis, SAC)은 환자의 50% 이상을 차지하는 가장 흔한 알레르기 결막염이다.

계절적이며 대기항원 특히 화분(pollen)이 증상을 유발하는 주된 원인물질이다. 주로 코와 목의 증상과

동반되며 환자는 수액성 분비물와 작열감, 눈 가려움증을 호소한다. 백태가 보이기도하고 만성적인 형태에서는 실 같은 끈적이는 물질로 변하기도 한다. 결막은 우유빛 또는 핑크색으로 보이고 충혈을 동반한다. 이러한 울혈은 결막부종으로 진행된다. 증상은 대개 양측성이며 침범정도는 항상 같지 않다. SAC는 드물게 영구적으로 시력손상을 초래하며 일상생활에 큰 지장을 초래할 수 있다.

2) 통년성 알레르기 결막염

통 년 성 알 레 르 기 결 막 염 (perennial allergic conjunctivitis, PAC)은 년간 지속되는 질환으로 SAC의 변형으로 여겨진다. 집먼지진드기, 동물 비듬, 털이 가장 흔한 알레르겐이다. 증상은 SAC와 유사하고, PAC의 약 80%는 계절적으로 악화되는 성향이 있다. 또한 PAC와 SAC는 나이와 성별의 분포가 비슷하고 천식과 습진의 증상과 관련이 있다. PAC의 유병률은 SAC 보다는 낮게 보고되고 있으나 ISAAC 보고에서 보면 통

년성 알레르기 유병률은 증가하고 있다.

3) 봄철 각결막염

봄철 각결막염(vernal keratoconjunctivitis, VKC)은 양안에 나타나고, 재발성이며, 만성적으로 나타나는 심각한 눈 염증의 형태이다. 현저한 계절적 발생 양상을 보여서 봄에 빈번이 발생하므로 "봄의 카타르(vernal catarrh)"라고 명명된다. 소아 및 젊은 성인에게 자주 발생하고, 계절적 알레르기나 천식, 습진의 과거력이 있다. VKC의 발현 나이는 일반적으로 사춘기 이전이며, 여자에 비해 남자에서 2배정도 많이 발생한다. 사춘기 후에는 성별에 별다른 차이를 나타내지 않고 30세가 되면 소실된다. 아시아와 아프리카인에게 흔하며 각막이 손상되면 시력을 잃을 수도 있다.

증상으로는 눈의 가려움증, 눈부심, 이물감, 눈물이 있다. 눈의 가려움증은 시간이 지날수록 심해지며 바람, 먼지, 빛, 더운 날씨에 노출되거나, 혹은 땀이 나는 육체적 운동에 의해 심해진다. 진찰 소견은 윗검판에 7~8 mm 크기의 작은 조약돌 모양의 유두성비대(papillary hypertrophy)를 동반하고, 결막 충혈이 있으며, 호산구, 상피세포, Charcot-Leyden 과립을 포함한 얇고 끈끈한 우유색의 섬유성 분비물이 있다. 그밖에도 Dennie's line, Charcot-Leyden crystals이 침착된 각막 궤양, 윗눈꺼풀에 위막(pseudomembrane) 등을 볼 수 있다. 비록 양쪽 눈에 발생하나 다른 질환보다 한쪽 눈에 더 호발한다.

4) 거대유두결막염

거대유두결막염(giant papillary conjunctivitis, GPC)은 호염기구, 호산구, 형질세포, 림프구의 침착과 연관이 있고 비만세포와 림프구에 의해 중개된다. 봄 화분 계절 동안에 호발한다. 소양증을 호소하며, 만성적으로는 진하고 실같은 성향을 띠는 희고 맑은 삼출물(wihte or clear exudate)을 보인다. 윗검판의 유두성비대는 콘텍트렌즈(contact lens)를 사용할 때 호발하는 것으로 보고되고 있다.

라. 치료

치료는 알레르겐을 확인하여 회피하는 것이 우선적으로 시행되어야 하며 단계적으로 대증치료와 약물치료를 한다.

먼저 냉찜질로 안구 가려움증을 줄일 수 있으며 인공눈물을 하루 2~4회 국소적으로 사용할 수 있다.

국소충혈제거제(decongestants)는 혈관수축제로서 홍반을 줄이는 작용이 있어 국소적 항히스타민제와 같이 널리 사용된다. 필요에 따라 1일 2~4회 사용하며 알레르기 염증반응을 줄이는 데는 효과가 없다.

국소적 항히스타민제는 알레르기 결막염에 단독으로 사용하기도하나 혈관수축제와 같이 사용할 경우 상승효과를 나타낸다.

필요에 따라 경구 항히스타민제를 투여한다. 그 외에 cromolyn, nedocromil, lodxamide, pemirolast, olopatadine, ketotifen, azelastine, ketorolac, tronethamine, loteprednol, cyclosporine, tacrolimus 등을 사용할 수 있으며 일부에서는 면역요법을 시행하기도 한다.

3. 곤충 알레르기

곤충 알레르기의 빈도는 전인구의 0.3~3%로 알려져 있다. 남자가 여자에 비해 2배 호발 하는데 이는 노출되기 쉬운 환경에 따른 것으로 생각된다. 반응의 대부분은 청소년에서 일어나나 성인에서는 더 위중한 경과를 보인다.

가. 병인

침을 가지고 있는 곤충은 곤충강, Hymenoptera 목에 속한다. 여기에는 yellow jacket, hornet, wasp가 속하는 vespids와 honeybee와 bumblebee를 포함하는 aphids가 있다(그림 7-8).

불개미(*Solenopsis invicta*)는 날개가 없는 곤충으로 그 턱을 이용하여 인체를 물어 머리와 침을 이용하여 원 운동을 하며 공격한다. 그 침은 배부분에 위치한다. 24시간 이내에 무균성 수포가 발생하며 이로서 불개미 자상을 의심할 수 있다. 국내에서는 왕침개미(*Pachycondyla chinensis*)가 개미 아나필락시스를 일으키는 주요 원인으로 보고되고 있다(그림 7-9).

곤충에 쏘이는 것과 달리 곤충에 의한 자상은 아나필락시스를 일으키는 것보다는 주로 국소반응을 일으킨다. 모기, 일부 빈대, 파리 종류에 의한 국소 반응은 소아에서 흔하며 반복적인 자상과 시간의 경과에 따라 청장년이 되면서 소실되는 것으로 알려져 있다. 침샘 특이 IgE와 IgG가 국소 반응의 정도와 관련이 있으며 면역반응의 매개체로 알려져 있다.

곤충 독 아나필락시스는 대부분 이전까지 별다른 반응 없이 곤충에 쏘인 경험이 있었거나 반대로 전혀 곤충에 쏘인 경험이 없던 환자에서 발생하기도 하여 그 감작과 병인이 단순하지 않다는 것을 시사한다. 곤충에 물린 것과 달리 쏘이는 경우 언제나 통증을 동반하기 때문에 대부분의 경우 그 병력을 신뢰할 수 있다.

과거에는 곤충에 쏘일 때마다 매번 그 국소반응의 범위가 넓어지는 경우 곤충 독 아나필락시스를 의심할 수 있다고 생각했다. 그러나 이는 보통 쏘인 후 24~48시간에 최고에 이르고 1주일까지 지속되는 단순한 국소 반응으로 간주하였고, 이러한 국소 반응이 반복되는 경우 전신적 알레르기 반응의 빈도는 5% 미만의 소수에서 발견되는 것으로 밝혀졌다.

생물의 독은 강력한 감작원이다. 동시에 100~200개의 침으로 쏘이는 경우에는 이후에 한 번만 다시 쏘여도 아나필락시스가 유발될 수 있으므로 한 번에 수백 개의 침으로 공격하는 'killerer bee'는 매우 위험할 수 있다. 뱀독을 모으는 사람에서 그 독이 흡입항원으로 작용하여 알레르기를 일으킨다는 보고도 있다.

곤충 독 아나필락시스로 사망하는 경우는 이전에 곤충에 쏘이고도 별 문제가 없어서 알레르기에 대한 경고를 받지 못한 경우가 대부분이었다.

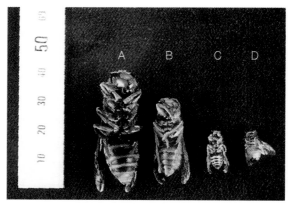

그림 7-8. 한국에서 주로 발견되는 벌. 장수말벌(Vespa madarimia (A)), 말벌(Vespa crabo flavafasciata (B)), 땅벌 속(Vespula spp. (C)), 꿀벌(honeybee (D)).

그림 7-9. 왕침개미(*Pachycondyla chinensis*)

나. 증상

1) 국소 반응

곤충에 쏘인 부위에 나타나는 국소 통증, 부종, 발적 등은 수 시간 내에 소실되며 진통제나 냉찜질 외에 특별한 치료를 요하지 않는다.

그러나 보다 넓은 부위에 부종은 나타나고 48시간에 가장 극심하고 7일까지도 지속되며 피곤함과 오심이 동반되기도 한다. 그 기전은 잘 알려져 있지 않으나 IgE 매개 면역반응으로 생각된다. 항히스타민, 아스피린 등이 증상을 경감시키고 심한 경우에는 경구용 스테로이드를 하루 2~3일간 투여한다. 이 경우 다시 곤충에 쏘였을 때 아나필락시스가 나타나는 빈도는 5% 정도에 불과하다. 그러므로 피부시험이나 면역치료의 적응증이 되지 않는다.

2) 아나필락시스

한 번에 50~100개 정도의 침에 쏘인 경우에 아나필락시스의 임상적 특징을 보인다. 다량의 독에 노출되어 IgE 항체를 생성하므로 피부시험에 양성을 보일 수 있고 다시 쏘인 경우에 알레르기 반응이 일어날 가능성이 있다.

곤충에 쏘인 후 10~15분 이내에 전신에 두드러기, 기도 부종, 기관지 수축, 저혈압, 쇼크가 일어나고 72시간까지도 지속될 수 있다. 소아는 성인에 비해 피부에만 국한되는 경우가 많으며 사망에까지 이르는 경우는 주로 성인에서 많다.

다. 진단

1) 피부시험

곤충 알레르기의 병력이 없이 피부시험 양성만으로 곤충 독 아나필락시스의 위험성을 내포하지는 않는다. 곤충에 의한 국소반응이 심한 경우에 피부시험에 양성을 보이면 경도의 아나필락시스의 가능성을 시사한다. 곤충 독 알레르기의 피부시험은 시판되는 혼합 벌독이 진단과 치료에 이용될 수 있다. 0.001 μg/mL정도의 농도부터 피내 주사하여 점차 그 농도를 높여 1 μg/mL까지 시행할 수 있다. 그 이상의 농도에서는 면역학적이기보다는 자극자체에 의한 것으로 생각할 수 있다.

불개미 충체 항원을 이용한 피부시험는 알레르기를 가진 환자에서 유용한 검사로 이용된다. 실험적으로 불개미 독을 모은 항원으로 시행한 검사가 좀 더 예민한 것으로 알려져 있으나 현재까지 충체 항원으로도 진단적 가치는 충분하다.

2) 혈청 특이 IgE의 검출

피부시험이 보다 예민하고 진단에 유용하나 피부시험를 시행하기 어려운 경우에는 혈청학적 검사가 용이하게 쓰인다. 일부 곤충 독 아나필락시스 환자에서 피부시험에 음성을 보였으나 재차 곤충 알레르기를 보였다면 혈청학적 검사를 권장한다. 만약 혈청학적 검사에 양성이면 곤충 독 면역치료를 시행한다.

심한 곤충 독 아나필락시스 환자에서 안정시 혈중 tryptase 농도가 높다는 것이 알려져 있으며, 이는 비만세포의 수가 증가되어 있고 면역학적 혹은 비면역학적 기전에 의해 매개체의 분비가 증가하기 때문인 것으로 생각하고 있다. 이러한 환자군에서는 보다 면역치료가 더욱 요구된다. 중등도 이상의 곤충 독 아나필락시스를 경험한 환자는 피부시험이나 면역치료할 때 응급약을 소지하도록 권장한다.

라. 치료

1) 급성 반응

일반적인 아나필락시스 치료법에 준한다. Epinephrine이 가장 추천되며 증상이 약더라도 가능하면 빨리 투여한다. 항히스타민제, 스테로이드, 산소, 혈관 확장제와 같은 치료제들은 증상에 따라 투여한다. 급성 기도 부종이 주요 사망원인이므로 주의를 요한다.

곤충의 침이 피부에 남겨진 경우 조심스럽게 제거하여야한다. 곤충의 독이 남긴 낭포를 건드리는 경우 더 많은 독을 퍼뜨릴 수 있다.

2) 곤충 독 면역치료

가) 환자의 선별

곤충에 쏘인 후 알레르기 반응을 보이고 곤충 독 특이 IgE가 상승되었거나 피부시험에서 양성을 보인다면 면역치료의 대상으로 고려해 볼 수 있다. 그러나 피부에 국한된 알레르기 반응만을 가진 소아의 대부분은 일반적으로 예후가 좋아 면역치료의 적응증이 되지 않는다. 연령을 불문하고 의식 소실과 같은 심한 반응을 보인 경우이거나 혈청양 반응을 보인 경우는 면역치료를 해야 한다.

나) 치료의 실제

일부 곤충 독 사이에는 강력한 교차 반응이 증명되어 있으므로 면역치료할 때 이를 고려할 수 있다. Yellow jacket과 hornet이 그 예로서 yellow jacket으로 면역치료를 시행하여 두 가지 곤충에 대한 탈감작이 가능하다.

Bumblebee 독의 경우에도 상품화된 항원이 없으므로 honeybee 독을 이용하여 피부시험을 시행하여 양성인 경우 면역치료에 이용한다.

불개미 충체로 만들어진 항원을 이용한 피부시험과 면역치료를 할 수 있다.

곤충 독 면역치료는 일반적 면역치료에 준한다. 시작은 0.01에서 0.1 μg로 점차 유지용량인 100 μg까지 올린다. 시작 용량은 알레르기 증상의 정도보다 피부시험의 정도에 따라 결정한다. 대부분 주당 2~3회로 시작하여 4~6주에 유지용량에 도달하도록 한다(표 7-3).

급속 면역치료는 2~3일에서 1주에 걸쳐 병원 내에서 시행해야한다. 이는 체내 곤충 독 특이 IgG의 급속한 증가에 의한다. 단독 곤충 독을 매주 투여하는 경우도 있다.

일단 최대 유지용량에 도달하면 1년 동안 4주 간격으로 투여하고 6주 간격으로 늘려서 2년이 되면 8주마다 투여한다. 한 개의 곤충 독의 최대 유지용량은 100 μg이다. 두 개의 hornet과 한 개의 yellow jacket을 이용한 혼합 독의 경우의 최대 유지용량은 300 μg이다.

다) 부작용

곤충 독 면역치료의 부작용은 그리 흔하지 않다. 주사부위의 통증이나 부종 등이 있는 경우 그 양을 두 번으로 나누어 줄 수 있다. 주사 직후에 국소 부종이 심한 경우에는 소량의 epinephrine을 곤충 독과 함께 투여할 수 있다. 주사 후 시간이 경과한 후에 생기는 부종은 스테로이드를 함께 투여하여 예방할 수 있다. 주

표 7-3. 벌독 면역치료의 지침

초기 용량	피부시험의 반응에 따라 0.01~0.1 μg
증 가 량	수 일내에 증량하는 rush요법, 매 주 한 번씩 주사하는 전통적 방법 등이 있다.
유지 용량	단독 벌독의 경우 50~100 μg, 혼합 벌독의 경우 300 μg
유지 간격	첫해 4주 두 번째 해 6주 세 번째 해 8주
치료 기간	피부시험의 음성 혹은 3~5년 경과

사 30~60분전에 항히스타민제를 투여하는 것도 도움이 된다.

화분 면역치료에 비해 전신 부작용이 극히 드물지만 한 번 전신 부작용이 있는 경우에는 다음에 주사할 때 그 용량을 25%로 낮추고 점차 천천히 올리도록 한다. 혼합 독인 경우에는 각각을 나누어 하루에 한 가지의 곤충 독을 주사는 하는 것이 바람직하다.

면역치료는 임신과 태아에 영향이 없는 것으로 알려져 있다.

라) 기간

면역치료의의 종결에 관해서는 많은 이견이 있으나 무엇보다 피부시험에서 음성으로의 전환이 가장 중요한 요소라 하겠다. 경도에서 중등도의 아나필락시스 환자에서는 대부분 3~5년이 적당하다. 의식소실, 저혈압, 인두부종과 같은 심각한 아나필락시스가 있었던 환자에서 피부시험에서 양성이 지속된다면 8~12주 간격으로 면역치료를 유지하는 것이 재반응의 빈도를 낮출 수 있다.

마) 경과 및 결과

면역치료는 epinephrine만 지참하는 경우에 비해 환자와 가족에게 만족감을 주는 것으로 알려져 있다.

면역치료를 시작하면서 곤충 독 특이 IgG가 증가하고 곤충 독 특이 IgE는 간혹 증가를 보이다가 이어 감

소하면서 임상적으로 효과를 나타내게 된다. 일부 환자에서는 면역치료 중에 피부시험이 음성으로 바뀌게 되며 이는 치료의 종결을 고려하는 시점이 된다. 매 2년 마다 피부시험을 하도록 한다.

면역치료 후에도 증상이 나타나는 경우에 적절한 곤충 독이 사용되었는가를 점검해야하다. 만일 적절한 항원이 선택이 되었다면 그 용량을 50~100%까지 증가 시켜야 한다.

치료 후에 아나필락시스를 경험하는 경우는 2~5%에 불과하다.

마. 예방

곤충 알레르기의 위험이 있는 경우 다시 곤충에 노출되지 않도록 하는 것이 권장된다. 곤충에 노출될 야외 활동을 하는 경우에 긴 소매의 옷과 발을 감싸는 신발을 신도록 하고 곤충을 유인할 수 있는 화장품, 향수, 헤어 스프레이를 쓰지 않고 가능하면 연한 색의 옷을 입도록 한다. 특히 yellow jackets을 유인할 수 있는 식품이나 음료를 다룰 때는 주의하도록 한다. 위험성이 있는 경우 자가 투여가 가능한 epinephrine 주사기를 항상 소지하여 곤충에 쏘인 후 급성 알레르기 반응의 초기 증상이 나타날 때 투여해야 한다.

바. 자연경과

곤충 독 알레르기가 있으나 면역치료를 받지 않은 환자들을 관찰한 결과 많은 수에서 곤충 독 알레르기는 자연 소실되었다. 과거에 곤충 알레르기가 있고 피부시험에서 양성인 환자들에서 의도적으로 다시 쏘였을 때도 25~60%의 환자에서 반응을 나타냈으며 피부시험의 정도나 곤충 독 특이 IgE, IgG 등이 재반응의 척도가 되지는 않았다.

피부에 국한된 반응만을 보이는 소아에서는 그 경과가 양호하여 다시 쏘였을 때도 비슷한 정도의 국소 반응을 보인다. 다시 곤충에 쏘였을 때 반응을 보이는 경우는 소아보다 성인에 많으며 아나필락시스의 정도가 심할수록 재반응의 빈도가 높다.

4. 약물 알레르기

가. 원인

약물에 대한 이상반응은 예측 가능한 경우와 그렇지 않은 경우로 나누어 볼 수 있다. β 항진제 투여 후에 나타나는 손떨림과 같은 약물 부작용, terfenadine과 erythromycin을 함께 투여할 때 볼 수 있는 심장 부정맥 같은 약물 상호 작용 등은 예측이 가능하다. 그러나 알레르기 반응과 같이 예측이 불가능한 경우는 전체 약물 이상반응의 10%미만이다(표 7-4).

약물 알레르기는 진단이 어렵고 병인이 다양하여 정확한 빈도는 알 수 없으나 2000년도 전국 초, 중학생을 대상으로 국내에서 조사된 설문지 역학조사에 따르면 약물 알레르기로 진단 받은 경우가 약 1% 정도로 보고되었다.

약물 알레르기의 위험 인자는 확실하지 않으나, 아토피가 있는 사람에서 보다 심한 증상을 보일 수 있다.

표 7-4. 약물 이상 반응의 분류

반응	예
예측 가능한 경우	
과용량	아세타아미노펜 - 간 괴사
부작용	albuterol - 떨림
2차적 작용	clindamycin - C. difficile에 의한 가막성 대장염
약물 상호 작용	terfenadine/erythromycin - 부정맥
예측 불가능한 경우	
intolerance	아스피린 - 이명
idiosyncratic	chloroquine - G6PD 결핍증 환자에서 용혈성 빈혈
알레르기	penicillin - 아나필락시스
pseudoallergic	방사선 조영제 - 아나필락시스 유사반응

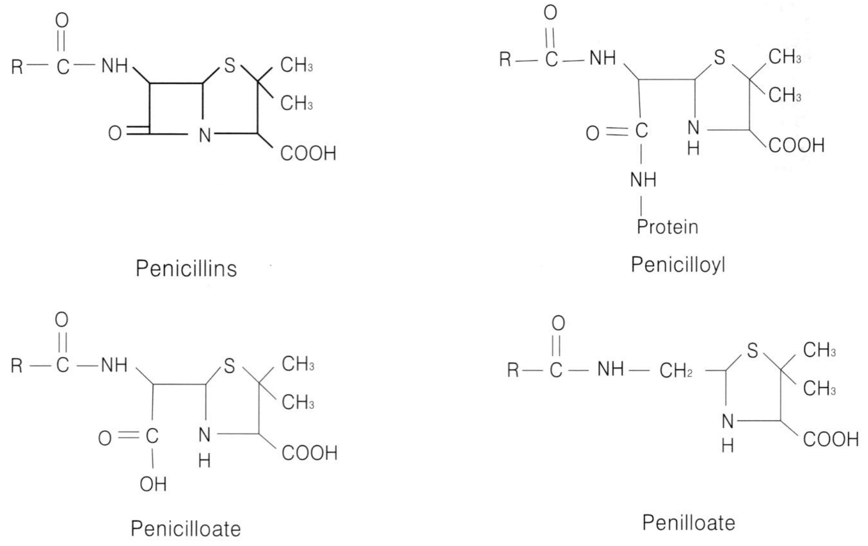

그림 7-10. 페니실린과 대사물질의 구조

비경구적으로 투여한 경우 교차반응이 있는 항생제를 반복 투여하는 경우에 알레르기의 발생이 흔하며 일부 약물에서 유전적 감수성이 알려져 있다.

대부분의 약물들은 크기가 작아 면역반응을 일으킬 수 없어 조직이나 혈청내의 단백과 결합하여 항원으로 작용하며 이 때 약물은 hapten으로 작용한다.

나. 진단

1) 페니실린 알레르기

페니실린(penicillin)의 95%는 정상적으로 분해되어서 주항원 결정기인 penicilloyl로 되며 그 나머지는 penicilloate와 penilloate로서 조항원 결정기가 된다 (그림 7-10). Penicilloyl은 Pre-Pen (Hollister-Stier)으로 상품화되어 피부시험에 이용된다. Penicillin G, penicilloate와 penilloate는 혼합되어 minor determinant mixture (MDM)로 역시 상품화되어 있다 (표 7-5).

페니실린 피부시험은 높은 음성 예측치를 가지고 있다. 일부 환자에서 페니실린에는 이상이 없으나 semi-synthetic penicillin에 알레르기 반응을 보이는데 이는 β-락탐(lactam)이 아닌 R group에 대한 IgE를 생성하기 때문이다. 페니실린 피부시험에는 음성이나 저농도의 semi-synthetic penicillin으로 시행한 피부시험에는 양성을 보일 수 있다. 알레르기 반응에 대비한 상태에서 피부시험을 시행하며 히스타민과 생리 식염수를 동시에 시행하고 음성 대조보다 3 mm 이상의 팽진이 있는 경우 양성으로 본다.

2) 기타의 항생제

페니실린을 제외한 항생제의 항원 결정기는 알려져 있지 않고 상품화된 시약이 없는 실정이다. 항생제 자

표 7-5. 알레르기 피부시험에 사용되는 제제와 농도

제제	농도	상품명
Penicilloyl-polylysine	6×10^{-5}M	Pre-Pen
Penicillin G	10,000 unit/mL	-
Penicilloate/penilloate	0.01 M	-
Ampicillin (정주)	1~25 mg/mL	-
Amoxicillin (정주)	1~25 mg/mL	-

체를 자극이 없는 정도의 농도로 피부시험를 시행할 수 있으나 음성인 경우에도 알레르기의 반응의 가능성을 배제할 수 없는 단점이 있다.

다. 약물 알레르기의 종류

1) 페니실린

병력이 있는 경우에도 90%에서는 페니실린 특이 IgE가 없으므로 다른 β-락탐 항생제를 안전하게 쓸 수 있다. 따라서 항생제를 필요로 하지 않는 안정시에 피부시험을 시행하여 확인을 할 것을 권한다. 피부시험에 양성이라면 다른 항생제를 선택해야 한다. 반드시 페니실린을 사용하여야 하는 경우에는 급속 탈감작을 시행한다.

과거력에서 혈청양 질환이나 Stevens-Johnson 증후군 혹은 독성 표피 괴사용해(toxic epidermal necrolysis)가 있었던 경우에는 피부시험을 시행할 수 없고 페니실린은 쓰지 않도록 한다.

2) 세팔로스포린

가) 페니실린 알레르기 과거력이 있는 환자의 경우

세팔로스포린(cephalosporin)은 페니실린과 β-락탐 고리(ring)를 공유하고 실험적으로 강력한 면역학적 교차반응을 보인다. 그러나 임상적으로는 교차반응의 빈도는 낮다.

페니실린 피부시험에 음성이라면 안전하게 세팔로스포린을 사용할 수 있다. 양성인 경우 교차반응이 없는 항생제를 쓰거나 단계적 증량으로 사용할 수 있으며 탈감작을 시도해 볼 수 있다.

나) 세팔로스포린 알레르기 과거력이 있는 환자의 경우

페니실린 피부시험에 음성이라면 안전하게 페니실린을 사용할 수 있다. 양성인 경우 다른 항생제를 쓰거나 탈감작을 시도해 볼 수 있다.

세팔로스포린 항생제를 이용한 피부시험의 양성결과는 의미가 있으나 음성 예측치는 떨어진다. 일반적으로 세팔로스포린에 대한 면역반응은 β-락탐보다는 R-group side chain에 의한 것이므로 다른 side chain을 지닌 세팔로스포린을 써도 무방하다.

3) Sulfonamides

대부분의 sulfonamide에 의한 부작용은 비 IgE 매개 지연성 피부 반응에 의한다. 쉽게 소실되는 피부 병변부터 심한 Stevens-Johnson 증후군, 독성 표피 괴사용해까지 다양한 임상증상이 나타난다. 이런 환자들에게서는 다른 항생제로 대체하는 것이 안전하나 HIV 감염 환자들에서 Pneumocystis carinii감염의 치료를 위해 반드시 필요한 경우 다양한 기간에 걸친 탈감작을 시도한다.

4) 국소 마취제

소아에서 국소 마취제로 인한 과민반응은 흔치 않고 보통은 지연성 피부 반응에 의한다. 대부분의 부작용들은 예측 가능한 epinephrine의 부작용에 의한 것들이다. 첩포(patch) 시험의 결과 benzoate ester사이에는 교차 반응이 있으나 amide는 그렇지 않은 것으로 밝혀졌다. 만일 ester에 반응을 보인 경우 amide에 대한 검사로 투여 가능성을 평가하는 것이 적절하다. Amide에 반응이 있었거나 반응을 유발한 약물을 모를 경우에는 다른 종류의 amide로 검사를 하도록 한다.

5) Acetylsalicyclic acid (ASA)와 비스테로이드 항염증제(NSAID)

이 약제들은 호흡기와 피부에 과민반응을 일으키는데, NSAID의 경우에는 무균성 뇌수막염, 과민성 폐장염까지 유발할 수 있다. 이 중 호흡기와 피부 반응은 arachidonic acid 대사의 변형에 의하며 다른 NSAIDs와 교차반응을 한다. 최근에는 cyclooxygenase-2만을 억제하는 rofecoxib와 같은 약제를 ASA 감작 천식환자에서 안전하게 투여할 수 있다. 호흡기와 달리 두드러기나 아나필락시스 환자에서는 약물에 따라 감수성이 다르므로 대체 약물을 찾아내기 위한 노력이 요구된다. 대체로 소아에서는 그 빈도가 낮은데 이는 ASA의 소아 연령에서의 사용이 감소하였기 때문으로 생각된다.

라. 치료

1) 탈감작

특정 약물에 대한 IgE 매개 알레르기가 있으나 대체 약물이 없는 경우 그 약물에 대해 관용을 갖도록 하기 위해 탈감작을 시행한다. 가장 흔히 쓰는 페니실린을 근거로 다른 항생제와 항결핵제에 대한 탈감작도 시도한다. 급속 탈감작의 정확한 면역기전은 아직 잘 알려져 있지 않으나 비만세포가 약물에 무반응 하도록 변화시킨다. 탈감작은 경구, 정주로 시행할 수 있다. 원칙적으로 피부시험에서 환자가 견디어 낸 최고농도가 탈감작의 시작 농도가 되며 대부분 치료 용량의 1/10,000정도가 된다. 15분 간격으로 용량을 두 배로 올려가며 목표 용량에 도달한다. 탈감작으로 비 IgE 매개반응을 예방할 수는 없다. 탈감작 상태를 유지하기 위해서는 하루 2번의 투여가 반드시 필요하다. 만일 48시간 이상 약물을 투여하지 않는다면 다시 아나필락시스의 위험이 있고 탈감작이 반복되어야 한다.

탈감작 과정은 반드시 경험이 있는 의료진에 의해 아나필락시스에 대한 응급처치가 가능한 병원에서 시행되어야 하며 약물의 농도 조정에 대해 약제과의 도움을 받아야 한다. 일반적으로 경구 탈감작이 선호된다. 탈감작 이전에 스테로이드나 항히스타민제를 주는 것은 알레르기 증상의 조기 증상을 숨길 수 있으므로 투여를 금한다. 과정 중 약한 반응이 일어나는 경우에는 치료가 필요하며 증상이 호전될 때까지 증량을 하지 않는다.

2) Graded challenge

적절한 피부시험이 어렵고 알레르기의 가능성이 낮은 경우 시도한다. 치료 용량의 1/10 혹은 1/100의 양으로 시작하여 매 30분마다 5배씩 증량한다. 과정 중에 알레르기 반응이 나타나는 경우에는 탈감작을 시행한 후에 약물을 투여해야 한다.

5. 알레르기 환자의 예방접종

가. 백신에 의한 과민 반응

실제로 백신 성분에 의한 과민반응(hypersensitivity reaction)은 그리 흔한 것은 아니며, 백신 접종 후 임상 증상이 발생한 예에서도 그것이 백신성분에 의한 과민반응인지, 그 외의 다른 반응인지를 구별하는 것은 매우 어렵다.

예방 접종을 안전하게 하기 위해서는 백신 내에 들어 있는 여러 가지 면역항원에 대하여 알고 있어야 한다. 백신 내에 들어 있는 면역항원에는 활성 면역항원, 부유액, 방부제, 안정제, 항생제 및 adjuvant가 있다.

활성 면역항원은 폐구균 백신, 파상풍, 디프테리아 톡소이드에는 단일 성분이, 생바이러스나 백일해에는 여러 성분의 활성 면역항원이 들어 있다. 또한 증류수, 식염수나 계란 항원 또는 조직 배양 유래 항원 등의 조직 배양액이 있으며, 세균의 성장을 막고 항원이나 항체를 안정된 상태로 유지시키기 위하여 소량의 thimerosal, 페놀, 유당, 젤라틴, 글루타민산 나트륨, neomycin, streptomycin, erythromycin, kanamycin 등이 들어 있다. 그 외에도 B형 간염, 디프테리아, 파상풍 톡소이드에는 면역력을 증가시키고 오래 동안 유지시키기 위하여 알루미늄 복합체가 들어 있다. 이렇듯 백신 내에 들어 있는 여러 면역항원에 대하여 과민반응이 생길 수 있으므로 백신을 접종할 때에는 응급 장비와 구급약이 준비되어 있어야 한다.

1) 계란에 의한 과민반응

최근에 개발된 홍역이나 볼거리 백신은 chick

embryo fibroblast tissue culture에 의해 생산된 것으로 임상증상을 일으킬 정도로 충분한 양의 계란과 교차반응을 일으키는 단백성분을 함유하고 있지 않다. 그러므로 심한 계란 알레르기가 있는 소아에서도 홍역, 볼거리 등의 단독 또는 MMR 혼합 백신에 의한 아나필락시스를 유발할 위험이 극히 낮은 것으로 보고하고 있다. 그러므로 계란 알레르기가 있는 소아도 피부시험 없이 MMR이나 홍역 또는 볼거리 백신을 접종할 수 있다. 그러나 계란을 먹은 후 심한 전신성 아나필락시스(전신성 두드러기, 저혈압 또는 상하기도 폐쇄 등)를 경험한 사람에게 백신을 접종할 때에는 피부시험을 추천한다.

2) 보존제에 의한 과민반응

Thimerosal이 보존제로 들어 있는 DTP, DTaP, DT, Td, Hib, B형 간염, 인플루엔자, 일본 뇌염 등에 의해 과민 반응이 일어날 수 있다. 그러나 첩포 또는 피내시험으로 thimerosal에 대한 과민 반응이 있는 사람도 대부분은 실제 백신에 의해서는 과민 반응이 일어나지 않는다. Thimerosal에 대한 과민반응은 대부분 국소적인 지연형 과민 반응이다. 수은를 포함하고 있는 백신에 노출될 경우 드물게 과민반응을 일으킬 수 있다. 근육주사용 면역글로불린을 반복해서 주사하는 경우에는 체내에 수은이 축적될 수 있으나 정맥용 면역글로불린에는 이런 수은 보존제가 포함되어 있지 않다.

3) 항생제에 의한 과민반응

드물게 백신 내에 포함된 항생제에 의한 알레르기 반응이 보고되고 있다. 폴리오 백신(IPV 또는 OPV)에는 미량의 streptomycin, neomycin 및 polymyxin B가 함유되어 있다. MMR백신과 수두 백신에는 neomycin이 미량 함유되어 있다. 대부분의 neomycin 알레르기는 아나필락시스보다는 세포매개 지연형 반응으로 나타나는 접촉피부염의 형태가 대부분이다. 따라서 neomycin에 알레르기가 있는 사람은 MMR, 수두, IPV 백신 후 8~96 시간에 지연형, 국소 반응이 일어날 수 있다. 이 반응은 주로 홍반성의 가려운 구진이 대부분이다. 이런 neomycin에 대하여 지연형 반응의 과거력이 있었던 사람은 이들 백신을 접종하여도 무방하다. 그러나 neomycin에 아나필락시스 반응이 있었던 사람은 이 백신을 접종하여서는 안 된다.

4) 기타 성분에 의한 과민반응

최근 계란 알레르기가 없는 환자에서 MMR 백신 후에 아나필락시스 반응이 보고되고 있는데 이는 백신 내에 함유된 젤라틴 성분에 의한 경우가 많은 것으로 보고되고 있다. 이 젤라틴에 대한 과민 반응은 크게 두 가지로 백신 접종 후 1시간 이내에 일어날 수 있는 아나필락시스와 다른 한 가지는 백신 접종 후 수 시간 이후에 발생하는 전신적인 경증의 피부 발진을 주소로 하는 지연형 반응이 있다.

콜레라, DTP, 장티푸스 등의 백신도 국소적 또는 전신적인 부반응, 즉 홍조, 동통, 발열 등을 일으킬 수 있으나 이는 백신 성분에 대한 과민반응이라기 보다는 독소작용에 의한 것으로 생각된다. DTP, DT, Td, tetanus toxoid에 의해 두드러기나 아나필락시스 반응이 드물게 보고되기도 하였다. 이런 반응이 발생된 경우에는 피부시험을 시행하여 tetanus toxoid에 대한 과민 반응을 확인한 후 접종 중단 등을 결정하여야 한다. 또는 tetanus 면역성을 검사한 후 추가 접종의 필요성을 결정하기도 한다.

나. 백신별 접종 지침

1) BCG

접종 부위에 아토피피부염이 있거나 전신적으로 심한 아토피피부염이 있는 경우에는 일단 연기한다.

2) 폴리오

알레르기질환이 없는 환자와 똑같이 주사할 수 있다.

3) DTP

역시 특별한 금기 사항은 없다. 다만 주사 후 접종부위를 너무 세게 문지르지 않도록 주의시킨다. 이는 알레르기질환의 유무와 상관없이 주사부위의 종창을 초래할 수 있기 때문이다.

4) 홍역

계란 또는 계란 제품을 먹은 후 뚜렷한 아나필락시스반응이 있었던 환자에서는 접종을 하지 않는다. 그러나 계란에 대한 특이 IgE 항체가 양성 반응을 보이나 아나필락시스 반응이 없었던 환자에서는 금기가 아니다

5) 볼거리

홍역과 마찬가지이나 홍역보다는 늦게 접종하는 백신이므로 홍역 백신 후 부작용이 없었던 환자는 계란 알레르기가 있더라도 접종하여도 무관하다.

6) 인플루엔자

계란이나 계란 성분이 함유된 식품을 먹은 후 아나필락시스 반응이 있었던 환자에서는 접종하지 않는다. 기관지 천식이 있는 환자는 인플루엔자 접종으로 인해 기관지 천식 발작을 유발할 수 있으며, 반대로 인플루엔자에 걸린 환자는 천식 증상이 악화되는 경향이 있으므로 적극적으로 접종을 권장한다. 천식 환자는 천식 발작을 예방하는 약제를 함께 복용하기도 한다.

7) 일본뇌염

기관지 천식 발작을 유발시킬 수 있으므로 예방 약제를 준비하는 것도 도움이 된다.

8) 수두

젤라틴 알레르기가 있는 환자에서는 피하는 것이 좋다.

다. 접종 유의사항

1) 접종이 부적절한 경우

예방접종실시가 부적당한 사람으로는 발열이 심한 상태, 중증의 급성 질환을 앓고 있는 상태, 접종하려는 백신 내에 들어 있는 성분에 대한 아나필락시스 반응이 있었던 환자 등이다. 이 경우에는 접종을 하지 않는다.

2) 접종에 주의를 요하는 경우

여기에 속하는 사람으로는 심혈관계질환, 위장질환, 간질환, 혈액 질환 및 발육장애 등의 기초 질환을 갖고 있는 사람, 이전 예방접종시 2일 이상의 발열이 있거나, 전신성 발진 등의 알레르기 반응을 의심 할 수 있는 증상을 보였던 사람, 과거에 경련이 있었던 사람, 과거 면역 부전증의 진단을 받았던 사람, 접종하려는 백신액의 성분에 대하여 알레르기가 있는 사람 등이다. 예방접종을 할 때 주의를 요하는 사람으로 이 경우에는 접종시 건강 상태와 체질 등을 감안하여 접종 전에 진찰을 하고 주의하여 접종하며, 접종 후에도 주의 깊게 관찰을 요한다. 그러나 기관지 천식, 아토피피부염, 알레르기비염, 두드러기 등의 일반적인 알레르기질환이나 확실한 검사 없이 알레르기 체질이라고 하는 사람은 금기 또는 요주의자에 해당되지 않는다.

6. 아나필락시스

가. 정의와 역학

아나필락시스(anaphylaxis)는 1902년 Portier와 Richet에 의하여 처음 명명되었으며, 전신적인 급성 과민반응으로서 응급치료를 요하는 질환이다. 이는 IgE 매개 반응인 반면, 아나필락시스양 반응(anaphylactoid reactions)은 비IgE-매개 반응으로서 아나필락시스의 증상이 나타나는 것이다.

아나필락시스는 국내에서는 간헐적으로 보고되고

있으나 그 빈도는 아직 정확하게 알려져 있지 않다. 미국의 통계에 의하면 매년 백만 명당 0.4명이 아나필락시스로 사망한다고 한다. 항생제 특히 페니실린에 의한 아니필락시스는 1만 명당 1~3명으로 가장 높은 편이며, 사망은 5~10만 주사 당 한 건으로 보고되고 있다. 라텍스에 의한 아나필락시스는 보건종사자에게서 증가하고 있으며, 수술 전 마취제에 의한 아나필락시스는 5천~2만 5천 건당 하나이고, 조영제에 의한 아나필락시스는 최근 저장성 조영제의 보급으로 감소 추세에 있다. 식품에 대한 빈도는 뚜렷치 않고, 아스피린과 비스테로이드성 항염증제(NSAID) 그리고 항림프구 글로불린에 대한 것은 각각 소아의 2%정도이며, 벌이나 불개미에 의한 전신 반응은 전체 인구의 0.3~3%에서 발생한다.

조영제, 벌독, 혈장제품이나 마취제에 의한 아나필락시스는 소아보다는 성인에 더 흔하게 발생하고, 비경구 투여나 여러 차례 투여한 경우에 더 호발한다. 또 아토피 병력과의 관계는 다양하여서 페니실린, 인슐린, 벌독에 의한 것은 유의한 관계가 없지만, 라텍스에 대해서는 바나나, 키위, 밤, 아보카도 등과 교차반응이 있다. 그러나 종족, 지역 및 성별과는 무관하다.

나. 병인과 유발인자

아나필락시스의 임상 증상이 발생하는 기전은 비만세포와 호염기구로부터 유리되는 화학매개체들, 히스타민, LTB4, LTC4, LTD4, PGD2, PGF2 α, thromboxane A2, PAF, chemotactic factors, tryptase, mast cell kininogenase, basophil kallikrein, chymase, heparin 등이 관여한다. 응고계, 보체계, kinin계 등 염증성 경로가 관여하며 NO 합성이 유도된다(표 7-6).

1) 약물
가) β-락탐계 항생제
페니실린이 가장 흔한 원인이며 미국의 경우 전체 아나필락시스 사망의 75%를 차지한다. 페니실린에 대

표 7-6. 아나필락시스와 아나필락시스양 반응을 일으키는 원인

아나필락시스 - IgE 매개 반응
식품, 약물, 자충(insect bite), 운동(드묾)
아나필락시스양 반응
비만세포와 호염기구로부터 매체를 직접 유리시킴
: 약물, 운동, 물리적 요인(추위, 햇볕), 특발성
Arachidonic acid 대사 장애: aspirin, NSAID
면역 응결체(immune aggregates)
: 감마글로불린, IgG anti-IgA, dextran과 알부민
세포독성: 세포성분 수혈 반응
기타
비항원-항체 매개 보체 활성화: 조영제, protamine 반응, 투석막
접촉계(kinin formation)의 활성화: 투석막, 조영제

한 알레르기 반응은 페니실린 부결정기(minor determinants)에 의하여 가장 많이 일어나고 모든 투여 경로에 의해서 발생할 수 있으나, 주사 후 더 심하며 경구 투여는 비교적 안전하다. Carbapenem (imipenem)은 페니실린과 교차반응을 꼭 염두에 두어야 하나 aztreonam은 교차 반응이 거의 드물다.

세팔로스포린은 β-락탐 고리를 공유하고 있으며 교차반응의 정도는 다양하여서 페니실린 알레르기 환자에서 세팔로스포린에 대한 알레르기 빈도는 10%이하이지만, 제 2, 3세대보다는 1세대 세팔로스포린에서 더 많다.

나) 알레르겐 추출물
알레르겐 면역주사 후나 피부시험에 치명적인 전신 반응을 일으키는 경우가 있다. 알레르겐 면역주사 후 전신 반응을 일으킬 수 있는 위험인자로는 조절되지 않는 스테로이드 의존성 천식, 급성 과민반응검사에서 강한 알레르기 반응, 전에 알레르겐 면역주사 후 전신 반응 환자, 알레르겐 추출물의 새로운 vial을 사용할 때, 알레르겐 추출물 주사 직전에 천식 증상을 나타낼 때, β-adrenergic 차단제나 ACE 억제제 사용, 화분 추출물을 주사할 때와 환자의 과민정도에 비하여 너

무 빨리 알레르겐 추출물을 증량할 때 등이다.

경우에 따라서는 1시간 이상 지속되는 지연형 반응이 나타나기도 하는데 아나필락시스를 예방하기 위하여 알레르겐 면역주사를 시작할 때는 주의 깊은 평가와 알레르기 반응검사가 필요하다.

다) 인슐린

일반적으로 인슐린의 면역반응은 우(牛)형에서 가장 많고, 돈(豚)형과 인(人)형의 순으로 나타난다. 또, DNA 재조합에 의한 인형 인슐린 아나필락시스는 드물지만 일어날 수 있다. 인슐린 유발성 아나필락시스의 증상은 다른 원인에 의한 것과 동일하며 투여 중지된 환자에서 더 많다. 피부시험이 인슐린 아나필락시스를 진단하는데 도움이 되고 다른 대체제제가 없으면 탈감작 하여야 한다.

라) 방사선 조영제

방사선 조영제는 혈관내 투여, 자궁나팔관촬영, 척수촬영과 신장촬영할 경우 아나필락시스양 반응을 일으킬 수 있다. 이는 IgE매개 반응과 구별할 수 없으며, 치료도 IgE매개 반응에 준한다. 예방치료를 위하여서는 경구용 스테로이드, H1 및 H2 항히스타민 그리고 ephedrine을 미리 투여하면 도움이 될 수 있다.

마) 조류란에서 배양 제조된 백신
(p.204 5. 알레르기 환자의 예방접종 참조)

바) 아스피린과 비스테로이드성 항염증제들
(P.201 4. 약물 알레르기 참조)

사) 기타 약물

Protamine, 국소마취제, progesterone, heroin 등이 아나필락시스를 일으킬 수 있다.

2) 식품

식품유발 아나필락시스의 임상지표는 식품 섭취 후 대부분 수 초에서 수 분이내에 입술, 입안 점막, 구개 및 인두의 부종과 가려움증을 동반한다. 약 25~30%는 즉시 및 후기 반응이 일어나고, 어떤 경우에는 수 시간 후 지발성으로도 일어난다.

주요 원인 식품으로는 땅콩, 메밀, 밤과 호두 종류, 생선, 갑각류, 우유, 계란과 씨리얼 등이다. 이들의 교차반응 가능성은 예측할 수 없으며 고추 등 조미료에 의해서도 아나필락시스는 발생할 수 있다.

3) 곤충독
(P. 197 3. 곤충 알레르기 참조)

4) 운동 유발성 아나필락시스

물리적 알레르기의 특이한 형태로서 초기 증상은 전형적으로 피로, 광범위한 작열감, 가려움, 홍반, 두드러기, 혈관 부종으로 발전하여, 위장관 증상, 후두부종, 혈압 하강과 상기도 협소를 특징적으로 나타낸다.

운동 유발성 아나필락시스는 특정 식품 섭취 후 운동을 하였을 때 발생하는 경우도 있어서 이를 식품의존성 운동 유발성 아나필락시스라 한다. 우유, 계란, 조개, 견과류, 땅콩, legumes, 생선, 복숭아, 셀러리 등의 식품과 식품첨가제 가운데 마른 과일이나 채소류, 감자류, 샐러드바의 푸른 채소, 오이, 알코올에 함유되어 있는 sulfite는 심한 천식을 앓는 환자에서는 아나필락시스양 반응을 일으킬 수 있다. 또한 운동전 아스피린 또는 비스테로이드성 항염증제 투여는 원인적 요소로 되어 있다.

5) 특발성 아나필락시스

특별한 원인을 발견할 수가 없이 발생하는 경우를 특발성 아나필락시스라고 정의하며, 그 기전은 뚜렷하지 않으나 표적세포의 비면역학적인 탈과립반응이 중요한 역할을 하는 것으로 추측된다.

표 7-7. 아나필락시스의 증상과 징후

두드러기 및 혈관 부종

상기도 부종

호흡곤란, 천명음

발적 (flush)

어지러움, 실신, 저혈압

오심, 구토, 설사, 선통성 복통

비염

두통

쇄골하부 통증

발진 없는 가려움증

경련

다. 증상

주 증상과 임상소견은 피부 가려움, 두통, 오심과 구토, 재채기와 기침, 복부 경축, 두드러기와 입술 및 관절 조직의 종창, 설사, 숨이 차거나 천명음, 분노 (anxiety), 혈압 강하, 경련과 의식 혼탁 등이 있다. 눈은 가렵고 눈물이 나며 부어오를 수 있다. 그 외에 입과 목의 가려움, 쉰소리, 비충혈, 흉통과 조임, 작열감, 피부 발적, 자궁 경축과 뇨의를 일으길 수 있다(표 7-7). 이와 같이 아나필락시스는 피부, 상하기도, 심혈관계, 눈, 자궁과 방광을 포함한 여러 기관에 영향을 준다.

사망 원인은 50%에서 기도 부종과 폐의 과팽창에 의한 기도 폐쇄 및 심혈관 허탈이고, 아나필락시스 반응이 빠르면 빠를수록 증상은 더 심하다

라. 진단

병력이 중요하며, 원인에 따라 다양하다.

(곤충과 약물에 의한 아나필락시스는 p.197 3. 곤충 알레르기와 p.201 4. 약물 알레르기 진단 참조)

진단을 위한 피부시험과 혈청 특이 IgE 검사는 벌독, 라텍스, 식품, 약물 등 아나필락시스의 원인이 되는 알레르겐에 대한 과민성을 확인하는데 유용하다. 때때로 심장 마비와 간질에서 동반되는 혈압 강하와 경련 등 아나필락시스양 증상 출현시에 혈액내 "tryptase"치를 측정하여 알레르기 기전에 의한 아나필락시스의 증상을 감별할 수 있다(표 7-8).

식품알레르기의 경우 가장 유용한 검사법은 피부시험과 이중맹검유발시험이다. 또 알레르겐 피부시험에서 음성이라면 IgE-매개 반응은 아닐 가능성이 많고, 전형적인 반응을 가진 환자에서 피부시험이 양성이라면 원인적 예측이 가능하다. 한편 혈청 특이 IgE 검사의 예민도는 떨어지지만 강양성을 보이는 경우 원인적 가능성을 시사한다.

마. 예방과 치료

아나필락시스의 가장 좋은 치료는 예방이다. 따라서 약물이나 식품에 대하여 과민반응을 경험한 소아는 그 특정 원인 물질을 피하여야 한다. 약물의 경우 주사보다는 경구제를 사용하고, 아나필락시스를 경험했다면 알레르기 전문의의 평가를 받아야 한다. 아나

표 7-8. 아나필락시스와 아나필락시스양 반응의 감별 진단

다른 원인에 의한 쇼크 (예: 출혈성, 심장성, 내독성)

Vasodepressor reactions

Flush syndrome (예: carcinoid, medullary carcinoma thyroid, chloropamide-alcohol, autonomic epilepsy)

Restaurant syndromes (예: MSG, sulfite, scombroidosis)

히스타민 과잉 생산 증후군 (예: systemic mastocytosis, urticaria pigmentosa, basophilic leukemia)

비기질적 원인 (예: vocal cord dysfuction syndrome, panic attack, globus hystericus, Munchausen's stridor)

기타 (예: 유전성 혈관부종, 두드러기혈관염, pheochromocytoma, hyper-IgE syndrome)

필락시스는 응급을 요하기 때문에 epinephrine을 즉시 투여하고, 그 외 항히스타민제와 스테로이드를 사용하는데 일찍 사용하면 할수록 중증도가 경감된다 (그림 7-11). 따라서 아나필락시스는 예기치 않게 매우 급속히 일어나는 반응이기 때문에 사전 교육이 필요하며, 일단 진단이 내려지면 초기에 가벼운 증상이라도 생명을 위협하는 반응으로 진행할 수 있으므로 즉시 치료하는 것이 중요하다.

치료는 가능한 한 속히 epinephrine을 주사하고, H1 및 H2 항히스타민제 또는 스테로이드제를 투여한다. 사고로 식품을 섭취하였을 때 처치하는 방법을 교육하는 것이 중요하며, 특히 학교에서는 epinephrine을 준비하여 만약의 경우에 대비하여야 한다(그림 7-12).

운동유발성 아나필락시스는 운동유발성 아나필락시스인 경우 콜린성 두드러기와 운동 유발성 천식과 감별진단이 필요하다. 또 약물로는 예방이 불가능하

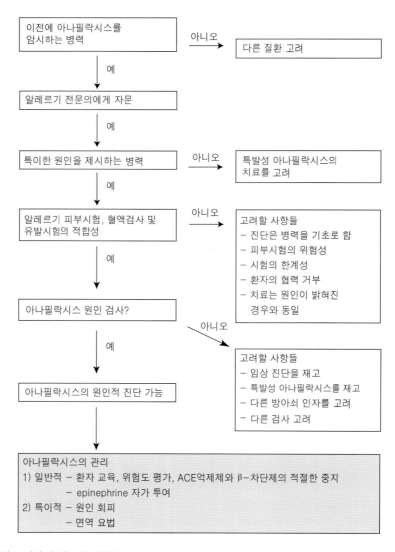

그림 7-11. 아나필락시스 병력이 있는 환자의 관리 체계

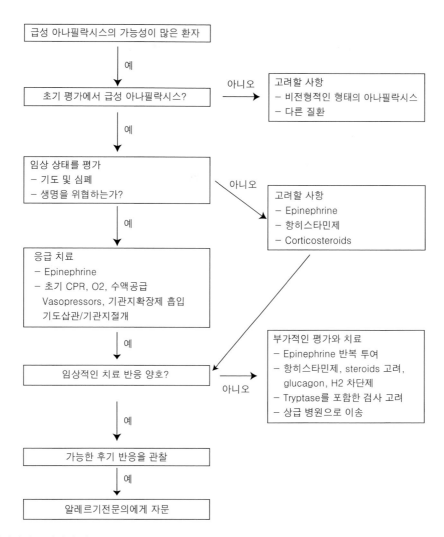

그림 7-12. 아나필락시스 환자의 치료

며, 모든 운동 후에 즉시 운동을 멈추어야 하고, 경우에 따라서는 식후 4~6시간 동안은 운동을 금해야 한다.

7. 운동과 관련된 알레르기

가. 운동유발성 천식

　운동과 관련된 천식은 운동유발성 기관지 수축, 운

동유발성 천식(exercise-induced asthma, EIA), 운동유발성 협착 등이다. 이것의 문제는 천식 때문에 운동의 제한을 받는 것이다. 소아 천식이 있다 하더라도 운동선수가 될 수 있으며 적어도 일상생활을 하는데 불편함이 없어야 한다. 최근에 발표된 Global Initiative for Asthma (GINA)에 따르면 운동유발성 천식은 천식의 한 유형이 아니고 기관지 반응성이 증가하는 것이라고 하였다. 운동유발성 천식은 천식조절이 잘 되지 않아 일어나는 현상이므로 적절한 항염증 치료가 운동과 관련된 천식 증상을 경감시킨다. 운동유발성 천식은 활발한 운동 후에 오는 기관지의 일시적인 협착으로 정의할 수 있다. 운동유발성 천식은 생리학적으로 기도가 간헐적으로 수축되어 1초간 노력성 호기량(forced expiratory volume in 1 second, FEV$_1$)이나 최대호기속도(peak expiratory flow rate)가 감소하는 것이다.

운동유발성 천식은 대부분의 천식 환자에서 나타난다. 일반적으로 1초간 노력성 호기량이 검사실에서 10%, 실외에서 15% 감소하거나, 최대호기속도가 15% 감소할 때 운동유발성 천식으로 진단한다. 정상인은 대개 5% 정도 감소한다. 아토피가 없는 정상인에서 위양성반응을 보이는 경우는 드물다. 천명의 과거력, 천식의 가족력, 알레르기비염의 진단은 기관지과민성을 증가시키는 위험인자이다.

나. 운동과 두드러기

최근 들어 건강에 대한 관심이 높아지면서 흔하지는 않으나 운동에 의해 유발되는 알레르기질환의 빈도가 증가하고 있다. 운동에 의해 일어나는 알레르기질환으로는 콜린성 두드러기, 천식, 아나필락시스가 주로 일어난다. 그러나 이러한 증상들에도 불구하고 환자들은 계속 운동을 하고 싶어 하며, 특히 소아에서는 하루 생활 자체가 뛰어 노는 운동의 연속이기 때문에 운동을 제한할 경우 소외감 및 열등감으로 인해 심리적인 문제가 초래될 수 있다. 다행히 대부분의 환자는 치료가 가능하며 점차 치료제가 많이 개발되고 있다.

운동 중에 두드러기가 발생하는 것은 크게 세 가지

병태 및 임상형으로 구분될 수 있으나(표 7-9), 가장 많은 것은 전형적인 콜린성 두드러기로서 자전거 타기, 온수 목욕, 사우나 등 체온을 0.7~1℃ 이상 올릴 수 있는 조건에 의해 땀이 나면 2~5 mm 정도의 두드러기가 얼굴, 목, 가슴 부위부터 나타나기 시작하여 사지로 퍼지며 멀리서 보면 홍조(flush) 같이 보인다. 운동 후 약 20~30분 후 생겨서 20~90분간 지속하다 소실된다. 이때 어떤 경우는 융합하여 혈관부종(angioedema)과 유사한 증상을 보일 수 있으며, 눈물, 침, 설사 등의 콜린성 증상이 동반되기도 한다. 때로는 기관지 협착이나 호흡기 증세 및 경미한 폐기능 저하가 동반될 수 있으나 혈관성 허탈(vascular collapse)은 동반하지 않는 것이 보통이다. 콜린성 두드러기는 운동 이외에도 열, 스트레스, 매운 음식 등으로도 유발될 수 있다.

두 번째는 콜린성 두드러기의 변형으로서 처음은 전형적으로 운동에 의해 직경 2~5 mm의 작은 두드러기가 시작되지만 결국에는 혈관 부종이나, 혈관성 허탈로 진행되는 경우가 많고, 운동유발성 아나필락시스 유사한 증상을 보이기도 한다. 전형적 콜린성 두드러기 및 콜린성 두드러기 변형 모두에서 온수욕이나 사우나 등으로 체온이 상승되거나 운동을 하면 특징적인 바늘 모양의 구진이 발적에 둘러싸여 유발된다.

셋째는 아나필락시스양 두드러기로 이때는 두드러기의 크기가 10~15 mm 정도로 크고 위의 두 형과는 달리 온수욕 등의 체온 상승으로는 두드러기가 유발되지 않는다. 그리고 2/3의 환자에서 혈관성 허탈을 동반하여 쇼크가 유발된다. 가끔 가족력이 있는 경우가 있고 특이한 음식물(celery, shell fish, wheat 등)을 섭취한 후 혹은 음식 종류와 관계없이 식후 운동을 하

표 7-9. 운동유발성 두드러기의 종류

Type	Precipitating event	Urticaria morphology	Associated collapse	Bronchospasm		Elevated serum histamine
				Clinical	Functional	
Cholinergic	Heat, Stress, Exercise	Punctate (2~5 mm)	No	Yes/No	Yes	Yes
Variant	Exercise	Punctate	Yes	No	No	Yes
Anaphylaxis	Exercise	Conventional (10~15 mm)	Yes	No	No	Yes

면 두드러기를 동반한 운동유발성 아나필락시스가 나타나는 경우도 있다.

콜린성 두드러기의 변형과 아나필락시스형의 두드러기는 운동유발성 아나필락시스, 운동유발성 천식 등과 중복되는 부분이 많으므로 여기서는 주로 전형적 콜린성 두드러기를 중심으로 이야기하겠다.

콜린성 두드러기의 발작 도중에는 대개 혈중 히스타민치가 소양감 및 두드러기의 상승과 같이 하여 증가한다. 그러나 IgE 매개 알레르기의 증거는 없는 것으로 보아 비면역학적 비만세포 탈과립이 관여할 것으로 보인다. 최근의 연구에 의하면 두드러기 부위에 무스카린 수용체가 증가한 것이 증명되고 있다. 이 수용체는 copper containing material을 첩포하고서 운동을 유발시키면 더욱 증가하는데, 이는 아마도 copper가 ligand-receptor affinity에 영향을 미치기 때문으로 사료된다. 이외에 eosinophilotatic peptide와 호중구 화학주성 인자의 분비도 관찰된 바 있다. 일부의 환자에서는 occlusive plastic suit를 입고 운동 부하를 시키면 FEV_1 및 MMEF 감소, RV 상승 등의 폐기능 저하를 볼 수 있어 circulating mediator에 의해서 콜린성 두드러기 증상이 폐를 포함해 일어남을 알 수 있다.

콜린성 두드러기에서는 구심성 체액성(afferent humoral)과 원심성 신경성(efferent neural) 구조로 이루어지는 반사(reflex)가 병인적 구조가 된다는 증거가 있다. 실험적으로 환자가 한 손을 온수에 담그고 tourniquet을 그 근위부(proximal part)에 묶으면 두드러기가 나타나지 않다가 torniquet을 풀면 전신성 두드러기가 생긴다. 즉 체온의 중앙에서의 감지(central perception)는 순환계를 통해 전해진 다음 원심성 반사(efferent reflex)에 의해 두드러기가 생긴다.

아나필락시스양 두드러기에서 factor B 치가 감소되고 C3, C4가 정상인 것으로 보아 보체의 활성화가 split product인 C3a, C4a, C5a를 형성하고 특히 C5a가 강한 anaphylatoxin이며, 혈관 투과성을 증가시키고, 비만세포의 탈과립을 일으킨다는 개념을 확인 할 수 있다.

위의 세 가지 형태 이외에 한랭 두드러기가 운동에 의해 유발되는 것은 아니지만 운동할 때 찬공기에 노출됨으로써 두드러기를 가져올 수 있다. 특히 찬물에서의 수영, 스키, 달리기 중에 잘 나타나며, 체온이 하강되면 화학매개물질(chemical mediator)이 분비되며 증상은 내려갔던 체온이 상승하면서 발현된다. 한랭성 두드러기와 운동유발성 두드러기는 ice-cube test와 cold immersion test로 구별할 수 있다.

그러나 최근에는 한랭 두드러기와 콜린성 두드러기의 특징을 모두 가지고 있으면서 한랭 두드러기의 진단 검사에는 음성을 보이고 따뜻한 조건에서의 운동 부하에서도 두드러기가 유발되지 않는 경우가 보고되어 cold-induced cholinergic urticaria로 불리고 있다.

콜린성 두드러기의 진단은 Mecholyl test로 100 μg의 methacholine을 0.1 mL saline에 섞어 피하 주사한 후, 두드러기와 그 주위의 위성병변(satellite lesion)이 동반되는 것으로 확인할 수 있으나, 전형적인 콜린성 두드러기 환자에서도 약 1/3에서만 양성을 보인다. 따라서 피부시험은 확진 검사는 될 수 있으나 선별 검사로는 적당하지 않다. 운동유발시험이 더 정확한 검사인데 85℃의 더운 방에서 달리기를 하거나 bicycle ergometer를 10~15분가량 시키면 증상이 유발된다.

치료는 hydroxyzine 100~200 mg/일을 분복하는 것으로 대개 치료되며, 항콜린성제는 효과가 없다. 다른 항히스타민제로서 cyproheptadine과 atarx를 병용하거나 tritelennamine과 azatadine maleate를 병용한다. 항히스타민제 이외 selective H1 antagonist인 cimetidine을 추가하기도 한다. 항알레르기제인 ketotifen이 비만세포 안정제로서 불응성 콜린성 두드러기 치료에 시도되고 있으며 좋은 효과를 보이고 있다. 약물 치료 이외에도 어떤 환자에서는 달리기를 매일 최고 속도로 15분 이상 계속함으로써 혈중 히스타민치 및 증상을 감소시키는 탈감작요법이 시도되기도 한다.

다. 운동유발성 아나필락시스

운동유발성 아나필락시스(exercise-induced anaphylaxis)는 1979년 Maulitz가 처음 보고한 후 1980년 Sheffer 등에 의해 기술된 증후군으로 운동에 의해 유발되는 담마진 상기도 폐색, 혈압 강하 등 전신적 아나필락시 현상을 특징으로 한다.

운동유발성 아나필락시스의 빈도는 아직 확실히 알 수 없으나 대부분 10세 이상 소아나 성인에서 많이 보고되고 있다.

이 증후군의 임상형을 prodromal phase, early phase, fully established phase와 delayed 또는 late phase로 분류할 수 있다(표 7-10).

일반적으로 특징적인 운동유발성 아나필락시스는 운동 후 수분에서 20분 이내에 비교적 큰 담마진이 나타나며 점차 융합되고 전신으로 퍼지는 증상을 보이는 것이 보통이나 24시간에서 72시간 후에 late phase의 증상이 나타나기도 한다. 기타 호흡기, 소화기 및 심혈관계 증상은 개개인에 따라 다양한 소견을 보이게 된다.

이 증후군의 병인론에 대해서는 여러 가지 이야기가 있으나 대부분의 환자에서 운동 후 혈중 히스타민 농도가 상승되어 있는 소견을 보이며 이들의 비만세포를 전자 현미경으로 보면 운동 후 탈과립 소견을 볼 수 있어서 비만세포로부터의 화학 매개 물질의 유리가 중요한 역할을 하는 것으로 알려져 있다. 또한 가족력을 보이기도 하는데 아직 뚜렷한 유전 양식은 밝혀지지 않고 있다.

많은 예에서 식품이나 전에 이미 감작되었던 항원 등 제2의 유발 요인이 있을 수 있다. 1982년 Kidd 등은 운동유발성 아나필락시스를 특정 식품 의존성(specific food-dependent) 운동유발성 아나필락시스와 비특정 식품 의존성 (nonspecific food-dependent) 운동유발성 아나필락시스로 분류하기도 하였다.

치료는 아나필락시 반응에 대한 응급 치료가 대부분으로 epinephrine 등 교감신경흥분제와 항히스타민제를 투여하며 스테로이드가 도움이 되기도 한다. 뚜

표 7-10. 운동유발성 아나필락시스의 임상양상

Prodromal Phase
  fatigue
  generalized warmth
  pruritus
  cutaneous erythema
Early Phase
  giant urticarial eruptions which may become confluent
  angioedema of the palms, soles, and face
Fully established Phase
  respiratory stridor, wheezing or chocking
  abdominal cramps, nausea, vomiting, diarrhea
  hypotension, syncope, dizziness
  periorbital edema, bulbar chemosis
Late(postexertional) Phase
  headache
  fatigue
  generalized body warmth

렷한 예방적 치료법은 없으며 본 증후군이 특징적으로 운동이 선행된 후 나타나며 특정한 식품 섭취 후에 유발되기도 하므로 운동 전, 후에 금식하는 것도 예방적인 차원에서 도움이 되기도 한다.

8. 접촉피부염

접촉피부염은 외부 물질과 접촉됨으로써 생기는 염증성 피부 반응 모두를 포함한다. 모든 연령층에서 일어나며 가장 흔한 증상은 피부염이나 습진의 형태로 나타나고 두드러기, 광독성 또는 광알레르기 같은 병변으로 나타나기도 한다. 접촉피부염은 자극접촉피부염과 알레르기 접촉피부염으로 나눌 수 있다. 자극접촉반응은 자극원에 접촉하여 조직 손상이 일어나는 것이고, 항원에 접촉함으로써 알레르기 접촉피부염이 생긴다. 전자는 유아의 기저귀 피부염이, 후자는 니켈과 덩굴옻나무에 의한 알레르기 접촉피부염이 대표적인 예이다.

가. 역학

외국의 보고에 의하면 흔한 원인으로 향료, 니켈, 치메로살, 페루향유 등이 있었고, 여성이 남성보다 많았다. 영아에서는 기저귀 피부염이 대표적인 접촉피부염이다.

나. 병인

자극접촉피부염은 피부를 자극하고 상처를 유발하는 여러 원인에 의해 발생한다. 여러 종류의 화학제제, 합성제제, 용매, 알코올, 크림, 로션, 연고, 파우더와 같은 자극원이 습기, 건조, 발한, 온도차 같은 환경요소에 의해 일어나는 세포독성 반응이다. 피부 자극제에 노출되면 피부를 통한 수분 손실이 증가하고 피부장벽의 변형이 동반된다. 표피에서 IL-1α, IL-1β, TNF-α, GM-CSF 같은 사이토카인이 생산되고 표피 지방 이중층이 파괴된다.

알레르기 접촉피부염은 피부에서 일어나는 전형적인 세포매개성 과민반응으로 수지상세포와 표피 랑게르한스 세포가 중요한 역할을 한다. 원인 물질은 피부의 접촉부위에서 항원으로 작용하여 면역학적 반응이 일어난다. 대부분 환경적 항원은 합텐(hapten, >500 dalton)으로 존재하다가 다른 물질에 결합하여 완전한 항원이 되어 감작을 일으킨다. 항원제시세포인 랑게르한스 세포의 표면에서 2형 MHC 분자들은 접촉 항원에 대한 운반체 역할을 한다. 항원은 표피의 항원제시세포에 도달하기 위해 땀과 같은 용액 내에 있어야 한다. 안검, 귓볼, 성기의 피부 같이 얇은 곳에서 잘 일어나며, 두꺼운 손바닥, 발바닥은 잘 생기지 않는다.

다. 진단

세밀한 병력청취를 하여 발진의 초기 현상이 나타나기 24~48시간 전에 원인이 될 만한 요인에 대한 접촉이 있었는지 알아본다. 비록 병력에서 접촉피부염을 강하게 시사하는 경우라도 원인을 입증하기는 매우 힘들어 알레르기 접촉피부염을 가진 환자의 10~20%만이 명백한 니켈 반응을 보일 뿐이다.

진찰이 필요한데 발진, 구진 등 원발성 피부 병소와 색조 변화, 가피형성, 찰상 등 이차적인 병소도 살펴보아야 한다. 노출된 부분, 특히 손과 얼굴은 접촉피부염이 가장 호발 하는 부위이다.

첩포시험은 알레르기 접촉피부염을 확진하는 가장 좋은 방법이다. 검사는 비록 간편하나 항원 선택과 검사 해석은 숙련된 의사가 시행해야 한다(그림 7-13).

라. 감별진단

습진성 피부병으로는 지루성 피부염, 아토피피부염, 원형상 습진, 신경 피부염, 창자병증선단피부염, 건선과 감별해야하고, 비습진성 피부염으로 피부진균증, 수포성 농가진, 수포성 바이러스 발진, 두드러기성 혈관염, 균상식육종, 기타 약물 부작용과 관련된 홍피증, Sezary 증후군 등과의 감별진단이 필요하다.

마. 치료

접촉피부염의 치료는 원인 물질을 밝혀 회피하는 것이 가장 중요하다. 보호장갑, 옷, 차단 크림과 같은

그림 7-13. 첩포시험

물리적인 차단이 도움이 되는 경우도 있다. 원인 물질이 밝혀지면 원인물질의 노출원, 대체물질, 접촉해도 되는 물질에 대해 환자 교육을 하여야 한다.

소양증의 감소를 위하여 aluminum subacetate, 칼라민 등을 사용하기도 하며, 만성 발진이 있을 때는 연화제, 윤활제, 보습제 등을 사용한다. 그것들에 감작되지 않아야 하고 외용제는 냄새가 없어야 하며 환자에 따라 감작되는 경우가 있으므로 주의해야 한다. 비누와 비알칼리성 청결제는 피해야 하며 세균 이차 감염 시에는 항생제를 사용한다.

국소 염증의 치료에는 스테로이드 외용제가 가장 효과적이다. 두께가 얇은 피부에는 역가가 낮은 스테로이드제를 사용하고, 두꺼운 곳은 높은 역가의 스테로이드제를 바른다. 심한 급성 습진이 광범위하게 있을 때 를 제외하고는 전신적 스테로이드를 사용하지 않는다.

국소적 calcineurin 억제제를 알레르기 접촉피부염 환자에 이용할 수 있다. 이 면역조절제는 피부 위축을 일으키지 않으므로 얼굴이나 눈꺼풀에 사용할 수 있으며 주된 부작용은 작열감이다.

진정 작용이 있는 항히스타민제가 소양증에 도움을 줄 수도 있으며 냉찜질이 도움이 될 수 있다. 알레르기 접촉피부염에 탈감작요법은 추천되지 않는다.

9. 부비동염

부비동염은 부비동 점막의 염증으로 바이러스에 의한 상기도염과 알레르기비염이 중요한 원인으로 작용한다. 소아 알레르기비염 환자의 50% 이상에서 부비동염이 동반하는 것으로 보고되고 있다.

부비동염은 지속기간에 따라 급성, 아급성, 만성 부비동염으로 분류한다. 부비동염이 치료된 후 반복적으로 부비동염이 발생하는 경우를 재발성 부비동염이라 하고, 일반적인 치료에 반응하지 않는 경우를 불응성 부비동염이라 한다.

부비동염은 해부학적 구조 및 점막의 이상, 호발하는 원인균, 면역학적 염증반응 등 여러 요인이 관련되어 발생한다. 선천적으로 점막의 이상을 보이는 낭성섬유증, 섬모운동이상증 등의 질환과 면역결핍증이 있을 경우 만성 재발성 부비동염이 빈번하며 알레르기질환이 있는 경우에도 부비동염과 밀접한 관계가 있다(표 7-11).

가. 면역학적 요인

만성 부비동염은 점막이 두꺼워지고, 배상세포의 과형성, 상피하 섬유화 등의 염증반응을 특징으로 한다. 조직에는 호산구 침윤이 가장 특징적인 소견이며 그외 비만세포, T 림프구가 발견된다. 호산구의 침윤은 환자의 알레르기 유무와 관계없이 침윤되는 양상을 보여 만성 부비동염에서 호산구의 침윤이 Th2 기전으로만 초래되는 것이 아님을 알 수 있다. 비강 세척액에서 호중구가 특히 비알레르기 성인 환자에서 증가하지만 소아에서는 증가한다는 증거는 없다.

조직에서 Th2 사이토카인인 IL-4, IL-5, GM-CSF의 수용체 발현이 증가되는데, 비알레르기성 환자에서는 GM-CSF의 수용체 발현이 현저하다. 호산구와 림프구, 호염기구의 유착분자인 VCAM-1의 발현이 증가되며 상피세포와 점막하세포에서 RANTES와 eotaxin이 증가되고 점막세포에서 MCP-3, MCP-4의 발현증가도 보고되었다.

나. 알레르기질환과의 연관성

만성 부비동염과 천식은 면역 병리학적으로 유사하고 방사선학적 소견과 임상적으로 많은 연관이 있다. 천식의 급성발작이 있을 때 단순부비동 X선 검사를 시행하면 이상소견을 보이는 예가 많으며 만성 부비동염을 가진 환자에서 천식을 동반하는 예도 많다.

알레르기비염과 흡입성 알레르겐의 감작여부도 부비동염의 중요한 위험인자이며, 알레르기비염환자에서 알레르겐 유발시험을 시행하면 방사선학적 변화를

표 7-11. 소아 급·만성 부비동염의 원인과 위험 인자

급성 부비동염
   상기도염의 지속
   비강내 이물
   흡입성 알레르기의 급성 악화
   급성 아데노이드염 또는 아데노이드 편도염
만성 부비동염
   비염, 알레르기성 또는 비알레르기성
   해부학적 이상
     비갑개 비후
     아데노이드 비후
     비용종
     심한 중격 편위
     후비공폐쇄
   천식
   종양
     연소성 혈관 섬유종
     횡문근육종
     림프종
     유피낭(dermoid cyst)
   낭성 섬유종
   면역 결핍증
   원발성 섬모운동이상증
   Wegener's granulomatosis
   Churg-Straus 혈관염
   충치 및 농양
   비인두역류를 동반한 위식도역류

보이며 부비동염 증상이 나타난다.

10. 만성 기침

기침은 호흡기 질환이 있는 환자의 가장 두드러지고 고통을 주는 증상이다. 호흡기 증상은 대개 저절로 좋아지는 질환이지만 소아에서 선천성 기형이나 만성 질환이 있을 경우 지속적인 기침을 나타낼 수 있다. 일반적으로 기침이 3주 이상 지속될 때 만성 기침이라고 정의한다. 급성 기침의 가장 흔한 원인은 상기도의 바이러스감염이며, 그 외에 계절성 알레르기비염, 천식, 부비동염 등이 흔한 원인이다.

수 주에서 수 개월 지속하는 만성적이고 반복적인 기침을 하는 환자가 많으므로 주의 깊은 조사가 필요하다. 소아의 만성기침을 감별하기 위해서는 나이, 기침의 기간, 특징, 호발시기, 동반 증상, 환경, 가족력 등이 고려되어야 한다. 신생아기에는 선천성기형이 고려되어야하며, 특히 기계적 환기요법을 받은 미숙아는 기관지폐이형성증이나 기관지 협착을 생각해야 한다. 구토와 역류는 위식도 역류나 식도 기관루의 증상일 수 있으며 갑작스러운 호흡곤란이나 연하곤란이 있는 환자의 경우 기관지 이물을 의심해 볼 수 있다. 열이 있는 경우 호흡기 감염의 증상일 수 있으며 발생 계절이 일정하면 천식이나 알레르기비염을 생각해볼 수 있으며 특히 연중 지속하는 증상이 있는 경우 통년성 알레르기질환을 고려하여야 한다. 모체 흡연을 하는 경우 어린 소아의 호흡기 증상에 영향을 주며, 좀 더 큰 소아에서는 면역결핍, 결핵, 심인성 기침도 의심해야 한다. 청소년기의 가장 흔한 원인은 천식, 후비루증후군, 위식도 역류 등이지만 흡연과 심인성 기침도 고려되어야 한다.

만성 기침이 있는 환자는 여러 번의 치료실패를 경험하였기 때문에 환자와 가족들은 지치고 치료가 안 되는 질환으로 생각할 수 있다. 그러나 만성기침은 대부분 호전될 수 있으므로 체계적인 진단적 접근과 적절한 치료가 중요하다.

가. 원인질환 (표 7-12)

1) 기침이형 천식

기관지 천식의 전형적인 임상증상인 기침, 천명, 호흡곤란 등의 3대 증상 중 기침만이 유일한 임상증상인 경우를 기침이형 천식(cough variant asthma)이라고 정의하며, 기침형 천식(cough type asthma) 또는 잠복 천식(hidden asthma)라고도 한다. 기침이형 천식은 만성적인 기침만이 유일한 증상이고 환자가 호흡곤란

표 7-12. 만성기침의 원인질환

선천성 기형
　기도와 식도의 교통
　　Laryngeal cleft
　　기관식도누관
　　후두기관지연화증
　　　원발성 후두기관지연화증
　　　혈관등의 압박에 의한 이차적인 후두기관지연화증
　　Bronchopulmonary foregut 기형
　　선천성 종격동 종양
　　선천성 심질환(폐울혈동반)
감염성 또는 감염후 기침
　반복적인 바이러스 감염(영유아)
　Chlamydial 감염(영아)
　백일해 기침 증후군
　　Brodetella pertussis
　　Chlamydia
　　Mycoplasma
　　낭성 섬유종(영유아)
　육아종성 감염
　　항산균(mycobacteria)
　　진균(fungus)
　화농성 폐질환(기관지확장증, 폐농양)
　　낭성 섬유종
　　기도이물에 이차적인 화농
　　섬모운동이상증
　　면역결핍증(원발성, 이차성)
　부비동염
천식관련질환
　천식
　기침형 천식
　호산구성 기관지염
비염관련질환
　알레르기성 비염
　비부비동염
　혈관운동성 비염
　후비루
위식도역류(비흡인성)
성대기능이상증
흡인(액체)
　연하이상으로 인한 흡인
　　일반신경발달장애질환
　　Mobius 증후군
　취침 중 수유(영유아)
　위식도역류
이물 흡인(고형 물질)
　상기도 흡인(편도, 인두, 후두)
　기관지 흡인
　식도 이물(연하곤란으로 인한 폐쇄 또는 흡인)

이나 천명 등을 전혀 호소하지 않기 때문에 그대로 만성 기관지염 등으로 진단되는 경우가 많다. 특히 소아에서는 습관성 기침으로 진단되기도 한다.

대부분의 환자에서 폐기능이 정상이나 메타콜린 기도유발시험이나 운동유발시험 후에 가역적인 기도 수축을 보이는 기도 과민성을 특징으로 진단하게 된다.

기침이형 천식 환자에서 적절한 치료를 하지 않은 경우 많은 수에서 1~2년 내에 천명과 호흡곤란을 동반하는 전형적인 천식으로 이행하기도 한다. 따라서 기침이형 천식의 진단이 늦어지고 적절히 치료되지 못하여 전형적인 천식으로 이행하는 예가 많아지는 것이 최근 지속적으로 기관지 천식의 유병률이 증가하는 한 요인으로 작용하는 것으로 설명하기도 한다. 그러므로 기침이형 천식을 조기에 진단하고 치료하는 것은 만성적인 기도의 염증반응을 줄여줌으로써 기관지 천식으로의 이행을 예방하고 천식 유병률과 사망률을 감소시킬 수 있으므로 매우 중요하다.

기침이형 천식의 치료는 일반적인 천식치료와 같이 기관지 확장제를 투여하며 이에 반응이 없으면 스테로이드 등의 항염증치료를 하는 것으로 되어 있다.

2) 호흡기 감염

Respiratory syncytial virus (RSV)와 다른 호흡기 바이러스, cytomegalovirus, *Mycoplasma pneumoniae*, *Chlamydia trachomatis*, *Ureoplasma urealyticum*, *Pneumocystis carinii*, *Corynebacterium diphtheriae*, *Bordetella pertussis* 등의 감염 후에도 기침을 지속하는 경우가 많다.

감염 후 지속적인 기침을 하게 되는 병인은 아직 알려져 있지 않다. 환자들에서는 천식 환자에서처럼 기도내 호산구의 증가가 없고, 때때로 기도의 반응성이 증가되어 있다. 이러한 현상은 감염후의 기침이 천식과는 다른 병인을 가지고 있다는 것을 보여 준다.

3) 알레르기비염, 만성 부비동염, 후비루

알레르기비염과 부비동염은 후비루와 인두 자극으

로 기침을 유발한다. 일부에서는 후비루가 만성기침의 가장 흔한 원인이라는 주장도 있다. 진단은 주로 병력을 통해서 가능하며 방사선학적 소견이 도움이 되기도 한다.

4) 위식도역류

위식도역류(gastroesophageal reflux: GER)는 전연령층의 만성기침과 영아 무호흡의 가장 흔한 원인 중 하나다. 기침, 천명, 인후통, 목이 쉬고, 질식 등의 증상이 있으며, 가슴이 타는 듯한 느낌이나 역류는 흔한 증상으로 알려져 있지만 증상이 없을 수도 있다.

5) 흡인 증후군

흡인성 폐렴은 호흡기 감염으로 오인되는 흔한 질환이며 흡인성 기관지염은 천식으로 오인되기도 하는 만성기침의 원인 중 하나이다. 특히 영아에서는 연하장애, 위식도 역류, 식도 기관루에 의하여 주로 우유의 흡인이 생긴다.

6) 기도내 이물

기도이물은 기침과 천명의 원인이 되며 전문가에 의해 즉각적인 처치가 필요한 소아과의 응급상황이다. 그러나 이물을 흡인한지 모르고 지내면서 지속적 또는 반복적인 천명과 기침의 소견을 보일 수도 있다. 흡입된 이물의 대부분은 땅콩이나 해바라기씨 같은 식품이지만 다양한 종류의 이물이 발견되기도 한다.

7) 심인성 기침

만성기침의 원인으로 호흡기의 기질적 이상이나 호흡기 감염 외에도 심리적인 요인이 원인이 될 수 있다. 그리고 일부 아이들은 부모로부터 더 많은 관심과 감정적 지지를 형성하기 위해 만성기침을 함으로써 이차적 이득을 얻으려 할 수 있다. 진찰소견과 증상, 병력을 자세히 관찰하는 것이 진단에 도움이 되며 치료에 도움이 된다.

8) 기타

그 외에 기도연화증, 혈관륜, 종격동 종괴, 기관지협착 등과 같은 해부학적, 선천성 기형과 성대기능이상 등과 같은 기능적 결함으로도 만성기침이 유발될 수 있다. 뿐만 아니라 낭성 섬유증(cystic fibrosis), allergic bronchopulmonary asperillosis, 과민성 폐질환(hypersensitivity lung disease) 등의 질환과도 연관성이 있다.

11. 알레르기성 귀 질환

중이염은 바이러스성 상기도 감염을 제외하고 영아기 이전의 아이들에서 가장 흔히 볼 수 있는 질환이다. 지난 20년 동안 중이염에 대한 병인기전, 병태생리, 면역학적인 면에서 많은 지식의 발전이 이루어졌음에도 불구하고 이 질환의 유병률은 감소하지 않고 오히려 증가하고 있는 추세이다.

중이염은 중이(middle ear)의 급성 또는 만성 염증반응을 특징으로 한다. 급성 중이염(acute otitis media, AOM)은 특징적으로 바이러스성 상기도 감염 이후 또는 이와 연관되어 발생하며 중이에 화농성 반응을 흔히 유발한다. 이들 AOM 환자 중 자주 급성증상이 재발하는 경우를 재발성 급성 중이염(recurrent AOM)으로 분류한다. 그리고 AOM 염증반응이 계속 진행되어 삼출물이 생성된 상태가 삼출성 중이염(otitis media with effusion, OME)이며, OME 증세가 12주 이상 호전되지 않고 지속되었을 때 만성 삼출성 중이염(chronic OME)라고 명명한다.

중이염을 유발하는 위험인자들 중 알레르기가 한 부분을 차지하고 있는데, 특히 OME나 수술을 필요로 하는 만성 OME 환자에서 관련성이 높은 것으로 알려져 있다. 여러 알레르기질환 중 통년성 알레르기비염 환자에서 그 연관성이 가장 많으며, 일부 식품 알레르기 환자에서도 중이염 발생 빈도가 높다.

가. 병인

중이염 발생의 가장 중요한 기전은 이관(eustachian tube)의 구조적 또는 기능적 폐쇄이다. 알레르기비염 환자들에서도 이와 같은 이관 폐쇄가 관찰되는데 이는 후비인두(posterior nasopharynx) 부위의 부종과 염증에 의해 발생한다. 만일 알레르기비염 환자들에서 바이러스 상기도 감염이 발병하면 보다 많은 양의 단백질 삼출물이나 분비물이 발생하여 염증반응을 악화시킨다. 일단 시작된 비강 점막과 이관의 염증반응은 사이토카인과 같은 염증매개성 물질에 의하여 지속되고 조절된다. 결국 중이가 알레르기 반응의 표적기관이 되는 것이다.

OME에서 알레르기질환이 미치는 영향은 중이 점막이 알레르기 반응의 표적기관 역할 담당, 이관의 염증성 종창으로 인한 폐쇄, 비강 및 비인두부의 염증성 폐쇄, 비인두부에서 생성된 세균에 감염된 알레르기성 분비물(bacteria-laden allergic secretions)의 역류 또는 흡입으로 인한 중이강내로 유입 등과 같은 기전에 의해서 일어나며 이러한 원인들에 의해서 이관이 제 기능을 수행하지 못하게 된다.

감염과 알레르기질환이 연관된 비폐쇄 역시 OME 발생기전에 중요한 역할을 한다. 비강이 막혀 있을 때 식품을 삼키면 폐쇄된 비인두강(closed nasopharyngeal chamber)이 형성되며, 식품을 삼키는 동안에 초기에는 이 공간에 양압이 걸렸다가 음압 상태에 놓이게 된다. 비인두강의 양압 상태에서는 분비물들이 중이쪽으로 흡입되고, 음압 상태에서는 이관의 열림 기능이 방해되어 기능적으로 폐쇄된 상태가 되어 궁극적으로 OME를 유발하게 된다. 이러한 현상을 Toynbee 현상이라고 한다.

나. 진단

1) 증상 및 징후

알레르기비염이 동반된 중이염 환자에서 그 비염이 감염성인지 알레르기성인지를 구별하는 것은 매우 어렵다. 그러나 중이염이 알레르기비염과 동반된 경우에는 소양증과 재채기를 동반한 비염, 양측 결막에 충혈, 부종, 비화농성 염증 등의 증상을 보일 수 있다.

다. 치료

알레르기비염과 동반된 OME인 경우 원인이 되는 항원에 대한 노출을 피하여야 하고, 항히스타민제, 비강내 국소 스테로이드제, 면역요법 등의 비염 치료가 같이 시행되어야 한다.

12. 라텍스 알레르기

지난 수십년 동안 천연고무 라텍스(natural rubber latex, NRL)는 제1형 과민반응을 유발하는 원인물질로 널리 알려졌으며 라텍스 장갑 사용이 주요 원인이다. AIDS의 출현으로 인하여 예방 차원에서의 라텍스 장갑 사용률이 급격히 증가함에 따라서 라텍스 알레르기 유병률도 증가하여 사회적 중요한 질환으로 자리를 잡았다.

가. 원인

재배된 고무나무의 젖샘층(lactiferous layer)에서 추출한 세포질인 Hevea brasiliensis(Hev b)가 상품화되고 있는 라텍스의 주원료이다. 라텍스는 여러 공정을 거쳐서 현재 우리주변에서 볼 수 있는 천연고무제품으로 만들어지는데 대부분(90%)의 고무는 응고과정을 거친 건조한 고무(coagulated dry rubber)로서 자동차 타이어, 고무도장, 주물형 고무제품 등이 이러한 과정을 통해서 생성되지만 이들 제품들은 극히 일부에서 라텍스 알레르기에 관여한다. 일부(10%) 고무들은 특정 용액에 담갔다가 사용(dipped products)하는데 이들을 암모니아 처리를 한 후 비응고 시킨 상태로 출시한다(ammoniated and noncoagulated rubber). 콘돔, 의료용 장갑, 각종 도관, 풍선 등이 이러한 제품군에 속하는데 라텍스 알레르기를 유발하는 주된 원인 물질이다.

합성고무제품은 butyl rubber, 2-chlorobutadiene, butadiene과 acrylonitrile의 합성체가 주성분으로 천연고무제품에 의해 알레르기 반응이 있는 환자에서도 합성고무제품 사용의 위험성은 없다.

천연라텍스의 주요 구조물은 cis-1,4-polyisoprene이며 지질, 인산화 지질, 단백질 등으로 둘러싸여 있다. NRL의 1~2%를 차지하고 있는 단백질 성분은 주요 항원 역할을 담당하는데 이를 pathogenesis-related (PR) protein이라고 한다. 또한 dipped product 생성과정에서 몇 가지 저분자량 항산화제(phenylenediamine), 촉진제(thiurams, carbamates, thiazoles), 보존제 등이 첨가되며 이들은 알레르기 접촉피부염의 주된 원인물질이다.

라텍스 항원들은 공기중으로도 살포되는데 이는 라텍스 장갑을 착용할 때 피부에 붙어 있던 전분가루에 의해서 발생하며 전분가루에 묻어 있는 라텍스 항원들이 호흡기 알레르기 증상을 유발하기도 한다.

많은 연구가들은 라텍스에 함유되어 있는 항원들을 특성별로 분류하였다. *Hev b* 5, 6, 7은 대부분의 의료업종사자와 어린아이들에서 볼 수 있는 라텍스 알레르기를 유발하는 항원들이며, *Hev b* 1, 3은 이분척추증(spina bifida) 아이들과 연관성이 있다.

라텍스는 과일과 임상적 또는 면역학적으로 교차반응을 일으키는데 이를 latex-fruit syndrome이라고 한다. 일부 라텍스 항원들은 화분 단백질뿐만 아니라 바나나, 아보카도, 키위, 밤, 감자, 파파야, 토마토 등과 같은 과일과도 교차반응을 유발한다. 특히 *Hev b* 2, 6, 11에 포함되어 있는 PR 단백질과 교차반응이 발생한다.

나. 임상양상

1) 국소반응
가) 자극성 접촉피부염

자극성 접촉피부염(irritant contact dermatitis)은 라텍스와 연관된 질환 중 가장 흔한 것으로 비알레르기 기전에 의해서 유발되며 라텍스 장갑이 닿는 부위에 자극적이고 건조한 피부소견을 특징으로 한다. 일부 환자에서는 이 질환으로 인하여 발생한 피부균열을 통해서 라텍스 항원의 침투 및 감작으로 IgE 항체-매개 반응이 유발된다.

나) 알레르기 접촉피부염

알레르기 접촉피부염(allergic contact dermatitis)은 제4형 과민성 반응에 속하는 질환으로 항원과 접촉한 지 24~48시간 내에 발생한다. 특히 저분자량 항산화제와 촉진제가 주된 원인 물질이며, 진단은 의심되는 물질을 이용한 첩포시험으로 확진할 수 있다.

다) 접촉성 두드러기

접촉성 두드러기(contact urticaria)는 라텍스 알레르기 중 가장 조기에 발현되는 형태이며 의료업에 종사하는 사람 중 80%에서 볼 수 있는 질환으로서 장갑과 접촉하는 부위에 발적, 소양감, 팽진 등의 피부소견을 특징으로 한다.

라) 비염과 천식

라텍스 항원이 장갑 분말에 흡수되어 공기 중으로 유포되었을 때 흡입을 통하여 발생한다. 라텍스에 의해서 비염이나 천식이 유발되는 사람들은 대부분 매우 아토피성향이 높고 화분, 집먼지 진드기, 동물털 등에 의한 비염이나 천식 증상이 이미 있는 경우가 흔하다.

2) 전신반응

제1형 과민성 반응의 형태이며 알레르기 비결막염, 천식, 아나필락시스 등이 발생하며 때로는 사망에 이르기도 한다. 심각한 아나필락시스는 질내 검사, 항문 검사, 비뇨생식계 수술 등과 같이 라텍스 항원이 점막에 노출된 경우에 발생하는 것 뿐만 아니라 피부나 흡입을 통해서도 일어난다.

다. 진단

진단은 병력청취, 피부단자시험이나 RAST 등 알레르기 검사와 유발시험 등을 통해서 할 수 있다. 병력청취는 일정한 형식의 설문지를 만들어서 시행하면 보다 용이하며, 특히 고위험군에 속하는 사람들에게는 자세한 병력청취가 요구된다. 또한 교차반응이 일어날 수 있는 과일이나 식물들에 대한 병력청취도 간과하여서는 안 된다.

피부단자시험이 가장 중요한 진단법으로 널리 이용되고 있으나, 사용되고 있는 시약의 표준화가 잘 되어 있지 않다는 점이 단점이다. 또한 아나필락시스가 발생한 후 피부시험을 하였을 때 종종 음성으로 결과가 나오는 경우가 있으므로 4~6주 후에 다시 검사를 시행하여야 한다.

확진은 유발시험를 이용하면 되는데 아나필락시스 병력이 과거에 있는 경우에는 절대 금기사항이며 항상 숙련된 의사와 심폐소생술 기구가 준비된 상황에서 실시하여야 한다.

라. 치료

라텍스 알레르기를 치료하는 가장 중요한 방법은 회피요법이며 이 질환을 예방할 수 있는 유일한 방법이다. 이전에 라텍스 알레르기가 발현되었던 사람이나 척추이분증 환자, 의료업 종사자, 복합수술이 요구되는 아이들과 같은 고위험군에서는 철저한 회피요법이 요구된다. 또한 아직 증상은 나타나지 않았지만 알레르기 검사에서 라텍스에 대하여 양성반응을 보인 사람들도 조심하여야 한다.

고위험군에게는 "라텍스 알레르기"라는 팔찌를 착

용케 하고, 환자들의 의무기록지와 병실문, 침대에는 경고문구를 작성하여야 한다. 이러한 환자들을 담당하는 의료진들은 라텍스가 함유되지 않은 장갑을 이용하여야 하며 그 밖의 다른 병원근무자들은 powder-free, low protein glove를 착용한다.

현재까지 예방약의 효과는 명백히 밝혀져 있지 않으며, 만일 미리 약물을 사용한 경우 아나필락시스의 초기증세를 차단하므로 적절한 치료가 지연될 위험성이 높아서 권장되고 있지 않다.

라텍스에 대한 면역요법이나 백신(ALK-Abello) 등은 아직까지 시험단계이다.

참고문헌

1. 유명주, 박인철, 이하백, 김영태. 만성 두드러기 환아에서 C1 Inactivator 결핍에 관한 임상적 고찰. 소아알레르기 및 호흡기학회지 1994;4:118-27.
2. 최병민, 김영국, 정지태, 독고영창. 수술용 장갑 사용자들의 고무(Latex) 알레르기 유발에 관한 연구. 소아알레르기 및 호흡기학회지 1994;4:30-7.
3. 오준석, 정봉수, 이준성. 기관지천식환아에서 Solu-cortef 정주 후 담마진 및 자반성 색소 침착이 발생한 1례. 소아알레르기 및 호흡기학회지 1995;5:136-42.
4. 편복양. 알레르기 환자의 예방접종. 소아알레르기 및 호흡기학회지 1998;8:150-4.
5. 김은수, 한동기, 권병철, 최성연, 손명현, 김규언. 카제인과 난백 알부민을 함유한 철분제에 의해 발생한 두드러기 2례. 소아알레르기 및 호흡기학회지 2004;14:167-72.
6. Fasano MB, Wood RA, Cooke SK, Sampson HA. Egg hypersensitivity and adverse reactions to measles, mumps, and rubella vaccine. J Pediatr 1992;120:878-81.
7. Godfrey S. Silverman M, Anderson SD: Problems of interpreting exercise-induced asthma. N Eng J Med 1994;330:1362-7.
8. James JM, Burks AW, Roberson PK, Sampson HA.

Safe administration of the measles vaccine to children allergic to eggs. N Engl J Med 1995;332: 1262-6.

9. Sakaguchi M, Ogura H, Inouye S. IgE antibody to gelatin in children with immediate-type reaction to measles and mumps vaccines. J Allergy Clin Immunol 1995;96:563-5.

10. Kelly YJ, Brabin BJ, Milligan PJ, Reid JA, Heaf D, Pearson MG. Clinical Significance of cough and wheeze in the diagnosis of asthma. Arch Dis Child 1996;75:489-93.

11. Wright AL, Holberg CJ, Morgan WJ, Taussig LM, Halonen M, Martinez FD. Recurrent cough in childhood and its relation to asthma. Am J respir Crit Care Med 1996;153:1259-65.

12. Kumagai T, Yamanaka T, Wataya Y, Umetsu A, Kawamura N, Ikeda K, at al. Gelatin-specific humoral and cellular immune responses in children with immediate-and nonimmediate-type reactions to live measles, mumps, rubella, and varicella vaccines. J Allergy Clin Immunol 1997;100:130-4.

13. Vacek L: Incidence of exercise-induced asthma in high school population in British Columbia, Allergy Asthma Proc 1997;18:89-91.

14. Zimmerma B, Zimmerman RS. Adverse reactions to vaccines. In: Middleton E, Jr., Reed CE, Ellis EF, Adkinson NF Jr., Yunginger JW, Busse WW. ditors, Allergy: Principles & practice. 5th ed. Philadelphia; Mosby 1998: 1199-211.

15. Mortz CG, Andersen KE: Allergic contact dermatitis in children and adolescents. Contact Dermatitis 1999;41:121-30.

16. Yun YY, Ko SH, Park JW, Hong CS. Anaphylaxis to venom of the pachycondyla species ant. J Allergy Clin Immunol 1999;104:879-82.

17. Hamilos DL. Chronic sinusitis. J Allergy Clin Immunol 2000;106:213-27.

18. McAlister WH, Parker BR, Kushner DC, Bobcock DS, Cohen HL, Gelfand MJ, et al. Sinusitis in the pediatric population. American College of Radiology. ACR Appropriateness Criteria. Radiology 2000;215 Suppl:811-8.

19. American Academy of Pediatrics: Clinical practice guideline: management of sinusistis. Pediatrics 2001;108:798-808.

20. Nystad W, Stigum H, Carlsen KH: Increase level of bronchial responsiveness in inactive children with asthma. Respir Med 2001;95:806-10.

21. Hart M, Kercsmar C. Chronic cough in children: a systematic approach. J Respir Dis Pediatr 2001;3:155-63.

22. Van Den Toorn LM, Overbeck SE, De Jongste JC, et al: Airway inflammation is present during clinical remission of atopic asthma. Am J Respir Crit Care Med 2001;164:2107-13.

23. Gupta AK, Adamiak A, Chow M: Tacrolimus: a review of its use for the management of dermatoses, J Eur Acad Dermatol Venereol 2002;16:100-14.

24. Adkinson NF, Bochner BS, Yunginger JW. Middleton's Allergy: Principle and Practice. St. Louis: Mosby 2003.

25. Chan KH, Abzug MJ, Fakhri S, Hamid QA, Liu AH. Sinusitis. In: Leung DYM, Sampson HA, Geha RS, Szefler SJ, editors. Pediatric Allergy: principles and practice. St. Louis: Mosby 2003:309-20.

26. Goldsmith AJ, Rosenfeld RM. Treatment of pediatric sinusitis. Pediatr Clin North Am 2003;50:413-26.

27. Milgrom H. Chronic cough. In: Leung DYM, Sampson HA, Geha RS, Szefler SJ, editors. Pediatric Allergy: principles and practice. St. Louis: Mosby 2003:321-35.

28. Zuraw BL. Urticaria and angioedema. In: Leung DYM, Sampson HA, Geha RS, Szefler SJ, editors. Pediatric Allergy Principles and Practice. Philadelphia, PA: Mosby Inc., 2003:574-83.

제8장

알레르기치료

1. 환경관리

실내외에서 노출되는 원인물질을 차단하는 환경관리는 알레르기질환의 치료에 가장 중요한 부분이다. 이는 공기중항원(aeroallergens)이 천식, 알레르기비염, 아토피피부염 등의 알레르기질환의 병리기전에 중요한 역할을 하기 때문이다. 흡입항원 중에는 특히 실내항원이 중요하다. 실내항원에는 집먼지진드기, 애완동물, 바퀴벌레, 진균 등이 있고 실외항원에는 화분이나 진균 항원들이 지리적, 환경적 요인 등으로 인해 지역에 따라 상대적 중요성의 차이가 있다.

가. 집먼지진드기

집먼지진드기는 대부분의 집에 쌓여 있는 먼지, 특히 직물내에 있는 먼지 속에 사는 거미류이다. 카페트, 천으로 씌운 가구, 침대 매트리스, 봉제 완구, 이불 등에서 주로 관찰 된다. 이들은 주로 사람에서 떨어진 인설을 먹고 산다. 알레르기질환과 관련이 있는 중요한 종은 *Dermatophagoides pteronyssinus*, *Dermatophgoides farinae* 등이다. 그 외 *Euroglyphus maynei*와 *Blomia tropicalis*가 그 분포지역이 극히 제한되어 있음에도 불구하고, 일부 지역에서는 중요한 항원으로 생각되고 있다.

집먼지진드기는 따뜻하고 습도가 높은 지역에서 최적의 조건으로 자라며, 상대 습도가 40% 미만인 경우는 잘 번식하지 못한다. 집먼지진드기는 알에서 성충으로 성장하기까지 약 4주가 걸리고, 성충은 약 6주간 생존하며, 이 기간 동안 약 40~80개의 알을 낳는다.

먼지 1 그램(g)당 집먼지진드기 알레르겐이 2 μg 이상이면 감작의 위험성이 있고 10 μg 이상이면 급성 천식의 위험 요인이 된다.

매트리스와 베개에 항원 비투과성 덮개를 씌우는 방법은 집먼지진드기에 대한 노출을 현저히 줄일 수 있다. 집먼지진드기 불투과성 커버를 씌운 매트리스를 사용했을 때 집먼지진드기 항원(*Der p 1*)의 농도는 현저히 감소하였다.

집먼지진드기 항원의 농도에 대한 진공 청소기의 효과를 살펴보면, 살아 있는 집먼지진드기는 카페트로부터 제거하기 어렵고 그 효과도 제한적이다. 그러나 정기적인 진공 청소는 카페트에서 먼지의 양을 유의하게 줄일 수 있으므로, 적어도 항원의 공급원을 줄이는 데는 도움을 줄 수 있다. 진공 흡입은 일시적으로 대기 중 진드기 농도를 증가시켜 환자에게 피해를 줄 수 있다. 집먼지진드기의 항원은 침전되기 쉬워 임상적으로는 얼마나 의의가 있을지는 확실하지 않으나 특수 주머니나 여과장치(HEFA 필터)가 되어 있는 진공청소기가 대기 중 집먼지진드기 농도를 일시적으로 증가시키는 피해를 줄일 수 있다. 습성 진공 청소나 증기 청소기가 더 효과가 나은 지에 대한 증거는 거의 없다. 카페트 세척은 건성 진공 청소보다 더 효과적이지는 않다. 습성 진공 청소기를 사용했을 때는 오히려 집먼지진드기의 숫자를 증가시켰다. 이는 습성 진공 청소 후 카페트에 습도가 높아졌기 때문으로 생각된다.

카페트에 여러 가지 처리를 하는 방법에는 크게 살충제(acaricides) 또는 변성제제(denaturing agent)를 사용하는 방법이 있다.

벤질 벤조에이트(benzyl benzoate)가 집먼지진드기를 죽이는데 효과가 있으나, 그 효과가 일시적이므로 2~3개월 간격으로 반복하여 처치해야 한다.

탄닌산(tannic acid)은 집먼지진드기의 성장이나 항원의 생성에는 영향을 주지 않으면서 항원의 수치를 낮추는 기능이 있으나 그 효과는 확실치 않다. 그러므로 벤질 벤조에이트와 탄닌산은 카페트 등 실내환경을 바꿀 수 없는 경우에 집먼지진드기의 노출을 조절하는 보조제로 사용할 수 있다.

침구류, 천으로 된 가구류 등은 집먼지진드기의 성장에 아주 좋은 환경을 제공한다. 침구류에 있는 집먼지진드기 양은 세탁하여 줄일 수 있다. 세탁물은 55℃ 이상이어야 항원을 제거하고 집먼지 진드기도 죽일 수 있다. 차가운 물로 세탁하면 집먼지 진드기를 죽일 수는 없지만 효과적으로 집먼지 진드기 항원을 제거할 수는 있다. 드라이 클리닝도 집먼지진드기를 줄이는 방법으로 도움이 될 수 있다.

집먼지진드기의 성장이 온도 뿐 아니라 습도와도 연관성이 있으므로 상대습도를 낮추는 것이 집먼지진드기의 조절에 유용하다. 따라서 에어컨이나 제습기를 사용하면 집먼지진드기의 성장을 막을 수 있다.

공기 청정기의 사용이 집먼지진드기를 제거한다는 증거는 아직 미흡하다(표 8-1).

나. 동물 항원

실내의 동물 알레르겐에 의한 알레르기질환은 전 인구수의 5~10%로 보고되어 있다. 고양이에 대한 감작률이 가장 높고 실험 동물 중에는 쥐, 토끼, 기니픽 순이다.

동물 알레르겐을 지닌 입자들은 집먼지진드기 항원과는 달리, 매우 잘 달라붙는 성질이 있어서 집안 어느 곳에서는 높은 농도로 발견되기도 한다.

고양이 알레르겐은 공기 역동적 직경이 1 μm 보다 작은 크기부터 20 μm 이상 되는 크기까지의 입자에 의해 운반된다. 공기 중에 떠다니는 고양이 알레르겐 중 최소 15%는 5 μm 보다 작은 입자에 의해서 옮겨진다. 개 알레르겐은 고양이처럼 많이 밝혀지지 않았지만 고양이 알레르겐과 비슷하게 분포할 것으로 생각된다. 공기 중으로 떠다니는 개 알레르겐의 20%는 5 μm보다 작은 크기의 입자에 의해서 옮겨진다고 생각된다.

고양이의 주 알레르겐은 Fel d 1이며 침 속에 들어있고 피지선에서도 분비된다. Fel d 1이 8 μg/g 이상이면 증상을 유발한다. 다음 집먼지진드기 항원과는 달리 동물의 분비물 가운데 포함된 알레르겐은 동물의 털에 말라붙은 5 μm 정도의 크기로 공기 중에 확산된다. 그러므로 고양이 알레르겐은 고양이를 기르는 가정뿐 아니라 고양이가 없는 집의 공기 중에서도 발견된다.

알레르기 환자를 위해서는 원인이 되는 동물을 없애야 한다. 고양이 알레르겐의 농도는 고양이가 제거

표 8-1. 집먼지진드기의 환경조절

첫 번째 단계(필수적이며, 경제적인 단계)
매트리스와 베개를 비투과성 천으로 씌움
베개 커버를 1~2주에 한번씩 뜨거운 물에 세탁한다
봉제 장난감을 없앤다
규칙적으로 카페트를 진공청소기로 청소한다
실내 상대습도를 낮춘다
두번째 단계(도움이 되지만 비용이 많이 듦)
카페트를 없앤다(특히 침실)
천으로 씌운 가구를 없앤다
지하에 살지 않도록 한다
세번째 단계(제한적이거나 효능이 증명되지 않음)
살충제
탄닌산
공기청정기

표 8-2. 동물 항원을 회피하기 위한 조절 방법

애완동물을 없앤다

만약 애완동물을 없앨 수 없다면

    공기 청정기 사용(특히 침실에서)

    카페트 제거

    매트리스와 베개 커버 교환

    목욕시키기(한 주에 최소한 두 번 이상)

된 뒤에도 아주 천천히 떨어지기 때문에 임상적으로 효과를 보기까지는 적어도 수개월의 기간이 걸린다.

애완동물을 계속 기르고자 하는 경우에는 애완동물을 실내에 못 들어오게 하고 적어도 일주일에 두 번은 목욕을 시켜야 다른 회피요법과 비슷한 정도의 효과를 얻을 수 있다(표 8-2).

다. 바퀴

지난 30년간 바퀴 항원은 천식과 알레르기질환의 중요한 인자로 알려져 왔다. 특히 도시지역에서 바퀴벌레가 천식의 주요 원인인 것은 명백하다.

알레르기 감작을 일으키는 가장 흔한 바퀴 원인은 독일형바퀴(*Blatella germanica*)와 미국형바퀴(*Periplaneta americana*)의 2종이다. 우리나라에는 독일형바퀴, 미국형바퀴, 검정바퀴, 일본형바퀴 등이 있고 독일바퀴가 가장 많다. 바퀴 항원 중 가장 중요한 것은 *Bla g* 1, *Bla g* 2, *Per a* 1 등이다. 주요 바퀴 항원의 원인은 아직 분명하지 않지만 바퀴가 분비하고 배출하는 소화 단백질로 추정되고 있다. 도시에 사는 소아 천식 환자를 대상으로 한 광범위한 연구에서 바퀴 항원에 대한 노출은 유의한 정도로 입원과 계획되지 않은 외래방문, 천명의 일수, 결석일수, 수면 장애 등과 연관이 있었다.

바퀴항원은 침실을 포함한 집안 내 여러 곳에 분포하지만 부엌에서 그 농도가 가장 높다. 바퀴항원은 그람당 2단위 (2 unit/g)이상이면 감작과 관련 있고 그람당 8단위(8 unit/g) 이상이면 질병활성도와 연관이 있

을 것으로 여겨진다.

살충제는 클로르피리포스(chlopyrifos-Dursban), 디아자논(diazanon), 보릭산 파우더(boric acid powder), 하이드란에틸론(hydranethlyon) 등이다.

바퀴벌레 감염을 줄이는 일환으로 모든 음식은 뚜껑을 닫아 저장하고 부엌은 규칙적으로 청소해야 한다. 가능하면 바퀴벌레 잔해를 완전히 제거한 후에 꼼꼼히 청소해야 한다.

라. 진균

수많은 종류의 진균 종들은 실내와 실외 환경 모두 존재 할 수 있다. *Aspergillus*와 *Penicillium* 종들은 실내 진균 중에서 가장 흔하며, *Alternaria*는 실내와 실외 환경 모두에서 중요하다.

진균은 덥고 습기 있는 환경에서 가장 잘 자라며, 따라서 이런 환경과 진균에의 노출은 연관되어 있다. 지하실, 창문틀, 샤워실과 화장실의 카페트가 진균의 흔한 서식지이다. 에어콘과 가습기 또한 진균 노출의 중요한 장소이다. 공기로 운반되는 진균 항원들은 2 μm 이내에서부터 100 μm 이상까지 크기가 다양하다.

진균 항원의 조절은 살진균제, 습기 감소, 진균 서식지 제거 등 총체적인 방법을 시행하여야 한다. 실내 진균의 번식을 방지하기 위한 방법은 환기를 자주하고 습기 제거제나 에어콘을 사용하여 습도를 낮춘다(표 8-3).

마. 실내 공기 오염

흡연은 천식, 기관지과민성, 천명성 기관지염을 증가시키고 알레르기질환의 이환율을 증가시킨다. 임신 시 흡연은 임산부의 면역기능을 저하시키고 태아의 T 세포 면역 발달도 저하시켜 제대혈의 IgE를 증가시킨다. 흡연자는 비흡연자에 비해 IgE와 항원에 대한 감작률이 더 높았다. 또한 흡연은 호흡기 감염, 만성 기침, 중이염의 빈도를 높였다. 천식 소아에서는 흡연이

표 8-3. 곰팡이 조절

곰팡이 번식의 근원을 밝힌다
살진균제로 곰팡이 번식 지역을 청소한다
청소하는 것이 불가능하다면 곰팡이의 서식처를 없앤다 (카페트, 가구 등)
습기를 없앤다
욕실이나, 부엌에 환풍기를 사용한다
냉장고, 제습기, 가습기를 살진균제로 청소한다

폐기능의 저하, 기도과민성의 증가, 응급실 방문 횟수의 증가와 천식 발작을 초래할 수 있다. 따라서 가족의 금연, 특히 실내에서의 금연은 필수적이다.

간접 흡연 이외에 난로나 가스레인지 등에서 나오는 산화질소, 나무 연기 등 다양한 다른 실내 오염물이 소아 천식을 악화시킨다. 따라서 실내에서는 기름, 혹은 장작 난로의 사용을 금하고 가스레인지를 사용할 때는 꼭 환기를 시킨다.

바. 실외 항원

실내 항원보다 실외 항원에의 노출을 조절하는 것이 매우 어렵다. 공기 매개의 화분과 진균은 바람을 타고 넓게 퍼지기 때문에 원인물질을 근본적으로 조절하는 것이 힘들다. 국소적인 진균의 조절은 좋은 배수로를 확보하고, 낙엽이나 그 찌꺼기들을 제거하거나, 진균이 잘 자라게 하는 땅 덮개, 나무뿌리 덮개 등의 사용을 제한함으로써 가능할 수 있다.

화분이나 진균이 많은 시기에는 가능한 한 창문이나 문을 닫은 채 실내에서 지냄으로써 실외 항원에의 노출은 줄일 수 있다. 부득이 창문을 열어 두어야 할 경우에는 공기 청정기를 사용한다. 또한 잔디를 깎거나 땅을 가는 등의 일은 피해야 한다. 외출한 뒤에는 즉시 손과 얼굴을 씻고 외출시 입었던 옷을 갈아입고 매일 머리를 감는 것이 중요하다. 외출을 할 때는 마스크와 고글을 착용하는 것이 매우 효과적이지만, 거의 대부분의 소아나 청소년들이 착용하고 싶어 하지 않

는 어려움이 있다.

2. 약물요법

가. β 항진제

1903년 Bullowa와 Kaplan에 의해 기관지 천식의 치료로 에피네프린이 사용되었다. 1941년 α-아드레날린 부작용이 적은 isoproterenol이 도입되고, 그 후 β 수용체에는 선택성을 가지며 에피네프린과 연관된 β 수용체 항진제를 경구로 사용할 수 있게 되었다.

카테콜라민의 기본 구조를 변형하는 데는 2가지 주 경로가 있다(그림 8-1). 첫째는 benzene ring의 3,4 hydroxyl기에서의 변형으로, 이것은 COMT 작용에 필요하다. 이런 변형은 metaproterenol, terbutaline, fenoterol에서는 3,4 hydroxyl기의 재배치함으로써, albuterol (salbutamol), pirbutreol, salmeterol에서는 hydroxymethyl기를 3-hydroxyl기로 치환함으로써, formoterol의 경우는 formylamino를 치환함으로써 생긴다. 모든 이러한 변형은 기관지 확장 작용을 연장시킨다.

또한 side chain의 크기를 증가시켜 β_2 수용체에 대한 선택성을 증가시키는 것이 가능하다. Albuterol, terbuterol, pirbuterol은 3차의 butyl기가 isoproterenol과 metaproterenol의 isopropyl기를 치환한다. Fenoterol의 경우에는 치환 부분이 더 크나(4-hydroxybenzyl moiety) β_2 특이성은 3차의 butyl기가 있는 약물보다 약하다.

말단 amino기 치환 부분의 크기를 증가시키면 β_2 수용체 특이성을 증가시킬 뿐만 아니라 monoamine oxidase(MAO)에 의해 약물이 분해되는 것은 방어하여 기관지 확장 효과 시간을 증가시킨다. Salmeterol과 formoterol은 오랜 기관지확장 지속시간을 보이며 24시간 이후에도 효과가 있다. 이들은 phenylethanolamine 성분에서 선택적인 β_2 항진제이다.

β 수용체 항진제는 비선택적 카테콜라민 isoproterenol과 isoproterenol보다 지속시간이 긴 metaproterenol과 fenoterol, 선택적으로 β₂ 수용체 항진제인 terbutaline, albuterol, pirbuterol 등이 있으며 최근 선택적 β₂ 항진제로 formoterol, salmeterol이 개발되었다.

1) 선택적인 β₂ 기관지 확장제

Ephedrine은 비교적 약한 기관지 확장제로 과거에는 가장 많이 사용하였으나 현재는 사용 빈도가 현저히 줄었다.

α와 β 아드레날린 작용을 모두 가진 에피네프린 (epinephrine)은 예전에는 급성 천식치료에 많이 사용되었지만 흡입제의 역할이 커지면서 그 중요성이 감소되고 있다.

Isoproterenol은 수년간 흡입제로 선호되어 왔으나 β₂ 수용체에 비선택적이며 변형되지 않은 카테콜라민으로 작용 시간이 매우 짧다.

Metaproterenol은 cathechol O-methyltrnasferase (COMT)에 의해 쉽게 분해되지 않으므로 흡입제나 경구제로 투여가 가능하다.

Fenoterol은 β₁ 그리고 β₂ 아드레날린 자극성을 가지고 있기 때문에 고용량을 투여하거나 macrolide 항생제와 동시 투여 하였을 때 심장자극효과를 초래할 수 있다.

Albuterol과 terbutaline은 β₂ 수용체에 선택적으로 작용하는 약제로 심장자극효과가 적으면서 기관지 확장효과를 갖고 있다. 경구 또는 흡입제로 사용이 가능

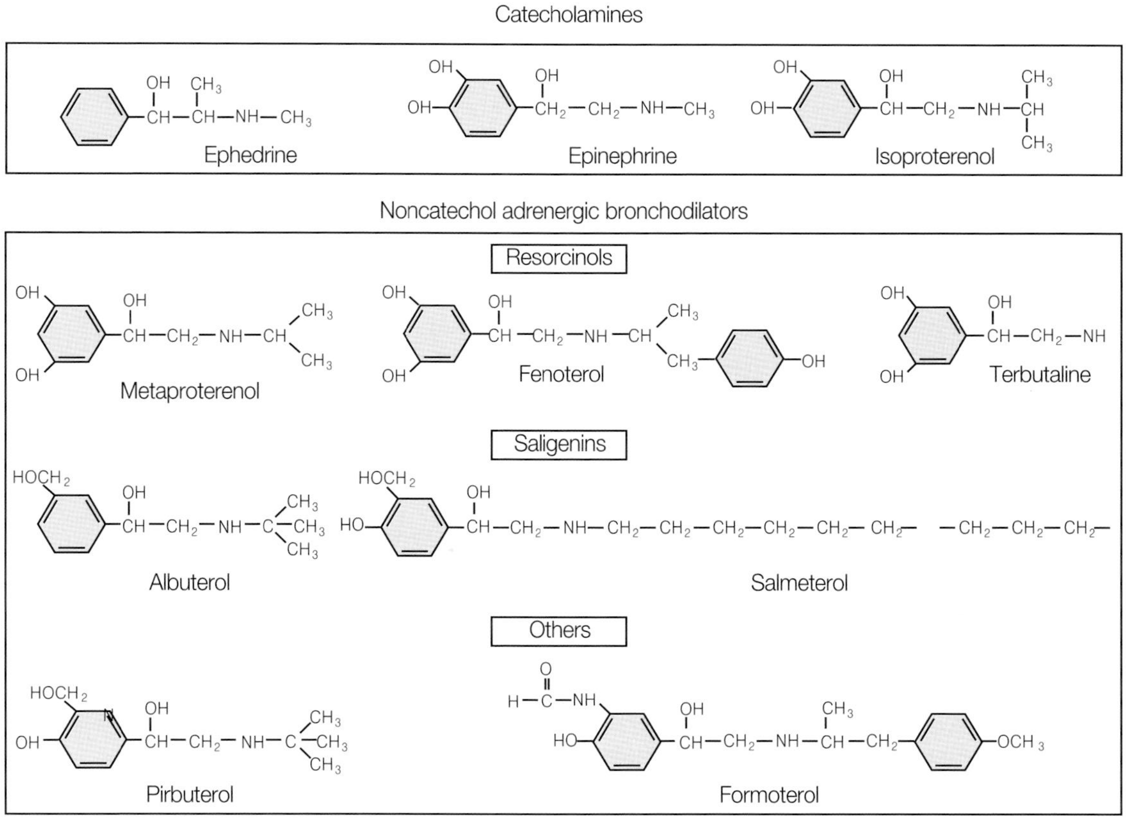

그림 8-1. β 수용체 항진제의 구조.

하다.

최근에는 작용효과가 12~24시간 지속되는 지속성 선택적 기관지 확장제인 formoterol과 salmeterol이 개발되어 사용되고 있다.

Formoterol은 매우 선택적인 β_2 항진제로서 흡입 후 albuterol과 비슷한 작용 시작을 가지며 지속적인 기관지 확장 효과를 가진다.

Salmeterol은 formoterol과 마찬가지로 선택적 β_2 항진제로 지속성 기관지 확장제이다.

2) 투여 경로

가) 경구

β_2 항진제를 경구로 투여하는 경우에는 흡입시보다 더 많은 용량이 필요하다. 경구용 terbutaline과 albuterol는 투여 후 2시간 이후에 최대의 기관지 확장 효과를 나타내며 4~8시간 지속된다.

나) 주사

중증 천식 발작시에 에피네프린을 피하주사 할 경우 기관지 확장 효과가 5분 이내에 나타내며 투여 용량에 따라 3~4시간까지 연장되기도 한다.

다) 흡입

β_2 항진제의 흡입 투여는 작용 발현 시간이 빠르고 전신 투여에 비해 부작용이 적으며 기관지 확장 효과가 더 크므로 현재 널리 사용되고 있다.

3) β_2 항진제의 기관지 확장 이외의 효과

β_2 항진제는 기관지 섬모 운동을 증가시키며 점막 흐름을 증가시키는 작용이 있다.

Salmeterol은 또한 비만세포와 호염기구로부터 히스타민 분비를 막을 뿐만 아니라 류코트리엔(leukotriene, LT) C_4, LTD_4, prostaglandin (PG) D_2, 비만 세포의 TNF-α 등의 염증인자들의 분비를 억제한다. 따라서 기관지 확장 효과뿐만 아니라 기도의 염증지표들을 의미있게 감소시키는 효과가 있다.

4) 부작용

β_2 기관지 확장제는 기관지 확장 효과 이외에 골격근의 β_2 수용체를 직접적으로 자극함으로써 진전을 유발한다. 그 외에도 심근의 β_2 수용체에 작용하여 심박수와 삼박출량을 증가시킨다.

또한 비선택적 β_2 항진제인 fenoterol을 투여하였을 경우에는 QTc 간격을 연장시키고 허혈성 심질환 환자에서는 심실 부정맥을 유발할 수 있다.

천식 환자에서 아미노필린을 같이 투여할 경우 동맥혈 산소 분압이 감소할 수 있으므로 산소 투여를 고려하여야 한다.

그 외에도 전해질의 불균형을 초래할 수 있고 전신적으로 투여할 경우 위식도 괄약근을 이완시키는 작용이 있다.

β_2 아드레날린 항진제 투여 중 기도과민성이 증가하는 보고들이 있는데, 특히 조기 및 후기 기관지 반응과 항원으로 유발된 기도과민성이 증가되었다. 증가된 기관지 반응성은 일시적이므로 사용을 중단하면 소실된다.

나. 테오필린과 phosphodiesterase 억제제

테오필린(theophylline)은 카페인이나 theobromine과 구조가 유사한 methyxanthine이다. 3-prophyl derivative enprofylline 은 기관지 확장제로서 더 강력한데 enprofylline의 임상적인 발전은 간독성 때문에 중단되었다.

1) 작용기전

테오필린은 비선택적인 PDEs 억제제로 세포에서 cyclic nucleotide를 분해하여 세포내 cyclic 3,5-adenosine monophosphate (cAMP)와 cyclic 3,5-guanosine monophosphate (cGMP) 농도를 증가시킨다.

천식 환자의 폐포 대식세포에는 PDE 활동이 증가되어 있으므로 테오필린은 정상인보다는 천식 환자의 기도내 PDE를 더욱 억제한다.

천식 환자에서는 테오필린은 치료 농도에서 adenosine 수용체를 억제하여 히스타민이나 류코트리엔 등 기관지 수축에 관여하는 화학 매개체의 분비를 억제한다. 테오필린은 말초 단핵구에서 TNF-α분비를 억제시키고 항염증 작용을 가진 IL-10의 분비는 증가시킨다. 테오필린은 체내 칼슘 분비와 대사에 영향을 줄 수 있다. 테오필린은 염증전구 전사요소(proinflammatory transcrption factor)인 nuclear factor kappa B (NFκB)를 핵안으로 이동시키는 것을 방해하여 천식과 만성 폐쇄성 폐질환에서 염증 유전자의 발현을 감소시킨다(표 8-4).

2) 세포 효과

테오필린의 가장 근본적인 작용은 기도의 평활근을 이완시켜 기관지 확장 효과를 나타내는 것이다. 또한 테오필린은 히스타민 분비를 억제시키고 알레르기 염증 매개물질을 억제시키는 작용이 있어 항원유발시험 후 관찰되는 알레르기 후기 반응을 억제한다(그림 8-2).

기관지 확장 효과는 혈중농도와 밀접한 연관성이 있다. 혈중농도 10 μg/mL 이하에서는 치료적인 효과가 적고 25 μg/mL 이상에서는 부작용의 위험성이 커진다. 따라서 급성 기관지 천식에서 기관지 확장 효과를 보이는 테오필린의 혈중 농도는 10~20 μg/mL이며 이를 유효치료 농도라 한다. 기관지 확장 효과 이외의 효과는 10 μg/mL 이하에서 나타난다.

표 8-4. 테오필린의 작용기전과 작용부위

Phospodiesterase (PDE) inhibition (nonselective)

Adenosine receptor antagonism (A1, A2A, A2B receptors)

Stimulation of catecholamine release

Mediator inhibition (prostaglandins, tumor necrosis factor-α)

Inhibition of intracellular calcium (Ca^{2+}) release

Inhibition of nuclear factor (NF) κB (decreased nuclear translocation)

Increased histone deacetylase activity (increased efficacy of corticosteroids)

테오필린은 cytochrome P-450 microsomal enzyme에 의해 간에서 대사되고 소변으로 배설된다.

테오필린의 청소율은 소아 연령층과 흡연(cigarette, marijuana), phenytoin, phenobarbital을 같이 투여할 경우 증가하며, 간질환, 폐렴, 심부전, erythromycin 계열의 항생제, allopurinol, cimetidine, 5-lipoxygenase 억제제 등과 같은 약물들에 의해 감소한다.

3) 투여 경로

가) 정맥

주사용 아미노필린은 과거부터 급성 중증 천식의 치료에 사용되어 왔다. 부하용량 6 mg/kg을 20~30분에 걸쳐서 투여한다. 그러나 환자가 이미 테오필린제제로 치료받고 있는 중이거나 청소율을 감소시키는 인자가 있는 경우에는 혈중농도를 측정하여 용량 조절을 하여야 한다.

나) 경구

테오필린의 경구 투여는 흡수가 빨라서 일정한 혈중 농도를 유지하기 힘들다.

서방형 테오필린제제는 일정한 속도로 흡수되어 12~24시간이상 안정적인 혈중 농도를 유지한다. 야간천식의 경우에는 취침 전 1회 투여로 효과를 볼 수 있다.

4) 부작용

테오필린은 폐쇄성 기도질환에 임상적으로 유용하지만 부작용이 빈번하여 그 사용이 제한되었다. 테오필린의 부작용은 혈중 농도와 관련 있어서 혈중 농도가 20 μg/mL이상일 때 발생한다. 그러나 환자에 따라 개인차가 심하여 낮은 농도에서도 부작용이 발생할 수 있다.

5) Phophodiesterase 억제제

Phophodiesterase 억제제는 세포 활성화를 억제하는 cyclic nucleotides(cAMP, cGMP)를 파괴하는데 10

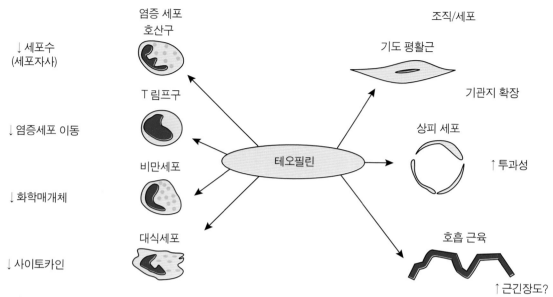

그림 8-2. 테오필린의 작용

개 이상의 PDE 동종효소가 발견되었다. 새로운 PDE 군은 분자 cloning으로 발견되었는데 아직 선택적인 억제제는 발견되지 않았다.

다. 항히스타민제

히스타민은 적어도 4가지 2, 3, 4의 히스타민 수용체를 통해서 신경계, 위장관, 면역체계의 다양한 조절 기능에서 중요한 화학 매개체이다. H_1 수용체를 통하여 감각신경의 흥분을 초래하여 소양증과 재채기를 일으킨다. 모세혈관 후 세정맥의 확장과 맥관의 투과성이 증가시켜 부종을 일으키고 호흡기, 위장관에서 평활근 수축을 가져오게 한다. H_1과 H_2 수용체에 작용하면 저혈압, 빈맥, 홍조와 두통을 초래한다. 아울러 히스타민은 더 많이 미묘한 면역조절 기능을 가지고 있다. H_2 수용체를 통하여 Th1과 Th2 각각의 반응을 억제한다.

1) 구조, 분류와 작용 기전

모든 H_1 항히스타민제는 에틸아민(ethylamine, CH_2CH_2N)을 포함하고, 히스타민과 약간의 유사점을

가진다(그림 8-3). 대부분의 1세대의 H_1 항히스타민제는 에틸아민 그룹에 질소, 탄소 또는 산소에 의해 연결되는 1,2개의 복소환식이나 아로마틱링(AR1,AR2)으로 이루어진다. 1세대의 H_1 항히스타민제의 다양한 아로마틱링이나 복소환식의 링과 알킬 치환기의 존재는 지방 친화성을 보이게 한다. 이는 H_1 항히스타민제가 혈액-뇌 관문을 통과하여 진정 작용, 정신 운동 기능의 손상, 다른 중추신경 효과를 보이게 된다. 결합 원자(X)의 성질에 따라 6가지 군으로 분류한다. 에탄올라민 (ethanolamines), 에틸렌 디아민 (ethylene diamines), 알킬아민 (alkylamines), 피페라진 (piperazines), 피페리딘(piperidines)과 페노타이아진 (phenothiazines) 등이다(표 8-5). 그러나 대부분의 2세대 항히스타민제는 위에 열거한 분류에 포함되지 않고 piperidines환을 포함된다. 최근 새로이 소개된 H_1 항히스타민제는 1세대 H_1 항히스타민제와 구조적으로 유사하다.

H_1 항히스타민제는 특이적, 비특이적 면역자극 후에 비만세포와 호염기구로부터 화학매개체 분비를 억제하며, 염증세포 활성화와 arachidonic acid 매개체(LTB4,

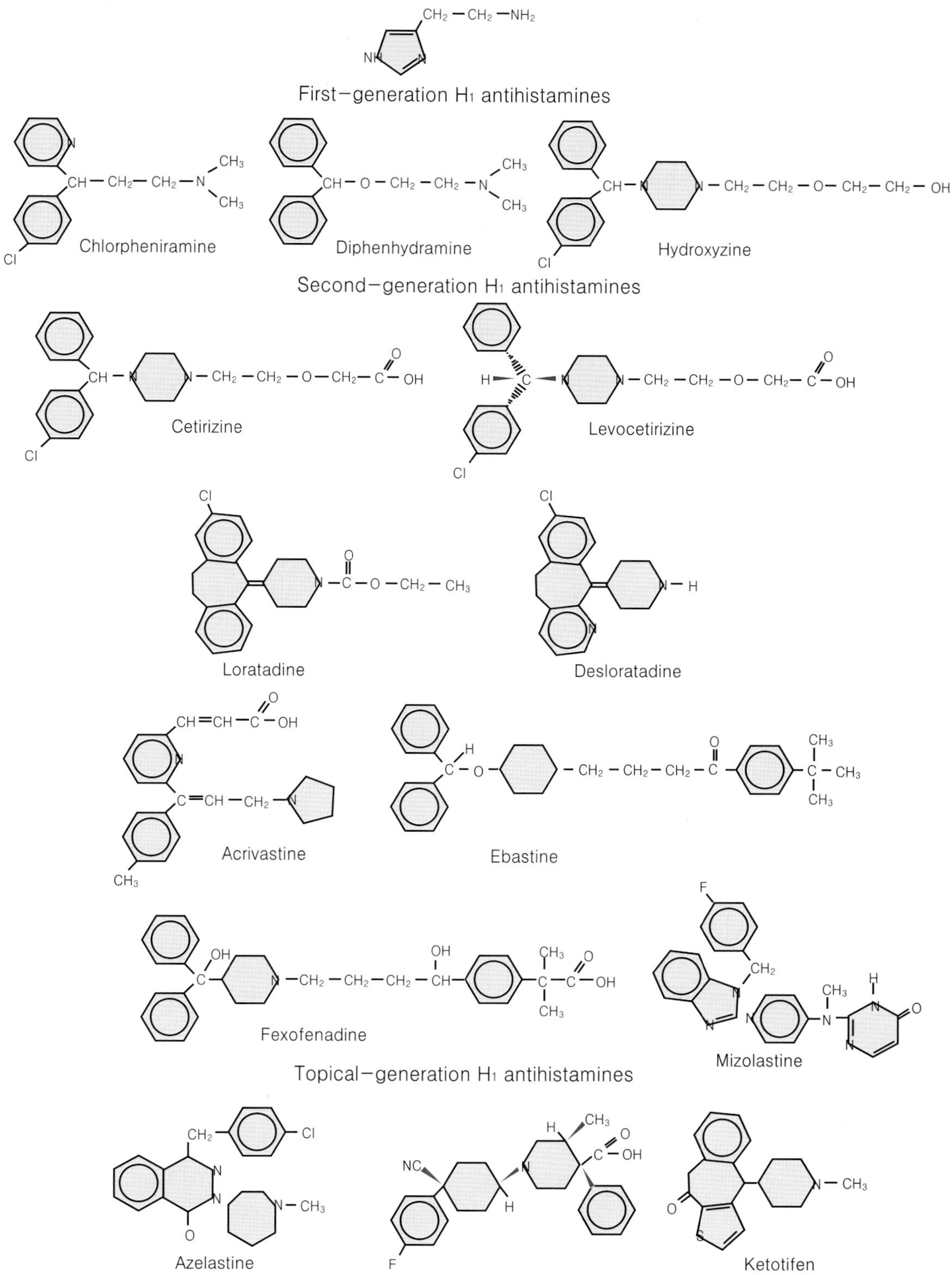

그림 8-3. 대표적인 H₁ 항히스타민제의 화학 구조

표 8-5. 대표적인 H₁ 항히스타민제의 분류

Class	First-generation drugs	Second-generation drugs
Alkylamines	Brompheniramine, chlorpheniramine, dimethindene, pheniramine, triprolidine	Acrivastine
Piperazines	Buclizine, cyclizine, hydroxyzine, meclizine Azatadine	Cetirizine, levocetirizine
Piperidines	Cyproheptadine, diphenylpyraline, ketotifen	Desloratadine, ebastine, fexofenadine, levocabastine, loratadine, mizolastine
Ethanolamines	Carbinoxamine, clemastine, dimenhydrinate, diphenhydramine, doxylamine, phenyltoloxamine	-
Ethylenediamines	Antazoline, pyrilamine, tripelennamine	-
Phenothiazines	Methdilazine, promethazine	-
Other	-	Azelastine, emedastine, epinastine, olopatadine

LTC4 등), 과산소 라디칼 등의 억제에도 관여한다.

또한 유착분자(ICAM-1, VCAM-1 등)의 하향조절과 사이토카인(IL-1β, IL-6, IL-8, TNF-α, GM-CSF)의 억제와 비례한 NFκB 표현의 하향 조절에 관여한다.

2) 약물 역동학

H₁ 항히스타민제의 약동학은 약제의 종류와 용량에 따라 다르다. 피부 등 표적 기관의 최고 혈장농도(Cmax)는 경구 투여 후 빠르게 도달한다. 항히스타민제의 두드러기 억제 효과는 약제 투여 후 0.5시간(acrivastine, cetirizine, levocetirizine)에서 3시간(loratadine, desloratadine) 이내에 시작되고, 최고 억제효과는 Cmax보다 나중에 발생하는데 일반적으로 1회 경구 투여 후 5시간에서 8시간 후에 나타난다.

H₁ 항히스타민제 1회 투여 후 작용 지속시간은 조직/혈장의 농도비율과 관련된다. 또한 H₁ 항히스타민제는 약물투여 중단 후에도 수 일간 약리적인 효과가 지속될 수 있으므로 대부분의 H₁ 항히스타민제는 알레르기 피부단자시험 전 3일에서 10일 정도 투여를 중단하여야 한다.

3) 항히스타민제의 부작용

대부분의 부작용은 1세대의 H₁ 항히스타민제에서 볼 수 있다.

1세대의 H₁ 항히스타민제는 혈액-뇌 장벽을 쉽게 통과하므로 보통의 용량에서도 기면, 인지-정신운동의 장애와 발작, 운동장애, 근긴장 이상과 환각을 포함한 여러 가지 다른 중추신경계 증상을 보일 수 있다. 2세대의 H₁ 항히스타민제는 1세대의 H₁ 항히스타민제에 비하여 중추신경계 부작용이 적다.

사이프로헵타딘 같은 제 1세대의 H₁ 항히스타민제, 다이펜하이드라민과 하이드록씨진 또는 H₁과 H₂ 항히스타민제 특성을 갖는 독세핀 같은 항우울제는 심장 독성의 효과(QTc 간격의 연장, 심방 혹은 심실 부정맥)를 갖는다는 보고가 있다. 2세대의 H₁ 항히스타민제 아스테미졸과 터페나딘은 치명적인 심실 부정맥의 발생이 보고되어 사용이 중단 되었다.

라. 스테로이드제

부신피질 스테로이드는 오랫동안 천식 및 알레르기 질환의 치료에 전신적 혹은 국소적으로 사용되어 왔으며 현재까지 가장 중요한 약제의 하나이다.

1) 기본 작용기전

스테로이드는 염증과정에 관여하는 다양한 세포들에 작용하는 것으로 알려져 있다. 알레르기 염증반응의 지휘자 역할을 하는 림프구의 수를 줄이고 IL-2의 생산 감소, IL-2 수용체의 표현 감소, 항원유도 세포증식의 억제, IL-4 생산의 감소를 초래한다. 알레르기 염증반응의 또 다른 주요 세포인 호산구에도 작용을 하여 말초혈액내 호산구의 수를 줄이고 스테로이드 흡입치료 후에는 기도상피와 점막의 호산구도 감소한다. 스테로이드는 또한 호산구의 화학주성을 방해하고 IL-4와 IL-5 매개 호산구 생존을 방해한다. 스테로이드 투여 후 호중구의 화학주성은 감소하고 말초혈액내 호중구 수는 증가한다. 대식세포의 수는 감소하고 호염기구의 화학주성을 억제하며 그 외에도 스테로이드는 비만세포의 수를 줄이는 것으로 알려져 있다. 아라키돈산 대사산물들(류코트리엔, 프로스타글란딘, 트롬복산 등) 이외에 많은 사이토카인 생성을 줄이는 효과가 있다.

스테로이드 반응세포에서 부신피질 스테로이드는 스테로이드 수용체를 통하여 목표 유전자의 전사(transcription) 과정에 개입함으로써 효과를 나타낸다. 스테로이드와 세포질내에 heat-shock 단백과 결합된 활성화된 수용체는 핵 내에서 이성체화(dimerize)되고 스테로이드 반응 유전자의 promoter 부위 스테로이드 반응 요소(glucocorticoid response elements, GREs)의 DNA와 결합한다. 이들 GREs는 유전자 전사 과정의 속도를 빠르게 혹은 느리게 하여 유전자 발현을 유도하거나 억제함으로서 관련 단백질 합성의 상향 혹은 하향 조절에 관여한다. 스테로이드는 결국 전령 리보핵산(messenger ribonucleic acid, mRNA)의 파괴를 촉진하는 리보핵산 분해효소의 전사를 강화함으로써 mRNA의 안정성을 떨어뜨려 단백 합성을 방해한다.

스테로이드 작용의 다른 기전은 전사요소와의 직접적인 상호작용을 통해서 이루어진다. 핵내에서 전사요소와 활성화된 스테로이드 수용체의 단백-단백 복합체는 DNA 부착을 억제하고 스테로이드 반응성을 감소시킨다. 이러한 상호작용의 예는 전사요소 활성화 단백질-1(activator protein-1, AP-1)에 의한 콜라겐 분해효소 유전자의 억제에서 볼 수 있다. 스테로이드는 AP-1을 활성화시키는 TNF-α와 phorbol ester에 의해서 각 콜라겐 분해효소 유전자를 방해한다. 스테로이드는 또한 DNA 부착 단계에서 상보유전자 전사를 통하여 전사요소의 효과를 방해한다.

스테로이드의 생리적 효과로 전신적 혹은 흡입경로를 통한 스테로이드 투여가 천식에서 염증과 기도과민성을 줄이고 그 결과로 기도폐쇄가 개선된다. 급성 천식이 악화되었을 때 초기에 전신적 스테로이드를 주사함으로써 이후의 응급실 방문이나 입원의 필요를 감소시킬 수 있다. 스테로이드는 알레르겐 노출 후 일어나는 후기 천식반응을 억제하지만 비만세포 탈과립에는 효과가 없기 때문에 즉시형 천식반응의 억제효과는 미미하다. 그러나 장기적인 흡입 스테로이드 치료는 완전하지는 않지만 초기 혹은 후기 천식반응을 모두 억제한다. 이런 효과는 치료의 기간에 좌우되는데 치료 4주 후에 즉시형 천식반응이 상당히 둔화되는 것을 볼 수 있다. 천식의 다른 특징인 기도과민성의 호전은 최소한 흡입 스테로이드 치료 3주 후에 볼 수 있다. 이런 결과와 달리 대부분의 연구는 스테로이드 치료과정에서 기도과민성의 완전한 정상화를 보이지는 못하였고 치료 중단 후에 흔히 이러한 효과가 급격히 사라짐을 보였다.

2) 전신 스테로이드

당류 코티코이드(glucocorticoid)의 기본구조인 코티손의 구조변형으로 항염증작용을 높이고 mineralocorticoid 효과를 줄인 새로운 스테로이드가 개발되고 있다(그림 8-4). 이러한 분자구조 변형은 흡수단백결합 세포막투과성, 조직분배 대사와 배설 등의 약물역동학적인 변화를 초래하고, 스테로이드 수용체 친화도와 상대적인 효능을 변화시켰다(표 8-6).

경구 혹은 비경구적 전신 스테로이드는 중증의 천식 및 알레르기질환의 급성 악화에서 단기간으로 사

그림 8-4. 주요 스테로이드의 구조. 당류코티코이드 (glucocorticoid)의 기본 구조인 cortisone의 구조 변형으로 항염증작용을 높이고 mineralocorticoid 효과를 줄인 새로운 스테로이드가 개발되고 있다.

용된다. 전신 스테로이드를 투여할 때 증상 호전의 인지는 환자에 따라 다양하게 차이를 나타내고, 질환의 중증도와 증상의 기간에 따라 영향을 받는다. 성인에서 프레드니솔론을 하루 40 mg 용량으로 10~14일 사용한 경우는 급작스럽게 끊은 경우에도 특별한 문제는 발생하지 않았다.

기관지 확장제와 흡입 항염증약제의 적절한 치료에도 불구하고 일부 천식환자들은 증상이 계속있고 폐기능 저하가 지속된다. 이러한 소수의 천식환자들은 지속적인 저용량의 전신 스테로이드 치료가 반복적인 고용량 치료를 대신해서 사용할 수 있다. 지속적인 투여 후 어떤 시점에서 환자의 병력을 바탕으로 매일 혹

은 격일 스테로이드 치료로 전환할 수 있다. 스테로이드의 급작스런 중단 후에 또 다른 악화를 경험한 환자들은 보다 서서히 용량 감소를 해야하고, 반면에 빈번한 고용량 치료를 했던 환자들은 지속적인 스테로이드 치료가 필요하다. 이상적으로는 격일 치료가 추천되지만 때로는 매일 치료가 필요하다. 이러한 환자들 특히 고용량 장기치료를 했던 환자들은 많은 스테로이드의 부작용들의 위험 속에 있다. 따라서 치료에 대해서 지속적으로 재평가가 이루어져야 하고 가능한 최소의 용량을 사용해야 하며 부작용에 대한 적절한 감시가 필요하다.

전신 스테로이드의 용량이 치료에 대한 천식 환자의 반응에서 중요하지 않다는 보고가 있다. 여러 연구에서 스테로이드 효과에 대한 용량-반응 관계가 분명하지 않았다. 소용량, 다빈도의 용량이 고용량, 일회성 용량보다 효과적이라는 보고가 있다. 소용량, 다빈도의 용량이 혈중 호염기구의 히스타민 농도를 낮추고 혈장 코티졸을 억제하였다. 그러나 이러한 방법은 여러 부작용의 위험성 때문에 사용에 제한적이다. 스테로이드의 반응을 최대화하는 다른 방법으로 투약 일정을 다양화하는 방법이 있다. 이것은 특히 야간발작 천식에서 유용한데 투약시간을 변경함으로써 야간발작 천식에서 증상, 폐기능 그리고 염증의 시간의존적 변화에 따라 스테로이드 최대 효과를 맞출 수 있다. 성인을 대상으로 한 연구에서 야간발작 천식 환자를 무작위로 3개군으로 나누어 스테로이드 용량을 각각 오전 8시, 오후 3시, 오후 8시에 투여한 결과, 오후 3시에 투여하였을 때 다른 군에 비하여 야간의 폐기능 저하를 의미있게 방지할 수 있었다. 이러한 결과는 야간발작 천식과 연관된 염증의 조절에서 스테로이드 투여 시각의 중요성을 보여준다.

스테로이드 치료 효과는 약물의 상호작용에 따라 조정되어야 한다. 리팜핀이나 항경련제인 카바마제핀, 페노바비탈, 페니토인 등은 스테로이드 대사를 촉진시킬 수 있다. 스테로이드는 일반적으로 경구투여 후 위장관에서 흡수가 잘 되므로 흡수장애가 있는 제

한적인 경우에만 비경구적인 방법을 사용한다. 반대로 케토코나졸, 마크로라이드 항생제 등의 약물은 약물 상호작용으로 스테로이드의 체외 배설을 지연시켜 스테로이드의 농도를 올릴 수 있다. 이러한 약제들은 체외 배설을 최대로 60%까지 줄일 수 있다. 따라서 스테로이드 약제의 효능을 높여서 부작용의 위험성을 가중시킬 수 있다.

3) 흡입 스테로이드

코티손의 6, 9, 16, 17, 21번 탄소 위치의 구조 변형이 스테로이드제의 국소 효과(topical activity)를 강화시킨다(그림 8-5). 스테로이드의 흡입경로를 통한 투여의 장점은 약제가 필요로 하는 특정 위치인 기도와 폐로 효과적인 약제가 직접 전달될 수 있으며, 전신적 부작용의 잠재적인 위험을 낮출 수 있다. 스테로이드를 포함한 항염증 약제의 흡입 치료는 지속성 천식의 초기 단계에서부터 추천되고 있다.

흡입 스테로이드의 효과는 사용 방법에 따라 차이가 있다. 소아에서는 스페이서를 비롯한 보조기구를 사용함으로써 약물의 효과를 높일 수 있다.

4) 국소 스테로이드제

국소 스테로이드제의 항염증 효과는 상부 진피층의 소혈관의 혈관수축반응에 따라 역가(potency)를 분류하며 각각의 질환에서 적절한 강도의 약제를 선택하여 적절한 기간을 사용하는 것이 중요하다. 약제 투여 후 1에서 4주 후에도 임상적 호전이 없다면 다시 한번 약제 선택을 평가해야 한다. 국소 스테로이드제 불소화가 약제의 역가도 강화시키지만 부작용의 가능성도 그만큼 커진다.

국소 스테로이드제는 그 기제(vehicle)에 따라 피부를 통한 흡수율에서 차이를 보일 수 있다. 일부의 기제는 병변 부위에 자극이나 알레르기를 일으킬 수 있다. 크림(cream) 기제는 여러 유기 화학물과 수분의 복합체이다. 계속 사용시에 건조 효과가 있어서 급성 삼출성 염증기에 사용한다. 연고(ointment)는 유기 화학물과 petroleum jelly 같은 기름 성분의 복합체로 수분은 아주 적거나 함유하지 않는다. 보다 건조한 병변에 사용하고 크림제 보다 역가를 강화시킨다. 겔(gel)은 폴리필렌 글리콜과 수분의 복합체로 급성 삼출성 염증 부위에 사용하고 두피 같은 모발이 있는 부위에 사용한다. 용액(solution) 혹은 로션(lotion)은 다량의 물과 알코올을 포함하며 두피 같은 모발이 있는 부위, 서혜부 같이 겹치는 부위에 유용하다.

Tachyphylaxis는 국소 스테로이드의 혈관수축작용에 대한 급성 내성으로 효소 유도의 결과로 발생하며 약물반응이 감소되는 것을 말한다.

표 8-6. 흔히 사용되는 경구용 스테로이드의 상대적 효능과 약리 효과

Preparation	Potency relative to hydrocortisone	Relative to sodium-retaining potency	Approx. equivalent. dose (mg)	Duration of action*
Hydrocortisone	1	1	20	Short
Cortisone	0.8	0.8	25	Short
Prednisolone	4	0.8	5	Intermediate
Prednisone	4	0.8	5	Intermediate
MPn	5	0.5	4	Intermediate
Triamcinolone	5	0	4	Intermediate
Dexamethasone	25	0	0.75	Long
Betamethasone	25	0	0.75	Long

* short, 8~12 hour, intermediate, 12~36 hour, long, 36~72 hour biologic half-life, *MPn*: methylprednisolone

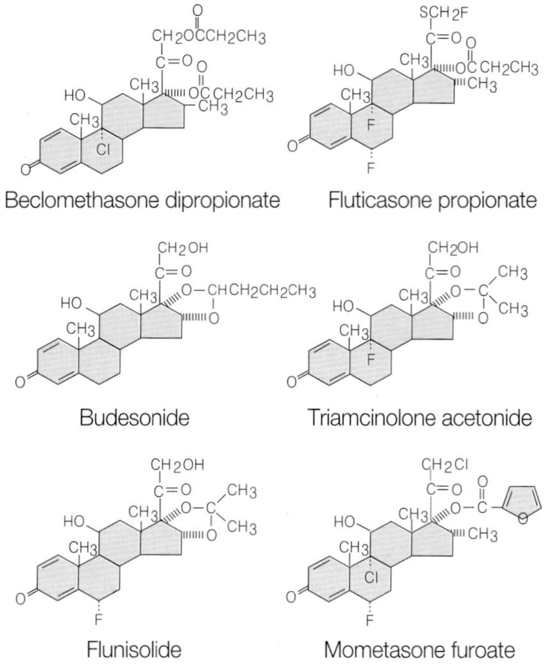

그림 8-5. 흡입 스테로이드의 구조

5) 부작용

스테로이드는 천식 및 알레르기질환의 치료에서 효과적이고 강력한 약제이나 여러 가지 부작용에 의해서 사용이 제한되는데, 특히 만성적으로 고용량의 전신 스테로이드를 사용하는 경우 문제가 된다(표 8-7). 전신 스테로이드의 사용이 보다 많은 부작용의 위험성을 갖고 있으나 흡입 스테로이드도 완전히 배제할 수는 없다.

스테로이드에 의한 성장억제의 기전는 분명하지는 않지만 성장 호르몬 생산의 억제, 소마토메딘(somatomedin) 활성도의 감소, 뼈와 결체조직에 대한 직접 억제효과 등에 의한 것으로 생각되고 있다.

성장의 감소는 메칠프레드니솔론 혹은 프레드니손을 5 mg/m²/day 이상 사용할 때 나타난다는 보고가 있다. 격일 치료가 이러한 위험성을 줄일 수 있다. 흡입 스테로이드를 사용한 경우 성장억제는 대개의 경우 단기간 동안의 하지성장으로 측정하며, 흡입 스테로이드의 사용이 최종신장에 영향을 미치지 않는다는 보고가 있다.

시상하부-뇌하수체-부신(hypothalamic-pituitary-adrenal, HPA)축의 억제와 부신기능부전은 스테로이드 치료의 잠재적인 부작용의 하나이다. 그러나 임상적으로 부신기능부전의 위험성은 실제로 적고 소아의 경우 부데소나이드로 1일 400 μg, 성인의 경우 1일 800 μg 이상 사용하였을 때 어느 정도의 부신 억제가 일어나는 것으로 보고되었다. 이러한 흡입 스테로이드의 부작용은 대용량 스페이서의 사용과 구강세척으로 줄일 수 있다.

골다공증(osteoporosis)은 전신 스테로이드 사용 후에 올 수 있는데 프레드니손 7.5 mg/day 이상의 용량으로 장기간 사용하였을 때 나타날 수 있다. 만성적으로 스테로이드를 사용하는 소아에서 간과하기 쉽고 그 시작이 서서히 일어난다. 늑골이나 척추골같은 기둥뼈(trabecular bones)에서 겉질뼈(cortical bones)보다 3배 이상 더 잘 생긴다.

그 외에 범발성 수두(disseminated varicella)는 고용량의 전신 스테로이드를 사용하고 있는 소아 환자에서 생길 수 있는 부작용이다. 스테로이드 유발성 백내장은 비교적 작은 병변이지만 시력에 영향을 줄 수 있고 수술 치료를 요하기도 한다. 보다 흔한 흡입 스테로이드의 부작용으로 구강 캔디다증과 발성장애가 올 수 있다.

국소 스테로이드제는 국소적으로 말초혈관확장증을 동반한 피부위축, 자반증, 해부학적 폐색부위에 선(stria), 옴, 백선증, 농가진 등의 피부감염, 알레르기성 접촉 피부염, 치료가 멈추게 되고 난 후의 반동현상, 다모증, 저색소증 등의 부작용이 동반될 수 있다. 전신적 부작용은 넓은 부위에 바르거나, 장기간 사용한 경우, 밀폐요법을 한 경우, 유소아에서 강력한 제제를 사용한 경우에 드물게 발생할 수 있다.

표 8-7. 스테로이드의 부작용

심혈관계	고혈압
피부	피부 연화, 멍, 여드름
내분비계	부신기능 억제, 성장 장애, 성성숙 지연, 체중 증가, Cushing 증후군 (달덩이 얼굴, 물소혹변형(buffalo hump), 당뇨병
조혈계	림프구 감소증, 호중구 감소증
대사	저칼륨혈증, 고혈당증, 고지질혈증
근골격계	골다공증 (빈번한 골절 동반), 무균성 골질환, 근육병증
안과	백내장, 녹내장
정신/신경계	감정 동요(mood swings), 정신병

마. 류코트리엔 길항제

최근 천식의 진료지침에 의하면 지속적인 기도의 염증반응을 조절하기 위한 조절제로 흡입 스테로이드제 이외에 테오필린, 지속형 β_2 흡입제, 크로몰린제, 류코트리엔 길항제 등을 사용하기도 한다.

1) 류코트리엔의 생성
가) 류코트리엔의 생성

세포막내 phospholipid가 phospholipase A2에 의해 arachidonic acid(AA)로 생성된다. 세포질내의 phospholipase A2(PLA2)가 기계적, 물리화학적인 자극에 의해 활성화되면, 세포막에 부착되어 있던 AA를 세포질내로 유리시킨다. 이러한 유리 AA는 cyclooxygenase pathway를 거쳐 prostaglandin이나 thromboxane을 형성하기도 하며, 5-lipoxygenase pathway를 거쳐 류코트리엔을 형성할 수도 있다(그림 8-6).

나) 5-lipoxygenase pathway

5-lipoxygenase가 세포막의 5-lipoxygenase-activating protein(FLAP)과 결합하여 유리 AA를 5-hydroperoxyeicosatetraenoic acid(5-HPETE)와 LTA4로 전환시킨다. LTA4가 LTB4 또는 cysteinyl 류코트리엔(CysLT)인 LTC4로 전환되며, LTC4가 다시 LTD4로, LTD4가 최종적으로 LTE4로 전환된다.

2) 류코트리엔의 역할
가) 류코트리엔의 생성부위

류코트리엔은 호산구, 비만세포, 대식세포가 항원 자극이나 PAF(platelet activating factor) 또는 complement anaphylatoxin, calcium signal 등의 자극을 받아 생성한다.

나) 류코트리엔의 효과

CysLT은 혈관투과성을 증가시키고, 피부혈관의 혈류를 증가시키며, 비강내 점막의 혈류를 증가시켜 국소적인 부종을 초래하고 조직으로 유출된 단백질이 여러 염증 매개 물질(kinins, complement component, clotting factors 등)을 유도하여 점액전(mucus plug)을 형성하고, mucociliary clearance를 억제하여 염증반응을 유발하게 된다.

동물 실험에서 LTD4, LTB4 흡입 후 기도점막에서 호중구와 호산구가 증가하는 것으로 보고되었으나 이들의 직접적인 화학주성의 기전은 명확히 밝혀져 있지 않다. 간접적으로 혈관 투과성을 증가시켜 다른 매체가 분비되게 하거나 PAF 분비로 인하여 이들 염증세포가 증가하는 것으로 추정되고 있다.

CysLTs은 히스타민보다 1000배 이상 더 강력한 기관지 평활근 수축효과를 가지고 있으며, 이러한 효과는 정상인에서도 볼 수 있으나, 천식을 가지고 있는 환자의 경우 훨씬 더 강력하게 반응한다. 또한 이런 급성 기관지 수축 외에도 장기적으로 기관지 평활근의 증식과 비대를 촉진하는 작용이 있어서, 기관지 내경의 감소와 기관지의 내인성 긴장도(intrinsic tone)의 증가시킨다.

직접적인 기관지 수축 작용 외에도 CysLTs은 기도과민성을 증가시키는 작용도 있다. 정상인의 경우에는 이러한 기도과민성 증대 효과는 나타나지 않으나, 천식 환자의 경우 CysLTs 흡입 후 3~4배 기도과민성이 증가한다.

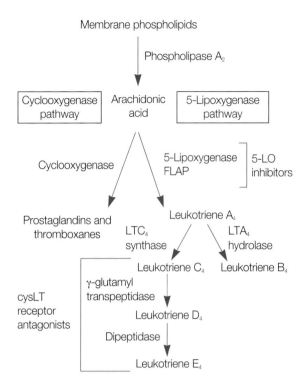

Membrane phospholipids

Phospholipase A₂

Cyclooxygenase pathway   Arachidonic acid   5-Lipoxygenase pathway

Cyclooxygenase   5-Lipoxygenase FLAP   5-LO inhibitors

Prostaglandins and thromboxanes   Leukotriene A₄

LTC₄ synthase   LTA₄ hydrolase

Leukotriene C₄   Leukotriene B₄

γ-glutamyl transpeptidase

cysLT receptor antagonists   Leukotriene D₄

Dipeptidase

Leukotriene E₄

그림 8-6. 류코트리엔의 생성과정. 세포막내 phospholipid가 phospholipase A2에 의해 arachidonic acid (AA)로 생성된다. 세포질내의 phospholipase A2 (PLA2)가 기계적, 물리 화학적인 자극에 의해 활성화되면, 세포막에 부착되어 있던 AA를 세포질내로 유리시킨다. 이러한 유리 AA는 cyclooxygenase pathway를 거쳐 prostaglandin이나 thromboxane을 형성하기도 하며, 5-lipoxygenase pathway를 거쳐 류코트리엔을 형성할 수도 있다. NSAIDs: nonsteroidal antiinflammatory drugs, cysLT: cysteinyl leukotrienes, FLAP: 5-lipoxygenase-activating protein.

LTC4와 LTD4는 강력한 점액분비 작용을 가지고 있는 것으로 알려져 있으며, in vitro 실험에서 용량에 비례하여 점액분비 효과가 증가하는 것으로 확인 되었다. 또한 호흡기계의 섬모운동을 저해함으로써 점액의 제거를 억제하는 효과도 있다.

3) 류코트리엔 길항체 종류

5-lipoxygenase 억제제와 FALP 억제제인 LT 합성 억제제와 CysLT 수용체 길항제의 2종류가 있다. 5-lipoxygenase 억제제는 사람에서 찬공기, 건조한 공기, 아스피린 유발성 천식과 항원유발에 의해 야기되는 기관지 수축을 억제하는 효과가 알려져 있으나 부작용으로 드물게 간 효소치 상승(alanine aminotransferase)을 관찰할 수 있어서, 간기능 검사를 일정한 간격으로 1년 정도할 것을 권유하고 있다.

항원자극에 의한 기관지 수축반응을 감소시킬 수 있으며, FLAP과 길항작용을 하여 5-lipoxygenase의 translocation을 억제하며, 소변내 LTE4 생산을 억제하고 CysLT의 활성을 억제한다.

CysLT 수용체 길항제는 CysLT의 작용을 표적세포 단계에서 수용체에 길항작용을 하여 억제하는 작용을 한다. 작용기전은 폐에서 호산구 유입을 억제하고, 류코트리엔 매개성 기관지 수축을 억제시킨다. Aspirin 과민성 기도수축 환자에게 사용하면 기관지 수축을 완화시키는 효과가 있다.

또한 LTC4 및 LTD4가 유발하는 점액분비를 억제하여 천식환자에서 점액전 형성을 감소시킨다.

3. 흡입요법

최근 천식이나 비염 등을 포함한 호흡기 질환의 치료에 흡입요법이 증가하는 추세이다. 흡입요법은 호흡기 약물을 작용부위로 직접 투여하므로 빠른 효과를 기대할 수 있으며, 약물을 전신적으로 투여할 때보다 적은 용량으로 동일한 효과를 나타내기 때문에 부작용을 줄일 수 있다. 또한 간에서의 1단계 대사나 위장관에서의 흡수문제 등에 영향을 받지 않는 장점이 있다.

그러나 흡입요법은 어느 정도의 약물이 폐에 침착되었는지 알 수 없는 단점이 있다. 네뷸라이저의 종류와 에어로졸 입자의 크기, 마스크나 마우스피스 (mouthpiece) 등을 포함한 흡입 보조기구의 사용, 나이와 체중, 기관지의 해부학적 상태 등에 의해서 폐에 침착되는 약물의 양이 영향을 받지만 정확한 평가는 힘들다.

가. 에어로졸

에어로졸(aerosol)이란 공기중에 부유상태 (suspension)로 존재하는 고체나 액체 입자의 혼합물을 의미한다. 에어로졸로 존재하는 입자들은 물리적인 성격에 영향을 미치는 모양이나 크기, 밀도, 전하 (electrical charge) 등이 다양하다.

연구용으로는 입자의 크기, 모양, 밀도 등이 동일한 입자를 에어로졸로 많이 사용하지만 보통 치료목적으로 이용되는 일반적인 에어로졸은 대부분 입자의 크기가 매우 다양하다. 따라서 밀도와 모양이 다른 에어로졸의 특성을 나타낼 때에는 공기역동직경(aerodynamic diameter)을 기준으로 한다.

공기역동직경은 침강속도(settling velocity)가 동일할 때 1 g/mL의 밀도를 가진 구형 입자의 직경을 의미한다. 공기역동직경 중앙값(mass median aerodynamic diameter; MMAD)은 이 에어로졸 집단이 동일하게 나누어지는 직경을 의미한다. 즉, 에어로졸 전체의 50%는 이 MMAD보다 적은 입자이며 나머지 50%는 MMAD보다 큰 입자로 이루어져 있다. 에어로졸의 기하 표준편차(geometric standard deviation; GSD)가 1.22 미만이면 균산(monodisperse) 에어로졸이고 1.22 이상이면 크기가 다양(heterodisperse)한 에어로졸이다.

에어로졸을 만들어내는 기구로 흔히 사용되는 것에는 네뷸라이저(nebulizer), 가압 정량분무식 흡입기 (pressurized metered dose inhaler; pMDI), 분말 흡입기(dry powder inhaler; DPI) 등이 있다. 네뷸라이저는 에어로졸을 만드는 방법에 따라 젯트형과 초음파형으로 나누어진다. pMDI에는 다양한 형태의 흡입 보조기구, 예를 들면 스페이서, holding chamber, 얼굴 마스크 등을 부착하여 사용할 수 있다. DPI에는 스핀헬러 (spinhaler), 로타헬러(rotahaler), 디스크헬러 (diskhaler), 터부헬러(turbuhaler), 디스커스(diskus) 등이 있다. 보통 이용되는 네뷸라이저는 MMAD가 1~8 μm인 heterodisperse 에어로졸을 만들어낸다.

1) 에어로졸이 침착하는 기전
가) 관성충돌

관성은 움직이는 물체가 그 방향과 속도를 계속 유지하려는 경향을 말한다. 따라서 물체의 질량과 속도에 의해 결정되는 운동량에 따라서 입자가 클수록(5 μm 이상), 기류의 속도가 빠를수록, 기도의 내경이 좁을수록 충돌에 의해 입자는 침착한다.

충돌(impaction)은 호흡기에 대부분의 입자가 침착하는 주된 방식이다. 주로 상부 기도와 비교적 큰 기도의 분지부에서 충돌에 의한 침착이 일어난다.

나) 침강

충돌하지 않은 입자들은 작은 기관지(conducting airways)내를 서서히 통과하다가 중력에 의해 침강한다. 중력은 물체가 아래로 떨어지게 하는 힘으로, 흡입된 에어로졸 입자는 그 크기의 제곱과 호흡기 잔류시간에 비례하여 중력에 의해 침강한다. 에어로졸 중 5 μm이하의 입자들이 주로 이 방식에 의해 기도에 침착한다.

입자 크기가 0.1 μm이상으로 크거나 잠간 숨을 멈추거나, 천천히 오래 숨을 쉴 때와 같이 기류의 속도가 느릴 때 침강에 의한 침착이 증가한다. 세기도와 폐포에서는 기류 속도가 느리고 잔류시간이 길어서 침강되는 양이 상대적으로 많다.

다) 확산

0.5 μm이하의 작은 입자들은 공기분자들의 충돌에 의해 밀려다니면서 아무 방향으로나 움직이는 브라운 운동(Brownian movement)에 의해 폐의 말단부 즉, 모세기관지나 폐포 등에 침착하는데 이를 확산(diffusion)이라 한다. 이러한 방식으로 폐에 침착되는 입자들은 매우 적으나 이들이 치료목적으로는 유용하다.

라) 정전기적 침전

대부분의 입자는 전기적 성질을 지니고 있어서 정전기 작용으로 호흡기에 입자가 침착할 수 있다. 호흡기 표면은 전기를 띠지는 않으나 전달할 수는 있어서 전기를 띤 입자가 접근하면 입자와 반대되는 전기가 나타나 입자를 끌어당겨 침착시킨다. 같은 전기를 띤 입자들끼리 서로 반발하는 힘도 기도벽에 입자가 침착되는 기전으로 작용한다. 정전기적 작용은 말초기도에서 크기 0.1~1 μm 입자에 중요한 기전으로 작용한다.

마) 차단

입자의 중심부로부터 기도표면까지의 거리가 입자 크기보다 작아지는 지점에 이르면 입자가 더 이상 기도내로 들어갈 수 없게 되는 데 이를 차단이라 한다.

에어로졸은 기도내에서 여러가지 방식으로 침착된다. 이 중 가장 중요한 침착 방식은 충돌(impaction), 침강(sedimentation), 확산(diffusion)의 3가지이다. 충돌은 분지부를 포함한 중심 기도에서 많이 일어난다. 약물의 효과를 나타내기 위하여 가장 중요한 침착 기전은 침강이며 침강을 증가시키기 위하여 10초간 숨을 참는 방법으로 흡입하도록 교육하고 있다.

말초기도에서는 중력으로 인해 불균등하게 침강된다. 또한 환자가 서 있을 때는 폐의 하엽보다 상엽으로 약물 운반이 적어 침착이 불균등하게 이루어진다. 앙와위로 흡입하면 상엽으로의 환기가 어느 정도 개선되어 약물 전달이 개선될 수 있다. 폐의 상엽으로 약물의 전달이 잘 안되는 이유는 확실하지는 않지만 환기의 감소와 해부학적 특성이 일부 관여할 것으로 생각된다.

약물이 호흡기의 특정부위에 도달하게끔 하는 약물 표적화(targeting)는 보조기구를 사용하는 것이 아직까지는 유일하다. 정량식 분무기에 스페이서를 부착함으로써 약물이 상부 기도에 침착하는 것을 줄일 수 있다. 대부분의 기도 확장제 처럼 수용성 약물은 약물 표적화가 덜 중요한데 이는 폐 및 기관지 순환을 통해 중심 기도에서 말초기도로 약물의 재분배가 이루어지기 때문이다. 그러나 흡수가 잘 안되는 항생제 같은 약제나 말초에서는 특수한 효과가 있지만 중심부위에 침착되면 부작용이 나타나는 펜타미딘 같은 약제는 약물표적화가 중요하다.

2) 에어로졸 침착에 영향을 미치는 인자

가) 입자 크기와 분포

폐로 약물이 도달하도록 흡입하는데 가장 적당한 입자의 크기는 0.5~10 μm 이다. 0.5 μm 크기의 입자는 중력으로 침강되기에는 너무 작고 확산되기에는 너무 커서 폐에 침착이 가장 적다. 0.5 μm보다 작은 입자는 확산에 의해 침착되기도 하지만 많은 양은 호기시에 다시 밖으로 나온다.

입자의 크기가 4 μm 정도가 폐포 부위에 가장 잘 침착되고 7~8 μm 정도는 기관 및 기관지부위에 가장 잘 침착되며 15 μm이상이면 인두부위에 침착되어 폐로 들어가지 못한다.

나) 호흡기의 구조

입자가 침착되는 것은 기도 직경, 분지될 때의 각도, 폐포까지의 거리 등에 영향을 받는다. 후두에서 기류가 갑자기 변하기 때문에 이 부위에 입자가 많이 침착한다. 후두를 통과하면서 jet 기류가 와류를 일으켜 약 2 cm 하방의 기관벽에 입자가 충돌한다. 흡기시는 기관지 분지 부위에 침착이 많이 된다. 호기시는 분지된 기관지를 나가 합쳐지는 부위 벽에 두개의 삼각형 침착장소가 형성되고 2차 순환기류가 형성되어 와류에 의해 침착된다. 호기 때의 침착은 흡기 때보다 양은 적지만 호흡이 빠르고 얕을 때에는 침착이 많다. 폐포 부위에서는 기류가 거의 없어서 주로 침강과 확산에 의해 침착한다. 중력에 의한 침강은 폐의 하반부에서 주로 일어나지만 확산은 폐 전체에서 일어난다.

다) 흡입 경로

코는 흡입한 공기를 가습하고 미세 입자를 여과하는 등 여러 가지 기능을 한다. 코에서 침착은 주로 내부 소공(internal ostium) 때문에 형성된 와류에 의한 충돌이다. 코는 20 μm이상의 큰 입자는 완전히 거르며 2 μm보다 작은 입자들은 잘 못 거른다. 흡입속도가 빠르면 여과가 더 잘된다. 이런 이유로 코보다는 입으로 숨 쉴 때 약물이 폐로 더 잘 운반된다.

라) 흡입 유량

빠른 흡입은 관성을 증가시켜 상부 기도와 큰 중심 기도내 침착을 증가시킨다. 이런 이유 때문에 네뷸라이저나 정량분무식 흡입기 같은 운반기구를 사용할 때는 느린 흡입법을 권장하고 있다.

그러나 분말 흡입기의 경우는 크기가 2 μm정도의 입자들내에 서로 끌어당기는 힘을 극복할 정도의 에너지가 환자의 노력에 의해 만들어져야 한다. 환자의 노력이 클수록 응집된 입자가 더 많이 분해되어 흡입할 수 있는 입자의 수가 증가한다. 따라서 분말 흡입기를 이용하여 하부기도로 약물이 효율적으로 운반되도록 하기 위해서는 흡입 유량(inspiratory flow)이 최대가 되어야 한다.

마) 흡입량

깊은 흡입은 입자의 말초기도내 침착을 증가시킨다. 분말 흡입기의 경우, 흡입유속을 높이기 위해 다량-호흡(large-volume breath)이 필요하다. 정량분무식 흡입기의 경우, 비록 기능성 잔기 용량(functional residual capacity)에서부터 흡입을 시작하는 것이 잔기량(residual volume)에서부터 시작한 것과 비슷하게 효율적이긴 하지만 많은 양의 흡입 호흡이 권장된다. Jet 네뷸라이저의 경우는 연구가 부족하지만 평상 호흡만으로도 느리고 깊은 호흡을 하면서 숨을 참는 흡입할 때와 유사한 정도로 약물이 운반된다. 이는 숨을 참고 있는 시간 동안에도 네뷸라이저를 통해 일정한 속도로 에어로졸이 만들어지고 있어 흡입하는 약물의 총량이 감소하기 때문인 것으로 사료된다. 따라서 중단기를 사용하여 흡입할 때만 네뷸라이저를 작동시키면 약물의 운반을 증가시킬 수 있겠지만 흡입시간이 길어지는데 따른 불편함이 가중된다.

바) 숨 멈추기

숨을 멈추면(breath-holding) 침강에 의한 침착을 증가시키고 폐의 말초부위에 침착을 증가시킨다. 그러나 실제적으로는 정량 분무식 흡입기의 경우에만 숨을 멈추는 것이 유용하다. Jet 네뷸라이저는 숨을 멈추면 약물의 소비가 많아지고, 분말 흡입기는 높은 흡입 유량으로 인해 대부분의 입자가 충돌에 의해 침착하기 때문이다.

사) 질환

폐쇄성 기도 질환이 있을 때에는 질환이 진행하면서 에어로졸의 침착 양상은 더 중심부위에서 이루어지게 된다. 질환이 있는 기도는 불규칙적이고 좁아져 있기 때문에 와류가 발생하여 관성 충돌에 의해 입자가 침착한다. 병변이 있는 부위에서는 폐의 말초까지 통과하는 입자가 적지만 일단 통과한 입자는 정상 기도에서보다 침착이 더 잘된다. 입자가 작을수록 와류의 영향이 적으므로 폐쇄성 질환이 있는 환자에서는 크기가 작은 입자를 사용하여 말초기도로 운반을 증가시킬 수 있다.

나. 약물 운반 체계

1) 네뷸라이저

가) Jet형 네뷸라이저

모든 jet형 네뷸라이저는 가압된 가스가 좁은 통로를 통과하면 그 속도는 증가되고 측압은 감소된다는 Bernoulli의 법칙을 이용하였다. 벤츄리(venturi)라고 하는 아주 좁은 구멍으로 가압 가스를 통과시키면 갑자기 가압 가스의 압력이 떨어지게 된다. 가압가스의 분출구에 90도로 모세관을 세우고 그 반대쪽 끝을 약액에 담그면 압력의 차이에 의해서 액체가 빨려든다. 빨려든 액체는 다른 구멍으로 나오면서 표면 장력에 의해 작은 물방울로 변한다. 이렇게 해서 직경 15~500 μm의 물방울이 형성된다. 그 앞 부위에 차폐장치(baffle)를 놓아두면 큰 입자들은 충돌하거나 저장소로

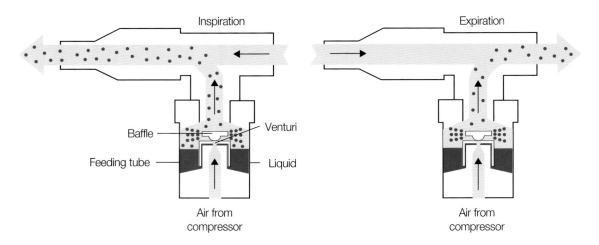

그림 8-7. Jet형 네뷸라이저

다시 되돌아가고 작은 입자들만 네뷸라이저 밖으로 나오는 기류에 포함된다(그림 8-7).

Jet형 네뷸라이저에 의해 에어로졸로 만들어진 입자 중 폐에 침착되는 정도는 1%미만에서 10%까지 매우 다양하다. 이는 개개인의 차이, 네뷸라이저의 디자인, 작동시의 상황, 약물의 특성 등의 차이에 기인한다. 에어로졸의 소량만이 폐에 침착되는 이유 중 특히 중요한 것은 입자의 대부분이 실제적으로 네뷸라이저의 마우스피스를 벗어나지 못하고 네뷸라이저 자체의 벽이나 차폐장치에 충돌하여 사강량(dead volume)으로 남는 것이다. 게다가 전체 양의 2/3 또는 3/4에 해당하는 호기시에 만들어지는 에어로졸이 다시 네뷸라이저로 불려 되돌아간다. 주어진 네뷸라이저에서 사강량은 일정하며 1 mL 내외이다. 젯트형과 초음파형 모두 용액이 0.5~1.0 mL미만인 경우에는 작동하지 않거나 간헐적으로 작동하게 된다. 따라서 약물의 효과를 충분히 나타내기 위해서는 2~3 mL의 희석액을 사용하는 것이 필요하다. 희석하는 용량을 늘이면 원래의 약물은 더 많이 에어로졸로 만들어져 나가지만 대신 시간이 많이 소요되므로 환자의 순응도가 떨어지는 문제점이 발생하게 된다. 사강량을 최소화하기 위한 또 다른 방법은 네뷸라이저 기구를 톡톡 쳐 줌으로써 기

구의 벽에 융합된 용액을 저장소로 보내 에어로졸로 만들어 질 수 있도록 하는 것이다.

에어로졸로 만들어지는 동안에는 희석용액이 증발되기 때문에 네뷸라이저의 남은 용액의 온도가 내려가고(보통 10~15℃) 남아 있는 약물의 농도는 증가하여 생성되는 에어로졸의 양은 감소한다.

대부분의 jet형 네뷸라이저는 6 mL이하의 적은 용량이다. 공기 압축기(air compressor)나 실린더(cylinder)에서 나오는 지속적인 기류(continuous airflow)에 의해 작동된다.

에어로졸 입자의 크기는 기구마다 차이가 있고 차폐장치의 구조나 모세관의 구조 등에 의해서 영향을 받는다. 네뷸라이저 가스의 기류의 속도가 클수록 MMAD가 감소한다. 예를 들어 12 L/min으로 작동하는 네뷸라이저는 3.3 μm의 MMD를 만들어내나 6 L/min으로 작동하는 네뷸라이저는 7.7 μm의 MMD를 만들어내어 폐에 도달하는 약물의 양이 훨씬 더 적게 된다. 유량은 4~12 L/min은 되어야 하며 보통은 6~8 L/min이 되어야 약물 운반시간을 최소화하고 원하는 크기의 MMAD를 생성할 수 있다. 보통 1분당 0.1~0.5 mL의 속도로 용액이 없어진다.

네뷸라이저를 사용한 흡입은 평상 호흡만으로도 충

분하다. 심한 호흡곤란이 있는 환자의 경우는 빠르고 낮은 호흡을 하게 되어 호기시 네뷸라이저로 되돌아 가는 에어로졸이 더 많게 된다. 따라서 이러한 경우에는 많은 에어로졸이 소실되기 때문에 용량의 조절이 필요하게 된다. 또한 우는 아이처럼 속도가 빠를수록 폐로 침착하는 양은 감소한다. 코에서의 여과도 폐의 침착을 감소시킬 수 있으므로 코로 호흡하는 것보다는 입으로 호흡하는 것이 더 좋다. 0.5 μm의 작은 입자일지라도 코를 통과하는 동안 어느 정도는 소실되기 때문이다.

나) 초음파형 네뷸라이저

초음파형 네뷸라이저(ultrasonic nebulizer)는 에어로졸을 만들기 위하여 piezoelectric 크리스탈의 진동을 간접적으로 이용한다. 크리스탈이 투입관 주위를 진동시켜서 연동성 펌프 역할을 하여 액체를 구멍의 크기가 4.6 μm인 세라믹막을 통과시켜서 에어로졸을 형성한다.

입자의 크기는 진동 횟수, 에어로졸화되는 액체의 농도, 액체의 표면장력 등에 따라 결정된다. MMAD 8 μm이하인 에어로졸을 만들려면 1 MHz 이상이 필요하다. 대개의 초음파형 네뷸라이저는 1~3 MHz의 빈도로 작동하고 에어로졸은 1~2 mL/min이 생성된다. 초음파형 네뷸라이저를 사용하려면 초음파에 안정적인 약물을 사용하여야 한다.

초음파형 네뷸라이저는 jet형과 비교할 때 증발이 적어 약물의 소모가 적고 생산되는 양은 많으나 입자의 크기가 2~3배 정도 더 커서 큰 기관지까지만 약물이 운반될 수 있다.

2) 가압 정량분무식 흡입기

가압 정량분무식 흡입기(pressurized metered dose inhalers; pMDI)는 매 캔마다 마이크로화된 약물을 함유하고 있다. 이 약물 입자들은 추진제 내에 부유상태로 존재한다. 또한 챔버내에서 응집을 줄이고 밸브 스템을 부드럽게 하기 위해 표면활성제도 포함하고 있

다. 정량화된 밸브에는 약물의 명칭이나 용량에 따라 25~100 μL의 추진제와 약물이 들어 있다. 분사되는 동안 정량화된 챔버는 공기에 노출된다. 챔버내 압력이 급속도로 떨어지면 추진제가 폭발적으로 끓어 점화되어 캔내 내용물을 작동기(actuator)를 통해 밖으로 나가게끔 한다. 작동기를 벗어난 작은 물방울에는 추진제와 표면활성제에 싸인 한개 이상의 약물 입자들이 있다. 이들의 크기는 30 μm이고 속도는 30 m/sec이다. 입자들의 속도는 공기 중의 저항과 추진제의 증발로 인해 급속도로 떨어진다.

pMDI는 편리하고 운반이 쉬운 반면 마우스피스를 나오는 에어로졸 입자의 속도가 매우 빨라(100 km/h) 정확하게 사용하기는 어렵다. 찬 후레온(freon) 효과 때문에 찬 에어로졸 입자가 연구개에 닿으면 흡입을 순간적으로 멈추게 되거나, 입으로 에어로졸이 분사된 후 코로 흡입하게 되거나, 빨리 흡입하게 되는 등 정확하게 분사하고, 정확하게 흡입하기에 어려움이 있다. 그러므로 DPI나 스페이서를 사용하는 환자에 비해 pMDI 약제를 처방받은 환자의 50% 이상은 기대한 것 만큼의 약효를 보지 못한다. 따라서 pMDI 흡입법을 반복적으로 교육하여야 한다. 또한 어린이나 노인 등에서는 다른 흡입방법으로 대체하는 것이 바람직하다. 일반적으로 약물 용량의 약 80%는 구강 인두에 남고 10%는 흡입기내에 남으며 나머지 10%가 폐의 기도내에 침착되며, 이 양은 흡입하는 방법에 따라 차이가 난다.

약물을 효율적으로 흡입하기 위해서는 맨 처음 기구를 세게 흔들어 약물과 추진제를 빨리 분리시킨다. 다음으로 숨을 내쉰 후 약물을 분사 후 천천히 깊이 (30 L/min over 3~5 seconds) 입으로 들여 마시고 10초 동안 숨을 멈추어야만 한다. 입과의 거리를 4 cm 정도 두고 기구를 작동시키는 것이 입술에 바로 대고 작동시키는 것보다 약물의 폐 침착을 더 증가시킨다는 보고가 있다.

분사제로 들어 있는 chlorofluorocarbons(CFC)가 지구의 오존층을 파괴한다는 사실 때문에 최근에 이를 대치한 hydrofluoroalkanes(HFA) 제품이 개발되었으

나 우리나라에서는 시판되고 있지 않다. 이 HFA-pMDI는 CFC-pMDI에 비해 에어로졸 발생 속도가 느리지만 그 효과는 비슷한 것으로 알려지고 있다.

3) 스페이서

pMDI 제품에 스페이서와 같이 보조기구를 부착하여 사용하면, 흡입하는 약물의 입자 크기를 줄여주고 기구 작동과 흡입 간의 일치가 불필요하다는 장점이 있다. 또한 보조기구를 사용하면 구인두부에 침착되는 약물의 양을 감소시켜 약물의 안전성을 높힐 수 있다. 그러나 보조기구의 크기로 인해 부피가 커지는 단점과 마우스피스를 사용하지 않고 안면 마스크를 사용하여 약물을 투여할 때 영유아의 안면에 마스크를 밀착시킴으로서 환자를 자극할 수 있다는 문제점도 있다.

보조기구를 부착하여 pMDI를 사용하면 pMDI를 단독으로 사용할 경우보다 표적장기로 흡입되는 약물의 양이 최고 2배까지 증가한다는 보고도 있지만, 사용하는 보조기구의 형태와 특성에 따라 차이가 날 수 있다. 흡입법은 간단하여 약통을 작동시켜 보조기구 안으로 약을 분사시킨 뒤에 천천히 깊이 들여 마시거나 평상호흡(tidal breathing)을 하도록 한다.

4세 이상이면 보조기구를 이용한 가압식 정량 분무 흡입기로 효과적으로 약물을 투여할 수 있으며 4세미만의 영유아에서도 안면 마스크를 사용할 경우에는 약물 투여가 가능하다. 평상호흡량이 적은 2세 미만에서는 약물을 신속히 전달해 줄 수 있는 부피가 작은 (<350 mL) 스페이서를, 2세 이상에서는 분무된 약물을 효과적으로 보존할 수 있는 큰 스페이서를 선택하여 사용한다. 그러나 스페이서 끝에 안면 마스크를 부착하여 사용할 경우에는 표적장기로 전달될 수 있는 약물의 양이 감소하게 된다. 이와 같이 보조기구의 특성에 따라 전달되는 약물의 양에 차이가 많으므로 사용하고자 하는 약물 자체에 부착된 보조기구나 추천하는 보조기구를 사용하는 것이 가장 바람직하다.

4) 분말 흡입기

분말 흡입기(dry powder inhaler: DPI)도 pMDI처럼 2~3 μm 크기로 잘 갈아진 마이크로화된 입자들을 함유한다. 그러나 이 크기의 입자들은 강하게 끌어당기는 힘을 지니고 있어 서로 응집한다. 따라서 이 입자들을 흩어지게 하려면 세게 흡입하는 노력이 필요하다. 로타헬러(rotahaler)나 디스크헬러(diskhaler)의 경우는 유당 운반체와 격자(grid)에 의해, 스핀헬러(spinhaler)의 경우는 회전하는 터빈에 의해서 그리고 터부헬러(turbuhaler)의 경우는 구형화된 분말과 나선형 경로에 의해서 응집을 분산시키는 흡입이 증강된다.

흡입 속도가 빨라도 충돌로 인한 약물의 소실을 상쇄할 정도로 많은 양의 작은 크기의 입자들을 만들므로 유용하다. 흡입할 때 표적장기로 유입되는 약물의 양은 기구의 종류와 약물의 제형에 따라 영향을 많이 받게 되는데, 터부헬러의 경우는 pMDI를 사용할 때보다 2배 정도 증가한다고 알려져 있지만 디스크할러나 디스커스(diskus)를 사용할 때에는 pMDI로 흡입할 때보다 더 적게 흡입된다는 보고도 있다. 그리고 약물이 구인두부에 침착되는 정도도 pMDI와 보조기구를 사용하는 경우보다는 많지만 pMDI를 단독으로 사용하는 경우와는 비슷한 것으로 알려져 있다.

흡입 전에 먼저 숨을 내쉬어야 하는데 기구를 향하여 숨을 내쉬면 안된다. 분말을 불어버릴 수 있고 기구 내에 습기를 주어 효과가 떨어지기 때문이다. 숨을 내쉰 후 가능하면 빨리 흡입한다.

다. 흡입기의 관리 및 유지

네불라이저를 잘못 관리할 경우 기구 자체가 세균에 오염될 수 있으므로 사용 후에는 반드시 세척하고 오염되지 않도록 잘 보관하였다가 사용하는 것이 중요하다. 즉 사용 후에는 마우스피스, 마스크 및 약통 등을 매번(최소 1일 1회) 미지근한 물로 세척 후 잘 닦아서 사용하고, 정기적으로 제품설명서에 따라 고압증기 소독 또는 끓이는 방법으로 소독한다. 그리고 1주일에 1

회 정도는 기구 본체의 각 부분을 잘 닦아내고 훼손여부를 점검해야 한다. 그리고 장기간 사용할 경우 기계의 마모에 의해 분출되는 입자의 분포가 변할 수 있기 때문에, 일회용 약통은 3개월마다, 내구성 약통과 필터는 1년마다 정기적으로 교체하여 사용하도록 한다.

pMDI는 약통의 온도가 내려가게 되면 기화압(vapor pressure)이 감소되어 분출되는 약물의 입자 크기에 변화가 초래되어 기대하는 효과를 얻을 수 없다. 따라서 약물을 상온에 보관하여 사용하여야 한다. pMDI는 약물이 알루미늄 통에 들어 있고 무게가 가벼워서 잔여 용량을 파악하기가 쉽지 않다. 따라서 번거롭지만 사용횟수를 기록하거나 점검표를 만들어 사용하는 것이 바람직하다. pMDI의 성능을 잘 유지하기 위해서는 매일(적어도 1주일에 2회 이상) 플라스틱 덮개(plastic body)를 미지근한 물로 세척하고 잘 건조시킨 뒤 사용한다. 그러나 흡입구는 사용할 때마다 잘 닦은 후 덮개를 닫아서 보관한다.

보조기구를 사용한 뒤에는 매일 한 번씩 미지근한 물로 세척하여 보조기구 내벽에 약물이 축적되지 않도록 해주는데, 이 경우에 첨부된 설명서에 따라 소독을 해주는 것이 중요하다. 잘못된 방법으로 소독을 할 경우에는 기구의 전하 상태가 변하게 되어 흡입되는 약물의 양에 영향을 줄 수 있기 때문이다.

분말 흡입기는 약물이 미세한 분말 상태로 들어 있기 때문에 습기에 노출되지 않도록 보관하고 흡입기를 입에 물고 숨을 내쉬지 않도록 교육하는 것이 중요하다. 사용 후에는 마른 천이나 티슈로 흡입구를 잘 닦아서 보관하도록 한다.

4. 면역요법

면역요법(immunotherapy)은 고초열이나 천식 등의 증상을 감소시키기 위해 알레르기성 원인이 확실한 비염이나 천식환자에게 알레르겐 추출물을 지속적인 방법으로 반복 투여하는 치료법으로 정의된다. 이것은 또한 탈감작(desensitization)이나 알레르기 주입 치료(allergy injection therapy)라고도 하며, 회피요법이나 대증적인 약물치료와 함께 알레르기성 호흡기 질환의 중요한 치료 방법으로 제시되고 있다.

가. 원칙

면역요법의 첫 번째 원칙은 임상적 효능성이 용량 의존적이라는 것이다. 즉 효과적인 증상조절을 위해 최소량의 알레르겐 추출물이 투여되어야 한다. 또한 면역요법의 치료적 효과는 시간에 따라 증가한다. 일반적으로 항원의 최고량에 도달한 이후에 임상적 효과를 경험하며 그 효능은 수 년간 증가된다.

면역요법은 증상을 완전히 없애는 것이 아니라 증상의 정도를 완화시킨다. 더욱이 25% 정도의 알레르기 환자들은 항원의 효능이나 치료 기간과 상관없이 면역치료에 의한 효과를 보지 못한다.

전신 아나필락시스의 위험이 항상 존재하나, 예측이 가능하고 대부분 경증으로 생명에 위험을 주지는 않는다. 따라서 주사 후 환자를 20~30분 정도 병원에서 관찰하여야 하며 에피네프린이나 응급 상황에 대처할 수 있는 준비와 훈련이 필요하다.

나. 작용 기전

면역요법을 받는 환자들의 면역학적 세포반응에 대한 확실한 기전은 밝혀져 있지 않다(표 8-8).

1) 항체 반응과 면역요법

면역요법 시작 후 수개월 이내에 알레르겐 특이 IgG와 IgE가 증가한다. 알레르겐 특이 IgG는 IgE에 의한 항원 결합을 차단하거나 세포 표면에서 고친화도 IgE 수용체(FcεRI)의 응집을 예방하여 항체를 차단하는 역할을 한다고 알려져 있다. 그러나 알레르겐 특이 IgG와 임상적 효능은 반드시 일치하지는 않는다. 면역요법 초기에 증가된 IgE는 유지치료 기간에 치료 전 수준으로 감소한다.

2) T 세포에 대한 영향

면역요법은 Th2에서 Th1 표현형으로의 이동이나 CD8⁺ 억제 T 세포의 활성화 유도와 같은 보조 T 세포 표현형의 조절을 통해 그 효과를 나타내는 것으로 생각된다. 면역요법 기간 중에 알레르겐 특이 억제 세포가 형성되고 IgE 합성을 감소시킨다. 또한 IL-4가 감소되고 일부에서는 동시에 IFN-γ가 증가된다.

3) 염증 세포에 대한 영향

면역요법은 비만세포, 호염기구, 호산구에도 영향을 미친다. 집먼지진드기 면역요법 후 비강 점막에서 비만세포와 호염기구가 감소하며, 돼지풀쑥 면역요법은 호염기구의 히스타민 분비를 감소시킨다. 또한 면역요법 후 비강이나 기도내 호산구수가 감소한다.

다. 적응증

면역요법은 벌독과민증, 알레르기비염, 천식에서 효과적인 것으로 증명되어 있지만 적절한 환자의 선택이 꼭 필요하다(표 8-9, 8-10).

1) 알레르기비염

면역요법은 적절한 회피요법이나 약물치료에도 증상이 지속되고 임상적 연관성을 가진 특이 IgE가 증명된 비염 환자의 치료에서 고려된다. 돼지풀, 목초 알레르기에 의한 계절성 비염이나 진드기, 진균에 의한 통년성 비염에 모두 효과적이다.

2) 천식

효과적인 면역요법은 신중한 환자의 선택과 치료 용량에서의 표준화된 추출물 사용이 필수적이다. 환자들은 가역적인 폐쇄성 폐질환을 가지고 있어야 하고 임상적인 양상과 일치되는 알레르겐에 대한 감작이 입증되어야 한다. 또한 효과가 있다고 입증된 알레르겐을 중심으로 면역요법을 시행하여야 한다. 조절하기 어려운 천식을 치료하는데도 사용할 수 있지만 FEV₁이 예측치의 70% 미만이고 최대한의 약물치료에도 불구하고 증상이 지속되는 불안정상태의 천식환자들에게는 적용되지 않아야 한다.

3) 곤충 알레르기

벌독 알레르기에 대한 면역요법은 치료 환자의 95% 이상이 예방되는 매우 효과적인 방법이다. 소아에서는 Hymenoptera venom에 대한 IgE가 있고 Hymenoptera에 의해 생명을 위협하는 전신반응을 경험한 경우에 적응증이 된다.

4) 식품

식품 알레르기에서 현재 면역요법이 권장되고 있지는 않지만 땅콩 알레르기 등 많은 연구가 진행되고 있다.

라. 알레르겐 추출물

전통적으로 추출물의 역가는 1:10 wt/v와 같이 추출 부피에 대한 추출물의 무게의 비로 나타낸다. 이외에도 protein nitrogen unit(PNUs), biologic unit(BU), allergen unit(AU), bioequivalent unit(BAU) 등으로 표시되며 주요 알레르겐을 μg/mL 등으로 표준화하기 위한 연구가 진행 중이다.

알레르겐 추출물은 시간이 지나면서 역가가 감소되며 이러한 활성도의 소실은 5℃ 이상의 온도에서 더 빨

표 8-8. 면역요법의 기전

IgG 차단 항체의 유도
특이 IgE의 감소
작동 세포의 동원 감소
T세포 사이토카인 균형의 변화(Th2에서 Th1으로 이동)
T세포 anergy
조절 T세포 유도

표 8-9. 면역요법의 적응증

흔한 흡입성 항원에 장기적으로 노출되는 환자로 다른 방법
으로는 원인 항원을 회피할 수가 없는 경우

증상이 장기간 계속되어 그 고통이 면역요법에 의한 불편함
이나 치료 경비를 보상하고도 남는 경우

흔히 사용되고 있는 안전한 약물에 대해서 불충분한 경우(특
히 지속적이거나 빈번한 스테로이드제의 투여가 요구될 때)

보다 심한 형태의 알레르기 질환이 발생할 위험성이 있을 경우

표 8-10. 면역요법의 금기증

심한 면역 질환을 앓고 있는 환자

에피네프린의 사용이 불가능한 고혈압 환자

종양 환자

만 4세 미만의 소아 (절대금기는 아님)

중증 천식 (절대금기는 아님)

리 진행되므로 냉장 보관한다. 50% 글리세롤이나
0.03% 인 혈청알부민 첨가로 역가 소실이 감소된다.
진균, 집먼지진드기, 바퀴 추출물은 단백질 분해효소
활성도를 가지고 있어 알레르겐 용액의 역가 소실을
가속화한다. 따라서 집먼지진드기, 바퀴벌레, 진균 추
출물이 포함된 면역요법 용액을 만들 때 단백질 분해
효소 활성도를 가지지 않는 다른 알레르겐 추출물과
는 분리하여 보관한다.

마. 면역치료 방법

1) 초기 치료

낮은 농도의 항원을 소량부터 주사하기 시작해서
점차로 농도를 높이고 투여량도 증량해서 유지량 치
료를 할 수 있도록 하는 준비 단계의 치료라고 할 수
있다. 대개 주 1~2회의 간격으로 두 배씩 증량한다.

2) 유지 치료

일단 초기 치료가 끝난 후 환자가 견디어낼 수 있는
최고 농도의 항원의 최대량을 면역요법이 끝날 때까지
계속해서 주사하는 치료 방법이다. 일주일 간격으로 주

사하던 초기 치료에서 1개월 간격으로 주사하는 유지
치료로 넘어가는 이행기의 치료 간격은 백신에 따라서
약간씩 다르다. 유지 치료 도중에 주사 간격이 너무 많
이 벌어지면 효과를 제대로 기대할 수 없을 뿐만 아니라
부작용이 나타날 위험도 있기 때문에 추가량을 감량하
거나 새로 시작해야 될 경우도 생긴다. 따라서 의사는
주사계획표를 잘 지키도록 환자를 교육하여야 한다. 간
격이 너무 벌어진 경우는 처음부터 새로 시작해야 한다.

3) 실시 기간

면역요법은 3~5년간 실시한다. 치료 기간이 짧으면
짧을수록 재발 가능성이 높다. 적어도 1년 이상 호전
된 상태가 지속되고 있다면 치료를 중단할 수 있다.

4) 중단해야 되는 조건

면역요법을 12~18개월 정도 실시하여도 호전되지
않는 경우에는 치료를 중단한다. 그 동안 새로운 항원
에 노출되어 감작되었을 가능성이 있으므로 면역요법
을 중단하기 전에 알레르기 피부시험을 한 번 더 실시
해 보는 것이 좋다.

부작용이 나타날 때에는 투여량을 줄여서 치료를
계속하는 것으로 알려져 있지만 아나필락시스와 같은
매우 심각한 전신부작용이 발생할 경우에는 치료를
중단하는 것이 안전하다.

5) 부작용

환자의 3~7%에서 전신반응을 경험한다. 부작용은
대개 두드러기에 국한되지만 40~70%는 천명, 비염 등
의 호흡기 증상을 경험하고 10%는 저혈압을 보이며
2~3백만 번의 주사당 1명 정도로 치명적인 반응이 나
타난다. 부작용의 70~90%는 주사 30분 이내에 발생한
다. 부작용의 위험도는 증량 시기에 더 높으나 절반은
유지용량 중에 발생한다. 청소년이나 젊은 성인에서
더 흔하게 나타나고 화분이나 진균 계절에 잘 발생한
다. 심각한 전신반응의 위험요인은 심한 천식, 5세 미
만, β-차단제의 사용 등이다. 환자는 주사 후 적어도

30분은 병원에 있어야 하며 증상이 시작되면 즉각적인 대처를 하여야 한다.

바. 미래의 방향

IgE 매개 아나필락시스의 위험도는 낮추면서 T 세포반응 등의 면역반응을 유발하는 알레르겐의 성질을 유지하기 위해 allergoids, 보강제, 주요 알레르겐의 펩타이드와 재조합 알레르겐, immunostimulatory sequences(ISSs)에 대한 연구가 진행되고 있다. 또한 IgE나 사이토카인에 대한 humanized monoclonal antibody와 같은 면역조절제도 일차 약물 치료에 대한 보조치료로 연구되고 있다.

투여 방법에 따른 치료법으로는 코 점막내에 직접 투여하는 방법(nasal immunotherapy), 설하 면역요법(sublingual immunotherapy), 경구 면역요법(oral immunotherapy) 등이 있다. 면역요법으로 효과를 볼 수 있는 시간을 단축시키기 위하여 급속(rush) 면역요법이나 초급속(ultrarush) 면역요법에 대한 연구도 이루어지고 있다.

전통적으로 면역요법은 예방보다는 치료 목적으로 사용되어 왔다. 최근 면역요법으로 알레르기질환의 이차적인 예방이 가능할 수 있다는 보고들이 나오면서 면역 발달 초기 단계의 면역학적 개입으로 알레르기 표현형의 자연적인 진행을 바꿀 수 있음이 제시되고 있다.

참고문헌

1. 이혜란. 소아 기관지천식에서 집먼지진드기 항원을 이용한 특이적 면역요법의 임상 효과. 소아알레르기 및 호흡기학회지 1997;7:23-35.

2. 김규언. 흡입요법 기구의 선택과 관리. 대한 소아알레르기 및 호흡기학회 1998:S60-7.

3. 이수중, 이준성, 이경수. 아토피성 천식 환자에서 특이적 면역요법이 말초혈액 단핵구의 IL-10과 IL-13 mRNA 발현에 미치는 영향. 소아알레르기 및 호흡기학회지 1999;9:41-55

4. 편복양, 반성환, 김상현. 기침이형천식환아에서 기관지확장제와 스테로이드 흡입치료의 효과. 소아알레르기 및 호흡기학회지 1999;9:56-63.

5. 김봉성, 김자형, 이소현, 홍수종. 천식 환아에서 집먼지진드기 항원을 이용한 면역요법이 혈액내 호산구, 항원-특이 IgE, 피부반응도 및 기도과민성에 미치는 영향. 소아알레르기 및 호흡기학회지 2003;13:8-16.

6. 대한 소아알레르기 및 호흡기학회. 군자출판사, 2003 소아천식 진료 가이드라인 2003;82-6.

7. 나영호. 기관지 천식의 새로운 약물치료. 소아알레르기 및 호흡기학회지 2004;14:1-11.

8. Barnes PJ. Theophylline and Phosphodiesterase Inhibitors. In: Adkinson NF, Yunginger JW, Busse WW, Bochner BS, Holgate ST, Simons FE, editors. Middleton's Allergy Principles and Practice. 6th ed. P823-33, Philadelphia, PA: Mosby Inc., 2003.

9. Frew AJ. Immunotherapy of allergic disease. J Allergy Clin Immunol 2003;111:S712-9.

10. Groneberg DA, Witt C, Wagner U, Chung KF, Fischer A. Fundamentals of pulmonary drug delivery. Respir Med 2003;97:382-7.

11. Nelson HS. Beta-Adrenergic Agonists. In: Adkinson NF, Yunginger JW, Busse WW, Bochner BS, Holgate ST, Simons FE, editors. Middleton's Allergy Principles and Practice. 6th ed. P803-22, Philadelphia, PA: Mosby Inc., 2003.

12. Simons FE. Antihistamines. In: Adkinson NF, Yunginger JW, Busse WW, Bochner BS, Holgate ST, Simons FE, editors. Middleton's Allergy Principles and Practice. 6th ed. P834-69, Philadelphia, PA: Mosby Inc., 2003.

13. Wood RA. Environmental control. In: Leung DYM, Sampson HA, Geha RS, Szefler SJ, editors. Pediatric Allergy: Principles and Practice. P379-91, St Louis: Mosby 2003.

호흡기학

Respiratology

제1장
호흡기 및 호흡기질환에 대한 기본 개념

1. 발생학

가. 호흡기계의 발생

인두 아래의 복측 벽에서 작은 팽출부가 태생 초기 4주경에 나타나는데 이를 폐뢰, 폐싹 또는 원시 폐낭(lung bud or primitive pulmonary sac)이라 부른다. 태생기의 폐는 처음에는 작고 심장 후방에 위치하며 조직학적으로는 마치 복관상 포상선(compound tubuloalveolar gland)과 흡사하다. 그러므로 이 시기를 폐의 가선기(pseudoglandular stage)라 한다.

호흡기계에 속한 여러 기관들은 점막상피와 선세포는 내배엽성이며, 기타 조직 성분 즉 연골, 근육, 결합조직 등은 중배엽인 간엽에서 발생한다. 따라서 호흡기계는 발생학적으로는 소화기계의 일부이며 내배엽성 기관이다(그림 1-1).

나. 후두와 기관

후두는 발생기 초기에는 비교적 그 위치가 높지만 호흡기 전체와 같이 점차 아래로 하강한다. 기관의 끝은 처음부터 둘로 나뉘어 기관지 원기(bronchial primordium)을 형성한다. 기관 벽에는 일찍부터 연골성 지주가 나타나며 이 지주는 근조직과 함께 간질에서 발생한다(그림 1-2).

다. 기관지, 폐

태생 5주경에 폐뢰는 둘로 나뉘어 지고 발생 5주에 1차 기관지, 6주에 2차 기관지, 7주에 구역기관지가 발생하며 발생 24주 정도에 17번째 기관지가 형성되어 마침내 폐를 형성한다. 우기관지 원기로부터는 후외측과 전외측으로 1개씩의 분지를 내어 우폐의 상, 중엽의 원기를 이루고 본줄기의 연속은 하엽의 원기가

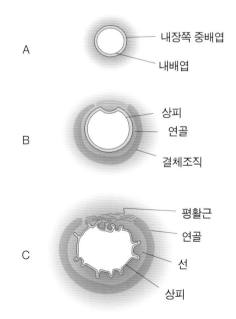

그림 1-1. 기관발생. 발생순서: A, B, C

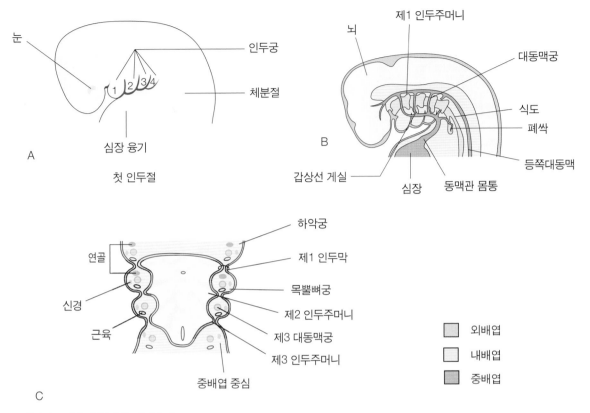

그림 1-2. 인두, 후두발생. 발생순서: A, B, C

된다(그림 1-3).

좌기관지 원기는 그 전외측에서 1개의 분지를 내어 좌폐의 상엽 원기를 만들고 본줄기의 연속은 하엽의 원기가 된다.

이와 같이 기관지의 가지들이 연장되고 또 그 말단이 둘로 갈라지는 과정이 몇 차례 거듭되어서 생긴 최후의 가지가 곧 폐포관과 폐포낭(alveolar ducts and sacs)이다. 출생 후에는 폐포관과 폐포낭의 측벽에서 많은 폐포(alveoli)가 발생한다.

폐포의 내면은 출생 전에는 입방상피로 덮여 있고 출생 후 공기를 흡입함으로써 폐포가 확장되면 비로소 단층 편평상피로 바뀌는데 이것이 곧 호흡상피(respiratory epithelium)이다. 출생 전 태아에서는 폐 내에 혈액이 적고 출생 후 호흡의 개시와 함께 갑자기

많은 혈액이 유통된다.

라. 폐의 성숙 단계

폐의 발생은 가성샘시기(pseudoglandular period), 세관시기(canalicular period), 종말주머니시기(terminal sac period) 및 폐포시기(alveolar period)의 4단계로 나뉘어진다(그림 1-4).

1) 가성샘시기

가성샘시기는 발생 5~17주 사이로 이 기간 동안 발생중인 폐의 모양은 외분비샘(exocrine gland)의 모습과 유사하다. 발생 17주경 가스교환과 관련된 부분을 제외한 폐의 모든 주요 부분이 형성된다. 따라서 발생

호흡기

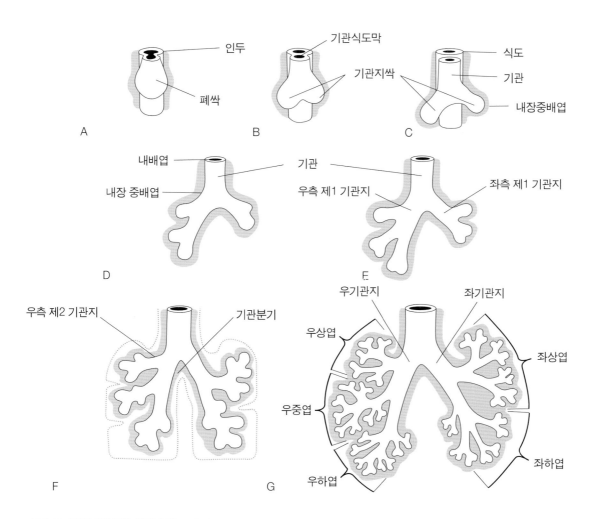

그림 1-3. 기관지폐발생. 발생순서: A, B, C, D, E, F, G

17주 이전에는 호흡이 불가능하므로 이 시기에 태어난 태아는 생존이 불가능하다.

2) 세관시기

세관시기는 발생 16~25주 사이로 폐의 머리쪽 구역(cranial segment)의 성장이 꼬리쪽구역(caudal segment)의 성장보다 더 빠르므로 가성샘시기와 중첩된다. 이 시기동안 기관지와 종말 세기관지(terminal bronchiole)의 속공간은 더 커지고 폐조직의 혈관분포가 더 풍부해진다. 발생 24주에 각 종말세기관지는 분지하여 2개 이상의 호흡세기관지를 형성한다. 호흡세기관지는 다시 분지하여 3~6개의 대롱 모양의 통로인 폐포관(alveolar ducts)을 형성한다.

이 시기의 말경에 얇은 벽을 가진 종말주머니(terminal sacs; 원시꽈리)가 호흡세기관지의 끝에서 형성되고 혈관분포가 잘 발달되어 있으므로 호흡은 가능하다. 이 시기의 말경에 태어난 태아는 집중적인 치료를 하면 생존이 가능하지만 대개 호흡계통과 다른 기관계통간의 상호작용이 성숙해 있지 않으므로 사망하게 된다.

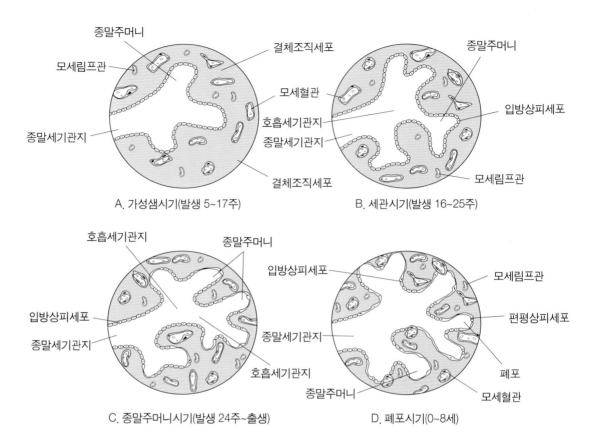

그림 1-4. 폐발육 4단계. 발생순서: A, B, C, D

3) 종말주머니시기

　종말주머니시기는 발생후 24주부터 시작되는데 진행하면서 더 많은 종말주머니가 발생하고, 종말주머니의 상피가 더욱 얇아지게 된다. 이 시기에 모세혈관이 원시폐포를 향해 돌출하기 시작한다. 발생 24주에 종말주머니는 주로 내배엽에서 기원하는 편평상피로 덮여 있으며, 이러한 상피를 1형폐세포(type I alveolar cells) 혹은 호흡폐세포(pneumocytes)라고 한다. 모세혈관그물은 발생중인 폐포 주위의 중간엽에서 급속히 증식하고 동시에 모세림프관(lymphatic capillaries)도 활발하게 발달한다.

　편평상피세포 사이사이에 둥근 분비세포가 흩어져 있는데, 이를 2형폐세포 혹은 과립폐포세포라고 한다.

이 세포는 인지질의 복합혼합물질인 폐 계면활성제를 분비하며, 이 물질은 종말주머니의 내벽 위에 얇은 단순분자성막(monomolecular film)을 형성한다. 2형폐세포의 성숙 및 계면활성제 생성은 태아의 재태기간에 따라 서로 다양하다고 알려져 있다. 표면장력의 억제로 종말주머니의 팽창을 쉽게 하는 계면활성제의 생성은 발생 20주부터 시작되나 초기에는 극소량 존재하며 임신말기 특히 출생 전 마지막 2주전에 뚜렷이 증가한다. 따라서 수정 후 24~26주에 태어난 미숙아는 집중적인 치료를 하면 생존이 가능할 수는 있으나 계면활성물질의 결핍으로 호흡곤란을 초래하게 된다.

4) 폐포시기

폐포는 발생 29주에서 32주 사이에 발달하기 시작하지만 출생후에도 8세까지 계속 성숙된다. 종말주머니의 상피는 극도로 얇은 편평상피세포이다. 1형폐세포는 매우 얇아 인접한 모세혈관이 종말주머니쪽으로 부풀어 있다. 태아기 말기에 폐는 폐포모세혈관막 혹은 호흡막이 가스교환을 할 만큼 충분히 얇아 호흡이 가능하다. 비록 출생 때까지 폐가 이러한 생존기능을 수행하지는 않지만, 충분히 잘 발달되어 태아가 출생하자마자 기능을 할 수 있다.

2. 해부학

가. 코

코는 외비(external nose)와 비강, 부비동으로 이루어져 있다. 코는 호흡작용, 냄새를 맡는 작용과 아울러 인두, 구강, 비강을 통하여 공명함으로써 특유한 음색을 나타내는 데 관여한다.

1) 비강

비강은 양쪽 콧구멍 안쪽에서부터 목젖 뒤 비인강까지의 공간을 칭하며 비중격에 의해 양측으로 나누어져 있다.

비강의 외측 벽에는 상, 중, 하 3개의 비갑개골을 점막이 싸고 비갑개를 형성하여 외부 공기가 비강을 통과할 때 비갑개 점막에 존재하는 모세혈관과 분비선의 작용을 통해 체온과 유사한 습도와 온도로 바꾸어 폐로 유입시킨다(그림 1-5).

점막의 상피에는 섬모층이 깔려 있어 일정한 방향으로 운동함으로써 점액층에 포함된 작은 먼지나 세균을 인두로 배출한다. 비강 내에서 가습과 정화작용을 위해 분비되는 점액의 양은 하루에 약 1,000 mL 정도 된다.

2) 부비동

부비동은 고형의 안면골 구조에 호흡점막이 침입하여 통기화(aeration)된 공동(cavity)이다. 부비동은 상악동(maxillary sinus), 사골동(ethmoid sinus), 전두동(frontal sinus), 접형동(sphenoid sinus)으로 이루어 지며 상악동과 사골동은 출생시에 존재하고 생후 1~2년 사이에 방사선학적으로 뚜렷한 모양을 나타낸다. 반면 접형동은 생후 5세경에, 전두동은 7~8세경부터 서서히 청소년기 까지 발달한다.

부비동은 점액섬모운동에 의하여 끊임없이 부비동내 분비물을 자연공을 통해 비강으로 배출하기 때문에 정상적으로는 무균상태이다. 부비동중 상악동, 사골동의 앞쪽 부분(전사골 봉소군), 전두동의 자연공은 중비갑개(middle turbinate) 아래인 중비도(middle meatus)를 통하여, 사골동의 뒤쪽 부분(후사골 봉소군)과 접형동은 중비갑개 위쪽인 상비도(superior meatus)를 통하여 비강(nasal cavity)과 교통되고 부비동 점막은 비 점막과 연결되어 있어 비강내의 염증이 쉽게 부비동내로 전파될 수 있다(그림 1-6).

상악동은 상악골의 통기화에 의해 형성된 공동으로서 한쪽 사악동의 성인 용적은 약 15 mL 정도이나 개인차이가 크다. 일부 치아(대구치)가 상악동 하부에 돌출되어 있어 치아의 병변이 파급되기도 한다. 다른

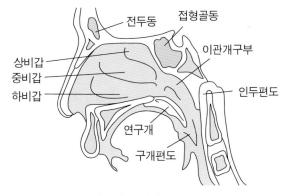

측면에서 본 비강의 구조

그림 1-5. 비강 해부학

부비동과는 달리 비강과 통하는 자연공(natural ostium)이 상부에 개구해 있어 중력에 의한 분비물의 배출이 힘들다. 사골동은 호흡상피로 덮힌 얇은 골판으로 이루어진 7~11개정도의 봉소(cellula)들의 복합체로서 전사골 봉소군(anterior ethmoid cellula)과 후사골봉소군으로 나누어진다. 양 눈 사이에는 사골동이, 코 뒤의 깊숙한 위치에는 접형동이 위치한다. 이들 부위에 염증이 생기면 쉽게 두개내로 전파될 수 있다.

나. 인두

비강과 구강 뒤에 위치하고 있는 길이 12 cm 정도의 근육으로 형성된 관모양의 구조로 소화기와 호흡기의 일부를 형성하고 있다. 인두는 비인두, 구강인두, 후두인두로 나누어지며, 비인두에는 이관의 개구부가 뚫려 있다. 후두인두는 설골(hyoid bone)에서 후두개(epiglottis)까지의 부위를 지칭한다.

다. 후두

후두는 인두와 기관을 연결하는 길이 4 cm 정도의 관 모양의 발성기관으로서 후두개연골, 갑상연골, 윤상연골, 피열연골 등의 연골과 근육, 막조직으로 연결되어 있다. 이 중 가장 큰 연골은 갑상연골로서 아담사과(Adam's apple)라고 하여 남성의 목 앞쪽에 특히 돌출되어 보이는 부분이다. 이 연골의 하방에 윤상연골이 있고 갑상연골과의 사이에 윤상갑상막이 덮여 있어 상기도가 막히면 응급침 천자로 기도를 확보할 수 있는 곳이며 경기관흡인술을 시행하기에 적합한 부위이다. 후두는 실주름(ventricular fold)과 성대주름(vocal fold)을 경계로 후두개에서 실주름까지의 성문상역, 두 주름 사이의 성문역과 성대주름부터 윤상연골까지의 성문하역으로 나뉜다(그림 1-7).

라. 폐

1) 폐구역

폐구역(lung segment)은 우측폐는 두개의 엽간열, 즉 사열(major 혹은 oblique)와 수평열(minor 혹은 horizontal)에 의하여 우상엽, 우중엽 및 우하엽으로 나뉘어지고, 좌측폐는 하나의 엽간열(major fissure)에 의해 좌상엽과 좌하엽으로 나뉘어진다. 각각의 폐엽은 다시 세분된 기관지와 폐동맥분지가 독립된 단위로 형성되어 있는데, 이를 폐구역이라고 하며 우측폐는 모두 10개, 좌측폐는 모두 8개의 폐구역으로 나뉘어진다. 통상적으로 이러한 폐구역을 이용하여 진찰하거나 X선 사진을 판독할 때에 병변의 부위를 표시하게 된다. 앙와위(supine position)에서 기도 안으로 이물질이 흡인될 경우, 폐구역의 해부학적 위치상 상엽의 후분절(posterior segment of upper lobe)이나 하엽의 상분절(superior segment of lower lobe)에 흡인성 폐렴이 유발될 가능성이 높다(그림 1-8).

2) 폐소엽

폐소엽(secondary lobule)은 보통 수개에서 10개 정도의 폐세엽으로 이루어지는데 1 cm 정도의 크기로 불규칙한 다각형 모양을 이루고 있으며, 늑막에서 시작된 결체조직에 의하여 나뉘어 진다. 고해상도 단층

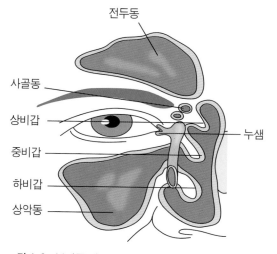

전두동

사골동

상비갑

중비갑

하비갑

상악동

누샘

그림 1-6. 부비동 해부학

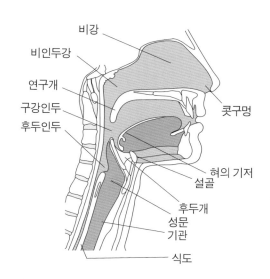

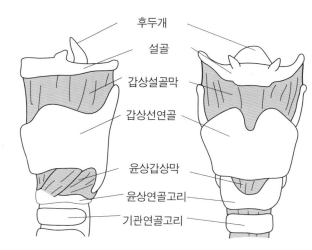

그림 1-7. 후두 해부학

촬영(high resolution CT: HRCT)에서 보면, 폐소엽의 중심부로는 종말세기관지와 폐동맥지(pulmonary arteriole)가 향하고 있고 폐정맥지(pulmonary venule)는 폐소엽사이에 뻗어 있다.

3) 폐세엽

폐세엽(acinus, terminal respiratory unit, primary lobule)은 폐소엽의 더욱 작은 구성 단위로서 종말세기관지에서 분지된 호흡세기관지, 폐포관(alveolar duct), 폐포(alveolus)의 집합체를 말하며, 폐기능 및 방사선학적 측면상 기본 단위로 간주한다.

마. 기관, 기관지, 세기관지, 폐포관, 폐포

1) 기관, 기관지, 세기관지

기관(trachea)은 둘로 갈라져 기관지(bronchus)가 되며, 기관지는 계속 나뭇가지와 같은 형태로 분지되어 점차 가늘어져 12차정도 분지되면 내경이 0.5 mm 정도인 세기관지(bronchiole)가 되고, 16차정도 분지되면 종말세기관지(terminal bronchiole), 17차정도 갈라지면 호흡세기관지(respiratory bronchiole), 20차정도 갈라지면 폐포관(alveolar duct), 23차 이상 분지되어 폐포(alveolus)가 된다(그림 1-9, 10).

종말세기관지와 호흡세기관지, 그리고 폐포관에는 상피층과 탄력섬유를 함유한 약간의 결합조직 및 약간의 나선근이 있다. 종말세기관지의 상피는 단층원주상피(simple columnar epithelium)로 섬모가 있는 섬모상피세포와 섬모가 없는 클라라세포(Clara cell) 세기관지외분비세포 (bronchiolar secretory cell)로 구성되어 있고 배세포는 없어진다. 호흡세기관지의 상피는 단층입방상피이며 섬모세포는 드물고 대부분이 클라라세포로 구성되어 있다.

2) 폐포관

폐포관(alveolar duct) 이하의 상피는 단층편평상피로 폐포관에는 평활근세포가 있으나 그 이하에서는 없다. 폐포관이 끝나는 부위에는 두세 개 정도의 폐포소낭(alveolar sac)이 형성되며, 폐포소낭은 몇 개의 폐포로 구성되어 있다. 폐포관이 끝나고 폐포소낭으로 이행되는 부위를 폐포방(atrium)이라고 한다.

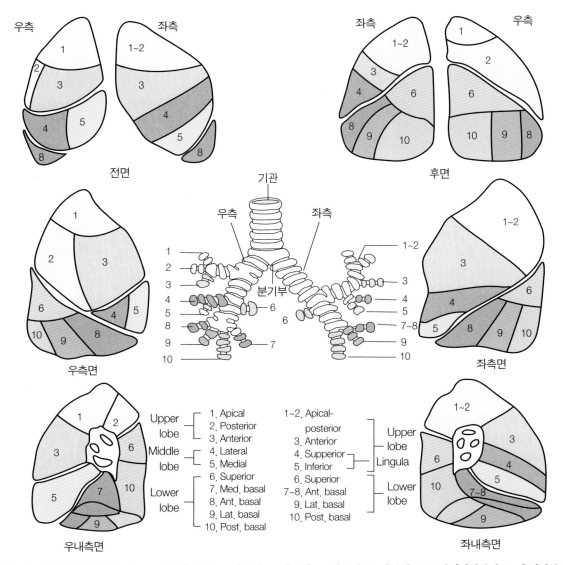

그림 1-8. 기관지 구역. 좌측폐: 1-2. 근첨후분절, 3. 전분절, 4. 상분절, 5. 하분절, 6. 상분절, 7-8. 전내기저분절, 9. 측기저분절, 10. 후기저분절, 우측폐: 1. 근첨분절, 2. 후분절, 3. 전분절, 4. 측분절, 5. 내분절, 6. 상분절, 7. 내기저분절, 8. 전기저분절, 9. 측기저분절, 10. 후기저분절

3) 폐포

폐포는 주머니 모양의 공간으로 폐포벽은 인접한 다른 폐포의 벽도 되기 때문에 폐포사이중격(interalveolar septum)이라고 한다. 폐포사이중격은 중앙에 모세혈관이 있고 이를 폐포상피세포가 둘러싸고 있는 구조이며, 폐포상피의 대부분을 차지하는 호흡상피세포(pulmonary epithelial cell, squamous alveolar cell, type I pneumocyte)는 대단히 얇은 편평상피세포로 역시 편평상피세포인 모세혈관 상피세포와 인접되어 산소와 이산화탄소의 교환이 잘 일어나도록 구성되어 있다.

폐는 호기와 흡기에 따라 매우 모양이 달라진다.

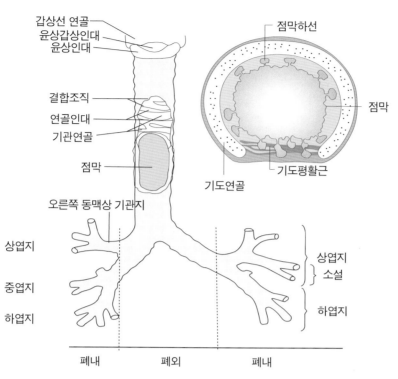

그림 1-9. 기관지 해부학

폐포사이중격에 있는 탄력섬유의 탄력성과 폐포의 내부를 덮고 있는 액체의 표면장력에 의해 흡기 때에 폐포가 과도히 팽창되지 않도록 억제되며, 호기 때에 폐포의 공기가 모두 빠져나가 폐포사이중격이 서로 붙어버리지 않도록 계면활성제(surfactant)가 작용한다. 계면활성제는 인지질로 이루어져 있으며 폐포상피세포 중의 하나인 대폐포세포(greater alveolar cell, type II pneumocyte)에서 분비된다. 폐포사이중격과 폐포 공간에서는 폐포대식세포(alveolar macrophage, alveolar phagocyte, dust cell)가 흔히 관찰되는데 세포질에 이질포식공포(heterophagic vacuole)가 있어 쉽게 구별된다.

여러 개의 폐포가 모여 폐포사이중격을 형성하는 부위는 다른 중격 부위에 비해 결합조직이 많으며 섬유모세포(fibroblast)를 비롯한 여러 가지 결합조직세포도 관찰된다.

바. 폐혈관계

1) 동맥계

폐조직은 폐동맥과 기관지동맥 양측으로부터 혈액 공급을 받기 때문에, 대개의 경우 폐동맥 전색증 등이 발생하여도 폐경색증은 잘 발생하지 않는다. 폐동맥은 우심실에서 기인하기 때문에 실제로는 정맥혈을 함유하고 있으며, 폐문부에서부터 기관지와 함께 주행하여 대부분의 폐조직으로 분포한다. 반면에 산소가 풍부한 동맥혈을 함유하고 있는 기관지동맥은 주로 하행대동맥(descending aorta)에서 기인하나 간혹 늑간동맥(intercostal artery), 좌쇄골하동맥(left subclavian artery) 혹은 내흉동맥(internal thoracic artery) 등에서도 기인하며, 주기관지를 따라 폐문부에서 폐내로 들어가서 기관지벽, 기관지벽의 점막, 근육층, 기관지선, 기관지연골, 흉막, 림프절, 신경, 폐동정맥 등에 분포한다. 폐동맥과 기관지동맥은 정상적으로는 호흡세기관지의 모세혈관에서 기관지폐동맥 문합(broncho-pulmonary anastomosis)을 이루며, 간혹 이와 유사한 기관지폐동맥 문합부가 큰 기관지벽에도 존재하지만 정상 폐에서는 기능을 하지 않고, 기관지-폐의 질환이 있을 때 이 부분이 확장되거나 개방되어 폐내동정맥단락(intrapulmonary arteriovenous shunt)을 형성하여 객혈 등의 증상이 일어날 수 있다.

2) 정맥계

폐정맥은 폐동맥이 분포한 모든 폐조직과 폐문부를 제외한 기관지동맥이 분포된 대부분의 기도와 조직으로부터 정맥혈을 받아서 좌심방으로 유입된다. 따라서 폐정맥혈 내에는 폐포모세혈관으로부터 풍부한 산소를 받은 동맥혈 대부분과 기관지 정맥총(bronchial venous plexus)으로부터 받은 정맥혈 일부가 혼합되어있다. 기관지정맥은 폐외기관지정맥과 폐내기관지정맥으로 구분되는데, 폐외기관지정맥은 기정맥(azygous vein) 혹은 반기정맥(hemiazygous vein)과 상대정맥(superior vena cava)을 거쳐서 우심방으로 유입된다.

사. 폐림프계

폐의 림프계는 대단히 풍부하여 흉막하, 소엽간 결체조직내, 폐정맥주위부, 기관지주위부 및 폐동맥주위부 등에 분포하고 있다. 위치적으로 흉막하 림프관을 표재성 림프관(superficial lymphatics), 그 외에는 심재성 림프관(deep lymphatics)이라고 한다. 이러한 폐의 림프계는 폐암의 병기 결정(staging)에 중요한 의미를 지니며, 흉막염이나 암 전이(cancer metastasis) 등에 의하여 흉막하 림프관이 폐쇄되면 흉막강 내에 다량의 흉수(pleural fluid)가 고이게 된다.

아. 폐신경계

폐는 미주신경과 교감신경 및 횡격막신경 등에 의해 지배를 받는다. 생리적으로 미주신경은 기관지 수축과 기도점막의 점액 분비를 촉진시키며, 교감신경은 기관지 확장을 야기하지만 기도점막의 점액 분비

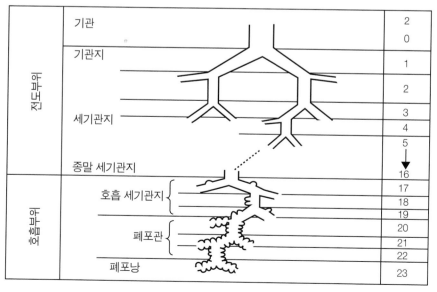

그림 1-10. 기관지 분지 모식도

를 억제하는지에 대하여는 아직 불확실하다. 횡격막 신경은 횡격막 수축을 일으켜 호흡운동을 촉진시키는 역할을 한다. 폐실질 내에는 원래 통증을 느끼는 감각 신경이 분포해 있지 않으며, 흉통은 주로 폐혈관이나 흉막 주위에 분포해 있는 감각신경 혹은 늑간신경에 의해 유발된다.

자. 흉막

흉막은 임신초기부터 형성되는데, 재태 3주 경에 이미 중피세포(mesothelial cell)들에 의해서 흉막강 (pleural cavity)이 둘러싸인 모습을 볼 수 있다. 재태 2 개월경에 이미 배자속체강(intraembryonic cloacum)이 심낭강(pericardial), 흉막강, 복막강으로 나누어진다.

흉막은 여러 층으로 구성되어 있으며, 동물 종 (species)간에도 두께가 서로 다르고 같은 종간에도 부위에 따라 두께가 다르다. 중피세포는 작은 물질(50 nm)들을 능동적으로 수송하는 기능을 담당하며 그밖에도 세포외기질인 collagen, elastin, 교원질 당단백 (connective tissue glycoproteins)의 분비 및 형성에도 관여한다. 또한 중피세포는 자극을 받으면 화학주성 물질들을 분비하여 호중구세포를 활성화시킨다.

중피세포 표면에는 3~6 μm 길이의 미세융모가 존재하는데, 장측흉막보다는 벽측흉막에서 더 많이 볼 수 있고 히알루론을 함유한 당단백질(hyaluron containing glycoprotein)을 흡수하여 흉막 표면에 윤활층을 형성한다.

벽측흉막의 중피세포들 사이에는 직경 2~12 μm정도의 구멍이 있는데 흉막공간과 림프관을 연결하며, 분자량이 큰 물질이나 혈액세포들이 이 구멍을 통하여 유출입된다. 호흡운동이 발생하면 흉막공간에 있던 물질이나 수분 등이 확장된 림프공간인 열공 (lacunae) 또는 다른 림프관으로 흘러들어 가게 된다. 이러한 림프액은 늑간간극(intercostal space)을 타고 흐르다가 종격동결절, 흉골연결절(parasternal node), 대동맥주위결절(periaortic node) 등으로 유입된 후 흉관을 경유하여 최종적으로는 대정맥 혈류로 도달하게

된다. 이와 같은 림프관과 중피세포간의 긴밀한 유기적인 관계로 인하여 흉막공간에 있는 ferritin, 탄소, 단백질과 같은 작은 물질들과 수분이 열공을 거쳐서 세포내소체나 세포간공간으로 유입되며 이러한 과정은 세포에서 일반적으로 발생하는 운반과정보다 매우 신속하게 진행된다.

벽측흉막의 혈액은 늑간동맥을 통해서 공급받고 기관지동맥은 장측흉막의 혈액을 공급한다. 중피세포하 대식세포들은 종격동흉막에 혈관이 풍부한 곳에 많이 모여 있는데 이곳을 Kampmeier foci라고 하고 세균이나 다른 유해물질들을 제거하여 흉막내에서 발생하는 감염으로부터 보호하는 기능을 담당한다.

정상적으로 흉막공간내에는 0.2 mL/kg의 수액이 흐르고 있으며 1.5 g/dL미만의 단백질과 주로 단핵구로 구성된 세포가 1,500 세포/mm³정도 존재한다.

차. 종격동

종격동(mediastinum)은 흉곽 내에서 폐를 제외한 종격흉막 사이에 있는 조직 간격으로서 전방은 흉골의 후면, 후방은 흉추, 하방은 횡격막, 상방은 흉곽입구 (thoracic inlet)로 경계지워진다. 종격동은 상종격동 (supeior mediastinum), 전종격동(anterior mediastinum), 중종격동(middle mediastinum), 후종격동(posterior mediastinum)으로 구분되는데, 각각 중요한 해부학적 구조물을 포함하고 있다(그림 1-11). 종격동 내에서는 림프종(lymphoma), 흉선종(thymoma), 배세포암(germ cell tumor), 신경성 종양(neurogenic tumor) 등의 종양들이 드물게 발생할 수 있으며, 외상, 식도파열, 감염성 폐질환, 급성 천식발작 등에 의해 급만성 종격동염이나 기흉 등이 발생할 수 있다. 특히 급성 및 만성 종격동염이 발생할 경우에는 사망률이 매우 높다.

카. 흉곽 및 호흡근육

흉곽은 횡격막에 의해 복강과 분리되어 있으며, 흉

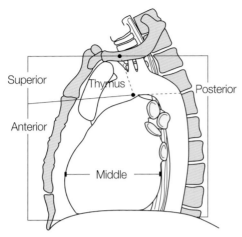

그림 1-11. 종격동의 구조

곽의 골격은 정면의 흉골, 후면의 흉추 및 이를 연결하는 늑골로 형성되어 있다. 흉곽은 내부의 주요 장기를 보호하며 호흡근육의 부착점이 되고 상지의 골격과 근육, 즉 전대(shoulder girdle)를 지지해 주는 역할을 한다.

3. 폐, 폐 세포 생물학

가. 폐 성장과 발달

폐는 재태연령 21~24일에 원시 전장(primitive foregut)의 싹(bud)으로서 형성되기 시작한다. 이러한 과정은 폐발달의 초기 혹은 가성샘시기 동안에 빠르게 진행되고, 재태기간 16주까지 종말세기관지를 포함하는 기도의 전부를 형성한다. 이후로 폐는 세관시기동안에 원시교환단위(acini)를 형성하기 시작한다. 이러한 발달 시기는 재태기간 약 26주까지 완성된다. 폐 발달의 마지막 단계 즉 소낭 혹은 폐포기에 폐는 성숙 계면활성제를 분비하는 2형폐세포를 만들어 가스교환을 하도록 하며 26주에서 출생 시까지 계속적으로 그 수와 크기를 늘리게 된다. 출생 후 폐는 새로운 폐포를 계

속적으로 형성하는데 비록 대부분은 2세까지 형성된다고는 하나 때로는 8세까지도 가능할 수 있다. 기도는 16주 후에는 그 크기에 있어서는 계속 증가하나 수는 증가하지 않는다(그림 1-12).

조기 폐아를 둘러싼 기질(mesenchyme)은 전장에서 유래된 혈관계(vascular network)를 포함한다. 이러한 기질은 기도 발달 뿐 아니라 혈관 발달에도 중요한 역할을 한다. 원시 혈관 모양은 가지를 친 기도처럼 형성된다. 이러한 혈관은 분화하여 동맥으로 발달하고 이후 폐동맥으로 되며 이와같이 기도와 세동맥의 긴밀한 연계가 조기에 발달과 함께 시작된다. 발달이 진행됨에 따라 기도와 혈관의 동기화(synchronization)가 일어나는데 이는 그들이 공동매개체에 반응하거나 전달자 물질(messenger molecules)을 교환함을 의미한다. 그러나 정맥들은 여전히 분리된 채로 남는다.

폐의 발달과정에서 세포나 발달과정의 변형은 폐실질이나 혈관성장에 장애를 일으키고 대개는 영아후기부터 증상을 나타내지만 때로는 성인에 이르기까지 무증상인 경우도 있다. 이 밖에 질병 혹은 폐손상으로 인해 조기 폐발달이 영향을 받을 수 있다.

나. 기도실질 성장에 기여하는 기전

1) 기질-상피 상호작용

상피세포와 기질간의 상호작용은 정상적인 폐의 성장과 발달에 필수적이다. 기질은 상부의 상피세포에 신호를 보내 기도와 폐포를 형성시키고 성숙시킨다. 원시 폐 상피와 기질로부터 성인 폐의 다양한 세포 성분으로 진화하는 일련의 과정들은 발생 초기부터 균형 있게 프로그램화되어 있다.

Integrin, syndecan, cadherins, fibronectin과 그 외의 다른 세포외 기질과 세포 표면의 성분들이 태아기 폐의 발달을 조절하지만 실제 이러한 성분들이 상피의 분화에 대해 어떤 신호를 어떻게 보내는지 그리고 각각의 세포외 기질 분자가 어떤 기전으로 서로에게 협동적으로 작용하는지는 명확하지 않다.

원시 폐 상피는 내배엽에서 근원하여 결국 기도의 섬모상피세포, 기도점막선, 기도점액세포, 클라라세포, 그리고 1형과 2형폐세포로 분화된다. Elastin은 폐포 형성에 긴요한 구조 단백으로서의 역할을 한다. 폐포는 간질의 세포외 기질 내에 얽혀있는 elastin섬유를 통해서 외부로 돌출하듯이 분화를 시작한다. 단백질 용해성 효소인 elastase나 beta-aminopropionitrile (elastin inhibitor) 그리고 콜라겐 교차결합으로 엘라스틴 망을 교란시키면 폐포의 구조가 변형되고 탄력반동의 생리적 소실을 초래한다.

2) 성장인자

펩티드 성장인자는 폐 상피의 성장과 발달을 조절하는데 폐 상피세포의 증식과 분화는 산성 섬유모세포 성장인자(acidic fibroblast growth factor), 각질세포 성장인자(KTF), 상피성장인자(EGF), 혈소판 유래 성장인자(PDGF)와 같은 성장인자들이 공존하는 경우 계속적으로 진행된다(표 1-1).

태내에서 폐 손상을 받은 태아의 폐조직은 EGF 면역반응이 상피세포에 국한되나 출생 후 손상을 받은 경우는 상피세포에 국소화되지 않고 점막하선세포에서 까

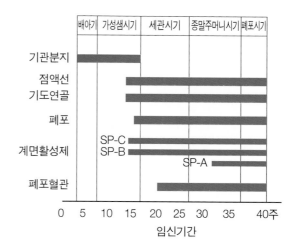

그림 1-12. 폐의 발생시기. SP: surfactant protein

지도 면역반응이 관찰된다. 폐 내의 bombesin양 펩타이드 역시 태아 폐성장과 성숙에 중요한데 bombesin양 펩타이드를 자궁내 투여하면 태아 폐는 계면활성제의 생합성과 SP-A mRNA 생산이 증가한다.

3) 물리적 기전

많은 기관의 형태 발생과 성장에 물리적 생리적 기전이 중요한 작용을 한다. 폐포 확장, 환기, 그리고 폐혈류가 출생 전후 폐 성숙의 조절에 관여한다. 기관이나 기관지를 묶어서 자궁 내 폐의 과대팽창을 유도하면 "과형성 폐"(hyperplastic lung)가 되어 정상 폐 보다 무거워진다. 이와 유사한 사람의 기형은 선천성 후두 폐쇄로서 폐가 폐포액으로 과다팽창되고 폐포 표면적, 폐 용적이 증가하며 elastin 성숙을 보인다. 양수과다의 경우도 폐포 팽창을 일으킨다. 역으로 실험적으로 양수를 제거함으로써 태아의 폐액을 배액하면 저형성 폐(hypoplastic lung)가 되는데 그 기전은 첫째는 폐포액을 감소시켜 폐포의 팽창이 부적절하게 되고 둘째는 양수액의 양이 불충분해서 흉벽을 압박하기 때문이다. 이에 상응하는 사람의 병이 신형성부전과 양수과소증을 동반하는 Potter 증후군이다.

폐의 성장 장애를 초래할 수 있는 다른 인체 기형은 선천성 횡격막 탈장과 중증 복벽 결여이다. 치명적인

선천성 횡격막 탈장을 갖는 영아는 폐포의 수가 적고, 폐의 용적이 작다. 손상의 시기에 따라 양측 폐 모두 영향을 받을 수 있으나 동측의 폐가 더 손상을 받는다.

동물실험에서 척추신경이나 횡격막신경을 절단하여 태자의 호흡 운동을 제한함으로써 저형성 폐를 만들 수 있다. 사람에서도 횡격막신경이 선천성으로 생기지 않은 경우 횡격막의 이상 발달과 폐 저형성이 동반되는 것을 볼 수 있다.

물리적 인자들은 앞서 열거한 예들처럼 태내에서 폐세포의 성장을 자극할 뿐만 아니라 출생후에도 폐의 성숙을 조절한다. 일례로 생후 첫 수년이내에 선천성 기형으로 폐 절제를 받은 소아에서 수년이 지나면 기능적으로 정상적인 폐용적과 기류를 보일 수 있다.

표 1-1. 세포 차원에서 폐의 성장을 조절하는 기질-상피-이화학적 요소들

Cell surface molecules
  Syndecan
  Integrin
  Cadherins
Extracellular matrix proteins
  Fibronectin
  Elastin
  Collagen (type IV)
  Chondroitin sulfate/heparin sulfate proteoglycan
  Entactin
  Laminin
Potential growth factors: autocrine or paracrine
  Epidermal growth factor/transforming growth factor α
  Transforming growth factor β
  Bombesin
  Insulin-like growth factor
  Keratinocyte growth factor/hepatocyte growth factor
  Acidic fibroblast growth factor/basic fibroblast growth factor
Physical factors
  Stress
  Shear
  Strain

다. 상피세포층을 구성하는 세포들

1) 배세포

배세포(goblet cell)는 모든 기관지와 큰 세기관지에서 섬모세포사이에 산재해 있으며, 골지 복합체와 세포질그물에서 점액을 생성한 다음 꼭대기에서 작은 물방울 형태로 저장되었다가 분비된다. 배세포는 호흡세기관지 같은 기도 말단에서는 섬모상피보다 먼저 소실되는데 이는 점액들이 폐포관과 폐포로 역류하는 것을 방지하기 위함이다.

2) 작은 점액선 또는 점막하선

큰 기관지의 결합 조직 내에 존재하여 길고 좁은 관을 통하여 기관지 표면과 연결되어 있으며 하루에 100 mL 정도의 점액을 분비한다. 이 샘꽈리(glandula acini)는 비교적 작고 장 또는 점액세포로 구성되어 있으며 점막하선층의 두께는 전체기관지벽의 1/3 정도이다. 반면에 만성기관지염에서는 이 샘꽈리가 커지고 점액세포가 상대적으로 증가되어 점막하층/전체기관지벽 두께의 비가 증가된다.

3) 비만세포

비만세포(mast cell)는 세포막과 결합된 분비과립을 가지고 있으며, 이 과립 속에는 히스타민, proteoglycan, lysosomal 효소들과 거미막산 (arachidonid acid)의 대사물로 이루어져 기관지 혈관의 투과성을 증가시킨다.

4) 클라라 세포

클라라세포(Clara cell)는 말초기관지로 갈수록 증가되며 기능이 잘 알려져 있지 않다. 이 세포는 풍부한 편평세포질그물을 가지고 있으면서 외부화학물질을 비독성화시키는 작용이 있는 복합적인 기능의 산화효소를 함유하고 있어 이른바 사이토크롬 P-450 단순산소효소조직체계(cytochrome P-450 mono-oxygenase system)를 통하여 일차적인 생체이물대사에 관여한다.

5) 폐포 분비세포

1형폐세포는 크고 넙적한 모양이며 폐 주변부의 폐포 면적의 90~95%정도를 차지하고 있으면서 주로 가스교환을 위한 크고 얇은 장벽을 가지고 있으며 일반적으로 세포분열의 능력이 상실되어 다른 세포로 분화되지 않는다. 꼭대기 막에 Caveolin-1이 존재하여 세포 내 콜레스테롤의 농도가 증가되면 이를 외부로 보내는 작용을 한다. 2형폐세포는 일명 대폐포세포(large alveolar cell)라고도 하며 입방모양세포로 폐포 면적의 5~7%를 차지하지만 숫자는 65%정도이며 세포질 내 많은 분비과립을 함유하고 있으며 인지질판의 고밀도 줄기를 가지고 있는 특징적인 판체가 있어 계면활성제를 생성, 보관하고 분비하는 역할을 담당하고 있다. 계면활성제의 주성분인 dipalmitoylphosphatidylcholine (DPPC)은 레시틴(lecithin)의 두개의 지방산이 팔미산 (palmitic acid)과 포화되어 있는 것으로 친수성극군 (hydrophilic polar group)은 물속으로 들어가고 두개의 소수성팔미산(hydrophobic palmitic acid)은 나오는 형태의 단순분자막(monomolecular film)을 형성하여 공기와 물 사이의 표면장력을 줄인다. 또한 폐손상 후에는 2형폐세포에서 1형폐세포로 분화가 일어나 폐 기능을 회복시킨다.

4. 방어기전

호흡기는 온도 및 습도 변화나 자극 물질, 공해 물질, 알레르겐에 항상 노출되어 있으므로 효과적이고 다양한 방어기전이 요구된다. 즉, 흡기, 호기의 온도와 습도를 조절하고, 외부로부터 들어오는 미세 입자, 바이러스, 유해가스, 알레르겐 등을 제거하는 역할을 한다. 호흡기의 방어는 비갑개와 점막 및 혈관층을 포함한 물리적 장벽과 기침 같은 생리적 반사작용에 그리고 점액 섬모운동 등에 의해 유지되는데 일시적인 호흡 정지, 후두 경련 및 기관지 수축도 일종의 방어 기전에 속한다.

가. 호흡기 방어기능의 발달

태어나면서부터 호흡기의 방어기전은 이미 어느 정도 갖추어져 있는데, 일례로 생후 10일된 신생아의 비 분비물에서도 IgG와 IgA를 볼 수 있다. 만2세까지는 IgG의 농도가 IgA 보다 높고, 급성 호흡기 감염이 있을 때 비 분비물(nasal secrection)내의 IgA는 증가하지만 타액이나 혈청 IgA 농도는 정상이다.

편도와 아데노이드에서 면역글로불린을 생성하는 B 림프구는 생후 2~3주에 나타나 만 2~10세 동안 계속 증가하다가 사춘기 이후에 감소한다. 편도에 의해서 분비되는 면역글로불린은 정상아에서는 IgG가 가장 높지만 잦은 감염이 있는 경우는 IgA가 증가하고 IgG 분비는 감소한다. 분비형 IgA는 미생물이나 항원이 점막 표면에 유착하는 것을 방해한다. 세포면역은 초감염이 전신 감염인 경우 재감염을 방어하는 기전으로 작용한다.

기도 내에는 흡인된 미세 입자를 거르고 처리하는 림프조직이 있는데 이를 bronchus-associated lymphoid tissue(BALT)라고 하며 생후 1주 경부터 발견된다. BALT 주위에는 섬모와 배세포가 존재하지 않아 점액섬모운동을 느리게 해 줌으로써 미세 입자의 처리를 도와주게 된다. BALT 와 GALT(gut-associated lymphoid tissue)는 일련의 관련된 면역체계로서 감작된 림프구를 전신에 재배치시키는데 중요한 역할을 한다.

폐포에서 발견되는 면역글로불린들은 혈액에서 유래된 것이며 재태연령 12~22주 정도부터 생성되지만 생후 6~8주까지도 양이 적다. 폐포의 대식세포는 제일선의 방어 역할을 하며, T 림프구, 호중구 등의 염증세포들과 보체가 폐포 면역 작용에 중요하다.

나. 물리적 방어기전

1) 상기도 방어기전

상기도는 비강, 부비동, 인두를 일컬으며 그 이하 부

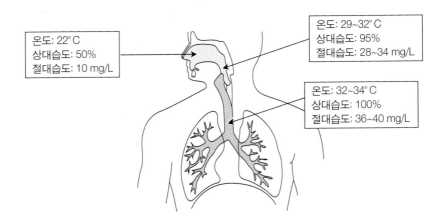

온도: 22° C
상대습도: 50%
절대습도: 10 mg/L

온도: 29~32° C
상대습도: 95%
절대습도: 28~34 mg/L

온도: 32~34° C
상대습도: 100%
절대습도: 36~40 mg/L

그림 1-13. 기도 부위별 온도와 습도의 차이

위는 하기도 라고 한다. 비강은 비교적 광범위한 부위의 혈관과 섬모 상피세포가 덮인 부위로서 외부 공기의 온도 조절과 미세 입자를 걸러내는 역할을 한다. 폐에서 가스교환이 제대로 이루어지려면 공기에 적당한 온도와 습도가 공급되어야 하는데, 흡기가 비강을 통과하여 기관 분지 부위까지 도달하는 동안 약 75% 정도 온도와 습도 조절이 이루어지며, 호기 때도 온도, 습도를 빼앗기지 않도록 조절된다(그림 1-13). 대기 중 10 μm이상의 큰 입자들은 비강 입구에서 코털에 의해 걸러지며, 5-9 μm정도의 입자들은 비강 상피세포에 침착 된다.

2) 점액 분비와 청소

후두는 연골로 된 좁고 둥근 고리 모양으로 특히 소아에서는 감염에 의해 쉽게 폐쇄가 일어난다. 기도와 기관은 가성 중층 섬모 원주 상피세포(pseudostratified ciliated columnar epithelium)로 덮여 있고 배세포가 분포되어 있으며, 기도 벽의 약 1/3 정도를 점액층(mucous blanket)이 구성하고 있다. 기관은 반 고리모양의 연골과 뒤쪽의 근육으로 이루어지나 하부 기도 즉 소기관지로 가면 연골은 사라진다. 점액막층은 배세포로부터 만들어지며 두께는 약 2-5 μm쯤 되는데이 밑에 있는 섬모들은 1분에 1,000회 정도 움직여 점

액층을 분당 10 mm의 속도로 상부 기도 쪽으로 밀어낸다. 기도 점액은 상피 및 점막하선조직의 분비물과 조직액투과액 등이 혼합되어 있으며 수분(95%), 당단백(2~3%), 프로테오글리칸(0.1~0.5%), 지질(0.3~0.5%)로 구성되어 있으며 당단백과 프로테오글리칸 성분이 점액의 특징적 탄력성을 유지해 준다. 기도의 섬모세포에는 세포 당 200개의 섬모가 있으며 섬모의 축삭돌기는 상피세포막의 바깥층을 둘러싸고 있다. 섬모운동은 빠른 진동이 있은 후 이어서 속도가 2~3배 느린 회복기 진동으로 이루어지며 인체의 정상 섬모운동 진동수는 12~22 Hz이다. 섬모운동이 점액분비처럼 신경이나 호르몬에 의해 직접 조절된다는 증거는 아직 없으나 점액증가가 섬모운동을 촉진하는 것으로 보인다(그림 1-14). 선천적 섬모운동장애가 있으면 호흡기질환과 불임증의 원인이 될 수 있다.

3) 기침 방어 기전

기도방어는 여러 종류의 신경 반사에 의해서도 이루어진다. 이러한 반사작용은 재채기, 기침, 기관지수축 등의 형태로 서로 독립적이거나 연관되어서 일어난다. 기침은 먼지와 같은 흡입된 입자들로 인한 기도 손상을 막는 중요한 기도방어 역할을 한다.

섬모운동으로 상부기도로 이동한 기도 분비물은

300 mmHg 압력과 초당 5~6 리터나 되는 유속을 가진 기침에 의하여 체외로 배출되는데, 제 6분지 기관 이상에 위치한 분비물은 배출이 가능하나 그 보다 깊이 존재하는 분비물은 기침에 의해 제거되기는 어렵다. 폐포 깊이 들어간 입자들은 대식세포에 의해 탐식되어 폐 혹은 간질(interstitium)을 통해 림프구에 의해 국소 림프절이나 혈액으로 배출되어 제거된다. 영아시기에 직접후두경으로 성대부위를 자극해보면 50%이하에서 만이 기침이 발생되는 것으로 보아 기침반사를 수행하는 말단 수용체와 중추신경계가 출생 초기에는 효과적으로 작용하지 않음을 알 수 있다. 또한 신생아시기에는 근육계통의 발달이 미숙하기 때문에 기침을 하기가 더욱 곤란하다. 1개월 이상의 영아 중 90%는 기침반사가 일어나는 것으로 보아 정상상태에서는 기침반사가 연령증가와 함께 회복됨을 알 수 있다.

인체의 중추신경계가 기침반사에 관여하는 기전에 대해서는 아직까지 많은 연구가 필요하나 기침의 원심성 전달계통은 보다 잘 밝혀져 있다. 기침은 다음과 같은 네 가지 단계로 이루어지는데 기침수용체가 자극을 받으면 흡기가 일어나고 흡기된 상태에서 성대가 닫히고 늑골강과 복근이 수축하면 흉강 압축이 일어난다. 이러한 압축으로 흉강 내압이 증가하면 성대가 열리면서 고속의 기침이 발생한다. 그 후 호기근육의 이완이 일어나면서 흉강 압력이 떨어지게 된다(그림 1-15).

다. 미생물에 대한 방어 기전

바이러스나 세균에 대한 방어를 위해서는 섬모운동과 탐식작용 이외에도 세포의 살균작용과 면역반응이 관여한다. 미생물 방어의 주역인 대식세포의 식균 및 살균 작용은 opsonin과 소림프구에 의해 증가된다. 호흡기 분비물내의 중요한 항체는 분비형 IgA이며, 바이러스 및 독소를 중화시키거나 세균의 용해를 돕는다. 또한 항원이 상피세포를 통과하여 침입하는 것을 방지한다. IgA는 이합체(dimer)로서 점막하층의 형질세포(plasma cell)에서 생성되어 운송편에 의해 점액 내

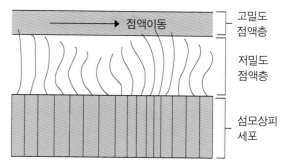

그림 1-14. 섬모운동에 의한 점액의 이동

로 분비된다. 이 운송편이 결여되면 혈중 IgA는 정상이라도 면역결핍 증상을 보인다. 이밖에 IgG, IgM 항체도 염증이 있는 시기에는 분비물에서 발견되며, lysozyme, lactoferrin 및 interferon 등도 호흡기 방어에 기여한다.

라. 호흡기의 방어기전을 저해하는 요인

1) 섬모운동 저하

섬모운동에 의한 기도 세정 작용은 저체온, 고체온, 갑상선 기능 저하증이 있거나 코데인이나 모르핀 등의 약제를 사용하는 경우에 저하된다. 코가 막혀서 입으로 숨을 쉬거나, 건조한 공기나 습도가 충분하지 못한 산소를 흡입하거나, 기관 삽관이나 절개를 통해 공기 유입이 우회된 환자에서는 비강 및 인두를 통한 온도 습도 조절이 이루어지지 않아 기도 점막의 건조와 섬모운동의 지연이 초래된다. 따라서 기관 삽관을 했거나 산소를 주는 경우 충분한 습도를 공급하도록 유의해야하며, 특히 산소가 통과하는 유리병의 물도 충분히 채우도록 해야한다. 네불라이저를 이용하는 경우는 초음파형 대형 네불라이저로만 기도에 습도 공급이 가능하고 제트형은 약물전달에는 효과적이나 수분 공급에 부적합하다는 점을 유의해야한다.

2) 기도 상피 손상

심한 대기 오염과 동반되어 나타나는 기도의 감염,

비염, 부비동염, 기관지염, 세기관지염 혹은 천식이 있는 경우 상피세포의 탈락이 초래되고 일부 환자에서는 기도 수축, 부종, 울혈이 보이며 심하면 궤양이 나타날 수도 있으나 대부분의 상피세포 손상은 회복이 가능하다. 그러나 궤양이 아주 심하거나 기관지확장증, 편평 상피 화생(metaplasia) 및 섬유화가 일어나면 영구적으로 심한 기도 세정 작용의 장애가 초래된다. 과호흡, 폐포 저산소증, 폐색전증, 폐부종, 및 살리실산 등의 약제는 폐를 비롯한 호흡기에 나쁜 영향을 준다.

3) 대식세포의 기능 저하

대식세포의 탐식 작용은 음주, 흡연, 저산소증, 기아, 부신피질 스테로이드제, 산화질소, 오존, 고농도의 산소, 마약, 일부 마취가스 등에 의해 저하될 수 있다. 또한 대식세포의 살균 작용은 산혈증, 고질소혈증, 특히 인플루엔자나 홍역 같은 급성 바이러스 감염 등에 의해 감소된다.

5. 폐손상과 재생의 기전

급성호흡곤란증후군(acute respiratory distress syndrome; ARDS)이라고 알려진 급성 폐손상 증후군은 75년 전에 Osler에 의해 알려졌고 1967년에 Ashbaugh 등이 베트남 전선에서 부상을 입은 군인들에서 신생아의 급성호흡부전과 유사한 증상을 보이는 경우를 경험하고 성인형호흡곤란증후군(adult respiratory distress syndrome)이라고 기술하였다. "성인"이라는 단어에도 불구하고 이 증후군은 실제로 생후 2주 소아에서도 볼 수 있으며 미숙아에서의 호흡곤란증후군과 임상적으로나 병태생리학적으로 유사하다. ARDS는 미만성 폐실질 손상에 이어 전신성 손상을 가져오는 경로의 시작이며 이러한 손상의 첫 번째 임상 결과는 폐포-모세혈관 투과성의 증가로 나타나는 폐부종이다. 지금까지 급성 폐손상의 병태생리에 대해 많이 밝혀지고는 있지만 예후는 여전히 향상되지 못하고 있다.

비록 향상된 집중치료로 호흡곤란으로 인한 조기사망은 방지되기도 하나 불행히도 이러한 환자들은 후에 여러 기관의 기능부전으로 발전하여 사망에 이른다. 이런 결과는 전신성 염증 반응 증후군(systemic inflammatory response syndrome; SIRS)으로서 통제되지 않는 전신성 염증반응의 활성화 때문이며(그림 1-16) 내피 손상의 확산과 미세순환의 장애를 초래한다. SIRS에서 폐손상은 부분적이고 자극에 대한 숙주의 비정상 반응의 결과이며 대부분 진행성 감염과 연

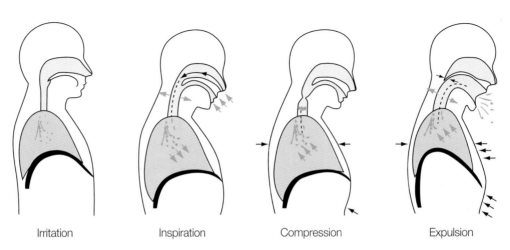

| Irritation | Inspiration | Compression | Expulsion |

그림 1-15. 기침 반사

관되어 있지만 비감염성 질환이 유사한 임상 증후군을 초래하는 경우도 있다.

지난 20년간 이 증후군의 원인이 되는 매개체를 발견하기 위한 연구가 있어왔고 매개체를 겨냥한 많은 치료 방침들이 임상에서 시도되었지만 큰 성과는 없었다. 항독소, anti-tumor necrosis factor-α antibody와 interleukin-1(IL-1)의 길항제가 대부분의 환자에서 별로 도움이 되지 않았으며 오히려 악화시킬 가능성도 있는 것으로 밝혀졌다. 급성 폐손상의 원인은 하나의 매개체보다는 여러 종류의 염증전구 매개체(lipopolysaccharide; LPS, 보체 생산, 사이토카인, 케모카인, 반응성 산소기, eicosanoids)와 항염증 매개체(IL-10, IL-1 수용체 항진제, 프로스타글란딘 I_2) 들 간의 상호작용에 의한다. 그러므로 ARDS를 성공적으로 예방하고 개선하기 위해서는 복잡한 급성 염증성 반응을 잘 이해해야 한다.

가. 증상과 병리

ARDS는 초기 손상 후 6~72시간의 잠복기에 이어 저산소혈증을 보이는 호흡 부전을 나타낸다. 심각한 장기 손상으로 발전하기 전의 이 잠복기 동안에는 치료가 가능하다. 가장 흔한 원인은 패혈증 같은 중증 전신감염, 쇼크, 다발성 외상, 췌장염과 세균 또는 바이러스성 폐렴 등이다(그림 1-16). 이처럼 원인은 다양하지만 임상 양상의 결과와 병리 소견은 동일하여 비슷한 병리학적 소견이 나타난다. 급성 폐손상의 초기 임상 양상은 호흡곤란, 빈호흡, 산소에 반응하지 않는 청색증, 폐 탄성의 감소, X선 소견에서 범발성 폐침윤 등이다. 가장 중요한 ARDS의 진단기준은 일차 원인으로 심혈관 장애가 없고 폐혈관쐐기압력이 상승되지 않는 것이다. 질환의 진행과 함께 중증의 폐고혈압이 종종 동반되기도 하며 소수의 환자들에서 저산소혈증과 과이산화탄소혈증이 병발하고 인공호흡기 치료에도 반응하지 않게 된다.

질병의 심한 정도와 예후는 폐손상 악화인자의 특성과 손상된 폐의 범위, 다른 기관의 장애에 따라 다양하게 나타난다. ARDS의 빈도는 10만명 당 75명으로 추산되고 사망률은 50~60%이며 최근의 자료에서는 10만명 당 1.5~3.5명으로 보고되고 있다. 이러한 빈도 변화는 악화되기 전 향상된 초기 치료로 ARDS로 분류될 폐손상 환자를 감소시켰다는 것을 의미한다. 예후는 사망률의 관점에서 호흡기치료 센터에 따라 차이가 있지만 이 질환의 악화인자와 장기 부전의 심한 정도에 따라 다양하다. 그러므로 폐손상의 표준 점수 체계와 ARDS의 엄격한 정의를 사용한다면 센터마다의 이런 차이를 줄일 수 있을 것이다.

급성호흡부전이 ARDS의 치명적 임상양상이므로 폐손상은 초기의 국소적 병변이라고 할 수 있다. 그러나 초기의 위험한 시기에서 살아남은 환자도 이미 다양한 정도로 장기 기능장애가 있으며 실제로 다기관 부전을 나타내는 생화학적 이상 소견과 함께 비정상적 폐소견을 나타낸다. 이와 같이 다기관에 나쁜 영향이 오는 현상을 전신성 염증 반응 증후군이라 칭하며 심혈관, 신장, 중추신경계, 혈액학적, 위장관계의 장애와 부전을 동반한다. 이러한 위장관 장애의 결과로 세균이 생성하는 지질다당체(LPS)로부터 장관을 방어하는 장벽 기능이 상실되고 이어 세균혈증과 내독소혈증은 전신성 염증반응을 초래한다.

부검조직에서 환자의 폐는 부종과 울혈로 인하여 간처럼 무겁고 단단하게 되어 있으며 전체적으로 무기폐 상태를 나타낸다. 현미경적으로 모세혈관 확장으로 발적되고 미세색전이 넓게 퍼져 있다. 폐포는 적혈구와 백혈구(중성구, 대식세포) 등의 세포 조각들로 가득 차 있고, 폐포 허탈과 유리질막(피브린, 혈장 단백질, 세포 잔해)이 폐포관 내에 보이며 특히 중성구가 폐모세혈관, 간질과 폐포에서 현저히 관찰된다. 내피세포와 상피세포 손상의 증거로 세포 부종, 변성 등이 나타나고, 이어서 세포 괴사가 와서 내피와 상피 표면의 기저막을 노출시킨다. 혈구 세포가 누출되고 혈장 성분이 간질로 이동하여 폐포-모세혈관 막 장벽 기능이 소실된다. 이 시기에 살아남는 환자에서는 cuboidal

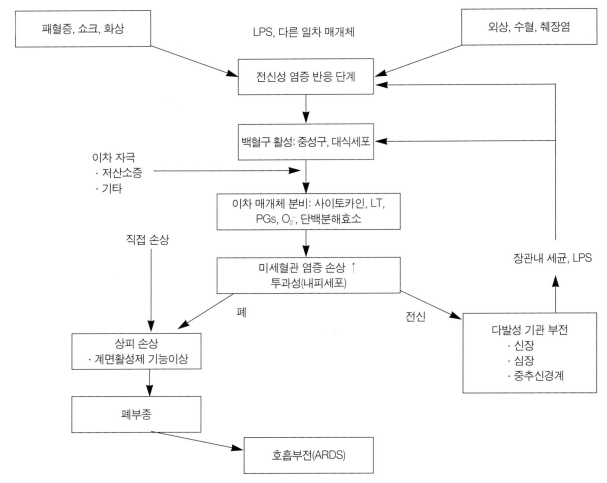

그림 1-16. ARDS의 발생기전. LPS: lipopolysaccharide, LT: leukotriene, PGs: prostaglandin

epithelial cell(2형폐세포로부터 유래)이 증식하고 간질 세포 침윤이 증가하면서 회복의 기미가 나타난다. ARDS 발병 5~7일 후부터 샘꽈리 구조의 파괴와 폐포 및 폐포관의 섬유화 현상을 보이는 섬유기가 나타나며 폐 전체의 콜라겐 함량이 2~3배 증가하며 이 시기에 섬유화가 전반적으로 나타난다.

나. 병태생리

1) 혈관과 상피세포의 투과성

손상이란 생리학적으로 조직이나 장기의 정상 기능

수행 능력을 상실한 것을 말한다. 폐손상의 가장 명백한 기능적 현상은 효과적인 가스 교환이 이루어지지 않아 저산소혈증이 지속되고 이산화탄소의 제거 능력이 상실되어 호흡 부전이 진행되는 것이다.

ARDS의 일차 장애는 폐포-모세혈관막 사이의 투과성이 증가하는 것이다. 간질과 폐포에 부종액 축적으로 직접, 간접으로 폐 확장이 감소하고 기능적 능력이 상실된다. 또한 지속적으로 관류가 일어나는 폐용적이 적고 환기가 되지 않아 환기 및 관류 부적합으로 인한 저산소혈증을 일으킨다. 고환기상태에서 관류 면적의 환기-관류 불균형으로 사강(dead space)이 생겨 심각한 ARDS를 초래하며 광범위한 미세색전도 환기-관류 불균형을 증가시킨다. 게다가 폐에 증가된 수분량으로 인해 직접적으로 혈관 압축이 일어나고 간접적으로 저산소성 폐혈관 수축상태가 되어 폐저항을 증가시킨다.

이러한 폐부종의 기전을 이해하기 위해서는 정상 폐에서 수분과 용질의 이동을 조절하는 여러 인자 들을 이해해야 한다.

가) 수분과 용질이동의 정상생리

액체 이동의 속도는 막간의 수압과 삼투압의 변화에 따라 증가하거나 용질이나 액체에 대한 투과성, 또는 미세혈관 표면적으로 관류되는 양에 따라 변화한다. 미세혈관은 액체 교환이 일어나는 혈관과 폐포, 폐포외 폐내혈관을 의미하며 폐포외 폐내혈관이 전체 폐수분 이동의 약 30~50%를 차지한다.

상피와 내피세포의 막은 용질에 따라 reflection coefficient에 큰 차이를 보인다. Tight junction은 상피와 내피를 연결하는 구조로서 다양한 조직으로 구성되어 있으며, 세포내외의 신호에 따라서 선택적으로 개폐되어 상피와 내피 사이의 물질의 이동을 조절한다. 상피세포와 내피세포는 세포사이 공간이 커서 분자 반경이 40Å 정도 되는데, tight junction 부위에서는 세포간격이 4Å 정도로 촘촘하여 Na와 Cl의 이동을 제한한다(그림 1-17). 정상 폐의 내피에서는 삼투압과 reflection coefficient에 영향이 있는 다양한 크기의 단백질들이 중요한 역할을 하는 용질이지만 정상 상피세포에서는 이온들이 삼투압에 능동적으로 영향을 주는 용질로서 Na의 reflection coefficient는 거의 1이다. 1 mOsm/L는 19 mmHg의 삼투압을 형성하는데 단백질은 혈장농도가 1.5 mOsm/L이므로 280 mOsm/L의 전해질 농도에 비하면 거의 영향을 주지 않는다. 그래서 정상 폐기능을 위해서는 상피 단층의 tight junction 유지가 필수적이다.

나) 막간 액체 이동의 변화

급성 폐손상 증후군의 뚜렷한 소견은 단백질이 많이 함유된 삼출물이 폐와 폐포 내에서 발견되며 상피와 내피의 용질에 대한 투과성이 증가한다. 그러나 심인성인 고압과 비심인성인 고투과성 폐부종의 고전적인 분류는 질병의 첫 시기에만 해당되는 분류로 질병 과정을 이해하는 데에는 적당하지 않다. 최근 고전적인 고압 폐부종으로 인해 상피 손상이 일어나고 혈관에서 폐포로 액체가 이동되는 특징적 소견이 신생아 폐에서도 증명되었다. 이와 유사하게 미숙아에서는 고전적인 계면활성제 결핍 호흡증후군이 빠르게 신생아호흡곤란증후군으로 발전하고 용질에 대한 폐 투과성이 증가하는 소견이 있다. ARDS에서의 고투과성 폐부종은 단백질이 폐포강으로 빠져 나가는 것과 관련이 있다. 이러한 단백질들 특히 피브린이나 피프리노겐, 분해 산물들은 계면활성제의 이상을 초래한다. 그 결과로 표면 장력이 증가하여 미세혈관 주위의 압력을 더욱 음압으로 만들어 액체의 이동을 증가시킨다. 또한 혈관압이나 관류된 표면적의 변화로 폐 액체 축적이 더욱 증가한다.

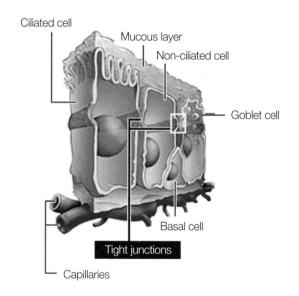

그림 1-17. 상피와 내피세포의 구조적 모식도

2) 세포성 기전

급성 폐손상의 기본적 병태생리 기전은 아직 명확하지 않다. 급성 폐손상증후군이 진행하면 폐에서 급성 염증 반응이 시작되고 미만성 폐손상이 발생하는데 이 증후군에서는 폐손상을 자극하는 원인이 제거되어도 염증반응이 광범위하게 활성화되고 전신적으로 진행하게 된다.

가) 독성 폐손상

독성 혹은 직접 폐손상이라는 용어는 일차적으로 백혈구의 활성 없이 직접 폐실질 조직에 유해한 물질에 의한 독성을 의미한다. 폐조직에 직접 독성성분으로 작용할 수 있는 물질은 탄화수소 섭취, 방사선, 폐렴, 위액 흡인, 독성 가스 흡입 등이다. 폐의 내피 또는 외피 세포가 직접 손상되면 폐포-모세혈관 막의 장벽 기능이 상실되고 폐부종을 초래한다. 그러나 완전히 손상된 폐손상증후군은 염증 단계의 이차 활성에 의한다. 예를 들면 산소에 의한 폐독성은 초기에 폐내피와 상피에 직접 독성 작용이 있지만 이차적으로 염증성 손상이 뒤따르게 된다.

나) 백혈구매개성 폐손상

급성 폐손상증후군의 가장 흔한 경로는 백혈구에서 나온 반응성 산소들, 단백분해 효소들, 혈소판활성인자와 양이온 단백 같은 독성 물질들에 의한 손상이다. 초기에는 많은 중성구가 LPS, 보체, 종양괴사인자 같은 다양한 물질에 의해 자극받아서 독성 산물을 분비하여 내피와 상피세포를 손상시킨다. 일시적인 백혈구 감소증이 임상적인 폐손상에 앞서서 나타나는데 많은 수의 백혈구가 급성 폐손상 환자 폐의 미세 혈관과 기관지세척액에서 발견된다. 또한 elastase, collagenase를 포함하여 폐손상을 일으킬 수 있는 많은 백혈구 생성물질들이 폐포세척액 내에서 발견된다. 또한 hydrocarbon peroxidase가 급성 폐손상 환자의 호기 공기에서 많은 양이 검출되며 다른 염증 세포들 즉 단핵-대식세포계도 폐조직손상을 일으키는 독성 물질을 생산한다.

정상 생리학적 상태에서 중성구는 폐와 상대적으로 조화를 이루고 존재하나 병리 상태에서는 중성구에 의한 염증반응이 광범위하게 활성화된다. 즉, 중성구에서 분비된 독성물질들이 폐에 빠르게 손상을 일으키며 더욱이 대부분의 심장박출 혈액이 폐를 통과하므로 백혈구가 폐에 추가로 신속히 이송된다. 염증반응이 지속되면서 많은 미성숙 백혈구들과 전구세포들이 골수로부터 혈액 내로 보충되고 조직으로 이송되어 염증반응을 유지시킨다.

염증성 질환에서 백혈구 활성을 조절하는 과정은 아직 확실히 밝혀지지 않았다. 정상 생리적 상태에서 백혈구는 폐혈관을 천천히 지나가며 오래동안 정지 상태로 있지는 않는다. 그러나 염증반응이 광범위하게 활성화 될 때에는 백혈구들이 다양한 폐세포 들에 의해 생산되는 화학주성인자나 다른 염증성 매개체들에 노출된다. 이 물질들은 폐포 대식세포, 폐 내피세포 및 상피세포에서 생성되는 성장인자, eicosanoids, 혈소판활성인자, IL-8, 단핵세포-대식세포계의 IL-1, 종양괴사인자들 그리고 혈류내의 보체, fibrinopeptide B, LPS 등 인데 순환하던 중성구가 이들에 노출되면 폐 모세혈관 내에 오래 존재하게 된다.

염증반응 초기에 중성구의 모세혈관내에 존속은 세포골격구조와도 관련이 있는데 인체의 폐 모세혈관 직경은 순환 백혈구(5.5 vs 8.0 μm)보다 작기 때문이다. 이어서 중성구가 염증 부위에 더욱 지속되는 이유는 백혈구와 내피세포 사이의 부착력의 증가에 기인한다. 특히 백혈구막의 L-selectin과 혈관내피세포의 sulfated glycoprotein 사이의 상호작용으로 유착이 시작된다. 또한 내피세포의 P-selectin과 중성구의 P-selectin glycoprotein 간의 상호작용도 초기 유착에 기여한다.

이러한 초기의 탄수화물간 상호작용은 더욱 고친화성이고 장기간 상호작용을 지속하는 백혈구 β_2-integrin (CD11/CD18)과 내피 유착분자(intercellular adhesion molecule; ICAM-1)사이의 작용으로 이어진다.

염증반응이 진행됨에 따라 ICAM-1과 E-selectin을 포함한 내피세포 표면의 유착분자 발현과 합성이 증가하여 폐내피세포에 대한 백혈구의 유착이 더 잘 일어난다. 일단 혈류세포들의 혈관벽 유착이 일어나면 유착세포들(내피세포, 상피세포 또는 간질 단백질에 부착된 세포)은 폐포 대식세포에 의해 생산된 사이토카인에 노출되기 때문에 다양한 반응성 산소기와 단백 분해 효소를 분비하여 폐기능 손상을 초래한다.

또 백혈구의 초회항원자극(priming)이 관찰되는데 그 자체로는 활성화시키지 못하는 역치 이하 농도의 물질에 노출되었던 백혈구가 이차적인 활성물질에 노출되면 반응이 훨씬 증폭되는 현상이다. 그 예로 처음에 낮은 농도의 LPS에 노출되면 중성구가 활성화되지 않지만 이 중성구가 다시 보체, phorbol ester 또는 leukotriene B4 같은 이차 활성 자극에 노출되면 superoxide 생산이 몇 배 더 증가한다.

염증반응의 전신적 활성이 일어나면 활성이 스스로 증폭되면서 염증조절기능이 상실된다. 특히 중요한 것으로는 위장관 장벽 기능의 상실로 박테리아와 LPS 같은 박테리아 생성물들이 혈류 내로 흡수되어 전신으로 이동하게 된다. 박테리아에서 유래한 LPS는 간의 Kupffer 세포, 폐대식세포를 포함한 망상내피세포계의 세포들을 유입시켜 종양괴사인자, IL-1, IL-8과 같은 다양한 염증 매개체를 분비시킨다.

3) 폐고혈압

급성 폐손상의 초기와 후기에 중등도 및 중증의 폐고혈압이 관찰되고 호흡 부전에 이를 수 있다. 임상적으로 ARDS 환자에서의 폐고혈압은 나쁜 예후와 관련이 있다. 폐혈관 수축이 급성 폐손상의 초기에 관찰되는데 부종성 액체의 혈관외 누출, 저산소증에 의한 폐혈관 수축, endothelin, thromboxane A_2 및 leukotriene과 같은 arachidonic acid 대사물 등에 의한다. 이러한 국소활성 대사물질 들의 출처는 뚜렷하지 않지만 백혈구, 혈소판, 내피세포와 다른 폐실질세포 들에 의한 것으로 보인다. 최근 내피세포의 nitric oxide synthase에 의해 생성되는 nitric oxide같은 혈관확장 물질들의 생산 결핍이 알려지고 있으며 후기에는 미세혈관들의 상당한 소멸과 잔여 소동맥의 개형 현상(remodeling)이 관찰된다. 이러한 비정상적 현상과 vasomotor tone 변화 등으로 인하여 ARDS에서 나타나는 환기-관류 불일치와 중증 폐고혈압이 발생하게 된다.

4) 응고반응과 fibrin 침착

응고반응과 fibrin 용해반응들이 급성 폐손상 동안에 활성화되어 thrombin과 plasmin이 생성된다. 신생아 호흡곤란 증후군의 경우 생성된 thrombin 양은 질병의 중증도와 관련이 있는데 thrombin 생성의 결과로 혈관 내에 fibrin이 침착되어 영아에서 지속적인 폐고혈압을 보이거나 성인에서 ARDS나 급성 호흡부전이 나타난다. 병태생리적으로 thrombin과 plasmin의 과도한 생성은 폐순환에 여러 영향을 미치는데 폐혈관 폐쇄로 폐혈관 저항이 증가되고 혈관긴장도를 변화시키며 폐미세혈관의 단백질투과성 등을 증가시킨다.

이러한 변화는 혈관 내에만 나타나는 것이 아니고 ARDS 환자의 기관지폐세척액의 경우에도 응고반응 활성화와 fibrin용해 능력의 손상이 나타난다. 신생아나 성인의 호흡곤란 증후군 모두에서 폐포내 fibrin 침착이 보이는데 이러한 혈관외 fibrin 침착은 폐포내 상피조직 손상부위에 흔하다. 이러한 피브린 형성은 가스 교환의 장애를 일으키고 허탈된 폐포의 재팽창과 폐포삼출물 흡수를 방해한다. 더욱이 fibrinogen fibrin monomer와 피브린 분해산물 들은 계면활성제 기능을 가장 강력히 억제하게 된다.

응고반응계 활성화는 정상 또는 병태생리학적 모두에서 혈액이 조직 인자(tissue factor; TF)에 노출되면서 시작된다. TF는 폐포대식세포와 섬유아세포를 포함한 많은 세포들에 발현되어 있지만 건강한 내피세포는 표면에 TF를 발현하지 않는다. 그러나 내피세포를 IL-1α, TNF-α, thrombin, 내독소와 함께 배양하면 표면에 TF가 발현되어 응고인자 형성에 도움을 주게 된다. 또한 ARDS 환자는 혈류 내 Von Willebrand factor 항원의 농도 증가와 질적 변화가 나타나며 이러한 현상으로 혈소판-혈관 벽의 상호작용 때문에 thrombosis가 촉진된다.

5) 계면활성제 이상

신생아 호흡곤란 증후군은 일차적으로 폐포 계면활성제의 결핍이 특징이며 성인의 급성 폐손상과 유사한 점이 많다. 영아에서는 계면활성제 보충으로 사망률이 감소하는 효과가 있으나 성인에서는 효과가 뚜렷하지 않다. 그 이유는 계면활성제가 인공적인 합성성분으로 천연 계면활성제에 비해 apoprotein이 적기 때문이다. 그러나 ARDS에서는 폐포-계면활성제 시스템의 보다 복잡한 장애가 존재한다. 이것은 기능적으로 중요한 인지질과 apoprotein 성분이 부족하고, 폐포로 새어 나간 혈장 단백 성분과 염증 세포에 의해 국소적으로 생성된 반응성 산소기, proteinase, phospholipase 같은 염증성 매개체들에 의해 계면활성제 기능이 억제되기 때문이다. 또한 ARDS에서는 특징적으로 계면활성제의 성상이 큰 응괴물(aggregates)에서 작은 응괴물로 변형이 일어나므로 치료는 폐계면활성제를 큰 응괴물 상태로 유지하기 위해 antiproteinase를 주입하고 인공호흡기는 낮은 일회 호흡량(tidal volume)과 낮은 호기말양압을 유지하는 것이 폐 기능부전의 진행을 막을 수 있다.

최근 들어 ARDS 환자에서 계면활성제 이용효과가 기대되고 있다. 급성 폐손상 동물 모델에서 천연 계면활성제를 다량 주입하여 가스 교환의 빠른 호전이 관찰되었고 ARDS의 환자에서 다량의 계면활성제를 기관지경으로 직접 주입하여 가스 교환의 호전을 보였다는 보고도 있다.

6) 내인성 항염증인자의 저하

대부분의 경우 염증반응은 내인성 항염증인자에 의해 조절되는데 다음과 같은 경우 들을 들 수 있다.

내피세포에서 생성되는 prostaglandin I_2와 E_2에 의해 중성구의 미세혈관내 저류가 제한되고 중성구표면 L-selectin이 탈락되어 혈관벽 유착이 억제된다

$α_2$-macroglobulin과 같은 혈장 단백이나 내피세포에서 생성된 prostaglandin I_2, E_2에 의해 백혈구유래 독성물질들인 반응성 산소기나 단백분해효소(proteolytic enzyme) 등의 분비와 생산이 억제된다.

IL-1 수용체 길항제와 IL-10과 같은 자연적으로 생긴 억제제에 의해 여러 매개체 들이 활성화되는 것이 억제되고 $α_2$-macroglobulin에 의해 응고반응의 활성화가 제한된다.

백혈구유래 독성 생성물에 대한 길항작용이나 중화작용이 있다. 즉, antioxidant 들인 catalase, superoxide dismutase, glutathione peroxidase에 의해 반응성 산소기가 제거되고, $α_1$-proteinase inhibitor같은 antiproteinase에 의해 proteinase가 중화된다. 대식세포가 세포사 과정의 중성구를 인식하여 독성효소 분비없이 염증 세포들을 효과적으로 제거한다.

최근 들어 이러한 항염증작용의 생리학적 중요성에 관심이 집중되고 있는데 ARDS의 기관지폐액에는 항염증 사이토카인 농도가 적으며 이는 ARDS의 불량 예후와 관련이 있다. 결론적으로 이와같은 염증을 제한하는 여러 기전에도 불구하고 ARDS에서는 염증반응이 광범위하고 전신적으로 활성화되어 조직 손상이 일어나게 된다.

7) 치료와 관련된 폐손상

급성 폐손상을 치료하는 여러 치료 방법 들이 있으나 경우에 따라 그 자체가 폐에 나쁜 영향을 줄 수도 있다.

가) 고산소에 의한 손상

지나친 농도로 장기간 산소를 투여하면 폐내피와 상피세포를 포함한 폐세포에 손상을 가져 온다. 사람에서 장기간의 인공호흡기 치료 후에 오는 폐기능 부전은 질병의 기간 보다도 인공호흡한 기간과 더 밀접한 상관성을 보인다. 이것은 산소 독성이 급성 폐손상 진행에 중요한 역할을 할 수 있음을 의미한다. 고농도 산소가 폐손상에 영향을 주는 기전은 여러 가지가 있

는데 그중에 하나는 산소 분압의 증가로 미토콘드리아에서 반응성 산소기 생산이 증가 되는 것이며 또한 높은 동맥혈 산소분압으로 폐포대식세포가 사이토카인과 화학주성인자들을 유리하여 이차적으로 중성구에 의한 폐의 염증성 손상을 가져오는 것이다. 정상폐에서도 100% 산소를 흡입하면 폐기능 장애가 빠르게 나타난다. 즉 점액섬모 운동이 수시간 내에 손상되고, 내피세포의 형태학적 변성과 더불어 수일 내에 급성폐손상증후군이 나타난다. 50%의 낮은 농도의 산소도 비슷한 손상을 일으키나 더 오랜 노출기간이 필요하다. 고농도 산소에 대한 감수성을 변화시키는 인자들로는 기존의 폐질환 여부, 대사속도, 스테로이드 치료, 비타민 결핍과 같은 영양 상태가 있으며 고농도 산소는 결국 이미 손상된 세포 회복을 지연시킨다.

나) 인공호흡기에 의한 손상

ARDS 환자에서 기계적 환기는 가스 교환을 호전시킨다. 그러나 이 치료법은 폐손상과 예후에 영향을 줄 수도 있다. 비록 정상 폐에서는 폐손상을 유발하지 않고 정상의 양압 환기를 장시간 사용할 수 있지만 미숙한 폐에서는 같은 압력에서도 기관지폐이형성증이 진행될 수 있다. ARDS 환자는 적절한 산소농도를 유지하기 위해 흔히 peak expiratory pressure가 30~40 cmH$_2$O이상 요구된다. 이 압력은 정상폐를 total lung capacity 수준으로 확장하는데 필요한 정도거나 그 이상의 압력에 해당되며 ARDS는 병변이 서로 다양한 상태로 존재하므로 정상폐는 불균형적인 환기압으로 인해 손상을 입기가 쉽다. 여러 동물실험들에서 높은 확장압은 내피세포와 상피세포 모두의 투과성을 증가시켜 폐부종을 일으키고 이러한 손상은 압력보다는 폐용적 증가 때문으로 밝혀졌다. 실제로 최근 낮은 tidal volume에서도 폐손상이 올 수 있다고 알려지고 있는데 폐수축이 압력-용적 곡선의 만곡점(inflection point) 이하에서 일어나면 말단 기도의 허탈이 발생하며 다음 호흡 중에 이 기도는 세게 열리게 되므로 상피조직의 물리적 손상을 가져온다.

기관 삽관과 기도의 통상적 흡인요법(suctioning)은 상피에 직접 기계적 손상을 가져올 수 있다. 즉 고속의 가스가 기도 내에 직접 투여되고 고농도 산소가 급속하게 점액섬모 운동을 손상시킬 수 있으므로 큰 기도가 손상되고 폐분비물의 제거 장애를 초래한다. 그 결과 분비물 제거의 제한과 같은 문제점 외에도 기도 협착(subglottic stenosis)과 폐쇄성 세기관지염(bronchiolitis obliterans) 같은 지속적 후유증을 일으킬 수도 있다.

다. 회복과 복구 기전

1) 폐포강 액체의 제거

태아 폐 상피세포는 에너지-의존 경로에 의해 액체 성분을 분비한다. 그리고 주산기와 출생 후 원위부 폐상피는 Na과 액체를 능동적으로 흡수한다. 실제로 원위부 폐상피에 의한 Na의 능동 수송은 출생시와 출생 후 부종성 폐에서 폐포액 제거의 주된 방법이다. 이러한 폐의 액체 농축능력은 심부전이나 ARDS로 인한 폐부종으로 부터 생존하는데 도움이 된다.

폐 원위부를 둘러 싸고 있는 상피는 클라라세포와 1형, 2형폐세포로 구성되어 있다. 원위부 상피가 Na과 흡수된 폐포액을 능동 이송하는 능력은 급성폐손상으로 인해 영향을 받는다. Nitrogen dioxide, oxidants 또는 활성화된 폐포대식세포들은 폐의 상피세포간 저항을 감소시키고 tight junction을 손상시킨다. 또한 hydrogen peroxide나 활성화산소기 모두 Na 이송을 억제하는데 폐상피조직의 복구과정에서 이러한 Na 이송에 유의한 차이가 나타난다. 즉, 미숙한 태아의 폐는 성숙한 폐와 달리 태아 폐 상피가 β-항진제에 반응하여 Na 흡수를 시작하지 못한다. 이처럼 폐포 부종에서 회복하는 능력은 폐손상을 유발하는 특정인자 들의 작용을 막고 상피조직의 Na 이송능력을 변화시키는 여러 자극 들을 제거하는 데에 따라 좌우된다.

2) 폐포 fibrin의 제거

급성 폐손상으로부터 효과적으로 회복이 되려면 세

포와 염증 잔해들이 폐포강으로부터 제거되어야 한다. 급성 폐손상에서는 thrombin이 활성화되어 fibrin이 혈관, 간질, 폐포강 내에 침착되어 있으며 복잡한 fibrin 용해 과정을 통해 폐색전현상 환자에서 혈관이 재개통되게 된다.

　Plasmin이나 대식세포 및 중성구에서 유래한 elastase는 폐포 내 fibrin 용해과정에 주도적 역할을 하는 효소들이다. 이러한 효소들의 활성은 plasminogen activator와 plasminogen activator inhibitor와 같은 protease/inhibitor 간의 복잡한 상호작용에 의해 조절된다. 폐포 내 fibrin 용해를 조절하는 단백들은 혈장 삼출액내에 존재하고 폐세포에 의해 생산된다. 예로 성숙한 쥐의 2형폐세포와 폐포대식세포에는 urokinase-type plasminogen activator와 plasminogen activator inhibitor가 존재한다. Plasmin 자체는 C1 esterase inhibitor, antithrombin III와 α_2-macroglobulin을 포함한 다양한 혈장-유래 antiproteinase에 의해 억제된다.

3) 세포단위의 복구

　급성 폐손상에서 생존한 신생아와 성인 환자의 대부분은 정상 폐기능을 가진다. 그러나 ARDS로 사망한 대부분의 성인과 신생아호흡곤란증후군을 가진 미숙아의 50%는 기관지이형성증이 나타나는 것으로 보아 폐의 효과적인 복구능력은 개체간 상당한 차이가 있다.

　폐 상피조직과 내피조직의 효과적인 복구는 정상 폐기능을 유지하는데 필수적이다. 복구과정에 처음 조속히 일어나는 반응은 기존 세포가 손상부위에 퍼지면서 상피세포간 tight junction 재형성되고 내피 세포들이 혈관손상된 부위로 이송되는 것이다. 이어서 두 번째 반응으로 수일에서 수주 동안에 걸쳐 새로운 세포가 재생성되는 과정이 있다. 만약 기존의 elastin과 폐의 collagen 골격 구조가 손상되지 않았으면 폐포 복구는 성공적으로 일어날 수 있다. 그러나 폐포가 protein-rich fibrin 내에서 융합되고 기존 구조의 파괴가 있는 경우에는 비정상적이고 불완전한 복구가 일어날 수 밖에 없다.

4) 폐섬유화

　소수의 ARDS 환자 들에서는 단백이 많이 함유된 부종이 빨리 사라지지 않고 폐포강이 느슨한 섬유결체조직으로 변화되는 폐포 섬유화 형태를 나타내기도 한다. 실제로 ARDS로 사망한 환자의 폐 콜라겐 양은 비정상적으로 많고, 기관지 이형성증의 영아에서도 Type I/III 콜라겐의 비율이 증가한다. 유리질막 형성의 부분에서는 근섬유아세포와 섬유아세포의 뚜렷한 증식이 일어난다.

라. 치료적 관점

1) 폐손상의 예측 인자

　급성 폐손상에서는 단일 치료만으로 효과를 기대할 수 없다. 그러나 치료방침은 조직 손상을 초래하는 염증반응을 억제할 수 있도록 매우 선택적이어야 한다. 특히 중요한 것은 초기의 폐손상에서 다음 단계의 심한 생리적 변화로 진행되기 전에 고 위험군의 환자를 파악하여 조기에 치료를 진행해야 된다는 점이다. 현재 가능성 있는 위험인자의 지표로는 보체분해단백의 증가, antioxidant(superoxide dismutase, catalase, glutathione peroxidase) 농도의 증가, 혈류 내 독소의 증가, 혈청과 기관지폐포 세척액 내 IL-8 농도의 증가 등이 주목되고 있다. 또 폐손상에 대한 체내반응으로 Type III 콜라겐의 N-terminal propeptide의 농도를 측정하여 증가되어 있으면 중증의 말기 폐섬유화로 진행할 가능성이 높다고 예측할 수 있다. 그러나 위험군의 공통적인 지표는 아직 명확하지 않다.

2) 과도한 염증 반응의 예방

　원인 질환에 대한 직접적인 치료 즉, 광범위한 감염증이 있는 경우 적절한 항생제의 사용 등이 주 치료가 되며 이외에 초기에 중성구의 폐미세혈관 저류와 유착을 억제할 수 있는 다음과 같은 방법 들이 효과적일 수 있다. 즉, pentoxifylline과 유도체들을 투여하여 중성구가 폐내에 증폭되거나 정체되는 것을 방지할 수 있고,

항보체제(anticomplement: anti-C5a)와 IL-8 항체, 펩타이드들, soluble oligosaccharide 들은 백혈구의 혈관벽 유착을 선택적으로 억제하며, 항내독소항체는 내독소의 독성 효과를 방해한다. 그러나 최근의 항내독소항체의 임상 시험에서는 큰 효과를 나타내지 못했으며 경우에 따라 정상 생리적 과정에서 중요한 기능을 하는 세포를 비특이적으로 방해할 위험성도 있다.

염증 단계의 후반을 겨냥한 다양한 치료법 들이 연구되고 있는데 IL-1 수용체 길항제의 투여, 종양괴사인자에 대한 항체, 수용성 사이토카인수용체로서 종양괴사인자나 IL-1 등에 결합하여 중화시키는 방법, 백혈구유래 독성산물의 생성이나 유리를 억제하는 방법들이 있다. 최근에는 이러한 약제들을 기도 내로 효과적으로 전달하기 위해 nebulized liposome을 이용하여 superoxide dismutase 같은 큰 단백 들이 세포 내로 운반되도록 하는 방법이 시도되고 있으며 세포유전자 transfection 방법을 이용하여 폐내에서 국소적으로 anti-oxidants와 anti-proteinases(α_1-proteinase inhibitor)의 생성을 유도하는 유전자 요법도 연구되고 있다.

3) 특이적 병태생리 결함의 반전

폐고혈압은 치료에 의한 중재가 가능한 특이적 결함의 일례이다. 최근 ARDS 환자들에서 5~20 ppm의 nitric oxide을 지속적으로 흡입시킨 후 폐동맥압의 감소와 3~53일 동안 가스 교환이 개선되었으며 독성도 거의 나타나지 않은 것으로 보고되었다. 또 인공환기술 중 낮은 tidal volume을 유지함으로서 폐의 압력손상을 최소화하거나 예방하는 것도 중요한 요소이다.

4) 회복과정의 촉진

회복 과정에서는 외부에서의 계면활성제의 투여와 폐포강으로부터 능동적 Na 수송을 자극하는 물질(예. β-항진제)로 부종의 제거를 도와주거나 세포내 수준에서 cAMP를 증가시키는 약제 들을 투여한다. 최근 Na이송에 관여하는 유전인자가 발견되어 유전자요법

을 이용하여 폐포강으로 부터의 Na이송을 촉진하는 방법이 연구되고 있다. 또 세포외 콜라겐 침착을 방지하고 폐실질의 섬유화로 인한 장단기 후유증을 개선할 수 있는 방법이 기대되고 있다.

6. 호흡생리의 임상적 응용

가. 폐용적의 유지

기능적 잔기용량(functional residual capacity)은 건강한 사람이 휴식을 할 때 호흡계통의 탄력반동(elastic recoil)이 0인 지점이다. 이 용적을 EEV(elastic equilibrium volume) 또는 이완용적(relaxation volume)이라고도 한다. 폐와 흉벽은 둘 다 호흡계통이 탄력성을 갖게 하는데 기여한다. 폐와 흉벽은 전기적으로 말하면 직렬연결이다. 따라서 흉벽과 폐에 의해 발생한 압력의 대수학적인 합계는 호흡계통의 압력이 된다. 호흡계통의 EEV는 흉벽의 탄성반동이 폐의 탄성반동과 힘의 크기가 같고 반대 방향으로 작용할 때를 가리킨다. 폐만 분리시켜 볼 때 폐의 이완용적은 0이다. 즉, 폐 내에 기체가 있을 때 폐는 기체를 배출시키고자 하는 성질을 갖는다. 그러나 실제로 폐는 완전히 용적이 0이 될 수 없는데, 왜냐하면 그 이전에 기도들이 더 먼저 허탈이 되어 폐내에 기체를 가두기 때문이다. 건강한 사람의 호흡계통 용적은 기도 허탈이 있을 때의 폐용적보다 훨씬 크다. 태아 흉벽은 더 유연하다. 따라서 흉벽은 폐와 균형을 맞추기에는 탄성반동이 적다. 이것은 정적 압력용적곡선을 오른쪽으로 움직여서 호흡계통의 이완용적을 감소시킨다. 조산아는 경직된 폐를 갖고 태어나기 때문에 일정 부피에서 폐의 PEL(elastic recoil pressure)이 증가한다. 이것은 폐의 정적 압력용적 곡선을 오른쪽으로 움직이므로 호흡계통 이완용적을 더 심하게 감소시킨다. 그 감소는 너무나 커서 이완용적이 소기도의 폐쇄용적보다 더 적게 된다. 영아들은 이런 상황을 감내하기 어렵기 때

문에 이완용적보다 더 많은 부피로 호흡을 한다. 이 같은 이유로 기능적 잔기용량과 이완 용적이 항상 같은 것을 의미하지는 않는다.

나. 폐의 과다팽창

폐의 과다팽창은 일반적으로 휴식시의 폐용적보다 더 큰 경우를 일컫는다. 앞서 기술한 것처럼 end-expiratory lung volume은 비교적 나이 많은 정상 소아나 성인의 EEV와 일치한다. 과다팽창은 자연적으로 다음 두 환경에서 자주 일어난다. 첫째는 저항이 현저히 증가할 때이고 둘째는 탄성반동의 현저한 감소가 있을 때이다. 시간상수(time constant)란 호흡계통이 수동적으로 기체를 완전히 비우도록 허락된 상태에서 부피-시간 곡선을 측정하였을 때 부피가 처음부피의 63% 감소될 때 까지 걸리는 시간이다(그림 1-18). 폐가 과다팽창된 위의 두 상태 모두의 경우 호흡기에서 기체를 배출하는데 필요한 시간상수가 증가한다. 만약 환기요구를 만족시키기 위해 필요한 호흡 속도가 많아지면 충분한 호기 시간을 갖지 못하므로 폐의 과다팽창이 발생한다. 과다팽창이 생길 수 있는 또 다른 환경은 기계적인 환기이다. 이론적으로는 호기 시간이 호기 시간상수의 3배면 end-inspiratory volume의 95%를 배출하는데 비하여 호기 시간이 호기 시간상수의 5배이면 전체 부피의 99%를 배출한다. 실제 환자의 호기 시간상수가 호기 시간상수의 3배보다 작으면 기계적인 환기를 하는 영아에서 폐의 과다팽창이 일어난다.

다. 노력성 호기

1) 노력성 호기 측정

노력성 호기 측정은 폐쇄폐질환을 진단하는데 유용하다. 적절한 노력을 하여 불었을 때 호기폐활량(expired vital capacity)을 지나면 호기의 속도는 호기시에 가해진 힘에 독립적으로 나타난다. 최대유량(peak flow)은 노력에 의존하고 잔기량(residual volume)에 가까울수록 노력에 독립적이다.

사람의 기도내에서 폐용적이 높은 지점일 때는 기체의 유량은 2차 또는 3차 기도의 크기에 영향을 받지만 점차 폐용적이 줄어들면 유량이 감소하고 주변부의 더 작은 기도의 영향을 받는다.

2) 천명의 생리

유연한 관을 흐르는 기체가 그 흐름에 제한을 받으면 그 자리의 관벽에 떨림 현상이 발생한다. 이 떨림 현상은 에너지 보존 법칙에 의하여 발생한다. 즉, 호기 때 최대유속을 내게 하고도 남는 만큼의 에너지가 관벽이 떨리는데 쓰이는 에너지가 된다. 기도의 협착이 있으면 이 같은 떨림 현상이 발생하고, 이 떨림 현상이 바로 천명이다. 천명이 있다는 것은 호기 유량의 제한이 있다는 것을 의미하지만 호기 유량의 제한이 있다고 해서 항상 천명을 들을 수 있는 것은 아니다.

3) 기침

기침은 가장 흔한 자연적 강제 호기 현상이다. 기침은 여러 가지 실제적인 기능을 한다. 이것은 먼지나 담배 연기 같은 기계적인 자극에 의하여 일어나거나 호흡기 감염에 의하여 객담을 뱉고자 할 때, 또는 기도의 이물질 흡입을 방지할 목적으로 일어난다. 또 기침은 자발적으로 시작되기도 한다.

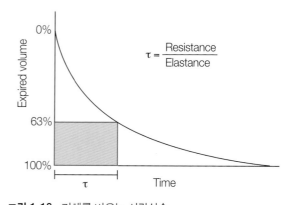

그림 1-18. 기체를 비우는 시간상수

기침이 자발적으로 일어나거나 기침 수용체의 자극에 의하여 일어나거나 간에 다소의 공기를 흡입하는 일이 제일 먼저 발생한다. 그 다음 강제 호기에 관여하는 근육들이 흉복부압을 주변압력보다 100 cm H_2O이상 높게 만든 다음 거의 동시에 성대가 닫힌다. 성대가 닫힌 0.2 초 후쯤 다시 성대가 열림으로써 성대하 압력은 떨어지고 호기가 시작된다. 그러나 일반적으로 흉곽내 압력은 계속 오른다. 이렇게 해서 먼저 최대호기가 온 다음 최대압력이 뒤따른다. 호기 유량은 흉곽내의 중앙 기도의 허탈이 시작되기 전까지 급하게 상승을 지속한다. 중앙 기도가 허탈이 되기 전까지 기도는 점차 좁아지면서 최대 기류 속도를 내고 최대 비틀기힘(shearing force)과 운동에너지를 넘으로써 체벽에 침착한 물질을 뱉어낸다. 호기가 끝나면 호기에 관여했던 근육들의 활동이 저하되고 반대로 흡기에 관여하는 근육의 활동이 시작되며 횡격막이 다시 하강함으로써 폐포 압력은 주위 압력으로 떨어지고 유속은 0이 된다. 폐용적이 높은데서 낮은 데로 이동하면서 흡기 동작 없이 여러 차례 기침을 하는 수가 있는데 이 때는 기도 분비물을 소기도에서 유속이 더 큰 중앙의 기도로 보냄으로써 더 용이하게 분비물이 배출되도록 하는 역할을 한다.

7. 운동과 호흡

전에 비하여 최근에는 더 어린나이에 심한 운동을 시키는 경향이 있어서 학동기 이전에 태권도나 검도 같은 특별한 운동을 시작하기도하고, 특히 십대의 청소년에게 수영, 테니스, 체조 등의 분야에서 세계 최고의 선수를 겨냥한 훈련을 시키기도 한다. 따라서 소아가 격렬한 운동을 했을 때 일어나는 물리적, 정신적, 사회적 반응을 알고 그로인해 얻는 것과 잃는 것을 이해하는 것은 중요하다.

적절한 성장과 심폐의 발육 그리고 뼈, 인대, 건, 근육의 적절한 내구력을 얻기 위해서는 규칙적인 운동을 해야 한다. 소아는 쉬지 않고 움직이고 운동한다고 생각하기 쉬우나 이것은 사실이 아니다. 영국과 싱가포르의 연구에 의하면 소아의 심박수를 지속적으로 재어 본 결과 활동성은 매우 낮고 심폐 기능에 자극을 줄만한 충분한 운동을 하는 경우는 거의 없다고 한다. 어려서부터 운동이 부족하면 성인에서도 주로 정적인 생활을 하며 이 때문에 심장 관상동맥 질환, 비만, 그리고 요통 등과 같은 운동감소병(hypokinetic disease)이 생길 수 있다. 이런 점에서 어려서부터 규칙적인 운동을 하는 생활 습관, 특히 체육 활동에 참여하는 즐거움을 가르치는 학교 교육 프로그램이 중요하다.

가. 급성운동과 심폐반응

운동을 하면 대사 속도가 증가하고 근육에 필요한 산소, 포도당, 유리 지방산을 더 많이 필요로 하는데, 심폐계가 대사를 항진시키고 이때 생긴 이산화탄소, 열과 같은 대사의 결과물을 처리한다. 심폐계는 운동으로 인하여 늘어난 신체대사 속도에 따라 호르몬, 비타민, 아미노산등을 필요한 부위로 이동시킨다. 휴식에서 최대 운동으로 강도를 높이면 에너지 소비량은 23~26 배로 증가하고, 대사요구량도 130~200배 까지 늘어난다. 즉 산소 소모 속도가 20배 이상 증가하고, 운동의 속도나 강도는 산소 소모와 비례하여 늘어난다. 증가된 산소 소모는 다음과 같은 방법으로 보상한다.

① 심박출량의 증가(그림 1-19 A)
② 근육에 의한 산소적출률의 증가
③ 심박출량의 재분배에 의하여 골격근, 심근 등과 같은 활동 조직으로 많은 양의 혈류가 흐르도록 조절
④ 폐환기의 증가
⑤ 폐혈류를 증가시키고, 폐포를 열어서 폐의 확산능 증가
⑥ 혈장에서 간질 공간(interstitial space)으로 수액 분배가 일어나 혈액이 농축되어 순환혈액의 산소운반 능력 향상

1) 급성운동과 호흡

휴식에서 최대 운동으로 전환하면 환기(ventilation) 수는 초반에 급격히 증가한 후 점차 항정상태에 도달 하기까지 서서히 증가한다. 운동이 끝났을 때도 환기

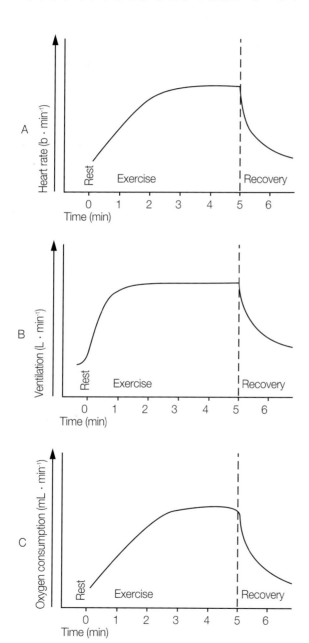

그림 1-19. 운동에 따른 심박수(A), 환기(B), 산소 소모(C)의 변화

수는 초반에 급격히 감소하고 이후에 점진적으로 줄 어든다(그림 1-19 B).

휴식에서 최대까지 운동량이 증가할 때, 분당환기 (minute ventilation)는 최대 산소소모(maximal oxygen consumption, $\dot{V}o_2max$)의 50~60%까지는 작 업부하에 비례해서 직선상으로 상승 하다가 그 이후 곡선을 그리게 된다(그림 1-19 C). 호흡수와 일회호흡 량(tidal volume)이 증가함에 따라 분당환기가 증가하 는데, 휴식할 때는 분당 10~15번이던 호흡수가 최대 작업부하에 이르면 45~75번이 되고, 일회호흡량은 최 대 작업부하시 폐활량(vital capacity)의 50~60%까지 증가하게 된다.

가벼운 운동이나 중등도의 운동을 할 때는 호흡수 와 일회호흡량이 운동과 산소소모의 증가에 따라 직 선상으로 증가하며, 점차 더 중한 운동을 하면 폐활량 은 더 이상 늘지 않고 주로 호흡수가 증가하여 분당환 기가 많아지게 된다. 환기가 늘어남에 따라 기체의 흐 름에 저항이 커짐으로써 호흡에 필요한 에너지가 증 가한다. 에너지 요구량은 최대 운동시 휴식시에 비해 50배 까지 증가한다.

환기와 산소소모 관계가 직선에서 곡선으로 변하는 점을 호흡보상 한계치(respiratory compensation threshold)또는 환기 무산소 한계치(ventilatory anaerobic threshold)라고 한다.

운동 중 환기 반응은 근육 세포로 가는 산소 공급을 증가시키고 폐확산능력(lung diffusion capacity)을 3배 정도 증가시킨다. 이것은 주로 폐의 상부 모세혈관이 더 개방됨으로써 폐로 순환하는 혈량이 증가하고 폐 가스교환이 일어나는 총 면적이 증가하기 때문이다.

나. 만성운동과 심폐반응

일주일에 2~3일씩 규칙적인 운동을 함으로써 운동 수행 능력을 높일만한 생리적 변화와 체형의 변화가 일어나게 된다. 이 결과 최대작업수행능력(maximal work capacity)이 높아지고, 이 능력은 산소 소모를 측

정함으로써 어느 정도인지 알 수 있다. 이 산소 소모는 주위환경으로부터 산소의 획득, 활성 근육으로의 산소운반, 혈액으로부터의 산소적출 그리고 근육 움직임에 쓰이는 각자의 능력에 따라 달라진다. 즉, 산소 소모는 최대 심박출량과 최대 동정맥산소차(maximum arterio -venous oxygen difference, a-vo$_2$ $\varDelta$)를 곱한 값이다.

운동선수와 일반인의 운동에 대한 반응은 최대작업능력을 변형시키는 매개변수가 다르다. 운동선수의 최대작업능력, 최대산소소모, 최대심박출량은 일반인에 비하여 높지만, 최대작업이 아닐 때는 산소소모와 심박출량에 있어서 일반인과 차이가 없다.

최대 심박출량의 증가는 주로 최대 일회박출량(stroke volume)의 증가에 기인한다. 왜냐하면, 지속적인 운동으로 최대 심박수는 거의 변함없거나 심지어는 감소하기도 하기 때문이다. 운동선수의 일회박출량은 휴식시나 준최대 작업속도(submaximal work rate)에서 일반인에 비하여 더 높은 것으로 생각하는데, 이것은 동일 작업부하 일 때 일반인과 비교하여 총 심박출량은 동일한데도 심박수는 더 낮기 때문이다.

휴식시와 준최대작업시 산소적출률과 산소이용은 일반인과 운동선수 간에 차이가 거의 없다. 그러나 어떤 정해진 혈량에서 산소적출률과 산소이용의 최대능력은 운동선수가 더 크다.

휴식기와 준최대작업시의 수축기, 이완기 그리고 평균 혈압은 운동선수가 더 낮다. 이것은 말초혈관에서의 저항이 운동선수가 더 낮기 때문이다.

작업부하가 증가함에 따라 나타나는 환기변화의 형태는 운동선수와 일반인이 비슷하다. 그러나, 준최대작업부하에서는 운동선수의 환기속도가 더 느리다. 휴식시는 운동선수와 일반인이 환기속도에서 비슷하지만 최대 환기속도는 운동선수가 더 크다. 폐확산능력(pulmonary diffusion capacity)에 있어서 반응의 형태는 양자가 비슷하나 그 값은 운동선수가 더 크다.

8. 환경에 따른 호흡 변화

높은 고도에 오르면 추워지고 대기는 건조해지며 방사선은 증가하는 등 환경 조건이 많이 달라지고 호흡을 통해 이를 극복하려는 노력을 가장 먼저 하게 된다. 또 다이빙과 같이 급하게 물속에 들어가거나 나올 때도 인체에 많은 변화가 오며 폐압력손상(pulmonary barotrauma)이나 감압병이 올 수 있다.

가. 고도에서의 호흡 변화

높은 고도에서 대부분의 포유류에게 오는 가장 중요한 변화는 기압 강하를 동반한 산소 농도의 저하이다. 현재 산소 농도가 12%이하이거나 흡입공기의 산소 분압이 100 mmHg도 안되는 3,000 m 이상의 고지대에서 살고 있는 사람이 수백만 명 이상으로 추정되고 있다.

1) 저산소증에 대한 방어기전

흡입 산소 농도가 낮은 경우 첫째, 분당환기(minute ventilation)를 늘리는 과호흡이 일어나거나, 둘째, 산소 이용을 줄여 대사저하증을 초래하며, 셋째, 산소 추출을 높이거나, 넷째, 이상의 여러 방법을 조합하여 보상한다. 성인과 영아들이 급성으로 저산소증에 노출되었을 때 과호흡과 대사저하증이 함께 나타나지만 성인은 대개 과호흡으로, 영아들은 주로 대사를 저하시킴으로써 이를 극복한다.

그러나 저지대의 영아들과는 다르게 고지대 영아들은 주변의 저산소 환경에 대하여 기체 대류의 증가나 산소 소비량의 감소가 아니라 혈색소와 헤모글로빈의 수치 증가와 같은 혈액학적 변화와 더불어 흡입 공기에서 산소를 더 효과적으로 추출함으로써 보상한다.

이러한 변화는 같은 인종의 저고도 영아에게서는 발견되지 않는다.

2) 산소민감성과 환기

고지대에 사는 성인들은 고지대 여행자에 비하여 분당환기와 동맥혈 산소분압은 더 낮고, 동맥혈 탄산가스 분압은 더 높다. 흡입 산소농도나 동맥혈 산소분압이 같다면 고지대 성인이 저지대 사람보다 분당환기가 더 작다. 고지대 사람이 만성 저산소혈증임에도 불구하고 환기 욕구가 낮은 것은 유전적이라기보다는 이차적으로 획득된 것이다.

고산소혈증에 대한 즉각적인 반응은 고지대, 저지대의 영아 모두에서 분당환기가 감소하는 것으로 나타났고 그 양은 유사하였다. 이것은 양자 모두의 산소수용체에 전달하는 호흡욕구가 비슷한 것을 의미한다.

영아는 고산소혈증때 분당환기가 갑자기 감소한 다음에 다시 원래로 돌아간다. 이러한 것의 기전은 부분적으로는 산소소모가 증가하는 것에 기인하지만 자세한 것은 밝혀지지 않았다.

만성 저산소증이 있는 청색증을 동반한 선천성 심장 질환이 있는 성인과 소아에서 동맥혈의 산소 불포화와 이산화탄소의 부분압 사이에는 상관관계가 없다. 만성적인 저산소혈증에도 불구하고 과호흡이 나타나지 않는 것은 만성적인 저산소증에 대한 산소수용체의 민감성이 떨어져있기 때문이라고 생각된다.

나. 다이빙

다이빙의 중요한 위험은 주변 압력이 변함에 따라 기체의 물리적 성상이 변하는데 있다. 보일의 법칙에 따르면 일정 온도를 유지하는 폐쇄된 장치 내에서 기체 부피는 장치에 가해진 압력에 반비례한다. 이 때문에 스쿠버 다이빙을 하면서 수면을 향하여 급히 상승할 때 인체는 압력손상(barotrauma)을 입게 된다. 또 헨리의 법칙에 따르면 일정한 온도에서 액체에 녹는 기체의 양은 그 기체의 부분압에 비례한다. 이것은 스쿠버 다이버가 하강한 후 질소와 같은 기체가 혈액내에 과포화되어 있다가 급격히 상승할 때 압력이 낮아짐에 따라 용액으로부터 빠져나와 혈액과 조직에 공

기 방울이 생기기 때문에 감압병(decompression sickness)의 여러 증상들이 나타난다. 사람이 해수면으로부터 하강할 때 압력은 매 10 m마다 1기압씩 증가한다. 예를 들어, 수면 아래 30 m에 있던 사람이 수면하 20 m로 10 m 올라가면 주변 절대압력은 4기압에서 3기압으로 낮아지고 기체 부피는 1.33배 증가하나, 수면 아래 10 m에 있던 사람이 수면으로 올라가면 기체 부피는 2배 증가한다. 이 때문에 압력손상은 상대적으로 얕은 깊이의 물에서 자주 발생한다. 감압병은 물밑에 체류하는 시간과 깊이에 비례하여 나타나는데 임상증상으로는 소양증, 관절통증이 오거나 심하면 척수마비, 뇌졸중, 대뇌부종 또는 사망에 이르기도 한다. 치료는 산소의 투여와 고압방(hyperbaric chamber) 기구로의 이송이다.

그러므로 다음과 같은 질환이 있는 경우 폐 손상을 막기 위하여 다이빙을 금지시키는 것이 좋다.
① 현재 천식을 앓고 있는 소아
② 천식 과거력이 있고 현재 폐기능검사에 비정상 소견을 보이는 소아
③ 지난 2~5년간 천식치료를 받은 소아
④ 운동유발성 천식 환자
⑤ 고장성 식염수나 찬 공기로 유발검사를 했을 때 기도 과민성을 보이는 환자

참고문헌

1. 한용철. 임상호흡기학. 10판. 서울: 일조각; 2000;1-19.
2. Osler W. The principles and practices of medicine, ed 10, New York, Appleton, 1927;48-52.
3. Wasserman K, Whipp BJ, Koyal SN, Beaver WL. Anaerobic threshold and respiratory gas exchange during exercise. J Appl Physiol 1973;35:236-43.
4. Nilsson R, Grossmann G, Robertson B. Lung surfactant and the pathogenesis of neonatal bronchiolar lesions induced by artifical ventilation.

Pediatr Res 1978;12:249-55.

5. Lahiri S, Brody JS, motoyama EK, Velasquez TM. Regulation of breathing in newborns at high altitude. J Appl Physiol 1978;44:673-8.

6. Martin JG, Habib M, Engle LA. Inspiratory muscle acivity during induced hyperinflation. Respir Physiol 1980;39:303-13.

7. Schmalzer EA, Chien S. Filterability of subpopulations of leukocytes: effect of pentoxifylline. Blood 1984;64:542-6.

8. Paterson DJ, Morton AR. The exercise anaerobic threshold: incorrect nomenclature. NA J Sport Med 1986;14:73-4.

9. Gavriely N, Kelly KB, Grotberg JB, Loring SH. Forced expiratory wheezes are a manifestation of airway flow limitation. J Appl Physiol 1987;62:2398-403.

10. Matthay MA. The adult respiratory distress syndrome. Definition and prognosis. Clin Chest Med 1990; 11:575-80.

11. O' Brodovich H. Epithelial ion transport in the fetal and perinatal lung. Am J Physiol 1991;261:C555-C64.

12. Ludwig MS, Robatto FM, Simard S, Stamenovic D, Fredberg JJ. Lung tissue resistance during contractile stimulation: structural damping decomposition. J Appl Physiol 1992;72:1332-7.

13. Mortola JP, Frappell PB, Frappell DE, Villena-Cabrera N, Villena-Cabrera M, Pena F. Ventilation and gaseous metabolism in infants born at high altitude, and their responses to hyperoxia. Am Rev Respir Dis 1992;146:1206-9.

14. Melamed Y, Shupak A, Bitterman H. Medical probles associated with underwater diving. New Engl J Med 1992;326:30-5.

15. Jenkins C, Anderson SD, Wong R, Veale A. Compressed air diving and respiratory disease. A discussion document of the Thoracic Society of Australia and New Zealand. Med J Aust 1993;158:275-9.

16. Moffett DF, Moffett SB, Schauf CL. Human physiology; foundations and frontiers, ed2, St Louis, 1993, Mosby.

17. Scanlan CL, Spearman CB, Sheldon RL, editors. Egan' s Fundamentals of Respiratory Care. 6th ed. New York : Mosby, Inc.; 1995;178-212.

18. Fishman AP, Elias JA, Fishman JA, Grippi MA, Kaiser LR, Senior RM, editors. Fishman' s pulmonary diseases and disorders. 3rd ed. New York: McGraw-Hill, Inc. ; 1998;21-41.

19. Taussig LM, Landau LI. Pediatric Respiratory Medicine. Mosby, St. Louis, 1999;18-55.

20. Murray JF, Nadel JA, Mason RJ, Boushey HA Jr, editors. Textbook of respiratory medicine. 3rd ed. Philadelphia : W. B. Saunders ; 2000;21-41.

호흡기학

제2장

호흡기 질환의 진단적 접근

1. 증상에 따른 진단적 접근 및 평가 방법

가. 진단적 접근 방법

1) 병력

병력 청취는 환자의 주소에 따라 광범위하게 이루어져야 한다. 임상 의사는 환자가 호소하는 증상을 듣는데 집중하여야 하며, 그 증상의 발생상황, 빈도, 지속 기간, 강도 등의 정보는 매우 중요하다. 또한 동반되는 피로감, 운동곤란, 그리고 감기 증상도 놓치지 말아야 한다. 과거에 사용된 치료법과 효과는 병의 원인을 찾는데 도움을 줄 뿐 아니라 환자의 치료순응도를 평가하는데도 도움이 된다.

산전, 분만 그리고 신생아시기에 대한 병력이 반드시 고찰되어야 한다. 임신 기간 중 산모가 약물 섭취나 흡연을 했는지를 알아보아야 하며, 분만 당시의 상황도 중요하다. 과거의 호흡기 문제, 예를 들어 심한 감염이나 수술 등에 대해서도 문진이 이루어져야 하며, 특히 잦은 폐렴은 면역 결핍이나 낭성섬유증, 해부학적인 이상, 연하곤란, 기관지확장증 등을 의심케 한다. 습진이나 아토피 피부염, 고초열, 혹은 특정한 알레르기 등의 병력은 만성기침을 하거나 잘 조절되지 않는 천식 환아에서 매우 중요하다. 잦은 감염이나 성장 지연은 숨겨져 있는 면역 결핍을 찾는데 도움이 된다.

또한 가족력도 상당히 가치 있는 정보를 제공한다.

환자의 가정 사회적 환경 역시 중요하다. 진찰을 하고 치료순응도를 평가하는 등의 치료 계획에 도움이 되는 정보를 줄 수 있기 때문이다. 가족 구성원의 수와 나이 그리고 단독주택, 아파트 같은 주거형태 등의 항목이 이에 해당한다. 학교 혹은 어린이 집에 다니는지 그리고 그곳의 환경에도 주의를 기울여 살펴보아야 한다. 비밀이 보장된다는 조건에서 사춘기 환아들에게는 담배나 마약 등의 중독성 물질에 관해서도 분명하게 물어야 한다.

주거 환경적 요인, 즉 냉난방 시스템의 형태, 집이 지어진 햇수, 지하실의 유무, 최근의 리모델링에 대한 정보들도 중요하다. 많은 가정들이 농장에 있는 동물이나 새와 같이 밖에서 키우는 동물들을 애완동물로 여기지 않기 때문에 '애완동물' 보다는 '동물의 소유' 여부를 묻는 것이 보다 적절하다. 널빤지나 베니어로 제조된 가구, 물침대, 카펫, 천장 타일 등이 천식을 유발시키는 휘발성 알데히드를 함유하고 있을 수 있으므로 이에 대한 관찰도 필요하다.

소아과 환자에게 있어서 계통적 고찰(review of system)은 자주 간과하기 쉬운데 두통은 부비동 질환의 징후일 수 있으며 특히 아침에 발생하는 두통은 폐쇄성 수면 무호흡증에서 비롯될 수 있다. 비증상 뿐 아니라 결막염이나 안검염과 같은 안증상은 아토피 질환 혹은 영아에서 클라미디아 감염의 증상일 수 있다.

재발되는 구강궤양 혹은 아구창은 만성 혹은 재발성 이루와 같이 면역결핍과 관련된 것일 수 있으며 수유 곤란, 부종, 호흡곤란, 운동곤란은 심부전의 단서일 수 있다.

2) 진찰소견

가) 상기도

귀는 상기도의 일부로 외이도는 기침 수용체가 존재하는 곳 중 하나이다. 따라서 만성기침의 원인으로 귀에 있는 이물질과 외이도 및 중이질환에 관한 검사가 중요하다.

비강은 흡입하는 공기의 통로로서의 역할을 하기 위해 독특한 형태를 하고 있다. 비갑개와 부비동 일부는 흡입된 외부 공기를 체온과 비슷한 온도와 100%의 상대습도를 가진 공기로 만드는데 기여한다. 흡입성 항원 알레르기를 가진 환아는 자주 가려움이나 불편함 때문에 반복적으로 위아래로 코를 문지르는 결과로 비횡추(transverse nasal crease)가 생길 수 있다. 이것은 allergic shiner, Dennie line과 함께 동반되는 알레르기 질환의 징후이다. 비중격의 만곡이나 폐쇄, 혹은 비용종을 가진 경우에는 비교(nasal bridge)의 확장을 볼 수 있다. 한쪽 콧구멍을 막고 숨을 쉬게 함으로써 비강의 통기성을 확인할 수 있으며, 선천성 혹은 후천성으로 콧방울 연골(alar cartilage)이 없는 경우는 매 흡입 때마다 콧구멍이 막힐 수 있다.

비강은 코벌리개로 관찰할 수 있는데 비점막은 정상적으로 약간 번질거리는 분홍색을 띠고 있다. 이외에 부종이나 색깔의 변화가 있는지 시진해야 하며 비강 분비물의 색깔이나 성상, 냄새 등도 확인해야 한다. 알레르기 비염에서는 대개 비점막이 창백하며 약간 부어 있고 만성 비염의 경우에는 점막이 회색빛을 띤다. 악취나 혈성 분비물이 있는 경우에는 이물질이나 만성 부비동 질환일 가능성이 많으며, 반면에 투명한 분비물은 알레르기 비염 혹은 합병증이 발생하지 않은 상기도 감염의 초기에 볼 수 있다. 감염이 있는 경우는 염증성 점막의 형태를 보이게 된다. 비강 분비물의 한셀 염색(Hansel's stain) 도말검사는 가끔 유용한 정보를 주는데 알레르기성 질환의 경우 호산구의 증가를, 세균성 부비동염의 경우는 다핵구의 증가를 볼 수 있다. 비중격의 만곡, 천공, 그리고 비인두는 가장 흔한 객혈의 위치이므로 출혈 위치 등을 살펴야 한다. 비공 안의 이물질과 용종, 그리고 종물은 주의 깊게 살펴야 확인이 가능하다.

부비동의 검사는 10세 이하의 소아에서는 어렵지만 비강 내로 직접 시진을 통해서 전두동, 상악동, 전사골동으로부터 화농성 분비물의 출처를 알 수 있고 이 부위의 부종이나 이물질 혹은 용종으로 배출구가 폐쇄되면 만성적인 부비동염의 원인이 될 수 있다. 그러나 이 경우에는 시진만으로 충분히 진단할 수 없으므로 컴퓨터 단층 촬영이 더욱 신뢰할 만하다.

하악골에 관해서도 아래턱 후퇴증이나 작은 턱증이 있는 경우 특히 수면할 때에 기도 폐쇄가 올 수 있는지를 주의 깊게 시진해야 한다. 치아뿐 아니라 구강 점막을 포함한 구강위생 상태도 살펴야 하고 입천장을 잘 살펴볼 뿐만 아니라 가볍게 촉진하여야 점막밑구개열를 놓치지 않는다. 목젖의 크기와 모양도 확인되어야 하며 긴 목젖이 간혹 만성 기침을 유발할 수 있으며, 갈라진 목젖이 있는 경우는 숨겨진 점막밑구개열을 의심해야 한다. 소리를 낼 때와 구역질을 할 때의 목젖과 연구개의 움직임도 중요하며, 신경학적 이상을 가진 소아에서는 더욱 그러하다. 특히 편도의 한쪽이 커져 있는 경우는 편도농양이나 림프종에서 볼 수 있고, 후인두벽에 보이는 조약돌모양의 아데노이드 조직은 알레르기 질환과 연관되어 있는 비정상 소견이다. 호흡할 때 악취가 나는 경우 지저분한 치아 위생, 코의 이물질, 혐기성 세균 감염을 생각해 보아야 하며 혹은 폐렴을 고려해야 한다.

목을 검사할 때는 기관의 위치를 잘 살펴야 한다. 즉 기흉, 경부종물, 편측의 폐 무형성 혹은 형성저하증, 이물질이나 선천성 낭성 폐 질환으로 인해 편측의 과팽창이 있는 경우 기관의 위치를 한 쪽으로 편위시킬 수 있다. 폐 무형성 혹은 형성 저하증의 경우 질환이 있는

쪽으로 편위되나 대개는 질환이 있는 반대쪽으로 기관이 편위된다. 또한 경부 촉진을 통해 종물이나 갑상선 비대, 그리고 림프선 종대 등을 확인해야 한다.

목소리의 특징을 통해서도 중요한 정보들을 얻을 수 있으며 쉰 목소리는 성대의 부종이나 마비 등으로 인한 기능장애, 손상 등을 의미한다. 쉰 목소리는 아니면서 고음의 흡기 천음과 동반된 약한 목소리는 성대 하부의 폐쇄와 관련이 있고, 저음의 흡기 천음과 약한 목소리는 성대상부의 폐쇄와 연관된다. 성문 자체가 협착된 경우는 흡기 시에만 고음의 협착음이 들리는 쉰 목소리와 관련이 있다. 신생아에 있어서 쉰 목소리나 약한 목소리는 선천성 성문 혹은 성문하부 기형이 의심되므로 즉각적인 검사가 필요하다.

나) 흉부

① 시진

다른 부분과 마찬가지로 흉부의 검사 역시 시진부터 시작한다. 흉부의 전체적인 모양과 변형 유무를 확인해야 한다. 흉위는 영아에서 두위와 비슷하여야 하고 연장아는 두위보다 커야 한다. 통모양 가슴 변형은 가슴의 앞뒤 폭이 증가하는 것으로 폐쇄성 폐 질환과 관련이 있다. 잘 조절되지 않는 천식환아에서 이러한 통모양 변형의 심한 정도는 폐 용적 및 X선 사진에서 과팽창과 상당히 연관성이 있다. 심장비대, 기흉, 척추 측만증 등을 가진 환아의 경우 비대칭적인 흉부형태가 관찰될 수 있으며 새가슴이나 오목가슴도 가끔 관찰된다.

환자의 휴식 혹은 수면 중의 분당 호흡수는 호흡기 상태를 임상적으로 평가하는데 매우 유용하나 발열이나 대사성 산증의 경우에서는 폐질환없이도 호흡수가 증가될 수 있다. 공기흐름의 저항을 줄이기 위해 시도되는 비익 확장(nasal flaring)이나 목이나 가슴 주변 피부의 함몰(retraction) 등은 힘든 호흡의 증상이다.

그러나 호흡곤란은 주관적일 수 있고 실제로 호흡기 질환과 관련이 없을 수도 있다. 신경근육질환을 가진 소아는 대사성 산증 혹은 발열과 같은 상황에서 적절히 분당환기(minute ventilation)를 증가시킬 수 없으므로 호흡곤란을 호소할 수 있다. 급성 천식 발작 환아에서 부호흡근의 사용과 호흡곤란 정도는 FEV_1 같은 폐기능과 혈색소의 산소 포화도와 상당히 관련이 있다.

호흡의 양식도 중요한 정보를 주는데 이러한 호흡 양상은 뇌간의 호흡 중추에 의해 결정된다. 호흡양식의 변화는 혈중 산소포화도, 산증 혹은 알칼리증에 대한 반응일 수도 있고 호흡 중추 그 자체의 일차적 이상을 의미할 수도 있다.

호흡의 깊이 또한 중요하다. 제한성 폐질환 환자는 매우 얕고 빠른 호흡을 하며 폐쇄성 폐질환 환자는 상대적으로 느리고 깊은 호흡을 한다. 과다호흡, 즉 빠르고 깊은 호흡은 저산소증과 대사성 산증을 포함한 질환과 관련될 수 있고, 알칼리증은 느리고 얕은 호흡을 일으킬 수 있다. Biot's 호흡은 호흡과다와 무호흡이 번갈아 나타나는 매우 불규칙적인 호흡양상으로 뇌수막염이나 뇌염 등과 호흡중추에 영향을 주는 신경학적 질환에서 볼 수 있고 Cheyne-stokes 호흡은 30초 내지 1분을 주기로 반복적으로 호흡수의 증가와 감소를 나타내는 호흡양상으로 대개 혼수상태에 나타난다.

정상적으로는 호기와 흡기의 시간이 거의 비슷하나 세기관지염, 천식의 급성 발작, 낭성 섬유증 등과 같은 폐쇄성 폐질환에서는 연장된 호기를 관찰할 수 있다.

6~7세 경의 소아의 경우 복식 호흡이 정상일 수 있으나 이러한 호흡이 현저히 나타날 때는 일반적으로 폐렴이나 상기도 폐쇄, 폐쇄성 폐질환을 의심해야 한다.

② 촉진

촉진은 주로 복부 검진에서 일반적으로 사용되지만 흉부 검진에서도 중요하다. 촉진은 가슴에 손 전체를 대고 손바닥과 손가락 끝으로 느끼는 방법이다. 마찰음(friction rub)은 호흡양상에 일치해서 나타나며 빠른 빈도의 진동으로 느껴질 수 있다. 진동촉감(tactile fremitus)은 발성과 연관된 진동의 전달로 주로 저음에서 잘 전달되므로 고음을 발성하고 협조가 잘 안 되는 어린이들에게 있어서는 확인하기 힘들다. 진동촉감이 감소하는 경우는 기도의 폐쇄, 흉수, 혹은 흉막비후와 관련이 있고, 반면에 증가된 진동촉감은 폐 실질의 경화와 연관된다.

③ 타진

타진을 수행하는 데는 두 가지 방법이 있는데, 가슴을 손가락으로 직접 두드리는 직접법과 가슴에 올려놓은 손가락을 두드리는 간접법이 있다. 타진은 직립자세로 똑바로 서 있고 머리가 중립위치에 있는 경우에 시행 하는 것이 가장 좋은 것으로 되어 있다. 대개는 각각의 위치에서 두세 번 정도 두드려본다. 그때의 힘은 일정해야 하는데 과도한 힘은, 특히 작은 아이에서 잘못된 과다 공명이 들리게 할 수 있다.

④ 청진

1816년 Rene Laennec에 의해 청진기가 발견된 후 흉부에서 들리는 특징적인 소리의 변화를 인지할 수 있게 되었다. 표준 양귀 청진기를 이용하여 영아나 소아를 검사할 때는 적절한 크기의 청진기를 사용하는 것도 중요하다. 의복 위로 청진하는 것은 피해야 하고, 가능하다면 환자가 편안한 자세에서 입을 통해 천천히 그리고 깊이 숨을 쉴 때 청진해야 한다.

가슴의 각 부분을 빠뜨리지 않고 청진하기 위해서는 흉부 표면에 투영된 폐의 각 엽 혹은 분절(그림 2-1)을 이용하여 청진 하면 도움이 되고, 가슴 앞쪽 쇄골 아래에서는 상엽을, 견갑골 아래쪽에서는 하엽을, 그리고 흉골의 아래쪽 1/3의 양측으로는 우중엽과 설엽을 잘 청진할 수 있다. 겨드랑이에서는 폐의 모든 엽이 골고루 청진될 수 있다.

㉮ 호흡음

폐포 호흡음(vesicular breath sound)은 건강한 소아에서도 들을 수 있으며, 폐엽이나 기도로부터 나오는 저음의 '쉭' 하는 소리로 긴 흡기와 짧은 호기를 가지며 흡기 때 소리가 커지며 이 소리는 엽과 분절의 기도로부터 나와서 정상 폐실질을 통해 전달된다.

기관지 호흡음(bronchial breath sound)은 폐포 호흡음보다 크고 짧은 흡기와 긴 호기를 가지며 폐경화의 결과로 호기 때 크고 고음으로 들린다. 기관지 폐포 호흡음(bronchovesicular breath sound)은 폐포 호흡음과 기관지 호흡음의 중간 단계로 호기와 흡기의 시간은 거의 비슷하며 기관지 호흡음보다는 폐경화 혹은 협착을 적게 반영하는 소리이다. 기관지 폐포 호흡음은 때때로 정상인에서 등세모근의 아래쪽 경계와 넓은 등근과 큰마름근으로 구성된 청진삼각 영역과 우상엽에서 들릴 수 있다. 천명(wheezing)은 지속적인 음악성 잡음으로 짧은 흡기 및 긴 호기와 동반되어 호기 때 나타나는 단음 혹은 다음의 소리로 천음(stridor)과 같은 상기도에서 나는 소리들과 구별이 매우 어려울 수 있다. 천음은 주로 흡기 때에 들리는 고음의 단음 음악성 잡음으로, 상기도 폐쇄와 동반되며 때로 호기 때에도 들릴 수 있다.

㉯ 우발음

우발음(adventitious sound)은 수포음(rale, crackle)을 칭하는데 아염발 수포음(subcrepitant rale), 고운 수포음(fine rale), 염발 수포음(crepitant rale)과 거친 수포음(coarse rale) 등으로 구분되어 널리 사용되고 있다(표 2-1). 고운 수포음은 호기 후 닫혀진 폐포들이 흡기 때에 폭발적으로 다시 열리는 소리로 세기관지염이나 폐렴, 폐경색, 무기폐에서 흔히 들을 수 있다. 정상적으로 기상 후 첫 몇 번 호흡 동안에 뒤쪽 폐 하부에서 들릴 수도 있다. 이 소리는 엄지와 검지 사이에 몇 가닥의 머리카락을 귀 앞에서 서로 비빌 때 나는 소리와 비슷한 소리이다. 거친 수포음은 기관지 혹은 세기관지에서 얇은 폐액의 이동에 의해 만들어지는 소리로 흡기 초반이나 때로 호기 때에 입에서 들릴 수 있다. 기침 이후에 깨끗해지거나 양상이 변화하며 때때로 잔기량을 호기할 때 앞쪽 폐 하부에서 들릴 수도 있다. 건성 수포음(rhonchi)은 소위 '큰 기관지 소리' 라 불리며 호기 때에 큰 기관지 안에 있는 폐액들의 이동

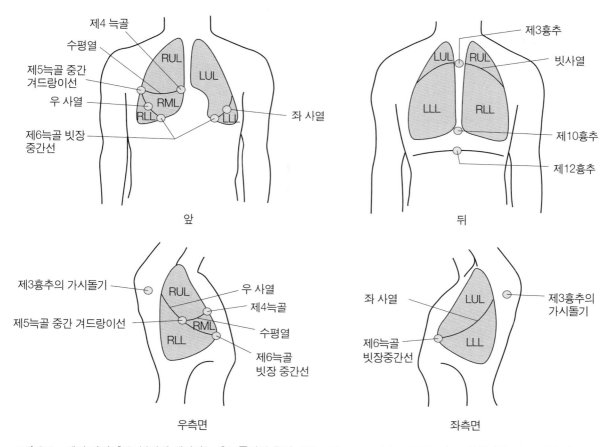

그림 2-1. 폐의 각엽 혹은 분절에 해당하는 흉부표면의 구역. RUL: right upper lobe, RML: right middle lobe, RLL: right lower lobe, LUL: left upper lobe, LLL: left lower lobe.

표 2-1. 폐 청진에서 들리는 우발음의 종류와 특징

청진음	가능한 기전	특징	원인
천명	Rapid airflow through obstructed airways	High pitched, usually expiratory	천식, 울혈 심부전증
천음	Rapid airflow through obstructed upper airway	High pitched, monophonic	크룹, 후두개염, 발관 후
거친 수포음	Excess airway secretions moving through airways	Coarse, inspiratory and expiratory	심한 폐렴, 기관지염
고운 수포음	Sudden opening of peripheral airways	Fine, late inspiratory	무기폐, 섬유증, 폐부종

에 의해서 들리는 '그렁그렁' 하는 소리이다. 흉막액이 감소하거나 없는 경우는 흉막 마찰음이 들릴 수 있다. 마지막으로 장의 연동운동 소리도 때때로 왼쪽 폐하부에서 정상적으로 들릴 수 있는데, 이 경우에는 반드시 선천성 횡경막 탈장의 가능성도 염두에 두어야 한다.

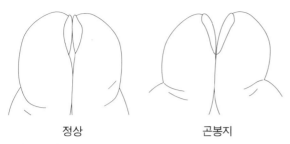

정상   곤봉지

그림 2-2. Schamroth's sign

표 2-2. 기침 양상에 따른 원인 질환

가래 기침: 기관지염, 기관지확장증
쇳소리 기침: 기관염, 습관성 기침
발작성 기침: 백일해, 낭성 섬유종, 이물 흡인
스타카토양 기침: 클라미디아 폐렴
야간 기침: 부비동염, 천식
아침에 일어날 때 심한 기침: 기관지확장증, 낭성 섬유종,
　만성기관지염
수면시 소실되는 기침: 습관성 기침, 경증의 과민성 기도반응
가슴이 답답한 쌕쌕 소리나는 기침: 천식
운동유발성 기침: 천식

다) 다른 징후 및 증상

때때로 폐질환은 다른 기관의 변화나 징후를 동반할 수 있다. 손가락이나 발가락의 끝이 넓어지고 두꺼워지는 손발가락 곤봉증은 끝마디뼈의 교원 조직 증식과 증가된 혈관분포의 결과로 발생한다. 곤봉증을 가진 환아에서 심하지 않은 경우에는 손톱 기저에 정상적인 다이아몬드 모양의 개구의 손실이 있고 손가락 끝부분의 등부분을 서로 맞대면 손톱 끝에서 각도가 증가하는 현상인 Schamroth's sign(그림 2-2)을 쉽게 확인할 수 있다.

곤봉지는 특발성 혹은 유전성으로 생길 수 있으나 대개는 폐질환, 심장질환 혹은 간이나 다른 소화기계 질환과 동반되어 나타난다. 곤봉증의 정도는 폐질환의 진행 정도에 따라 평가 될 수 있다. 즉, 곤봉증이 심한 폐렴 등으로 인해 급성으로 발생한 경우는 기저질환의 치료를 통해 호전될 수 있다.

청색증은 혈색소 농도의 감소로 인해 조직의 색깔이 푸른빛을 띠게 되는 것으로 환원된 동맥혈 혈색소가 3 g/dL을 초과할 때 발생하고, 이런 경우 모세혈관에서 환원 혈색소는 대개 4~6 g/dL에 달한다. 혈액 산소 운반능력은 주로 총 혈색소 농도에 좌우되므로 적혈구 증가증을 가진 청색증 환자에서는 실제 산소용적은 정상일 수 있으나 빈혈이 있는 환자는 청색증이 없어도 비정상적으로 낮은 산소용적을 보일 수 있다. 그러나 청색증을 저산소혈증의 임상적 지표로 사용할 때 몇 가지 어려운 점이 있다. 즉 피부색의 차이, 광원이 약한 경우, 손톱에 메니큐어를 바른 경우, 혹은 매

우 추운 경우에는 판단이 곤란하다.

간혹 폐질환, 특히 폐쇄성 폐질환과 연관되는 다른 징후인 기이맥(pulsus paradoxus)은 혈압이 흡기 때에 낮아지고 호기 때에 상승하는 것을 의미하며 심한 폐쇄성 폐질환의 경우 20 mmHg 이상 되기도 한다. 기이맥박은 낭성 섬유증과 천식을 가진 환자에서 중요한 증상의 하나이다.

나. 증상에 따른 평가방법

1) 기침

소아의 기침에는 많은 원인이 있으므로 주의 깊은 병력 청취를 통해서 진단에 도움을 얻을 수 있다. 병력을 청취할 때에는 기침의 양상을 확인하는 것이 진단에 도움이 된다(표 2-2). 만성 재발성 호흡기 증상은 알레르기, 호흡기, 면역학적 문제 때문에 오는 경우가 많은데, 기침, 천명, 천음 혹은 흉부 X선 소견에서 폐 침윤이 지속되거나 재발하는 양상으로 나타난다. 이들 증상들의 임상적 의의를 규명하는 것은 불필요한 검사나 치료를 피하기 위해서도 중요하다(표 2-3).

발육상태가 양호하며 활동적인데 단지 시끄러운 숨소리만이 문제가 된다면 대개는 특별한 진단적 검사나 처치는 필요 없다. 그러나, 양호하게 보이는 경우에도 심각한 하기도 감염의 시작 증상이거나 만성 질환이 급성으로 악화되는 초기 증상일 수 있으므로 주의

표 2-3. 만성 재발성 및 지속성 기침의 원인 질환

재발성 기침
 천식(기도과민성 기침)
 부비동염에 의한 이차적 기침
 흡인성 증후군
 특발성 폐혈철 흡착증
 반복되는 호흡기감염(면역결핍증 등)

지속적인 기침
 감염 후 기침 수용체의 과민반응
 천식(기도과민성 기침)
 만성 부비동염
 기관지염
 기관지확장증
 위식도 역류
 구강 및 기도의 해부학적 이상(TEF, cleft palate)
 기도의 외부압박 (vascular ring, 종괴, 림프선염)
 기도 연하증
 과민성 폐렴
 습관적 기침
 백일해 및 백일해양 증후군

TEF: tracheoesophageal fistula

해야한다. 중증 만성 호흡기 질환에서는 발열, 발육부전, 곤봉형 손가락, 지속적인 폐의 침윤이나 과팽창, 지속적인 폐기능 장애 등이 동반된다.

신생아 초기에는 기도 협착이나 후두 갈퀴막 그리고 기관 식도루 등의 선천성 기형이 만성기침의 원인이 될 수 있는 반면에 기관지연화증은 이 시기보다는 대개 신생아기 후반에서 중요한 원인이다. 감염 중에서는 TORCH(toxoplasmosis, other agents, rubella, cytomegalovirus, herpes simplex) 혹은 클라미디아, 백일해 등이 이 시기의 원인이다. 연장아에 있어서는 결핵이나 부비동염이 중요한 원인이 될 수 있다.

천식이나 낭성 섬유증 혹은 기관지 확장증에서는 밤에 특히 심해지는 지속적인 기침이 있을 수 있다. 그 중에서도 상기도 감염과 운동, 환경적 자극제에 노출된 후에 계속되는 기침과 알레르기 가족력 등은 천식이나 기침이형천식을 시사하는 중요한 요인이다. 깨어있을 때만 하는 지나치게 큰 기침은 심인성 기침, 습관성 기침 혹은 기침 틱(cough tic)일 가능성이 높다. 만성적 흡인과 위식도 역류도 그 원인일 수 있다. 담배 연기나 난로, 먼지 등의 환경에 장기적으로 노출되는 경우는 만성 기침의 원인이 되기도 한다.

2) 기도폐쇄

기도폐쇄의 원인과 무관하게 천명과 천음은 기도폐쇄의 중요 소견으로 천음은 흡기 동안 크게 들리는 진동음으로 흉부 밖(예: 후두)의 폐쇄에서 주로 기원하고, 천명은 흉부 내(예: 기관지)의 폐쇄에 의해 호기 동안 선명하게 들을 수 있으나 때로는 이 둘을 구별하기 어려울 수도 있다. 또한 심각한 기도폐쇄가 있으면 호기와 흡기 모두에서 천음과 천명을 들을 수 있다. 단음의 천명은 큰 중심기도의 폐쇄가 있는 경우에 동반되고 반면 말초의 기도 폐쇄에는 다음(polyphonic)의 천명을 들을 수 있다.

천식은 천명이 동반되는 가장 흔한 질환이지만 천명을 가진 환자가 모두 천식 환자는 아니며, 또한 모든 천식 환자에서 천명을 다 들을 수 있는 것은 아니다. 천명의 감별 진단은 환자의 나이에 따라 매우 다양하다. 선천성 해부학적 기형에 의한 천명은 영아 후기보다는 초기에 주로 나타난다. 천식, 세기관지염, 기관지폐 이형성증 등은 영아기 천명과 관련이 있고 낭성 섬유증과 위식도 역류 혹은 신경질환과 관련한 만성 흡인에도 천명을 동반한다. 이물질 흡인에 의한 천명은 단음으로 일정 부위에서 지속적으로 들리나 생후 6개월 이전에는 드물다. 기도폐쇄 이외의 심질환 중 울혈성 심부전에서도 천명이 동반할 수 있다.

3) 운동곤란

운동곤란이 있는 소아에서는 천식이나 운동유발성 기관지수축이 주요한 원인이 된다. 운동유발성 기관지수축을 가진 소아는 심한 운동 후에 흉부 혹은 턱 아래쪽으로 답답함이나 통증을 대개 호소하며, 일반적으로 운동 후 휴식 때에도 호흡곤란이 호전되지 않고

오히려 악화되는 것을 볼 수 있다. 운동곤란 원인질환으로서 심혈관 질환은 비교적 정상적으로 보이는 소아에서는 드물며 운동의 초기에 발한이나 호흡곤란이 나타나고, 운동유발성 천식과 달리 운동을 쉬는 동안 호전을 보이는 특징을 가지고 있다. 이외에 중등도 혹은 중증의 비만 소아에서도 운동곤란을 볼 수 있는데 이들은 주로 운동 중 호흡곤란이나 피로를 호소하며 흉통이나 기침 혹은 발한을 호소하는 경우는 드물며 두통이나 복통 혹은 다리통증을 호소하는 경우가 일반적이다.

4) 흉통

흉통 환자의 대부분은 운동유발성 천식 혹은 가벼운 진통제나 특별한 치료 없이 좋아지는 근골격계의 이상이 원인인 경우가 많다. 또한 식도염을 동반한 위식도 역류도 흉통을 유발할 수 있고, 식사 후 바로 누웠을 때 가슴앓이나 신물역류 등이 있다면 이를 의심해 볼 수 있다. 흉수를 동반한 심한 폐구균성 폐렴 혹은 히스토플라즈마증 그리고 결핵 등도 흉통을 일으킬 수 있다. 그러나 성인과 달리 심질환이 원인일 경우는 적으나(<5%) 치명적인 결과를 초래할 수 있다.

5) 객혈

과거에 건강한 아이가 객혈을 호소하는 경우 병력이 아주 중요하다. 즉 음식에서 나온 붉거나 자줏빛의 물질과 피를 구별하는 것이 중요하다. 또한 하기도에서 나온 출혈인지 코, 인두, 위장관에서 나온 출혈인지 구별이 필요하다. 코피가 최근에 났거나 편도염 혹은 인후 부위에 외상이 있는 경우는 상기도 출혈일 가능성이 있고 위식도 역류, 구토, 간질환 혹은 간문맥 고혈압 등의 병력이 있는 경우 출혈은 소화기관에서 비롯되었을 가능성이 높다. 세균성 기관지염이나 폐렴에서는 가래에 실처럼 섞여 나오는 객혈이 비교적 흔하지만 건강한 환자에서 심한 객혈은 보기 드물다. 이물질 흡인, 기관지 확장증과 관련된 심한 폐렴, 만성적인 점막침식 등이 객혈의 원인이 될 수 있고, 심장질환 중에서는 좌심방압이 증가하는 경우나 폐정맥이 폐쇄된 경우 객혈을 일으킬 수 있다.

6) 저산소증

저산소증은 산소운반부족 혹은 조직에서의 산소이용률 저하에서 비롯된다. 저산소증은 유산혈증을 동반한 혐기성 해당작용을 초래하거나 의식장애 등의 활력기관 부전증 등을 초래한다. 저산소증은 동맥혈 산소분압의 감소, 빈혈, 순환장애, 조직 독성에 의해 발생한다. 그 중 동맥혈 산소분압의 감소와 빈혈의 경우 혈액 내 환원된 산소의 증가를 일으키며, 폐질환을 가진 경우 대부분 동맥혈 산소분압의 감소로 인해 혈색소의 부적절한 산소포화를 초래한다. 또한 빈혈에 의한 저산소증은 정상 동맥혈 분압과 혈색소의 산소포화에도 불구하고 혈액 내의 산소 운반 능력이 저하되어 생기고, 일산화탄소 중독의 경우 혈색소가 일산화탄소와 결합하므로 혈색소가 산소를 운반할 능력을 잃게 되며 산소에 대한 혈색소의 친화성을 증가시켜 조직에 산소 운반을 감소시킨다. 순환장애, 조직 독성의 경우는 혈중 산소 함량이 충분하더라도 조직의 저산소증 징후가 있는 경우로 쇽이나 혈관경색과 같이 순환 장애에 의해 저산소증이 발생할 수 있고 패혈증의 경우 조직 독성에 의한 저산소증을 볼 수 있다.

7) 호흡저하

호흡저하(hypoventilation)는 동맥혈 이산화탄소 분압이 45 mmHg 이상으로 증가된 호흡성 산증 상태로 정의된다. 호흡이 저하된 환자의 평가에 있어 첫째로 실제적 폐질환이 있는 경우 호흡 펌프의 기능이 문제인지 혹은 동맥혈 이산화탄소 증가의 일차 원인이 있는지 확인해야 한다. 둘째로는 적절한 환기가 되는 경우에도 감소된 폐포 환기로 인한 생리적 사강(dead space)이 증가되어 있는지를 살펴야 한다.

2. 만성 기침

기침은 소아과를 찾는 환자들이 가장 많이 호소하는 증상 중의 하나로서 호흡기 질환을 비롯한 다양한 원인들에 의하여 발생한다.

대부분의 급성 기침은 감기와 같은 상기도 감염에 의하여 유발되며 1~2주 이상 지속되는 경우는 드물다. 이와 같이 급성 호흡기 질환의 한 증상으로 나타나는 기침은 호흡기 방어기전의 일종으로서 질환의 경과에 따라 저절로 소실되나 드물게는 장기간 지속하거나 자주 재발하기도 한다.

만성 기침은 잠재된 만성 질환에 의한 경우가 많다. 대부분은 3주 이상 지속적으로 기침을 하는 경우를 만성 기침이라 정의한다. 그러나 상기도 감염에 의한 기침도 3주 이상 지속될 수도 있다.

많은 사람들이 만성 기침을 "기침 감기를 달고 산다"고 단순하게 생각하는 경향이 있는데, 이러한 만성 기침은 단순한 감기의 반복이 아니라 잠재된 다양한 질환에 의하여 유발되므로, 만성 기침은 기침 자체를 치료하는 것 보다는 원인 질환들을 우선적으로 규명하여 치료하는 것이 중요하다.

가. 기침의 기능과 발생기전

호흡기의 물리적 방어기전으로는 점액섬모운동과 기침이 있다. 호흡기 질환에 이환되면 섬모상피세포 손상에 의한 점액섬모운동이 감소하므로 기침이 이러한 기계적 방어 기능을 대신하게 되며, 기침마저 원활하지 못한 경우에는 가스교환의 이상, 무기폐, 기관지 확장증, 폐렴등이 발생되거나 악화된다.

기침은 복합적인 반사현상으로서 자극수용기가 화학적, 물리적 자극에 노출되면 신경흥분이 미주신경 분지인 상후두신경(superior laryngeal nerve)과 설인 신경을 통하여 연수(medulla oblongata)에 전달된다. 이러한 원심성 신경자극은 하행하여 횡격막, 늑간근, 복근에 작용함으로써 이들 호흡근육을 수축시키고 흉

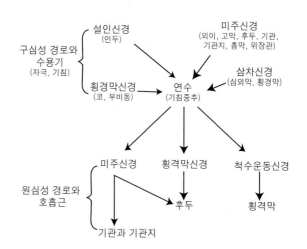

그림 2-3. 기침 반사 경로

막 및 폐포의 내압을 300 mmHg정도로 상승 시킨다. 이 때 순간적으로 성문(glottis)을 개통시키고 기도 내에 25~280 m/초 정도의 고속 기류가 생성되면 제 6 기관지 이상의 기도 내에 존재하는 이물 혹은 염증 삼출물 등이 제거되게 하는 것이다(그림 2-3).

자극 수용기는 기관분기부(carina)에 가장 많이 분포되어 있으며, 외이도, 인두, 후두, 위, 심장 등에도 존재한다. 그러므로 호흡기 이외의 자극에 의해서도 기침이 유발될 수 있고, 자극된 수용기의 위치에 따라 기침은 다양한 양상으로 나타날 수 있다.

나. 만성 기침의 원인 질환

소아에서는 천식, 후비루 증후군(부비동염), 위식도 역류 등이 만성 기침의 가장 흔한 원인이고, 단일질환에 의해서 유발될 수도 있으나 상기 질환들이 복합적으로 작용하는 수도 있다(그림 2-4).

2세 미만 영유아의 주된 만성 기침의 원인으로는 기관식도루(tracheoesophageal fistula), 혈관륜(vascular ring)등의 선천성 기도이상이나 혈관계 기형과, 연하장애나 위식도 역류 등에 의한 흡인성 폐렴이 흔하다. 또한 거대세포바이러스, 클라미디아 등에 의한 주산기

감염과 Respiratory syncytial virus, 백일해 등의 호흡기 감염, 영아 천식도 중요한 원인 질환이다.

만 2~6세 유아에서는 기도의 이물질 흡입, 바이러스, 마이코플라즈마 등에 의한 호흡기 감염, 천식, 만성 부비동염과 같은 후비루 증후군, 기관지 확장증 그리고 간접흡연과 같은 기도의 자극성 물질에 대한 노출도 중요한 원인이 되며 만 7세 이상의 학동기에는 천식, 후비루 증후군, 흡연, 대기오염 등에 의한 기도 자극, 심인성 기침 등이 중요 질환이다(표 2-4).

다. 만성 기침의 진단

1) 병력

만성 기침의 원인 규명을 위해서는 병력 청취가 중요한데, 기침의 양상, 기간 및 일중 변화, 계절성 변화, 수면장애, 객담의 유무와 양상 등을 고려하여야 한다. 또한 기침을 유발 및 악화 시키는 요인을 알아보는 것도 원인 질환을 규명하는데 중요하다. 뛰고 난 뒤, 찬 바람을 쐰 뒤, 심하게 소리를 지르거나 웃거나 울고 난 뒤, 담배 연기와 같은 자극적인 냄새를 맡은 뒤 기침을 한다면 기도 과민성이 있다고 생각할 수 있으며 기관지 확장제를 투여하여 기침이 호전된 병력이 있다면 임상적으로 천식을 의심할 수 있다.

특히 나이가 어린 영아에서는 수유와 기침이 상관성이 있는지, 심장이나 대혈관, 위장관 등의 선천성 기형 여부, 호흡기 감염의 증거, 후비루나 인두를 자극하는 증상이 있는지, 천명, 호흡 곤란이 있는지, 운동으로 악화되는지, 속쓰림 (heartburn), 직접 및 간접흡연 여부, 주위 환경 등에 대한 병력 청취가 만성 기침의 원인 진단에 도움이 된다. 가정에서나 학교생활에서 문제가 있는지 여부를 알아보는 것은 심인성 기침을 진단하는데 도움이 된다.

영아 천식에 의한 만성 기침은 영아 후반기에 흔히 관찰되는 반면 생후 첫 수개월내에 열을 동반하지 않고 지속적이며 발작적인 기침을 하거나 천명이 있을 경우에는 클라미디아나 거대세포바이러스의 주산기

표 2-4. 소아 만성 기침의 원인 질환

영아기	유아기	학동기/청소년기
선청성 기형	기도 이물	과민성
기도 및 혈관 기형	감염	천식
기관식도루	바이러스	후비루증후군
감염	마이코플라즈마	감염
바이러스(RSV, CMV)	과민성	마이코플라즈마
클라미디아	천식	자극성
세균(백일해)	후비루증후군	흡연
위식도역류	위식도역류	공해
영아 천식	자극성	심인성
	간접흡연	

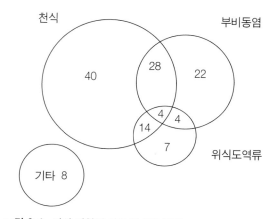

그림 2-4. 만성 기침의 원인 질환과 빈도

감염을 의심할 수 있으며 특히 봉입체 결막염의 병력이 있으면 클라미디아 감염을 더욱 의심할 수 있다.

발작적인 기침과 구토, 얼굴의 홍조 그리고 흡기성 whoop은 백일해나 아데노바이러스 감염에 의한 백일해 증후군의 특징적인 임상소견이다. 그러나 아주 어리거나 쇠약한 아이에서는 이런 특징적인 임상 소견이 관찰되지 않는 수도 있다.

만성 기침과 더불어 쉽게 토하고 폐렴을 자주 앓으면서 잘 자라지 못하는 영유아에서는 위식도역류증을 의심하여야 한다.

2) 진찰 소견

진찰은 두부, 경부, 호흡기, 심혈관계를 중심으로 한다. 진찰소견에서 알레르기 비염, 천음, 빈호흡, 과팽창, 천명, 수포음(crackles), 건성수포음(rhonchi), 심잡음, gallops, 울혈성 심부전 유무를 알아보아야 한다.

3) 검사

병력을 청취하고 진찰을 한 뒤 필요에 따라 흉부 X선검사, 부비동 X선검사, 컴퓨터단층촬영, 객담검사, 폐기능 검사, 내시경 검사 등을 추가적으로 시행한다.

흉부 X선검사 이외에도 부비동염을 감별하기 위하여 부비동 X선검사를 촬영하는데 상악동은 Waters' view, 전두동과 사골동은 Caldwell's view와 컴퓨터 단층 촬영, 즉 coronal CT를 시행한다. 기본적인 말초혈액검사와 알레르기 유무를 규명하기 위한 혈액내의 총 호산구수, 혈청 IgE, 알레르겐 특이 IgE, 피부시험 등도 시행하여야 하며 잦은 폐렴이나 중이염등의 과거력이 있으면 면역 기능 검사를 하여 면역 결핍증을 감별하여야 한다.

비즙 도말검사에서 호산구가 관찰되면 알레르기 비염을, 중성구가 관찰되면 감염성 부비동염을 의심할 수 있으며 객담에서 호산구가 관찰되면 호산구성 기관지염 또는 기관지 천식을 원인 질환으로 생각할 수 있다. 호산구성 기관지염은 기도 조직에 호산구의 침윤이 증가되어 있으나 기관지 천식과는 달리 기도 과민성은 없다.

영아에서 젖을 빠는 동안 쉽게 사래가 걸리고 기침을 하는 경우에는 위식도역류나 기관식도루 이외에도 후두열(cleft larynx), 성대마비 인두근육 협조불능 등이 원인 질환일 수 있으므로 후두경 또는 기관지내시경으로 이를 확인하여야 한다.

폐기능 검사는 검사가 가능한 모든 환아에서는 시행하여야 한다.

기침이형 천식은 전형적인 기관지 천식과 동일한 병태 생리에 의하여 유발되나 임상증상은 상이하여 뚜렷한 천명 없이 기침만을 장기간 하는 천식의 한 표현형으로서 기초적인 폐활량 측정법(baseline spirometry)에서는 정상 소견을 보이나 메타콜린이나 운동유발시험에서는 기도과민성을 보인다. 그러나 기침이형 천식을 진단하기 위한 메타콜린 유발시험과 같은 폐기능 검사는 영아나 유아에서는 용이하지 않다. 그러므로 기침이형 천식이 의심되는 영유아에서는 기관지 확장제를 투여하여 청취되던 천명이 소실되며 임상적으로 호전되는지 여부를 관찰함으로써 이를 진단할 수 있다.

위식도역류증이 의심되면 24시간 식도산도측정을 시행하여 확인하는 것이 좋다. 24시간 식도산도측정이 위식도역류증의 진단에 가장 예민하고 임상증상과 밀접한 상관성이 있다고 한다. 그러나 이를 시행할 수 없을 때에는 위식도 신티스캔, 칼라 도플러 복부 초음파검사, 바리움 연하검사를 시행할 수 있다. 그 외에 의심되는 질환을 확실히 증명하거나 규명하기 위해서는 각 임상 증상에 따라 기관지내시경 검사를 비롯한 특이 검사실 검사들이 추가로 시행되어야 한다(그림 2-5).

라. 만성 기침의 치료

만성 기침은 원인 질환을 찾아 이를 치료하면 자연스럽게 소멸되기 때문에 기침 자체보다는 근본적인 원인 질환을 규명하여 치료하는 것이 올바르다.

만성 기침의 중요 원인 질환인 기침이형 천식의 치료는 일반적인 기관지 천식과 유사하다. 간헐적인 증상이 있을 때는 속효성 베타2 항진제와 같은 기관지 확장제와 스테로이드 흡입제를 병용하여 사용할 수 있다. 때로는 지속성 베타2 항진제와 스테로이드 혼합제를 규칙적으로 사용하거나 류코트리엔 길항제를 규칙적으로 복용하기도 한다.

후비루 증후군은 누런 콧물이 인후부 뒤로 넘어가 기관지를 자극하여 만성 기침을 유발하는 증후군으로서 소아에서는 만성 부비동염과 유사하게 인용되고 있으나 그 외에도 통년성 비염, 잦은 감기 등도 흔한 원인들이다.

통년성 비염이나 감기 뒤의 후비루 증상이라면 항

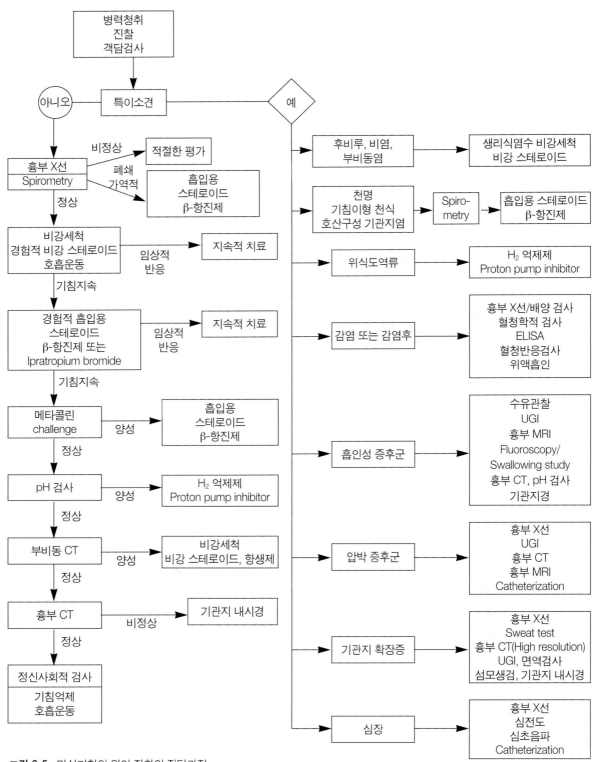

그림 2-5. 만성기침의 원인 질환의 진단과정

히스타민제와 충혈제거제를 사용한다. 알레르기성 비염의 경우는 국소 스테로이드제제나 크로몰린제제를 사용하거나 2세대 항히스타민제를 사용하는 것이 도움이 된다.

만성 부비동염의 경우에는 항생제를 4~6주 투여하고 더불어 점액 용해제, 항히스타민제, 충혈제거제 등을 필요에 따라 2~3개월 투여하고 때로는 국소 스테로이드제제를 함께 투여하기도 하나 완치가 쉽지는 않다.

위식도역류증은 자기 2시간전에는 음식 섭취를 금하여야 하는데 특히 커피, 쵸콜렛, 콜라 등과 같은 음료의 섭취를 금하고 상체를 10~20 cm 정도 높게 하여 자도록 하는 것 등과 같은 생활 습관의 교정과 함께 제산제, H_2수용체 길항제, 운동성 촉진약제, 프로톤펌프 억제제 등을 적절히 처방하면 좋은 결과를 얻을 수 있다.

그러나 기침이 너무 심하여 일상생활에 영향을 줄 정도이면 원인 질환과 더불어 기침자체도 치료를 하여야 한다.

객담이 없는 마른 기침의 경우에는 중추신경 작용 진해제를 우선적으로 사용할 수 있다. 마약성인 codeine과 비마약성인 dextromethorphan, diphenhydramine 등이 흔히 사용되는 중추신경계 작용 진해제인데 과량을 투여하면 호흡억제 또는 혼수 등과 같은 부작용을 유발할 수 있으므로 주의하여야 하며 이들 약물을 사용할 경우에 복합제제보다는 단일제제를 선택하는 것이 좋다.

객담이 있을 경우에는 기도 분비물의 점도를 낮추어 배출을 용이하게 하는 점액 용해제나 거담제 등을 투여한다. 점액 용해제는 분비물의 점도가 높아서 기침 시에도 분비물의 배출이 힘든 경우 사용되며 N-acetylcystein이 대표적이다. 거담제는 점액선으로부터 액체 분비를 증가시켜 객담의 점도를 낮추어 배출을 용이하게 하는데 여기에는 guaifenesin, potassium iodide 등이 있다.

감염이 의심되어 항생제를 사용하여야 될 경우에는 Erythromycin과 같은 macrolide 계통의 약제를 우선적으로 사용하는 것이 좋다. 부작용이 적을 뿐만 아니라 백일해, 클라미디아, 마이코플라즈마 등 발작적 기침을 유발하는 원인 균주에 유효하며 제제에 따라 기도 확장이나 위 배출을 촉진시키는 기능도 있다는 보고도 있기 때문이다.

3. 무기폐

무기폐(atelectasis)는 1819년 Laennec에 의해 최초 기술된 용어로서 어원은 그리스어로 불완전함을 뜻하는 'atelez'와 팽창을 의미하는 'ektasiz'에서 유래하였다. 무기폐의 정의는 선천적 혹은 이차적인 원인으로 폐 전체나 일부분이 불완전하게 팽창하는 경우를 칭하지만 일단 팽창되었던 폐의 통기 소실이나 허탈 상태도 포함된다.

가. 원인

무기폐는 선천적으로 폐조직의 일부가 주기관지 분지와 연결이 없는 선천성 기형으로부터 기관지 내강의 폐쇄, 폐조직의 압박, 횡격막이나 늑간근에 영향을 끼치는 신경-근육질환에 의한 호흡근의 쇠약, 또는 호흡기질환으로 인한 폐 표면장력 감소 등의 여러 원인에 의하여 유발될 수 있다. 이중 가장 흔한 원인은 천식이나 하기도 감염등의 염증으로 인한 기도 폐쇄이며 기관 분지로 들어간 이물에서도 자주 나타난다.

기관지 내경이 폐쇄되거나 외부에서 압박을 받으면 갇힌 공기는 점차 폐쇄된 조직으로 관류하는 혈액 속으로 흡수되고, 결국 폐 조직은 허탈해진다. 혈류로 흡수되는 속도는 갇힌 공기의 용해도에 따라 다르다. 대기의 공기는 수 시간에 걸쳐 흡수되나 산소는 수 분 내에 흡수된다. 따라서 100%의 산소로 호흡하는 경우 정상적인 공기로 호흡하는 경우보다 더 빨리 무기폐가 유발되고 이런 사실이 마취 동안 무기폐의 발생 위험이 높은 것을 부분적으로 설명할 수 있다.

또한 천식처럼 기도상피의 파괴를 유발하는 호흡기

염증은 기도상피에 영향을 주어 계면활성제 단백의 효과를 감소시키고, 이로 인해 기관지 허탈은 더욱 악화된다. 따라서 계면활성제의 기능에 영향을 미치는 신생아 호흡곤란증, 신생아 만성 폐질환, 그리고 급성 호흡곤란 증후군에서 무기폐가 잘 발생된다.

기관지 벽에 영향을 주어 폐쇄를 일으키는 경우는 장기간 기관내 삽관으로 인한 기도협착, 기도연골연하증, 혈관륜, 용종 등이다. 폐쇄성 세기관지염은 점차적으로 기관지의 섬유화에 의한 폐쇄를 일으켜 무기폐를 유발한다. 흔히 기관지확장증에서 무기폐가 자주 동반되는데 이는 기관지내 분비물의 정체로 인하여 생긴다.

기관지는 정상이나 폐 외부의 문제로 기도 압박이 생기기도 하는데 선천성 심질환, 심비대와 기흉이나 혈흉 환자에서도 가끔 무기폐가 관찰된다.

원형 무기폐(discoid atelectasis)는 소아에서는 성인보다는 드물게 나타나며 만성 흉막 질환, 폐 섬유증, 또는 흉막 삼출 등과 연관되어 발생한다.

신경근육계 질환에서는 횡격막 운동과 호흡 근육의 긴장도가 감소하여 환기가 감소됨으로써 폐조직의 허탈을 조장한다. 이외에도 기관 분비물의 청소율이 감소하고 감염에 대한 감수성이 높아지면 무기폐 형성이 더욱 악화된다.

나. 증상

무기폐의 증상과 징후는 무기폐의 정도, 형성 속도, 환자의 나이, 그리고 원인 질환에 따라 다르다. 이물 흡인, 호흡곤란증후군, 세기관지염, 급성 폐렴에서는 임상 증상이 중하게 표현되지만 때로는 광범위한 무기폐가 있음에도 불구하고 임상적으로 드러나지 않은 채 지나치는 경우도 있다.

무기폐에서는 분비물의 정체로 인하여 2차적인 세균감염이 잘 발생하기 때문에 호흡기 감염의 증상이 동반될 수 있다. 진찰소견은 무기폐 부위의 크기와 위치에 따라 다르게 나타난다. 주의 깊게 진찰해보면 무기폐 부위의 흉부는 팽창이 제한되어 비대칭적이다.

폐의 한쪽 엽이 모두 침범되면 타진할 때 공명이 감소되어 나타나고, 청진에서는 호흡음이 감소되어 있음을 관찰할 수 있다. 일측 전면 무기폐의 경우 심장과 종격동의 동측 편위를 초래하기도 한다. 무기폐의 부위가 작으면 임상 증상이 거의 없어 흉부 X선 소견으로만 진단이 가능한 경우도 있다.

다. 진단

무기폐의 진단은 우선 허탈된 폐 부분을 알아내고 원인을 찾아 내는 것인데 이때 반드시 무기폐의 원인, 해부학, 병태 생리적인 면을 이해해야 한다.

1) 단순 흉부 X선

진단을 위해 처음 시행하는 영상 검사는 흉부 검사이다. 연령, 임상 양상에 따라 전면, 측면, 그리고 경사면 촬영을 포함할지 결정한다. 흉부 X선 촬영에서는 무기폐 부위로 횡격막의 상승, 종격동의 이동, 좁아진 늑간 등의 특징적인 변화를 관찰할 수 있다. 그러나 양쪽 폐 모두에서 발생하거나, 병변이 생긴 폐의 일부분에서 보상적인 폐기종이 발생한 무기폐에서는 위와 같은 특징적인 소견들을 발견하지 못할 수도 있다. 대부분의 경우, 양면의 흉부 X선 사진을 촬영하면 허탈된 폐 실질의 정도에 대해 적절한 정보를 얻을 수 있다. 대부분의 소아에서 흉부 X선 사진을 반복촬영 함으로써 치료가 효과적인지를 확실하게 알 수 있으며, 완치를 판정하는데 충분한 정보를 제공한다. 무기폐는 밀도가 증가되어 나타나는데 종종 균질하게 보이는 불투과성 편측 흉위(hemithorax)로 보일 수 있다. 대엽성 무기폐의 경우는 주변부보다 중심부가 더 희게 나타난다. 폐용적 감소가 생기면 종종 반대편 폐의 일부가 중심선을 넘어 헤르니아(hernia)가 되기도 한다.

또한 특징적인 X선 소견을 잘 살피면 무기폐의 부위와 유형을 추측할 수 있다(그림 2-6). 즉, 소아에서 우상엽의 무기폐는 수술 후에 잘 나타나고, 엽간 열(interlobar fissure)이 상승되어 보인다. 좌상엽 무기폐는 좌측의 폐문 상부에 증가된 밀도가 관찰될 수 있고, 종격동 구조물의 좌방 이동과 좌측 횡격막의 상승이 관찰된다. 우중엽의 무기폐는 흔히 "right middle lobe syndrome"으로 불리는데, 감염이나 폐문부의 림프절 비대를 유발하는 결핵, 종양 등의 병변과 천식에서 관찰된다. 무기폐는 측면 촬영사진에서 더 잘 관찰할 수 있으며, 그 꼭지점이 폐문부를 향해있는 삼각 형의 음영을 볼 수 있고 보상적으로 발생하는 폐기종으로 인해 오목한 경계를 나타내기도 한다.

좌우폐의 하엽 무기폐는 중앙에 위치하는 삼각형의 음영을 형성하는데, 횡격막을 밑변으로 그리고 폐문부를 꼭지점으로 하고 있다. 방사선 사진의 노출이 제대로 되지 않으면 심음영이 이 형상을 덮어 가릴 수 있

다. 측면 사진에서 엽간열은 후 하방으로 이동된다.

분절형 무기폐는 한 엽에 부분적으로 영향을 끼치며 경계 짓기가 어려워 정확한 부위의 확인을 위해 사선방향촬영(oblique views)이 요구된다. 국소 무기폐는 기관 분지의 침범으로 발생하며, 주로 폐 하부에 위치하고, 가느다란 수평의 혹은 판상의 선 모양으로 보이고, 기침에 의해 쉽게 사라지기도 한다. 원형의 무기폐는 흔히 종양과 오인되기도 한다. 폐포 무기폐는 호흡곤란증후군이 있는 미숙아에서 흔히 발견된다.

2) 투시 검사

투시 검사(Fluoroscopy)가 무기폐의 정확한 위치를 파악하고, 감별진단을 하는데 도움이 될 수 있으며 특

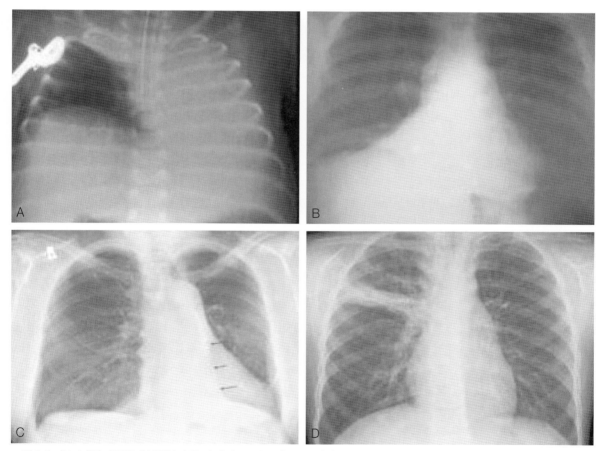

그림 2-6. 무기폐의 다양한 흉부 X선 소견. 우상엽(A), 우중엽(B), 좌하엽(C), 국소무기폐(D)

히 이물 흡인을 진단할 때 위치를 파악하는데도 사용할 수 있다.

3) 전산화단층촬영(CT)

전산화 단층 촬영(CT)으로 흉부 X선에서 발견하지 못했던 무기폐를 찾을 수 있다. 병변이 흉벽에 가까운 말초부위, 심장이나 대혈관 근처, 횡격막에 밀접한 부위, 또는 첨부에 위치한 경우 axial projection이 유용하다.

소아에서는 CT 촬영을 위해서 진정이 필요하고, 이 점이 무기폐를 유발하는 경향이 있다. 경한 진정제를 사용할 때 10% 미만의 발생률을 보인데 비해 전신 마취 때는 90% 이상에서 무기폐가 발생한다고 한다. 원형 무기폐의 CT 소견은 매우 특징적이다. 폐의 원위부에서 두꺼워진 흉막에 연하여 원형의 종괴(mass)에 혈관과 기관지가 유입됨으로 인하여 폐문부의 경계가 불분명해지는 소견과 함께 관찰된다. 조영제를 사용하여 CT촬영을 하면 무기폐와 종양을 감별하는데 도움이 될 수 있다. 허탈된 폐 부위는 상당히 강화되어 나타나지만, 종양은 rapid sequence CT에서 약간의 강화만을 나타낸다.

4) 자기공명영상

자기공명영상(MRI)은 모든 단면에서 동일하게 좋은 화상을 나타낼 수 있기 때문에 특히 폐첨부위나 횡격막에 접한 부위에서 병이 진행될 때 유용하다.

5) 기관지경

기관지경은 무기폐를 유발하는 여러 기저 질환의 진단뿐만 아니라 치료에도 유용하다. 특히 기도 내 이물 제거에 유용한데 이때는 경직성이 더 선호된다. 이 외 점액전을 관찰하고 흡인을 통하여 제거하거나, 흡인 후 기관지세척을 시행할 수 있고, 생검을 통해 섬모 장애증후군 같은 무기폐의 선행질환을 진단할 수도 있다.

라. 치료

무기폐는 질환 그 자체가 아니라, 질병의 징후이며 수많은 질병이 무기폐를 유발하므로, 치료는 기저 질환에 따라 좌우된다. 선천성 무기폐는 기형에 따른 수술 치료가 필요하다. 무기폐가 세기관지염, 급성 기관지 천식, 또는 폐렴 같은 기도 염증성 질환의 결과로 발생한 것이라면 수 주 내에 저절로 호전 되는 경우가 많다. 수분 섭취를 충분히 하는 것은 객담의 점도를 낮추어 배출을 쉽게 해주고, Racemic epinephrine이나 β_2-항진제와 생리식염수를 흡입하는 것이 도움이 된다. 무기폐는 2차 합병증이 잘 동반되므로 항생제 치료가 유효할 수 있다.

소아에서 점액전을 이동시키고, 무기폐를 완화 시키는 가장 효과적인 방법은 여러 자세의 신체동작을 통한 체위배액법이다. 드물게 CPAP(continuous positive airway pressure), PEEP(positive end expiratory pressure) 등도 시도된다. 폐의 감염이나 기관지 천식으로 인하여 이차적으로 발생한 무기폐는 대개 저절로 완화되지만 6주 이상 지속되는 경우는 진단과 동시에 치료 목적으로 기관지 내시경이 필요할 수도 있다.

4. 방사선 검사

가. 방사선 검사에 따른 고려 사항

환자의 병력과 증상 그리고 진찰 소견에 근거하여 임상적 진단을 붙이고 나면 이를 확인하기 위한 진단 방법을 선택하게 되는데, 이때 흔히 사용되는 방법 중의 하나가 방사선 검사이다.

방사선 검사를 하면 해당 조직은 방사선 흡수 정도에 따라 사진에서 하얗게 음영의 증가 또는 까맣게 음영의 감소 소견을 보이게 된다. 뼈나 석회화된 림프절은 음영이 가장 높아서 하얗게 보이지만 대부분의 장기는 물과 비슷한 음영으로 나타난다. 그런데 지방질이 있는 피하조직과 복막후방(retroperitoneal)의 지방질 등은 물보다 낮은 음영을 보이며, 공기가 들어 있는 폐 실질과 위장관은 음영이 가장 낮아서 사진에서 까맣게 보인다. 따라서 공기가 들어가고 나오는 기관지나 폐 실질에 병변이 있을 경우 음영에 큰 변화가 일어나서 서로 비교가 잘 되기 때문에 흉부 X선 사진이 진단에 유용하다. 이처럼 방사선 검사가 제공해줄 수 있는 진단적 가치는 높지만, 방사선 노출에 따른 유해성도 고려하여야만 한다(표 2-5). 그러므로 자세한 병력 청취와 진찰을 통하여 방사선 검사가 필요한지 여부를 심사숙고하며 여러 가지 진단방법을 활용함으로서 촬영 횟수를 가능한 한 줄이고 방사선 차단장치를 사용하는 등 유해성을 최소화 하도록 노력한다.

최근에는 디지털 방사선 촬영법(digital radiography)이 널리 보급되어 방사선 피폭선량을 많이 줄이고 컴퓨터로 음영도를 조정하여 원하는 영상을 얻을 수 있기 때문에 재촬영률도 줄이고 있다.

나. 흉부 X선 촬영의 종류와 선택

흉부 X선 사진은 흉곽, 기도 및 폐의 병변 부위와 상태 등을 평가하기 위해서 시행하는 중요하고도 기본이 되는 검사로, 그 목적에 따라 다양한 종류의 사진을 촬영하여 정보를 얻을 수 있다(표 2-6). 일반적으로 흉부 X선 사진을 후전 사진(postero-anterior view)만 촬영하는 경우가 많은데, 병변에 대한 정확한 평가를 위해서는 병변이 있는 쪽의 측면 사진(lateral view)을 동시에 촬영해야만 한다. 이렇게 후전과 측면 흉부X선 사진을 촬영하는 것이 호흡기질환을 평가하는 가장 기본적인 검사이다.

흉부 X선 사진은 기립한 자세로 숨을 깊이 들여 마신 후에 호흡을 잠시 멈춘 상태에서 촬영하는 것이 일반적인 검사방법이나, 나이가 어릴수록 숨을 잘 참지 못하고 자주 움직이기 때문에 소아에서는 좋은 사진을 얻기가 쉽지 않다. 그래서 협조가 어려운 특히 3세 미만의 영유아나 중환자에서는 누워 있는 상태에서 흉부 X선 사진을 전후(anterioposterior)로 촬영한다. 그런데 흉부 전후사진은 심장이 크게 확대되어 나타나고 횡경막이 상승함으로써 이들 구조물에 의해 가려지는 폐 실질이 많아진다는 점을 고려하여 판독해야만 한다(그림 2-7).

사위 사진(oblique view)은 후전과 측면사진을 촬영했을 때 가려질 수 있는 폐를 관찰하고 늑골, 심장모양, 종격동 선병증(mediastinal adenopathy)을 평가하고자 할 때 시행하며, 늑골과 쇄골에 가려지는 폐 첨부를 잘 평가하기 위해서는 폐첨부 전만(apical lordotic)

표 2-5. 촬영 종류에 따른 X선 평균 노출량

Study	Dose (Millirad: 0.001 R)
Newborn chest, two views	20
Digital newborn chest, two views	8
1-year-old chest, two views	50
Conventional chest, two views in older child	75
Digital chest, two views in older child	19
Neck, two views	100
Fluoroscopy/minute	500~1,000
CT chest standard/slice*	1,500
CT chest high-resolution/slice*	2,000
Ambient radiation/year/at sea level	100

* Each slice is finely coned, so there should be no additive dose.

표 2-6. 호흡기 방사선 검사의 종류

흉부 X선 촬영
　흉부 후전사진 (PA: posterioanterior)/전후사진
　측면사진
　Oblique
　측와위
　흡기-호기사진
　전만 사진
　경부사진(기도사진: frontal and lateral film with full
　　extension, high voltage, filtered)
　부비동 사진
　투시 검사
　조영술 검사
　핵의학 검사
　전산화단층촬영
　자기공명영상
　초음파검사

사진을 촬영한다.

　기도 이물이 의심되는 경우에는 호기와 흡기 상태에서 각각 흉부 X선 사진을 촬영하여 두 장의 사진을 비교한다. 흉막액이 의심되는 경우에 병변 부위를 아래쪽으로 하여 측와위 사진(lateral decubitus view)을 촬영하면 흉막액의 존재 여부와 그 정도를 확인하기에 적합하다.

　기관이나 주요 기관지의 공기 통로(air column)를 평가하기 위해서는 X선 조사량을 고용량으로 하여 경부 전후 사진(air tracheobronchogram)을 촬영한다.

1) 정상 흉부 X선 사진

　촬영에 협조가 어려운 소아에서 좋은 흉부 X선 사진을 얻는 것이 쉽지 않다. 따라서 방사선 사진을 판독하기에 앞서서 이런 점을 충분히 고려하고, 사진이 적절한 자세로 숨을 충분히 들이마신 상태에서 촬영되고 방사선 노출은 충분했는지 그리고 움직임은 없었는지 등과 같이 촬영이 제대로 되었는지를 먼저 확인한다.

　좋은 자세로 촬영된 사진에서는 양쪽 늑골의 앞쪽 끝이 척추경(pedicle)으로부터 똑같은 간격을 두고 위치하게 된다. 또한 척추의 극상돌기(spinous processes)도 양쪽 흉벽으로부터 동일한 거리에 위치하게 된다.

　숨을 충분히 들여 마신 상태에서 촬영된 사진에서는 기관이 곧고 명확하게 관찰되며 기관 분기부(carina)는 오른쪽 척추경 쪽으로 이웃해 있게 된다. 또한 늑골은 횡격막 상부에서 최소한 5~6개 정도 보이

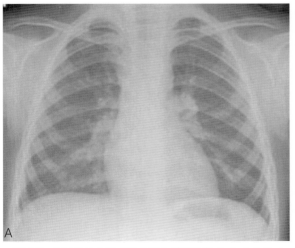
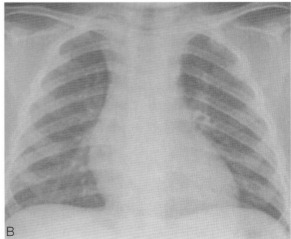

그림 2-7. 흉부 X선 후전사진과 전후사진의 차이. 후전사진(A), 전후사진(B)

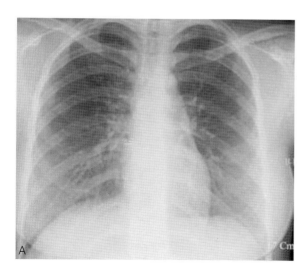

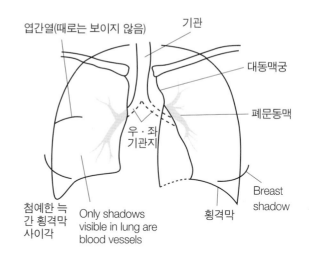

엽간열(때로는 보이지 않음)   기관

대동맥궁

폐문동맥

우·좌
기관지

첨예한 늑
간 횡격막
사이각   Only shadows
visible in lung are
blood vessels   횡격막   Breast
shadow

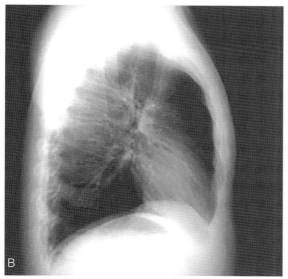

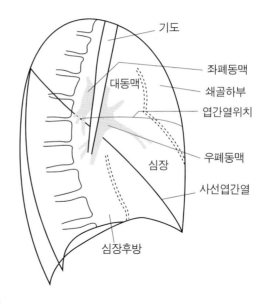

기도

좌폐동맥

쇄골하부

대동맥   엽간열위치

우폐동맥

심장

사선엽간열

심장후방

그림 2-8. 정상 흉부 X선 사진 및 모식도. 후전사진(A), 측면사진(B)

게 된다. 횡경막의 가장 높은 정점에서 위쪽으로 선을 그으면 쇄골의 중앙부에 해당되는 곳과 일치하게 된다(그림 2-8). 그러나 숨을 내쉰 상태에서 촬영된 사진에선 위와 같은 소견들을 볼 수 없으며, 심장이 크게 보이고 폐야에서 음영이 증가되어 보일 수 있다. 또한 기관이 굴곡되어 보일 수 있는데, 이것은 숨을 내쉴 때 촬영되었다는 좋은 단서가 된다.

방사선 조사량이 충분한 경우에는 흉추의 척추경이

심장 뒤쪽에서 잘 보이고 폐혈관 음영(pulmonary vascular marking)이 폐야의 1/3 정도까지 나타나게 된다.

움직이지 않은 상태에서 촬영된 사진에서는 쇄골과 늑골이 대칭을 이루고 있다. 그리고 움직임이 있었는지는 폐혈관 음영이 명확하게 보이는지 여부에 따라 비교적 쉽게 판단할 수 있다.

소아는 흉곽과 기도의 해부학적 특성 때문에 학동기

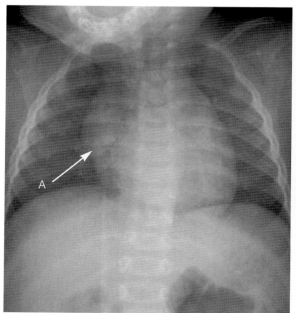
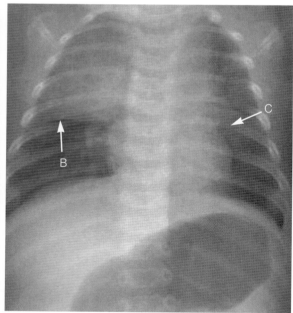

그림 2-9. 다양한 흉선의 형태. notch sign(A), sail sign(B), wavy sign(C)

에 이를 때까지는 성인과는 다른 형태를 보이며, 염증이 발생하면 과팽창과 무기폐로 쉽게 진행될 수 있다. 따라서 이러한 특성을 이해하여 판독에 임해야 한다.

또한 소아에서는 흉선이 체중에 비해 상대적으로 커져 있을 수 있는데, 특히 영아기에 그 크기가 가장 크고 다양한 형태로 나타난다(그림 2-9). 따라서 흉부 X선 사진을 판독할 때 흉선비대를 종괴나 심장비대와 감별해야 하는데, 흉선은 숨을 내쉬었을 때 음영이 더 커지고, 누워서 촬영하면 서서 촬영했을 때보다 더 넓게 보일 수 있다는 점을 고려하도록 한다. 비대해진 흉선이 심장의 음영과 접해서 절흔(indentation)으로 나타나는 점이 흉선비대로 인해 종격동 음영이 넓어진 경우의 특징이며, 때로 음영이 배의 돛모양(sail sign) 형태로 나타나기도 한다. 그리고 정상적인 상태에서 피부가 접혀 주름잡힐 경우에 음영이 흉부X선에서 기흉처럼 보일 수 있고, 혈관이나 다른 장기 또는 인위적인 음영(artifact)에 의해서도 비정상적인 음영처럼 보이는 경우가 있으므로 감별을 요한다.

또한 폐 실질내에서 병변의 정확한 해부학적 위치를 알기 위해서는 구역 기관지 분지법을 숙지하는 것이 중요하다.

2) 흉부 X선 사진의 판독

방사선 사진의 촬영상태와 정상에서 보일 수 있는 다양한 비전형적 소견들을 고려하여 판독하게 되는데, 체계적인 평가를 위해서 표 2-7과 같은 접근방법을 따르는 것이 바람직하다. 즉 복부와 골격계 그리고 연조직과 같이 바깥에서 안쪽으로 들어오면서 흉곽, 기도, 종격동, 심장 및 폐에서 필요한 사항을 확인하는 방식으로 방사선 사진을 판독한다.

기도는 중앙에서 약간 오른쪽으로 위치해 있으며 기관 분기부는 4~5번째 흉추의 척추경 위쪽에 위치한다. 그리고 기도 중에서 성문(glottis)에서 기관 분기부에 이르는 기관은 잘 보여야 하는데, 만일 그렇지 않으면 그 원인을 확인해야만 한다.

폐야를 판독할 때 가장 관심을 가지고 살펴보아야 할 것은 음영의 변화인데, 음영은 공기 음영(air density), 액상 음영(fluid density) 그리고 골 음영

(bone density)으로 구별된다. 폐 실질의 음영이 증가되면 사진에 하얗게 나타나고 음영이 감소하는 경우에는 까맣게 보인다. 그래서 폐렴, 무기폐, 종괴, 흉막액과 같은 질환이 있을 경우에는 음영이 증가해 보이지만, 천식이나 세기관지염과 같이 과팽창이 일어나는 질환에서는 음영이 감소하게 된다(표 2-8).

방사선 사진에서 동일한 음영을 갖는 두 부분, 즉 정상적인 장기와 인접한 병변이 겹치게 되면 정상적인 윤곽이 소실되게 되는데, 이것을 실루엣 징후(silhouette sign)라고 하며(그림 2-10A) 폐렴이 있을 경우에 흔히 볼 수 있다. 우측 중엽 또는 좌측 상엽의 설분엽(lingular segment)에 폐렴이 있을 경우에 우측 또는 좌측의 심장 경계가 소실된다. 그리고 하엽의 폐저분절(basal segment)에 폐렴이 있을 경우에는 횡경막의 경계가 보이지 않게 된다(그림 2-10B).

폐야의 음영이 증가하는 병변이 있을 경우에, 기관지 내에 정상적으로 들어있는 공기의 음영이 폐포 내병변의 음영(air space consolidation)과 대조되어 공기-기관지 조영상(air bronchogram)(그림 2-11)이 보이는 경우도 있다. 또한 무기폐, 폐농양, 출혈 또는 늑막염이 있을 경우에는 액상 음영이 증가한다. 이런 액상 음영은 비교적 넓은 경화의 형태로 나타나는 경우

표 2-7. 흉부 X선 사진의 판독 방법

A: Abdomen
  Visceral situs, masses, free air, calcifications, bowel loops, diaphragmatic contours
B: Bones (and soft tissue)
  Fractures, anomalies, masses
C: Chest
  Airway: patency, position, size, shape
  Mediastinum: position, size, shape
  Heart: position, size, shape
  Lungs: volume, vascularity, density-opacity
S: Soft tissue swelling, foreign body

가 많지만, 질환의 원인과 진행 상태에 따라 간유리(ground glass), 결절, 망상 형태와 같이 다양한 모양으로 나타날 수 있다.

폐혈관 음영은 중앙에서 말단으로 갈수록 점차 희미해지는데, 잘 촬영된 사진에서는 폐야의 1/3정도에서도 보일 수 있다. 만일 폐혈관 음영이 너무 뚜렷하면 폐 혈관계 질환을 의심할 수 있으며, 감소되어 있으면 폐부종의 첫 징후일 수 있다.

기도 내에 공기가 저류되어 폐 용적이 증가되거나 폐 혈관계의 이상으로 혈류가 감소하게 되면 방사선

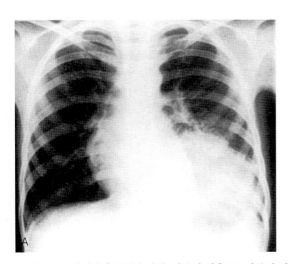

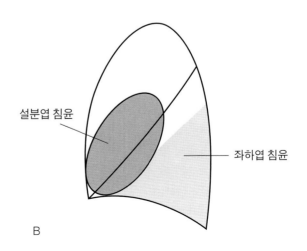

설분엽 침윤

좌하엽 침윤

그림 2-10. 폐렴의 흉부 X선 사진. 실루엣 징후(A), 설분엽 침윤과 좌하엽 침윤의 모식도(B)

표 2-8. 흉부 X선 사진에서 음영의 변화

폐 실질의 음영이 증가하는 경우
폐경화(air space consolidation) : 폐렴, 결핵, 폐부종, 폐경색, 기관지 폐포암
간질성 폐 병변
축성 간질 질환(axial interstitial disease) : 폐쇄성 세기관지염(bronchiolitis obliterans)
폐 실질성 간질 질환(parenchymal interstitial disease)
간유리 양상(ground glass pattern) : 급성 간질성 폐렴, 간질성 폐부종, 과민성 폐렴
결절 양상(nodular pattern) : 속립성 결핵, 과민성 폐렴, 혈행성 전이, 규폐증(silicosis), 폐유육종(sarcoidosis)
망상 양상(reticular pattern) : 폐섬유화증, 급성 간질성 폐렴
망상 결절 양상(reticulonodular pattern)
변연부 간질성 질환(peripheral interstitial disease) : 림프관성 전이, 폐부종, 폐유육종
위폐포성 양상(pseudoalveolar pattern)
무기폐
폐결절(pulmonary nodule) : 결핵, 육아종, 과오종(harmatoma), 폐암
공동(cavity) : 폐농양, 폐결핵, aspergilloma, 폐암
폐 실질의 음영이 감소하는 경우
폐용적(공기 저류)의 증가 : 천식, 세기관지염, 기관지내 이물, 대엽성 기종(lobar emphysema), 폐쇄성 세기관지염, 기종격증(pneumomediastinum), 기흉, 만성폐쇄성질환, 기관지 종양
혈류의 감소 : 팔로사징(TOF), 폐동맥판폐쇄증(pulmonary atresia), 폐색전증(pulmonary embolism)

사진에서 폐 실질의 음영이 감소되어 보인다(표 2-8). 즉, 세기관지염이나 천식 발작 시에는 음영이 전반적으로 감소되어, 전체 폐야가 까맣게 보이고 횡격막이 아래로 내려가면서 편평해지고, 흉곽의 전후 직경과 늑골간 간격이 넓어지게 되며 심장도 가늘면서 길게 보인다(그림 2-12). 그리고 기흉(pneumothorax), 피하기종(subcutaneous emphysema) 또는 종격동기종(pneumomediastinum)의 경우에는 폐 밖으로 빠져나온 공기 음영을 찾아볼 수 있다.

다. 경부 사진

상부기도의 폐쇄가 의심되는 증상이 있을 경우에 경부 사진을 전후와 측면에서 모두 촬영하여 관찰한다. 경부 사진은 숨을 들여 마신 상태에서 촬영해야만 기도의 형태를 확인하는데 좋으며, 특히 측면 사진은 머리를 뒤로 충분히 젖힌 상태에서 촬영해야만 상부기도와 인두후 공간 내의 상태를 정확히 파악할 수 있다. 따라서 크룹, 후두개염, 인두후농양 등과 같은 상부기도 폐쇄 질환이 의심될 때 이 방법으로 촬영한다.

라. 부비동 사진

부비동의 발달 정도는 개인에 따라 차이가 있지만, 상악동과 사골동은 출생 직후부터 공기 음영이 나타날 수 있으며 대부분은 출생 후에 빠른 속도로 형성된다. 접형동은 7개월에서 2세경에, 전두동은 6~12세에 공기로 채워지게 된다.

일반적으로 부비동의 병변을 평가하기 위해서는 Caldwell's view (occipitofrontal projection), Waters' view(occipitomental projection) 그리고 측면사진을 촬영한다. Waters' view는 상악동을, Caldwell's view는 전두동과 사골동을, 측면 사진은 전두동과 접형동의 상태를 잘 보여줄 수 있다.

부비동 사진에서 급성 부비동염을 의심할 수 있는 제일 좋은 징후가 기수면(air-fluid level)인데, 이를 확인하기 위해서는 기립 상태에서 촬영해야 한다. 부비동이 혼탁해 보이는 소견 하나만으로 부비동염이라고 진단하는 것은 바람직하지 않다. 왜냐하면 부비동의 발달 정도가 사람에 따라 차이가 많고 증상이 없는 사람에게서도 이런 혼탁 소견이 자주 나타나기 때문이다. 따라서 부비동의 염증 정도와 해부학적 변화를 정확히 평가하기 위해서는 부비동 전산화단층촬영이 가

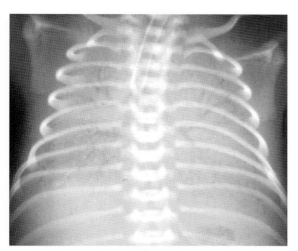

그림 2-11. 공기-기관지 조영상(air bronchogram)

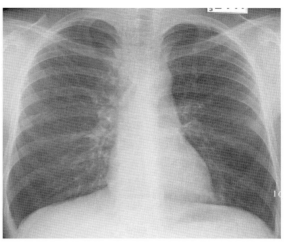

그림 2-12. 천식 급성기 흉부 X선

장 좋은 진단방법이다(그림 2-13).

마. 투시 검사

투시 검사(Fluoroscopy)는 숨을 들이쉬고 내쉬는 움직임에 따라 기도 내경이 변화되는 양상을 역동적으로 관찰할 수 있는 장점이 있다. 따라서 천음의 원인이나 기도 이물을 진단하는데 사용하며, 횡경막과 종격동의 비정상적인 운동을 직접 확인할 수도 있다. 또한 침 생검이나 흡인술을 시행할 때 활용되고 있다.

바. 조영술 검사

조영술 검사는 방사선 조영 물질을 관찰하고자 하는 신체 부위에 직접 또는 간접적으로 투여하여 해부학적 구조와 그 운동성을 관찰하는 검사이다.

1) 바륨 연하 검사

바륨 연하 검사는 만성적인 호흡기 증상이 있으나 그 원인이 밝혀지지 않을 경우에 흔히 실시하게 된다. 이 검사는 호흡기 증상을 일으킬 수 있는 식도 내의 잠재적 원인(식도이물, 식도열, 식도루)의 유무와 인두나 기관의 뒤편을 이루는 연조직 내에 발생한 종괴의

존재 여부를 알려준다. 그리고 혈관륜이나 위식도역류 진단에도 사용되고 있다.

이처럼 바륨 연하 검사는 만성 호흡기 증상을 가지고 있는 영·유아에게서 큰 도움이 되지만, 검사 과정 중 조영제 흡인으로 인한 폐렴이 발생할 수 있기 때문에 주의해야 한다.

2) 기관지 조영술

과거에는 기관지확장증과 같은 기관지의 병변을 찾는데 기관지 조영술이 많이 사용되었다. 그러나 최근에는 좋은 영상학적 진단방법이 개발되면서, 기관지 조영술 검사는 그 위험성 때문에 거의 실시하지 않고 있다.

3) 혈관 조영술

병변 부위로 순환하는 혈관에 조영제를 주사하여 그 흐름을 관찰하는 것으로, 혈관륜이나 폐격절(pulmonary sequestration) 또는 폐엽 무형성(lobar agenesis), 편측 과투과성 폐질환(unilateral hyperlucent lung syndrome, Swyer-James 증후군)처럼 혈관 이상이 동반된 질환을 진단하는데 사용한다. 그러나 최근에는 도플러 심초음파와 전산화 단층촬영과 같은 검사가 보편화되면서 혈관 조영술을 실시하는 경우가 현저히 감

소하였다.

사. 핵의학 검사

방사선 동위원소를 약물에 부착시켜 주사 또는 흡입 투여한 뒤에 이들이 침착되는 부위를 관찰하는 검사로, 흉부 X선 검사로 확인하기 어려운 폐혈관의 관류(perfusion)와 폐의 환기(ventilation) 장애를 평가하는데 적합하며 관류와 환기 스캔 두 가지가 있다.

Macroaggregated albumin에 부착된 ^{99m}Tc를 정맥주사하면 이들 물질은 폐의 모세혈관을 통과하지 못하고 걸리게 되는데, 이렇게 함으로서 폐의 관류상태를 알아내는 방법이 관류 스캔이다. 이 검사는 폐색전증이나 심폐혈관계의 선천성 기형을 진단하는데 도움이 된다. 환기 스캔은 ^{133}Xe를 흡입하게 하여 환기가 되지 않는 부위를 확인하는 방법으로 천식, 기관지 이물, 대엽성 폐기종, 섬유성 낭포증의 평가를 위해 실시한다.

최근에는 위식도역류를 진단하는데 ^{99m}Tc sullfa colloid를 우유나 사과쥬스에 섞어서 투여하는 핵의학 검사가 사용되고 있다.

아. 전산화 단층촬영

전산화 단층촬영은 흉곽 내의 모든 구조를 흉부 X선 사진보다 정확하게 보여 줄 수 있어 종격동이나 흉막의 병변, 폐 실질의 종괴 또는 낭성 병변, 기관지 확장증 등의 진단에 이용된다(그림 2-14). 기존의 전산화 단층촬영(conventional CT)은 5~10 mm 간격으로 촬영하였으나, 최근에는 1~2 mm 간격으로 촬영이 가능한 고해상단층촬영(high resolution CT)이 개발되어 기존의 전산화 단층촬영으로는 찾아 낼 수 없었던 미세한 병변도 찾아내게 되어 간질성 폐질환의 진단에 많은 도움이 되고 있다. 더욱이 회전 시간이 0.5초로 단축되고 detector가 최대 16줄인 multi-detector row spiral CT(MD-CT)가 개발되어 환자의 호흡이나 움직임으로 인한 영상의 흔들림이 줄어들어서 3차원 영상 구축에 유용하게 사용되고 있다. 또한 조영제를 정맥 주사하여 촬영하면 1~2% 정도가 되는 조직 밀도의 차이까지도 감지하여 병변 내의 혈액과 지방 그리고 괴사 물질을 구분하여 보여 줄 수 있기 때문에 염증성 병변과 암의 감별진단에 큰 도움이 되고 있다.

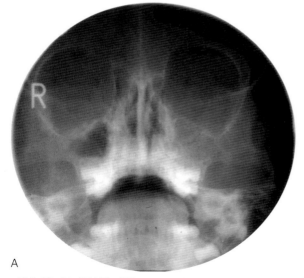
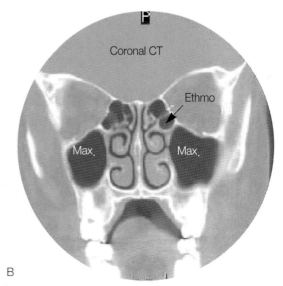

그림 2-13. 부비동 X선 사진. PNS view(A), coronal CT(B), Max: 상악동, Ethmo: 사골동

자. 자기공명영상

자기공명영상 MRI (magnetic resonance imaging) 검사는 전산화단층촬영과 같은 목적으로 사용되지만 방사선을 사용하지 않기 때문에 안전한 검사이다. 일반적으로 골병변이나 석회화된 부위에 대한 변별력은 전산화 단층촬영보다 떨어진다. 그러나 폐문이나 혈관 분포와 같은 연부조직의 구조를 더 정확히 알 수 있고 염증과 종양을 구별하는데 보다 유리한 장점이 있다. 최근에는 폐혈관 관류와 압력의 측정에도 이용되고 있다.

차. 초음파검사

초음파검사는 방사선을 사용하지 않는 이점 때문에 소아과 영역에서는 매우 매력적인 검사방법이다. 음파는 공기 속에서 전도율이 낮기 때문에 초음파 검사가 흉선이나 흉벽과 횡격막에 인접한 부위의 경화된 병변이나 종괴를 진단하는 데에는 그 효용성이 낮지만, 국소적으로 고여 있는 흉막액이나 횡경막하 (subpulmonic) 농양을 확인하는데는 많은 도움이 된다. 그리고 횡격막탈장이나 낭성 선종양 기형(cystic adenomatoid malformation)과 같은 선천성 호흡기질환의 산전 진단에 크게 활용되고 있다.

초음파 검사는 고정된 병변을 관찰하는 데만 사용되는 것은 아니고, 실시간으로 변화하는 횡격막 운동이나 삼출액의 움직임과 같은 것을 시각화하여 보여줄 수 있기 때문에 감별진단에 도움이 된다. 또한 도플

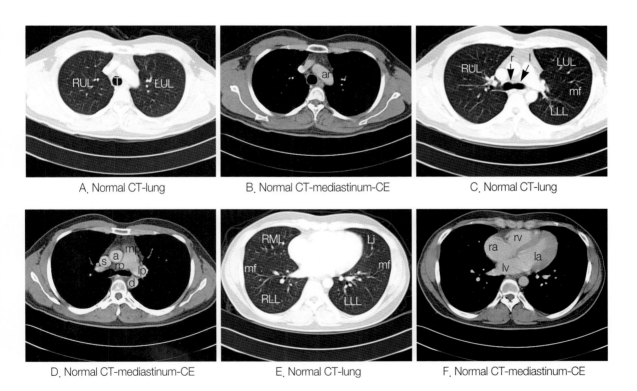

A. Normal CT-lung　　B. Normal CT-mediastinum-CE　　C. Normal CT-lung

D. Normal CT-mediastinum-CE　　E. Normal CT-lung　　F. Normal CT-mediastinum-CE

그림 2-14. 정상 소아의 전산화 단층촬영. RUL: right upper lobe, LUL: left upper lobe, T: trachea, ar: aortic arch, LLL: left lower lobe, mf: major fissure, r: right main bronchus, l: left main bronchus, s: superior vena cava, a: ascending aorta, d: descending aorta, mp: main pulmonary artery, rp: right pulmonary artery, lp: left pulmonary artery, ra: right atrium rv: right ventricle, la: left atrium, lv: left ventricle

러 또는 칼라 도플러 초음파검사는 혈관, 혈류 속도 그리고 종괴 내에 분포되어 있는 혈관의 특성을 역동적으로 평가할 수 있는 정보를 제공해 준다.

5. 폐기능 측정

가. 소아에서의 폐기능 검사

폐기능 측정은 소아와 성인에서 호흡기계의 상태를 객관적으로 평가할 수 있게 하며 호흡기 질환의 진단과 치료에 대한 유용한 정보를 제공한다. 많은 폐질환이 진찰 소견이나 X선 촬영에서는 정상 소견을 보이나, 폐기능 검사에는 이상을 보이는 수도 있으며 기질적 폐질환뿐만 아니라 기능성 호흡 증상, 또는 근육마비와 같은 폐 외 질환에 의한 호흡기 증상에도 폐기능검사는 유용하다.

우리들이 흔히 접하는 폐기능 검사는 대부분 노력성 호기법을 이용한 것이다. 이러한 검사법의 적용 연령에 대한 연구가 많지는 않으나, 대개 5~6세 이상이면 폐활량 측정법과 기관지 유발 검사를 할 수 있다. 소아에서 폐기능을 정확히 측정하기 위해서는 소아를 다룬 경험이 많은 검사자와 소아가 두려워하지 않을

검사실의 환경이 필수적이다.

1) 폐용적
가) 폐용적의 각 구획

폐용적은 정상적인 생리적 기능과 관계하여 그림 2-15와 같이 구분할 수 있다. 일반적으로 각 구획은 용적이라 불리고 두 개 이상의 용적(volume)을 합하여 부를 때는 용량(capacity)이라는 표현을 사용한다. 가장 흔히 사용하는 구획은 다음과 같다.

① 평상 용적(tidal volume)은 평상적인 호흡을 하는 동안 한 번의 호흡에서 들이 쉬고 내쉰 공기의 용적, 즉 평상시의 일회호흡량
② 폐활량(vital capacity: VC)은 최대 흡기 후 최대 호기까지 내쉰 공기의 용적
③ 기능성 잔기용량(functional residual capacity: FRC)은 평상 호흡이나 운동시같이 환기의 요구가 증가된 상황에 관계없이 호기말에 폐에 남아 있는 공기의 양
④ 총폐용량(total lung capacity: TLC)은 최대 흡기 후 폐에 있는 공기의 총량
⑤ 잔기량(residual volume: RV)은 최대 호기 후 폐에 남아있는 공기의 양

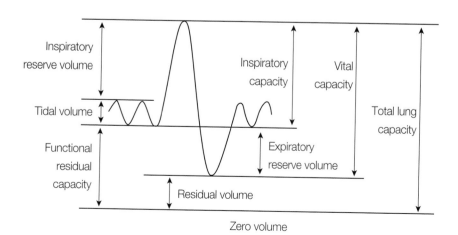

그림 2-15. 폐용적의 각 구획

나) 폐용적 측정

① 체적변동기록법

기능성 잔기용량에서의 흉곽 내 공기 용적(thoracic gas volume[VTG])은 체적변동기록기(plethysmograph)를 이용하여 직접적으로 측정될 수 있다. 측정원리는 일정한 온도, 일정한 기체 분자 몰수에서 압력(P)과 용적(V)의 곱은 항상 일정하다는 Boyle의 법칙을 따르게 된다(그림 2-16).

$$P \times V = (P + \Delta P) \times (V + \Delta V)$$

$\Delta P \cdot \Delta V$를 무시할 수 있다고 가정하면

$$V = -\Delta V / \Delta P \times P$$

피검자가 체적변동기록기 안에서 검사 튜브를 막은 채 호흡하는 동안에 흉곽 내 공기 용적의 변화는 체적변동기록기 안 공기의 압력 변화에 의해 추정될 수 있다. Boyle의 법칙에 따라 VTG는 다음과 같이 계산된다.

$$VTG = -\Delta V / \Delta P_A \times P_B$$

ΔV는 폐쇄성 호흡 노력 동안 측정된 공기 용적의 변화이고 ΔP_A는 폐포압의 변화이며 P_B는 검사실 안의 기압에서 체온에서 물이 기화하는 압력을 뺀 수치이다.

일단 VTG가 측정되면 TLC와 RV를 VTG, IC, VC의 측정으로부터 계산할 수 있다. 피검자가 공기를 밖으로 완전히 내쉬지 못한다면 RV는 실제보다 높게 측정될 수 있다. RV는 모든 소아 폐기능 검사의 지표들 중에서 가장 변화가 많은 것 중 하나이므로 그 결과를 주의 깊게 해석해야 한다.

② 가스 희석 기법

폐용적은 가스 희석 기법에 의해서도 측정 될 수 있다. 이론적으로 이 측정법은 알고 있는 가스의 농도가 모르는 용적에 의해 희석되는 것을 측정하는 것으로서 마지막 가스 농도를 측정하여 VTG를 계산할 수 있다(그림 2-17). 헬륨 희석 기법은 시행하기에 간단하고 비교적 비용이 적게 들지만 시간이 많이 요구되고 협조가 어려울 수 있으며 기도 폐쇄가 존재하면 VTG

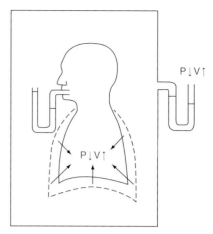

그림 2-16. 체적변동기록기에 의한 기능성 잔기 용량(FRC) 측정. 피검자가 폐쇄된 기도에 반하여 호기 노력을 할 때 흉곽 내 압력은 증가하고 폐용적은 감소한다. 상자 안의 용적이 증가하면 상자 안의 압력이 감소하게 되고 이것을 이용하여 폐용적의 변화를 양적으로 측정할 수 있게 된다. Boyle의 법칙에 따라 폐용적 변화와 압력 변화의 비로부터 폐용적을 구할 수 있다.

수치를 낮게 평가할 수 있다.

헬륨 희석 기법이외에도 피검자가 100% 산소로 7분간 호흡하여 호기된 질소의 용적과 폐에서의 처음 질소 농도를 이용하여 VTG를 계산하는 질소 세척 검사(nitrogen washout test)가 있다.

2) 저항과 유순도

가) 호흡기계의 탄성

호흡기계는 탄성 조직의 집합으로 구성되어 있다. 힘이 탄성 조직에 가해질 때 조직은 구조를 이완 상태로 되돌리려는 반대 힘을 만들어 변형에 저항한다. 이 반대되는 힘을 탄성반동압(elastic recoil pressure [Pel])이라 한다. 탄성반동압을 폐용적으로 나누면 호흡기계의 탄성 성질(탄성률, elastance [E])을 의미한다: E=Pel/V. 탄성률의 반대 개념은 유순도(compliance [C])이며 호흡기계가 주어진 압력의 변화에서 얼마나 많이 팽창하는지를 의미한다: C=V/Pel. 폐용적을 세로축으로 탄성반동압을 가로축으로 하여 그림을 그리면 압력 용적 곡선의 기울기는 호흡기계

의 유순도와 같다(그림 2-18).

나) 호흡의 역학

폐의 환기는 폐와 흉벽이 가지고 있는 탄성, 유량 저항, 관성을 극복하려는 힘에 의해 생기는 호흡기계의 운동을 통해 이루어진다. 정상적 상황에서 이 힘은 호흡 근육에 의해 만들어진다. 대기압과 폐포 사이의 유량을 만들기 위해서 필요한 압력은 기도의 마찰 저항을 극복해야한다. 이 압력은 유량(υ)에 비례한다.

$$Pao - P_A = Pfr \propto \upsilon$$

Pao는 기도 개방에서의 압력(대개는 대기압), P_A는 폐포 압력이고 Pfr은 마찰 저항을 극복하는 데 요구되는 압력이다. 1단위의 유량을 만들기 위해 요구되는 압력이 유량저항이다.

$$R = Pfr / \upsilon$$

주로 사용하는 폐기능 검사는 호흡기계를 단일 저항과 단일 탄성률을 가지는 구획으로 가정한다(그림 2-19). 환기 중 호흡기계에 작용하는 힘의 균형을 기술한 운동식은 다음과 같다.

$$P = EV + R\dot{\upsilon} + I\ddot{\upsilon}$$

P는 적용된 압력을 의미하고 I는 관성 계수이며 E는 탄성률, υ는 유량, $\ddot{\upsilon}$는 공기 가속도이다. 대부분의 상황에서 관성계수는 무시할만한 수치이다. 평상 호흡 시 호흡근에 의해 만들어지는 압력의 약 90%는 탄성력을 극복하는 데 사용되며 약 10%는 유량 저항력을 극복하는 데 사용된다.

다) 측정 기법

위의 원리를 이용하여 저항을 측정하는 방법으로는 체적변동기록법과 강제 진동 기법(forced oscillation technique)이 있다.

3) 노력성 호기 측정

노력성 호기 측정은 폐쇄성 폐질환을 알아내는데 주로 쓰인다. 적당한 노력이 있는 한 호기 유량은 호기된 폐활량의 대부분에서 유량을 유도한 힘에 영향을 받지 않는다는 관찰을 통해 이러한 측정법을 사용할 수 있게 되었다(그림 2-20).

가) 최대 호기 유량 용적 곡선

최대 호기 유량 용적 곡선(maximum expiratory flow volume [MEFV] curves)은 대개 만 6세 이상이 되

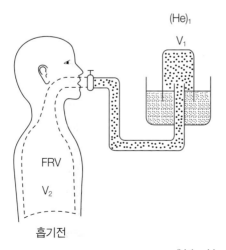
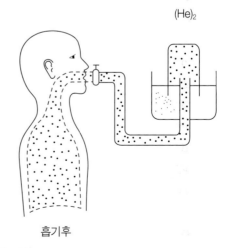

$$(He)_1 \cdot V_1 = (He)_2 \cdot (V_1 + V_2)$$

그림 2-17. 헬륨 희석 기법에 의한 폐용적 측정. He: 헬륨, V: 용적

어야 측정이 가능하다. 믿을만한 최대 호기 유량 곡선을 만들기 위해서는 소아는 멈추지 않고 적어도 3초 동안 최대 노력을 할 필요가 있다. 일정하고 대표할 수 있는 수치를 얻기 위해서는 3번 이상의 표준화된 시도가 필요하다. 폐활량과 1초간 노력성 호기량(forced expiratory volume in 1 sec: FEV₁)은 임상적으로 가장 많이 사용되는 지표들이다. 호기된 폐활량의 25%와 75%사이에서 일어나는 노력성 호기 유량은 소기도 질환의 지표로 자주 사용된다. 그림 2-21은 폐활량 측정 곡선과 최대 호기 유량 용적 곡선의 관계를 보여주고 있다.

나) 최대 호기 유량

최대 호기 유량(peak expiratory flow rate)의 측정은 역학 연구와 임상에서 유량 제한의 정도를 확인하고 측정하는 데 가치가 있다. 또한 질환의 진행과 치료의 효과를 모니터하는데 도움이 될 수 있다. 최대 호기 유량은 최대한으로 폐를 팽창시킨 후 노력성 호기를 하는 동안 측정되는 최대 유량이다.

최대 호기 유량 측정기는 값이 싸고 휴대하기 편하고 집에서 사용할 수 있다. 그러나 휴대용 소형 유량 측정기는 200~400 L/min 범위의 유량을 실제보다 높게 측정할 수 있는 위험이 있는데 많은 소아들이 이 범위에 속하므로 해석에 주의를 요한다.

소아에서 최대 호기 유량은 신장에 따라 증가하지만 일정한 신장에서 넓은 범위의 정상치를 갖게 되므로, 인구 연구를 기초로 평균예측치를 기준으로 하는 것은 제한점이 있다. 따라서 건강한 상태에서 1~2주 동안 측정하여 각 소아의 개인 최고치 최대 호기 유량을 정할 필요가 있다. 이러한 수치는 천식의 악화 동안 비교하는 토대로서 사용될 수 있다.

4) 폐기능 검사 결과의 해석

폐기능 검사를 해석하기 이전에 검사가 제대로 이루어졌는지를 우선 평가해야한다. 검사가 제대로 이루어졌다고 생각한다면 인구 집단에서의 참고 수치를

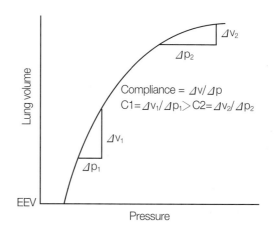

그림 2-18. 폐의 정적 압력 곡선. 이 곡선으로 유순도(C)를 계산할 수 있고 폐용적이 증가할수록 유순도는 감소한다(EEV: elastic equilibrium volume).

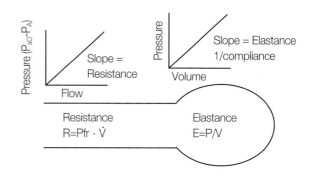

그림 2-19. 폐 단일 구획 모델에서의 저항과 유순도. Pao: pressure at the airway opening, PA: alveolar pressure, Pfr: pressure required to overcome frictional resistance, V̇: gas flow, E: elastance, R: flow resistance

이용하거나 환자 개인의 최고치를 이용하여 정상과 비정상을 구분하게 된다. 폐기능 장애가 있다면 그 유형을 구분하고 장애의 정도를 평가한다.

가) 참고 표준치

참고 표준치(reference standard)는 개인의 측정결과를 비교할 수 있는 기준이 되며 또한 앞으로 어느 정도 변화가 있어야 정상치에 가깝게 되는지를 가늠할 수 있는 척도가 된다.

정상과 비정상의 구분을 위해 검사 결과들은 대개 예측 평균치에 대한 분율로 표시된다. 노력성 폐활량 (forced vital capacity: FVC)과 1초간 노력성 호기량 (FEV$_1$)은 예측 평균치의 80%이상, 노력성 중간 호기 유량(forced expiratory flow between 25 and 75 percent of expired vital capacity: FEF$_{25-75\%}$)은 50~60% 이상이면 일반적으로 정상범위로 간주한다. 이러한 경계는 대략적으로 평균에서 2 표준 편차에 있는 수치 와 일치한다.

참고 수치는 백분위수(percentile)로 표시될 수도 있다. 정상 소아에서 유량과 용적의 측정결과는 백분위수 곡선을 따라 증가한다. 개인의 유량과 용적은 소아와 청소년기동안에 정해진 백분위수를 따라 증가하는 성향이 있다. 따라서 백분위수 곡선을 이용하면 개인에서 정상과 비정상을 구분하는 데 도움이 될 수 있다.

소아에서 시간에 따른 폐기능의 변화를 측정하는 것은 매우 중요하다. 백분위수 또는 %예측치가 감소하여도 그 수치는 참고 집단 평균의 2 표준편차 안에

들 수 있다. 한 개인의 연속적인 폐기능 측정치들을 백분위수 곡선에서 비교하는 것이 폐기능 장애를 평가하는 가장 민감한 방법이 될 수 있다.

나) 폐기능 장애의 유형

폐기능 장애의 형태를 구분하는데 유량·용적 곡선을 그려서 정상 곡선의 형태와 비교하는 것이 필요하다. 비정상적인 폐기능은 폐쇄성(obstructive), 제한성 (restrictive), 혼합형으로 구분될 수 있다. 제한성 질환은 폐용적의 감소가 특징적이다. 척추 측만증과 같은 흉벽 변형(chest wall deformity), 호흡근육 마비, 간질성 염증 또는 섬유화에 의한 폐의 탄성 반동의 증가, 선천성 낭종같은 흉강내 공간을 차지하는 과정 등 공기로 채워진 폐포의 양을 감소시키는 어떠한 과정도 제한성이라고 생각할 수 있다. 폐쇄성 질환은 기도를 통한 유량 감소가 특징적이다. 기도 폐쇄를 일으키는 질환들, 기도벽 구조의 통합성이 손실된 기관지확장증, 폐 탄성반동압이 감소하는 폐기종 등 어떠한 기관

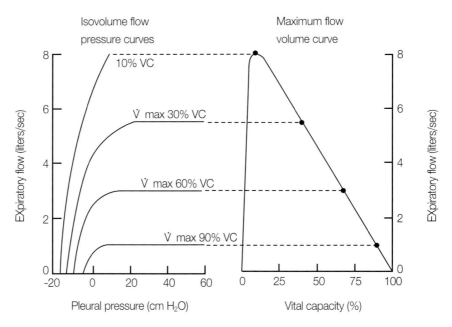

그림 2-20. 호기된 폐활량의 다양한 백분율에서의 등용적 압력 유량 곡선(왼쪽)과 최대 호기 유량 용적 곡선(오른쪽)의 관계. V̇max: limit to maximum expiratory flow

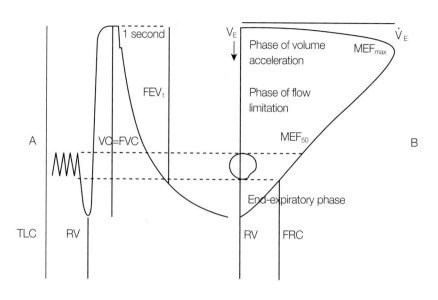

그림 2-21. 폐활량 측정 곡선(A)과 최대 호기 유량 용적 곡선(B). FEV$_1$: forced expiratory volume in 1 second, MEF$_{MAX}$: maximal expiratory flow rate, MEF50: Mid expiratory flow rate, V$_E$: expiratory flow volume, $\dot{V}_E$: expiratory flow rate

지 수준에서든 기도의 단면적의 감소를 초래하는 모든 과정을 폐쇄성이라고 할 수 있다.

전통적으로 제한성과 폐쇄성 질환은 유량 대 폐용적의 비를 산출하여 감별되었다. 제한성 질환에서 유량은 폐용적의 감소에 비례하여 감소한다. 따라서 정상에서 약 85%인 FEV$_1$/FVC비는 제한성 질환에서 대개 변하지 않는다(약 80% 이상). 그러나 폐쇄성 질환에서는 유량이 폐용적에 비해 더 감소하므로 FEV$_1$/FVC비는 감소하게 된다.

폐쇄성 질환과 제한성 질환은 최대 호기 유량 용적 곡선에서 구분될 수 있다(그림 2-22). 제한성 질환을 가진 환자는 유량과 용적의 크기는 작지만 곡선의 모양은 정상과 비슷하다. 폐쇄성 질환의 경우에는 유량 용적 곡선이 움푹 패이는 형태를 보인다. 이것은 균일하지 못한 기도의 유량 흐름과 관계가 있다. 경미한 폐쇄가 있는 질환에서 움푹 패인 모습은 낮은 폐 용적에서 보이며 폐쇄되는 기도의 수가 증가함에 따라 점점 더 많은 곡선의 하강 부분이 그런 모습을 보이게 된다. 제한성과 폐쇄성 과정이 혼합된 경우는 노력성 호

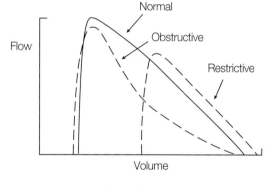

그림 2-22. 폐쇄성 폐질환과 제한성 폐질환에서 보이는 최대 호기 유량 용적 곡선의 모양 변화

기 폐활량 측정기만으로는 구분하기 어렵다. 체적변동기록기를 이용하여 TLC의 측정이 감별에 도움이 될 수 있다.

후두와 기관을 침범하는 중심 기도의 폐쇄는 최대 호기 유량 용적 곡선의 특징적인 모양을 보면 알 수 있다(그림 2-23). 고정된(fixed) 중심 기도 폐쇄는 높은 폐용적과 중간 폐용적에서 노력성 호기와 흡기 유량

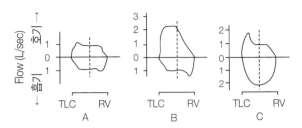

그림 2-23. 중심 기도 폐쇄에서 보이는 최대 유량 용적 곡선의 모양. 고정된 중심 기도 폐쇄(A), 가변성 흉곽외 중심 기도 폐쇄(B), 가변성 흉곽내 중심 기도 폐쇄(C)

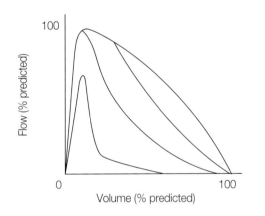

그림 2-24. 진행하는 폐쇄성 장애에서 최대 호기 유량 용적 곡선 모양의 전형적인 변화. 가장 바깥쪽이 정상곡선이고 아래쪽 방향으로 순서대로 경증, 중등도, 중증 폐쇄성 장애에서 보이는 곡선의 모양이다.

을 감소시킨다. 고형 종양같은 병변이 중심 기도 크기를 감소시키면 좁아진 부분을 통과하여 생성된 유량은 거의 일정할 것이다. 따라서 최대 유량 용적 곡선은 흡기와 호기 양쪽에서 납작하게 된다(그림 2-23 A). 중심 기도 폐쇄 병변은 그 성질면에서 또한 변화하기 쉬울 수도 있다. 가변성(variable) 흉곽외 병변은 호기 노력성 유량보다 흡기에서 더 큰 감소를 초래한다(그림 2-23 B). 변화하기 쉬운 흉곽내 병변은 흡기보다는 호기시에 노력성 유량의 감소가 더 크다(그림 2-23 C).

다) 폐기능 장애의 정도

폐기능 장애의 정도는 임상적 경험과 관련지어 해석되어야 한다. FEV$_1$ % 예측치를 사용하는 경우 폐쇄의 정도에 대한 대략적이고 임의적인 가이드는 다음과 같다: 예측치의 80% 이상은 정상, 60~79%는 경증 장애, 40~59%는 중등도 장애, 40% 미만은 중증 장애, 제한성 질환인 경우는 FVC 예측치를 위와 동일한 기준으로 분류하여 그 정도를 평가할 수 있다. TLC 예측치를 이용하여 용적 제한의 정도를 평가하는 것이 보다 더 좋은 방법이다. 이러한 간단하고도 대략적인 기준은 임상적 상황을 함께 고려해서 사용되어야 한다. 특히 한 개인의 질병 전 폐기능 수치가 있다면 이를 기준으로 현재 상태를 평가하는 것이 보다 더 정확하다고 할 수 있다.

진행하는 폐쇄성 질환에서는 유량 용적 곡선 모양의 변화가 관찰되며 이는 장애의 정도와 대략적으로 상관관계가 있다(그림 2-24). 폐쇄가 진행되는 환자에서 노력성 호기 유량의 감소는 처음에는 낮은 폐용적에서 보인다. 그 이유는 침범된 기도에 의해 지배되는 폐의 부분이 더 느리게 공기를 배출하므로, 다른 침범되지 않은 대부분의 기도가 공기를 배출한 후에도 그 부분은 여전히 느린 속도로 배출을 하기 때문이다. 더 큰 폐용적을 차지하는 좀 더 많은 기도나 더 큰 기도에서 폐쇄가 진행되면 유량의 감소와 최대 호기 유량 용적 곡선의 패인 모양은 좀 더 높은 폐용적에서부터 시작된다. 따라서 중등도 이상의 폐쇄성 질환에서 최대 유량(peak flow)은 정상에 가까우나 곡선의 하강 부분 전체는 움푹 패인 모양을 갖게 된다.

FVC, FEV$_1$, FEF$_{25-75\%}$는 폐쇄성 질환이 진행함에 따라 다른 비율로 감소한다(그림 2-25). FEF$_{25-75\%}$는 진행하는 폐쇄 과정 중에서 초기에 감소하여 일반적으로 기도 폐쇄를 조기에 알 수 있는 지표로 간주되어왔다. FVC는 폐쇄성 질환이 진행함에 따라 나중에 떨어지며 그 시점에서부터는 빠르게 감소한다. FVC는 호기말 가까이에서 기도의 폐쇄로 인한 공기 저류(trapping)와 관계하여 초기에도 떨어질 수 있다. 질환의 경과중 나중에 FVC가 빠르게 감소하는 이유는 더 많은 기도가 폐쇄되고 전반적인 섬유화 변화가 폐쇄 과정에 제

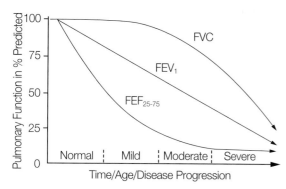

그림 2-25. 만성 폐쇄성 폐질환에서 폐기능 검사의 경과

한성 구성 요소를 추가하기 때문이다. FEV_1은 질병의 경과에 따라 선형적으로 감소한다. 따라서 폐쇄성 질환의 정도를 장기적으로 측정하는 데 가장 적합하다. 제한성 질환에서는 FVC, 가능하다면 TLC가 장애의 정도를 평가하는 좀 더 좋은 지표가 될 수 있다.

나. 영아에서의 폐기능 검사

폐기능을 측정하는 것은 호흡기 질환 관리의 기본이 되지만 6세 미만의 소아에서는 협조가 불가능하기 때문에 일반적으로 이용되기 어렵다. 그러나 최근 들어 영아 폐기능 측정과 도구에서 많은 발전을 보이고 있다. 영아에서 폐기능을 측정하는 동안 수면을 유도해야하는데 chloral hydrate가 가장 널리 사용되는 약제이다. 또한 검사실의 조건, 음식물의 섭취, 자세, 수면 상태들이 검사 결과에 영향을 미칠 수 있다.

1) 측정 기법
가) 폐용적 측정
① 체적변동기록법
영아에서 폐용적을 측정하는 방법은 체적변동기록법(body plethysmograph)과 가스희석기법(gas dilution technique)이 있다. 영아 체적변동기록기는 성인보다 상당히 작으므로 면적 대 용적비가 더 크게 된다. 따라서 체적변동기안의 어떤 지점과 벽 사이에

서 열 확산이 일어나야만 하는 평균 거리가 상당히 감소하게 된다. 이러한 점으로 인해 상당히 감소된 열시간 상수(thermal time constant)는 폐기능 검사의 결과에 부정적인 영향을 미치게 된다.

영아에서는 기도 저항과 상기도 유순도가 높아 폐포압의 변화가 상기도로 전달되는 데 걸리는 시간이 증가하게 된다. 이러한 문제는 특히 천명을 동반하는 질환 때 더욱 뚜렷해진다. 상기 조건에서 기도 개방압은 폐포압을 실제보다 낮게 평가하게 하므로 결과적으로 VTG가 실제보다 높게 계산될 수 있다. 따라서 기도 질환이 있는 영아에서 이러한 측정 기술의 유용성과 정확성에 제한을 가하는 요소가 된다.

② 가스 희석 기법
그 원리와 방법에 있어서 '소아에서의 폐기능 검사'에서 다룬 내용을 참고하도록 한다.

나) 노력성 호기 유량 측정
영아에서 노력성 호기를 측정하는 데 사용되는 일차적 방법은 급속 흉곽 압박법(rapid thoracic compression[RTC])이다. RTC법은 부풀릴 수 있는 재킷을 이용하여 평상 호흡중 흡기말에 갑자기 흉곽과 복부에 압력을 가하여 노력성 호기 유량을 측정하는 방법이다.

다) 저항과 유순도 측정
자발 호흡을 하는 영아에서 저항과 유순도를 측정하는 데 사용하는 방법은 여러 가지이다. 그 중에서 가장 흔하게 사용하는 방법으로는 Hering-Breuer 반사를 유발하는 폐쇄 검사(occlusion test)와 체적변동기록법이 있다.

다. 기계적 환기중 폐기능 측정

기계적 환기에서 호흡 역학을 측정하는 것은 호흡부전을 초래하는 상태의 병리기전에 대한 이해를 돕

고 치료에 대한 객관적 평가를 제공한다. 그러나 그 해석에 있어서 다음과 같은 몇 가지 영향을 주는 인자들을 고려할 필요가 있다. 첫째로는 인공호흡기의 환기 빈도, 유량, 용적 등의 인자와 둘째로는 기관 내 튜브의 영향이다.

호흡기계는 환기 빈도에 의존하는 운동을 보인다. 일반적으로 환기 빈도가 증가할 때 저항의 수치는 감소하고 탄성률은 증가한다. 기도 저항과 기관 내 튜브의 저항은 유량 의존적이다. 이것은 호흡기계의 기본적인 저항 성질의 변화가 없어도 유량이 증가함에 따라 저항이 증가될 수 있음을 의미한다. 용적의 영향으로 이완된 호흡기계의 압력 용적 곡선은 sigmoid형이다. 이것은 호흡기계가 높거나 낮은 용적에서 더 뻣뻣하다는 것을 의미한다. 정상인은 압력 용적 곡선의 선상 부분 안에서 호흡한다. 이 경우 유순도 또는 탄성률은 효과적으로 일정하다. 그러나 압력 용적 곡선의 편평한 부분에 해당하는 낮은 용적 또는 높은 용적에서 환기가 이루어지면 유순도는 용적에 따라 변화한다.

기관 내 튜브는 유량 의존적인 저항을 호흡기계의 저항에 추가하는 역할을 한다. 또한 튜브 주위로 공기의 누출은 저항과 탄성(compliance)를 측정하는 데 오류를 범하게 한다.

1) 측정 기법

전통적으로 Mead-Whittenberg법은 자발 호흡을 하는 피검자에서 유순도와 저항을 측정하는 데 이용해왔으나 기계적 환기 중 폐기능을 측정하는 방법으로도 사용된다. 이러한 검사법은 흡기와 호기에 걸쳐 저항과 유순도가 일정하다는 가정을 하고 있다. 그러나 과팽창된 폐를 가지고 있거나 질환이 있는 피검자에서는 이러한 가정이 적용되기 어려운 단점이 있다. 위의 방법이외에도 기계적 환기 중 폐기능을 측정하는 방법으로 Least squares regression기법, Mortola-Saetta기법, 용적보정저항(volume-corrected resistance), 강제진동기법(forced oscillation technique), 차단기법(interrupter technique), 강제수축기법(forced deflation technique), 다중선형회귀기법(multiple linear regression technique)을 이용할 수 있다.

6. 가스교환과 산-염기 생리

가. 정상 가스교환

우리 몸에서 가스교환은 폐(폐가스교환)와 조직(세포내 가스교환)에서 단순 확산에 의해 일어난다. 가스가 교환 장소에서 혈액내로 확산되면 이는 혈장 내에 용해되고 헤모글로빈에 결합하여 혈액과 함께 신체 내에서 순환하여 가스교환 장소에 도달하면 혈액과 분리됨으로 가스교환의 과정은 끝나게 된다. 결과적으로 산소는 조직에서 소비되고 이산화탄소는 폐를 통해 제거된다.

산소화는 산소가 폐혈액에 부착되는 과정으로 폐포 수준에서 일어나며 환기는 일반적으로 폐포로부터 이산화탄소를 제거하는 과정을 일컫는다. 폐포막을 통한 가스 확산의 정도는 폐포막에서 가스 분압차, 가스의 용해도, 폐의 면적, 가스가 확산되어야하는 거리, 가스의 분자량, 그리고 가스의 온도 등을 포함한 몇 가지 인자들에 의해 결정된다.

정상적인 자발 호흡시 산소화와 환기는 동시에 일어난다.

정상적으로 혈액내 산소의 97%는 적혈구내 헤모글로빈과 화학적 결합을 통해 운반되고 나머지 3%는 혈장과 혈구세포에 용해된 채 운반된다. 그래서 정상적인 경우에 산소는 헤모글로빈을 통해 거의 모두 조직으로 운반된다. 각각의 헤모글로빈 분자는 4개의 산소 분자와 결합할 수 있다. 산소와 결합될 수 있는 헤모글로블린의 분율은 혈액내 산소 분압이 증가함에 따라 늘어난다. 산소의 친화도와 헤모글로빈과의 연관성은 산소헤모글로빈 해리곡선에서 잘 기술되어 있다. 이 곡선은 산소분압이 10 mmHg와 50 mmHg 사이에서 급격히 증가하는 S자 모양을 띄고 있다. 건강한 신체

내에서 동맥혈내 산소분압은 95 mmHg 정도이고 산소포화도는 약 97%인 반면 정상적인 체정맥내 산소분압은 40 mmHg이고 산소포화도는 75%정도이다.

헤모글로빈이 산소와 결합하는 능력은 산소-헤모글로빈의 친화도에 영향을 미치는 요소들, 즉 헤모글로블린 내 아미노산서열, 온도, PCO_2, pH, 그리고 2,3-diphosphoglycerate(2,3 DPG)의 농도 등에 따라 변화한다(그림 2-26 A). 예를 들어, 혈액내 이산화탄소가 폐에서 제거되고 혈액내 산도가 증가하면 산소-헤모글로빈 해리곡선은 좌측으로 이동하여 더 많은 산소분자가 헤모글로빈과 결합하는(Bohr effect) 반면 혈액내 산도가 감소하고 조직내 이산화탄소 분압이 증가하면 산소친화도는 감소한다. 이때 산소-헤모글로빈 해리곡선은 우측으로 이동하여 기능적 헤모글로빈 50%를 포화시키는데 필요한 산소분압은 증가되어 조직으로 산소를 공급하는데 용이하게 한다(그림 2-26 B).

산소가 헤모글로빈에 부착하면 산화헤모글로빈이 되어 혈류를 통해 이는 조직으로 이동되어 그곳에서 효과적인 에너지를 생성하는데 필요하게 된다. 심박출량, 헤모글로빈 농도, 산소포화도가 산소 운반에 영향을 미치는 인자들로 작용한다.

산화헤모글로빈이 순환하면서 조직내 산소분압(PO_2)이 낮은 부위에 도달하면 헤모글로빈은 산소를 신속히 떼어낸다. 이때 탈락되는 산소의 양은 혈액과 조직사이의 산소분압차이에 달려있다. 조직이 산소를 소비하면 할수록 조직내 산소분압은 감소한다. 그래서 조직과 혈액사이의 산소분압차가 커지면 헤모글로빈이 더 많은 양의 산소를 탈락시킨다. 만약 혈액내 산소분압이 헤모글로빈을 산소로 충분히 포화시킬 수준보다 더 높다면 헤모글로빈이 탈락시키는 산소의 양은 큰 차이를 보이지 않는다(그림 2-26 B). Bohr 효과로 인해 이산화탄소와 수소이온이 증가된 조직 내에서 산소탈락를 용이하게 하여 헤모글로빈과 산소의 친화도는 감소하게 된다.

나. 비정상 가스교환

폐와 조직사이의 가스교환 과정 중 어떤 단계가 억제되면 조직에는 더 적은양의 산소가 전달되어 저산소성 세포 손상을 일으킨다. 게다가 세포내의 이산화탄소가 증가되어 궁극적으로 고탄산성 산증을 일으킨다.

저산소성 장애와 고탄산성 산증이 신속히 교정되지 않는다면 비가역적으로 조직에 나쁜 영향을 미치므로 그 원인과 적절한 치료를 위해 저산소증과 고탄산혈증을 이해하는 것이 중요하다.

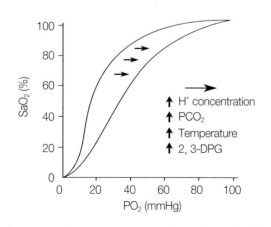

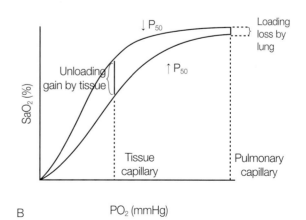

그림 2-26. 산소-헤모글로빈의 친화력에 영향을 미치는 요소들

1) 저산소증 원인

폐내 가스교환, 부착, 운반, 탈락, 그리고 조직내 가스교환 등 산소화의 각 단계에서 저산소성 세포 손상이 초래될 수 있다(표 2-9).

급성 저산소혈증시 경동맥과 대동맥궁에 위치한 산소분압 화학수용체가 낮은 산소 분압을 재빨리 인식하여 호흡중추와 심장을 자극하여 각각 분당 환기와 심박출량을 증가시킴으로써 조직의 저산소증을 막는다. 만성폐질환이나 청색증형 심질환이 동반된 만성

표 2-9. 저산소증의 원인

Pulmonary gas exchange

Inadequate oxygenation of the airway

Decreased ventilation and perfusion (e.g., intrapulmonary shunt)

Disruption of alveolar-capillary diffusion (e.g., pulmonary edema, pneumonia)

Loading

Dysfunctional hemoglobin (e.g., carboxyhemoglobin, methemoglobin)

Changes in the factors shifting the oxygen-hemoglobin dissociation curve

(e.g., pH, PCO_2, 2-3-diphosphoglycerate level, body temperature)

Venous-to-arterial shunts ("right-to-left" cardiac shunt)

Transport

Hemoglobin and hematocrit

Red blood cell deformity

Low cardiac output: generalized or local ischemia

Tissue edema

Unloading

Changes in the factors shifting the oxygen-hemoglobin dissociation curve

(e.g., pH, PCO_2, 2,3-diphosphoglycerate level, body temperature)

Tissue gas exchange

Capillary "shunt" resulting from peripheral vasodilation (e.g., septic shock)

Poisoning of cellular enzymes (e.g., cyanide poisoning)

Diminished cellular metabolic capacity (e.g., beriberi)

저산소혈증 때에는 헤모글로빈치가 산소의 운반을 유지하기 위해 증가한다. 또한 미토콘드리아가 산소공급이 제한된 상태에서도 조직의 저산소화를 막기 위해 충분한 에너지를 생성할 수 있게 된다.

한편 심박출량의 감소와 혈관의 폐쇄, 또는 두가지 상황이 동시에 발생한 경우 등으로 인해 조직의 산소함량이 감소된 상태인 조직의 허혈상태(ischemia)는 정상 동맥 산소분압에서도 저산소성 손상을 일으킬 수 있다. 심박출량이 감소하면 조직과 혈액사이의 확산을 위한 산소분압차를 유지할 정도로 충분한 양의 산소가 조직으로 통과할 수 없다. 그래서 허혈 상태는 저산소성 세포 손상을 일으키는 면에서 볼 때 저산소혈증보다 더 나쁘다.

2) 고탄산혈증의 원인

이산화탄소는 조직 내에서 호기성대사의 결과로 조직에서 생성되고 조직내 가스교환, 부착, 이송, 탈락, 최종적으로 폐내 가스교환을 통해 우리 몸에서 제거된다(표 2-10). 폐포막이나 조직을 통해 관류가 감소됨으로 발생하는 저산소증에서 심각한 고탄산증은 일반적으로 일어나지 않는데, 이것은 이산화탄소가 산소보다 약 20배 정도 빠르게 확산하기 때문이다. 그러나, 저환기로 인한 저산소증에서 이산화탄소는 폐포들 사이를 이동하고 기압은 산소가 이동하는 만큼 영향을 받는다. 그러므로 고탄산증은 항상 저산소증을 동반한다.

순환장애로 인한 혈류의 감소는 조직으로부터 이산화탄소를 그만큼 적게 제거시키고 결과적으로 고탄산증 상태가 된다. 그러나, 혈액이 이산화탄소를 운반하는 능력은 산소에 비해 약 3배정도 되므로 조직내 고탄산증은 조직내 저산소증보다 그만큼 덜 심하다.

다. 산-염기 평형

호흡성, 대사성 요인들이 어떻게 산염기 균형에 영향을 미치는지 이해하는 것은 매우 중요하다.

표 2-10. 고탄산증의 원인

Carbon dioxide production
Increased body temperature: approximately 10% per degree of temperature
Excessive muscular activity: shivering, rigor, seizure
Physiologic stress
Sepsis
Parenteral nutrition with glucose

Decreased carbon dioxide clearance
Increased tissue carbon dioxide levels
Tissue gas exchange
Poor tissue perfusion (e.g., ischemia)
Disrupted diffusion (e.g., tissue edema)
Loading
Capillary shunt resulting from peripheral vasodilation (e.g., septic shock)
Transport
Low hemoglobin level or hematocrit
Decreased red blood cell deformability
Low cardiac output
Increased blood carbon dioxide levels
Unloading
Venous-to-arterial shunts ("right-to-left" cardiac shunt)
Pulmonary gas exchange
Decreased ventilation (e.g., respiratory depression, neuromuscular disorder, chest deformity)
Increased dead space (e.g., upper airway obstruction, lower airway obstruction: reactive airway disease)
Disruption of alveolar-capillary diffusion (e.g., pulmonary edema, pneumonia)

1) 완충체계

정상적인 신체에서 세포외액의 산도는 7.38과 7.42 사이의 좁은 범위내에서 유지됨으로 혈액내 산도는 다양한 질환 특히 호흡기계와 신장질환을 평가하는데 매우 도움이 된다. 혈액의 산도는 직접적으로 산도 probe를 이용하여 측정하거나 탄산과 중탄산염 사이의 관계를 나타내는 Henderson-Hasselbalch 공식을 이용하여 계산될 수 있다.

$$-\log[H+]=pH=pKa + \log([HCO_3]/[H_2CO_3])$$
$$=pKa + \log([HCO_3]/[(0.0308)(CO_2)])$$

여기서 pKa는 중탄산염과 탄산이 동일한 농도로 존재시 산도이며 가능한 완충능력이 최대에 다다르는 시점의 산도로 6.1이다. 탄산치는 PCO_2 X 용해계수이며 37℃에서 리터당 밀리몰의 단위를 고려할 때 0.0308이다.

혈액가스분석의 결과는 Henderson-Hasselbalch 공식을 이용하여 계산한 결과와 다소 다를 수 있는데 이는 인과 단백질의 완충체계를 고려하지 않았기 때문이다.

2) 폐의 산-염기 조절

급성 산혈증이나 알칼리혈증에 대한 폐의 보상반응은 신속하게 일어난다. 강산이 혈액에 추가되면, 중탄산염이 소모되면서 산도가 갑자기 감소하고 이산화탄소 분압은 증가한다. 혈액내 산도는 혈액뇌장벽 때문에 직접적으로 중추성 호흡중추(central respiratory center, CRC)에 영향을 줄 수 없는 대신에 이산화탄소 분압이 증가함에 따라 중추성 호흡중추를 싸고 있는 뇌척수액에서 이산화탄소가 증가하게 된다. 결과적으로 뇌척수액에서 탄산과 수소이온이 증가하여 수소이온은 직접 CRC를 자극하여 환기율을 증가시키고 또한 증가하는 수소이온의 농도에 따른 반응으로 말초 화학수용체에 의한 추가 환기 자극이 공급된다. 폐는 이산화탄소가 신속히 처리되는 개방성 기관이기 때문에, 이산화탄소 분압을 40 mmHg이하로 낮추며, 혈액내 산도는 신속히 7.40이 되도록 교정된다. 기존의 대사성 산증은 신장이 과량의 산을 배출할 때까지 지속되는데 1~2일이 걸린다.

3) 신장의 산-염기 조절

신장은 중탄산염의 재흡수, 수소이온 배출, 그리고 중탄산염의 배출 같은 기전으로 산염기 균형을 유지한다. 산염기를 조절하기 위해 신장은 다량의 혈액을 여과해야 하는데 신장은 혈관저항이 낮아 자체 무게에 비해 불합리하게 많은 혈액이 신장으로 공급된다. 70 Kg인 정상 성인의 경우, 신장은 심박출량의 20~25%를 받아 분당 1~1.25 L의 신혈류가 흐르게 된다. 심박출량에 비해 신혈류는 고정적이지 않고 혈역동학 변화에 반응하는 자동조절 과정에 의해 변한다.

4) 급성 산-염기 완충 과정

만약 이산화탄소 분압이 증가하거나 감소한다면 산도는 10분 이내에 그에 대한 반대작용을 일으키며 변화한다. 혈장내 중탄산염치는 이산화탄소 분압의 증가나 감소에 의한 산도변화에 따라 즉시 바뀐다(표 2-11). 즉각적인 중탄산염의 변화는 4~5 mM로 심하지 않고 만성 호흡기 이상으로 인한 변화에 비해 불완전하다. 이처럼 혈장내 중탄산염의 변화가 심하지 않는

것은 세포내 비중탄산염성분의 완충작용에 기인한다. 또한 이산화탄소 분압이 급속히 감소한 경우 젖산과 구연산이 다소 증가하고 그로 인해 혈장내 중탄산염은 감소하게 된다. 증가나 감소로 인한 산도의 변화가 급속히 일어날 때 이산화탄소 분압은 그에 따라 변한다. 탄산나트륨의 주입으로 인해 산도가 0.10 씩 변할 때마다 이산화탄소의 분압은 2.5 mmHg씩 변한다.

5) 만성 산-염기 완충 과정

혈장 중탄산염 변화는 만성적으로 증가되거나 감소된 이산화탄소 분압 수준에 따라서 산도를 정상에 가깝게 돌아오게 하지만 완전한 반응은 아니다(표 2-12). 저이산화탄소증에 대한 신장의 완전한 반응이 시작되는데는 수 시간에서 수 일 까지도 걸린다. 이산화

표 2-11. 급성 산-염기 완충과정의 법칙

Change	Rule	Example
↑ PCO_2	For every increase of 1 mmHg,	PCO_2: 40 → 60 mmHg
	the pH decreases by 0.008 pH unit.	pH: 7.40 → 7.24
	Compensation: The HCO_3^- level increases by 0.1 mmol/L.	HCO_3^-: 24 → 26 mmol/L
↓ PCO_2	For every decrease of 1 mmHg,	PCO_2: 40 → 20 mmHg
	the pH increases by 0.007 pH unit.	pH: 7.40 → 7.54
	Compensation: The HCO_3^- level decreases by 0.25 mmol/L.	HCO_3^-: 24 → 19 mmol/L

표 2-12. 만성 산-염기 완충과정의 법칙

Change	Rule	Example
↑ PCO_2	For every increase of 1 mmHg,	PCO_2: 40 → 60 mmHg
	the pH decreases by 0.0025 pH unit.	pH: 7.40 → 7.35
	Compensation: The HCO_3^- level increases by 0.4 mmol/L.	HCO_3^-: 24 → 28 mmol/L
↓ PCO_2	For every decrease of 1 mmHg,	PCO_2: 40 → 20 mmHg
	the pH increases by 0.003 pH unit.	pH: 7.40 → 7.46
	Compensation: The HCO_3^- level decreases by 0.5 mmol/L.	HCO_3^-: 24 → 14 mmol/L
↑ HCO_3^-	For every increase of 1 mmHg,	HCO_3^-: 24 → 34 mmol/L
	the pH increases by 0.003~0.008 pH unit.	pH: 7.40 → 7.43~7.48
	Compensation: The PCO_2 increases by 0.2~0.9 mmHg.	PCO_2: 40 → 48 mmHg
↓ HCO_3^-	For every decrease of 1 mmHg,	HCO_3^-: 24 → 14 mmol/L
	the pH decreases by 0.012 pH unit.	pH: 7.40 → 7.28
	Compensation: The PCO_2 decreases by 1.25 mmHg.	PCO_2: 40 → 28 mmHg

탄소의 분압 감소는 신장의 세뇨관에서 중탄산염의 흡수 감소와 근위세뇨관과 원위세뇨관에서 수소이온의 분비 감소를 가져온다. 혈청내 염소치는 염소가 적혈구내에서 밖으로 이동하고 세포외액 용적이 감소하며 신장의 염소재흡수 작용이 증가되기 때문에 증가하게 된다. 이산화탄소분압이 증가하면 신장에서는 더 많은 양의 수소이온을 분비하고 중탄산염의 재흡수량을 늘려 보상작용이 일어난다.

라. 단순 산-염기 장애

산염기 장애는 보상 반응이 동반된 일차적 장애(단순 산염기 장애)와 두가지 일차적 장애가 동시에 발생한 경우(복합 산염기 장애)로 나뉠 수 있다. 산염기 장애의 형태는 산도, 동맥혈 이산화탄소분압 그리고 중탄산염가에 의해 결정될 수 있다. 단순 산염기 장애에서, 동맥혈 이산화탄소분압과 중탄산염가는 항상 같은 방향으로 이동한다(표 2-13). 반면, 복합 산염기 장애에서는 동맥혈 이산화탄소 분압과 중탄산염가가 항상 반대방향으로 이동한다.

1) 대사성 산증

다음과 같은 기본적 기전이 혈청내 중탄산염가를 감소시켜 대사성 산증을 유발한다.

가) 산성 물질이 체액에 추가됨에 따라 중탄산염이 산성 물질을 완충시켜 더 적은 양의 중탄산염을 남겨 놓는다.

나) 중탄산염은 위장관이나 신장을 통해 소실될 수 있다.

다) 혈청 중탄산염가는 비중탄산염포함 용액으로 희석되어 감소될 수 있다(그림 2-27).

모든 대사성 산증을 평가하는데는 음이온 갭을 결정하는 것을 포함해야 한다.

음이온 갭 = Na^+ - (Cl^- + HCO_3^-)

= 미측정 음이온 - 미측정 양이온

이 공식에서 포타슘은 미측정된 양이온으로 간주하여 반드시 음이온 갭의 공식에서 소디움에 추가하지 말 것을 주의해야 한다. 정상적인 음이온 갭은 12±4 mM/L이다. 음이온 갭은 대사성 산증의 원인을 결정하는데 이용될 수 있기 때문에 임상적으로 유용하다 (그림 2-28). 대사성 산증 환자는 전형적으로 증가되거나 정상적인 음이온 갭을 나타낸다. 음이온 갭의 증가는 측정되지 않은 음이온의 증가, 측정되지 않은 양이온의 감소 또는 두 가지로 인해 생길 수 있으며(표 2-14) 음이온 갭의 감소는 저알부민혈증, 고칼슘혈증, 고칼륨혈증, 고마그네슘혈증 또는 리튬 주입으로 인해 일어날 수 있다.

2) 호흡성 산증

환기작용을 방해하는 어떠한 과정이라도 호흡성 산증을 일으킬 수 있는데 환기실패의 원인들로는 만성 폐쇄성 폐질환, 약물 복용, 심각한 환기관류장애, 폐내 광범위 침윤질환, 피로, 신경 근질환, 그리고 과다한 이산화탄소 생성 등이 있다.

지속적인 고탄산증에 대한 신장의 보상반응은 보통 1~2일이 걸린다. 만성 호흡성산증에서는 이산화탄소분압이 1 mmHg 상승할 때마다 혈액내 중탄산염농도가 0.25~0.3 mEq/L증가한다.

3) 대사성 알칼리증

대사성 알칼리증은 혈관내 용적의 감소로 인해 염소가 중탄산염과 비교해 불균형적으로 소실된 경우,

표 2-13. 단순 산-염기 장애

Type of disorder	pH	PaCO2	HCO3−
Metabolic acidosis	↓	↓	↓
Metabolic alkalosis	↑	↑	↑
Acute respiratory acidosis	↓	↑	↑
Chronic respiratory acidosis	↓	↑	↑
Acute respiratory alkalosis	↑	↓	↓
Chronic respiratory alkalosis	↑	↓	↓

PaCO2, Partial pressure of arterial carbon dioxide; HCO3−, bicarbonate

수소이온의 소실 그리고 세포외체액에 중탄산염의 추가 등이 있을 때 유발되며, 염소의 소실(동시에 수소의 소실은 없다)은 위장관 질환이나 이뇨제의 사용시 가장 흔히 발생한다.

대사성 알칼리증의 효과적인 치료는 염소-반응형 또는 염소-비반응형인지 구분하는 것이 중요하다. 염화나트륨이나 염화포타슘을 공급하는 치료는 염소 부족으로 인한 대사성 알칼리증을 신속히 해결한다. 하지만 염화나트륨에 저항적인 대사성 알칼리증은 전해질 부신 피질 호르몬(mineralocorticoid)의 작용이 증가되거나 포타슘이 고갈되어 발생한 경우이다. 고전 해질 부신 피질 호르몬 상태는 전형적으로 고혈압을 동반한다.

4) 호흡성 알칼리증

호흡성 알칼리증은 이산화탄소 분압의 감소로 산도가 증가하는 과정에 의해 발생한다(표 2-15).

세포내에서 유리되는 수소이온에 의한 완충작용이 호흡성 알칼리증을 방어하는 첫 번째 기전이다. 놀랍게도 완충작용은 수 분 내에 완전히 일어나고 적어도 2시간은 지속된다. 급성호흡성알칼리증에 대한 반응으로 동맥혈 이산화탄소 분압이 10 mmHg 감소할 때마다 혈청내 중탄산염가는 1~3 mM/L가 감소한다.

신장은 호흡성 알칼리증에 대한 보상작용으로 생성

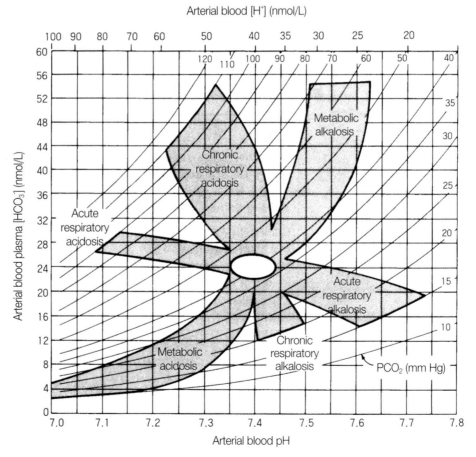

그림 2-27. 산-염기 정규곡선

되는 중탄산염을 감소시키고 배출을 증가시킨다. 신장에 의한 보상작용은 24~48시간 내에 발생한다. 신장보상작용에 대한 자극은 산도가 아니라 이산화탄소 분압에 의한다. 만성 호흡성 알칼리증에서 이산화탄소 분압이 10 mmHg 감소할 때 마다 혈장내 중탄산염가는 2~5 mM/L가 감소한다. 호흡성 알칼리증을 치료하는 유일한 방법은 알칼리증을 일으킨 기저질환을 교정하는 것이다.

마. 혼합 산-염기 장애

혼합 산-염기 장애는 두 가지의 일차적인 산-염기 장

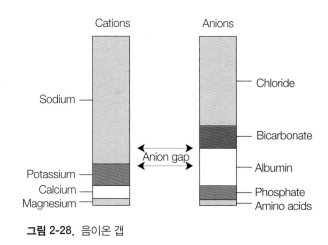

그림 2-28. 음이온 갭

표 2-14. 음이온 갭 증가 산증의 원인

원인	측정되지 않은 음이온
Toxins and medications	
Ethanol	Lactic acid
Ethylene glycol	Oxalic acid
Isoniazid toxicity	Lactic acid
Methanol	Formic acid
Paraldehyde	Acetic acid
Salicylates	Lactic acid
Isopropyl alcohol	Oxalic acid
Lactic acidosis	Lactic acid
Uremia	Uric, oxalic, succinic, pimelic, and adipic acids
Amino acidopathies	
Marple syrup urine disease	α-ketoisocaproic, α-keto-β methylvaleric, α-ketoisovaleric, indolacetic, acetoacetic, and β-hydroxybutyric acids
Isovaleric acidemia	Isovaleric acid
Glutaric acidemia	Glutaric, lactic, isobutyric, isovaleric, and α-methylbutyric acids
Propionyl-coenzyme A carboxylase deficiency	Propionic, methylcitric propionylglycine, acetoacetic, β-hydroxypropionate, and β-hydroxybutyric acids
Methylmalonic aciduria	Methylmalonic acid
Defects in carbohydrate metabolism	
Diabetic ketoacidosis	Acetoacetic and β-hydroxybutyric acids
Fructose-1, 6-diphosphatase deficiency	Lactic and pyruvic acids
Glucose-6-phosphatase deficiency	Lactic acid
Pyruvate carboxylase deficiency	Lactic and pyruvic acids
Succinyl-coenzyme A-transferase deficiency	Acetoacetic and β-hydroxybutyric acids

애가 합쳐진 경우이다. 혼합 산-염기 장애를 인지하는 것은 보통 보상기전이 완전하고 적절하였는가를 인지하는데에 달려있다. 흔히 혈액내 가스분석의 결과가 단일 산-염기 장애의 예상기준을 벗어나는 경우가 있다. 혼합 산-염기 장애가 있는 환자의 일부는 산도가 심각하게 변화되기도 하고 정상을 보이기도 한다. 산도가 의미 있게 달라진 경우는 두 가지 장애 중 한 가지가 다른 보상기전을 방해한 경우이다.

바. 혈액가스 측정

혈액가스의 결정은 산도, 이산화탄소분압, 산소분압을 측정함으로써 알 수 있는데 이들은 환자의 호흡계, 순환계 그리고 대사계 상태에 대한 정보를 제공한다. 산소와 이산화탄소는 가장 중요한 호흡계 가스들로서 폐의 가스교환 적정성을 반영한다. Siggaard-Andersen 정규곡선으로 계산할 수 있는 혈청내 중탄산염과 산도는 환자의 산-염기 상태를 나타낸다(그림 2-29).

사. 혈액가스 분석

혈액가스 검사는 일반적으로 37℃에서 실시되고 검사결과가 보고 된다. 산도 결정 당시 혈액의 온도는 이온농도, 헤모글로빈에서 산소의 해리, 가스용해도에 영향을 미치며 온도와 가스의 압력 사이에는 직접적

표 2-15. 호흡성 알칼리증의 원인

Central alkalosis
Pain, anxiety
Head trauma
Fever
Pregnancy
Brain tumors
Administration of salicylates
Hepatic encephalopathy
Peripheral alkalosis
Altitude
Pulmonary embolism
Pneumonia
Congestive heart failure
Interstitial lung disease
Hepatic insufficiency
Gram-negative sepsis
Mechanical or voluntary hyperventilation

인 연관성이 있다. 그러므로 혈액가스 분석을 위해 얼음 위에 놓여 검사실로 이동된 혈액검체가 37℃로 데워지지 않으면 검사결과는 완전히 바뀌게 된다(표 2-16). 대부분의 혈액가스 분석기계는 검사 전 혈액을 적당하게 덥히기 때문에 고체온(39℃ 이상)이나 저체온(35℃ 미만) 환자에서 체온교정은 매우 중요하다.

표 2-16. 온도에 따른 혈액가스정상치의 변화

℃	°F	pH	PCO_2 (mmHg)	PO_2 (mmHg)
20	68	7.65	19	27
25	77	7.58	24	37
30	86	7.50	30	51
35	95	7.43	37	70
36	97	7.41	38	75
37	99	7.40	40	80
38	100	7.39	42	85
39	102	7.37	44	91
40	104	7.36	45	97

아. 동맥혈 가스 분석 방법

동맥혈 가스분석 검체는 요골동맥에서 주로 시행되는데, 이는 요골동맥이 눌리더라도 척골동맥이 있어 palmar arch를 통해 손으로 우회적인 동맥혈 공급이 가능하기 때문이다. 동맥혈 가스분석을 위한 다른 부위로는 상완동맥(brachial), 족배동맥(dorsalis pedis) 그리고 후비골동맥들이 있다. 척골 동맥은 정중신경(median nerve)이 가까이 위치하여 천자시 손상을 받을 수 있고 관자동맥(temporal artery) 역시 색전으로 인해 두피괴사가 일어날 위험이 있기 때문에 자주 시행하지 않는다.

요골동맥에서 동맥천자를 시행하기 전 Allen test나 변형 Allen test를 시행해야 한다. 이런 검사들은 검체 채취 시 환자의 손 부위로 혈류가 장애를 받지 않는다는 것을 증명한다. Allen test는 1929년에 처음 기술되었는데, 요골동맥을 3분간 누르고 반대편 손의 색깔과 비교하여 색깔이 변하지 않는다면, 요골동맥의 혈류가 막히더라도, 척골동맥을 통한 동맥혈의 흐름이 적절하다는 것을 의미한다. 그 다음에 척골동맥을 약 3분간 눌러 손의 색깔이 변한다면 요골동맥 폐쇄가 존재한다는 것을 의미한다.

변형 Allen test는 척골동맥과 요골동맥 모두를 눌러 시행한다. 손은 반드시 반복적으로 쥐었다 폈다 하거나 손에서 손목방향으로 주물러 주어 창백하게 한 후 척골동맥부터 압력을 풀어준다. 10초 이내에 손의 관

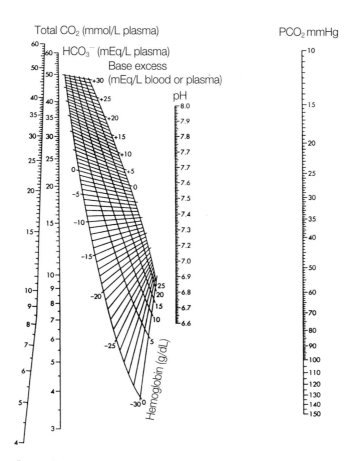

그림 2-29. Siggaard-Andersen alignment nomogram

류가 확인되면 요골동맥의 관류에 장애가 생겨도 우회를 통한 관류는 적정하다라는 의미이고 만약 10초 이내에 손에 관류가 일어나지 않으면 반대쪽 손에서 검사를 실시해야 한다.

환자 손의 관류가 동맥천자에 장애를 받지 않을 것으로 결정되면 검사자는 혈액가스 검체가 정확히 환자의 호흡계 상태와 산염기 상태를 반영하도록 노력해야 한다. 검사에 대한 스트레스로 인한 과호흡은 호흡성 알칼리증을 유발한다. 만약 환자가 소아인 경우 보조자는 환자를 구속하면서 편안하게 해주어야 한다. 피하로 리도케인을 주사하거나 피부에 리도케인 연고를 발라 검사와 연관된 불편감을 다소나마 줄일 수 있다.

검사주사기 내에 헤파린이 과다하게 들어 있는 경우 이산화탄소 분압을 감소시켜 검체의 산도를 변화시킬 수 있다. 미리 헤파린이 들어가 있는 주사기가 소아에서 이용될 수 없을 때에는 23게이지 나비침, 투베르쿨린 주사기와 약 mL당 1000 U농도의 헤파린 0.1 mL(주사기내 사공간을 채울 정도임)가 필요하다. 헤파린과 공기는 검체 결과의 신용도에 영향을 미칠 수 있으므로 반드시 제거한다. 주사기는 작은 게이지의 바늘로 대체될 수 있는데 이는 흡입동작 없이도 혈액이 주사기 내를 채울 수 있게 된다.

동맥의 위치는 일반적으로 촉지를 통해 알 수 있는데 동맥이 쉽게 촉지 되지 않을 경우, 도플러 초음파 또한 이용될 수 있다. 펜을 이용해 위치를 표시해 두면 유용하다. 피부는 베타딘으로 닦고 마르도록 하고 검사 동안 소독된 장갑을 착용해야 한다. 검사 부위는 근위부와 원위부 손목 주름 사이에서 결정하여 15~45도로 바늘의 경사가 위를 향한 상태로 천자하여 검사자가 다시 촉지를 통해 동맥의 위치를 확인한 후에 전진해야 한다. 대부분 동맥혈가스 검사기는 최소 0.3~0.5 mL의 검체가 필요하며 공기가 제거된 후 검체는 캡에 씌워져 검사실로 얼음 위에 얹혀진 채로 이동한다. 동맥에서 바늘이 제거된 후 출혈과 혈종이 생기는 것을 막기 위해 최소 5분간 눌러야 한다.

자. 혈액 가스 모니터링

1) 동맥혈 가스 모니터링

동맥혈 검체는 카테터나 직접적인 동맥천자를 통해 얻어질 수 있다. 다른 방법들에 비해 동맥혈 가스는 조직에 공급되는 산소치를 가장 잘 반영한 산소분압 결과를 보여준다.

동맥삽관술은 동맥혈 검체가 자주 필요한 환자에서 적응되고 신생아인 경우 제대동맥이 일반적으로 이용되나 혈전, 조직괴사, 감염 그리고 출혈과 같은 합병증들이 일어날 수 있다. 요골동맥, 후비골동맥 그리고 족배동맥이 삽관의 장소로 일반적으로 유용하다. 관자동맥, 상완동맥(위팔동맥), 액와동맥(겨드랑동맥) 그리고 적게나마 대퇴골 동맥은 뇌혈전과 사지의 말단부 혈전형성과 같은 심각한 합병증들의 위험이 있기 때문에 가능한 피해야 한다.

2) 모세혈 가스 모니터링

동맥혈 가스검사는 통증을 동반하고 국소적인 합병증을 일으키므로 적절하게 채취만 된다면 모세혈 또한 동맥혈 검체와 유사한 결과를 낼 수 있다. 동맥혈과 모세혈 검체사이의 연관관계는 다양하지만, 일반적으로 산도의 연관관계는 뛰어나고 이산화탄소분압은 보통, 산소분압의 연관관계가 가장 좋지 않다. 동맥혈과 모세혈 가스결과의 차이점이 통계적으로 유의한 차이가 있지만 산소분압이 100 mmHg 이하일 때에는 임상적으로 별의미 없다.

동맥혈 검체보다 모세혈이 채취하기 더 용이하다. 모세혈 가스검사는 따뜻해진 사지나 귓볼에서 이루어진다. 첫방울은 닦고 다음부터 떨어지는 혈액의 방울들을 헤파린 처리된 모세관에 수집한다. 혈액이 잘 나오도록 검사부위를 짜는 것은 검사결과를 변화시킬 수 있다. 귓볼 검체의 결과는 동맥혈 검체의 결과와 매우 비슷하게 일치한다. 따뜻하게 해 줌으로써 모세혈이 동맥혈화되는데 필요하다고 생각되었으나 McLain 등은 검체부위를 따뜻하게 해주더라도 검사의 정확성을 향상시키지 않는다고 보고하였다.

모세혈가스검사는 호흡곤란이 있는 소아나 성인에서 임상적으로 유용하다. 소아에서는 손가락에서 모세혈가스검사를 일반적으로 실시해 왔다. 모세혈가스 검사치는 그 혈액이 lancet 상처로부터 모아지는 동안 공기와 접촉하게 되므로 만약 검체가 늦게 모아진다면 산소분압이 증가하고 이산화탄소 분압은 감소하게 된다.

3) 정맥혈 가스 모니터링

정상적인 관류를 보이는 환자의 말초 또는 중심정맥에서 적절하게 채취된 검체는 대체로 동맥의 산염기 상태를 반영하는데 사용된다. 환자의 순환계가 정상적으로 관류되는 경우 정맥혈 산도는 동맥혈 산도보다 0.04가 낮다. 정맥혈 이산화탄소 분압이 동맥혈 분압보다 5~7 mmHg정도 높기 때문이다. 중심정맥혈이 전신의 평균적인 산염기 상태를 반영하는 반면에 정맥혈은 국소조직의 산염기 상태를 나타낸다.

4) 지속적인 동맥 가스 모니터링

1980년 Richman 등은 특별한 동맥 탐색자와 이동성 가스 크로마토그래피의 이용을 보고하였으나 기구의 크기 때문에 생체에서는 사용할 수 없었다. 이후 소형화된 광섬유시스템이 개발되어 성공적으로 동맥내 카테터를 이용해 지속적인 혈액가스 모니터링이 가능하였다. 그러나 이러한 기술은 아직 진행중이고 특히 소아에서는 작은 신체 때문에 이러한 기구들이 정확히 환자를 치료하는데 신뢰할 만한 지속적인 모니터링이 되기에는 필요로 하는 작업들이 아직 많이 남아 있다.

차. 혈액가스분석의 실수

혈액가스 검체는 채취, 이동, 검사하는 과정 중에 실수가 생기기 쉽다. 주사기내 항응고제의 함유량, 항응고제의 산도, 채취한 혈액량, 주사기 제제 및 작동 등 모두 원인이 될 수 있다.

헤파린이 혈액검체에 추가되는 경우 총 검체 가스 농도를 희석시키며 검체내 과다한 헤파린 양은 이산화탄소 분압을 실제보다 낮게 측정되게 한다.

혈액검체가 공기방울로 오염된 경우 산소분압은 더 높아지거나 검체내 산소분압에 따라 정상보다 낮아지는 경우도 있다. 한편 공기방울은 실제적으로 이산화탄소가 거의 없어 이산화탄소 분압을 더 낮추게 하고 이산화탄소 분압이 감소됨에 따라 산도는 증가한다.

검체의 흔들림을 최소화하고 주사기에서 즉시 공기를 제거함으로 이러한 실수의 발생을 줄일 수 있는데 공기방울은 30초 이내에 제거되어야 한다. 그렇지 않으면 산소분압 수치는 증가하고 이산화탄소분압 수치는 감소하기 시작한다.

환자에게 1 mL 사강용적의 동맥카테타를 이용하는 경우 신뢰할만한 결과를 얻기 위해 약 2 mL 혈액을 빼내야 한다.

주사기내로 채혈된 혈액에서도 산소는 계속 소비되고 이산화탄소는 발생된다. 만일 검체를 즉시 얼음 위에 놓아 약 4℃를 유지하면 수 시간이 지나더라도 변화는 무시할만하다(표 2-17). 그러나 대개 채혈 후 20분 이내에 검사실에서 분석되는 경우 검체의 결과는 크게 변하지 않는다.

카. 동맥혈 가스 결과의 이해

1) 산소

각각의 동맥혈가스치들은 먼저 정상치와 견주어 평

표 2-17. 온도 및 시간 경과에 따른 혈액가스 측정치의 변화*

	37℃	4℃
pH	0.01/10 min	0.001/10 min
PCO$_2$	1 mmHg/10 min	0.1 mmHg/10 min
PO$_2$	0.1 mL/dL/10 min	0.01 mL/dL/10 min

*Approximate changes with time and temperature after the sample is drawn into the syringe. A temperature of 37℃ assumes that the blood remains at body temperature in the syringe. A temperature of 4 assumes that the sample is properly iced immediately after being drawn

가해야한다. 동맥혈 산소치는 연령과 고도에 영향을 받을 뿐만 아니라 FiO_2, 폐포내 공기-혈관벽의 상태, 그리고 폐혈류에 따라 변화될 수 있다. 해수면 높이에서 동맥혈 산소분압은 97 mmHg(범위=80~103 torr)가 정상이다. 정상적인 폐기능을 가진 환자가 추가적인 산소요법을 받는 경우, 동맥혈 산소분압은 FiO_2의 5배에 해당하게 된다(표 2-18). 동맥혈 산소분압은 연령이 증가할수록 감소하고 환자가 눕든지 않든지 자세에 따라 변한다.

만약 동맥혈이 저산소상태라면 이는 저환기, 절대적인 션트, 확산장애 또는 단락에 의해 일어났을 것이다(표 2-19). 저환기상태는 증가된 동맥혈내 이산화탄소 분압으로 신속히 진단될 수 있다. 환자가 실내공기를 호흡하는 동안 폐포-동맥내 산소분압을 계산하여 저환기상태와 단락 상태를 구분할 수 있는데 20 mmHg 이상의 차이는 단락을 암시한다.

절대적인 단락이란 혈액이 산소화되는 작용이 없이 심장의 우측에서 좌측으로 통과하는 형태로 흡입되는 산소의 농도를 증가시켜도 반응하지 않는다. 단락은 폐포 수준에서도 발생할 수 있어 폐포가 막히거나 짜부러진 경우 또는 액체로 가득 찬 경우 혈액은 산소화 작용이 일어나지 않는다. 또한 지속적인 폐고혈압과 선천성 심질환으로 인한 해부학적 단락도 발생할 수 있다.

2) 이산화탄소

동맥내 이산화탄소의 분압($PaCO_2$)은 환자의 이산화탄소 생성(VCO_2)과 관련된 폐포 환기(VA) 정도에 의해 주로 결정된다.

정상조건에서 이산화탄소의 생성과 폐포의 환기는 동맥내 이산화탄소의 분압이 40 mmHg에서 유지되도록 되어있다. 이산화탄소의 분압은 고도, 환기 그리고 폐의 상태에 영향을 받는다. 혈액내 산도가 7.45이상이고 이산화탄소의 분압이 37 mmHg이하인 경우 이는 과호흡상태에 해당한다. 이산화탄소의 분압이 45 mmHg이상이고 산도가 7.35미만인 환자는 아마도

심각한 환기 장애가 동반된 상태이다. 폐질환이 있는 많은 환자들은 이산화탄소 분압을 정상수준으로 유지하기 위해 매우 가파른 호흡을 하거나(빈호흡) 매우 깊이 숨을 쉰다(과호흡, 호흡항진). 이산화탄소분압의 작은 변화는 이산화탄소분압을 정상으로 회복하기 위해 환기의 신속한 증가를 유발한다. 저산소혈증, 고열, 불안, 중추신경질환, 패혈증, 약물과 같은 자극들로 인해 환기가 증가할 수 있는 반면 중추신경계의 억제와 폐질환은 이산화탄소의 분압을 증가시킬 수 있다.

3) 산도

혈액내 수소이온의 어떠한 변화라도 보상기전에 의해 산도의 보호작용이 일어난다. 예를 들어 만약 이산화탄소 분압의 변동이 발생하면 중탄산염치는 그 변동에 보상하기 위해 증가하거나 감소함으로써 결과적으로 산도를 정상화시킨다. 혈액산도에 혼란이 있을 때 그 원인은 호흡성 또는 대사성이다.

일차적인 호흡성 또는 대사성 과정이 보상기전을

표 2-18. 산소 공급 농도에 따른 혈중 산소 분압 예측치

FiO_2	Predicted arterial PO_2
30%	150 mmHg
40%	200 mmHg
50%	250 mmHg
80%	400 mmHg
100%	500 mmHg

표 2-19. 동맥혈 저산소증의 원인

Problem	Example
Low PiO_2	Low FiO_2 and altitude
Alveolar hypoventilation (low alveolar PO_2 with increased alveolar PCO_2)	Central nervous system depression, pulmonary disease
Diffusion block	Pulmonary fibrosis
V/Q mismatch	Pulmonary embolism
Shunt	Congenital heart disease

PiO_2, Partial pressure of oxygen in the conducting airway; V, gas flow; Q, blood flow

압도할 경우 혈액내 산도는 변한다. 세포외체액의 정상 산도는 7.40±0.02(1표준편차)이다. 산도가 7.40이하인 경우 환자는 산성, 산도가 7.40이상인 경우 환자는 알칼리성이 된다(그림 2-27). 예를 들어 환자가 산성일 경우, 이산화탄소의 분압이 과다하게 높거나 중탄산염치의 감소가 동반된다.

4) 중탄산염

소아와 성인에서 정상 중탄산염가는 24 mM/L(범위 22~29 mM/L)이다. 하지만 신생아에서는 신장의 근위세뇨관에서 중탄산염 흡수역치가 낮고 수소이온을 분비하는 능력이 제한되어 중탄산염가는 매우 더 낮다. 신세뇨관에서 암모니아 생성의 감소 또한 혈청내 낮은 중탄산염가에 기여한다. 신생아는 전형적으로 출생 첫 1주 동안에 소변의 알칼리성 경향을 보이다가 출생 2주째부터 점차 산성화된다. 혈청내 중탄산염가는 만삭아(20~22 mM/L)보다 미숙아에서(18~20 mM/L) 더 낮다. 출생 후 조기에 관찰되는 대사성 산증은 부분적으로는 증가된 세포외액의 용량에 기인한다. 경한 대사성 산증은 호흡의 충동을 증가시키는데 유용한 효과가 있다. 이처럼 생리적인 대사성 산증인 경우 치료 없이도 호전되므로 중탄산염 치료는 적응이 되지 않는다.

7. 폐질환 진단과 치료에 필요한 수기

가. 침습적 수기

호흡기 질환의 정확한 진단과 치료를 위하여 때로는 기관지경, 흉강경 및 폐 생검 등의 침습적수기를 시행하게 되는데 이때에 적절한 진정이나 마취가 환자의 불안과 통증을 해소해 주기 위하여 요구되며 진정제 선택과 용량은 침습적 수기의 성패를 좌우하기도 한다. 최근엔 마취기술이 발달하여 전신마취의 위험성이 현저히 감소하였으므로 환자가 원하고 환자에게 이롭다면 굳이 전신마취의 선택을 망설일 필요는 없다.

진정이라함은 완전한 의식상태와 외과적 마취 상태 사이의 억제된 의식 상태로서 통증이나 다른 자극에 대한 반응이 감소되어 있으며 진정상태가 깊어질수록 호흡욕구가 감소된다. 따라서 환자의 안전을 위해 주의 깊은 감시가 있어야하며 이를 위해 생명징후, 산소공급, 적절한 기도확보 등이 진정상태 전 기간 동안 감시되어야 한다.

환자나 보호자는 시술에 대해 불안해하며 이전에 수차례 같은 침습적 수기를 경험한 환아들은 정신적 상처를 받기 쉬우므로 각별한 배려가 요망된다. 대화를 통해 긴장을 풀어주는 것도 한 방법이 된다. 통증이 있는 시술의 경우 진정제와 진통제를 함께 투여하면 효과적이다. 이들 두 형태의 약제는 모두 호흡을 부가적으로 억제할 수 있으므로 사용에 주의를 요한다.

상기도 폐쇄 등의 금기사항이 없는 경우 chloral hydrate나 경구용 및 비강용 midazolam, ketamine 등이 전처치 약물로 사용될 수 있다. 진정제가 투여될 때 환아가 울며 흥분한 경우에는 더 많은 용량이 필요하다. 정맥으로 진정제를 투여하면 약효가 확실하고 약효 시간조절이 쉽다.

진정제 사용에 있어 여러 가지 선택이 있으며 약제의 약리작용, 부작용, 약물간의 상호 작용 등을 고려하여 안전하고 효과적인 방법을 선택해야 한다. 약제사용에 의심이 있으면 마취과 의사와 상의하는 것이 바람직하다.

진정상태의 주된 위험성의 하나는 위내용물의 흡인이다. 환자는 진정 수시간전부터 금식하는 것이 좋으며 어린 소아의 경우 탈수나 저혈당증의 우려가 있으므로 정맥 수액주사가 필요하다. 수기가 끝난 후에도 진정상태로부터 회복될 때까지 감시가 필요하며 자연적으로 각성상태로 돌아오게 하는 것이 좋다. 필요에 따라 naloxon이나 flumazenil 같은 전환제(reversal agent)를 사용할 수도 있다.

1) 굴곡성 기관지경술

소아에서는 기술적인 제약을 포함한 여러 가지 이유로 성인에서 만큼 굴곡성 기관지경술(flexible bronchoscopy) 및 기관지폐포세척술(bronchoalveolar lavage, BAL)이 흔히 사용되지는 않지만 기관지경술과 기관지폐포세척술은 호흡기질환의 평가에 사용되는 유용한 진단적 병기이다. 내시경을 통해 상기도와 하기도를 직접 볼 수도 있고 세척, 솔질, 및 조직검사를 통해 진단을 위한 가검물을 얻을 수 있고 기관지폐포세척을 통해 기관지와 폐포로부터 얻어낸 가검물 분석으로 진단과 연구에 필요한 많은 정보를 얻고 있다. 그러나 굴곡성 기관지경술보다 덜 침습적이고 덜 위험한 다른 방법으로 동등한 진단적 정보와 치료효과를 얻을 수 있다면 소아 기관지경술은 권장되지 않는다.

가) 적응증 및 유의 사항

소아에서 굴곡성 기관지경술의 적응증은 표 2-20과 같다. 진단적 적응증은 주로 천음(stridor), 치료에 반응 없는 천명, 기관지폐포세척, 무기폐, 기도이물 의심 등이 가장 많다. 또한 객혈이나 폐종괴로 입원한 환아들에서 기관지내시경 및 기관지폐포세척은 감별진단에 유용한 정보를 주고 진단에 결정적 역할을 한다. 치료적 적응증은 기도 내 삽관이 어려운 경우, 기도 내

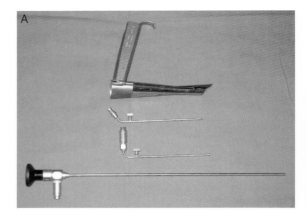

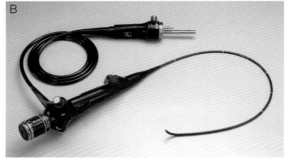

그림 2-30. 경직성 기관지경(A)과 굴곡성 기관지경 기구(B)

삽관의 위치를 확인하기 위해서, 지속성 무기폐나 과다한 점액분비의 해결 등이다.

그러나 심한 객혈, 심한 기도 폐쇄, 심한 저산소증,

표 2-20. 굴곡성기관지경의 적응증

Unexplained stridor	Unexplained wheezing
Recurrent or persisitent pulmonary infiltrates	Hemoptysis
Persistent atelectasis, compression	Suspected airway pathology
Unexplained cough	Bronchospasm
Suspected tracheoesophageal fistula	To obtain lower airway secretions and cells (Bronchoalveolar lavage)
To aid intubation	Diagnosis and monitoring after lung transplantation (transbronchial biopsy)
To assess the postion, patency or airway trauma related to tracheostomy or endotracheal tubes	Equivocal tracheobronchial foreign body
To assess airway injury due to toxic inhalation or aspiration	Brush biopsy
Therapeutic bronchoalveolar lavage	Removal of airway secretions and mucous plugs

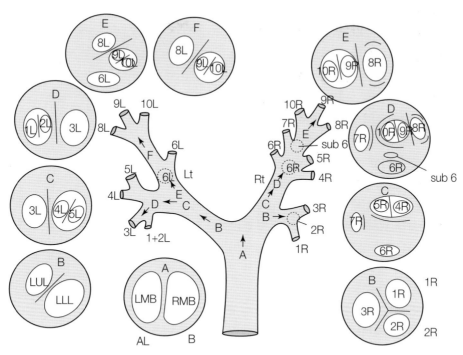

그림 2-31. 기관지경으로 관찰한 정상 기관지의 구조. A: 기관 LMB: Lt. main Bronchi: 좌기관지, RMB: Rt. main Bronchi: 우기관지, B: LUL: Lt. Upper Lobe: 좌상엽, LLL: Lt. Lower Lobe: 좌하엽, C: 3L: 전기관지, 4L: 상기관지, 5L: 하기관지, D: 1,2L: 근첨후기관지, 3L: 전기관지, E: 6L: 상기관지, 8L: 전기저기관지, 9L: 측기저기관지, 10L: 후기저기관지, B: 1R: 근첨기관지, 2R: 후기관지, 3R: 전기관지, C: 4R: 측기관지, 5R: 내기관지, 6R: 상기관지, 7R: 내기저기관지, D: 6R: 상기관지, 7R: 내기저기관지, 8R: 전기저기관지, 9R: 측기저기관지, 10R: 후기저기관지, E: 8R: 저기저기관지, 9R: 측기저기관지, 10R: 후기저기관지

심한 기도수축, 그리고 혈소판감소증 같은 출혈성 경향이 있는 경우는 굴곡성 기관지경술을 시행하기 어렵다.

나) 기관지경의 종류와 사용

기관지경은 굴곡성과 경직성 기관지경이 있다(그림 2-30). 굴곡성 기관지경은 수천 개의 유리섬유로 구성되어 있으며 표준 소아기관지경은 외경이 3.5 mm이며 흡인채널이 있고 초박형 소아기관지경은 외경이 2.2 mm로 흡인채널이 없다. 그러나 최근에는 2.7 mm의 흡인채널이 있는 굴곡성 소아기관지경도 쓰인다. 금속 튜브로 된 경직성 기관지경은 주로 기도이물을 제거하는데 쓰이며 3.5 mm 굴곡성 기관지경은 경직성 기관지경을 통해 쉽게 들어간다. 굴곡성 기관지경

으로 관찰할 수 있는 각 분지의 모양은 다음과 같다(그림 2-31).

굴곡성 기관지경술의 부작용은 기술, 경험, 기종의 선택 등에 많이 좌우된다. 관찰되는 부작용으로는 기계적(기도상처 및 출혈, 기도 폐쇄 등), 생리적(기관지수축, 후두수축, 저산소증, 서맥 등) 그리고 감염 합병증이 있다. 생검 후에는 출혈이나 기흉 등이 올 수 있다.

2) 기관지폐포세척술

진단적 기관지경술의 가장 중요한 면의 하나가 하부기도의 가검물을 얻는 것이다. 적절한 진단을 위해선 여러 가지 검사에 필요한 검체를 충분히 얻을 수 있는 만큼은 기관지폐포세척(bronchoalveolar lavage: BAL)을 해야 하며 너무 적은 양의 생리식염수가 들어

가면 기관지세척만 되고 만다.

기관지폐포세척술은 처음에 주로 하부기도의 미생물검사를 위한 가검물을 얻기 위해 시작 되었으며 폐감염 등의 폐 실질 질환이 의심되나 객담을 배출하지 못하는 경우 적응증이 된다. 난치성/반복성폐렴, 면역억제환자의 폐렴, 낭성 섬유증에서 주로 시행하며 대부분의 일반폐렴 환자들은 기관지폐포세척술이 필요 없다. 간질성 폐렴에서 폐생검 전 폐감염 여부를 확인하기 위해서도 사용한다. 미생물 검사 외 세포분획 (cell differential) 및 기도단백을 얻는데도 이용된다. 일반적으로 기관지 폐포 세척액 분석을 보면 세포 구성은 대식세포가 85~90% 정도로 가장 많고 림프구가 약 7~10%를 차지하며 그 외는 소수의 호중구, 호산구, 비만세포가 포함되어 있다.

호흡상태가 좋지 않은 환자나 폐고혈압이 있는 만성 호흡기질환 환아의 경우는 BAL의 양이 많으면 치명적일 수 있다. 미숙아에서의 BAL은 권장되지 않는다.

3) 흉강천자

진단목적의 천자는 단순바늘로, 흉수의 상당량을 제거할 목적인 경우는 플라스틱 카테타를 사용한다. 천자 전 흉수량을 알기위해 X선 검사가 필요하다. 적은 양이나 국소적인 흉수는 초음파로 확인하는 것이 바람직하다. 흉강천자 수기방법은 그림 2-32와 같다.

감염이나 악성질환이 의심되면 흉수분석이 필요하다. 흉수의 양이 적은 경우나 단순 기계적인 과정으로 생성된 경우(심부전, 심한 저알부민증)는 천자가 필요 없다.

다른 수기와 마찬가지로 혈소판 감소증, 저산소증 등이 있으면 시행하기 어렵다. 합병증은 출혈과 감염이 있다. 수기 후 직립 흉부 X선사진으로 공기누출을 확인해야한다. 너무 많은 양을 제거하면 폐부종이나 저혈압의 위험이 있다. 최대 얼마의 양을 뽑아야 안전한지에 대한 가이드라인은 아직 없지만 일반적으로 성인에서도 하루 최대 1,000 mL 이상은 제거하지 않으며 최소한 증상 완화를 시킬 만큼은 흉수를 제거해야 한다.

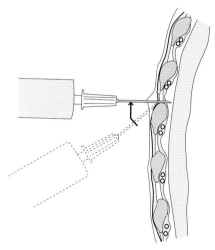

그림 2-32. 흉강천자: 국소 마취를 한 후에 늑골 상연을 따라서 찌른다.

흉수 분석에서는 총세포 및 세포분획, 배양검사 총단백검사 등을 시행하며 아밀레이즈, 당, pH 등의 검사도 고려한다.

4) 흉막생검

흉강천자나 다른 방법으로 진단이 안될 때 시행하며 주로 악성질환이나 마이코박테리아 감염이 의심되는 경우 시행한다. 기흉과 출혈이 가장 중요한 합병증이다.

5) 흉강경

내시경의 발달로 전에 수술적 접근을 요하던 수기들이 이제 내시경을 이용하여 접근할 수 있게 되었다. 악성질환이 의심되는 흉막삼출, 지속적인 기흉, 흉막종괴 등이 있을 때 적응이 된다. 호흡부전이 있으면 시행하지 않는다.

6) 폐생검

개흉생검(open lung biopsy)과 경기관지생검(transbronchial biopsy)이 있다. 간질성폐렴의 평가를 위해 실시한다. 일반적으로 폐생검 전 기관지경과

표 2-21. 객담의 특성으로 추정 가능한 원인 질병

객담	원인	특징
Purulent	Bacterial infection	Sticky
		Thick colored
		yellowish: staphylococcus
		greenish: pseudomonas
	Lung abscess	Fetid odor: lung abcess (anaerobic)
Mucoid	Airway disease	Clear or thick
	Viral infection	
	Mycoplasma infection	
Bloody streak	Tuberculosis	Foamy pink in pulmonary embolism
	Trauma	
	Pulmonary embolism	
	Infection(bronchiectasis)	
	Epistaxis	

BAL을 시행한다. 출혈, 공기누출, 감염 등의 합병증이 올 수 있다.

나. 비침습적 검사

기관지내시경과 기관폐포세척을 비롯한 기술과 분자생물학, 면역학 등의 발전으로 기도와 폐 안에 존재하는 병변들을 더욱 정확하게 이해할 수 있게 되었다. 그러나 소아에서는 위와 같은 침습적 수기들을 시행하기 어려우므로 좀 더 비침습적이고 용이한 진단 방법들이 요구된다. 다음에 기술하는 방법들을 통하여 만족스럽지는 않지만 어느 정도 기도와 폐의 병변을 파악할 수 있다.

1) 객담검사
가) 객담채취

정확한 진단을 위해서는 하부기도로부터 객담을 얻어야하는데 환자에게 심한 기침을 시켜서 얻어야 한다. 그러나 소아들은 객담을 삼키는 경우가 많고 객담을 뱉지 못하므로 소아에서 객담을 채취하는 것은 무척 어렵다. 자연적으로 객담을 얻지 못하는 경우에는 3% 온열 가습한 식염수를 네불라이저로 투여하거나 폴리프로필렌 클리콜을 10% 식염수에 녹여 섭씨 46~52도에서 네불라이저로 흡입시켜 유도 객담을 얻는 경우도 있다. 그러나 폐쇄성 기도질환이 있는 경우에는 유도객담검사(induced sputum) 도중에 기도 협착이 일어날 수 있으므로 주의해야 한다. 그 외에 경기관흡입법(transtracheal aspiration)을 사용하여 객담을 얻기도 한다. 그러나 경기관흡입법은 출혈, 부정맥, 폐기종 등의 합병증이 생길 수 있으므로 출혈성 경향, 심한 저산소증, 갑상선비대 환자에서는 사용하지 않는 것이 좋다. 예전에는 결핵의 진단에 24시간 동안 객담을 채취하여 분석하는 방법이 사용되었으나 최근에는 자고 일어나서 처음 얻은 객담을 검사하는 방법이 결핵균 검출률이 높아 널리 사용된다. 객담을 뱉지 못하고 삼키는 소아 환자에서는 아침 기상 후 식전에 비위관을 삽입하여 위속의 가검물을 검사하는 수도 있다. 일단 채취한 객담은 정확한 검사 결과를 위해 바로 검사실로 가져가는 것이 중요하다.

나) 객담의 육안적 검사

객담을 육안적으로 관찰하는 것만으로도 진단에 많은 도움이 된다. 객담의 색깔, 혈액이 섞여 있는지, 거품이 나는지, 맑은지, 탁한지, 나쁜 냄새가 나는지를 살펴야한다(표 2-21). 혈담의 경우는 기관지확장증, 만성기관지염, 폐색전증의 경우이며, 초록색을 띠면 녹

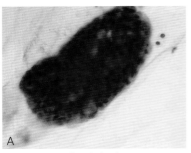
Creola body

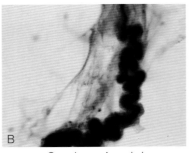
Curschmann' s spiral

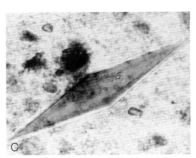
Charcot-Leyden crystal

그림 2-33. Creola body, Curschmann' s spiral, Charcot-Leyden crystal. 천식 환자의 객담에서 탈락된 상피세포가 Creola body(A), Curschmann' s spiral(B)의 형태로 나타나며 Charcot-Leyden crystal(C)은 호산구의 침윤을 확인할 수 있는 특징적 소견이다.

농균(pseudomonas) 감염을 의심할 수 있다. 맑은 점액성 객담은 천식 환자에서 볼 수 있고, 크림색을 띄는 노르스름한 가래는 포도상구균 폐렴에서 보이며 악취가 나는 가래는 폐농양의 경우로 대개 혐기성 균이 원인이다.

다) 객담의 현미경적 관찰

객담에 물이나 KOH를 섞어서 wet preparation을 현미경으로 보아 일견 대식세포가 많고 편평세포가 적게 보이면 하부 기도에서 얻어진 객담으로 검사에 적절한 검체라고 할 수 있다. 천식 환자 객담에서는 Creola body, Curschmann' s spiral이나 Charcot-Leyden crystal을 볼 수 있다(그림 2-33).

라) 객담의 도말검사

결핵균 검사를 위해서는 AFB(acid fast bacilli) 염색을 하며, 일반 세균은 Gram 염색을 한다. 때로 Diphtheria 균을 위한 Albert 염색, hyphae 검출을 위한 PAS (periodic acid Schiff) 염색, P. carinii를 위한 Siver methanamine Gomori 염색과 같은 특수 염색이 요구된다. 객담 도말 검사의 Gram 염색은 세균학적으로 만성 기관지염에서 여러 종류의 균이 나오므로 의미가 없으나 급성 폐렴에서는 특히 대식세포가 많이 나오는 하부기도 검체인 경우에 의미가 있다. 적절한 객담 검체의 조건은 백혈구가 25/100x field 이상, 상피세포가 10/100x field 이하이다.

마) 객담 배양검사

객담은 배출되는 동안 인두를 거치므로 인두에 존재하는 세균총에 오염되는 수가 많다. 소아 폐렴 환자에서 인두 배양과 폐흡인 배양 결과를 비교해 보면 약 10~20%에서만 배양결과가 일치한다. 또한 질환에 따라서도 배양검사 해석이 달라지는데 녹농균이 정상인의 인두나 부비동에서는 자라지 않지만 낭종성 섬유증(cystic fibrosis) 환자에서는 정상 세균총으로 존재하기도 한다. 기관지내시경으로 얻은 기관 내 분비물 배양과 객담 배양 검사를 비교해보면 P. aeroginosa, S. aureus, H. influenzae 같은 경우는 특이도와 민감도가 약 63~91% 정도로 비교적 일치도가 높은 편이기는 하지만 인두 배양결과가 음성이라고 해서 반드시 상기 세균들을 원인에서 제외시킬 수 있다는 의미는 아니다.

바) Coagglutination, latex agglutination, counterimmunoelectrophoresis

소아 폐렴은 대개 다당질 캡슐을 포함하는 Streptococcus pneumoniae, Hemophilus influenzae 같은 세균이 대부분이므로 소변 등의 체액에서 항원을 검출하기도 하는데 민감도와 특이도가 낮아 크게 유용하지는 않다.

사) 분자생물학적 기법

Polymerse chain reaction을 사용하면 소량의 미생물도 DNA hybrdization으로 찾아낼 수가 있다. *Pneumocystis carinii, Legionella pneumophilia, Mycoplasma pneumoniae, Mycobacterium tuberculosis* 등의 PCR 진단 방법은 이미 상용되고 있다. 그러나 PCR 진단법으로 아직은 colonization과 invasion을 구별할 수는 없다.

2) 유도객담

객담은 염증이 일어나고 있는 기도에서 직접 검체를 얻기 때문에, 말초혈액이나 소변을 검체로 사용하는 검사보다 염증의 상태를 보다 더 정확하게 반영한다. 특히 고장성 식염수(3~5% NaCl)를 이용한 유도객담 검사방법이 소개된 이후로 객담에서 다양한 표지자를 찾아낼 수 있으며 유도객담에서 관찰되는 염증 소견은 기관지폐포세척술이나 기관지생검에서 관찰되는 소견과 거의 동일하여 기도의 염증 상태를 감시하는데 좋은 방법이 된다. 기관지경검사보다 비침습적이며 반복검사가 가능하고 6세 이상의 소아에서 실시할 수 있어 효용성이 인정되나 소아에서는 폐기능을 저하시킬 수 있고 검체를 다루는데 어려움이 있다는 단점도 있다.

3) 비즙검사

콧물의 육안적 관찰은 진단에 도움이 된다. 알레르기 비염은 점성이 높고 말갛게 반짝이며 이차 감염이 일어나면 탁하고 누렇게 된다. 그러나 호산구가 많아도 노란색을 띄우는 수가 있다. 콧물 도말을 Wright 염색이나 Giemsa 염색하여 염증세포 분포를 분석할 수 있다. 알레르기 비염에서는 호산구가 높으며 이차 감염이 일어나면 호중구 백분율이 늘어난다. 흡입된 비인두액으로 바이러스 검사를 할 수 있다. 이 부분은 후에 다시 자세히 기술할 것이다.

4) 섬모검사

비점막은 하부 기도와 연결되어 있고 유사한 구조를 가지고 있으므로 기도를 이해하는 좋은 모델이 된다. 섬모검사(Nasal brush)는 주로 섬모장애가 의심되는 환자에서 시행하는데 급성 감염이 있는 동안에는 정확한 결과를 얻을 수 없으므로 시행하지 않는다. 직경 1~2 mm 정도의 브러쉬를 사용하거나 큐렛으로 상피 세포를 얻는다. 비강의 앞 1/3은 squamous epithelium 이고, 뒤 2/3가 ciliated epithelium 이므로 적어도 하비갑개의 뒷쪽에서 얻도록 해야 한다. 검체 채취 후 바로 현미경으로 섬모운동을 관찰할 수 있다. 전자현미경을 사용하면 더 정확한 결과를 얻을 수 있다.

5) 비침습적인 기술들
가) 경피산소포화도 측정기

펄스 옥시미터(pulse oximetry)는 빛의 흡수 기전에 기초를 둔다. 최근 사용하고 있는 펄스 옥시미터는 두 가지 빛의 파장을 이용하는데 하나는 붉은 광선대(660 nm) 그리고 다른 하나는 적외선대(940 nm)인데 이는 산화헤모글로빈과 환원헤모글로빈이 이 두 파장에서 각각 빛을 흡수하는 능력이 매우 다르기 때문이다. 대부분 손가락이 주로 추천되며 영아나 신생아는 손바닥과 발이 추천된다. 이마와 비중격 또한 전사골동맥의 혈류가 낮은 혈류상태에서도 유지되므로 이용될 수 있다.

펄스 옥시미터의 전반적인 실패율은 단지 2~3%, 심한 환자에서는 7%로 그 정확성이 증명되어 왔다. 그러나 교정곡선은 산소포화도 70%미만의 실험적 데이터는 포함하지 않으며 포화도 70%미만의 펄스 옥시미터의 정확도를 측정하는 임상적 연구는 드물기 때문에 70% 미만의 포화도는 신빙성이 떨어진다.

나) 경피 가스 모니터링

경피 가스 모니터링은 피부의 가스 장력과 따뜻해진 피부의 산소와 이산화탄소의 장력을 측정하는 것이다. 단백질 매트릭스내 지질로 구성된 각질층은 정상적으로 가스의 확산에 대해 속도제한 인자이고 가스 운반에 있어 매우 효과적인 방어벽이다. 하지만 각 질층의 온도가 41℃ 이상 상승하면 이 층의 물리적 특성은 변화하여, 확산 창(diffusion window)을 형성하여 가스들이 확산할 수 있게 한다. 적절한 확산 창은 44℃에서 일어나는 것으로 예상된다. 표피는 가스의 확산에 영향을 미치지 않으나, 진피는 표피로 가는 모세혈관이 매우 풍부한 층으로 이들 혈관은 체온이 상승함에 따라 진피에 공급되는 혈류를 증가시키기 위해 확장한다.

피부 가스교환은 혈액과 피부사이에 발생하는 이산화탄소와 산소분압의 차이, 또한 진피의 혈관으로 공급되는 혈액에 달려있다. 이러한 원리는 동맥혈 가스치의 표시자로서 경피가스 분석의 유용성을 감소시키지만 말초관류에는 유용한 표시자이다. 동맥혈과 피부사이에서 산소와 이산화탄소 각각의 분압차는 심박출량과 말초관류가 감소하여 조직내 가스교환이 덜 되는 경우에 증가한다. 경피 가스 지수, 즉 동맥혈과 피부사이에서 가스들의 비율은 혈역학적 안정성을 평가하는데 유용할 수 있다. 경피 산소분압 지수와 연령이나 심박출량 사이의 관계는 표 2-22에서처럼 나와 있다. 경피 산소분압 지수는 미숙아에서부터 고연령에 이르기까지 점차 감소하는 반면, 경피 이산화탄소 분압은 동맥혈 이산화탄소 분압보다 항상 높고 경피 이산화탄소분압 지수는 말초관류가 불량할수록 증가한다(표 2-22).

경피 전극(electrode)은 지속적으로 사용시엔 매 4시간마다, 감지자 부위가 바뀔 때마다 반드시 교정해야 한다. 부착부위는 가열된 전극에 의해 가능한 피부 화상을 방지하기 위해 매번 바뀌어야 한다. 실제적으로 전극의 온도는 항상 44℃로 제한되고 위치는 4~6시간마다 바꾸어야 한다. 사지의 경피 산소분압은 체간에서 측정된 것보다도 낮은 반면에 경피 이산화탄소분압은 사지에서 측정한 경우가 더 높다. 그러므로 임상적으로 금기사항만 아니라면 체간이 경피적 모니터링 부위로 적절한 곳이다. 피부에 전극을 부착한 후 약

표 2-22. 경피 산소 분압 지수

$PtCO_2$ index	Age/Hemodynamic status
1.14 ±0.1	Premature infants
1.0 ±0.1	Newborn
0.84 ±0.1	Children
0.8 ±0.1	Adult, cardiac index > 2.2 L/min/M²
0.7 ±0.1	Adult, age > 65 years
0.5 ±0.1	Adult, cardiac index 1.5~2.2 L/min/M²
0.1 ±0.1	Adult, cardiac index < 1.5 L/min/M²

$PtCO_2$, Transcutaneous carbon dioxide tension

8~10분이 지나 sensor는 안정적인 수치를 나타내며 피부의 관류가 불량한 경우 시간이 더 걸린다. 만약 sensor가 떨어진 경우엔 산소분압 150 mmHg, 이산화탄소분압은 거의 영에 가깝게 된다. 전극에 외부 압력이 가해지는 경우 피부 모세혈관이 눌려 관류가 감소하여 잘못된 결과치를 나타낸다.

다) 호기말 이산화탄소분압 측정술

이산화탄소 분압측정술(capnography)은 호흡주기 중 이산화탄소의 농도를 나타내는 기술이다.

정상적인 폐에서 환기와 관류가 적당히 맞는 경우, 이산화탄소는 급속히 모세혈관-폐포막을 통해 확산한다. 호기말의 기도내 이산화탄소 농도와 같은 이산화탄소 압력으로 정의되는 호기말 이산화탄소 압력($PETCO_2$)은 정상 폐에서 동맥내 이산화탄소 분압과 매우 흡사하지만 사강 환기가 증가할 경우 일치하지 않게 된다.

임상적으로 식도내 삽관, 기도연결장애, 인공 호흡기 기능장애, 그리고 기관 삽관의 폐쇄 등과 같은 위급한 상황에서 $PETCO_2$의 급속한 하락이 일어난다. $PETCO_2$가 감소하여 플래토우가 사라진 경우는 호기가 완전하게 이루어지지 않는 경우를 나타내고 기관내삽관이 느슨하게 연결된 경우 그리고 기관 삽관의 커프가 기능을 못하게 된 경우에 일어난다. 심각한 혈액 소실이 동반된 심박출량 감소의 경우, 폐혈관 색전증 그리고 심폐 정지 등처럼 환기시 생리적 사강이 증

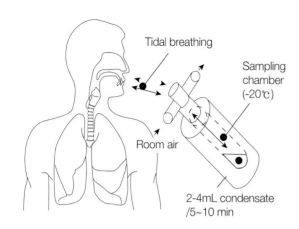

그림 2-34. 농축 호기가스 기구

가된 경우에는 $PETCO_2$가 시간에 따라 점차 감소하게 된다. 저체온증, 과환기 또한 점차적으로 $PETCO_2$를 감소시킨다. 환기와 사강이 일정하게 유지된 경우 이산화탄소 생성과 $PETCO_2$가 증가하며 악성 고체온증에서 $PETCO_2$의 신속한 상승이 관찰된다. 중탄산염 주사 그리고 사지의 지혈대를 푼 경우에서도 $PETCO_2$가 신속하게 일시적으로 증가하고 심박출량의 급속한 증가도 $PETCO_2$를 증가시킬 수 있다.

$PETCO_2$는 이산화탄소 생성, 폐포환기 그리고 폐관류에 의해 영향을 받아 $PETCO_2$ 단독으로 변화에 대한 적절한 정보를 제공하지 못하므로 동시에 동맥혈 이산화탄소 분압을 측정해 동맥내 $PCO_2/PETCO_2$비를 간헐적으로 확인해야 한다. 위내 가스는 극소량의 이산화탄소를 함유하고 있어 위에서 얻어진 $PETCO_2$는 0에 가깝다. 그래서 $PETCO_2$는 기관내 삽관과 식도내 삽관을 구별할 수 있게 하는데 폐로 부터의 $PETCO_2$는 위에서 채취된 $PETCO_2$보다 의미 있게 높기 때문이다. 비기관삽관을 시행하는 동안 $PETCO_2$가 전형적인 플루토우와 함께 갑자기 상승하는 경우 기관 내에 제대로 위치하고 있음을 확신할 수 있다.

라) 경피 이산화탄소 측정

경피 산소측정과 유사한 방법이지만 온열이 필요하

고 이산화탄소는 산소에 비해 조직과 친화력이 강하므로 동맥혈의 상태와 약 40내지 120초의 차이가 있어 널리 이용되고 있지 못하다.

6) 농축 호기가스 검사

숨을 내쉴 때 배출되는 공기 속에 들어 있는 nitric oxide(NO)와 같은 가스를 직접 측정하거나, 공기를 특수 장치 속에 모아 농축가스(exhaled breath condensate)로 만든 뒤에 기도 염증을 의미하는 표지자를 측정하는 방법이 최근에 개발되었다. 측정 가능한 표지자에는 NO, CO, H_2O_2와 류코트린엔, IL-4, IFN γ 등이 있으며, 염증이 일어나고 있는 곳으로부터 검체를 얻을 수 있는 비침습적 방법으로서 소아에게도 적용할 수 있어 많이 이용되고 있다. 호기가스 내의 NO는 알레르기 염증과 일반적인 기도 염증반응에서 모두 관찰되며 스테로이드를 투여하게 되면 정상으로 된다. 그러나 실제 임상에서 널리 이용되기 위해서는 측정방법에 대한 표준화 작업이 필요하다(그림 2-34).

참고문헌

1. 이준성. 알레르기와 만성 기침. 알레르기 1994;14: 257-64.
2. 김창근, 정철영. 소아호흡기질환에서 굴곡성 기관지경술의 유용성. 소아과 1999;42:783-9.
3. 김광우. 소아 호흡기 질환에 대한 소아 기관지경술의 임상적 적용. 소아알레르기 및 호흡기학회지 2000;10: 233-41.
4. 임상호흡기학. 한용철. 일조각. 2000:84-7.
5. 박선영, 이준성. 소아 만성 기침의 원인 질환과 컬러 도플러 초음파 검사의 진단적 유용성. 소아과 2002; 45: 489-97.
6. 이상엽. 폐기능검사의 이해와 해석. 1판, 2003, 대한의학서적.
7. Gillam GL, McNichol KN, Williams HE. Chest deformity, residual airways obstruction and

hyperinflation, and growth in children with asthma. II. Significance of chronic chest deformity. Arch Dis Child. 1970;45:789-99.

8. Rebuck AS, Tomarken JL. Pulsus paradoxus in asthmatic children. Can Med Assoc J 1975;112:710-1.

9. Bentley D, Moore A, Shwachman H. Finger clubbing: a quantitative survey by analysis of the shadowgraph. Lancet 1976;2:164-7.

10. McGregor M. Current concepts: Pulsus paradoxus. N Engl J Med. 1979;301:480-2.

11. Banner AS. Cough: physiology, evaluation, and treatment. Lung 1986;164:79-92.

12. Pierson WE. Exercise induced bronchospasm in children and adolescents. Pediatr Clin North Am 1988;35:1031-40.

13. Wilkins RL, Dexter JR, Murphy RL Jr, Delbono EA. Lung sound nomenclature survey. Chest. 1990;98:886-9.

14. Holinger LD, Sanders AD. Chronic cough in infants and children: an update. Laryngoscope 1991; 101:596-605.

15. Wiens L, Sabath R, Ewing L, Gowdamarajan R, Portnoy J, Scagliotti D. Chest pain in otherwise healthy children and adolescents is frequently caused by exercise-induced asthma. Pediatrics 1992;90:350-3.

16. Brugman SM, Howell JH, Rosenberg DM, Blager FB, Lack G. The spectrum of pediatric vocal cord dysfunction. Am J Respir Crit Care Med 1994;149:A353

17. Accurso FJ, Eigen H, Loughlin GM. History and physical examination. In: Loughlin GM, Eigen H, editors. Respiratory disease in children diagnosis and management. Baltimore, Williams & Wilkins, 1994:67-75.

18. Pianosi P, al-sadoon H. Hemoptysis in children.

Pediratr Rev. 1996;17:344-8.

19. Charles W. Etiology of chronic cough in a population of children referred to a pediatric pulmonologist. J of Am board of family practice 1996;9:324-7.

20. Willaims M. Chroic persistent cough: diagnosis and treatment update. pediatric annals 1996;25:162-8.

21. Ian K, Peter G, Keith M, Nicholas S, Leslie G, Michael J. A systemic evaluation of mechanism in chronic cough. Am J Respir Care Med 1997;156: 211-6.

22. Fletcher BD. Diagnostic imaging of the respiratory tract. In: Chernick V, Boat TF, Kendig Jr EL, editors. Kendig's disorders of the respiratory tract in children. 6th ed. Philadelphia, WB Sauders Co, 1998:143-75.

23. Chernick V, Boat TF, Kendig EL, eds. Kendig's disorders of the respiratory tract in children. ed 6, Philadelphia, 1998, WB Saunders.

24. Cooper ML, Slovis TL. Imaging of the respiratory system. In: Taussing LM, Landau LI, Le Souueff PN, Morgan WJ, Martinez FD, Sly PD, editors. Pediatric respiratory medicine. St. Louis, Mosby Inc. 1999:152-94.

25. Bruno C, Carlos A, Elizabeth A, Otavio L, Daiana P, Carlos O. A pathogenic triad in chronic cough: asthma, postnasal drip syndrome, and gastroesophageal reflux diasease. Chest 1999;116: 279-84.

26. Taussig LM, Landau LI, eds. Pediatric respiratory medicine. ed 1, St. Louis, 1999, Mosby.

27. Wood RE. Diagnostic and therapeutic procedures in pediatric pulmonary patients. In : Taussig L, Landau LI, editors. Pediatric Respiratory Medicine. St. Louis :Mosby 1999:244-62.

28. Gibson PG, Henry RL, Thomas P. Nonivasive assessment of airway inflammation in children: Induced sputum, exhaled nitric oxide, and breath

condensate. Eur Respir J 2000;16:1008-15.

29. Kharitonov SA, Barnes PJ. Exhaled markers of inflammation. Curr Opin Allergy Clin Immunol 2001;1:217-24.

30. MacNee W. Oxidative stress and lung inflammation in airway disease. Euro J Pharmacol 2001;429:193-207.

31. Shahid SK, Kharitonov SA, Wilson NM, Bush A, Barnes PJ. Increased interleukin-4 and decreased interferon-γ in exhaled breath condensate of children with asthma. Am J Respir Crit Care Med 2002;165:1290-3.

32. Milgram H. Chronic cough. In : Leung DYM, Sampson HA, Geha RS, Szefler SJ, editors. Pediatric Allergy, Principles and practice. 1st. ed. St. Louis : Mosby 2003:321-35.

호흡기학

제3장

치료 원칙

1. 약물요법의 기초

호흡기계는 약물의 대사와 전달에 있어 매우 다양하고 복잡한 기관이며, 투약시기 및 투약을 받는 사람의 나이와 몸무게 등에 따라 약리학적 반응이 달라지므로 주의해야 한다.

가. 폐의 특징

폐는 크게 기도, 혈관, 신경, 폐간질 등의 해부학적 구조로 이루어지며, 어떤 기관을 표적으로 하느냐에 따라 투여방법이나 전달이 달라진다.

1) 기도

기도는 좁고 가지를 치는 일련의 튜브형 구조로서 연골성 기관지, 막성 기관지, 가스교환에 관여하는 폐포와 폐포관으로 구성되며, 단면 구조로 보면 상피, 고유판, 평활근, 점막하 연부조직으로 이루어져 있다. 평활근의 β-아드레날린성 수용체는 이론적으로 β-아드레날린성 기관지확장제의 표적기관이 되고, 림프구는 천식의 병인과 중증도에 연관되는 세포로 스테로이드의 표적세포이다. 또한 가지를 치면서 내경이 좁아지는 기관지의 특징은 흡입 요법시 효과적인 약물 전달에 어려움을 준다.

2) 혈관

폐는 대동맥이나 늑간동맥으로부터 기시하는 기관지동맥으로부터 혈류를 공급받는데, 기능적 폐순환은 동맥, 세동맥, 모세혈관, 세정맥, 정맥의 복잡한 네트워크로 구성된다. 먼저 폐동맥으로부터 들어온 혈류는 폐장내의 동맥을 거쳐 모세혈관을 통해 폐포에서 가스교환이 일어나고, 이렇게 산소화된 혈류는 세정맥, 정맥을 거쳐 폐정맥으로 들어가 전신으로 순환하게 된다.

방대한 수의 폐포가 존재하므로 폐포벽을 순환하는 혈류양과 표면적도 매우 큰데, 이러한 점이 치료효과뿐 아니라 약물로 인한 독성을 일으키는 것과 관계가 있다.

3) 신경분포

호흡기계의 신경은 아드레날린성과 콜린성 경로로 구성된다. 천식의 경우 α-아드레날린 반응이 증가되고 β-아드레날린 반응이 감소되며, 콜린성 반응이 증가되어 결국은 기관지수축을 일으키게 되며, 이러한 신경계의 이상 반응이 기관지 염증에도 관련된다. 또한 전형적인 아드레날린성과 콜린성 경로 이외에도 비아드레날린성, 비콜린성 경로가 존재하며, 기관지, 평활근 그리고 분비물과 혈관의 톤을 조절하는 것으로 알려져 있다. 최근엔 신경성 염증반응에 관계하는 신경펩티드(neuropeptides)의 존재가 알려지고 있는데, 기관지확장에 관여하는 신경펩티드로는 vasoactive intestinal peptide, peptid histidine isoleucine, peptid histidine methionine 등을 들 수 있고, 기관지수축에 관여하는 신경펩티드로는 substance P, neurokinin A, calcitonine gene-related peptide, peptidases angiotensin-converting enzyme, neutral endopeptidase 등이 있다. 이러한 신경 펩티드가 여러 가지 질환에 관련있다는 사실이 알려지면서 최근엔 신경펩티드를 겨냥한 새로운 치료법들이 개발되고 있다.

4) 폐간질

정상적인 상태에서 폐간질은 혈관을 둘러싸고 있는 콜라겐과 탄력섬유로 이루어진 헐렁한 지지조직으로 구성된다. 전체 폐 구조에서 보면 구성상 작은 부분이긴 하지만, 폐부종 초기와 같은 혈관투과성에 변화가 오는 경우에 혈관외액(extravascular fluid)이 폐간질에 축적되어 매우 넓어진다. 폐간질이 약물치료의 주요 표적기관은 아니지만 폐질환의 병리에 있어 매우 중요하다.

나. 약물 전달 방법

약이 효과적으로 작용하려면 표적기관에 잘 전달되어야 한다. 약물을 전달하는 방법은 크게 국소적, 전신적 경로로 나뉜다. 국소투여는 에어로졸(aerosol)의 흡입, 가압 정량분무식 흡입기(metered dose inhaler), 분말 흡입기(dry powder inhaler), 네뷸라이저 분무액(nebulized solution) 등이 흔히 사용되며, 전신투여는 경구 혹은 주사에 의해 이루어진다.

1) 흡입요법

흡입은 전신경로에 비해 약물이 표적장기에 직접 작용하므로 적은 양으로, 좀 더 빠르게 약물이 흡수되며, 전신적인 흡수가 적어 부작용도 최소화 할 수 있으므로 많이 이용되는 방법이다. 약물 투여 경로에 따른 장점과 단점은 표 3-1과 같다.

흡입요법은 여러 가지 물리적, 생리화학적 요인에 영향을 받는다. 흡입되는 약물은 분무될 수 있도록 크기가 작아야 하고, 분무 입자는 흡입하기에 적절한 직경이어야 하는데, 이는 인두에 침착되는 것을 피하고

표 3-1. 전신 및 국소적 약물 투여

경로	장점	단점
국소적: 흡입	약물이 표적장기로 직접 전달 환자의 협조가 요구됨 부작용이 적음	흡수단계를 우회함 사용법이 불편함 비지속적 투여
전신적:		
경구투여	투여가 용이함 사용이 편함 경제적임	전신흡수에 따른 문제점이 생길 수 있음 First-pass metabolism의 가능성이 있음 약물상호작용이 있을 수 있음 부작용의 빈도가 증가됨 표적장기로의 약물 전달이 적음
정맥투여	100% 생체이용률을 가짐 작용시간이 빠름	투여경로가 불편함 비용이 많이 듦 무균적 기술이 요구됨 약물상호작용이 있을 수 있음 부작용의 빈도가 증가됨 작용장소가 노출부위와 동일함

작은 기관지로 이동하기 위해서이다. 사실상 소아의 폐와 기관지는 성인보다 작으므로 흡입을 통한 약물의 이동이 성인보다 힘들고, 병변이 생긴 기관지는 전도와 기류가 감소되어 약물의 전달에 어려운 점이 많다.

직경이 5 μm 이상인 입자는 관성매복(inertial impaction)에 의해 인두와 큰 기도에 침착되고, 직경이 5 μm 이하인 입자는 중력에 의해 작은 기도에 침착된다. 그러나 직경이 1 μm 이하인 입자는 침착되기에는 너무 작아 기도에 머무르다가 호기 때에 배출된다. 따라서 흡입요법에 사용되는 분무입자의 직경은 1~5 μm 사이가 적당하다. 브라운 운동이나 정전기는 기도의 입자침착에 대한 역할이 적다.

흡입요법에 사용되는 약물은 이동 매개체에 녹아 있어야 하고 그 자체로 부작용이 없어야 한다. 스테로이드나 사이클로스포린과 같은 비수용성약물은 특수한 이동 매개체가 필요한데, 리포좀이 비수용성약물의 이동 매개체로 많이 이용된다.

전달기구 또한 중요한데, 회사마다, 분무기나 가압정량분무식 흡입기마다 다양한 배출속도, 배출잔류량을 가지므로 흡입요법에 적당한 1~5 μm 직경의 에어로졸을 만들어 낼 수 있는 제품으로 잘 선택해야 한다. 흡입요법에 사용되는 방법의 종류와 장단점은 표 3-2와 같다(자세한 내용은 p. 240 흡입요법 편을 참조).

2) 경구 투여

약물의 경구투여는 흡입요법에 비해 소아에서 사용하기에 용이한 장점이 있으나 다음과 같은 단점이 있다. 첫째로 경구투여한 약물이 위장관으로 흡수된 후에도 그 효과를 나타내야 하는데, 에피네프린을 예로 들면 경구로 투여시 위장관 점막과 간에서 빠르게 대사되어 약물의 효과가 없어지므로 경구로는 투여하지 않는다. 또한 약물의 경구투여는 다른 약물이나 음식의 섭취에 의해 위 배출시간, 약물흡수에 영향을 받는다. 위장관 운동과 흡수에 영향을 미치는 환자요인(위장관이행시간이 많이 짧아진 덤핑증후군, 인공항문성형술) 또한 약물의 생체이용에 나쁜 영향을 미칠 수 있고, 자세변화도 약물의 흡수에 영향을 미칠 수 있는데, 테오필린 400 mg을 경구투여 후 12시간 동안 서있는 자세와 비교해서 누워있을 때 테오필린농도가 의

표 3-2. 흡입요법 때 사용되는 전달기구

전달기구	장점	단점
가압 정량분무식 흡입기	표준치료	협조가 필요 분사제로서 플루오르카본 사용
스페이서를 이용한 가압 정량분무식 흡입기	국소적 효과감소 전신적 약물흡수 감소	스페이서 비용 스페이서의 위생
분말 흡입기	폐의 약물침착 증가 호흡에 의해 작용 가압 정량분무식 흡입기와 비교해서 폐의 약물침착 증가	기침유발이 가능 높은 기류속도가 요구됨
네불라이저	사용하기 쉽다 효과적인 전달	일부 환자에서는 불편할 수도 있음 수용성약물이 필요 위생적인 분무기 관리 높은 비용 약물전달이 일정치 않을 수 있음 약물의 화학적 붕괴가능 기계적 어려움

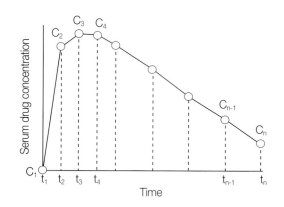

그림 3-1. 혈중 약물 농도와 시간 관계

미있게 낮아지는 것이 한 예이다.

두번째는 경구투여로 생길 수 있는 부작용의 빈도이다. β-항진제의 자극효과는 흡입시보다 전신투여시 더 크다.

Terbutaline과 경구 salbutamol의 경우 심박동수의 증가와 떨림 등의 부작용이 경구투여 때 더 많이 관찰되었다. 따라서 경구로 투여되는 약물은 부작용은 적으면서 효과적으로 작용을 나타낼 수 있어야 한다.

3) 비경구 투여

비경구투여는 피하, 근육 내, 정맥 주사가 있으며, 약물은 수용성이거나 부유액이어야 한다. 정맥투여는 흡수단계를 우회함으로서 100% 생체이용률을 나타내며, 작용 속도가 매우 빠르다. 그러나 비경구 투여시 환자가 불편해 하고, 무균적으로 투여해야 하며, 약의 부작용도 경구투여에 비교할 때 더 크다. 그러나 항생제 투여시나 천식환자의 응급상황에서는 비경구 투여가 표적조직에 치료농도로 도달할 수 있는 가장 좋은 방법이다.

다. 약물 제거

약물은 주로 간과 신장의 두 장기를 통해 제거되며, 약물의 제거정도는 약물 분자의 크기나 지방 친화성과 연관된다. 그러나 스테로이드는 몸의 모든 조직에서 제거되는 것으로 알려져 있다. 대부분의 경우 총체내제거율(total body clearance)은 간제거율(hepatic clearance) 및 신장제거율(renal clearance)의 합으로 계산되며, 항정상태의 체내 약물농도(steady-state serum drug concentration, Css)는 다음과 같은 식으로 계산된다.

$$MD = Cl \times Css \times t$$

MD: maintenance dose

Cl: Clearance

t: dosing interval

제거율(clearance)은 다음과 같이 약동학 연구를 통해서도 계산될 수 있는데, 약물 투여 후 체내약물농도와 시간 곡선을 그린 후 다음과 같은 공식을 통해 계산한다(그림 3-1).

$$Cl = Dose/AUC$$

이때 AUC는 체내약물농도와 시간 곡선의 면적 부분의 합이며 다음과 같이 계산된다.

$$AUC = 1/2(C_1 + C_2)(t_2 - t_1) + 1/2(C_2 + C_3)(t_3 - t_2) + 1/2(C_3 + C_4)(t_4 - t_3) + 1/2(C_{n-1} + C_n)(t_n - t_{n-1})$$

1) 간에서의 제거

간에서 제거되는 약물은 cytochrome P450을 거쳐 제거되며, 테오필린이 가장 대표적인 약물이다. Cytochrome P450을 통한 제거경로는 약물상호작용이 일어나기 쉽고, 질병 정도에 영향을 받아, 약물의 제거가 증진되기도 하고 감소되기도 한다. 특히 테오필린과 같은 낮은 치료농도를 가진 약물의 경우에는 약물 농도를 주의깊게 모니터하면서 치료농도를 유지하여, 약물의 독성을 예방해야 한다. Phenytoin, phenobarbital, carbamazepine과 같은 항경련제와 같이 투여하는 경우 테오필린의 제거가 항진되고, 스테로이드, macrolide 항생제는 테오필린의 제거를 감소시키므로 주의한다.

간으로 제거되는 약물은 간으로 가는 혈류의 양이나 기저질환에 의해서도 많은 영향을 받는데, 테오필린의 경우 간염, 간경화, 폐성심과 같은 질환이 있는 경우 제거가 감소되어 혈중농도가 올라갈 수 있다.

2) 신장에서의 제거

신장에서의 약물제거는 사구체 여과, 세뇨관으로의 분비, 세뇨관으로부터의 재흡수로 이루진다. 이러한 과정은 혈장 내 약물농도, 단백질 부착(protein binding), 뇨량, 뇨 pH, 기본적인 신장기능에 영향을 받는다. Aminoglycoside계 항생제의 경우 신기능에 따라 용량의 조절이 필요하다.

라. 시차 약리학

질병의 과정은 생리학적 리듬(biologic rhythm)을 보이므로 약물치료에 있어서도 가장 큰 치료효과를 나타낼 수 있는 시간에 맞추어 투여하고자 하는 것이 최근 대두되고 있는 시차 약리학(chronopharmacology)이다. 천식을 예로 들면 야간에 폐기능이 감소하면서 야간증상이 나타나는 경우가 많은데 다음과 같은 기전에 의한다.

1) 야간증상을 보이지 않는 천식환자에 비해 말초 호산구수가 증가되어 있다.
2) 호산구수가 낮보다 밤에 더 증가되어 있다.
3) 오후 4시에 비해 오전 4시의 PC_{20}가 감소되어 있다.
4) 오후 4시에 비해 오전 4시에 백혈구의 β-아드레날린 수용체의 밀도와 반응성이 감소되어 있다.
5) 기관지 세척을 했을 때 오후 4시에 비해 오전 4시의 백혈구, 중성구, 호산구가 증가되어 있고 이는 PC_{20}의 변화와 일치한다.

이런 현상을 근거로 천식의 야간증상의 치료에 있어서 스테로이드를 오후 3시에 투여하는 것이 오전 8시나 오후 8시에 투여하는 보편적인 방법보다도 야간 발작을 예방하는데 더 효과적이다.

마. 나이와 관련된 약동학

어른과는 달리 소아에서는 성장과 발달이 약물의 흡수, 분포, 제거에 영향을 미친다. 그러나 약물의 침착에 있어서는 폐의 발달은 큰 영향을 주지 못하고 폐의 크기가 커지는 성장이 주로 관여된다.

1) 흡수

약물의 흡수는 위산도, 위장관 운동, 점막의 투과도, 장의 정상 세균총, 효소의 활성도, 담즙의 기능, 섭취 음식 등에 영향을 받는데, 이러한 인자 또한 나이에 따라 변하므로 약물의 흡수에 나이가 중요하다.

위산분비 능력은 생후 첫 1개월 내에 거의 성인의 위산도에 도달하며, 생후 3~7세에 걸쳐 성인과 같아진다. 그러므로 약산성의 약물은 성인보다 천천히 흡수되고, 이와 반대로 약염기성 약물은 소아에서 더 잘 흡수된다. 예로 들면 페니실린이나 ampicillin은 소아에서 어른보다 더 잘 흡수되고, phenobarbital, phenytoin, 아세트아미노펜의 흡수는 소아에서 느려져 생체이용률이 낮다. 또한 phenobarbital은 나이가 들어감에 따라 흡수율이 증가한다.

위 배출시간은 신생아에서는 성인보다 느리며, 생후 6~8개월에 성인과 비슷해지고, 또한 소아의 경우 장관의 유동운동이 불규칙하여 장내이행시간이 길어져 경구 albutamol이나 테오필린과 같은 서방형 약물을 투여할 때 부작용이 생길 수 있다.

2) 분포

약물의 분포는 혈장의 농도에 영향을 받는데 혈장의 농도는 체액조성 분율에 따라 변한다. 신생아의 경우 체중의 약 75%가 체액으로 구성되고 성인에 이르러서는 55%로 감소된다. 따라서 체액량이 상대적으로 많은 소아의 경우 약물 부하량이 어른보다 많이 필요하다. 이와는 반대로 체지방의 경우 나이가 어릴수록 적으므로, 친지방성 약물의 경우 소아에서는 더 적게 투여해야 한다.

체내 단백질과의 결합도가 약물의 분포에 영향을 주는데, 신생아의 경우 혈장 알부민이 성인농도의 80% 정도 밖에 안되며, 첫 1년 내에 성인농도로 증가한다. 알부민과 결합하지 않은 유리 약물이 활동성을 나타내므로, 약물이 치료농도 범위 내에 있다할지라도 혈장 알부민이 낮을수록 독성이 생기기 쉬우므로 주의한다. 또한 신생아일수록 약물과 알부민과의 친화성이 감소하므로, 테오필린과 같은 약물의 경우 부작용이 생기기 쉽다.

3) 제거

일반적으로 신생아의 경우 효소활성도가 감소되어 있고, 나이가 듦에 따라 활성도가 증가한다. 성인과 소아의 신장에서 약물제거율이 다른 이유는 효소활성도의 차이가 아니라 체액조성율의 차이 때문이다. 신장기능도 간효소 활성도와 마찬가지로 소아에서는 감소되어 있는데, 생후 3세가 되어서야 성인의 신장기능에 도달하므로 치료효과와 독성 방지를 위해서 각 환자의 나이에 따라 용량과 투여간격을 달리해야 한다.

바. 약물의 종류

호흡기계의 약물 작용은 질병의 원인에 대한 특이적 약물과 나타난 증상을 치료하는 대증요법으로 나누어진다. 본 장에서는 호흡기 질환에서 일반적으로 나타나는 진해거담제에 대한 내용과 더불어 천식에 대한 약제를 간략하게 소개하고자 한다.

1) 거담제

기도 점액은 외부에서 흡입된 공기의 온도와 습도를 유지하고 흡입된 이물질을 점액의 단백질과 결합하여 섬모운동으로 제거함으로써 기도 방어기전에서 중요한 역할을 한다. 그러나 질병으로 인해 과도한 점액이 분비되어 하루 100 mL 이상 분비되고 거담 현상이 원활하게 이루어지지 않으면 오히려 하부 기도에서 기도 폐쇄와 가스교환을 방해하게 한다. 이런 경우에는 거담제를 투여하면 객담배출에 도움이 되기도 한다(표 3-3).

가) 수분 및 점액 희석제

건강인의 기도 점액은 90~95%가 수분으로 되어 있고, 폐질환이 있는 경우는 수분량이 감소한다. 따라서 점액의 수분 농도를 올려 묽게 함으로써 객담 배출을 쉽게 할 수 있다. 수분공급의 방법으로 경구로 수분섭취를 증가시키거나 주전자의 수증기를 쏘이거나 가습기를 사용할 수도 있으나 효과가 크지 않다. 특히 만성 폐질환 환자에서는 흡입 분무 방법을 사용하는 것이 도움이 되는데 생리적 식염수를 사용해야한다. 고장성의 식염수나 증류수는 흡입 후 점액 생산을 증가시켜 기침을 유발하거나 일시적 기도 수축을 일으키므로 오히려 점액의 배출에 해가 될 수도 있어 주의해야 한다.

나) Guaifenesin과 Iodide

Guaifenesin과 iodide 약제들은 gastropulmonary mucokinetic vagal reflex를 이용하여 기도 점액을 제

표 3-3. 호흡기계 대증요법 약제

Expectorant
Guaifenesin
Iodide
N-acetylcysteine
Carboxymethyl cysteine
Bromhexin
Ambroxol
Erdosteine
Ledosteine
Dried ivy leaf extract
(hederacoside)
Antitussive
Central
Codeine
Dextromethorphan
Dipehnhydramine
Hydrocodone
Peripheral
Benzonatate
Camphor or menthol
Levodropropizine

거한다. 즉, 위점막을 자극함으로써 뇌수질의 구토 중추 가까이 있는 기침 수용체를 자극하게 되고 원심성 섬유를 통해 기도점막하선으로 하여금 점액 분비를 증가하게 하여 점액의 배출을 용이하게 하는 방법이다. 그러나 과량사용하면 구토 증세를 일으킬 수 있는 단점이 있다.

이들 약제들을 사용하는 방법은 기관 내 튜브로 직접 투여하여 기관 기도 내의 농축된 점액을 파괴하거나, 분무 투여하여 객담의 양을 증가시키고 점도를 낮출 수 있다. 거담제를 가압 정량분무식 흡입기로 투여하는 방법은 별로 효과가 없다. 그러나 대부분의 약제들은 경구로 투여하는 것이 효과적이다.

① Guaifenesin

Gaifenesin은 guaiacol에서 추출된 약제로 의사 처방 없이도 구할 수 있는 비교적 안전하고 효과 있는 약제이다. 점액의 점도를 적당히 감소시키나 진해제로서의 효과는 불충분하다. 역시 구토 증상 등의 위장관 자극이 문제된다.

② Iodide제

Inorganic 및 organic iodide 모두 기도 점액분비를 증가시키고 섬모 운동을 증가시키며, 점액 용해 효과 등의 거담역할을 가진다. Inorganic iodide KI 의 형태로 포화용액으로 만들어져 있고 점액의 점도를 낮추는 효과를 가진다. 맛이 좋지 않고 갑상선 기능항진, 여드름 등의 부작용을 가진다.

Organic iodide는 inorganic iodide 와 비슷한 작용을 가지나 위장관 장애, 과민반응, 갑상선 비대 등의 부작용을 가지고 있으며 산모나 신생아에서 사용이 불가능하고 동물 실험에서 암을 유발할 수 있다고 보고되었다.

다) N-acetylcysteine (NAC)

Natural ammino acid L-cysteine의 N-acetyl 유도체로 작용기전은 NAC의 free sulfhydryl group에 점액

단백질의 disulfide bond가 결합하여 점액단백 분자를 서로 연결하고 있는 disulfide form을 파괴하므로 점액의 점도를 감소시킨다. S-carboxymethylcysteine도 유사한 작용을 지닌다.

라) Bromhexin

객담의 점도를 감소시키고, 기침을 통하여 배출을 촉진시킨다.

마) Erdosteine

점액의 생성을 촉진시키며, 객담의 점도를 낮추며 점액섬모의 배출능력을 촉진시킨다. 또한 흡연으로 유발된 α-1 antitrypsin의 산화를 억제하며, 다형핵세포의 화학주성을 회복시킨다.

바) Letostein

점액용해 효과가 있다.

사) Dried ivy leaf extract

부교감신경을 억제하여 기관지수축을 완화시키고, 함유하고 있는 hederacoside의 saponin 성분에 의해 점액용해 작용을 나타내며, 중추신경에 작용하여 진해작용도 나타낸다.

2) 기침 억제제

그러나 섬모 운동기능에 의해 일어난 과도 점액의 상태에서 기침은 기도 청소의 중요 수단이 된다. 기침에 의한 점액의 제거는 high linear airflow와 기도분비액의 상호작용에 의해 이루어진다. 따라서 기침은 기도 보호 반사 기능이므로 구토, 통증 혹은 상당한 수면 장애를 동반하는 객담이 적은 기침의 경우에만 한정적으로 진해제의 사용이 필요하다(표 3-3).

진해제는 작용 부위에 따라 아래와 같이 분류된다.

가) 중추 신경 작용 진해제

뇌수질의 기침 중추에서 자극에 대한 한계치를 증

가시키는 약제

① Codeine

Phenanthrene derivative로 마약제로 분류되며 뇌수질의 기침중추에 직접 작용하여 진해효과를 가지나, 기도 점막의 건조 혹은 기도점액의 점도를 증가시키는 좋지 않은 작용도 있다. 간에서 glucuronic acid와의 결합에 의해 대사되며 일부는 morphine으로 demethylation된다. 기침을 억제하는 용량은 진통효과에 필요한 용량보다 훨씬 적고 morphine에 비해 습관성 호흡억제, 기관지수축 등의 효과가 약하다.

② Dextromethorphan

Opiate계 진통제인 levorphanol의 methylated dextro-isomer로서 작용-효과는 codeine과 유사한 진해 효과를 가지나 치료 용량으로는 섬모 운동에 영향을 미치지 않으며, 진통 효과나 호흡억제 습관성이 없어 비교적 안전한 진해제이다.

③ Diphenhydramine

기침 중추 억제 뿐 만 아니라 말초 기침 억제 기능도 가진다.

④ 기타

이외에 hydrocodone, hydromorphone, methadone 등은 진해 작용 뿐 아니라 진통효과도 가진다. 그러나 천식 환자에서 점액의 점도를 증가시키고 어지럼증, 진정효과, 구토 등의 부작용을 나타내므로 소아에서는 사용에 주의를 요한다.

나) 말초 신경작용 진해제

기도 자극을 제거하거나 기도의 자극 수용체를 차단함으로써 기침의 구심성 통로에 영향을 미치는 약제들을 칭한다.

① Benzonatate

국소 마취효과를 가진 procaine과 관계있는 long chain polyglycol derivative로서 기침반사의 구심성 통로에 특이한 억제 기능을 가진 진해제로 citric acid나 acetylcholine에 자극된 기침에 효과가 있고 통상 용량으로는 호흡을 억제 하지는 않는다. 과민성반응과 국소 마취 등의 효과가 나타나므로 씹거나 녹여서 사용하지 말아야 한다.

② Camphor와 Menthol

피부에 도포하면 citric acid에 의한 기침을 감소시킨다.

③ Levodropropizine

기침반사에 관여하는 말초신경인 C-fiber를 직접 억제하며, C-fiber말단에서의 신경 펩타이드에 의해 유발되는 염증반응, 기관지 수축, 기도 과민성, 점액 과다 분비, 혈관투과성 등을 억제하고 신경 펩타이드의 자극으로 일어나는 기침반사를 억제하여 진해작용을 나타낸다.

3) 기관지확장제

천식의 치료에 있어서 염증반응에 대한 치료도 중요하지만, 기관지 수축을 해결하는 것이 가장 기본이 된다. 약물에 의한 기관지 확장의 기전은 직접적인 기관지 확장과 기관지수축 방지로 나누어 볼 수 있는데, 기관지 확장제의 대표적인 약물은 salbutamol과 같은 β-항진제와 테오필린이다. β-항진제의 기전은 β-아드레날린 수용체를 자극시킴으로서 기관지 평활근을 이완시키고, 염증세포로부터 매개체가 분비되는 것을 막음으로서 작용한다.

테오필린은 아직 그 작용기전이 명확히 알려져 있지는 않으나, cyclic nucleotide phosphodiesterase를 억제하여 cyclic adenosine monophosphate나 cyclic guanosine monophosphate를 증가시킴으로써 기관지 평활근을 이완시킨다고 생각된다. 그 외 adenosine 수

용체 길항작용, 프로스타글란딘 길항작용, 카테콜아민 분비 자극, 비만세포로부터의 매개체 유리 억제, 횡격막 수축 증진 등에 의한 기관지확장 효과가 작용 기전으로 제시되고 있다.

속효성 β-항진제는 효과가 빠르나, 작용시간이 보통 4~6시간으로 짧으며, 주로 천식의 조기반응 치료에 효과가 있다. 이에 반하여 테오필린은 주로 천식의 후기반응에 효과가 있고, 기관지 과민성이나 염증에 대해서도 효과가 있는 것으로 알려져 있다.

지속성 β-항진제(long-acting β-adrenergic agonists)는 기존의 β-항진제에 비해 작용시간이 약간 느리기는 하지만 조기 반응에 대한 치료효과와 더불어, 작용시간이 길기 때문에 후기반응에도 효과가 있다. Formoterol, salmeterol 등이 대표적이며, 일 2회 복용으로 좀 더 편하다는 장점도 있다. 이들 약물은 친지방성이므로 반감기가 길고, 수용체에 대한 친화력도 높다. 테오필린의 작용기전 중 하나가 phosphodiesterase 길항효과로 이를 통해 기관지 평활근의 톤을 감소시키며, 여러 염증세포의 활성도를 줄여주어, 과거 수년간 천식치료의 근간이 되어왔다. 그러나 치료농도 범위가 좁아 독성반응이 생기기 쉬워 최근 천식치료에서 많이 쓰이지는 않는다. 테오필린의 독성반응을 피하면서 phosphodiesterase 길항효과에 중점을 둔 새로운 치료 약물이 개발 중이다.

이뇨제의 흡입이 운동유발 기관지수축을 예방하는 효과가 있음이 보고되면서 최근 천식의 치료제로서 이뇨제에 대한 연구가 활발히 진행되고 있다. 여러 항원에 대한 천식의 조기 및 후기반응에 대한 효과가 증명된 바 있으나 비특이적 자극에 대한 기관지 과반응성 호전은 아직 증명되지 않았다. 예비시험에 의하면 이뇨제의 흡입요법은 스테로이드를 줄일 수 있는 역할을 할 수 있을 것으로 생각되며, 장기치료에 대한 시험은 아직 연구 중이다.

4) 항염증제

가) 스테로이드제

기도과민성은 기도의 염증정도와 잘 연관되므로, 천식의 활동도를 측정하는 지표로서 기도 과민성이 많이 이용된다. 특히 메타콜린이나 히스타민에 의한 기관지 유발검사 중 측정되는 PD_{20}이나 PC_{20}이 흔히 사용되는데 천식의 심한정도나 약물치료의 필요성과 잘 연관되며 새로운 천식치료에 대한 장기적 효과의 판단에 이용된다. 그러나 기도 과민성 자체가 폐의 염증을 직접적으로 나타내는 것이 아니고, 알레르겐에 노출되거나 감기와 같은 감염에 영향을 많이 받으며, 기능적인 이상은 잘 나타내지 못하고, 급성염증이 조절된 후에도 기도 과민성이 비가역적이거나 천천히 소실된다는 제한점이 있어 주의하여야 한다.

결국 천식의 궁극적인 치료는 폐와 기도의 염증을 소실시키는 것이며, 스테로이드제가 기도 과민성을 예방하거나 소실시키는 데 도움을 주는 것으로 알려져 있다. 특히 흡입용 스테로이드는 천식에 있어서 항염증제의 기본이 되며, 기도 과민성을 줄이고 증상을 감소시키는 효과도 있으며, 기관지 점막의 투과성을 조절하여 혈장이 새어나오는 것을 막아준다.

부데소나이드(budesonide)는 가장 많이 연구되어 있는 흡입용 스테로이드제로서 흡입요법 투여에 의해 전신적 부작용이 적은 약물이다. 조직에 대한 친화성이 높으면서, 전신 투여 때에는 생체이용률이 낮아야 하고, 스테로이드 자체의 역가는 높은 것이 흡입용 스테로이드 제제로 바람직한데 후루티카손(fluticasone)이 이런 특성을 가지고 있으며 역가는 더 높다.

나) 크로몰린

네도크로밀소디움은 크로몰린소디움과 같은 특성을 보이지만 화학적 측면에서는 매우 다르다. 조기 및 후기 반응을 예방한다.

다) 항 콜린제

항콜린제는 기관지확장효과가 있어 천식에서 사용

되나 그 효과는 베타2 항진제 보다는 약하다. 그러나 기도 분비물을 줄여주는 효과가 있어 기관지 수축보다는 점액분비가 많은 영유아 층에서 사용되기도 하는데 일반적 사용에 대해서는 아직 논란이 있다.

라) 류코트리엔 길항제

류코트리엔은 혈관 투과성 증가, 점액분비, 활성세포 모집 등의 염증반응 및 기도수축에 관여하는 강력한 매체로서 zafirlukast, montelukast, pranlukast 같은 류코트리엔 수용체 길항제와 zileuton 같은 5-lipoxygenase 길항제가 류코트리엔의 효과를 감소시키기 위해 사용될 수 있다. 이러한 약물은 흡입 알레르겐에 대한 후기 반응 감소, 알레르겐에 의한 기도 과민성 감소, 운동 후 기관지수축 감소 등에 효과가 있다. 경증 및 중등증 천식에 있어 폐기능과 증상을 호전시킨다는 것이 증명되었다.

5) 기타 치료 약제

스테로이드 사용을 줄이거나 스테로이드에 반응하지 않는 천식을 치료하기 위한 약제로서 methotrexate, troleandomycin, 정맥용면역글로불린, gold salt, 인터페론-γ, colchicine, hydroxychloroquine, dapsone 등과 같은 약물이 있다. 그러나 아직은 이중맹검연구에 의해 효과가 증명 되어있지 않고, 산발적인 보고에서도 치료효과가 33~50% 정도로 사용에 신중을 기해야 한다. 질병에 대한 병인이 밝혀짐에 따라 위에 제시한 치료 방법 이외에도 유착분자 길항제, 유전자 치료, membrane-derived lipid mediators 길항제 등이 연구되고 있다. 또한 약물전달을 효과적으로 하기 위하여 전구약물의 이용, 다양한 약물 전달기구의 발달, 지용성 약물의 흡입요법을 위한 liposome-delivery vehicle의 사용, 흡입용 항생제 등이 개발 중에 있다. 또한 차세대 면역 치료로서 CPG, DNA vaccine 및 aniti-IgE 치료제 등이 일부 개발되어 임상에 사용가능한 단계에 있다.

2. 호흡 물리요법과 호흡관리

가. 정의와 목적

호흡 물리요법은 급만성 폐질환이 있는 환자에서 폐기능을 개선시키고 폐의 합병증을 미리 예방하는 치료방법이다.

호흡 물리요법을 시행하는 목적은 기도의 청결, 환기개선 그리고 운동에 대한 내성을 증대시키고, 호흡운동에 대한 부담을 감소시키므로써 궁극적으로는 폐 합병증을 예방하거나 또는 완화시키는 데에 있다. 즉, 호흡 물리요법의 구체적인 목표는 기관지분비물의 축적을 방지하고, 분비물의 이동과 배출을 촉진하며, 호흡양상을 개선하기 위해서 근육이완을 촉진하는 것이다. 또한 심폐기관의 운동에 대한 내성을 증대시키고, 기관지위생 프로그램을 교육시키는 것이다.

기도청결의 방법은 기관, 기관지분지로부터 분비물의 배출을 촉진하는 방법으로서, 1) 체위 배액법, 2) 흉부타법, 3) 흉부진동 및 흉곽흔들기, 4) 호흡 연습, 5) 기침유발과 기도흡인의 과정을 포함한다. 궁극적으로는 분비물의 축적을 예방하고 배설을 촉진하므로 허탈된 폐포의 재팽창을 유도하여 환기/관류 불균형을 감소시키는 것이다.

나. 적응증

물리요법의 적응증은 예방목적인 경우와 치료목적인 경우로 구분할 수 있으며 예방목적인 경우가 좀 더 이상적이라고 말할 수 있다.

1) 치료목적의 적응증

치료 목적으로서의 호흡 물리요법의 적응증은 분비물에 의해서 무기폐가 발생한 환자, 다양한 이유로 인하여 분비물이 축적되어 있는 환자, 일차적 또는 이차적 폐기능장애로 호흡양상이 비정상적인 환자, 만성적으로 폐쇄성 폐질환이 있으며 이 질환으로 인해서 운동에 대한 내성이 감소되어 있는 환자, 골격근의 이상으로 기침을 효과적으로 할 수 없는 환자 등이다.

2) 예방목적의 적응증

고위험도 수술환자, 수술후 기도분비물을 스스로 제거할 수 없는 환자, 효과적으로 기침을 할 수 없는 신경성 환자, 인공호흡기를 사용하고 있는 환자로서 분비물이 축적되는 경향이 있는 환자, 일차적으로 기관지확장증과 같은 폐질환이 있어서 기관지위생을 개선할 필요가 있는 환자 등에서는 예방적 목적으로 호흡 물리요법을 시행한다.

한편 신생아와 소아에서의 적응증은 표 3-4와 같다. 호흡 물리요법을 시행하기 전에 환자와의 신뢰감을 유지하는 것이 매우 중요한데 환자뿐 아니라 부모들도 물리요법이 고통스러운 것이라고 잘못 인식하고 있는 경우가 있다. 그러므로 물리요법 시행전에 환자를 안심시키는 것이 절대적으로 중요하다.

다. 체위 배액법

체위 배액법(postural drainage)은 적절한 체위변동과 중력효과로 기관, 기관지분지로부터 분비물의 배출을 촉진하는 방법이다.

체위배액의 효과를 높이기 위해서는 분비물이 축적된 분절(segment)의 위치를 확인하여 분비물이 축적된 부분을 위쪽으로 하여 분비물이 중력에 의해 배설되도록 하여야 한다.

체위에 따라 폐혈류도 중력에 의해 분포되므로 만일 환부(diseased area)가 아래부위로 가도록 하면 환기/관류(V/Q) 불균형이 초래되어 동맥혈 저산소혈증이 초래되므로 반드시 환부가 위쪽으로 가도록 체위를 취하여야 한다.

체위 배액법을 시행하려면 환부의 위치 확인이 중요하므로 호흡관리 담당자는 기관지의 각 분절의 해부학적 이해가 반드시 필요하다.

흉부 X선 소견을 보고 어느 기관지 분절(bronchial segment)에 해당하는지를 알아야 체위 배액을 위한 체위를 취할 수 있게 된다. 아울러 흉부청진도 환부의 위치 선정에 필수적이다.

체위 배액법은 환부를 위쪽에 위치하는 체위를 취하게 하고 흉부 타법(percussion)을 같이 시행하면 더 좋은 효과를 보인다. 적절한 체위를 취하는 것이 중요하며 이 때 환자가 이러한 체위에 적어도 수십분간 견딜 수 있는지 확인하여야 한다. 적절한 체위를 취할 수 없는 경우는 자세를 약간 변형하여 시행한다.

체위 배액을 효과적으로 하기 위해서 한번 취한 자세는 20~30분을 유지하고 하루에 3번 또는 4번 시행하도록 권하고 있지만 객담의 양과 호흡 상태에 따라 더 자주 자세를 바꾸어 줄 필요도 있다. 구토와 흡인의 위험을 줄이기 위해서 식사 전에 또는 식후 1시간이 지나서 시행하여야 한다. 자세를 바꾸어 주기 전에 환자가 자세를 이겨 낼 수 있는지를 평가해야 한다.

좌, 우상엽의 후분절(posterior segment)의 분비물은 환자를 앉히거나 일으켜 세운 후 앞으로 약 30도 정도 굽힌 상태를 유지하며 후흉벽의 상부를 타격해주면 된다(그림 3-3).

좌, 우상엽의 근첨분절(apical segment)의 축적된 분비물은 좌, 우상엽의 후분절때와 같이 앉히거나 일으켜 세운 후 30도 정도 뒤로 기댄 상태에서 쇄골과 견갑골 상부 사이의 어깨부위를 타격해준다(그림 3-4).

좌, 우상엽의 전분절(anterior segment)의 분비물 축

표 3-4. 호흡 물리요법의 적응증

신생아	소아
태변 흡인	기관지 확장증
폐렴	천식
무기폐	폐렴
기관지폐 형성 장애	무기폐
장기간의 기계적 환기	세기관지염
복부와 흉부 수술 후의 호흡관리	복부와 흉부 수술 후
호흡곤란증후군	신경학적 질환으로 기침이 억제된 경우

적이나 그 부위의 무기폐가 있으면 환자는 평평하게 앙와위 자세로 눕힌후 쇄골 바로 아래 부위의 젖꼭지 부근을 타격해준다(그림 3-5).

하엽의 측기저분절(lateral basal segment)의 분비물은 환부를 위로 하여 측와위로 눕힌 후 몸은 30도 정도 Trendelenburg 체위를 취하고 옆으로 30도 정도 돌린 후 하부 늑골의 가장 위쪽 부위를 타격해준다(그림 3-6).

하엽의 전기저분절(anterior basal segment)의 배액은 30도 Trendelenburg, 30도 옆으로 눕힌후 늑골의 전하부를 타격해 준다(그림 3-7).

하엽의 상분절(superior segment)의 배액은 복와위(prone position)에서 15도 정도 Trendelenburg 체위를 취하고 후흉벽 중간부위의 견갑골 직하부를 타격해 준다(그림 3-8).

그 외 하엽 후기저분절에 분비물 축적시(그림 3-9), 하엽 내기저분절에 분비물 축적시(그림 3-10), 우중엽 측분절에 분비물 축적시(그림 3-11) 체위 배액법은 그림과 같다.

체위 배액을 시행할 때에 그 체위 자체가 생리학적으로 심혈관계에 영향을 미칠 수 있다. 특히 상태가 나쁜 중환자에서 더욱 그렇다. 머리가 낮아진 체위는 두부에서 오는 정맥혈의 심관류를 저해하여 뇌압이 증가할 수 있으므로 신경외과 환자에서는 조심해서 시행하여야 한다. 체위 변경이 수술 상처의 치유나 수술 후의 경과에 영향을 미칠 수 있다면 실시하지 않는 것이 좋다. 체위 변경만 하면 15~20분 동안 그 체위를 유지하여야 하지만 흉부타법이나 진동법이 병용된다면 그러한 체위 배액법은 2~5분이면 적당하므로 임상에서는 병용요법을 주로 사용한다.

체위 배액법의 금기증과 주의사항은 다음과 같다. 우선 두개내압이 20 mmHg 이상, 폐색전증, 늑골 골절, 폐기종, 두부나 목부의 손상, 골다공증, 기관지 수축, 응고 장애, 폐출혈, 흡인 위험이 있는 경우, 심부전으로 인한 폐부종, 대량의 흉막 삼출, 흉통, 기관지 늑막 누공, 불안정 부정맥, 협심증, 조절되지 않는 고혈압, 미숙아에서 무호흡이 있는 경우는 체위 배액법을 시행할 때 면밀한 관찰이 요구되며 자세한 환자 상태의 기록이 요구된다. 즉, 통증, 호흡곤란, 맥박수, 부정맥, 흉부대칭운동 여부, flail chest, 배출되는 객담의 양, 색깔, 농도, 냄새, 의식상태, 피부색, 혈압, 산소포화도, 치료가 끝난 뒤의 분비물의 양, 호흡운동에 대한 부담감의 정도, 호흡음의 개선 또는 기침을 효과적으로 수행할 수 있는 능력 등을 기록으로 남겨둔다.

라. 흉부 타법

흉부타법(두들기기, chest percussion)은 기관, 기관지분지계로부터 점액을 이탈시키며 대부분의 경우 체위 배액법과 함께 이루어진다. 타법을 시행하기 전에 진한 가래를 묽게 하기위해 에어로졸을 분무하거나 기관지 확장제를 분무한 후 시행하는 것이 좋다. 타법은 분비물이 많이 축적되어 있는 분절을 표적으로 해서 가슴 또는 등 부위를 양쪽 손바닥을 오므려서 리듬이 있게 통통 두드려 주거나 기구를 사용하여 자극을 가할 수도 있다. 손바닥을 컵모양으로 오목하게 하여 공기쿠션(air cushion)을 이용하거나 두들기기 컵(percussion cup)을 사용하여 한 분절당 1~5분의 주기적 타격을 가하는 방법을 일컫는다(그림 3-12). 이러한 공기 쿠션에 의해 생성된 에너지 파형은 흉벽을 통해 폐기관지 분절에 전달되어 분비물이나 점액의 배출을 원활하게 해준다. 보통 5분 정도 시행하나 분비물이 많거나 또는 점도가 높으면 그 이상 시행할 수 있다.

흉부타격은 피부에 직접 하지 말고 얇은 수건이나 거즈를 덮고 하는 것이 좋으며 두꺼운 수건은 운동에너지의 전달을 방해하므로 효과가 적다. 너무 심하게 해서 환자를 불편하게 하거나 아프게 하면 안되며 특히 멍이 들 정도로 하는 것은 피해야 된다. 또한 전면부 늑골하방을 타격할 때는 위, 간, 비장에 손상을 줄 수 있고, 후면부 늑골 하방 부위를 타격하는 경우에는 신장의 손상이 초래될 수 있다. 흉부타법을 시행할 때 늑골의 골절도 일어날 수 있으므로 주의가 필요하다.

그림 3-3. 상엽 후분절의 체위
배액법 자세

그림 3-4. 상엽 근첨분절의 체위
배액법 자세

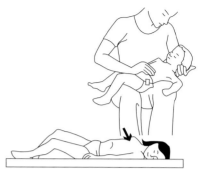

그림 3-5. 상엽 상분절의 체위
배액법 자세

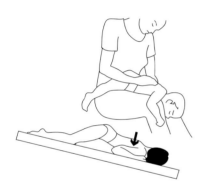

그림 3-6. 하엽 측기저분절의 체위
배액법 자세

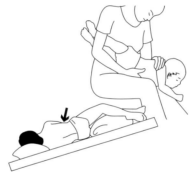

그림 3-7. 하엽 전기저분절의 체위
배액법 자세

그림 3-8. 하엽 상분절의 체위
배액법 자세

그림 3-9. 하엽 후기저분절의 체위
배액법 자세

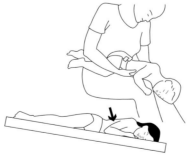

그림 3-10. 하엽 내기저분절의 체위
배액법 자세

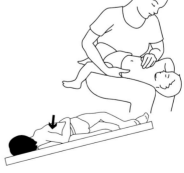

그림 3-11. 우중엽 측분절의 체위
배액법 자세

마. 흉부 진동법 및 흉곽흔들기

진동마사지(chest vibration)는 타법에 의해서 기관지로부터 떨어져 나온 점액이 보다 큰 기도로 옮겨져 기침이나 기계적 흡인으로 제거될 수 있도록 공기를 내뱉는 동안에 양쪽 손으로 가슴을 흔들어 주는 치료법이다.

따라서 진동마사지는 체위 배액법과 타법을 시행한 뒤에 실시하는 것이 효과적이다. 흉부타법은 흡기와 호기 때에 모두 시행되나 진동법은 호기에 보통 행해진다. 환자로 하여금 공기를 깊게 들이마시게 하고 만일 이것이 쉽지 않을 경우에는 앰부 마스크 또는 인공호흡기로 폐를 크게 팽창시킨 뒤 공기가 배출되는 동안에 손을 포개거나 또는 나란히 펴서 흉벽에 압박을 가하면서 흔들어 주는데, 보통 한번 심호흡할 때마다 한번씩 해서 5~10회 정도 시행한다.

숙달된 사람은 분당 200회 혹은 그 이상으로 진동을 손으로 가할 수도 있으나 대부분의 경우에는 상품화된 장비를 이용한다. 협조가 되는 환자들은 숨을 크게 들여마시게 한 후 내쉬는 순간에 진동을 시작해 주면 되나, 인공호흡기의 보조를 받는 환자는 마취나 앰부백을 사용해 용수환기를 실시하여 깊이 흡입을 시켜준 후 호기 때 진동법을 시행한다. 이렇게 하면 기침이 잘 유발되며 효과적으로 분비물이 배출될 수 있다.

흉곽흔들기는 진동마사지보다 좀 더 과감하게 흉곽을 압박하는 방법으로서 분비물의 점성이 높은 환자에서 기관지벽의 점액을 이탈시키기 위해서 보다 강한 힘이 필요할 경우에 시행한다.

체위 배액법, 타법 그리고 진동마사지를 혼합하여 시행하는 것이 분비물의 제거에 보다 효과적이다.

바. 호흡연습

호흡연습(breathing exercise)은 물리요법 중의 중요한 한 부분으로서 물리요법을 시행하는 환자면 누구나 적응이 된다. 호흡연습은 체위 배액법, 진동마사지 그리고 기침과 함께 시행하거나 또는 단독으로 시행할 수 있다.

정상인의 주요 호흡근은 횡격막과 늑간근이다. 폐가 과팽창되어 있으면 횡격막이 제대로 기능을 하지 못하게 된다. 따라서 만성적인 폐쇄성 폐질환이 있으면 비교적 낮은 분당 호흡량(minute volume)에서도 보조 호흡근이 사용되므로 호흡 운동에 소모되는 에

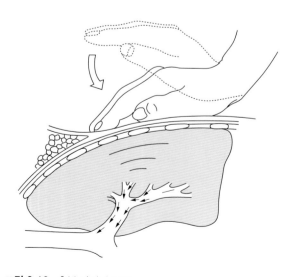

그림 3-12. 흉부 타법 손모양

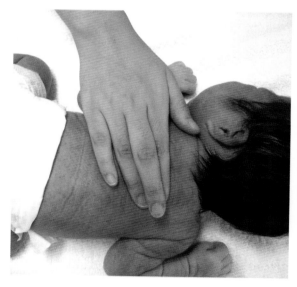

너지가 커지게 된다. 그러므로 호흡효율을 개선하기 위하여 효과적인 호흡방법이 필요하게 된다.

1) 횡격막 호흡

횡격막 호흡(diaphragmatic breathing)은 바로 누운 자세에서 환자로 하여금 양쪽 무릎을 구부리게 하고 목과 어깨가 충분히 이완되도록 한 다음 환자의 상복부에 시술자의 손을 올려놓고 정상적으로 호흡을 하도록 하면 호흡의 깊이와 양상을 알 수 있다. 그런 다음 호기 말에 시술자의 편 손바닥을 아래로 그리고 안쪽으로 누르면서 환자로 하여금 배에 힘을 주어 시술자의 손을 위로 밀어 올리도록 한다. 이러한 동작을 여러 차례 반복하면 나중에는 환자 스스로 자기 손을 상복부에 올려놓고 횡격막호흡을 할 수 있게 된다. 횡격막호흡은 환기가 잘 되는 부위의 호흡을 증가시키는 것이다.

이 호흡연습은 동일한 방법으로 앉은 자세나 선 자세, 보행 중 또는 계단을 오르내리면서도 시행할 수 있다.

2) 분절성 호흡

병변이 있는 폐의 국소를 집중적으로 호흡하도록 하는 방법으로서 병변이 있다고 생각되는 폐분절의 피부 표면에 시술자의 손을 올려놓고 환자로 하여금 심호흡을 하여 그 손을 위로 밀어 올리는 동작을 반복해서 시행하는 분절성 호흡(segmental breathing)을 시행한다. 예를 들어 좌측 폐설부의 아래 분절에 병변이 있다고 생각되면 시술자의 손을 왼쪽 제 4, 5 그리고 6번째 늑간위에 올려놓은 다음 환자로 하여금 심호흡을 하여 그 손을 위로 밀어 올리도록 한다.

이 방법은 복부나 흉부수술을 받은 환자, 신경이나 근육질환 환자, kyphoscoliosis 같은 환자에서 유용하다.

3) 입술 오므려 숨쉬기

호흡이 곤란한 환자들이 입술을 오므린 상태로 호흡하는 것을 볼 수 있는데 이 것은 폐로부터 공기를 내뱉기 위한 노력으로, 이러한 입술 오므려 숨쉬기 (pursed lip breathing)는 기도의 아래 부위에 양압을 가하므로 기도의 허탈이나 공기의 포획 없이 공기를 내뱉을 수 있도록 해준다.

4) 강제 호기술

가장 잘 정착된 호흡 물리 요법의 한 가지인 강제 호기술(forced expiratory technique, FET)은, 천천히 숨을 깊게 들이마시게 한 뒤 1~3초간 숨을 참았다가 성문을 열고 짧고 빠르게 숨을 몰아 내쉬면서 '허프' 라고 소리를 내도록 하는 방법이다. 복부근육과 외늑간근의 수축을 유발시켜서 허프 기침(huffing)을 일으켜 분비물을 상기도 쪽으로 이동시키는 방법이다. 5세 이상에서 혼자서도 할 수 있는 방법이다. 이와 같은 방법을 해내지 못하는 작은 어린이들에게는 양손을 어깨에 붙이고 양 팔꿈치를 어깨와 평행이 되도록 들어올렸다가 흉벽까지 내리는 방식도 있고 또 울음과 웃음도 같은 효과를 보이기도 한다.

5) 주기적인 적극적 호흡

주기적인 적극적 호흡(active cycle of breathing)은 강제 호기술을 이용하여 횡격막호흡 → 3~4회 흉과 확장 운동(thoracic expansion exercise) → 횡격막 호흡 → 3~4회 흉과 확장 운동 → 횡격막호흡 → 강제 호기술(1~2 차례) → 횡격막호흡과 같은 호흡 운동 프로토콜을 개인에 알맞게 작성해 주는 방법이다.

6) 자생적 배담

자생적 배담(autogenic drainage)은 호흡수, 호흡량과 호흡 깊이를 의도적으로 조절하여 객담을 배출시키는 방법이다. 호흡량에 따라 객담이 점진적으로 상부 기도로 이동하는 현상을 이용하는 방법이다. 처음에는 호흡량이 적은 호기 예비 용적(expiratory reserve volume; ERV)으로 호흡을 하다가 평상 호흡 용적(tidal volume; VT)으로, 흡기 예비 용적(inspiratory reserve volume; IRV)으로 호흡을 한 뒤 허프 기침으로 마무리하는 방법이다. 특별한 기구 없이 혼자서도 할 수 있는 방법이다.

7) 기구를 사용하는 방법

상기 호흡 운동 또는 진동을 기구로 유도하여 배담 효과를 높이기 위한 방법이다. 양압 호기 마스크, 진동 파이프, 고빈도 진동, 고빈도 흉부압박 등의 기구가 이용되고 있다.

반복해서 시행하는 호흡연습은 호흡수를 감소시키고 그리고 일회환기량을 증가시키며 또한 이 연습이 양측 늑골을 팽창시키는 효과를 가지고 있기 때문에 많은 수술환자에서 무기폐를 예방하는데 도움을 준다.

앞서 언급한 체위 배액과 흉부타법과 진동이 하부 기도에서 상부 기도로 객담을 이동시키는 과정을 도와 주는 방법이라면 호흡 운동과 기침은 가래를 기도 밖으로 이동시키는 과정을 도와 주는 방법이라고 할 수 있다.

여러 가지 방법이 사용되고 있지만, 공기를 객담이 있는 위치 밑까지 들어오도록 숨을 깊게 들이마시게 한 뒤 내어 뱉는 숨으로 객담을 밀어 내는 기본적인 개념은 같다. 객담의 이동도 체위 배액보다 단시간에 더 많은 양을 할 수 있어 매우 효율적인 호흡 물리 요법이다.

사. 기침 유발과 분비물 흡인

호흡 물리 요법의 마지막 단계는 환자로 하여금 효과적인 기침을 하도록 하거나 기침을 유발해 주는 것으로, 기침은 상부기도에 있는 분비물을 제거하기 위한 유용한 방법이다. 분비물이 큰 기관지로 이동되면 그곳의 자극수용체가 자극되어 기침이 일어난다. 기침 반사는 자발호흡이건 인공호흡이건 간에 흡기가 최대로 된 후 잠시 정지하면 복부근육이 수축하면서 유발되는 경우가 많다. 그러나 이런 환자의 협조는 소아나 신생아에서는 잘 이루어지지 않아 이런 경우는 폐내 분비물을 흡인해 주어야한다.

기관지 위생요법에서 기침의 역할은 매우 중요하며

심호흡을 할 수 있어야 하고, 복부근육과 성대가 정상이어야 이런 반사활동을 할 수 있다. 그러나 복부의 수술을 한 경우나 척수장애로 인해 기침 능력이 저하되어 있으면 복대를 해주거나 기침할때 보조자가 배를 가슴부위로 향하여 쓸 듯이 눌러주면 많은 도움을 줄 수 있다.

기침을 유도할 때 환자의 통증, 호흡곤란, 배출되는 객담의 색깔, 냄새, 양, 호흡음, 기침 후에 신경학적 증상이나 징후, 부정맥 여부, 혈역학 변화 등을 주의 깊게 관찰해야 한다.

기도관리에 있어서 기관지 분비물의 흡인(suction)은 아주 중요한데 분비물을 제거하는 것 뿐아니라 기관내 삽관이 된 환자에서 튜브의 막힘을 방지함으로써 기도 저항을 감소시키는 효과가 있다.

특히 소아 환자에서는 울거나 그에 수반되어 숨을 깊게 쉬는 경우에도 분비물의 배출은 더 용이해진다. 기관내 튜브를 통한 폐내 흡인시에는 너무 큰 흡인 카테타를 쓰면 매우 위험하므로 적어도 기관내 튜브 직경에 비해 흡인 카테타의 직경은 1/2을 초과해서는 안된다. 흡인압도 너무 과도하면 좋지 않아서 신생아에서는 60~80 mmHg의 음압, 소아에서는 80~100 mmHg의 음압이 추천되나 분비물이 진해서 잘 흡인이 안되면 음압을 더 증가해 줄 수도 있다. 폐내 흡인 도중에 가끔 용수 환기를 앰부백으로 시켜주는데 소아에서는 100% 산소를 이용해도 되나, 미숙아 등에서는 산소포화도를 보며 너무 고농도의 산소 투여를 하지 않도록 주의하여야 한다.

폐내 흡인때 분비물을 묽게 해 주기 위해 생리식염수로 폐세척을 하는데 신생아에서는 2~3 방울(0.3~0.4 mL), 소아에서는 1~3 mL가 적당하며 잘 퍼지게 해 주기 위해 앰부백으로 양압환기를 한 후 폐내 흡인을 하면 더 효과적이다. 흡인시간은 최대 10초를 넘으면 안되고 5초이상 기도가 막히면 폐허탈이 유발될 수 있으므로 흡인시간은 최소로 해 주는 것이 좋다(표 3-5).

신생아, 미숙아의 폐내 흡인시에는 서맥등의 활력증상 변화가 잘 오므로 항상 과산소화(hyperoxygenation)

표 3-5. 기도 흡인 순서

환자의 활력증상 관찰(혈압, 맥박, 산소포화도)
Ambu bag으로 과산소화(hyperoxygenation)
활력증상을 보며 기도 흡인(10초 이내)
다시 과산소화
생리식염수 세척(신생아: 0.3-0.4 mL, 소아 1-3 mL)
다시 과산소화
활력증상을 보며 기도 흡인(10초 이내)

할 장비는 준비해두고 있어야 한다.

기도 흡인을 시행하는 과정에서 여러 가지 합병증이 발생할 수 있다. 즉, 상기도의 물리적 손상, 저산소증, 심장의 부정맥, 서맥, 혈압 상승, 저혈압, 호흡 정지, 심한 기침, 구역, 구토, 후두 경련, 기도 경련, 동통, 원내감염, 무기폐, 두개내압 상승, 우발적 기관내 튜브 발관, 기흉, 무기폐 등이 초래될 수 있다.

기관 내 삽관이 되지 않은 경우에 경비기관 내 흡인을 시도하는 경우가 있다. 이는 기관 내 흡인을 한다는 목적 이외에 기침을 유발하는 효과가 있으므로 소아 중환자 호흡관리에 자주 이용된다.

아. 호흡 물리요법에서의 유의사항

물리요법이 모든 환자들에게 적응이 되고 또한 부담감이나 위험성이 전혀 없는 것도 아니므로 다음과 같이 내과적으로 불안정한 환자들에게 시행할 경우에는 특히 주의하여야 한다.

1) 치료가 되지 않은 긴장성 기흉이 있는 환자

절대적인 금기이나 흉관을 삽입한 경우에는 폐기능이 보다 빨리 회복될 수 있도록 돕는 방향으로 물리요법을 시작한다.

2) 혈액의 응고기전에 이상이 있는 경우, 특히 혈소판이 30,000/mm³ 이하인 경우에는 흉부타법 등을 피하고 체위 배액법과 호흡운동을 선택하는 것이 좋다.

3) 천식 또는 간질지속상태가 있는 경우에는 자극이

오히려 환자의 불안정한 상태를 더욱 악화시킬 수 있으므로 피하여야 한다.

4) 두개강내 수술환자에서는 집도의사의 동의를 얻어 환자의 체위를 변경시켜야 한다.

5) 골다공증, 장기간 스테로이드를 투여한 환자, 그리고 종양이 늑골로 전이된 환자에선 과격한 타법으로 골절이 올 수 있으므로 주의하여야 한다.

6) 식도문합술을 시행한 환자에서는 머리를 아래로 낮추는 체위를 할 때 문합술 부위로 위내용물이 역류되지 않도록 주의한다.

7) 최근에 늑골골절이 있었던 환자에서는 유연한 진동마사지와 함께 체위배액법을 시행하는 것이 좋다.

자. 호흡 물리요법의 효과평가

물리요법을 시행한 후 그 결과를 평가하여 물리요법의 예방 및 치료효과, 적합성 및 효율성, 개선할 점 또는 문제점 등을 파악하므로써 치료방향을 결정할 수 있는데 물리요법의 효과를 객관적으로 평가할 때는 다음의 네가지 사항이 고려되어야 한다.

1) 객담

객담은 물리요법을 시작한 후 24시간이 지난 뒤에도 배출되는 경우가 많으므로 24시간을 기준으로 해서 평가하여야 한다.

육안으로 객담의 색깔과 밀도를 구별할 수 있는데 객담이 노란색을 띠면 농이 섞여 있을 수 있고, 초록색 객담은 오랫동안 축적된 것을 암시하며, 초록색을 띠면서 냄새가 나는 경우에는 녹농균의 감염이 있음을 암시한다. 또한 갈색 객담은 시간이 경과한 출혈을 암시하며 붉은 가래는 최근에 출혈이 있음을 암시한다. 객담의 점도가 높아져서 접착력이 강한 양상을 보이는 있는 경우에는 탈수가 동반되어 있을 수 있다. 객담을 좀 더 정밀하게 검사할 필요성이 있으면 멸균법으로 채취하여 검사실로 보낸다.

물리요법을 시작하기 전에는 청진에서 호흡음이 들

리지 않던 부위에서 물리요법 후에 호흡음이 들리면 허탈상태에 있던 기도나 폐포가 개방되어 공기가 유입되고 있음을 암시하며, 천명이나 건성 수포음이 소실되었거나 또는 개선된 것은 물리요법의 뚜렷한 효과라고 평가할 수 있다.

2) 호흡운동에 대한 부담

물리요법을 시행한 결과로써 축적되었던 기도의 분비물이 배출되면 호흡운동에 대한 부담이 현저하게 감소하는데 이것은 물리요법을 끝마치고 수일이 지난 뒤에 호흡하는 양상과 부호흡근의 이용도를 재평가해 보면 뚜렷하게 알 수 있다.

3) 동맥혈 가스분석

동맥혈 가스분석이 단지 폐기능 하나만을 반영한다기보다는 심폐기관의 기능을 총괄적으로 반영하고 있기 때문에 동맥혈 가스분석결과가 좋아지지 않았다고 해서 물리요법을 시행한 효과가 전혀 없다고 단정할 수는 없다.

동맥혈 가스분석결과 산소 및 탄산가스분압이 개선된 소견은 물리요법의 효과를 반영한다고 말할 수 있다.

4) 폐기능검사

오래 전부터 폐기능검사는 호흡요법의 효과를 판정하는 객관적 지표로서 널리 이용되어 왔으나 물리요법 시행 후에 기도의 분비물이 현저하게 배출되었고, 임상적 소견도 뚜렷하게 개선되었음에도 불구하고 폐기능검사 결과가 만족스럽지 못한 경우가 많다. 따라서 폐기능검사 결과가 두드러지게 개선되지 않았다고 판단하여 물리요법의 효과를 간과해서도 안된다.

3. 기계적 폐환기법

호흡부전은 신체의 대사요구에 상응하는 속도로 가스 교환을 유지하지 못하는 상태로서, 그 기전은 1) 부적절한 폐포환기, 2) 환기-관류의 불균형, 3) 가스의 확산장애로 나눌 수 있다. 호흡부전 환자의 치료 목표는 주요장기에 산소를 공급하고, 가스교환을 적절히 하는 것으로, 기계적 환기 치료를 필요로 한다. 그러나 기계환기 치료는 단지 보조적인 치료 방법으로 폐가 급성 손상으로부터 회복되는데 필요한 시간적 여유를 주는데 불과하며, 이러한 기계환기 요법의 목적은 1) 중요한 장기에 충분한 산소를 공급할 수 있는 정도의 가스교환을 유지하고, 2) 기계환기요법으로 인한 폐손상, 즉 압력손상, 산소독성 및 기도의 구조적 손상 등이 발생하지 않도록 하는 것이다.

기계적 환기를 통하여 폐의 가스 교환을 개선시켜 저산소증과 급성 호흡성 산혈증을 호전시키고, 호흡곤란(respiratory distress)을 완화시켜 호흡으로 인한 산소소모를 줄이고 호흡근 피로를 회복시키며, 압력과 용적 관계(그림 3-13, 3-14)를 개선시켜 폐허탈을 예방하거나 호전시키고 폐의 순응도를 좋게 하며, 폐 손상 및 합병증을 피하면서 폐와 기도를 회복시킬 수 있다.

가. 호흡 역학

호흡 역학은 크게 정적인 것과 동적인 것으로 나뉘는데 정적인 것은 폐, 흉벽, 호흡기의 순응도(compliance)를 말하고, 동적인 것은 기도, 흉벽, 호흡기의 저항(resistance)을 말한다. 순응도는 단위 압력에 대한 폐의 용적의 변화($\Delta V/\Delta P$, mL/cmH$_2$O)를 나타낸다. 그림 3-13의 순응도 곡선을 보면 폐 용적이 너무 감소되어 있거나 과도하게 팽창되어 있을 때 순응도가 감소하고 호흡일이 증가한다. 따라서 기계적 환기시에는 가장 적절한 폐 용적 즉, 기능성 잔기 용량(functional residual capacity: FRC)을 유지하는 것이 중요하다. 저항은 단위 유량에 대한 압력의 변화($\Delta P/\Delta F$, cmH$_2$O/mL/초)로서 기도 저항이 증가된 경우에는 호흡일도 증가된다.

순응도와 저항의 곱이 시간 상수(time constant: Tc)인데, 이는 상부 기도와 폐포 사이에 압력이나 용적이

평형을 이루는 데 걸리는 시간을 나타내며, 가장 효율적인 환기를 위해서는 3Tc의 시간이 필요하다(그림 3-14).

나. 인공호흡기의 환기 양식

조절 환기(controlled ventilation 또는 controlled mechanical ventilation: CMV)는 환자의 자발 호흡없이 모든 호흡이 기계에 의하여 조절되며, 보조 환기(assisted ventilation 또는 assisted mechanical ventilation: AMV)는 환자의 흡입 노력에 의하여 기계 작동을 유발시킨다. 이 두 가지를 겸하는 것이 보조/조절 환기(assist-control ventilation: AC)로서, 호흡기가 보조적으로 작동하다가 설정된 호흡수 이하가 되면 조절 환기로 변하는 방식이다.

간헐적 강제환기(intermittent mandatory ventilation: IMV)는 환자의 자발 호흡을 허용하면서 이와는 무관하게 기계가 설정된 조절 호흡을 하는 것으로 때로 자발 호흡과 기계 호흡과의 부조화로 인하여 과소 환기, 기흉, 뇌혈류량의 변동 등의 합병증이 나타날 수 있다. 이를 보완한 동시성 간헐적 강제 환기(synchronized intermittent mandatory ventilation: SIMV)은 호흡기의 강제 호흡 빈도를 설정하고 이를 환자의 자발 호흡 노력과 일치시키는 환기법으로, 환자의 호흡 노력이 설정된 시간에 감지되지 않으면 강제 호흡이 주어진다.

압력 보조 환기(pressure-support ventilation: PSV)는 매 호흡이 환자에 의하여 유발되어야 하는 자발 환기 양상으로 설정해 놓은 일정한 압력을 보조해준다. 자발적으로 인공 환기를 유발시키는 가장 흔한 환기 양상은 AC, IMV, SIMV, PSV 등이 있고, 호흡을 감지하는 방법으로 압력, 유량, 움직임(motion) 등의 3가지 방법이 적용된다.

다. 인공호흡기의 환기 유형

인공호흡기는 크게 양압 환기(positive pressure ventilation)와 음압환기(negative pressure ventilation)로 구분되지만 임상에서는 양압 환기를 사용한다. 양압 환기는 다시 압력 환기(pressure ventilation)와 용적 환기(volume ventilation)로 나뉘고 이는 호흡 주기에 따른 조절 변수에 따라 세분된다. 흡기와 관련되어서는 제한형(limited)과 주기형(cycled)이 있는데, 제한형은 설정된 수치에 도달해도 흡기가 끝나지 않고 설정된 흡기 정지 시간(inspiratory pause time) 후에 호기가 시작되는 반면 주기형은 정해진 수치에 도달하면 바로 흡기가 끝난다(그림 3-15).

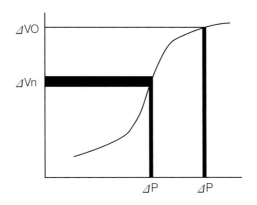

그림 3-13. 폐의 과도 팽창이 1회 호흡량에 미치는 영향을 나타낸 순응도 곡선. 같은 양의 압력의 변화(ΔP)에 대한 정상 순응도와 1회 호흡량 ΔVn에 비하여, 과도 팽창시에는 순응도 곡선의 편평한 부위에 호흡이 위치하여 작은 1회 호흡량 ΔVO를 나타내게 된다.

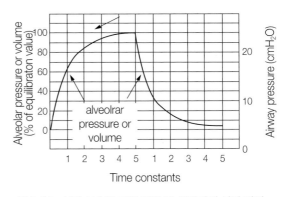

그림 3-14. 시간 상수와 기도 압력 및 용적과의 상관 관계

흔히 임상에서 이용되는 환기는 용적 유형으로는 유량 제한-용적 조절 환기(flow-limited, volume controlled ventilation: VCV), 압력 유형으로는 시간 조절-압력 제한 환기(time-cycled, pressure-limited ventilation: TCPV)와 압력 조절 환기(pressure controlled ventilation: PCV)가 있다.

용적 환기는 일정 유량, 증가 압력인 반면 압력 조절 환기는 일정 압력, 감소 유량이다(그림 3-16). 즉, 유량 제한-용적 조절 환기는 유량은 일정한 반면 평균 기도압을 유지하기 위해서 압력은 계속 증가한다(그림 3-16의 점선). 시간 조절-압력 제한 환기는 유량이 일정하다가 감소하며 압력 역시 증가하다가 정점을 이룬 채 지속된다. 압력 조절 환기(그림 3-16의 실선)에서 유량은 감소 형태인 반면 압력이 일정하다. 감속 유량은 최대 흡기압을 감소시키고 환자의 요구에 보다 쉽게 부합하는 높은 초기 유량을 가지면서 최대 압력은 일정하게 유지하고 높은 평균 기도압을 유지하는 장점이 있어, 폐허탈이 있는 경우에 효과적이다. 그러나 모든 압력 환기는 폐의 순응도에 따라 일회 호흡량이 변한다는 단점이 있다. 유량 제한, 용적 조절 환기는 이와 반대로 호흡량과 분시 환기(minute ventilation), 유량의 형태는 정확하게 조절 가능하지만 최대 흡기압과 최대 폐포압 등이 변하고 일정한 유량이 환자의 필요에 부합하지 못할 수 있는 제한점이 있다.

라. 인공호흡기의 조정

1) 산소화

산소화를 결정하는 요소는 흡입 산소 분율(fraction of inspired oxygen: FiO$_2$)과 평균 기도압(mean airway pressure: MAP)이다. 흡입 산소 농도 50%까지는 폐포의 산소 분압이 증가되어 생리적 단락(shunt)은 감소하지만, 산소를 50% 이상 투여하면 폐포는 이미 산소로 차 있기 때문에 폐포의 산소 분압은 더 이상 증가하지 않고 오히려 흡수성 무기폐가 나타나 폐 단락이 증가한다. 또한 개인에 따라 차이가 있지만 60% 이상의

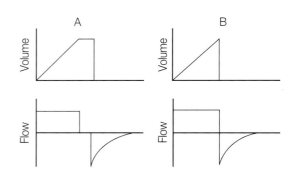

그림 3-15. 제한형과 주기형의 차이. A에서는 흡기가 끝나기 전에 미리 설정된 흡기 정지 시간 후에 호기가 시작되는 시간 주기형 흡기를 보이며, B에서는 유량만 제한되고 용적은 제한되지 않으며 흡기가 용적 주기형이다.

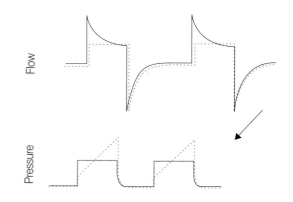

그림 3-16. 압력 조절 환기(실선)와 용적 환기(점선) 사이의 압력과 유량의 변화에 대한 비교. 유량 제한, 용적 조절 환기(점선)의 일정한 유량은 감속 유량(실선)과 비교할 때 같은 평균 기도압을 유지하기 위하여 더 높은 최대 압력이 필요하다.

산소를 투여하는 경우에 산소의 독성작용에 의해 폐조직의 변화를 유발할 수 있다. 따라서 가능하면 흡입 산소의 농도는 60% 이하로 유지하는 것이 바람직하다.

평균 기도압은 폐 용적과 환기/관류 균형을 개선시킨다. 즉 평균 기도압은 바람직한 평균 폐 용적을 유지하는데 필요한 압력의 간접적인 표현이며, 그림 3-17과 같이 흡기 유량, 최대 흡기압(peak inspiratory pressure: PIP), 흡기:호기 비(I:E ratio), 호기말 양압(positive end-expiratory pressure: PEEP)에 의하여 결

정되며 이들 관계는 아래의 식으로 표시된다.

$$Paw = K(PIP-PEEP)\left[T_I / (T_I+T_E)\right] + PEEP$$

이 식에서 K는 기도 압력 커브의 상승 속도에 의하여 결정되는 상수로, 일정 흡기 유량인 경우는 0.5, 일정 흡기 압력인 경우는 1.0이다. 결국 이들 인자 중 평균 기도압에 가장 큰 영향을 미치는 인자는 호기말 양압이다.

특히 호흡부전 환자에서 산소의 공급만으로 저산소증을 회복하기가 어려운 경우, 기계환기치료에서 호기말 양압의 사용은 필수불가결한 요소이다. 호기말 양압 환기의 목표는 흡입 산소 농도를 60% 이하로 낮추면서 동맥혈 산소포화도를 90% 이상 유지하는 것이다. 그 기전은 기도 및 폐포내 압력을 높여 확장압을 증가시켜 폐포의 안정성을 유도하고, 허탈된 폐포를 환기시켜 폐의 기능성 잔기 용량(FRC)을 증가시키며, 폐포내 수분을 간질조직내로 재분포시켜 폐의 순응도와 환기-관류비를 호전시키며, 환자의 호흡일에 의한 소모를 줄일 수 있어 산소요구량을 감소시킨다. 그러나 기도압의 증가에 의한 순환환류(venous return)의 감소로 심박출량의 감소를 초래할 수 있고, 폐포의 과팽창으로 인해 사강(dead space)이 증가할 수 있어 적절한 호기말 양압을 결정하는 것은 매우 중요하다.

2) 이산화탄소의 조정

이산화탄소(CO_2)는 혈액에서 폐포로 쉽게 확산되므로 CO_2의 제거는 폐포에 드나드는 가스의 총량에 비례한다. 따라서 $PaCO_2$는 CO_2 생성에 비례하고 폐포 환기에 반비례한다.

$$VA = f \cdot (V_T - V_D)$$

VA는 폐포 환기, f는 호흡빈도, V_T는 일회 호흡량, V_D는 사강(dead space) 용적이다. 따라서 CO_2를 감소시키려면 일회 호흡량을 증가시키거나 호흡빈도를 증가시키면 된다.

3) 인공호흡기 조정

인공호흡기의 환기 양식과 조정 방법을 선택하는 것은 역동적인 과정이어서 규정된 원칙보다 환자의

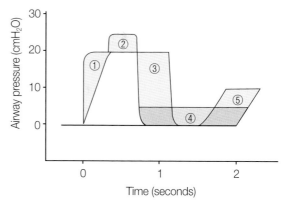

그림 3-17. 평균 기도압(MAP)을 증가시키는 5가지 방법.
① 흡기 유속(inspiratory flow rate)을 증가시켜서 사각형 모양의 흡기 형태를 형성한다.
② 최대 흡기 압력(peak inspiratory pressure)을 증가시킨다.
③ 흡기 대 호기 비율을 역전시키거나 호흡 횟수의 변경없이 흡기 시간을 연장시킨다.
④ 호기말 양압(PEEP)을 증가시킨다.
⑤ 흡기 시간은 변경하지 않고 호기 시간을 줄여서 인공 환기의 환기 수를 증가시킨다.

생리적 반응에 기초해야 하며 호흡을 주의 깊게 감시하면서 적절히 재조정해야 한다. 만족할 만한 산소 포화도가 달성되는 가장 낮은 흡입 산소 농도를 사용함으로써 산소의 독성을 최소화한다. 대개 PaO_2 60 mmHg, 산소 포화도 90% 정도 유지를 목표로 한다.

일반적으로 인공호흡기를 사용하는 환자, 특히 주기적인 한숨이 소실되고 횡격막 운동이 저하된 환자에서 미세허탈(microatelectasis)이 발생한다고 알려지면서 통상 일회호흡량을 정상의 2배 정도인 10~15 mL/kg로 설정하였다. 그러나 호흡 부전 환자에서 예후가 호전되지 않을 뿐만 아니라 용적 손상(volutrauma)에 의한 폐손상이 지속되어 최근에는 일회호흡량을 5~7 mL/kg로 낮게 적용한다(그림 3-18). 왜냐하면 일정한 일회호흡량을 주더라도 폐손상 환자에서 정상적인 폐포로 전달되는 압력과 용적이 비균등하게 과다 공급되어 폐포가 과다신장(alveolar overdistension)되며, 또한 반복적으로 폐포가 개폐되는 과정에서 이차적으로 혈관 및 폐 조직 손상에 의한 염증물질의 유출로 인

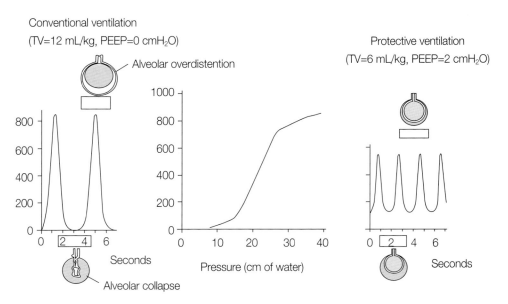

그림 3-18. 급성호흡곤란증후군 환자의 호흡 압력-용적 곡선과 고식적 환기요법 및 보존적 환기요법의 효과. TV: tital volume, PEEP: positive end-expiratory pressure

해 폐 손상이 더 진행하기 때문이다.

그러나 용적 손상을 피하기 위해 설정한 적은 양의 일회호흡량으로는 불가피하게 $PaCO_2$가 증가하기 때문에 허용 가능 고탄산혈증(permissive hypercapnea)이라는 개념이 생겼다. 즉 적은 양의 일회호흡량을 적용할 경우 기계적 환기요법에 의한 폐손상을 줄일 수 있어 생존율을 호전시키는 반면 고탄산혈증이 유발될 수 있지만 pH 7.2 이하로 산성화가 심하게 진행하지 않는다면 적절히 조절할 수 있기 때문에 이를 허용하는 방식으로 적용한다.

호흡 빈도는 호흡기 환기 양식에 따라 다르다. 예를 들어 AC(assist-control ventilation)에서 도와주는 호흡 빈도는 자발 호흡 빈도보다 최소한 분당 4회 정도 적어야 하며, IMV(intermittent mandatory ventilation)에서는 환자의 자발 호흡에 따라 설정한다. 일반적으로 자발 호흡이 없을 때에는 생리적인 호흡수로 설정한다.

호흡기의 유발은 압력의 변화에 의한 경우가 많으나 유량이나 움직임을 감지하는 호흡기도 있다. 압력의 경우는 보통 민감도 -1~-2 cmH_2O로 조정한다.

흡기 대 호기의 비율은 생리적으로 호기시 저항이 더 높으므로 1 : 2 정도이나, 폐쇄성 폐질환은 호기시에 저항이 더 증가되어 호기성 시간 상수가 커지므로 흡기 대 호기의 비를 1 : 3~1 : 4로 하는 경우도 있다.

호흡기 설정에서 호기말 양압의 설정은 매우 중요하다. 생리적으로 정상인은 3~5 cmH_2O 정도의 호기말 양압이 걸리므로 기관 삽관시에는 이러한 정도의 생리적인 호기말 양압을 적용한다. 호기말 양압은 또한 폐의 용적을 증가시켜 폐 내 단락을 감소시킬 뿐만 아니라, 압력-용적 곡선에서 보다 순응도가 높은 부위에서 호흡하게 함으로써 호흡일을 감소시킨다. 또 기도 폐쇄가 있거나 내인성 자가 호기말 양압(auto-PEEP)이 걸려 있어 호흡기의 유발이 어려운 경우에 외부에서 걸어주는 호기말 양압은 이를 도와준다.

마. 급성호흡곤란증후군 환자에서 인공호흡기 치료 원칙

급성호흡곤란증후군에서 인공호흡기 치료의 원칙

은 다음과 같고 그림 3-18에 고식적 환기요법 및 보조적 환기요법의 효과를 비교하여 도식화하였다.

1) 최소의 흡기산소분율(FiO₂)로서 다른 장기의 기능을 손상하지 않도록 적절한 산소화를 유지한다. 이때 PaO_2나 SaO_2의 값이 중요한 것이 아니라 조직의 산소화가 중요하므로 이를 극대화할 수 있도록 해야 한다. 조직으로의 산소전달량은 총산소량 × 심박출량 이므로 심폐간의 상호작용을 잘 이해하여 호기말 양압치나 다른 호흡기 설정을 결정해야 한다.

2) 정상 폐부위의 손상을 최소화하고 폐쇄된 폐포들을 가스교환에 동원해야 한다. 첫째, 정상폐포의 과확장 방지를 해야 하며, 이를 위해 최대 흡기압을 높은 굴곡점보다 낮게 30~35 cmH₂O 로 설정하며, 일회호흡량을 4~8 mL/kg 정도로 설정한다.

3) 허탈된 폐포를 최대로 재동원할 수 있어야 한다. 호기말양압(positive end expiratory pressure, PEEP)은 허탈된 폐포를 복원시키는 수단으로 이용되고 있지만, 충분한 폐포 복원이 일어나지 않는 상태에서 호기말양압을 적용하는 것은 폐포의 과팽창과 압력 손상을 초래할 수 있다. 최근 보존적 인공환기요법으로 인한 폐손상을 최소화하고 저산소혈증을 개선시키기 위한 방법으로, 허탈된 폐포를 일단 개방시키고 개방된 상태를 유지하는 폐포 복원술이 시도되고 있다. 이를 위해 급성 폐부전증의 초기 3~4일 내에 폐포 재동원법을 시도해야하며, 이를 위해 호기말 양압을 낮은 굴곡점보다 높게 적용하고(그림 3-19), 복와위 환기 방법 시도 및 한숨(extended sigh) 등을 시도하여 최대한의 폐포를 재동원해야 한다(그림 3-20, 표 3-6). 급성 호흡부전증의 병기에 따라 조직의 변화 양상이 다르므로 초기(부종기)에는 호기말 양압을 다소 높게 적용하고, 말기(섬유증식기)에는 호기말 양압을 낮게 유지한다.

1) 보조적 방법

가) 복와위: 급성 호흡부전증 환자들의 폐를 앙와위에서 단층촬영하면 폐포병변이 균질하지 않고 배부측

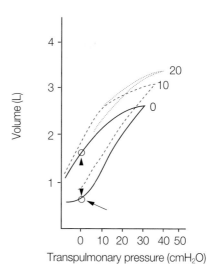

그림 3-19. 급성호흡곤란증후군 두 환자의 0, 10과 20 cmH₂O 호기말 압력의 정적 압력-용적 곡선

의 폐포허탈이 복부측보다 더 심하게 나타난다. 폐포허탈의 정도가 병변의 위치에 따라 다른 폐포를 동원하기 위해서는 호기말양압을 폐포의 이환정도에 따라 필요한 만큼만 국소적으로 각각 적용하는 것이 과다한 압력에 의해 초래되는 이차적인 생리적 손상을 줄이면서 가스교환을 호전시킬 수 있는 이상적인 환기 방법일 것이나 이는 불가능하다. 급성 호흡부전증 환자에서 관찰되는 폐침윤은 체위에 따라 다소 변동될 수 있고, 앙와위 대신 복와위 상태로 뒤집어 환기를 시키면 허탈되었던 배부의 폐포들이 재동원되면서 그 부위의 환기가 개선되고 이로 인해 단락이 감소되어 산소화가 개선되는 것으로 추정된다. 호기말양압이 15 cmH₂O 이고 FiO₂가 0.6 이상인데도 PaO_2 60 mmHg 이하 혹은 SaO_2 90% 미만일 경우에는 복와위에서의 환기를 고려해볼 수 있다.

나) 액체환기법: 액체환기법은 폐내 주입한 과불화탄소를 매개로 하여 가스교환을 시행하는 환기법이다. 과불화탄소는 신체내에서 대사되지 않고 표면장력이 낮으며 다량의 기체를 용해할 수 있는 특성이 있다. 혈장의 산소용해도가 3 volume %인데 반해 과불화탄소는 산소용해도가 50 volume %, 이산화탄소는

산소에 비해 4배 더 잘 용해된다. 임상적 적용은 신생아호흡곤란증후군에서 임상소견을 호전시겼고, 급성호흡부전증 환자에서도 도움이 될 수 있다.

다) 산화질소: 산화질소는 기도확장 작용과 강력한 폐혈관 확장작용을 가지고 있다. 기도내로 산화질소를 흡입시키면 환기가 좋은 폐포들에 분포하는 폐혈관의 확장을 유도하게 되므로 환기/관류 비가 향상되고 폐단락의 감소를 기대할 수 있다.

2) 폐손상을 최소화하기 위한 전략

인공 호흡기 사용 중 폐손상을 최소화 하기 위한 전략으로는 정상폐포의 과확장을 방지하기 위하여 최대흡기압을 <30~35 cm H_2O 미만으로 유지하는 것, 적은 량의 평상 용적(tidal volume): 6 mL/kg을 사용하는 것 등이 있으며, 호기말에 폐포의 폐쇄 방지를 위하여 호기말양압을 적어도 낮은 굴곡점보다 높게 유지하는 것 등이 있다.

바. 호흡기 이탈

환기 보조로 인한 부작용의 발생을 감소시키기 위해 호흡기 보조의 중단 시기를 결정하는 것은 중요하다. 빠르면 심한 심폐 부전이 초래될 수 있고 늦으면 호흡기와 연관된 합병증의 위험이 증가한다. 이를 위해 기계환기에서 이탈할 수 있는 좋은 지표를 설정하는 것이 중요하다. 일반적으로 1) 기계환기를 시행하게 된 원인에서 회복되었는지를 고려하고, 2) FiO_2 0.4 또는 0.5 이하, 호기말 양압 5~8 cmH_2O 이하, pH 7.25 이상이며 PaO_2가 60mmHg 이상 유지될 수 있으며, 3) 심폐기능이 안정 상태를 유지하고, 4) 환자 스스로 흡입 노력이 있을 경우에 이탈과정을 진행할 수 있다. 이탈 가능한 시점을 조기에 파악하기 위해 여러 종류의 이탈 지표를 적용하고 있지만, 완전한 방법은 없으며 흔히 쉽게 rapid shallow breathing index 같은 이탈 지표를 이용하여 평가한다. 호흡기를 이탈하는 방법으로는 T-튜브를 통한 자발 호흡, 지속적 기도양압법

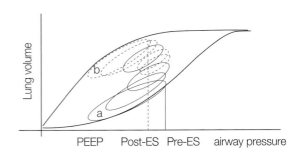

그림 3-20. Extended sigh(ES) 방법

표 3-6. 폐포 재동원에 사용하는 방법

Increased positive end-expiratory pressure
Sustained inflation
Pressure control ventilation
Sigh
Incremental PEEP - Extended sigh
High-frequency oscillatory ventilation
Prone position
Spontaneous breathing
Biologically variable ventilation

(CPAP), 간헐적 강제 환기의 횟수를 점차 감소시키는 방법, 압력 보조 환기 방법(PSV) 등이 있으며 어느 방법이 적절한지는 환자의 상태와 치료자의 경험에 의해 선택될 수 있다. 일반적으로는 한번 또는 여러 번 약 2시간 정도의 T-튜브를 통한 호흡을 통하여 잘 견딜 수 있는 경우는 이탈이 가능할 기회가 높다고 판단된다.

사. 인공 환기 치료에 의한 합병증

인공 환기를 하는 과정에서 여러 가지 합병증이 발생할 수 있는데, 가장 주의해야 할 부분은 역시 용적손상(volutrauma) 또는 압력손상(barotrauma)으로서 급성호흡부전증에 빠진 폐는 균질한 상태에 있지 못하고 부분적으로 폐허탈에 빠진 부분은 지속적으로 팽

창이 일어나지 않게 되고 정상적인 폐포는 일정한 용적을 주입하게 되는 경우라도 폐포는 과팽창을 이루게 되며, 폐포의 과팽창에 의해 폐포막과 폐혈관의 손상에 의한 혈관내피세포의 투과성 증가와 함께 과환기에 의한 계면활성제의 이상 및 폐포의 표면장력의 증가로 인한 미세혈관 누출에 의해 폐 조직 손상이 진행될 수 있다. 이러한 압력손상은 최대 흡기압이 과다하여 유발되는 것으로 여겨 졌으나 동물실험에서 높은 기도압을 적용하더라도 일회호흡량을 제한하면 폐손상이 발생하지 않아 기도압의 높고 낮음보다는 폐의 과팽창이 더 큰 요인으로 알려져 있다. 이로 인해 폐기종, 종격동 기종, 피하 기종 및 심외막 기종 및 폐부종 등이 유발된다. 또한 고농도의 산소 공급에 의한 산소 독성이 발생할 수 있으며, 그 기전으로는 미세혈관의 누출과 계면활성제의 비활성화, 인공환기 손상에 더 민감하게 되거나 섬모의 운동 장애를 유발할 수 있다. 그 한계농도가 어느 정도인지 개인에 따라 많은 차이가 있으나 일반적으로 50% 이하의 산소로 유지하려는 노력이 필요하다. 그리고 인공환기를 하는 동안에 환자에게 진정과 마취를 하거나 여러 가지 시술에 의한 역류 등에 의해 병원성 폐렴이 발생하기 쉬워 이로 인한 사망률과 이환율이 높아 주의를 요한다. 인공환기의 설정이 높은 경우 심혈관 기능의 억제로 인해 저혈압이 유발될 수 있어 이에 대한 관심이 요구되고, 호흡근 마비를 유도하는 약제의 사용에 의한 호흡근육 위축에 의해 인공호흡기 이탈에 장애를 유발할 수 있으며, 위궤양, 황달, 심부정맥 혈전증 등이 발생할 수 있다.

아. 천식 환자에서 인공호흡기 치료

모든 천식환자들은 갑자기 폐기능이 악화될 수 있는 위험이 있으며, 천식의 악화시 가벼운 증상부터 호흡부전까지 정도가 다양하다. 실제로 심한 천식발작으로 입원하여 지속적인 치료를 필요로 하는 경우를 "천식지속상태(status asthmaticus)" 라고 하며 경우에 따라서는 생명이 위험할 수도 있다.

천식의 유병률이 증가함에 따라 중환자실에 입원할 정도의 호흡부전의 빈도도 증가하고 있다. 병원 입원 환자의 천식 사망률은 약 1~4%로 추정되며, 중환자실에서 기도삽관을 한 환자에서 천식의 사망률은 약 13.4% 정도로 추정된다.

중환자실에 입원할 정도의 심각한 천식환자를 결정하는 병력상의 위험요소 및 호흡부전 직전의 진찰소견과 객관적인 지표는 표 3-7과 같다. 특히 기도삽관이나 기계환기요법을 받아야 할 정도의 심한 천식악화의 병력이 향후 천식으로 인한 사망의 가장 위험한 지표이다.

표 3-7. 위중한 청소년 천식 환자의 징후 및 위험인자

Historical risk factors for intensive care unit admission
    Prior intubation
    Prior hypercapnia
    Prior barotrauma (pneumomediastinum and pneumothorax)
    Previous hospitalizations
    Pharmacologic noncompliance
    Underlying psychologic disorder
Physical signs of impending respiratory failure
    Respiratory rate > 30 breaths/min
    Heart rate > 120 bpm
    Pulsus paradoxus > 12 mmHg
    Inability to speak full sentences
    Accessory respiratory muscle use
    Altered mental status
    Inability to lie supine
    A quiet chest on auscultation with minimal air movement
Objective measurements of impending respiratory failure
    Peak expiratory flow rate = 120~150 L/min (30% to 50% of predicted)
    Forced expiratory volume in 1 second of 1 L (30% to 50% of predicted)
    $PaCO_2 > 40$ mmHg (occurs when forced expiratory flow rate in 1 second $< 25\%$ of predicted)
    Less than 10% improvement in peak expiratory flow rate with initial bronchodilator therapy

1) 병태생리

심한 천식환자의 기도에서 흔히 발견되는 점액전은 세포침윤, 기도점막 및 점막하 부종 및 기도 평활근의 수축과 함께 흡기 및 호기시 기도저항을 증가시키는 요인이 된다.

이러한 조직학적 변화로 인해 폐 환기-관류의 불균형을 이루고, alvelar-arterial difference for the partial pressure of oxygen(AaDO$_2$)의 차이를 유도한다. 작은 기도의 폐색은 폐포의 과팽창을 유도하고 이 결과로 국소적인 혈류를 감소시킨다. 폐 혈류가 적은 곳으로의 환기는 생리적인 사강(dead space)을 증가시킨다.

기도 저항이 증가하면 호흡일(work of breathing)이 갑자기 증가한다. 정상적인 호흡시 5 cmH$_2$O 정도인 transpulmonary pressure가 천식 발작동안 흡기시 50 cmH$_2$O 까지 증가할 수 있다. 또한 호기시 좁아진 기도를 통한 호기과정에 능동적인 노력이 필요하게 된다. 비교적 호기시 일이 적음에도 불구하고, 호기시간이 길어지고 다음 흡기가 시작되어 폐포에서 공기 배출이 완전히 되지 않아 점차적으로 역동적 폐 과팽창 상태를 이루게 된다(그림 3-21). 이러한 상태가 되면 작은 폐용적일 때보다 더 큰 호기량을 유지하지만, 흡기시에 호흡 근육 수축시 휴식기가 짧아지기 때문에 기계적으로 불리한 여건에 놓인다. 불완전한 폐포 공기 배출의 결과로 호기말에도 폐포압이 양압을 유지하여 intrinsic PEEP(PEEPi)이 발생하고, 흡기시 호흡일이 증가하게 된다.

동시에 흉강내압이 증가하여 전신정맥환류가 감소하고, 흡기시 흉강내압이 큰 음압으로 형성되어 좌심실의 후부하가 증가하여 수축기 혈류공급에 장애가 발생하며, 폐의 과다 팽창으로 인하여 폐동맥압이 증가하여 우심실의 후부하도 증가한다. 이런 여러 요소들이 합해져서 좌심실의 일회박출량과 수축기 혈압이 감소하게 되어 "기이맥(pulsus paradoxus)"을 유발한다. 심한 천식에서 기이맥이 10 mmHg 이상인 경우 FEV$_1$이 1L 이하를 나타낸다.

과팽창이 폐의 유순도를 감소시키고, PEEPi을 증가하여 흡기시 호흡근육에 과다한 일을 유발하고, 횡경막의 혈류를 감소시킨다.

대부분의 천식발작동안 환자는 이런 상황을 보충하기 위해 분당환기량을 증가시키고, 혈중 저탄산혈증 상태를 유지하게 된다. 그러나 정상 또는 증가된 동맥혈 탄산혈증 소견을 보이는 경우 환자가 호흡부전 일보직전임을 시사한다.

2) 기계환기요법

가) 기계환기요법의 원칙

환기요법의 필요성은 역동적 과팽창의 정도와 관계가 있다. 기도저항이 증가하여 호기가 길어지기 때문에 흡입한 일회호흡량의 호기는 다음 호흡주기의 흡기에 의해 방해된다. 정상 호흡시의 폐용적이 증가함에 따라, 폐의 탄성반도와 작은 기도의 직경이 증가하고 호기유량이 증가한다.

심한 폐색이 있는 경우 흡기시 관계하는 근육의 비효율, 폐 순응도 감소, 기도내 흡기말 양압 등이 관여하여 나쁘게 작용한다. 아주 심한 폐색이 있는 경우는 과팽창이 환자의 최대흡입시 폐용적을 증가할 수 있으며, 자발 호흡동안 흡기시 작용하는 근육은 최대흡입시 폐용적을 초과하는 최대 폐용적을 달성할 수 없다. 이런 경우에 기계환기가 흡기시 작용하는 근육의 일을 대신할 수 있다. 흡기말 폐용적이 최대흡입시 폐용적보다 큰 경우는 양압환기에서만 가능하지만, 압력손상과 저혈압의 위험이 증가한다.

기계환기요법 중에 역동적 과팽창의 정도를 결정하는 요소로는 흡입시 일회호흡량, 호흡수, 호기시간, 기도폐색의 정도 등이 관여한다. 역동적 과팽창을 최소화하는 환기요법의 원칙은 흡기시 유량을 증가시키고 호흡수를 감소하여 적은 일회호흡량과 최대한의 호기시간을 유지하는 것이다.

나) 인공환기요법

i) 기관 삽관

환자가 무호흡이거나 심한 저호흡상태이면 기관 삽

관의 결정이 쉬우나 환자가 의식이 있으면서 숨을 쉬려고 노력하는 상황에서는 기관 삽관의 시점을 결정하기에 어려움이 있다. 대개 심한 호흡곤란의 기준으로 호흡성 산증(PaCO$_2$>55 mmHg, pH<7.28) 또는 적절히 치료하는데도 불구하고 혈중 이산화탄소 농도가 증가하는 경우가 환기요법을 필요로 하는 시점이지만, 기관 삽관을 결정하는 중요 요소는 환자의 전신 상태인데 지쳐 보이는 환자와 호흡수 및 흡기노력이 감소하는 경우, 말하는 것이 힘들어 지는 경우, 의식이 감소하는 경우 등이 이에 해당한다. 기관 삽관은 구강을 통한 기관내 삽관을 선호하며, 가능하면 큰 크기의 튜브를 사용한다. 삽입시 후두경축과 기도수축이 악화될 수 있어 국소마취 또는 atropine을 이용하면 도움이 된다.

ii) 진정과 마취

효과적인 진정이 기관 삽관과 기계환기요법시 도움이 된다. 진정효과는 산소소모(VO$_2$)와 이산화탄소 생산을 감소시켜 호흡일을 감소시킨다. 기관 삽관시 흔히 사용하는 방법으로 midazolam과 succinylcholine을 같이 사용하며, 인공호흡기 사용중에는 lorazepam과 haloperidol을 사용할 수 있다(표 3-8). 특히 천식지속상태(status asthmaticus) 환자에서는 기관지 확장

효과가 있는 ketamine(1~2 mg/kg, 정맥주사)을 사용하여 호흡억제 없이 충분한 마취효과를 얻을 수 있다.

기계 환기 요법 중에 마취는 vecuronium과 atracurium 같은 non-depolarizing 제재가 흔히 선택되며, acuronium은 고용량에서 히스타민을 유리할 수 있고, 신경근육차단제의 사용으로 인하여 정맥내 혈전증 및 intensive care unit myopathy가 발생할 수 있다. 특히 myopathy는 천식환자에서 고용량 스테로이드를 사용하는 경우 더 흔히 발생할 수 있어 주의를 필요로 한다.

iii) 초기의 인공호흡기 조절

기계환기요법의 목적은 적절한 환기를 유지하여 혈중 산소농도를 유지하면서 기계환기요법으로 인한 압력손상을 최소화하는 것이다.

일반적인 기계환기요법에서 혈중 이산화탄소 농도를 정상화시키는 것이 중요하지만 천식지속상태 환자에서는 혈중 이산화탄소 농도를 정상으로 유지하기 위해 압력을 높이거나 호흡수를 늘리면 압력손상의 위험이 증가한다. 천식환자에서 기계환기시 압력손상의 빈도는 10%에서 30%정도이다.

압력손상의 위험을 줄이기 위해 적용하는 "permissive hypercapnea"의 개념은 흡기시 평상 용

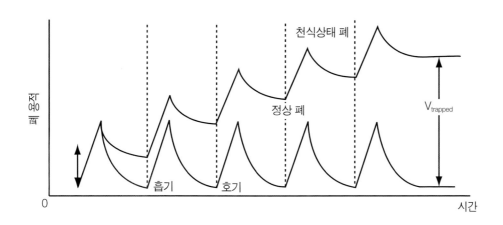

그림 3-21. 심한 기도 폐쇄에서 역동적 과팽창 상태를 이루는 기전. V$_{trapped}$: trapped volume

표 3-8. 천식지속상태 환자에서 사용 가능한 진정제

Agent	Dose	Cautions
Peri-intubation period		
Midazolam	1 mg IV slow push. Repeat every hypotension 2~3 min as needed	Respiratory depression Sympathomimetic effects
Ketamine	1~2 mg/kg IV at rate 0.5 mg/kg/min	Respiratory depression Mood changes Delirium
Propofol	60~80 mg/min IV initial infusion up to 2.0 mg/kg followed by an infusion of 5~10 mg/kg/h as needed	Respiratory depression
Sedation for protracted mechanical ventilation		
Lorazepam	1~5 mg/h IV continuous infusion or IV bolus prn	Drug accumulation
Morphine sulphate	1~5 mg/h IV continuous infusion: avoid bolus	Ileus
Ketamine	0.1~0.5 mg/min IV	Sympathomimetic effects Delirium
Propofol	1~4.5 mg/kg/h IV Hyperlipidemia	Seizures

적 (6~10 mL/kg)과 분당환기량 (8~10 L/min)을 줄여 혈중 이산화탄소 농도가 높더라도 이를 허용한다는 개념으로 이를 적용함으로써 기계환기를 시행할 때 부작용을 낮출 수 있다(표 3-9).

흡입시 유량을 증가시켜(100 L/min) 흡기 시간을 줄여 호기시간을 길게 유지하며, 저산소증은 흡입가스의 산소분압(FiO_2)을 증가시켜 유지한다.

기계환기요법 초기에 저혈압이 유발될 수 있어 crystalloid를 주사하여(0.5~1 L 정맥주사/20분) 혈류량을 유지하는 것이 중요하며, 기계환기 동안에도 적극적인 천식에 대한 치료를 시행하여야 한다.

iv) 기계환기요법

분당환기량을 작게 하면 호흡성 산증이 초래되지만, 뇌압이 상승된 경우를 제외하고는 이산화탄소 증가로 인한 호흡성 산증은 대체로 잘 견딜 수 있다.

흡기때에 plateau pressure와 PEEP이 역동적 과팽창을 가장 잘 반영하며, 특히 압력손상의 위험은 기계환기시 최대압력보다는 흡기말 폐용적과 직접적으로 관련이 있다. 그리고 역동적 과팽창의 직접적인 지표는 혈액순환 반응과 흡기말 폐용적이며, 이것들은 측정하기 쉽지 않다. 흡기말 폐용적이 20 mL/kg 이상인 경우 저혈압과 압력손상의 위험이 높다. 그래서 이 정도의 용량내에서 기계환기요법을 적용하는 것을 추천한다.

4. 중환자 관리

가. 기관절개술

기관절개술(tracheostomy)은 장기간의 기계호흡의 유지 혹은 상부기도 폐쇄를 해결하기 위해서 오래전부터 시행되어온 술기이다. 그 동안의 보고에서 기관절개술의 누적 사망률이 8~27%로 보고되었고 합병증과 위험도에 대한 인식이 커져서 의료인 및 간호인에 대한 교육이 중요하게 되었다. 기관절개술 용어를 정리하면 임시 기관절개술은 일정 기간 사용 후 제거하는 경우를 말하며 급성 기관절개술은 60일 이내로 관을 위치하여 사용하는 경우, 만성 기관절개술은 60일 이상 관을 위치하여 사용하는 경우를 말한다. 성인의 경우 7~14일간의 기계호흡 후에 기관절개술을 시행하는 것과는 달리 대부분의 소아중환자실에서는 길게는 2개월까지 기관절개술을 연기하는 경우가 많다.

1) 기관절개술의 적응증

기관절개술은 장기간의 기계호흡을 수행하기 위한 경우(30%), 기도폐쇄(70%), 사강(dead space)를 줄이기 위한 목적(1% 이하)으로 시행한다. 과거에는 호흡계의 과도한 분비물을 제거하기위한 목적으로도 시행되었으나 지금은 적응증이 되지 못한다.

2) 기관절개술 관리의 문제점

작은 기관절개 관은 끈적끈적해진 호흡계 분비물로 인해 쉽게 막힐 수 있다. 따라서 적정 가습과 적절한 흡인이 필수적이다. 기관절개한 영아의 경우는 식염수 점적과 흡인을 매 2시간 마다 시행해야 하고 반면에 청소년의 경우 기침을 통한 분비물의 배출이 비교적 용이하므로 이보다는 덜 자주 흡인해주어도 된다. 기관절개술은 필요에 의한 우회수단이므로 비인두의 정상적인 호흡기 보호기능이 상실된 상태이다. 예를 들면 미세입자의 여과, 가습기능, 흡입하는 공기의 가온, 그리고 비인두의 림프조직에 의한 세포매개성 혹은 체액성 면역 등이 결여된 상태이다. 만일 기관절개 상태에서 퇴원하게 된다면 환자의 간호인에게 정기적

표 3-9. 청소년 천식지속상태 환자에서 초기 인공호흡기 설정

Setting	Recommendation
Respiratory rate	0~15 breaths/min
Tidal volume	8~10 mL/kg
Minute ventilation	8~10 L/min
PEEP	0 cm H_2O
Inspiratory flow	$\geq$ 100 L/min
I:E ratio	$\geq$ 1:3
FiO_2	1.0

인 위생관리와 흡인 방법에 대해 적절한 교육을 시켜야 하고 급성의 응급상황과 그보다는 덜 위중한 급성 혹은 만성의 문제들에 대해서 주지시켜야 한다.

가) 생명을 위협하는 응급상황

① 기관절개 관 이탈: 기관절개 상태의 많은 소아들은 잠깐 동안이지만 기관절개 구(stoma) 혹은 원래의 기도를 통해 호흡을 할 수 있다. 기관절개 관 이탈의 증상과 징후는 대부분 기도폐쇄의 증상으로 호흡기류의 감소, 천음, 호흡노력의 증가 그리고 다양한 정도의 청색증과 때로는 서맥 등인데, 이들이 관찰되면 이탈된 기관절개 관을 즉시 다시 삽입해야 한다. 대개의 경우 재삽입을 쉽게 할 수 있으나 때로 어려운 경우도 있다. 특히 이탈의 시점이 경과한 경우에 재삽입이 어려울 수 있다. 이런 상황에서는 끝이 뭉툭한 비위 영양관에 윤활제를 발라 이를 탐침으로 하여 기관절개 구를 통하여 삽입하고 이어서 조금씩 큰 관을 이용하여 넓힌 다음에 이를 안내선으로 하여 기관절개 관을 삽입한다(Seldinger technique).

② 기관절개 관 폐쇄: 폐쇄된 관이 식염수 점적과 흡인으로 깨끗해지지 않고 흡인관이 폐쇄 부위로 통과되지 않으면 기관절개 관을 교체해야 한다.

③ 기관절개 관을 통한 대량 출혈: 흔하지 않은 합병증으로 기관절개 관에 의한 미란으로 무명동맥과 누공이 생기는 경우이다. 기관절개 관이 점차 금속재질에서 보다 부드러운 합성수지로 바뀌면서 발생빈도가 줄어들고 있다.

④ 기관절개 관을 통한 심각한 감염: 흔히 기도 흡인에 의해 1차성 혹은 2차성으로 발생한다. 공조장치, 흡인기구 그리고 기계호흡 장비 등을 통한 *Legionella pneumoniae* 감염에 의한 급속하게 진행하는 치명적인 폐렴이 보고되고 있다.

나) 급성 합병증

① 감염(화농성 기관지염, 기관절개 구 감염 등): 화농성 기관지염은 가장 흔한 급성 합병증으로 간호인

에 대해 기관 분비물의 냄새, 색 그리고 양에 대해 보고하고 조기에 치료하도록 교육해야 한다. 대개의 경우 경험적 항생제로 치료되며 심각한 하기도 감염으로의 진행은 상대적으로 적다. 분비물에 대한 배양검사에서 발견되는 *Pseudomonas*는 대개의 경우 치료를 필요로 하지 않으나 환자가 심각한 폐질환을 앓고 있는 경우는 치료의 대상이 될 수 있다.

② 피부 미란: 기관절개술에서 고정매듭에 의한 경우 피부 뿐 아니라 하부의 근육층까지 문제가 생기는 경우가 있으며 이 경우 치료가 힘들 수 있다. 예방법으로는 기관절개 고정매듭에 대한 세심한 주의가 가장 중요하다. 매듭은 너무 꼭 끼지 않도록 간호인에게 계속 주의를 환기시켜야 한다. 목의 측면에서 어른 손가락 하나가 들어갈 정도가 적당하다.

③ 출혈: 기관절개 관으로부터의 경미한 출혈은 드물지 않다. 대개의 경우 바이러스 혹은 세균감염과 연관이 있다. 출혈은 기관절개 구에 육아조직 혹은 과도한 흡인이 이루어졌음을 의미한다. 이러한 경우는 대개의 경우 자연히 혹은 감염이 의심되는 경우 항생제 사용으로 비교적 쉽게 지혈된다.

④ 부분 폐쇄: 기관절개 환자에서 천명이 들리는 경우 바이러스 감염의 증거가 없거나 반응성 기도 질환의 병력이 없는 경우 끈끈해진 분비물에 의한 부분 폐쇄를 의심해 보아야 한다.

다) 만성 합병증

재발성 장액성 중이염과 이와 연관된 청력장애, 구음장애, 기관 및 기관지 협착 등이 만성 합병증으로 발생할 수 있다. 흡인 도관에 의한 기관 및 기관지에 대한 손상에 이차적으로 발생하는 협착은 매우 해결하기 어려운 문제이므로 예방에 힘써야 한다. 깊게 흡인 도관을 넣는 조작을 삼가고 간호인에 대해 기관절개 관 끝으로부터 0.5~1 cm 이내의 범위에서 흡인하도록 교육한다. 흡인 손상에 의한 육아종은 우측 주기관지 입구에 잘 생기고 기관지폐쇄, 이차 감염, 그리고 종종 기관지 확장증을 일으키기도 한다.

라) 기관절개 관의 선택

소아 기관절개 관은 여러 가지 형태가 있어서 외경과 내경으로 표시된 크기, 관의 길이, 만곡도, 내부 삽입관의 존재유무, 소매의 존재유무, 날개의 존재유무, 관의 재질(은, 스테인리스, PVC, 혹은 실라스틱) 등에 의해 구분된다. 그러나 일부의 환자는 해부학적 구조, 성장 변화에 의해 특별히 맞추어진 관이 필요한 경우도 있다.

마) 기관절개 관 이탈 계획

굴곡성 혹은 경직성 기관지경 검사로 기도에 대한 평가가 이루어진 뒤 기관절개 관 이탈을 시도할 수 있다. 이탈은 단계적으로 기관절개 관의 크기를 줄이거나 마개를 이용하여 간헐적으로 입구를 막아보는 방법으로 시도할 수 있다. 이탈의 실패는 천음과 함께 기도폐쇄가 일어나고 호흡운동이 커지고 심한 경우 산소포화도가 떨어지고 서맥이 오면서 알 수 있다. 조기 이탈실패는 종종 환자의 호흡기 분비를 제거하려 할 때 혹은 수유 후에 일어난다. 어떤 환자군에서는 깨어 있을 때는 잘 유지되다가 깊은 잠이 들면 심각한 기도 폐쇄가 일어나는 경우가 있다. 기관절개 관을 이탈한 환자는 이탈 후 최소한 5~7일간 잘 관찰하여야 하며 깊은 잠에서도 기도가 잘 유지되고 관 입구가 기능적으로 닫힌 것을 확인하여야 한다.

나. 집중치료실 환자의 평가

치료자들은 환자에 대한 질환의 객관적 평가가 갖는 잠재적 가치를 알고 있지만 소아 집중치료실에서는 어려운 기저질환이 다양한 증상을 나타내는 적은 수의 환자들을 다루게 되고, 각각의 환자들은 질병경과 중에 여러 장기의 문제가 파생하여 더욱 복잡해짐으로써 환자 군을 비교하기가 더욱 어렵다. 이론적으로 효과적인 중증도 평가(severity scoring)는 매우 유효한 도구로써 환자 군을 객관적인 방법으로 분류할 수 있게 한다. 이를 바탕으로 치료 계획이 수립되고 계통적 평가가 가능해 짐으로써 환자 군 또는 의료기관 간에 평가가 가능해지고 치료를 위해 동원되는 자원의 적정화가 가능해진다.

집중치료에서 사용되는 대부분의 평가체계는 성인 환자를 위해 고안되었고 생리학적 변수의 저하 정도를 수치화함으로써 질환의 심한 정도를 반영한다. 대개의 경우 특정한 결과, 즉 사망에 대한 예상 점수가 된다. 질환의 심각성을 점수화하는 방법은 아직 개발되어 있지 않으며 가족들과 환자의 예후를 논의하기에 도움이 될지라도 치료를 계속할지 여부를 결정하는데 사용되어서는 안 된다.

Pediatric risk of mortality score(PRISM)나 Glasgow coma scale(GCS) 같은 방법(표 3-10 A, B), 또는 집중치료 시 사용되는 거의 모든 평가체계는 환자의 사망예측에 중점을 두어 고안되었다. 이러한 것들이 사망의 가능성과 연관성을 추정할 수 있다고 하더라도 질환의 심각성을 측정할 수 없기 때문에 중증 질환에서조차 예후 예측을 위해서는 불완전한 방법이다.

신생아를 대상으로 한 연구에서는 clinical risk index for babies(CRIB)가 임신 주수와 몸무게 만큼이나 신경학적 발달 장애를 예상하는데 있어 유용하다는 것이 알려져 있다.

임상에서 평가체계를 적용하는 방법은 아래와 같다.

1) 손상평가

손상평가(injury scores)는 Glasgow coma scale과 이와 유사한 것으로 특정 임상상에 따른 평가체계가 여기에 해당한다.

2) 질환 중증도평가

질환 중증도평가(severity of illness scores)는 다양한 종류가 있으며 소아 집중치료에서는 PRISM (PRISM III 포함)이 가장 널리 알려져 있다. 이것은 집중치료시 첫 24시간 동안 측정되는 14가지(PRISM III에서는 17가지)의 생리학적 변수들을 이용한다. 각각의 변수들은 저하 정도에 따라 점수를 받게 되고 각각의 점수들은 합산된다. 점수의 합은 환자의 나이와 수술 상태와 같은 내적인 변수를 반영하기 위해 조정과정을 거친다. PRISM III는 현재 상업적으로 이용되어 구입할 수 있고, 서로 다른 의료기관들과의 비교를 가능하게 한다. PRISM III 보다 적용이 간단한 pediatric index of mortality(PIM)라는 평가체계도 소개되고 있다.

여러 질환의 중증도평가에는 많은 문제점들이 있는데, 첫째로 각각이 특정 환자 군 내에서 개발되어 특정환자 군에 대해서만 직접 적용이 가능하다는 것으로 다른 상황에서 그 척도를 사용하기 위해서는 더 세심한 확인을 필요로 한다. 두번째는 예상되는 결과가 사망과 같이 제한되어 있다는 것이다. 셋째로 정의를 좀 더 정확히 개선할 필요가 있다. 즉, 수집되는 변수들이 정확히 정의되어야한다.

3) 중재평가

가장 잘 알려진 중재평가(intervention scores)의 하나는 치료적 중재평가체계(therapeutic intervention scoring system, TISS)로 질환의 심각성과 시행된 의학적 시술의 횟수를 연관시키도록 고안되었다. 따라서 환자는 인공호흡기 치료, 수액로의 확보, 심근 수축촉진 약물의 투여 등에 따라 점수를 받게 된다. 이러한 점수는 임상적 목적 보다는 재정적인 목적을 위해 주로 사용된다.

4) 작업부하평가

작업부하평가(workload scores)는 환자가 필요로 하는 인적 지원의 양에 초점을 맞추어서 고안되었다. 이러한 체계의 예로 Grace Reynolds Adaptation of the System of Peto (GRASP)가 있다. 이러한 모든 방법들이 시간이 지남에 따라 점차 개선되어지고 있지만 각 방법들의 발생과 의도된 이용 목적을 아는 것이 적용할 수 있는 환자 군을 정확히 정의하는 데 중요하다.

표 3-10 A. Pediatric risk of mortality score (PRISM)

CARDIOVASCULAR-NEUROLOGIC VITAL SIGNS (Note 1-6)

Systolic Blood Pressure (mmHg)

	Score=3	Score=7
Neonate	45-55	<40
Infant	45-65	<45
Child	55-75	<55
Adolescent	65-85	<65

Temperature

	Score=3
All Ages	<33°C or >40.0°C

Mental Status*

		Score=5
All Ages	Stupor/Coma (GCS<8)	

Heart Rate (per minute)

	Score=3	Score=4
Neonate	215-225	>225
Infant	215-225	>225
Child	185-205	>205
Adolescent	145-155	>155

Pupillary Reflexes

	Score=7	Score=11
All Ages	One fixed	Both fixed one reactive

HEMATOLOGY TESTS(Note 1, 2)

White Blood Cell Count (cells/mm³)

	Score=4
All ages	<3,000

Platelet Count (cells/mm³)

	Score=2	Score=4	Score=5
All ages	100,000-200,000	50,000-99,999	<50,000

Prothrombin Time (PT) or Partial Thromboplastin Time (PTT) (seconds)

	Score=3
Neonate	PT>22.0 or PTT>85.0
All Other Ages	PT>22.0 or PTT>57.0

OTHER FACTORS(Note 10)

□nonoperative CV disease □chromosomal anomaly □cancer □previous PICU admission □Pre-ICU CPR □post-operative □acute diabetes (eg DKA) □admission from inpatient unit (exclude post-operative patients)

TOTAL PRISM III SCORE _____

ACID-BASE/BLOOD CASES(Note 1, 2, 7, 8)

Acidosis (Total CO_2, (mmol/L) or pH)

	Score=2	Score=6
All Ages	pH 7.0-7.28 or total CO_2 5-16.9	pH<7.0 or total CO_2<5

pH

	Score=2	Score=3
All Ages	7.48-7.55	>7.55

PCO_2 (mmHg)

	Score=1	Score=3
All Ages	50.0-75.0	>75.0

Total CO_2(mmol/L)

	Score=4
All Ages	>34.0

PaO_2 (mmHg)

	Score=3	Score=6
All Ages	42.0-49.9	<42.0

CHEMISTRY TESTS(Note 1,2,9)

Glucose

	Score=2
All Ages	>200 mg/dL or >11.0 mmol/L

Potassium (mmol/L)

	Score=3
All Ages	>6.9

Creatinine

	Score=2
Neonate	>0.85 mg/dL or >75 μmol/L
Infant	>0.90 mg/dL or >80 μmol/L
Chinld	>0.90 mg/dL or >80 μmol/L
Adolescent	>1.30 mg/dL or >115 μmol/L

Blood Urea Nitrogen (BUN)

	Score=3
Neonate	>11.9 mg/dL or >4.3 mmol/L
All Other Ages	>14.9 mgdL or >5.4 mmol.

Notes:

1. PRISM III mortality risk equations are available for the first 12 hours and the first 24 hours of PICU care.
2. General: Use the highest and/or the lowest values for scoring. When there are both low and high ranges, Readmissions are included as separate patients. Exclude admissions routinely cared for in other hospital locations, staying in the PICU <2 hours; and those admitted in continuous CPR who do not achieve stable vital signs for ≥ 2 hours. Deaths occurring in the OR are included with CPR if the operation occurred during the PICU stay and was therapy for the illness requiring PICU care. Terminally ill patients transferred from the PICU for "comfort care" are included as PICU patients for the 24 hours following PICU discharge or, if receiving technologic support, until 24 hours after the technologic support is discontinued. Ages: Neonate=0-<1 month; Infant=>1 month-12 months; Child=≥12 months-144 months; Adolescent >144 months.
3. Heart Rate: Do not assess during crying or iatrogenic agitation.
4. Temperature: Use rectal, oral, blood, or axillary temperatures.
5. Pupillary Reflexes: Nonreactive pupils must be >3mm. Do not assess after iatrogenic pupillary dilatation.
6. Mental status: Include only patients with known or suspected acute CNS disease. Do not assess within 2 hours of sedation, paralysis, or anesthesia. If there is constant paralysis and/or sedation, use the time period without sedation, paralysis, or anethesia closest to the PICU admission for scoring. Stupor/coma is defined as GCS score <8 or stupor/coma using other mental status scales.
7. Acid-Base: Use calculated bicarbonate values from blood gases only if total CO_2 is not measured routinely. pH and PCO_2 may be measured from arterial, capillary, or venous sites.
8. PaO_2: Use arterial measurements only.
9. Whole Blood Corrections: Whole blood measurements should be increased as follows: glucose-10%; sodium-3 mmol/L, potassium-0.4 mmol/L. (Pediatric Reference Ranges. Soldin SJ, Hicks JM cds. AACC Press, Washington, D.C., 1995).
10. Nonoperative CV disease includes acute cardiac and vascular conditions as the primary reasons for admission. Cancer and chromosomal anomalies are acute or chronic. Previous PICU admission and pre-PICU CPR refer to the current hospital admission. CPR requires cardiac massage. Post-operative is the initial 24 hours following OR surgical procedure. Catheterizations are not post-operative. Acute diabetes includes acute manifestation of diabetes(e,g,DKA) as the primary reason for PICU admission. Admission from routine cate area includes all inpatient locations except the operating or recovery rooms.

(http://www.sfar.org/scores2/prism2.html에서 점수화 할 수 있다.)

*표 3-10B GCS 참조.

표 3-10 B. Glasgow coma scale (GCS)

항목	점수
Eye opening (E)	
Spontaneous	4
Responds to speech	3
Responds to pain	2
None	1
Motor response (M)	
Obeys commands	6
Localizes pain	5
Withdraws	4
Flexion to pain	3
Extension to pain	2
None	1
Verbal response (V)	
Oriented (또는 정상적 smile)	5
Confused conversation (또는 cry)	4
Inappropriate words (또는 inappropriate crying)	3
Incomprehensive sounds (또는 grunts)	2
None	1

( ) 안은 영아인 경우

다. 기계 환기와 연관된 합병증

기계 환기는 각종 장기에 여러가지로 영향을 주며 사용되는 치료장비에 의한 부작용, 수기 미숙으로 인한 우발적 합병증, 양압환기법 자체에 의한 부작용 등 매우 다양하다.

1) 기도손상

경비 기관내 삽관에서 비익에, 경구 기관내 삽관때 입주위에 압괴사가 생길 수 있으며 튜브의 고정시 반창고를 너무 강하게 붙이지 말아야 한다. 영아에서 장기간 경구 삽관을 한 경우에 외상성 구개열 혹은 구개 릉이 보고된 적도 있다. 기관내 삽관된 튜브자체에 의한 손상으로 후두, 성문하, 기관의 부종 및 괴양이 생길 수 있으며 특히 기관 손상은 튜브의 기낭압이 크거나, 순환계가 불안정하거나, 기계 환기를 시행하는 동안 환자가 흥분하여 과도하게 두경부를 움직이는 등의 이유로 발생한다. 기도손상에 후발하는 합병증으로는 기관협착, 기관연화, 기관식도루, 기관 무명동맥루 등이 있을 수 있다.

2) 폐 부작용 및 압력손상

기계 환기가 폐에 미치는 부작용은 주로 과도한 기도내 양압, 폐포의 과도한 팽창, 점액섬모 운동의 변화, 폐의 수분제거 기전의 변화, 폐의 산소중독증 등의 인자에 의한다.

기계 환기시 과도한 폐의 압손상이 유발하며 폐의 압손상이 잘 생기는 경우는 호기(expiration)가 방해를 받는 경우, 폐포내 용적이나 압력이 과도하게 가해지는 경우, 폐가 국소적으로 환기 분포의 저하가 있는 경우 등으로 나눌 수 있다. 이러한 폐의 압손상은 기흉, 종격동 기종, 심낭기종, 피하기종, 사강 증가 등을 유발하며 긴장성 기흉이 생기면 심혈관계가 급격히 허탈상태에 빠지게 된다. 폐의 압손상을 예방하는 방법으로는 정상 혈액가스 소견이 유지되는 한 기도압을 최소화할 수 있는 방법을 찾아야 한다. 그 외에 기계 환기 중에 흡입가스의 가습, 환자 감시, 적정한 근육이완제 및 진정제 투여 등도 필요하다.

3) 심혈관계에 미치는 부작용

양압환기법에 의한 심혈관계 억제현상이 주된 부작용이다. 양압환기에 의해 기도내 양압이 가해지고 폐혈관 저항 및 우심실 후부하가 증가되면 정맥혈의 심환류가 저하되며 심박출량과 혈압이 하강하게 된다.

4) 기타 부작용

양압환기법은 항이뇨 호르몬의 분비를 증가시키고 신혈역학에 변화를 초래해서 체내에 수분 축척을 유발할 수 있으며, 정맥혈의 심환류 억제에 의한 뇌압 상승 효과로 뇌허혈 상태가 올 수 있고 간혈류 등 내장 혈류량이 감소할 수 있다. 그 외에 기계 환기 중 인공호흡기의 기능 이상, 전원 및 산소의 우발적 차단 등이 있을 수 있다.

라. 인공호흡기 연관 폐렴

1) 역학

기계 환기 환자에서 기계 환기의 개시 48시간 이후에 발생하는 기회 감염성 폐렴을 인공호흡기 연관 폐렴(ventilator-associated pneumonia, VAP)으로 정의한다. VAP는 소아 집중 치료실 환자에서 두 번째로 가장 흔한 병원내 감염으로 전체 감염의 20%정도가 해당된다. 녹농균, 장관의 그람 음성 바실루스와 포도상구균이 VAP 환자의 기관내 흡인으로부터 가장 일반적으로 분리된다. 소아 환자에서 VAP의 발생은 재원 기간 연장의 주요 원인이 되며, 정확한 사망률은 조사되어 있지 않지만, 성인에서는 약 10%정도로 보고 되어 있다.

2) 진단

소아 환자를 위한 VAP의 진단기준은 미국의 National Nosocomial Infection Surveillance System (NNIS)에 의해 최근에 만들어졌다. 이 기준에서 환기의 개시 48시간 후 발생하는 새로운 혹은 진행성, 그리고 지속적인 국소 침윤, 경화 또는 공동 형성이 2회 이상 연속의 X선 사진에서 보여야 한다. 1세 이하의 영아에서 X선 사진상 기류도 VAP의 방사선학적 기준에 부합한다. 부가적으로 환자의 나이에 따른 임상 기준을 만족해야만 한다. 환자 나이에 따른 분류 기준은 1세 이하, 1세 초과 12세 이하 그리고 13세 이상으로 나눈다. 13세 이상의 소아는 다음 중의 1개 이상을 만족해야 한다. 첫째 다른 원인이 없는 38℃ 이상의 발열 또는 둘째 백혈구감소증(<4,000/mm³) 혹은 백혈구증가증(≥15,000/mm³), 그리고 표 3-11의 기준 중에서 최소한 2가지 이상을 만족하는 경우이다. 반면에, 13세 미만의 환자에서는 단일한 필수 임상 기준이 없다. 1세 이하의 영아에서는 환기 상태의 악화와 표 3-11의 임상기준에서 적어도 3개 이상을 만족해야 한다. 1세 이상, 12세 이하의 소아는 표 3-11의 임상 기준 중에서 3개를 충족해야 한다. 다음의 검사 소견 1가지는 NNIS VAP 정의를 만족시키는 임상소견 1가지를 대체할 수 있다. 첫째 다른 원인을 밝힐 수 없는 양성의 혈액배양 결과, 둘째 양성의 흉수 배양 결과, 셋째 양성의 정량적 기관지폐포세척(BAL) 배양 결과(≥10⁴/mL) 혹은 표본보호솔(protected specimen brush, PSB) 배양(≥10³/mL) 결과, 넷째 기관지폐포세척으로부터 얻은 세포의 5% 이상에서 그람 염색상 또는 병리학적으로 세포내의 세균이 양성인 경우이다.

민감도와 특이도는 조직 병리와 비교하여 이러한 임상적 혹은 방사선학적 소견만으로는 좋지 않다. X선 검사에서 보이는 폐포 침윤과 새롭거나 악화하고 있는 침윤은 VAP 진단에서의 민감도가 58-83%정도이

표 3-11. 기계 환기 요법에 의해 발생한 폐렴의 진단 기준

Temperature instability*
Leukopenia/leukocytosis (WBC <4,000/mm³ or ≥15,000/mm³ and/or ≥10% band forms)
New purulent sputum (≥25 neutrophils/LPF) or change in amount/character of sputum
Apnea, tachypnea, nasal flaring or grunting
Wheezing, rales or rhonchi
Cough
Worsening gas exchange (PaO_2/FiO_2 ≥240), increased supplemental oxygen requirements or increased ventilatory demand
Bradycardia (<100 bpm) or tachycardia (>170 bpm)

*For children ≥1 yr and <13 yr defined as temperature >38.4℃ or <37℃, for patients ≥13 yr temperature >38℃.
LPF, low power field; bpm, beats per minute; FiO_2, inspired concentration of O_2.

고 검사자의 주관이 개입될 여지가 많다.

비록 PSB 혹은 BAL 배양이 진단 특이성을 개선할지는 모르지만 어떤 검사소견도 VAP의 진단을 위한 표준검사에 해당하지 않는다. PICU 환자를 대상으로한 전향적 연구에서, 양성의 기관내의 흡인은 VAP에 대해 93%의 민감도를 보이지만 특이도는 단지 41% 정도이다. BAL/PSB에서 세포내의 그람음성 세균이 발견되는 경우, 양성 BAL 또는 양성 PSB 배양은 VAP 진단을 위해 각각 55~72%의 민감도와 88~95%의 특이도를 보였다. 그러나 모든 이 3가지의 소견이 나타났을 때, 이는 90%의 민감도와 88%의 특이도를 가질 수 있다. 아직 소아에서 이러한 침습적 진단법을 시행하는 공식적인 기준은 없다.

3) 원인

성인에서는 구인두 분비물의 흡인, 세균을 포함하는 분무의 흡입, 소화관으로부터의 혈행성 전파와 세균의 이동이 감염 경로로 생각되고 있다. 소아에서 VAP의 병인은 잘 연구되어 있지 않지만, 흡인이 VAP 발생에서 중요한 역할을 한다고 여겨진다. 한편 소아 집중치료실에서 발생한 VAP에서 면역 억제제 사용, 면역결핍과 신경-근 차단제가 중요한 예측인자로 작용하며, 신경근 이상을 동반한 유전적 증후군, 집중치료실 밖으로의 이송과 재삽관시도가 VAP의 위험요인이 된다.

4) 예방

VAP을 예방하는 다면적 개입은 성인에게서 주로 연구되었고 소아에서의 연구는 많지 않다. 소아 집중치료실에서 시행한 선택적인 소화관의 오염 제거(selective digestive decontamination, SDD)의 시험에서 구강 콜리스틴, 토브라마이신, 니스타틴이 있는 SDD는 VAP를 억제하는 효과를 보였다. 수크랄페이트는 많은 연구에서 VAP을 예방하는 효과를 보였으나 아직 소아에 대한 효과 여부에는 논란이 있으며, 구강 클로르헥시딘 사용은 VAP 예방에 효과적이었다. 지속성 경장 영양은 위의 pH를 높이고, 그람음성균의 위

내 증식을 늘려서 VAP의 위험을 높인다. 30~45도 정도 병상에서 머리를 높여주고 지속적으로 성문 하부의 분비물을 제거하고 비침습성 양압 호흡법을 사용하면 흡인의 위험성을 낮출 수 있다. 2002년 미국의 원내 감염 예방위원회(Hospital Infection Prevention Committee)에서 제안한 병원내 기회 폐렴의 예방을 위한 지침은 다음과 같다. 비기관보다는 오히려 경구 기관 튜브를 사용하고, 지속적으로 성문상부에 대해 흡인 치료를 하고, 상태가 좋지 않은 환자에서 수크랄페이트와 H$_2$ 차단제를 상용으로 사용하고, 인공호흡기의 열-수분 교환체를 사용하고, 인공호흡기의 서킷은 고장나거나 눈에 띄게 오염된 경우만 교체한다.

마. 영양

집중치료를 받고 있는 환자에서는 조기에 영양실조가 일어나고 이것이 종종 환자의 회복을 방해한다. 영양실조는 각종 감염의 위험성을 높이고, 면역계를 억제하며, 외과적 사망률을 높이고, 상처가 치유되는 것을 방해하며, 호흡근을 포함한 근육의 강도를 약화시키고, 결과적으로 입원기간을 연장하게 된다.

영양관리의 목표는 영양부족 상태의 환자와 급성 영양실조의 위험에 처해있는 환자를 가려내고, 질소평형을 유지하고 체성분의 비정상적인 변화를 최소화하도록 짜여진 영양공급계획을 제공하며, 개개인의 요구에 맞춘 미량영양성분을 공급하는데 있다.

1) 영양상태의 평가

소아 영양상태는 표 3-12에서 제시된 기준으로 신속하게 평가할 수 있다. 만성 영양실조는 대부분 2세 이하 혹은 만성 질환을 갖고 있는 환자에서 발견된다. 또한 중등도 이상의 성장부전을 갖고 있는 환자에서는 미량 영양소의 결핍도 함께 있는 경우가 많다. 영양실조의 위험요소로는 두부손상 후, 신부전 그리고 심장 수술 등에서의 심한 수액량 제한, 화상, 패혈 증후군, 다발성 장기부전 그리고 장기간의 인공호흡기 치료

등이다.

2) 영양 요구량의 평가

가) 열량 요구량

건강한 소아에서 추천되는 열량공급량은 열량 수요, 적정 성장과 정상 활동량으로 계산된 수치에 기초한다(표 3-13). 그러나 집중치료를 받고 있는 환자에서는 성장에 필요한 열량 공급은 우선 순위에 있지 않다. 이런 환자들은 대개의 경우 질병의 고비를 벗어난 이후 정상 열량수요의 10~20%(21 kJ/g)를 추가로 공급함으로써 성장을 따라잡을 수 있기 때문이다.

기초 열량 요구량은 정상 개체에서 휴식 중에, 소화관 흡수가 끝난 상태로 중립온도환경(thermoneutral environment)에 있을 때의 열량요구량이다. 기초 열

표 3-12. 소아 중환자의 영양 상태의 평가 기준

	Measurement	Indication of malnutriton
Acute malnutrition	Weight for height (%)	< 90% mild, < 70% severe
	Weight for age (%)	< 90% mild, < 60% severe
Chronic malnutrition	Height for age (%)	< 90% mild, < 85% severe
Fat stores	Triceps skinfold thickness	< 5th centile depleted
Protein stores, somatic	Midarm circumference	< 5th centile depleted
Protein stores, visceral	Plasma albumin	< 25 g/L (2,5 g/dl) depleted
	Plasma transferrin	< 1mg/L (100 µg/dl) depleted
Immune status	Total lymphocyte count	< 1,5 × 10⁹/L (1,500/mm³) compromised

Height for age (%) = 100 × child's height/reference height of child of same age.
Weight for height (%) = 100 × child's weight/reference weight for child of same height.
Weight for age (%) = 100 × child's weight/reference weight for child of same age.

표 3-13. 건강한 소아의 연령에 따른 추천되는 열량공급량[a]

	Daily Energy Requirements (kJ/kg)[a]				
	< 1 year	1~3 years	4~6 years	7~10 years	11~18 years
Basal[b]	230	238	200	167	125
Maintenance[c]	276	286	241	201	150
Minor stress[d]	322	343	289	241	175
Major stress[e]	413	429	362	301	186
Burns:					
< 20% BSA	345~414	358~429	301~362	251~302	188~225
20~40%	414~510	429~529	362~446	302~372	225~278
> 40%	510~552	529~572	446~482	372~402	278~300
RDI[f]	429	420	376	298	184~210

[a] Recommended daily intakes (RDI) based on WHO/FAO energy and protein requirements, 1985; 1 kcal = 4,18 kJ.

[b] Deep sedation/muscle relaxants, ebb phase of injury, mechanical ventilation.

[c] Mechanical ventilation, enteral feeding, lying quietly.

[d] Skeletal trauma (longbone fracture), minor surgery, peritonitis, fever < 39℃.

[e] Multitrauma, large open wound, post head injury, sepsis.

[f] Australian recommended daily intakes.

량수요는 인체에서 대사가 활발히 일어나는 조직의 양에 의해 결정된다. 이것은 나이가 들면서 대사가 활발한 조직의 양이 줄어들기 때문에 단위 몸무게 당 요구량이 줄어들게 된다(표 3-13).

① 활동량 정도와 영양공급: 집중치료를 받고 있는 환자에서 흥분, 발작, 호흡노력의 증가 혹은 근육긴장도의 증가는 결국 10~20%의 기초 열량 요구량 증가를 가져온다. 반대로 필요에 의해 마비시킨 경우, 진정상태와 기계호흡상태 그리고 손상의 감퇴기에는 계산된 기초 열량 요구량보다 10~20% 정도 덜 필요하게 된다. 경장영양에서 식사유발 발열작용도 열량수요를 10%가량 증가시킨다. 이는 소화운동과 효소분비 및 기질합성에 사용되는 열량이다.

② 손상 스트레스에 의한 요소: 손상의 범위와 종류에 따라 과이화작용의 정도에 영향을 준다(표 3-13).

③ 약물: 카테콜아민은 용량 의존적으로 대사율을 증가시킨다. 전신 스테로이드의 사용은 과대사 반응과 단백이화를 촉진한다. 마약류, β 차단제, 근육이완제 그리고 진정제 등은 6.55% 범위에서 다양하게 열량 요구량을 감소시킨다.

④ 기저질환 조건: 뇌성마비 같은 신경학적 장애 혹은 크론병이나 AIDS 같이 영양상태에 문제가 발생할 수 있는 질환을 갖고 있는 환자는 집중치료전 정상 영양상태의 환자와 다른 열량을 요구한다. 비만이 있는 환자에서는 열량 요구량을 현재의 체중 보다는 표준체중에 기초하여 계산한다.

나) 단백질 요구량

단백질은 아미노산을 공급하여 손상된 조직의 회복 그리고 면역기능을 포함한 신체 방어에 중요하게 사용된다. 집중치료를 받고 있는 환자에서 이화작용은 음성의 질소평형을 유도하여 단백질 요구량이 증가하고 특정 아미노산의 필요성을 변화시킨다. 글루타민은 집중치료 환자에서 필수아미노산이며 branched chain amino acids(BCCA)인 류신, 이소류신, 발린 요구량이 골격근 사용에 따라 증가한다.

심한 조직손상 후 체내 단백질을 산화하여 부족한 열량을 충당하는 것은 불가피 할 수 있다. 따라서 외부에서 필요한 열량원과 단백질을 반드시 공급하여 이러한 이화상태를 최소화해야 한다. 특히 광범위한 개방 창상이나 화상, 단백상실성 장병증 혹은 심한 분비성 설사가 있는 경우는 외부로 부터의 단백질 공급이 필요하다. 질소평형에 대한 검사가 환자 개인의 요구량 평가에 유용하다. 체내에서 단백질이 효과적으로 사용되기 위해서는 주로 탄수화물이나 지방의 형태인 충분한 양의 비단백영양원을 공급하는 것이 중요하다.

한편 단백질의 과잉 공급은 고아미노산 혈증을 일으키고 혈청 암모니아치를 상승시킬 수 있다. 영아에서는 신장을 통한 단백 대사물의 분비기능이 저하되어 있으므로 유의하여야 한다.

다) 미량영양성분

매일 필요한 요구량을 제공하여야 하며 요구량이 증가하는 경우 부족한 양을 추가로 공급하여야 한다.

3) 감시와 관리

가) 감시

경장 혹은 경정맥 영양을 시작할 때 환자가 안정상태에 도달할 때까지 매일 소변검사와 혈장 요소, 전해질, 크레아티닌, 산염기 상태, 혈당, triacylglycerols, 칼슘, 마그네슘 그리고 인산 등을 측정해야 한다. 환자의 체중 유지는 적절한 영양상태 평가에 필수적이지는 않다. 부종과 수분저류로 체중이 늘어나는 경우도 있다.

나) 영양 관리

집중치료를 받고 있는 환자에서 경구 영양이 불가능하거나 부족한 경우가 있다. 이런 경우 영양 공급은 경장(위장 혹은 공장 영양) 혹은 경정맥을 통해서 이루어 지며 때로는 이 두가지를 모두 사용하는 경우도 있다.

① 경장 혹은 경정맥 영양의 선택: 집중치료 환자에서 경정맥 영양이 영양 보조의 근간을 이룬다. 위장관

계를 우회하여 덱스트로스, 아미노산, 그리고 지질의 형태로 열량을 공급하며 수액량의 제한으로 농축된 형태로 제공된다. 그러나 중대한 대사성 부작용, 혈전형성 그리고 패혈증 등의 합병증이 경정맥 영양에서 발생할 수 있으므로 경장 영양으로 가능한 빨리 이행하려는 경향이다. 경정맥 영양의 단점을 정리하면 경장 영양과 비교하여 비용이 많이 들고, 담즙 정체와 간세포 기능이상을 초래할 수 있으며, 세망내피계의 기능에 장애를 일으키고, 장점막의 위축과 장관벽을 통한 세균의 침투를 용이하게 하고, 외상후 전신 패혈증의 위험성을 높일 수 있다는 점이다.

② 경장 영양: 경장 영양을 조기에 지속적으로 시행하면 장점막의 구조와 기능을 유지하고 장관내부로부터 혈관내로 세균이나 내독소의 이행을 억제하는 장점이 있다. 비위관 혹은 위루관을 통해 위장으로 공급하거나 비공장관 혹은 공장루 관을 통해 소장으로 공급하는 방법이 있는데 비위관이 가장 많이 이용된다. 집중치료를 받고 있는 환자에서는 어떠한 형태의 관을 사용하는 경우에도 X선 검사로 확인한 후에 영양 공급을 시작해야 한다. 경장 영양시 많은 양의 위흡인 액이 보이는 경우는 위배출의 지연이 원인이고 영양 계획의 진행속도를 방해할 수 있다. 이런 경우는 투입하는 용적을 줄이거나 서서히 지속적으로 투입하는 방법도 있다. 이때 항상 사용하는 영양성분의 농도나 위장관기능의 평가가 수반되어야 한다. 경장 영양의 합병증으로 설사가 가장 흔하나 이것 때문에 경장 영양을 중단하는 경우는 드물다. 설사의 가장 흔한 원인들로는 항생제의 사용, 고장성 약물의 투입, 저알부민혈증, 위장관계 감염, 저온 혹은 고장성 영양성분의 투입 등이다. 경장 영양 중 폐로의 흡인도 가장 주의해야 할 합병증의 하나이다.

③ 경정맥 영양: 경정맥 영양이 필요한 경우는 위장관계 수술 후 처치단계에서, 깊은 진정상태, 허혈상태 혹은 패혈증으로 인한 장관운동저하, 경구 영양과 연관하여 폐흡인의 위험성이 큰 경우, 경장 영양으로 영양 요구량을 맞출 수 없는 경우, 유미흉이 있는 경우 그리고 급성 췌장염의 경우이다. 영양 용액은 대부분 중심정맥을 통하여 공급된다. 말초혈관을 이용하는 경우 10%이상의 농도로 덱스트로스를 공급하기 어려워 열량 공급이 제한된다. 대부분의 경우 아미노산, 덱스트로스, 비타민 그리고 미량 원소들은 하나의 수액백에 담겨 공급되고, 지방 유액은 다른 수액 통로로 공급되거나 혈관입구 가까이에서 만나도록 한다. 경정맥 영양의 합병증으로 경정맥으로 공급되는 지방에 의한 호중구, 대식세포의 기능장애와 알부민 결합부위의 포합 빌리루빈의 치환이 생길 수 있다. 많은 용액량으로 인해 폐포의 가스교환이 방해받을 수 있고 폐혈관 저항의 증가와 혈소판감소, 혈액응고 장애를 보일 수 있다.

5. 소아 구급 처치

소아에서 심정지의 원인이 되는 교통사고, 잠수, 자전거 사고, 화기 사고, 건물 추락 등은 예방할 수 있는 사고들이다. 또한 병원 내원 전까지 처치와 조기치료를 적절히 시행함으로서 예후를 좋게 할 수 있으므로 각별한 주의를 필요로 한다. 심정지는 소아보다 성인에서 흔하기 때문에 대부분의 심폐소생술(cardiopulmonary resuscitation, CPR)에 대한 임상적인 연구는 성인을 중심으로 이루어졌으며 동물실험에서의 심정지는 대부분 심실세동 모델이 이용되어 왔다. 그러나 소아에서 심정지는 심실세동보다 혈역학적 허탈 또는 호흡정지로 인한 이차적인 경우가 많다. 따라서 소아 심폐소생술의 지침은 어른이나 동물들에서 얻어진 자료로부터 추정하여 제시되어 왔기 때문에 소아의 심폐소생술은 성인과는 다르며, 소아는 해부학적이나 생리학적으로 성인과 많은 차이점을 보인다. 흉곽의 모양이나 폐탄성 뿐만 아니라 심정지의 원인과 병인도 성인과 차이가 있다.

성인에서는 죽상경화심장병으로 인한 심장허혈에 의해 이차적으로 생긴 심정지가 많다. 이와는 대조적으로 소아에서의 심정지는 호흡기 문제 또는 순환 쇼크로 인한 심한 저산소증이나 대사성 산증에 의해 이차적으로 발생한다. 지속적인 저산소증과 산증은 심장기능의 저하를 가져오고 궁극적으로 심정지가 초래된다. 따라서, 심근 및 다른 중요 장기는 심정지가 오기 전에 극심한 저산소성 허혈 손상을 받게 된다.

소아에서 심실세동은 심정지의 약 10% 정도에서 나타나며, 심장무수축, 심한 서맥, 전기자극과 심장수축의 해리가 더 빈번히 관찰된다.

가. 심폐소생술의 생리

심폐소생술을 시행할 때 심폐생리는 정상일 때와는 많은 차이를 보인다. 심폐소생술을 시행할 때 심박출량은 흉부 펌프 기전이나 심장 압박 기전에 의해서 유지될 수 있다. 흉부 펌프 기전의 전형적인 예는 "cough CPR"이다. 심실세동이 있는 환자는 일정한 리듬으로 기침을 하면서 얼마동안은 적절한 심박출량을 유지할 수 있다. 높은 흉강내 압력은 동맥혈을 장기로 뇌나 복부 등의 흉곽 밖으로 내보낸다. 복부하대정맥으로 역행하는 정맥혈은 경부와 상하지 정맥의 밸브가 역류를 막는다. 또한, 정맥은 허탈상태가 되어 정맥혈 역류에 대해 저항을 형성하고 동맥은 유지되어 전방성 혈류를 형성하게 한다.

심장 압박 기전의 전형적인 예는 심장 마사지이다. 심장이 압박되고, 피는 동맥을 통해 나가게 된다. 그러나, 심장 마사지는 역행성 정맥 혈류를 일으킬 수 있는데 그 이유는 심실과 심방이 동시에 압박 받기 때문에 심실 압박에 의해 방실판막이 닫히고, 심방 압박으로 심방에 있는 피가 저항이 덜한 정맥으로 역류하기 때문이다.

나. 심폐소생술의 방법

1) 심정지의 진단

반응이 없는 소아에서 무호흡과 맥박이 만져지지

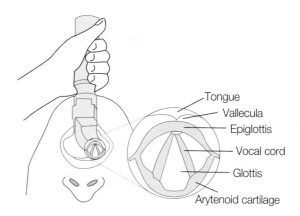

그림 3-22. 기관내 삽관

않으면 심정지를 의심하고 즉시 심폐소생술을 시작해야 한다. 병원으로 오기 전에 처음 목격하는 사람은 대부분 보호자나 돌봐주는 사람이다. 공황 장애도 흔하므로 호흡, 맥박, 환아의 반응에 대한 세심한 관찰을 해야 한다. 소아에서 심정지는 드물기 때문에 비록 병원 종사자라도 경험이 많지 않고 당황하기 쉽다. 저혈압, 심지어 정상혈압을 가진 소아가 맥박이 없으면 심정지로 생각하는 경우도 있다. 특히 심한 저체온, 고용량의 승압제, 심한 순환 쇼크가 있는 경우 적절한 중심 동맥압이 있음에도 불구하고 맥박을 촉진하기 힘든 경우가 있다.

정확한 진단으로 적절한 치료를 할 수 있다. 심실세동이 있는 소아는 즉각적으로 제세동을 시행해야 한다. 반면에 명백한 무호흡, 무맥박, 무반응을 보이는 소아는 호흡을 유지하는 것이 중요하다.

2) 기도 유지

심폐소생술을 하는 동안, 호흡은 기관내 삽관을 통하여 효과적으로 유지될 수 있다(그림 3-22). 소아의 후두는 성인에 비해 작고, 앞쪽으로 위치해 있다. 작은 구인두와 후두 위치가 다르기 때문에 기관내 삽관을 시행하는 것은 경험이 없는 임상의에게서는 어렵다. 특히 성인에서 하듯 목을 과신전하는 것은 흔히 역효과를 일으킨다. 적절한 기관내관과 흡입 카테터 크기를 선택하는 것은 중요하다. 적당한 기관내관의 넓이는 환아의 4번째나 5번째 손가락의 넓이나 콧구멍의 넓이와 대략 일치한다. 기관내관의 내경은 아래 공식에 의해서도 구할 수 있는데, 이 공식은 2세 이상의 소아에서 유용하다.

$$4 + 나이(년)/4 \ (mm)$$

한편 연령 및 체중에 따른 기관내관의 내경은 표 3-14와 같다.

비록 적절하게 기관내 삽관을 시행했더라도 기관내관의 위치이상은 큰 문제를 일으킬 수 있다. 신생아의 기관은 약 5 cm 밖에 되지 않는다. 그러나 기관내관의 끝은 환자가 목이 움직이는 것에 의해 1~3 cm 정도 움직일 수 있다. 기관내관의 끝이 우측 기관지에 있는 경우도 흔히 보며, 환아를 옮길 때 목이 과신전되면서 발관이 될 수도 있다. 따라서 기관내관을 입술이나 콧구멍에 단단하게 고정해야 한다.

3) 호흡

미국심장협회에서는 소생술 동안 흡기 시간을 1~1.5초로 충분히 유지하는 보조환기요법을 권장하고 있다. 이는 짧은 흡기 시간은 높은 흡기압력을 야기하고 이로 인하여 위의 팽창 및 위 내용물의 역류나 흡인의 위험이 증가하기 때문이다.

4) 순환

심정지로부터 성공적인 소생의 여부는 심폐소생술 동안 심근과 뇌 관류의 정도 여부에 달려있으며 이것은 효과적인 흉부 압박이 결정적인 요소이다.

흉부 압박은 적절한 힘과 속도로 시행해야 한다. 영아에서 가슴 전체 깊이의 1/3~1/2정도(대략 1.3~2.5 cm)의 깊이로 눌러준다. 흉골하부에서 2~3개의 손가락을 사용하거나 양손으로 흉곽을 감으면서 엄지손가락으로 흉골을 누르는 방법이 있으나 후자가 더 효율적이다. 흉부 압박을 시행할 때는 영아의 등을 단단한 것으로 받쳐주어야 한다.

영아나 소아에서 최소한의 심박출량을 유지하기 위하여는 흉부 압박시 적어도 1분에 100회 이상의 속도로 한다. 심박출량은 일회 박출량과 심박수의 곱으로

표 3-14. 연령에 따른 적절한 기도 내 삽관의 튜브 내경과 흡인 카테터의 선택

연령/체중	기도삽관 튜브 내경(mm)	튜브의 길이 경구(cm)	비강(cm)	흡인 카테터 굵기(Fr)
신생아				
< 1,000 g	2.5	9~11	11~12	6
1,000~2,000 g	3.0	9~11	11~12	6
2,001~3,000 g	3.5	10~12	12~14	6
> 3,000 g	4.0	11~12	13~14	8
소아				
6개월	3.0~4.0	11~12	12~14	6~8
18개월	3.5~4.5	11~13	13~15	8
2 세	4.0~4.5	12~14	14~16	8~10
3~5 세	4.5~5.5	12~15	14~17	8~10
6 세	5.5~6.0	14~16	16~18	10
8 세	6.0~6.5	15~17	17~19	10~12
12 세	6.0~7.0	17~19	19~21	10~12
16 세	6.5~7.5	19~21	21~23	10~12

* 적절한 기도삽관 튜브 내경의 계산: (연령+16)/4 혹은 키(cm)/20, 길이의 계산: 1) 경구용: 12+(연령/2) 2) 비강용: 15+(연령/2)

표 3-15. 심폐소생술 때 흉부 압박 및 인공 호흡 횟수

연 령	흉골압박의 깊이	흉부압박의 횟수(분)	압박/호흡 (2구명자)	압박/호흡 (1구명자)
영아	약 2 cm	100	5 : 1	5 : 1
유아	3~4 cm	80	5 : 1	5 : 1
소아(8세 이상)	4~5 cm	60	5 : 1	15 : 2

이루어지므로, 적어도 100회 이상의 속도로 해야만 심폐소생술동안 "stroke volume"을 유지할 수 있다(표 3-15).

1~8세 사이의 소아에서 흉부 압박을 할 경우에는 손바닥 끝(heel of hand)으로 흉골하부를 압박하는데 손바닥의 길이 방향과 흉골의 방향을 일치시킨다. 손바닥이 흉골과 닿는 동안 손가락은 몸에 닿지 않도록 한다. 영아와 마찬가지로 소아에서도 흉곽 깊이의 1/3~1/2 정도로 압박을 가한다. 흉부 압박시에 소아를 딱딱한 바닥에 누인 뒤 이를 시행하는 것이 더 효율적이다(그림 3-23).

흉부 압박을 효과적으로 하려면 이완기 혈압을 20~30 mmHg 이상으로 유지하거나 관상동맥 관류압을 15~25 mmHg로 유지해야 한다.

그러나 대부분의 심정지에서는 혈압과 중심정맥압을 측정하기는 어려우므로, 전통적으로 소생술동안 맥박 촉지 여부와, 동공반사 여부를 확인하는 것이 효율적이다. 촉지되는 맥박은 정맥의 역류로 인해 생길 수도 있지만 동공반사는 흉부 압박의 효율성을 나타내고 뇌혈류가 있음을 나타낸다.

호기말 이산화탄소 농도(end-tidal carbondioxide, $ETCO_2$)를 측정하는 것도 관상동맥 관류압, 심박출량, 효과적인 소생술의 유용한 예측인자이다. 소생술동안 $ETCO_2$의 중요한 결정인자는 폐혈류다. 폐혈류는 흉부압박에 의한 심박출량을 반영한다. 만약 $ETCO_2$ 농도가 10 mmHg 이하이면 환자는 거의 소생하기 힘들고, 적절한 $ETCO_2$ 농도는 기관지 삽관이 잘 유지되고 있다는 것을 의미한다.

다. 혈관 확보

소아의 심정지 동안 혈관을 확보하는 일은 어렵지만 매우 중요하다. 이론적으로, 소생술동안 약물을 투여하기 위해서는 큰 정맥을 통해서 상대정맥으로 들어가는 것이 가장 이상적이다. 하대정맥에는 밸브가 없으므로 흉부 압박시 to-and-fro 혈류를 형성하지만 상대정맥에는 밸브가 있으므로 이러한 문제가 적다. 약물을 중심정맥을 통하여 투여하면 효과가 빠르고 높은 농도를 유지할 수 있다.

두렁정맥(saphenous vein), 경골 골수, 대퇴 정맥을 통해 하대정맥으로 혈관을 확보하는 것은 인공 환기나 흉부 압박시에 목이나 얼굴에 혈관을 확보하는 것보다 용이하다.

골내 혈관 확보는 경골근위부, 대퇴골 원위부와 전상 측 장골가시들이 주로 이용되며, 골수강내 정맥을 이용하면 심정지 때에도 허탈되지 않는다. 소생술동안 약물의 발현 시간과 혈청 농도는 골내 투여와 말초 정맥 투여때와 유사한 양상을 보인다. 그러나 골수염, 골절, 약물의 혈관 밖 유출, 구획증후군 등의 합병증이 이 생길 수 있다.

라. 기관내 약물 투여

기관내 삽관은 소아 심폐소생술에서 혈관 확보를 하는 것보다 쉽다. Lidocaine, atropine, naloxone, epinephrine (LANE)이 기관내관을 통해서 투여될 수 있는 약제들이다. 중탄산 나트륨과 칼슘은 흡수가 잘 안되고 기도와 폐실질에 상당한 자극을 주기 때문에 기관지를 통해서 투여해서는 안된다. 기관내로 투여

영아의 심장마사지

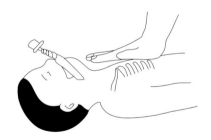

유아의 심장마사지

영아의 심장마사지

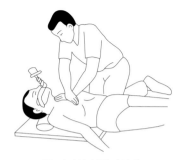

큰 아이의 심장마사지

그림 3-23. 소아에서 연령에 따른 심장마사지 방법

된 약물의 흡수는 호흡기 점막을 통한 확산, 폐혈류, 환기와 관류의 영향을 받는다. 불충분한 흉부 압박으로 심박출량과 폐혈류가 적절하지 않으면 약물 흡수가 잘 되지 않고, 폐부종, 폐렴 등도 약동학에 영향을 주며, 에피네프린의 혈관 수축작용도 국소 폐혈류량을 제한하므로 약물 흡수를 감소시킨다.

에피네프린의 기관내 투여시 적절한 혈중 농도에 도달하기 위해서는 정맥투여량의 약 10배를 주어야 한다. 이는 소생술 후에 심한 고혈압과 빈맥을 초래할 수 있다. 소생술 후에 빈맥으로 인한 심근의 산소요구량과 증가된 후부하를 견뎌내기 힘들다. 또한 성인에서 심정지가 발생한 경우는 통상적인 정맥투여량을 기관내로 투여했을 경우 효과가 없다. 따라서 기관 내 약물 투여 보다 혈관내 약물 투여를 더 권장하고 있다. 반면에, 영아에서는 지속적인 고혈압을 일으킬 수 있기 때문에 정맥투여량과 동일한 양을 사용해야 한다.

마. 심폐소생술에 사용되는 약물

소생술 동안 에피네프린에 의한 중요한 치료목적은 심근에 산소 공급을 적절히 유지시키는 것이다. 심폐소생술에 사용되는 약물로는 에피네프린, 아트로핀, 칼슘, 중탄산 나트륨, 리도카인 등이 있다(표 3-16).

1) 에피네프린

에피네프린은 α-와 β-아드레날린 수용체 모두를 자극하는 내인성 카테콜아민이다. 소생술동안 에피네프린 투여의 효과는 α-아드레날린 효과에 있다. 동맥혈관을 수축시켜서 이완기 혈압을 높이므로 관상동맥 관류압을 증가시켜 심근에 산소공급을 유지시킨다. 또, 에피네프린은 말초혈관 수축작용이 강력하지만 뇌혈관의 수축은 적어 뇌혈류 관류압을 높게 유지시킨다. 심정지시 에피네프린의 용량은 1:10,000 용액을

0.1 mL/kg(0.01 mg/kg)으로 정맥이나 골내에 투여한다. 기관내로 투여할 경우에는 1:1,000 용액을 0.1 mL/kg(0.1 mg/kg)으로 투여한다. 카테콜아민은 산증과 저산소증이 있을 경우 효과가 적어지므로 적절한 환기, 산소투여와 순환을 유지시키는 것이 중요하다.

소아와 성인에서 심정지에 사용되는 에피네프린의 적절한 용량은 아직 정립되어 있지 않고 각 개인 마다 반응은 다양하다.

소아에서의 두번째와 그 이후에 투여되는 에피네프린의 용량은 투여 경로와 관계 없이 모두 0.1 mg/kg(0.1 mL/kg of 1:1,000 solution)이다. 그러나 신생아에서 권장되는 용량은 0.01 mg/kg(0.1 mL/kg of 1:10,000 solution)이다.

에피네프린의 피하 투여는 심한 국소 허혈과 궤양을 일으킬 수 있으며, 에피네프린은 알칼리 용액에서는 불활성화 되기 때문에 중탄산 나트륨과 섞어서는 안된다. 에피네프린의 부작용으로는 빈맥, 심한 고혈압, 과도한 혈관수축, 심실 이소성 부정맥 등이 있다.

2) 아트로핀

아트로핀은 부교감신경 억제제로 심방내 심박조율기를 가속화시키고 방실전도를 증가시킨다. 심한 서맥 또는 심실 무수축은 흔히 저산소증과 허혈에 의해서 발생한다. 이것에 대한 아트로핀의 효능은 아직 불확실하다. 따라서 우선 충분히 산소를 공급하고 인공환기를 시킨 후 허혈성 저산소증으로 인한 심한 서맥과 심실의 무수축을 치료하기 위해 에피네프린을 투여할 것을 권장한다. 아트로핀은 방실차단을 동반한 서맥일 때 권장된다. 또한, 아트로핀은 기관내 삽관시 발생하는 서맥을 예방하는데 권장된다.

아트로핀의 권장량은 0.02 mg/kg으로서 소아에서 최소 0.1 mg에서 최대 0.5 mg까지 사용될 수 있고 성인에서는 최대 1.0 mg까지 쓸 수 있다. 용량은 소아에서는 5분 간격으로 최대 1.0 mg까지 쓸 수 있고 성인에서는 최대 2.0 mg까지 쓸 수 있다.

3) 칼슘

칼슘은 심근과 혈관 평활근의 수축에 중요한 역할을 한다. 칼슘은 심근의 수축기능을 증가시키고 이완

표 3-16. 심폐소생술에 흔히 사용하는 약제

약제	정맥 주사 용량	적응증
Epinephrine	1차 용량: 1:10,000 용액 0.1 mL/kg (0.01 mg/kg)	심정지: 무수축, 무맥박, 증상성 서맥
	2차 용량: 1:1,000 용액 0.1 mL/kg (0.1 mg/kg)	
	ETT 용량: 1:1,000 용액 0.1 mL/kg (0.1 mg/kg)	
Atropine	0.2 mL/kg (0.02 mg/kg)	증상성 서맥: 적절한 산소공급, 환기 및
	최소용량: 0.1 mg	epinephrine에 반응 없는 경우
	최대용량: 소아; 0.5 mg, 성인; 1 mg	
Calcium chloride 10%	0.2 mL/kg (20 mg/kg)	저칼슘혈증, 고칼륨혈증, 고마그네슘혈증, 칼슘통로 억제제 독성
Sodium bicarbonate	8.4% 용액: 1 mEq/kg (1 mL/kg)	고칼륨혈증, 삼환 항우울제 독성, 산소공급과
	4.2% 용액*: 0.5 mL/kg	과환기에 반응 없는 심한 대사성 산증
Lidocaine	1.0 mg/kg (0.05 mL/kg)	증상성 심실성 빈맥, ventricular ectopy, 심실세동: 제세동과 에피네프린에 반응 없는 경우

ETT, Endotracheal tube
* 신생아

기능을 저하시킨다. 또한 혈관 평활근을 수축시켜 혈관 저항을 증가시킨다. 그러나 세포내의 칼슘 증가는 세포사의 중요한 매개체로 작용하게 된다. 심정지 후에는 칼슘의 투여가 환자의 예후를 향상시키지는 못하므로 소생술을 시행할 때 습관적으로 칼슘을 투여하지 말도록 한다. 칼슘은 저칼슘혈증이 있거나 고칼륨혈증, 고마그네슘혈증, 칼슘통로 억제제의 과다사용시 투여할 수 있다.

일반적으로 5~7 mg/kg의 용량으로 투여한다. 10% calcium chloride 0.2 mL/kg을 천천히 투여해야 하며 10분 간격으로 반복할 수 있다.

4) 중탄산나트륨

심정지에서는 흔히 대사성 산증이 동반되며 카테콜아민은 대사성 산증이 있으면 효과가 떨어진다. 따라서 영아와 소아의 심정지에서 가장 중요한 치료는 산소공급, 적절환 환기와 전신 순환을 유지시키는 것이고 이러한 요소들이 확보되고 에피네프린이 투여되고 난 후에도 심정지가 계속 지속될 경우에 중탄산나트륨을 투여한다.

중탄산나트륨은 몇가지 부작용이 있는데 과다하게 투여될 경우에 고나트륨혈증이 생길 수 있고 혈중 삼투압이 증가한다. 갑자기 삼투압이 증가되면 전신 혈관 저항이 감소되고 관상 동맥 관류압이 감소된다. 그러므로 미숙아 뇌출혈의 위험이 있다. 적절한 환기가 되지 않는 상태에서 중탄산나트륨의 투여는 이산화탄소 분압이 증가되고 호흡성 산증을 악화시킨다. 중탄산나트륨의 과도한 투여는 대사성 알칼리증을 일으키고 산소해리 곡선을 좌측으로 이동시켜 산소 공급을 저하시킨다. 또한 칼륨의 급작스런 세포내 이동을 초래하며, 혈장 이온화 칼슘농도를 감소시키고, 심실세동의 역치를 낮추고 심장기능을 저하시킨다.

심정지때 투여하는 약물들 사이의 상호작용을 알아야 한다. 하나의 혈관을 통해 약물을 투여할 경우 중탄산나트륨은 카테콜아민을 불활성화시키고, 칼슘은 중탄산나트륨과 섞였을 때 침전물이 생긴다. 따라서 중

탄산나트륨의 투여 전과 후에 조심스럽게 세척해야 한다. 중탄산나트륨의 용량은 처음에 1 mEq/kg(1 mL/kg of 8.4% 용액)을 투여하고 신생아에서는 0.5 mEq/mL로 희석된 농도로 사용한다.

5) 리도카인

리도카인은 이소성 심실 박동, 심실 빈맥, 심실 세동을 치료하는데 쓰이는 항부정맥 약제로 1.0 mg/kg의 용량으로 정맥투여 한다. 심정지 동안 bolus로 사용하고, 지속적으로 사용할 때는 20~50 μg/kg/min으로 투여한다.

리도카인의 중요한 독성으로 심근과 순환 장애, 중추신경계 독성으로는 언어 장애, 의식변화, 근육의 경련수축, 발작 등이 있다. 리도카인 청소율은 쇼크, 울혈성 심부전, 심정지가 있을 때 감소하므로 이런 경우에는 20 μg/kg/min을 초과해서는 안된다.

6) 도파민

도파민(dopamine)은 노르에피네프린의 화학적 전구물질이다. 낮은 용량으로 사용했을 경우 특정 도파민 수용체는 신장과 장간막 혈관을 확장시킨다. 도파민은 두개의 수용체에 직접적으로 작용하고 시냅스에서 노르에피네프린 농도를 간접적으로 증가시킨다.

도파민은 소생술을 시행할 때 혈류역학을 향상시키는 데는 에피네프린보다 효과가 적다. 그러나 도파민은 쇼크 환자에서 심정지를 예방하는데 효과적이고 소생술 후 심근의 기능 장애를 치료하는데도 효과적이다. 개인간에 차이는 있지만 일반적으로 도파민 투여시 처음에는 신장과 장간막혈관을 확장하는 도파민 수용체를 자극하고, 보다 높은 용량에서는 주로 심박동수와 심근수축력을 증가시키는 β-수용체를 통한 효과를 보인다. 더 높은 농도에서는 α-수용체를 자극하여 말초혈관을 수축시키고 혈압을 증가시킨다. 따라서 적절한 도파민 주입 속도는 원하는 효과에 따라 달라질 수 있다. 소아 환자들에서 0.5 μg/kg/min의 용량으로 심박출량 증가시킬 수 있으나 일반적으로 2~20

μg/kg/min에서 심박출량을 증가시키며, 용량을 구하는 식은 다음과 같다.

$$\frac{도파민용량(mg)}{수액\ 100\ mL} = 6 \times \frac{투여를\ 원하는\ 용량(\mu g/kg/min)}{원하는\ 주입\ 속도\ (mL/hr)} \times 체중(kg)$$

도파민의 부작용은 에피네프린과 유사한데 빈맥, 고혈압, 이소성 심실 박동, 전신 혈관 수축, 폐혈관 수축 등을 보일 수 있다. 도파민은 중탄산 나트륨과 섞으면 천천히 불활성화되기 때문에 섞어서 사용하면 안된다.

7) 도부타민

Dobutamine hydrochloride는 주로 β-수용체를 자극하는 합성 카테콜아민이다. Dobutamine은 α-수용체 자극 효과가 적기 때문에 심정지시에는 사용되지 않는다. 그러나 강력한 심근 수축작용이 있어 심근 기능장애가 있는 소아에서 심정지를 예방하는데 도움이 되며, 소생술 후에 발생할 수 있는 심근 기능 장애환자에서 도움이 된다.

권장량은 2~20 μg/kg/min이지만 흔히 0.5 μg/kg/min의 낮은 용량에서도 심근 기능을 호전시킨다.

8) 산소

적절한 환기가 된다면 동맥혈 산소압과 포화도를 증가시킬 수 있고, 순환이 잘 되면 조직 내 산소공급을 향상시키므로, 모든 심정지 환자에게는 고농도의 산소를 빨리 공급하여야 한다.

9) 수액

심정지 환아에서는 혈관 내 수분 및 혈액 성분의 결핍이 흔히 발생하고 특히 심한 탈수, 패혈증 쇼크, 외상이 있는 환아에서 흔히 볼 수 있다. 이러한 경우 심장의 전부하가 불충분해서 맥박을 촉지하기 어렵다. 이런 환자에게 수액을 단독으로 또는 카테콜아민과 같이 사용하면 도움이 된다. 생리식염수나 Ringer's lactate 등의 경질액, 또는 5% 알부민 등의 콜로이드 용액이 모두 사용될 수 있다. 외상이나 순환 부전이 있는 경우에는 초기에 20 mL/kg의 경질액을 주입한다. 40 mL/kg의 용액의 주입 후에는 10 mL/kg의 적혈구 수혈이 권장된다.

수액 요법은 저장성 용액이나 포도당을 포함하는 용액을 사용하지 않는다. 왜냐하면 저장성 용액은 신속하게 혈관 밖으로 확산되어 혈관 내 수분을 효과적으로 유지하지 못하고, 저나트륨혈증을 일으켜 뇌부종을 초래할 수도 있기 때문이다. 소생술을 할때 포도당을 포함하는 용액을 사용하면 고혈당이 초래되어 삼투성 이뇨가 생길 수 있고, 고혈당은 심정지후 신경학적 예후를 나쁘게 한다.

바. 무반응을 보이는 환자에 대한 접근

무반응을 보이는 환자에 대한 초기 접근은 기도, 호흡, 순환에 대한 평가이다. 만약 소아가 호흡이 없고 맥박이 촉지되지 않으면 즉시 소생술이 시행되어야 하며 가능한 빨리 심전도를 모니터해야 한다.

만약 환자가 무수축을 보이면 소생술을 계속하고 신속히 기관내 삽관을 하며, 100% 산소로 폐 환기를 시켜야 한다. 정맥 또는 골내 투약로를 확보하고 1:10,000 에피네프린을 0.1 mL/kg의 용량으로 투여한다. 혈관을 확보하는데 실패하면 1:1,000 에피네프린을 0.1 mL/kg의 용량으로 기관내관으로 투여할 수 있다. 만약 환자가 3분 안에 성공적으로 소생되지 않는다면 흉부 압박이 적절한지 확인한 후에 3~5분 간격으로 1:1,000 에피네프린을 0.1 mL/kg 용량으로 투여한다.

만약 여전히 심전도에서 맥박이 인지되지 않으면 소생술을 하면서 가능한 원인을 찾아 치료해야 한다. 일반적으로 저산소증, 심한 산증, 심한 저혈량, 긴장성 기흉, 심장눌림증(cardiac tamponade), 심한 저체온 등이 흔히 원인이 된다.

심실 세동이 있으면 신속히 제세동을 시도해야 하

며 권장되는 초기 용량은 2 joules/kg이다. 효과가 없으면, 즉시 4 joules/kg로 다시 사용하며 필요하다면 연속적으로 두 번 사용할 수 있다. 만약 환자가 반응이 없다면, 소생술을 시행하면서 기관내 삽관이 잘 되어 있는지 확인하고 100% 산소로 과호흡 시키고 혈관을 확보해야 한다. 제세동기 사용 후 즉시 1:10,000 에피네프린을 0.1mL/kg 용량으로 혈관 내 투여하거나 1:1,000 에피네프린을 0.1 mL/kg으로 기관내관으로 투여한다. 에피네프린 투여 후에 30~60초 후에 4 joules/kg 로 다시 시행해 볼 수 있다. 이것도 실패하면 1.0 mg/kg의 리도카인을 투여하고 30~60초 후에 4 joules/kg으로 재시도 한다. 에피네프린은 3~5분 간격으로 반복 사용할 수 있다.

사. 증상성 서맥

서맥은 정상 혈압이 있을 경우에도 심박출량의 저하를 초래한다. 만약 심폐부전이 심하면 영아에서는 분당 80회, 소아에서는 분당 60회의 흉부 압박을 하고, 에피네프린은 3~5분 간격으로 반복하여 투여할 수 있다. 만약 이러한 방법에도 반응이 없는 경우에는 아트로핀을 0.02 mg/kg(소아에서는 최소 0.1 mg에서 최대 0.5 mg까지, 성인에서는 최대 1 mg)까지 투여할 수 있다.

아. 예후

성공적인 소생술은 심정지의 기간, 적절한 심근 혈류의 유지, 심실 세동이 있을 때의 신속한 제세동술에 달려있다. 그러나 소아 심정지 환자에 대한 예후는 별로 좋지 않다. 비록 무호흡과 무맥박을 보인 환자의 50% 이상에서 첫 소생술은 성공적이지만, 결국은 9-33% 정도만 생존하여 퇴원한다.

6. 호흡가정관리

중증 폐렴이나 급성 호흡곤란증후군 등 치명적인 호흡기 질환을 가진 환자들이 의학의 발전과 의료기술의 발달로 꾸준히 생존율면에서는 개선되고 있으나 반대로 질환 자체나 치료과정의 합병증 및 후유증에 의한 유병률은 높아지고 있다. 이러한 결과로 많은 환자들이 장기간 중환자실에서 인공호흡기 및 산소에 의존하게 되고 발달과 성장에 가장 민감한 시기에 가족과 격리되고 있어 이에 대한 대책이 필요하게 되었다. 최근 의료기술의 발달은 병원에서의 환자 생존율을 높임과 동시에 여러 의료기기들을 소형화하고 가정에서도 안전하게 사용할 수 있도록 발전시켜왔다. 이러한 변화는 만성 호흡부전 환자들의 가정 내 치료를 가능하게 만들었고, 비용-효과면이나 심리적인 면에서 호흡가정관리를 추진할 수 있는 근거를 제공할 수 있게 되었다. 호흡가정관리는 호흡기에 손상을 받아 인공호흡기, 산소공급 등의 호흡기관리를 필요로 하는 환아들 뿐만 아니라 신경근육질환이나 중추성 무호흡으로 인한 호흡장애를 가진 환자들이 병원을 벗어나 가정에서 치료 및 호흡기관리를 받도록 하는 것을 말하며, 이들에 대한 체계적인 관리를 위해서는 직접 환자를 담당하게 될 소아과 의사, 가정간호사, 영양사, 재활치료사, 환자 보호자 등의 유기적인 연결과 상호이해가 필요하다.

가. 대상

호흡부전이라 함은 산소공급에도 불구하고 PaO_2가 50 mmHg이하이거나 $PaCO_2$가 50 mmHg를 넘을 때를 일컫는다. 호흡부전은 지속되는 시간에 따라 수분 내지는 수일간 지속되는 경우를 급성 호흡부전, 1개월 이상 지속되는 경우를 만성 호흡부전으로 분류하기도 하나 시간 구분이 명확하게 이루어지지는 않는다. 만성 호흡부전의 원인으로는 1930~1950년대에는 polio의 유행을 들 수 있고 1960년 이후에는 그동안의 의료

기술의 발달로 미숙아의 생존율이 높아지면서 기관지폐이형성증이 주된 원인이 되었다. 이밖에도 중증 폐렴이나 급성 호흡곤란증후군 이후의 만성 폐질환, 심혈관계나 호흡기계의 선천성 이상, 신경근육질환이나 중추성 호흡조절 이상도 만성 호흡부전의 원인이 되고 있다. 호흡가정관리의 대상환아는 이러한 여러 가지 원인으로 인한 만성 호흡부전 환자들이지만 모든 만성호흡부전 환아들이 대상이 되지는 못하며 적어도 표 3-17과 같은 금기증은 제외된다.

나. 목표와 장점

호흡가정관리의 목표는 삶의 연장, 삶의 질 향상, 합병증 감소, 인공호흡기 의존 환아들에서의 신체적, 심리적 발달 개선, 의료비의 감소 등에 있다. 호흡가정관리가 활발히 이루어지고 있는 것으로 알려진 미국이나 유럽 등지의 연구결과에 의하면 환자들이 가정에서 치료를 받게 되면서 심리적 안정을 얻을 수 있었다고 보고하고 있으며, 더불어 치명적인 병원내 감염 등의 합병증을 줄일 수 있다는 장점이 있어서 특히 이러한 효과는 성장발달이 이루어지고 있는 소아에서 중요한 의미를 지닌다고 볼 수 있다. 의료비용의 측면에서 보면 선진국의 경우 50~95% 가량의 비용 절감을 관찰할 수 있었다고 한다. 그러나 환자에 대한 보호자의 스트레스 증가, 응급상황이 발생할 위험성, 사회보장제도 및 사회적 인식의 차이 등의 문제점도 동시에 가지고 있기 때문에 각별한 주의가 필요하다.

다. 호흡가정관리의 구성

적절한 호흡가정관리를 위해서는 대상환자의 선택, 퇴원 전 계획수립, 호흡가정관리 팀 구성, 가정내 준비, 보호자에 대한 교육, 환자의 수송, 가정내 치료, 정기적인 환자 상태 파악 및 평가 등이 체계적으로 진행되어야 한다.

환자의 선택은 상기한 바와 같이 만성 호흡부전 환

표 3-17. 호흡가정관리의 금기증

신체적으로 불안정한 경우
FiO_2 요구량 > 0.4
PEEP > 10 cmH_2O
침습적인 monitoring이 필요한 경우
가정용 인공호흡기를 이용한 치료에 대한 의지가 없는 경우
적절한 퇴원 후 계획이 없는 경우
호흡가정관리에 필요한 환경이 마련되지 않은 경우
비위생적인 환경이나 화재, 안전성에 문제가 있는 경우
난방, 환기, 전기 등의 가정환경이 불충분한 경우
호흡가정관리에 필요한 자원이 부족한 경우
재정적 지원이 불충분한 경우
인적자원이 불충분한 경우

자가 대상이 되나 금기증에 해당하는 경우는 제외된다. 특히 환자의 의학적 측면뿐 아니라 환자 보호자의 환자 치료 및 재활에 대한 의지, 생활환경, 경제적 상태, 신뢰도, 윤리적 측면, 보호자의 교육정도 등이 모두 환자를 선택하는데 고려 대상이 된다.

그 다음으로는 호흡가정관리가 안전하게 이루어질 수 있도록 퇴원 전 계획을 수립해야 하며 이러한 퇴원 전 계획은 호흡가정관리 팀의 구성으로부터 이후의 환자 상태 평가에 이르기까지의 내용을 망라해야 한다. 특히 환자들이 호흡기에 문제점을 가지고 있으므로 모든 계획이 치밀하고 구체적으로 이루어져야 하며 대상환아의 장기적인 예후를 예측하여 계획을 세워야 한다.

병원에서 진료를 맡았던 의사와 보호자 1~2명의 인력으로 호흡가정관리는 불가능하다. 왜냐하면 이 환자들에 대해서는 호흡기 관리뿐만이 아니라 재활, 응급상황에 대한 대비 등이 모두 호흡가정관리에서 이루어져야 하기 때문이다. 따라서 적절한 호흡가정관리를 위해서는 team approach가 필요하며, 이 팀에는 소아과 의사를 위시하여 가정간호사, 환자가 속해 있는 지역사회내 소아과 의사, 재활의학과 의사, 물리치료사, 영양사, 사회사업가, 기계적인 결함을 대처할 수 있는 의료기기회사 담당자 등이 포함되어야 한다. 그

중에서도 특히 소아과 의사는 환자의 의학적인 상태를 정확하게 파악하고 호흡가정관리에 관한 구체적인 계획을 수립해야 하며, 환자가 돌아가게 될 지역사회 내 소아과 의사와 긴밀한 협조관계를 구축해야 한다. 또한 환자의 문제점들을 해결하기 위하여 관련 의료진과의 협진이 이루어질 수 있도록 조정해야 하며, 보호자들이 호흡가정관리를 안전하게 수행할 수 있도록 최소한의 의학지식과 예상되는 응급상황 및 대처방법 등을 교육해야 한다.

호흡가정관리의 가정내 준비는 장비뿐만 아니라 치료환경, 교육 등의 측면까지 고려해야 한다. 병원에서의 진료가 가정에서 이루어질 수 있도록 호흡기 관리에 관련된 의료기기들을 미리 준비해야 하며, 작동 여부도 환자를 옮기기 전에 병원에서 미리 확인해보는 것이 좋다. 일반적으로 준비하는 장비들은 표 3-18과 같다. 또한 환자를 치료할 수 있는 환경을 조성해야 한다. 즉, 환자의 방은 감염을 예방할 수 있도록 청결하게 유지되어야 하고, 적절한 온도 및 습도를 유지할 수 있어야 한다. 전기가 안정적으로 공급되어야 하며, 만일의 경우에 비상전력을 사용할 수 있어야 한다. 더불어 여러 의료기기, 특히 산소탱크 등이 안전하게 관리될 수 있는 환경이어야 하며 응급상황 발생시 연락 가능한 통신수단이 확보되어야 한다. 환자들을 직접 돌보아 줄 보호자들은 환자의 임상상태에 따라 24시간 환자를 감시해야 하므로 1명으로는 부족하고 적어도 2명 이상의 협조가 필요하다. 응급상황에서는 빠른 시간 내에 환자를 병원으로 운송할 수 있는 차량과 운전사도 미리 준비되어야 한다.

비록 의료진이 환자 상태를 정기적으로 평가하기는 하지만 대부분의 시간은 환자가 보호자와 함께 하게 되는데, 이들이 의학적 지식이 전무하기 때문에 철저한 교육이 필요하다. 교육내용에는 기초적인 의학지식, 호흡기 관리를 위한 치료방법, 기구사용법, 환자의 상태를 평가하는 방법, 앞으로 발생할지도 모르는 응급상황과 그에 대한 대처방법 등이 모두 포함되어야 한다(표 3-19, 3-20).

표 3-18. 호흡가정관리에서 준비해야 하는 의료기기 및 장비

가정용 인공호흡기 및 인공호흡기 circuit, 부속장비
전기공급장치 및 비상용 배터리
알람
가습기; 실내용, 인공호흡기용
산소포화도 모니터 (SpO$_2$ monitor)
앰부백
T-cannula(현재 사용하고 있는 크기와 한 사이즈 작은 것)
Suction 기구; negative pressure device, 카테터, percussion device
산소; 산소 탱크, 산소발생기
Feeding tube
혈압계, 청진기, 체중계, 자

환자를 가정으로 이동시킬 때에는 의료진 1명이 같이 가도록 하며, 가능하면 지역사회내의 소아과 의사와도 미리 연락해 놓는 것을 원칙으로 한다. 환자의 상태를 상세히 기록한 요약지를 작성함으로써 응급상황 발생시 적극적으로 대처할 수 있도록 준비해야 하며, 이동은 앰뷸런스나 자가용를 이용한다.

호흡가정관리에서는 환자의 호흡기 관리, 재활치료, 영양공급 등 치료 및 간호행위와 환자 상태에 대한 파악과 감시(monitoring)로 이루어진다. 호흡기능의 이상을 찾아내고 응급상황의 발생을 예방하기 위하여 불안정한 호흡증상이나 징후에 대해 숙지하고 정기적이고 철저하게 감시해야 하며, 이를 포함한 전반적인 감시내용을 임상경과기록지에 기록해야 한다. 만약 이상 징후가 발견되면 응급처치를 하거나 비상연락망을 통해 현재의 문제점에 관하여 문의하여야 한다. 또한 이러한 응급처치를 필요로 하는 상황에 대처하기 위해 산소탱크, 앰부백, T-cannula, 흡입(suction) 기구 등은 언제나 바로 사용할 수 있도록 환자의 바로 옆에 정리해 두어야 한다.

환아의 상태 파악과 치료 과정의 평가를 위하여 정기적으로 추적관찰이 필요하다. 일반적으로 1~2개월에 1회씩은 평가가 이루어져야 하나, 환자들이 쉽게

이동할 수 있는 상태가 아니기 때문에 내원하지 못하는 기간동안에는 가정간호사 등을 통하여 정보교환이 이루어질 수 있다. 가장 중요한 시기는 호흡가정관리가 이루어지기 시작하는 시기이며 이 기간동안에는 가능하면 자주 환자에 대한 평가가 이루어져야 한다. 즉, 필요하다면 1주일에 1회는 추적관찰이 이루어져야 하며, 이후 보호자들의 환자관리가 무난하게 행해지고 환자의 상태가 안정적으로 되기 시작하면 점차 2주일에 1회, 1개월에 1회, 2개월에 1회 등으로 기간을 늘려나간다.

추적관찰시 평가해야 할 항목은 치료방법에 대한 순응도, 환자의 삶의 질, 성장 및 발달 상황, 합병증 및 후유증의 발생 여부, 예상치 못했던 사고 및 사망 여부

표 3-19. 호흡가정관리를 위한 보호자 교육

심폐소생술
T-cannula 교환 및 관리
Suction하는 법
호흡기 물리치료법
네불라이저 사용법
인공호흡기 사용법
앰부백 사용법
임상경과 기록지 작성법 및 일일 확인사항
칼로리 계산법
질환의 경과 및 예상되는 상황
응급 상황시 행동요령
감염관리
이송방법 및 정기검진

등이다.

7. 폐이식

폐이식은 말기 호흡부전 환자들에게 새 생명을 부여할수도 있다는 면에서 새로운 치료법으로 인식되지만 그에 동반된 부작용 및 문제점 들로 인해 아직까지 일반화되어 있지는 않다. 사람에 시행된 첫 폐이식은 1963년에 제거 불가능한 폐암 환자에서 한쪽 폐 이식으로 시작되었으나 성공하지 못하였고, 그 후 20년 이상 여러 폐이식이 시행되었으나 기관지연결의 실패로 장기 생존자는 없었다. 따라서 이러한 합병증을 줄이기 위해 심장과 폐를 동시에 이식하는 심폐이식술이 개발되어 1981년 심폐이식술이 처음으로 성공적으로 시행되었다. 또한 cyclosporine의 개발로 거부반응을 줄임으로써 심폐이식술의 성공률이 높아졌다.

1992년까지 500건 이상 성공적인 심폐이식술이 전 세계적으로 시행되었다. 초기에는 수술직후 사망률이 높았으나, 장기 생존자들이 늘면서 심한 호흡부전과 사망을 초래하는 폐쇄성 세기관지염의 빈도도 점차 증가하였다. 최근에는 1년 생존율이 60~78%, 2년 생존율이 60~73%에 달하고, 소아의 경우도 성인과 비슷하여, 1년 생존율 67%, 2년 생존율 61%, 3년 생존율 54%에 이르고 있다. 한편 세인트루이스의 소아병원에서 시행된 독립폐이식술의 생존율은 1년 생존율 69%, 2년 생존율 67%, 4년 생존율 60% 이었다. 주된 후기

표 3-20. 호흡가정관리에서 예상되는 상황 및 발생 가능한 합병증

Medical	Hypercapnia, respiratory acidosis, hypoxemia, barotrauma, seizure, hemodynamic instability, airway complication (stomal or tracheal infection, mucus plugging, tracheal erosion or stenosis), respiratory infection, bronchospasm, exacerbation of underlying disease or natural course of the disease
Equipment-related	Failure of the ventilator, malfunction of equipment, inadequate warming and humidification of inspired gases, inadvertent changes in ventilator settings, accidental decannulation
Psychosocial	Depression, anxiety, loss of resource (caregiver or financial), detrimental change in family structure or coping capacity

합병증으로는 폐쇄성 세기관지염으로서 27% 환자에서 발생했으며 후기 사망원인의 64%를 차지하였다. 그러나 3세 미만의 소아에서는 폐쇄성 세기관지염 발생이 현저히 낮았다. 심폐이식을 시행 받는 원인 질병으로는 낭성섬유증, 폐혈관 질환, 간질성 폐질환 등이 있고, 일부의 환자에서는 폐쇄성 세기관지염 발생으로 인하여 재이식을 받았다.

가. 적응증

폐이식의 적응증은 대개 2년 이내의 수명이 폐이식의 현실적 적응증으로 거론되나, 사춘기 이후 여성에서는 예후가 나쁘기 때문에 빨리 이식센터로 보내는 것이 좋다. 낭성섬유증에서는 노력성 1초 호기용량(FEV₁)이 정상인의 30% 이하면 폐이식을 고려하고, 이외에도 Shwachman score 40 이하, 12분간 걷기가 800 m 이하, 산소포화율이 90% 이하면 적응증으로 생각되어진다. 예후에 영향을 미치는 인자는 FEV₁% predicted, FVC% predicted, 저신장, 백혈구수 증가, 간비대 등의 만성간질환이 단기예후인자로 생각되고 있다.

나. 부적응증

폐이식의 부적응증은 그 종류가 점점 줄고 있다. 예후에 영향을 미칠수 있는 인자는 전에 흉곽수술을 받은 병력, 당뇨, 스테로이드 사용 유무 등이 있다. 단지 낭성섬유증 환자의 5%에서 병발하는 간경화가 있을 때는 폐이식과 동시에 간이식술을 시행하지 않고는 폐이식의 부적응증이 된다. *Pseudomonas cepacia*가 폐에 집락 되어있는 경우도 이식자의 폐에 재집락의 빈도가 높아 예후에 영향을 미친다. 환자나 보호자에게 정신사회적 질환이 있는 경우 폐이식후 면역억제제의 복용과 정기 검진등에 순응도가 낮기 때문에 부적응증으로 생각되고, 이외에도 침습적 호흡기에 aspergillosis 감염, mycobacteria 감염, 신부전 등이 부적응증 인자로 작용한다.

전신성 홍반성 낭창 같은 전신적 질환으로 인한 만성폐질환의 경우도 폐이식의 부적응증이 되지 않으나 단지 신기능 장애가 있을때는 부적응증이 된다.

다. 기술적 측면

장기기증자와 이식자는 ABO blood group compatibility, 신체 크기가 적합해야 하고, 보통 cytomegalovirus 혈청검사도 시행한다. HLA 부적합은 면역억제제의 도입으로 문제가 되지 않고 있다. 이외 기증자의 폐는 상태가 양호하고 흉부 X선 검사에서 정상이고 세균검사에서 음성이어야 한다. 장기 적출 후 허용되는 최대 허혈 시간은 4~5시간이다.

폐이식에는 심폐이식, 한쪽폐이식, 양쪽폐이식 등의 방법이 있는데, 어떤 종류를 선택할지 여부는 기존 질환의 종류와 외과의사의 경험, 선호도에 의해 결정된다. 대개 한쪽폐이식은 간질성폐질환(interstitial lung disease), 폐고혈압(pulmonary hypertension)에만 적합하다. 낭성섬유증 같은 만성폐질환 환자에서 심폐이식과 양쪽폐이식 중 어떤 방법을 선택할지는 나이에 따라 결정이 된다. 양쪽폐이식에서 기관연결은 특히 어린 소아에서 허혈성 합병증의 위험을 증가시키므로 어린 소아의 경우 심폐이식이 더 선호된다.

라. 수술후 관리

가장 중요한 수술 후 치료는 면역억제제의 복용이다. 현재까지 cyclosporine은 거부반응을 억제하는 주된 약으로 사용되고 있고, 친지방성 특성 때문에 낭성섬유증 환자에서는 흡수가 잘 안된다. 생체이용률의 변동이 많으므로 혈중 약물농도 검사가 필수적이다. 신독성이 가장 주된 이 약의 부작용이지만 불충분하게 쓰면 거부반응으로 이어진다. 다른 부작용으로는 고혈압, 고칼륨혈증, 간독성, 잇몸증식증, 다모증, 경련 등이 있다. 수술 후 첫 달에는 혈중 농도를 500 ng/mL로 맞추고, 그후 250~350 ng/mL로 유지시킨다.

Cyclosporin A와 함께 azathioprine이 추가적으로 사용되기도 하고, methylprednisolone, antithymocyte globulin, antilymphocyte globulin, T 세포 수용체에 작용하는 단클론항체 들이 수술직후 함께 사용되기도 한다. 저항성 이식거부 현상은 추가적인 methotrexate와 흡입성 cyclosporine으로 치료한다. 새로나온 면역억제제로는 tacrolimus (FK 506), mycophenolate mofetil, sirolimus (rapamycin), rapamycin derivative SDZ-RAD 등이다. 모든 면역억제제는 immunophilins 라고 하는 세포내 결합 단백질과 상호작용함으로써 이식거부를 주도하는 T 세포를 비활성화시킨다. 이식 거부를 관찰하기 위해 규칙적인 폐기능 검사를 시행하고 폐기능이 저하되면 기관지 내시경, 기관지폐포 세척술(bronchoalveolar lavage), 기관기관지 조직검사(tracheobronchial biopsy)를 시행하여 감염과 감별 진단 해야한다.

마. 합병증

수술후 급성 합병증으로는 급성 폐이식거부반응, 수술과 관련된 감염이 가장 흔하다. 3개월 이후에는 폐쇄성 세기관지염이 합병증과 유병률을 주도한다. 다른 합병증으로는 기관 협착, 기관지 연화증, cyclosporine 부작용, 면역억제제의 장기 사용에 따른 Epstein-Barr 바이러스 관련 림프종 및 다른 암 발생률 증가 등이 있다.

1) 급성 거부반응

급성 거부반응은 50% 정도 비율로 발생한다. 증상은 호흡 곤란과 기침, 미열 등이고 청진에서 수포음과 천명이 들리고 폐기능이 저하되며 흉부X선 이상이 3/4 정도에서 발견된다. 하지만 이식거부에 특징적인 소견은 없고 감염과 구별하기 위해선 기관지폐포세척술과 기관지 조직검사가 이용된다. 거부반응 소견으로는 기관지폐포세척술에서 세균과 세포가 검출되지 않는다. 가장 도움이 되는 검사는 기관지 조직검사로 특징적 소견은 단핵구에 의한 perivascular cuffing 이다.

급성 거부반응의 치료는 cyclosporine의 용량을 증가시키고 고용량의 prednisolone을 투여하는 것이다. 때때로 antithymocyte globulin과 T 세포 수용체 항체 등이 이용되기도 한다.

2) 감염성 합병증

면역억제제의 사용으로 인해 감염은 불가피한 합병증이며, 특히 세균성 폐렴이 흔히 발생한다. 하지만 사실상 모든 종류의 감염이 발생할 수 있으므로 감염이 의심되면 광범위 항생제, protozoa, 진균, 바이러스에 대한 치료제를 쓴다. Cytomegalovirus도 수술 후 1~2개월에 흔한 감염의 원인이 되고, ganciclovir, 특이면역글로불린(CMV immunoglobulin)이 치료제로 이용되고 있다.

3) 폐쇄성 세기관지염

폐쇄성 세기관지염(bronchiolitis obliterans)은 폐이식의 장기 합병증으로 사망률과 유병률을 증가시키는 원인이 된다. 정확한 기전은 잘 모르지만, 이식거부반응의 효과적인 치료가 이의 발생빈도를 감소시켰고, 따라서 만성 거부반응 현상의 결과로 간주된다. 즉, 만성 염증반응이 세기관지 주위에 집중되고, 점차적으로 내경을 막으면서 심한 폐색성 질환으로 진행한다. 수술후 3개월에서 2년 사이에 발생하는데 점차적으로 호흡이 가빠지고, 천명을 동반한 기침과 청진소견에서 전 폐야에서 흡기말 수포음이 들리고, 폐기능 검사에서 심한 폐쇄성 환기 장애를 보이며 기관지 확장제에 반응을 하지 않는다. 치료는 면역억제제를 증가시켜 볼 수가 있지만 반수 정도는 계속 진행하여 결국 재이식만이 생존을 가능하게 한다.

참고문헌

1. 김동수. 흉곽물리요법. 호흡관리의 실제. 제1판. 서울: 군자 출판사, 1995: 277-301.

2. 김성덕. 흉부물리요법. 소아 호흡관리. 제1판. 서울: 군자 출판사, 1995:212-25.

3. Burr BH, Guyer B, Todres ID, Abrahams B, Chiodo T. Home care for children on respirators. N Engl J Med 1983;309:1319-23.

4. Frates RC, Jr., Splaingard ML, Smith EO, Harrison GM. Outcome of home mechanical ventilation in children. J Pediatr 1985;106:850-6.

5. Tsai A, Kallsen G. Epidemiology of pediatric prehospital care. Ann Emerg Med 1987;16:284-92.

6. Marini JJ. Lung mechanics in the adult respiratory distress syndrome. Clin Chest Med 1990;11:673-90.

7. Royall JA. Adult respiratory distress syndrome. In Levin DL, Morriss FC editor. Essentials of pediatric intensive care. St Louis, QMP. 1990;289-97.

8. American Thoracic Society. Home mechanical ventilation of pediatric patients. Am Rev Respir Dis 1990;141:258-9.

9. Thomas AB. Respiratory Care Principles. A Programmed guide to Entry Level Practice. 3rd ed. Robert J Brady Co. 1991:226-33.

10. Bos AP, Polman A, Vander Voort E, Tibboel D. Cardiopulmonary resuscitation on paediatric intensive care patients. Intensive Care Med 1992;18:109-11.

11. Emergency Cardiac Care Committee and Subcommittees, American Heart Association: Guidelines for cardiopulmonary resuscitation and emergency cardiac care. JAMA 1992;268:2171-298.

12. White TJ, Cshachter EN. Pharmacology and therapeutics in respiratory care. Philadelphia, W.B. Saunders Co., 1994.

13. DeNicola LK, Monem GF, Gayle MO, Kissoon N: Treatment of critical status asthmaticus in children. Pediatr Clin N Am 1994;41:1293-319.

14. Pierson DJ. Controversies in home respiratory care: Conference summary. Respir Care 1994;39:294-308.

15. Paulson TE, Spear RM, Peterson BM. New concepts in the treatment of children with acute respiratory distress syndrome. J Pediatr 1995;127:163-75.

16. AARC Clinical Practice Guideline. Long-term invasive mechanicalventilation in the home. Respir Care 1995;40:1313-20.

17. Fauroux B, Sardet A, Foret D. Home treatment for chronic respiratory failure in children: a prospective study. Eur Respir J 1995;8:2062-6.

18. Downey P, Cox R: Update on the management of status asthmaticus. Curr Opin Pediatr 1996;8:226-33.

19. Voter KZ, Chalanick K. Home oxygen and ventilation therapies in pediatric patients. Curr Opin Pediatr 1996;8:221-5.

20. Rodriguez-Roisin R: Acute severe asthma: pathophysiology and pathobiology of gas exchange abnormalities. Eur Respir J 1997;10:1359-71.

21. Ushay HM, Notterman DA. Pharmacology of Pediatric resuscitation. Pediatr Clin North Am 1997;44:207-33.

22. Amato MB, Barbas CS, Medeiros DM, Magaldi RB, Schettino GP, Lorenzi-Filho G, et al. Effect of a protective-ventilation strategy on mortality in the acute respiratory distress syndrome. N Engl J Med 1998;338(6):347-54.

23. Levy BD, Kitch B, Fanta CH: Medical and ventilatory management of status asthmaticus. Intensive Care Med 1998;24:105-17.

24. Chermick V, Boat TF, Kendig EL. Kendig's Disorders of the respiratory tract in children. Philadelphia, W.B. Saunders Co., 1998.

25. Hananel JI, Barbers RG: Critical care management of the asthmatic patient. Curr Opin Pulm Med 1998;4:4-8.

26. Tausig LM, Landau LI. Pediatric respiratory medicine. St. Louis : Mosby, 1999:264-85.

27. Ware LB, Matthay MA. Medical Progress: The acute respiratory distress syndrome. N Engl J Med 2000;342:1334-49.

28. Parks SM, Novielli KD. A practical guide to caring for caregivers. Am Fam Physician 2000;62:2613-20.

29. Redding GJ. Current concepts in adult respiratory distress syndrome in children. Curr Opin Pediatr 2001;13:261-6.

30. Adderley RJ. Special needs (technology-dependent) children. In: Macnab A, Macrae D, Henning R editors. Care of the Critically ill child. Edinburgh: Churchill Livingstone, 2001:490-3.

31. Russell RI. Scoring systems and patient audit. In: Macnab A, Macrae D, Henning R editors. Care of the Critically ill child. Edinburgh: Churchill Livingstone, 2001:457-61.

32. Oldenquist GW, Scott L, Finucane TE. Home care: What a physician needs to know. Cleve Clin J Med 2001;68:433-40.

33. Anthony H. Nutritional management in critical illness. In: Macnab A, Macrae D, Henning R editors. Care of the Critically ill child. Edinburgh: Churchill Livingstone, 2001:447-56.

34. American Academy of Pediatrics (Committee on Children with Disabilities). Role of the pediatrician in family-centered early intervention services. Pediatrics 2001;107:1155-7.

35. Brown K, Bocock J. Update in pediatric resuscitation. Emerg Med Clin North Am 2002;20:1-26.

36. Elward AM. Pediatric ventilator-associated pneumonia. Pediatr Infect Dis J 2003;22:445-6.

37. Rowin ME, Patel VV. Christenson JC. Pediatric intensive care unit nosocomial infections: epidemiology, sources and solutions. Critical Care Clinics. 2003;19:473-87.

38. 호흡장애아 모임. 홈페이지(http://members.nate.com/homecareclinic)

제4장

폐손상

1. 폐손상

가. 화상

화상은 소아에서 흔히 볼 수 있는 사고 중의 하나이다. 그 중에서도 화상으로 인한 기도 손상은 사망률 증가와 재원기간 연장의 원인이 된다. 흡입손상(inhalation injury)이란 화상으로 인하여 호흡기에 손상을 받는 경우로서 상기도로부터 하기도, 폐포, 폐혈관, 흉벽, 호흡근, 호흡중추 및 신경계 등 어느 부위든지 장애가 일어날 수 있다.

1) 손상의 종류

뜨거운 공기를 흡입하여 생긴 열 손상은 입, 코, 인두, 후두, 상부기관 등 주로 상기도에 손상을 주게 되며, 건조한 공기보다는 습한 공기인 경우 더 하부에 있는 기도까지 손상을 준다. 이 때 열 손상을 받은 기도의 점막은 홍반, 부종, 출혈, 궤양 등이 발생한다. 일반적으로 화상을 입은 지 48~72시간이 경과하면서 부종이 심해지고 서서히 상기도 폐쇄 증상이 진행되며, 심한 경우에는 수 시간내에 기도폐쇄가 일어날 수 있다. 뜨거운 물이나 커피를 마셔서 생긴 scald injury도 상기도에 부종을 초래하며, 경증의 경우에는 아무런 치료 없이 또는 에피네프린 네불라이저 치료 정도로 3~4일 정도 경과하면 회복된다. 이보다 심하면 부종이 발생

한 이후에 반흔(scar)이 형성되면서 중증의 상기도 폐쇄가 초래되기도 하여 필요한 경우에는 기관절개술을 시행한다.

뜨거운 공기나 액체를 들여마심으로써 발생하는 열 손상이외에도 화상에서는 연기에 포함되어 있는 독성물질 때문에 더욱 심한 기도손상을 받게 된다. 이러한 독성 물질의 크기는 5 μm로부터 5 mm이상까지 다양한 크기를 가지고 있으며, 일부는 말초기관지까지 들어가지만 대부분의 경우에는 비인두, 후두, 기관 등에 주로 침착된다. 이렇게 침착된 독성물질은 점막의 부종을 일으키고, 섬모운동을 방해하며, 점막의 궤양, 점액질 증가 등을 초래한다. 연기에 들어 있는 독성물질은 고수용성(high water solubility)이면서 기도를 자극하는 물질인 HCl, acrolein, NH_3, 저수용성이면서 기도를 자극하는 물질인 phosgene, 질소산화물, asphyxiant로 작용하는 hydrogen cyanide, 일산화탄소, 전신적 독성물질로 작용하는 antimony, cadmium, chlorobenzene, propionitrile 등으로 분류할 수 있다.

2) 증상

얼굴에 화상을 입었을 경우, 화상을 입을 당시 폐쇄된 공간에 있었던 경우, 또는 전신에 화상을 입은 경우에는 일산화탄소 또는 cyanide 중독의 증세가 있는지 여부와 상부기도 폐쇄의 증세가 있거나 혹은 수 시간 이내에 발생할 가능성이 있는지를 확인 한다. 일산화

탄소 중독이 있는 경우 의식불명, 저혈압, 폐부종, 청색증, 환각, 착란, 두통, 경련 등이 나타날 수 있다. 점막에 나타나는 cherry-red coloration은 흔하지 않다. Cyanide 중독이 있을 경우에는 정신의 혼미, 저혈압, 빈맥, 안면홍조, 가쁜 호흡 등의 소견이 보인다. 이 때 정맥혈은 평소에 비하여 더 밝은 적색을 띠게 된다.

상부기도에 문제가 있는 경우에는 흡기성 천음이 들리게 되고, 삼킴 기능에 장애가 나타날 수 있다. 환자는 앉아 있는 자세를 더 편안하게 느끼고, 목소리가 변할 수도 있으며 호흡곤란의 정도에 따라 흉부함몰이 나타난다. 또한 청색증, 호흡곤란, 기침 등이 발현되기도 하고 청진소견상 천명음이나 수포음이 들리기도 한다. 간혹 호흡곤란이 심해지고 비정상적인 호흡음이 한쪽 폐야에서만 발견되는 경우는 한쪽 기도가 막혔거나 기흉의 발생을 의심하여야 한다.

혈액내 carboxyhemoglobin과 cyanide 치를 측정하고, 호흡과 관련해서는 pulse oximetry 측정과 동맥혈가스분석을 하며, 상부기도의 이상을 확인하기 위해 굴곡성 후두경 및 기관지경 검사를 할 수 있다. 폐기능검사를 시행하여 FEV_1의 감소, FEV_1/FVC ratio 감소 등의 폐쇄형 패턴을 관찰할 수 있다. 그러나 6세 이하의 협조가 이루어지지 않는 소아이거나 안면부의 화상 및 통증이 심한 경우, 호흡곤란이 있는 경우에는 폐기능검사 자체가 이루어지지 않기 때문에 제한점이 있다.

흡입손상의 진단은 병력과 진찰소견으로 이루어지며 단순 흉부 X선 검사 및 흉부전산화 단층촬영과 같은 방사선학적 검사는 환자의 호흡기 상태를 평가하는데 도움이 된다. 단순 흉부 X선검사에서는 횡격막이 편평해지고 폐의 과팽창 소견을 볼 수 있으며 호흡곤란이 진행함에 따라 기흉, 무기폐, 폐부종, 폐렴, 흉막액 등이 나타나기도 한다.

3) 치료

상부기도의 폐쇄가 있으면 기관 삽관을 통해 기도를 확보 한다. 시간이 경과할수록 기도 부종이 심해져서 삽관 자체가 힘들어지므로 되도록 빠른 기도 확보

가 필요하고 삽입된 튜브의 확실한 고정이 필요하다. 손상 후 12시간이내에 마스크를 통해 고유량의 산소를 공급함으로써 체내 일산화탄소 제거 효과를 볼 수 있고, 만약 산소공급이 어렵다면 기도삽관을 한 후 continuous positive airway pressure(CPAP)를 적용한다. 그러나 12시간이 경과한 이후에는 일산화탄소를 제거하는 효과보다는 고농도의 산소에 의한 독성효과가 더 우려되기 때문에 가능하면 FiO_2를 0.5이하로 유지하고 인공호흡기는 급성호흡곤란증후군(ARDS)에 준해서 적용해야 한다. 흡입 손상 환자에서의 천명음은 평활근의 수축보다는 기도 부종, 점액질 증가, cast의 형성 등에 의해 발생하기 때문에 β_2-항진제의 효과는 제한적이다. 화상 후의 이차성 폐렴은 사망의 주된 원인이 되므로 철저한 치료가 필요하다. 배양검사를 통한 원인균 확인과 이에 대한 적절한 항생제 투여가 필수적이며, 배양검사가 나오기 전에는 흔한 원인세균(S. aureus, Pseudomonas)에 대한 항생제를 우선 사용한다. 그러나 예방적 항생제 투여가 사망률이나 이환율을 감소시키지는 않으며, 화상 환자에서 스테로이드의 치료 효과는 아직 불분명하다. 일산화탄소 중독은 고유량의 산소공급이 필요하며 특히 carboxyhemoglobin이 30%이상일 때에는 고압산소요법이 필요하다. Cyanide 중독에서는 sodium nitrite나 sodium thiosulfate를 정맥주사하며 methemoglobin을 측정하여 10%이하로 낮추어야 한다.

나. 폐 타박상

1) 병태생리

폐의 타박상(blunt injury)은 주로 교통사고나 추락에 의해 발생한다. 외부로부터의 충격은 해당부위의 기도, 폐, 혈관, 늑골 등에 손상을 가함으로써 변형, 열상, 타박상을 일으키는데, 충격의 정도가 심해지면 멀리 떨어진 부위 손상도 동반한다. 폐 열상은 혈관의 손상을 흔히 동반하는데, 이로 인한 출혈은 무기폐 및 가스교환장애를 일으키며, 기도 폐쇄, 점액질 분비 증가,

섬모기능 장애도 초래된다. 기관 및 기관지의 열상은 공기 누출에 의한 기흉, 기종격동, 피하기종 등을 초래하고, 이의 결과로 폐용적의 감소, 폐포 환기장애, 환기-관류 장애가 발생하여 호흡곤란이 일어난다. 폐 타박상을 입은 경우 모세혈관의 투과성도 일부 증가하므로 폐포 및 간질내로 액체의 유입이 증가하여 폐부종이 발생된다.

2) 증상

폐 타박상의 증상은 빈호흡, 흉벽 피부의 타박상, 청색증, 객혈 등이며, 일부의 환자에서는 늑골 골절이나 동요흉곽(flail chest)도 보인다. 외상 당시 또는 받은 직후에 기흉, 혈흉, 혈종 등이 합병될 수 있으며, 시간이 경과하면 기류, 폐 섬유화 등도 올 수 있다. 이차성 폐렴의 예방을 위하여 적절한 항생제 치료가 필요하다.

3) 검사

진단을 위하여 우선 단순 흉부 X선 검사를 시행하는데, 초기에는 늑골 골절, 기흉, 혈흉 이외의 소견은 나타나지 않을 수 있으므로, 정기적인 촬영을 시행해서 타박상을 입은 부위 폐야의 음영 변화를 확인하도록 한다. 단순 흉부 X선 검사의 소견이 정상이라도 임상적으로 의심되면 흉부 전산화단층촬영을 시행 하도록 하며, 필요한 경우 기관지 손상 또는 기관지내 이물 등을 확인하기 위해 기관지경검사를 시행할 수 있다. 적절한 가스교환을 확인하기 위해 활력징후(vital sign)와 동맥혈 가스 모니터링을 한다. 또한 정기적인 진찰, 말초혈액내 백혈구수, 기도 흡인물의 세균배양검사 등도 시행 한다.

4) 치료

의식이 있는 환자에게는 마스크를 통한 고유량의 산소공급이 필요하다. 만약 환자의 의식이 불분명하거나 기도손상이 의심되는 경우, 통증으로 인해 심호흡이나 기침 등이 제대로 이루어지지 않는 경우 등이 있으면 기관 삽관을 해야 한다. 인공호흡기 적용은 이미 손상을 받은 폐나 기도에 압력상해를 가할 위험성이 있기 때문에 가능한한 낮은 압력과 낮은 일회호흡용적(tidal volume)을 유지하는 것이 좋다. 따라서 pH가 7.2 이상만 유지할 수 있다면 PCO_2는 상승하는 것을 허용하고(permissive hypercapnia) PO_2는 50 mmHg 이상, FiO_2는 0.5이하로 유지하는 것을 목표로 한다.

수액요법에 있어서 과도한 수액공급은 폐부종을 초래하게 되고, 반면 수액의 제한적인 공급은 외상에 의한 출혈에 대처하지 못하게 되므로 위험하다. 따라서 수액은 혈압, 요량(urine output), 피부관류(skin perfusion), 대사성 산증 등을 확인해가면서 공급해야 한다. 그 밖에 필요한 경우 흉관삽입과 통증 관리가 시행되어야하며 무기폐나 2차성 폐렴을 예방하기 위해 흉부물리치료가 필요하다.

다. 탄화수소에 의한 폐렴

탄화수소에 의한 폐렴(hydrocarbon pneumonitis)은 학동전기 소아들에서 주로 발생하고, 사고에 의한 액체 탄화수소물질을 흡인한 경우, 청소년기에서 환각 목적으로 흡인한 경우에 발생한다.

1) 병태생리

탄화수소물은 폐포 및 간질의 출혈, 계면활성제 작용 억제, 기관지 점막의 손상, 폐혈관 내피세포 손상 등을 초래함으로써 호흡곤란 및 호흡기 증상을 유발한다. 탄화수소물이 폐 손상을 일으키는 정도는 free fatty acid의 함량에 따라 달라지는데, 일반적으로 식물성 기름보다는 동물성 기름에 free fatty acid가 많이 들어있기 때문에 동물성 기름을 흡인한 경우 심한 손상을 일으킨다.

2) 증상

기침, 구역질, 빈호흡, 흉부함몰, 발열 등이 나타난다. 청진소견은 정상일 수 있으나, 수포음, 천명음, 호흡음 감소 등이 나타나기도 한다. 탄화수소물이 중추

신경계의 기능을 저하시키고 위장 자극 작용이 있으므로 많은 환자에서 의식 혼란과 구토가 동반되기도 한다. 호흡기 증상들은 경증인 경우에는 24~48시간이내에 호전되나 급성호흡곤란증후군, 2차성 폐렴, 기류 등이 동반되면 10일 이상 지속되며, 발열은 3주 정도 지속되기도 한다.

3) 검사소견

X선 검사가 진단에 도움이 된다. 방사선학적 변화는 일반적으로 탄화수소물의 흡인이후 12시간이내에 나타나며, 주로 하엽의 음영 증가로 나타난다. 합병증으로 말단부위의 공기포획, 기흉, 기종격동, 흉막액 등의 소견을 보일 수 있다. 증상이 사라지면 X선 소견도 수일이내에 호전되나 기류, paraffin granuloma 등은 수개월간 이상 지속되기도 한다.

4) 치료

구토를 유발하거나 위세척(nasogastric lavage)을 하는 것은 폐렴을 악화시킬 위험이 있기 때문에 금하여야 한다. 흡인이 일어난 후 72시간 동안은 호흡수, 맥박수, 산소포화도 등을 보면서 호흡부전이 일어나는지를 확인해야 한다. 호흡곤란이 있거나 산소포화도가 떨어지는 경우, 청색증이 있는 경우에는 산소를 공급해야 하며 필요한 경우 기관 삽관 후 인공호흡기를 적용해야 하는데, 기흉, 기종격동 등의 합병증이 발생할 위험성을 줄이기 위해 가능한 한 적은 양압과 일호흡용적을 낮게 유지해야 한다. 스테로이드의 투여는 별로 도움이 되지 않으며 경우에 따라서는 2차성 폐렴의 발생 위험성을 높인다. 항생제를 예방적으로 투여하는 것은 효과가 없으나 증상, 말초혈액내 백혈구수, 기도흡인액의 세균배양검사 등을 확인하여 필요한 경우 적절히 항생제를 투여하는 것이 필요하다. 카테콜아민, 기관지확장제, inotropic agent 등은 부정맥을 유발할 가능성이 있으므로 가능하면 투여하지 않는 것이 좋다. 호흡기 외에도 신장, 간, 심근 기능의 손상이 있을 수 있으므로 정기적인 확인이 필요하다.

라. Near-drowning

물에 빠졌을 때 질식으로 사망한 경우를 drowning이라고 하는데, 이는 대개 물에 빠진 후 24시간이내에 일어난다. Near-drowning이란 물에 빠져 의학적 치료를 필요로 하는 상태로서 최종결과에 상관없이 적어도 24시간 이상 생존한 경우를 말한다.

1) 병태생리

Near-drowning에서의 폐 손상은 질식, 후두경련, 무호흡 등에 의한 저산소증 뿐만 아니라 물, 오물, 위내용물 및 세균의 흡인에 의해 일어난다. 이러한 결과로 폐포의 손상, 계면활성제 소실, 무기폐 발생, 기도 폐쇄, 급성 염증반응 등이 초래되어 급성호흡곤란증후군이 나타나기도 하고 2차적인 폐렴이 발생하기도 한다. 민물보다는 소금물을 흡인 했을 때 폐 부종이 심하며 더러운 물에 빠졌을 때에는 *Pseudomonas aeruginosa* 폐렴의 위험이 크고, 그 외에도 2차적인 폐렴의 원인균으로는 *S. Pneumoniae, S. aureus, E. coli* 등이 발생할 수 있으므로 항생제를 선택할 때 고려한다.

2) 치료

Near-drowning 환자는 중환자실에서의 집중치료 및 모니터가 필요하다. 특히 호흡기의 기능은 질식 뿐만 아니라 급성호흡곤란증후군, 세균성 폐렴, chemical pneumonitis 등이 발생함에 따라 24~72시간 동안 점차로 악화될 수 있으므로 환자의 상태를 수시로 확인하는 것이 필수적이다. 저산소증에 의한 손상을 방지하기 위해서는 산소공급이 요구된다. 만약 마스크를 통한 산소공급만으로 PaO_2가 유지되지 않거나 $PaCO_2$가 상승하게 되면 기관 삽관후 호기말양압(PEEP)을 걸어주는 것이 필요하다. 폐 손상의 정도에 따라 다르지만 일반적으로 3~4일이 경과하면 계면활성제의 재생, 폐 모세혈관으로부터의 액체 투과 감소 등이 나타나므로 서서히 호흡기 증상이 감소하면서 인공호흡기로부터의 이탈이 가능해진다. Near-drowning에서의 스테로이드 투여 효과는 입증되지 않았으며 예방적 항생제의 투여 효과는 아직 불분명하다. 그러나 발열 등의 증상, 말초혈액내 백혈구 수, 기도흡인물의 세균배양검사 등을 통해 세균성 폐렴의 가능성을 확인하고 적절한 항생제의 투여를 고려한다.

Near-drowning에 의한 저산소증은 심근 손상을 초래할 수 있으므로 적절한 심박출량을 유지하고 말초기관으로의 관류가 이루어지도록 하기 위해서는 우선 심전도에서의 ST/T wave 변화 및 심근효소 상승을 확인해야 한다. 심근손상을 받은 경우 과량의 수액공급이 이루어지면 심근 수축력이 떨어져 있기 때문에 좌심부전이 일어날 수 있으므로 주의를 요하며, 심근 기능이 떨어져 있다고 판단되면 적절히 inotropic agent를 투여하는 것이 필요하다.

Near-drowning의 치료에 있어서 호흡기계나 심혈관계 이외에도 신경계에 대한 집중치료가 요구되며, 저산소증, 산증, 경련, 수액 및 전해질 이상 등에 의해 2차적인 신경학적 손상을 최소한으로 하는 것을 치료의 목표로 한다. 뇌압 상승을 조절하기 위해서는 $PaCO_2$ 30~35 mmHg 정도의 과호흡(hyperventilation), 진정(sedation), 머리를 위로 올리는 자세(head elevation), 과량의 수액공급 방지 등의 치료가 필요하며 산소의 공급, 대사 및 전해질 이상의 교정이 필수적이다.

2. 급성호흡곤란증후군

가. 정의

급성호흡곤란증후군(acute respiratory distress syndrome; ARDS)은 1967년 Ashbaugh 등에 의해 흉부 X선 소견에서 양측 폐야의 음영증가와 함께 중증 호흡부전을 보였던 환자에서 처음 기술되었다. 당시에는 환자가 성인이었음에도 불구하고 임상 양상이 미숙아에서 관찰할 수 있었던 호흡곤란증후군(respiratory distress syndrome)과 유사하다고 하여 "adult respiratory distress syndrome"이라고 표현하였으나 이러한 형태가 성인에서만 나타나는 것이 아니어서 현재에는 "acute respiratory distress syndrome"이라고 명명하고 있다. 1992년에 American-European Consensus Conference(AECC)에서 제시한 acute lung injury(ALI)와 ARDS의 정의에 의하면 ALI는 ① 갑작스런 호흡곤란, ② 중증의 저산소증($PaO_2/FiO_2 \leq 300$ mmHg), ③ 흉부 X선 소견에서 양측 폐야의 음영 증가, ④ pulmonary artery wedge pressure(PAWP) ≤ 18 mmHg 이거나 좌심방 고혈압의 증거가 없는 경우를 말하며, ARDS는 ALI의 심한 형태로서 좀 더 심한 저산소증($PaO_2/FiO_2 \leq 200$ mmHg)을 보이면서 상기한 다른 조건들을 만족시키는 경우로 하고 있다.

나. 위험요인

ALI/ARDS의 발생을 유발할 수 있는 위험요인으로는 호흡기계에 대한 직접적인 손상과 간접적인 손상으로 나누어 볼 수 있다. 호흡기계에 대한 직접적인 손상으로는 위 내용물의 흡인, 미만성 폐 감염, near-drowning, 독소의 흡입, 폐 타박상이 있다. 반면 비호흡기계의 손상에 의해 간접적으로 ALI/ARDS를 발생시키는 위험요인에는 패혈증, 비호흡기계의 중증 외상, 잦은 수혈, cardiopulmonary bypass 등이 있다. 이러한 위험요인들에 대한 파악은 환자가 ALI/ARDS로 진행할 위험성을 예측할 수 있도록 하므로 임상에 있어서는 많이 도움이 되기는 하지만 약 20%의 환자에서는 이러한 위험요인 없이도 ALI/ARDS가 발생하므로 주의를 요한다.

다. 증상

ALI/ARDS의 주증상은 대부분 진행성 저산소증에 의한 호흡곤란이다. 이러한 저산소증은 ALI/ARDS의 발생 초기(exudative stage)에 무기폐 또는 폐포내 염증 물질의 축적으로 인한 폐내 단락에 의해 나타난다. ALI/ARDS가 발생하면 수일 이내에 폐포와 간질 부위의 부종으로 인해 폐의 순응도가 감소하게 되는데, 이러한 저산소증과 순응도의 감소는 빠르고 얕은 호흡을 나타내게 하며 이로써 분 호흡(minute ventilation)과 호흡일(work of breathing)이 증가하게 된다. 약 3~7일이 경과하면 섬유증식기가 되는데, 이 시기에는 사강이 증가하게 되어 호흡곤란이 더욱 악화된다.

ALI/ARDS에서 흉부 X선 소견은 양측 폐야에서의 음영증가이나 이러한 소견은 임상증세와 항상 일치하지는 않는다. 즉, 저산소증이 발생하기 전에 이미 흉부 X선 소견이 비정상으로 나오는 경우도 있고, 반대로 임상증세가 발현된 이후 흉부 X선 소견이 변화하는 경우도 있다. 또한 흉부 X선 소견은 미만성으로 균등하게 관찰되지만 실제로 컴퓨터 단층촬영 소견을 보면 병변이 불균등하게 분포함을 볼 수 있다(그림 4-1A, 4-1B).

라. 병태생리

ALI/ARDS의 발생 기전은 아직 명확히 밝혀져 있지 않으나 아마도 질병의 발생 초기에 이미 심한 염증과 혈관 투과성의 증가가 일어나고 폐부종액이나 기관지폐세척액에서 중성구가 주로 발견되는 것으로 보아 중성구에서 나오는 사이토카인이나 독성 물질에 의해 폐 조직이 직접적인 손상을 받으리라 추정된다.

병리소견을 보면 폐 손상의 초기에 1형 폐세포가 파괴되고 기저막으로부터 탈락하게 되는데 그 결과 투과성이 증가하고 폐포와 간질내에 부종이 발생하게 된다. 이렇게 상피세포가 탈락됨으로써 노출된 기저막을 섬유소가 덮게 되는데 이를 유리막이라고 하며, 이러한 소견을 병리학적으로는 미만성 폐포 손상이라고 부른다. 폐 손상을 받은지 약 3~7일이 경과하면 섬유화기가 되며, 이 시기에는 2형 폐세포가 증식하면서 점차 폐포-모세혈관간의 가스교환이 소실된다. 또한 폐혈관에서의 섬유화와 혈전 발생에 의해 폐고혈압이 발생하게 된다.

마. 치료

ARDS의 치료를 위해서는 ARDS를 유발시킨 원인을 찾아내어 폐손상을 일으키지 못하도록 막아주고 인공호흡기를 이용하여 호흡부전을 교정하면서 보존적 치료를 통해서 각 기관별로 비가역적 변화가 오지 않도록 해야 한다. 특히 호흡부전의 치료과정 중에 2차적 폐손상이 오지 않도록 주의하는 것이 ARDS에 의한 부작용과 사망을 줄일 수 있는 방법인데, 이러한 의미에서 환자별로 적절한 인공호흡방법(ventilatory strategy)을 사용하는 것이 상당히 중요하다고 할 수 있다.

1) 수액요법

ARDS를 포함한 중환자 관리에서의 수액요법의 목표는 말단기관의 혈액순환이 충분히 이루어지도록 하는 것이다. ARDS의 경우 이러한 수액의 유입은 기존의 폐부종을 악화시킴으로써 저산소증을 더욱 진행시킬 수 있다. 반면 수액의 공급을 제한할 경우 폐부종의 악화를 방지할 수 있다는 장점이 있으나 오히려 저혈압이 초래되어 말단기관의 혈액순환이 떨어질 위험성도 있다. 현재로서는 ARDS에서의 수액요법에 관한 표준 치료방법은 정해져 있지 않으나 가장 받아들일 수 있는 방법은 말단기관으로의 혈액순환이 이루어지는 최소량의 수액을 공급하는 것이다.

2) 약물요법

ARDS에 대한 약물요법은 폐조직의 손상을 일으키는 염증의 감소, oxygen radical의 감소, 관류-환기 불균형(V/Q mismatch)의 감소 등을 목표로 여러 임상연구가 시도되었으나 아직 어느 방법도 뚜렷한 효과가 증명된 바 없다.

ARDS의 발생 기전이 폐 조직내의 염증이라는 점을 고려하여 소염효과를 가진 약물에 대한 임상연구가 이루어졌다. 가장 대표적인 약물은 스테로이드이며 일부 환자에서는 ARDS의 섬유증식기에 스테로이드의 투여가 사망률을 낮출 수 있었으나, 아직 논란의 여지가 많다. 따라서 투여시기에 관계없이 스테로이드가 ARDS의 임상경과를 호전시켰다는 신빙성 있는 증거는 아직 없다. 그 이외에 ibuprofen, ketoconazole 등의 약물의 투여는 ARDS 치료에 효과가 없다.

미숙아에서의 호흡곤란증후군의 경우와 같이 ARDS에서도 계면활성제를 치료에 이용하는 시도가 이루어졌다. 일부 환자에서 oxygenation index의 호전이 관찰되었으나 사망률은 차이가 없었다.

폐로 공급된 고농도의 산소(O_2)는 superoxide anion, hydrogen peroxide, hydroxyl radicals 등으로 대사된다. 정상 폐이거나 ARDS의 초기 단계의 경우에는 cytochrome oxidase나 superoxide dismutase에 의해 폐 손상을 막을 수 있지만, 고농도의 산소에 24시간이상 노출되면 이러한 보호 작용도 감소하게 되어 폐손상을 초래하게 된다. 이때 항산화제제로서 vitamin E, N-acetylcysteine, fish oil 등을 투여함으로써 산소에 의한 조직손상을 방지하고자 하는 노력도 있다.

고식적 인공호흡기를 이용하면서 가스교환을 호전시켜주는 보조적 방법으로서 nitric oxide(NO) 가스흡입 투여법이 있다. 이 방법은 신생아 지속성 폐동맥 고혈압증의 치료방법으로 개발되었으나 점차 환자의 대상이 확대되어 미숙아의 신생아 호흡곤란증후군, 태변흡입증후군, 심한 폐렴, 패혈증, 소아나 성인에서의 ARDS 등에도 적용하고 있다. NO 가스는 기도로 흡입되면 체순환에 영향을 주지 않으면서, 즉 혈압의 저하 등이 없이 선택적으로 폐혈관을 확장시키는 작용을 한다. 따라서 환기가 일어나는 폐조직에서 관류를 증가시킴으로써 환기-관류 불균형을 호전시킬 수 있다. 이러한 oxygenation의 증가는 인공환기에서의 산소요구량이나 압력, 용적 요구량을 최소화함으로써 2차적 폐손상을 줄일 수 있다는 장점이 된다. NO 가스흡입 투여법은 이미 소아 ARDS에서도 성공적으로 적용되었으나 모니터링을 위한 약간의 장비가 필요하고 아직 부작용에 대해 많은 연구가 이루어지지 않은 상태이다. 소아에서 ARDS의 사망률은 여전히 높다.

3) 엎드리기

ARDS의 치료에 있어서 엎드리는 자세(prone position)는 산소화에 도움이 되는데, 이는 아마도 non-dependent area에 있는 비교적 정상적인 폐야로

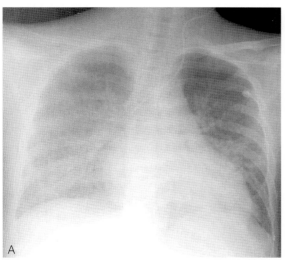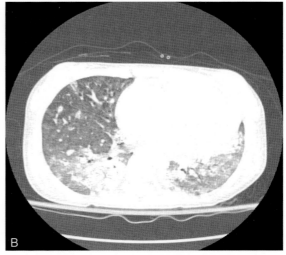

그림 4-1. ARDS 흉부 X선(A), CT(B). 미만성의 음영증가가 양측폐야에서 관찰된다. CT에서 광범위한 경화성 음영이 양측 하폐야에 관찰되며, 우측에 더 심하다.

혈액순환이 더 잘 이루어지기 때문인 것으로 추정하고 있다. 그러나 엎드리는 자세도 ARDS 환자의 사망률을 감소시키지는 못하며, 엎드리는 자세로의 변환할 때는 정맥주입 라인이나 endotracheal tube가 제거되는 등의 우발적인 사고가 발생할 수 있으므로 주의를 요한다.

4) 기계적 환기요법

ARDS 환자에서 인공호흡기를 이용한 적극적인 치료를 했음에도 불구하고 최근까지 생존율에 큰 호전이 없었던 이유중의 하나는 인공호흡기 치료 자체에 의한 2차적인 폐손상때문이다. 기계적 환기에 의한 폐손상의 기전으로는 압력상해와 용적상해가 있다. ARDS라는 질환에서의 폐손상이 폐 전체에 걸쳐 균등하게 일어나는 것이 아니라 불균등하게 일어난다는 점을 고려하면 이미 손상된 폐조직을 겨냥한 고압력이나 고용적의 인공환기는 남아있는 정상적인 폐조직에 계속적인 손상을 가해 결국 환자를 사망에 이르게 할 수 있다.

고농도의 산소공급이 폐조직의 손상을 초래할 수 있다는 점을 고려하여 산소공급시에는 혈액 가스분석이나 경피 산소포화도를 통해 최소한의 요구량만큼만 투여하는 것이 바람직하고 이를 위해서 적정 수준의 양압을 걸어주면 환기-관류 불균형을 어느 정도 교정함으로써 산소 요구량을 줄일 수 있다. 또한 압력상해나 용적상해에 의한 2차적 폐손상을 방지하기 위해서는 과량의 압력이나 용적이 투여되지 않도록 조절해야하며 이를 위해서 호기말 양압(PEEP)을 적절히 적용하는 것이 필요하다. 즉, 현재 ARDS의 치료에 있어서 채택하고 있는 인공호흡방법은 적정한 PEEP을 걸어주고 평상 용적(tidal volume)을 가능하면 작게 맞추어줌으로써 용적상해에 의한 폐 손상을 줄어주는 것이다.

PEEP은 위에서 설명한 것처럼 환기-관류 불균형을 교정함으로써 산소화를 호전시키기도 하지만 FRC를 증가시켜 줌으로써 호흡일량을 감소시키는 역할도 한

다. 또한 PEEP은 폐쇄되어 있는 종말세기관지와 폐포를 확장시킴으로써 평상 용적이 들어갈 때마다 발생할 용적상해를 줄일 수 있다는 장점이 있다. 그러나 과도한 PEEP은 venous return을 감소시켜 심박출량을 줄일 가능성이 있으며 양압에 의한 압력상해를 일으킬 수 있으므로 주의를 요한다.

ARDS 환자중 PEEP에 반응이 없거나 이러한 고식적 기계적 환기에 의한 부작용이 발생할 위험성이 큰 환자들은 다른 형태의 기계적 환기를 시도하는데 inverse-ratio ventilation (IRV)과 고빈도환기요법(high frequency ventilation; HFV)가 여기에 해당된다.

Inverse-ratio ventilation (IRV)은 흡기대 호기의 비율(I:E ratio)을 1:1 이상으로 유지하는 방법이다. 이는 낮은 유속(low flow rate)으로 긴 시간동안 흡기가 일어나게 함으로써 시간상수(time constant)가 다른 각각의 가스교환단위에서 골고루 환기가 이루어지도록 하는 것이 목적이다. IRV의 경우에는 호기시간이 짧기 때문에 공기포획이 일어나고 내인성 PEEP이 형성되는데, 이는 외인성 PEEP처럼 산소포화도를 호전시키는 작용을 하는 반면 양압에 의한 부작용을 일으킬 가능성도 있다. IRV는 PEEP과 마찬가지로 MAP와 FRC를 증가시켜 주지만 PIP는 그다지 증가시키지 않는다. 이러한 IRV는 이론적으로 ARDS 환자에서 유리한 기계적 환기 방법으로 보이지만 아직까지는 추가적인 연구가 필요하다.

고빈도인공환기는 평상 용적을 사강용적 이하로 유지한 채 분당 60회이상의 빈도로 기계적 환기를 하는 방법이다. HFV는 Amato 등이 제시한 "open lung strategy", 즉 pressure-limited technique과 PEEP을 사용하고 때로는 IRV도 이용하며 평상 용적은 6 mL/kg 이하로 유지함으로써 폐포의 과팽창을 방지하고 permissive hypercapnia techinique을 사용하는데서 한 단계 더 발전한 모델이라고 할 수 있다. 다시 말해서 ARDS처럼 무기폐가 잘 일어날 수 있는 상황에서 이를 방지하기 위해 PEEP을 걸어준 후 종래와 같이 tidal volume을 주입하면 폐포의 과팽창이 일어나 폐포의

손상을 가져올 수 있으므로 아주 소량의 평상 용적만을 투여함으로써 "safe zone"에서 환기가 일어나도록 하려는 것이 HFV의 목적이다. 또한 HFV의 경우에는 소량의 평상 용적이지만 고빈도를 유지함으로써 permissive hypercapnia technique을 사용하지 않아도 된다는 장점이 있다. HFV에는 high-frequency positive-pressure ventilation(HFPPV), high-frequency jet ventilation(HFJV), high-frequency oscillatory ventilation(HFOV)이 있으나 가장 흔히 사용하는 방법은 HFOV이다. 이러한 HFV는 신생아 중환자실에서 먼저 발전되어 효과가 입증되었고 소아와 성인을 대상으로 했을 때에도 산소화의 개선을 볼 수 있었다.

ECMO(Extracorporeal membrane oxygenation)는 고식적인 방법만으로 가스 교환이 만족스럽게 이루어지지 않을 경우 시도해볼 수 있는 방법이다. 이는 손상된 폐를 우회한 채 가스교환이 이루어지도록 함으로써 저산소증을 교정함과 동시에 기계적 인공환기요법으로 인한 2차적 폐손상을 막을 수 있다는 장점이 있다. 외국에서는 실제 이러한 치료방법의 도입으로 ARDS의 생존율이 다소 호전되었다고 보고하고 있으나, 고식적인 기계환기요법에 비해 상대적으로 침습적인 방법이기 때문에 모든 의료기관에서 쉽게 사용할 수 있는 방법이 되지는 않는다. 그 이외에도 이용해 볼 수 있는 보조적 방법으로 액체인공환기법(liquid ventilation)이 있으나 아직 개발중인 방법으로 적용이 불가능하다. 다만 이론적으로는 2차적 폐손상을 최소화하면서 가스교환을 보다 효율적으로 할 수 있는 방법으로 알려져 있고 동물실험에서처럼 임상적용이 가능하다면 가까운 장래에 각광받을 것으로 기대된다.

바. 예후

ARDS에 의한 사망률은 30~40% 정도이며, 치료과정 중에 발생할 수 있는 2차적인 폐손상을 줄이기 위한 여러 가지 방법들이 도입되어 호흡부전 자체에 의한 사망은 감소하고 있다. 그러나 호흡부전의 치료를 위한 다양한 방법들은 ARDS의 경과를 단축하거나 바꿀 수는 없으며 단지 원인질환을 치료할 수 있는 시간을 늘여줄 뿐이다. 따라서 ARDS에 의한 사망률을 낮추기 위해서는 원인질환을 제거하거나 적어도 더 이상의 진행을 막아주며, 감염에 대한 치료 및 예방, 충분한 영양공급, 무기폐에 대한 조치 등의 보존적 치료를 병행하면서 인공호흡기를 이용한 적절한 호흡치료 전략을 채택해야 한다.

3. 이물 흡인

영유아들은 물건을 입에 잘 가져가는 습성이 있으므로, 여러 가지 이물질이 기도로 흡인되기 쉽다. 흡인된 이물질은 유기물에서 금속성 물질까지 다양하다. 기도내 이물로 인한 사망은 기관지 내시경술의 발달로 점차 감소하는 추세이며, 이물질 흡인과 관련된 모든 사망의 대부분이 가정에서 일어난다.

이물질을 흡인한 소아의 90%는 3세 미만이며 흡인한 소아의 2/3는 남아이다. 이 시기의 아동들은 섭취하는 물체를 잘 분별하지 않고, 입으로 느끼는 촉감으로 사물을 탐구하며 어금니가 없으므로 씹지 않고 삼키며 음식을 먹으면서 놀이하는 경우가 흔하기 때문이다. 또한 후두의 기능이 미성숙하여 입안에 음식물이 있는 상태에서 울거나 소리 지르거나 싸우면 흡인사고가 잘 발생한다.

흡인된 이물로는 견과류가 흔하고 특히 땅콩이 가장 많다. 이외에도 당근, 사과, 팝콘, 수박 등의 식물성 이물과 단추, 금속성 핀, 스폰지, 플라스틱 장난감 등의 비식물성 이물들이 있다. 최근에는 과자류인 젤리컵 흡인으로 인한 사망예도 보고되고 있어 주의를 요한다.

가. 환자의 평가

1) 병력

이물 흡인의 진단에는 흡인의 병력이 매우 중요하다. 그러나 소아에서는 기왕력이 확실하지 않은 경우가 많고 증상이나 X선 소견이 기관지 천식이나 폐렴과 비슷하여 진단이 늦어지는 경우가 흔하다.

24시간 이상 진단이 늦어지는 경우가 40~72%로서, 진단이 늦어질수록 부적절한 치료에 따른 합병증의 발생률과 사망률이 증가한다. 이물 흡인의 진단이 늦어지는 주된 원인은 부모가 흡인에 대해 간과한 경우가 가장 많지만, 의사가 흡인에 대한 병력 청취를 소홀히 한 경우, 또는 증상이 없거나 X선 검사에서 정상 소견을 나타내어 진단이 늦어지는 경우도 있다.

대부분의 흡인된 이물은 기관기관지로 들어가지만 후두부위에 걸리는 경우도 있는데, 이런 경우는 사망률이 높다. 핫도그나 풍선처럼 큰 물질은 성문 입구를 폐쇄시켜 급성으로 호흡 정지를 초래한다. 아이가 숨을 안 쉬고 청색증을 보일 때는 목젖 뒤를 살펴 이물이 걸리지 않았는지 살펴야 한다. 인두를 보지 않고 손가락을 넣어 훑는 것은 피한다. 이물이 기도내로 더 깊숙이 들어갈 수 있기 때문이다. 경경구 호흡(mouth-to-mouth breathing)은 상기도가 완전히 막힌 경우는 비효과적이다. 질식한 아이들에게는 연령에 따라 적절하게 이물 제거를 위한 응급처치를 시행해야 한다.

이물 흡인의 증상 및 징후는 이물의 크기, 성질, 형태 및 해부학적 위치나 폐쇄의 정도, 기간 등에 따라 다양하다. 사레가 걸리거나 구역질이 발생 한 후 발작적인 기침을 하는 것이 전형적인 증상이다. 갑작스런 기침과 더불어 흡기성 천음, 쉰 목소리, 천명 등의 천식, 세기관지염, 후두염, 인두염, 크룹 등과 유사한 증상이 나타난다. 증상 발현은 흡인 후 수 시간 이내부터 수 주 후까지 다양하다. 주된 소견은 침범된 부위의 호흡음 감소이다.

확실히 사레가 걸린 것이 목격되면 뚜렷한 증상이 나타나지 않아도 이물 흡인의 가능성을 의심하여야

한다. 기도의 표면 수용체가 생리적으로 적응을 하면 초기 발작적인 기침 후에 무증상 시기가 있는데 이러한 시기에 의사나 보호자는 이물이 제거되었다고 잘못 판단할 수 있다.

2) 진찰 소견

흡인에 의한 진찰 소견은 이물질에 의한 내경의 폐쇄 정도와 위치에 따라 차이가 있다. 무증상이거나 경한 빈호흡에서부터 흉벽함몰과 청색증을 동반한 심한 천음에 이르는 호흡곤란의 징후를 나타낼 수 있다. 이물 흡인의 전형적인 소견은 폐의 통기 감소로 인한 일측성의 호흡음 감소와 기관지의 부분폐쇄로 인한 일측성의 건성 수포음이 들리는 것이다. 이물을 흡인한 환자의 단지 40%에서만 3대 증상인 천명, 기침, 호흡음 감소 혹은 무호흡이 발생하였고 75%에서는 이들 중 한 두 가지의 증상만이 발생하였다. 이물의 위치가 변하거나 부종이 심해지면 갑자기 호흡상태가 변할 수 있다. 기관내 이물의 경우 특히 그러하여 정상이다가 갑자기 심한 폐쇄를 보이는 증상이 반복하여 나타나기도 한다.

진찰 소견이 기도 내 이물질의 위치를 파악하는데 도움을 줄 수 있다. 만일 심각한 부분적인 기류의 폐쇄가 있다면, 후두 혹은 상부 경부 기관의 이물질은 흡기성 또는 흡기와 호기에 모두 천음을 동반한 무성증 혹은 쉰목소리를 일으킨다. 호기성 시기에 지속되는 천명은 흉강 내의 기관이나 기관지 폐쇄를 의미한다. 기도 위치와 무관하게 작은 이물로는 천음이 들리지 않는 경우가 흔하다. 목과 가슴을 잘 청진하는 것이 진찰에서 중요하다. 흉강 양측 호흡음의 강도나 양상이 일치하지 않고, 편측에서만 천명이 들리면 기관지내 이물흡인을 의심할 수 있는데, 이는 흡인된 이물이 대부분 오른쪽 혹은 왼쪽 주 기관지로 들어가기 때문이다. 만일 이물이 여러 개라면 보다 진찰 소견이 복잡할 것이다. 그러나 징후가 미미하고, 진찰 소견이 정상을 보일 수도 있음을 인식하여야 한다.

굴곡성 기관지경은 흡기성의 천음이 들리는 진찰

소견이 있고 기왕력에서 후두 또는 후두하 이물이 의심될 때 가치 있는 진단적 정보를 제공한다. 이 시술은 기도 소생술이 즉시 시행될 수 있도록 준비된 상태에서만 시행하도록 하나 적절하고 정확히 시행되면 굴곡성 기관지경은 매우 안전한 검사법이다.

3) 방사선 검사

자세한 병력과 진찰 후에는 단순 경부 및 흉부 X선을 촬영해야 한다. 방사선 소견에서 명확한 음영을 보이지 않으므로 이물질의 기도폐쇄로 인한 이차적 방사선 소견에 의하여 간접적으로 진단한다. 부분적으로 폐색된 기관기관지의 공기 기둥 혹은 침범된 폐의 비정상적인 환기 등을 경부와 흉부의 전후방과 측면 사진으로 볼 수 있다. 흡기 및 호기 때 흉부 X선 사진이 매우 중요하다. 호기 때의 X선에서 일측성의 과도한 X선 과투과성을 보이는 것이 전형적인 방사선학적 이상소견이다. 이는 기관지의 부분적인 폐색으로 인한 check-valve 효과에 의해 흡기 때에는 침범된 엽 또는 폐로 공기가 들어가나 호기 때에는 공기가 빠져 나오지 못하기 때문에 폐쇄된 부위가 더 검게 보인다(그림 4-2). 와위 흉부사진 촬영이나 흉부 X선 투시검사로도 일측성으로 공기가 나오지 못하는 소견을 볼 수 있다.

시간 경과에 따른 간접적인 징후로 보일 수 있는 방사선학적 소견에는 흡수 무기폐, 반대편 폐의 대상성 폐기종, 폐렴, 기흉, 종격동의 호기성 편위 등이 있다. 폐농양 또는 기관지 확장증과 같은 후기의 소견도 때때로 관찰된다.

또한 대엽성의 혹은 분절성 폐침윤은 폐쇄가 수 일 또는 수 주 동안 있었음을 의미한다. 비록 방사선 검사가 이물 흡인의 확진과 위치 결정에 유용하나, 기관지 이물의 25% 그리고 기관이물의 50%이상에서는 흉부 X선에서 이상소견을 보이지 않을 수 있다. 따라서 흉부 X선 사진만을 기초로 해서는 이상 소견이 없다고 하여 기도의 이물흡인의 가능성을 배제할 수는 없다. 투시검사는 기도의 이물흡인 진단에 민감도가 큰 검사법이다. 그러나 확진과 치료는 결국 기관지경 검사로 이루어진다.

나. 치료

일단 이물의 흡인이 의심되면 이물을 확인하고 제

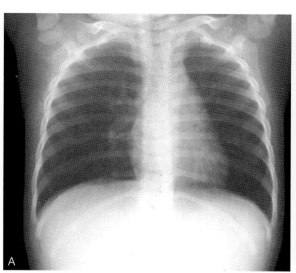 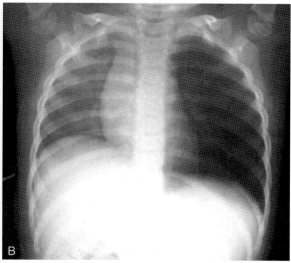

그림 4-2. 좌측 기관지 이물 흡인. 흡기(A)와 호기(B) 사진. 호기 때에 지속되는 뚜렷한 좌측 폐의 과투과성을 볼 수 있다.

거하거나 다른 질환과 감별할 필요가 있다. 소아과 영역에서의 직접 후두경과 기관지경은 안전을 위해 전신마취로 자가환기하에 시행한다. 대부분 합병증의 위험을 줄이기 위해 내시경은 신속하게 시행되어야 한다. 특히 후두 폐쇄이거나 이물이 호흡기 분비물을 흡수하여 불어나서 기도에 꽉 끼일 수 있는 식물성 이물질 등이 의심될 때는 더욱 주의를 요한다.

주기관지가 완전히 폐쇄되어 일측성의 폐 환기저하가 발생된 뒤 이것이 수 시간 내지 수 일이 지난 경우는 매우 위험하다. 그러나 심한 후두폐쇄로 인해 사망이 임박한 경우를 제외하고는 너무 서둘러서 내시경을 시행하는 것은 합병증을 초래하므로 바람직하지 않다.

기관지 확장제의 흡입과 체위 배액법도 삼가는 것이 좋은데, 이는 시행 도중 이물질의 이동으로 심폐정지를 유발할 중대한 위험성이 있기 때문이다.

환기조절외에 마취과의사는 환자의 산소화, 심혈관 척도, 체온을 지속적으로 감시하여야 한다. 시술 전후에 스테로이드를 사용하면 기관지경 조작과 관련된 부종을 감소시키는데 도움이 될 수 있다.

소아과영역에서 굴곡성 기관지경의 사용은 청소년에서의 진단과 작은 이물의 제거에만 국한적으로 사용되며, 기관기관지 이물질의 제거에는 경직성 기관지경을 사용하는 것이 원칙이다.

이물흡인 후 시일이 너무 오래 경과하여 중대한 호흡기 감염을 일으킨 경우라면, 이물질 제거 후 항생제 투여와 가습 치료가 필요하다. 염증성 부종이나 내시경시술로 인한 부종이 발생하였다면 스테로이드를 사용한다.

내시경 시술 수 일 후에 분절성 무기폐가 발생할 수 있고, 이는 흉부물리요법으로 초기에 치료될 수 있다. 이물 제거 후 기침, 천명, 발열 등의 호흡기 증상이 지속되거나 방사선학적 변화가 수 일 이상 지속되면 이물이 남아 있을 가능성을 고려하여 기관지경을 재 시행한다.

수술후 X선 사진을 찍어 폐가 완전히 재팽창 하였는지 기흉은 없는지를 확인하며, 합병증이 발생한 경우 적절한 치료를 시행한다.

가장 흔한 합병증인 폐렴의 예방과 치료를 위하여는 호흡물리요법을 시행하여 정체된 분비물이 배출되도록 하는 것이다.

4. 흡인성 폐렴

가. 원인

흡인성 폐렴은 체내에서 생긴 분비물이나 외부로부터의 이물이 하기도로 흡인됨으로 발생하는 폐질환을 일컫는다. 소아에서 가장 흔히 접하는 흡인성 폐렴의 유형은 우유, 위산, 휘발성 탄화수소, 광유, 알콜 등의 흡인으로 인한 화학적 폐렴이다. 이런 환아들에서는 빨거나 삼키는 데 장애가 있는 경우가 종종 발견된다. 소아에서는 성인에 비해 식도의 기능부전이 드물지만, 신경학적으로 장애가 있는 소아에서 연하곤란과 식도의 기능부전은 흡인성 폐렴의 중요한 기전이다. 신생아 시기에도 식도기관루 등과 같이 소화기관과 기도 사이의 비정상적인 교통으로 인하여 흡인성 폐렴이 발생할 수 있다. 흡인성 폐렴은 기계 환기 요법과도 연관이 있을 수 있다.

나. 증상

대개 소아가 나이가 어릴수록 임상증상이 더 심하다. 열이 흔히 동반되며 고열이 날 수도 있다. 기도 점막 부종과 점액의 과다 생성으로 기관지 수축과 천명이 발생할 수 있다. 기침, 빈맥, 거칠고 미세한 수포음이 흔히 나타난다. 대개는 세균 감염이나 전신 증상은 동반되지 않으나 이차 세균 감염이 되어 객담 형성, 대엽의 경화, 기관지 확장증, 폐농양이 생길 수 있다.

다. 진단

병력과 증상, 방사선 검사를 종합적으로 고려하여 진단을 할 수 있다. 흡인 2시간이내에 폐 침윤이 나타날 수 있으며 하엽에 가장 흔하다. 반복적인 소량의 흡인은 폐문주위 침윤과 양측 폐의 과팽창을 일으킬 수 있다. 많은 양의 흡인은 양측 폐의 광범위한 침윤과 무기폐를 유발하여 심한 호흡곤란을 일으킬 수 있다. 기관지폐포세척을 하여 지질을 함유한 대식세포가 발견된다면 이는 소아에서 반복적인 흡인이 있었음을 나타낸다. 이물 흡인에 의하여 기계적 폐색이 일어난다면 대개 기침과 천명이 나타나지만, 간혹 이런 증상이 경미하여 알아차리지 못하고 수일 내지 수주가 경과하는 수가 있다. 서서히 열이 나고 호흡기 증상이 증가하는데 이는 이차적인 세균감염의 발생을 알리는 신호일 수 있다. 이 때의 세균은 구인두로부터 유래한 혐기성 세균인 경우가 많다.

라. 치료

흡인성 폐렴의 치료는 대개 보조적인 치료법으로, 산소흡입과 충분한 수액투여 등을 포함한다. 세균성 감염의 증거가 있지 않는 한 처음부터 항생제를 투여하지는 않는다. 세균 감염의 증거로는 체온의 변화, 위독해 보임, 폐 침윤, 기류 혹은 공동형성, 흉막 삼출, 혈액 세균배양 등이 있다. 환자가 기관 삽관을 하고 있는 상태이거나, 관혈적인 진단적 처치를 시행한 경우가 아니라면 어떤 세균에 의한 이차적 감염인지를 알아내는 것은 대개 불가능하다. 지역-획득 흡인성 폐렴인 경우, 혐기성 세균과 그람 양성 세균을 염두에 두고 항생제를 사용한다. Penicillin, clindamycin, amoxicillin-clavulanate, ticarcillin-clavulanate 등이 많이 사용된다. 병원내에서 흡인성 폐렴이 발생하였거나, 환아가 최근에 오랜 기간 병원에 입원해 있었다면 aminoglycoside나 cefotaxime, ceftriaxone, ceftazidime 등의 3세대 cephalosporin이 반드시 추가되어야 한다. 치료 기간

은 최소 7~10일은 되어야 하고 이물 흡인이 의심된다면, 경직성 기관지경 검사가 반드시 시행되어야 한다.

마. 지질양 폐렴

지질양 폐렴(lipoid pneumonia)은 흡인성 폐렴의 일종이다. 지질양 폐렴은 지질성분의 폐 침착으로 발생하는 만성적, 간질성, 증식성 염증이다. 1925년 Laughlen이 미네랄 오일을 코에 떨어뜨리거나 경구용 하제를 복용했던 소아와 성인의 부검에서 폐에서 기름방울을 발견하여 처음으로 이 질환에 대하여 기술하였다. 주로 광유, 식물성 기름 또는 동물성 기름의 흡인의 결과로 생기며, 주로 만성 변비치료제인 광유의 사용과 관계있고, 관습적으로 규칙적인 배변 습관을 기르기 위해 전통적으로 기름을 강제로 아이들에게 흡인 시키는 나라에서 아직도 문제가 되고 있다. 국내에서는 한때 심해 상어기름의 약효가 과장되면서 어린아이들에게까지 강제적으로 먹이다가 지질양 폐렴이 생긴 경우가 있었다.

미네랄, 동물 혹은 식물성 지방성 물질인 지질(lipid)은 장쇄지방산를 함유한다. 지질은 실온에서 액체상태일 때 기름이라고 하며, 유지질은 지질과 유사어로 흔히 사용되기도 하지만, 엄밀한 의미에서는 지방 같은 물질을 말한다. 지질양 폐렴의 위험 인자는 기도나 상부 위장관의 정상 생리 기능의 장애, 전장의 선천적 협착이나 기능 장애, 호흡이나 연하 과정을 조절하는 중요한 신경이나 근육의 손상 등이다.

1) 병인

폐 실질 반응의 심각성은 흡인된 지질의 성분과 양에 따른다. 올리브, 목화씨, 참기름과 같은 식물성 기름은 일반적으로 덜 자극적이며 염증반응도 미약한 반면, 동물성 기름은 폐의 지방 분해 효소 작용에 의해 지방산으로 분해되어 폐 손상을 심하게 일으킨다. 식물성 기름은 인두의 점막을 자극하지 않으므로 구역질 반사가 나타나지 않으며, 이런 식물성 기름은 이물

질로 작용하여 객담 배출 때 제거가 된다. 광유는 상대적으로 비활성이어서 조직의 효소에 의해 대사되지 않으며, 유화되어 거대세포에 의해 소화되고, 폐에 주로 덩어리를 형성하게 된다. 폐 손상의 반응은 간질성 증식성 염증으로 시작을 하여 삼출성 폐렴이 나타난다. 두 번째 단계에서 미만성, 만성, 증식성 섬유증이 나타나며, 때론 급성 감염성 기관지폐렴이 합병되기도 한다. 세 번째 단계에서 다발성 국소성 결절인 종양같은 파라피노마가 형성된다. 병변 부위에서는 거대세포를 많이 관찰할 수 있으며, 세포내와 세포외에서 지질성분을 발견할 수 있다.

2) 병태생리

미네랄 기름은 자극성이 적고 부드러워 성문 폐쇄나 기침 반사 등을 유발하지 않고도 기도내로 들어갈 수 있고, 기도의 점액 섬모 운동 체계를 손상시키므로 배출되기 힘들다. 횡와위, 진정상태, 약한 마취 상태일 때 흡인이 잘 일어나 폐포로 기름이 흘러 들어간다. 지질양 폐렴은 쇠약한 영아나 노인들에서 잘 발생하며, 구개열, 수유시 수평위, 만성 질환, 신경발달 장애, 중추신경계 장애, 식도 이완 불능증, 식도게실, 식도 열공 탈장, 의식 상태가 불분명한 경우 등 연하 작용의 장애가 있는 환자에서 흡인의 위험이 증가한다.

기름은 위내 액체 중 떠 있으므로 흡인 될 때 우선적으로 기도로 들어간다. 개개인의 기도 방어기전과 민감도, 흡인된 기름의 불순물, 기름의 양 등에 따라 지질양 폐렴의 양상이 결정된다.

3) 증상 및 진단

지질양 폐렴의 특징적인 증상이나 징후는 없으나 기침이 제일 흔하며 환자의 나이, 지방의 흡입량, 흡입 기간에 따라 증상이 다르다. 약 반수에서는 무증상이며 우연히 흉부 X선 촬영에서 발견되며 이차적 감염 및 병변의 정도에 따라 빈호흡, 빈맥, 호흡곤란, 청색증이 나타날 수 있고, 급성 호흡부전증이나 폐성심을 초래할 수 있다. 진찰 소견에서 환자의 일부에서 타진시 탁음이 들리거나 청진시 수포음이 청진될 수 있으나 만약 감염이 동반되지 않았다면, 지질의 침윤이 광범위하더라도 진찰 소견은 정상이다.

지질양 폐렴의 진단은 지방성 물질의 흡인 병력이 중요하다. 그러나 대부분의 환자들이 지방을 흡인한 사실을 잘 기억하지 못하고 대부분 병변이 많이 진행된 후에야 증상이 나타나며 생물학적, 방사선학적, 기능적 양상이 비특이적이어서 진단에 어려움이 있다. 지질양 폐렴의 단순 흉부 X선 소견은 경한 경우에는 폐문음영이 확장되거나 밀도가 증가되며, 심해질수록 폐문주위의 음영이 증가되고, 망상침윤이나 경화의 소견을 보인다. 폐의 병변은 흡인시 자세에 의해 대개 우측에 국한되나 심한 경우 양측에 나타날 수 있다(그림 4-3A).

폐의 CT 촬영으로 지질양 폐렴을 진단할 수 있다. 이는 X선 흡수율을 이용하여 폐의 병변이 Hounsfield unit (HU)가 150~-30 HU인 지방 물질임을 쉽게 알 수 있다. 그러나 지질양 폐렴이 항상 지질 성분 밀도만 보이는 것이 아니며 주위의 공기, 출혈, 염증성 삼출물이 혼합되어 있을 때에는 고유한 밀도를 정확히 반영하지 못한다. 따라서 단순 흉부 X선, CT 촬영 등의 소견 외에 정확한 진단을 위한 검사들이 추가로 필요할 수 있다(그림 4-3 B). 객담세포 검사와 경피적 폐 세침 흡입 생검, 개흉 생검, 경기관지 생검, 기관지폐포 세척술을 통한 세포학적 검사에서 지질을 함유한 대식세포(lipid-laden macrophage)를 발견하면 확진할 수 있다(그림 4-3 C). 그러나 객담세포 검사는 오염의 가능성이 있으며 다량의 객담이 필요하고 더욱이 어린 영아에서는 객담을 받기가 매우 어렵다는 단점이 있다.

경피적 폐 흡입 생검이나 개흉 생검, 경기관지 생검은 보다 침습적이며 출혈이나 기흉 등의 합병증이 생길 수 있고 정확한 병변을 찾기 어려운 단점이 있다. 기관지경술과 기관지폐포 세척액을 이용하여 조직학적 소견상 지방구(fat globule)와 지질을 함유한 대식세포를 발견하여 확진할 수 있다. 이는 보다 덜 침습적이며 안전한 대체 방법으로 지질양 폐렴의 가장 좋은

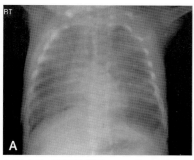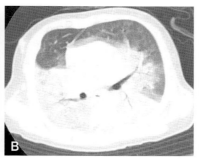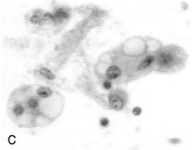

그림 4-3. 지질양 폐렴. Lipoid pneumonia의 단순흉부 X선(A)과 CT(B) 소견. 양측 상엽과 하엽에 경화가 관찰. 기관지폐포세척액을 papanicolau staining하여 lipid-laden macrophage(C)를 확인한다.

진단 방법이다.

4) 치료 및 예방

지방의 투여를 중단하는 것이 가장 중요한 치료이다. 이차 감염이 발생하였으면 항생제를 사용한다. 폐손상이 심한 경우 프레드니손으로 치료 후 호전을 보인 증례가 있다. 광물성 지방의 흡인에 의해 초래된 급성 호흡부전증에 폐 세척을 시행하여 성공적으로 치료한 증례가 있다. 반복적인 기관지폐포 세척으로 지방을 함유한 대식세포의 수가 현저히 감소한 것을 관찰한 연구에서는 폐 세척이 폐에서 지방을 제거할 수 있는 유일한 방법이라고 하였다.

지질 윤활제로 비강 내 치료는 피한다. 광유, 간유, 비버유를 가능하면 사용하지 않는다. 특히 잘 게우거나 구토가 있는 영아는 흡인을 예방하기 위해 엎드린 자세를 유지한다.

5) 예후

사망률은 보고자에 따라서 13~50%까지이나 일반적으로 예후는 환자의 건강 상태, 폐 손상의 범위, 지질 흡인의 중단, 이차감염의 예방 등에 따라 다르다.

5. 폐출혈

가. 원인

폐실질과 기도내 출혈은 성인에 비해 소아에서는 드물게 발생하지만 종종 생명을 위협할 정도로 위험하다. 폐출혈의 원인은 매우 다양하며, 감염이나 외상, 이물질 등이 영유아나 소아에서 가장 흔한 원인이다 (표 4-1). 폐출혈은 흔히 폐혜모시데린증과 유사어로 사용되는데, 출혈 후 대식세포가 헤모글로빈의 철을 혈철소(hemosiderin)로 전환시켜 침착되기 때문이다. 대식세포가 혈철소를 형성하려면 36~48시간이 소요되며, 혈철소를 함유한 대식세포는 2주 동안만 폐포에 존재하므로 폐포의 혈철소는 선행 출혈의 표식자이다.

폐출혈은 미만성이거나 국소적으로 발생할 수 있으며 미만성 출혈은 흔히 단일 질환으로 발생하지만 다른 기관의 손상이나 기능 장애로 인해 이차적으로 발생하는 경우도 있다. 폐포 출혈은 출혈이 중심 기도까지 도달하여 나타나는 객혈이 없을 수 있으며 흉부 X선 사진에서 침윤이 나타나지 않을 수 있다. 출혈이 뚜렷한 증상 없이 만성적으로 지속된 경우는 철결핍성 빈혈로 표현되기도 한다. 또한 출혈이 너무 심해 생명을 위협할 수도 있다. 국소적 폐출혈은 대개 전도성 기도내 급성 출혈이지만 간혹 폐 실질내에서 발생하는 경우도 있다.

나. 병리 및 병태생리

조직학적으로 폐출혈의 확진을 위해서는 폐실질에 혈액이나 혈철소를 증명해야 한다. 미만성으로 급성 출혈이 발생하면 폐포내와 간질에 많은 수의 적혈구가 관찰된다. 출혈이 최소한 2~3일전에 발생하였으면, 혈철소를 함유하는 많은 수의 대식세포를 볼 수 있다.

모세혈관염과 동반되어 미만성 폐포 출혈이 발생할 수 있는데, 이런 경우에는 간질로 중성구가 침윤되며 이후 폐포 벽에 섬유소양 괴사가 생긴다. 또한 작은 혈전이 모세혈관과 소정맥에서 관찰될 수 있으며 폐포에는 두꺼워진 상피와 2형 폐세포의 증식 등을 특징으로 하는 손상의 증거를 볼 수 있다. 만성적으로 폐출혈이 발생하면 섬유증이 조직학적으로 뚜렷해진다. 출혈의 폐포내 조직화가 섬유증을 초래한다. 소엽과 대엽의 중격이 두꺼워질 수 있다.

급성 출혈 후 큰 기도에는 비교적 많은 양의 점액이 있다. 실험실 연구에서 큰 기도의 점막은 혈액이 존재하면 점액을 분비하는 반응을 보였다. 만성적으로 폐출혈이 생기면 배(goblet) 세포 증식 등의 기관지염의 소견이 생긴다.

미만성 폐출혈은 혈관내피의 손상에 의해 적혈구가 유출될 것으로 생각을 하고 있다. 그러나 세포나 분자 생물학적 기전은 아직 명확하지는 않으며, 어떤 경우는 면역 복합체와 연관이 있다. Goodpasture 증후군에서 상피 기저막이 장벽의 기능장애의 일차 부위인 것으로 여겨진다. 울혈성 심부전에 의한 2차성 폐포 출혈은 단순히 높은 폐 모세관 압력에 의한 내피의 기계적인 손상으로 생각된다. 그러나 특발성 폐 혈철침착증의 경우는 전자현미경으로 폐 내피 장벽의 구조적인 변화를 증명하지 못했다.

기관지확장증과 동반된 객혈은 늘어난 구불구불한 기관지 동맥으로 인한다. 기도 내 구조적인 성분이 손상되면 혈류가 빠른 이들 혈관에 미란이 생겨 많은 양의 객혈을 동반한다.

표 4-1. 폐출혈의 원인

미만성		
단독		폐미성숙
		우유 과민반응
		폐 모세 혈관종증
		특발성
다기관 기능부전		신염, Goodpasture 질환
		면역복합체 질환성 신염
		심근염, Celiac 질환
		당뇨병, 결체 조직 질환
		Wegener 육아종증
		Henoch-Schönlein 자반증,
		기타 전신 혈관염
이차성		림프관 혈관근종, 결절성 경화증
		승모판 경화증, 울혈성 심부전
		혈관 폐쇄 질환, 응고 장애 질환
		악성 종양, 면역 억제
		미만성 폐포손상
		림프관 조형술 조영제
		페니실라민, nitrofurantoin
		세포독성 약제, 삼환계 항우울제
		방사선 조사, 스모크 흡입
		산 흡인, 산소 독성, 살충제
국소성		
전도 기도		기관지염, 기관지 확장증
		기도 기형, 혈관 기형, 이물질
폐실질		손상, 폐기흉, 감염, 경색
		종양, 공동성 질환

다. 진단

1) 증상

객혈은 폐출혈의 가장 중요한 징후이지만, 항상 존재하는 것은 아니며, 객혈의 양상은 소량의 혈액을 함유한 객담에서부터 코나 입을 통한 다량의 혈액 배출까지 다양하다. 그러나 소아에서 객혈은 토혈이나 비인두에서의 출혈 등과 반드시 감별을 하여야 한다.

다량의 출혈은 심혈관계 불안정을 초래하며, 철결핍성 빈혈의 발견으로 폐출혈이 처음 진단되기도 하는데, 이는 임상적으로는 뚜렷하지 않은 출혈이 오랜 기간 지속된 경우이다. 만약, 출혈이 만성적이고 심하다면, 성장 부전이 발생할 수도 있다.

폐출혈은 많은 환자에서 초기에 반복적인 폐렴으로 의심되는데, 왜냐하면 반복적인 호흡기 증상과 흉부 X선 소견에서 반복적인 침윤을 보이기 때문이다. 이런 침윤은 증상이 없는 동안 완전히 소실될 수도 있지만 지속되기도 한다.

2) 진찰 소견

만성적으로 진행하는 폐출혈을 보이는 소아는 창백하거나 활동성이 감소하고, 빈호흡 및 숨쉬기 힘든 징후를 보인다. 청색증이 현저하게 나타날 수 있으나 빈혈이 너무 심한 소아에서는 뚜렷하지 않을 수 있다. 만성적인 경우에는 곤봉지와 조상(nail bed)의 청색증을 보이기도 한다. 객담 기침을 하거나 마른 기침을 할 수 있다. 흉부 진찰에서 타진하면 국소적 또는 미만성으로 둔탁함을 알 수 있고 호흡음은 감소되어 있다. 천명뿐만 아니라 거칠거나 미세한 수포음을 자주 들을 수 있다. 때때로 간비장 비대를 동반하기도 한다.

3) 검사실 검사

만성적으로 폐출혈이 발생할 경우 혈액학적으로 저색소성 소구성 빈혈 소견을 보이며 저장철의 상태에 따라서 망상적혈구증다증이 동반한다. 백혈구는 좌방이동 소견을 보이고, 호산구증은 우유 알레르기나 자가면역 질환 등을 시사한다. 급성 출혈 중에는 대변의 잠혈검사는 양성일 수 있다. 소변 검사는 신염 등의 질환을 배제하기 위해 중요하다.

면역학적 검사는 경우에 따라 많은 도움이 된다. 혈청의 면역글로불린치는 모두 증가되어 있지만, 우유 알레르기와 동반된 혈철침착증에서는 혈청 IgE치가 매우 높아 2,000 또는 3,000 units/mL를 초과하기도 하며, 혈철침착증 환자의 약 15%에서는 IgA와 IgG가 감소하는 경우도 있다. 혈청 보체치가 낮은 경우는 전신성 홍반성 낭창을 의심할 수 있고, 자가 면역 질환에 의한 폐출혈의 경우 기저 질환에 따라 항핵항체, 류마토이드 인자, 적혈구 침전속도 등이 증가된다.

폐출혈의 가장 중요한 검사 소견은 혈철소를 함유한 대식세포의 관찰인데, 객담이나 위세척액 검사에서 관찰할 수도 있지만, 기관지경을 통한 세척액에서 혈철소를 함유한 대식 세포를 발견하는 것이 가장 믿을 만한 방법이다. 일반적으로 출혈 2~3일 후에 혈철소를 함유한 대식 세포를 관찰할 수 있다.

우유단백에 대한 침강항체가 양성이면 우유 알레르기와 동반된 폐출혈을 의심할 수 있고, 신기능 검사와 소변검사 및 신생검을 통해 Goodpasture 증후군, Wegener육아종증, 전신성홍반성낭창, Henoch-Schönlein 자반증 등에 동반된 신염을 감별할 수 있다.

폐기능 검사는 질환의 침범 정도를 평가할 수 있다. 어린 소아에서는 산소 포화도의 측정이나 동맥혈 검사로 대신하게 되고, 큰 소아에서 폐기능 검사를 시행할 수 있는데, 원인 질환에 따라 특징적인 양상을 보일 수 있다. 급성 출혈 자체에 의해서는 가스 확산 장애가 발생하며, 폐의 순응도가 감소한다. 심혈관 질환으로 인한 출혈이 의심되면 심전도, 심초음파 등 주의 깊은 검사가 필요하다.

과거에는 미만성 폐출혈의 확진을 위하여 폐 조직 검사가 필수적이었지만, 최근에는 급성 출혈이 있을 때 기관지경을 즉시 시행하여 출혈 부위를 확인 할 수 있다. 만성 폐질환이 없는 환자에서 반복되는 출혈이 있을 때는 굴곡성 기관지경을 시행하여 혈관종 등을 확인할 수 있고, 기관지폐포 세척액, 객담, 혹은 위세척액에서 prussian blue 염색을 하여 혈철소를 함유한 대식세포를 확인 할 수 있다. 추가적인 영상 검사도 정확한 진단을 하는데 도움이 된다.

4) 방사선 검사

흉부 X선 검사에서 급성적인 변화는 기관지 주위 혹은 보다 광범위한 솜털 같은 침윤을 볼 수 있으며, 만성적으로 경결성 병변과 환기의 감소를 볼 수 있다. 과환기는 특히 급성 악화시 흔히 보이며, 간열이 두껍게

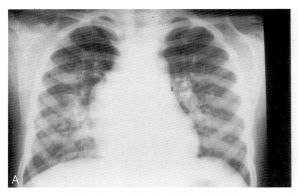
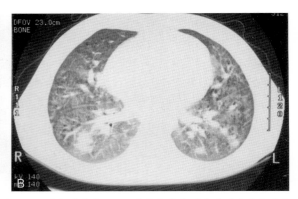

그림 4-4. 폐출혈 흉부 X선 소견. 양측폐의 다발성 국소성 경결(A), HRCT에서 미만성으로 초자양 혼탁과 다발성 결절성 혼탁과 경화(B)가 관찰된다.

보일 수 있다. 흉부 컴퓨터 촬영은 폐출혈의 범위를 평가하고 기저 병리를 발견하는데 도움을 줄 수 있다. 방사선적 변화는 상엽보다 하엽에서 더 현저하다. 연속적인 흉부 X선 촬영을 통하여 병의 진행, 완화, 혹은 이동성 침윤을 볼 수 있다(그림 4-4).

라. 치료

폐출혈의 치료는 가능하면, 원인에 근거하여 시행한다. 그러나 생명을 위협할 정도로 과량의 출혈이 발생하면 우선 혈액이나 혈량증량제(volume expander)를 투여하여 쇼크를 치료하거나 예방한다. 미만성 폐출혈이 의심 되면 출혈이 조절 될 때까지 과량의 스테로이드를 투여할 수 있다. 폐의 만성 출혈로 인한 철 결핍성 빈혈에는 만성 질환으로 인해 헤모글로빈 합성이 억제되지 않은 한 빈혈은 철분의 보충에 반응한다. 심한 출혈이 조절되지 않는 기관지 확장증인 경우는 기관지 동맥 색전술을 시행하여야 한다.

마. 예후

폐출혈의 예후는 기저질환의 종류와 중증도, 급성 출혈의 전문적 치료, 만성 또는 반복적인 출혈의 다양한 원인 진단과 치료, 다기관 침범 여부 등에 따라 다르다. 반복적인 폐출혈은 폐손상과 기능 장애로 진행할 수 있다. 과량의 폐출혈은 급성 실혈이나 가스 교환을 방해하여 생명을 위협할 수 있다.

6. 마취와 진정이 호흡에 미치는 영향

최근 소아과 영역에서도 국소 마취나 정맥주사용 진정제 혹은 수면제의 사용이 증가됨에 따라 이들 약제들이 호흡에 미치는 영향에 대한 지식이 필요하게 되었다. 이들 약제들은 투여 경로에 따라 흡입용, 정맥용 또한 작용범위에 따라 전신용, 국소용 약제로 나눌 수 있다.

가. 흡입성 마취제

1) 약리 작용과 임상적 이용

소아과 영역에서 흡입성 또는 휘발성 마취제를 투여하는 경우는 드물다. Nitrous oxide를 제외한 모든 흡입 마취제는 강력한 심근 억제 작용이 있으므로 주의를 요한다. 주로 많이 사용되는 흡입마취제에는 halothane, isoflurane, desflurane, sevoflurane, nitrous oxide가 있다.

가) Halothane

비자극적 냄새로 소아에서도 많이 사용된다. 그러나 심근 억제, 서맥, 심박출량 감소, 저혈압, 부정맥 등의 부작용이 있다. 흡입된 halothane의 15%~20%는 간에서 대사되며 과민성 및 간독성을 보일 수 있다. MAC (minimal alveolar concentration)는 1세 미만에서는 약 1%이며 나이가 들면서 감소하여 성인의 경우에는 0.75%정도이다.

나) Isoflurane

Halothane에 비해 심근 억제력은 덜 하지만 자극적 냄새와 기도 자극 증세가 심하다. MAC는 1세 미만에서는 1.9%이며 성인에서는 1.6%이다. 최근 halogenated ether로서 desflurane과 sevoflurane이 개발되어 사용된다.

다) Nitrous oxide

Nitrous oxide는 상쾌한 향에 다른 마취제와 병행 투여하면 그 작용을 상승시키므로 흡입 마취제의 양을 줄일 수 있다. Nitrous oxide 자체는 마취능이 낮아 단독으로는 실제적이지 못한 경우가 많다. 짧은 노출은 해가 없지만 길게 노출되면 유산, 골수억제, 기형 발생과 같은 부작용이 있다.

2) 호흡조절에 미치는 영향

대부분의 진정제, 마취제는 환기를 억제한다. 이들은 매분환기량($\dot{V}_E$; minute ventilation)과 그 구성요소들에 영향을 미친다. 매분환기량의 구성요소에는 다음과 같은 것들이 있다; 평상 용적(V_T, tidal volume), 분당호흡수(f, respiratory frequency), 평균흡기속도(V_T/T_I, mean inspiratory flow rate, T_I는 흡기시간), inspiratory duty cycle(T_I/T_{TOT}, T_{TOT}는 총 호흡주기시간). 매분 환기 량은 다음 식으로 표현될 수 있다: $\dot{V}_E = V_T \times f$ 또는 $\dot{V}_E = V_T/T_I \times T_I/T_{TOT}$

모든 흡입마취제는 용량에 비례하여 강력하게 호흡을 억제한다. 그러나 영아, 소아에 대해서는 아직 연구

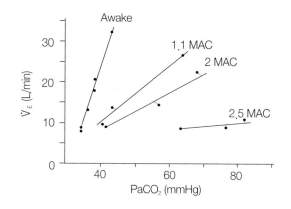

그림 4-5. Halothane에 대한 이산화탄소 반응 곡선. 깨어있을 때와 halothane 마취정도를 달리 했을 때 이산화탄소 반응곡선이다. 마취의 깊이(minimal alveolar concentration; MAC, 최소폐포농도; 마취작용을 일으킬 수 있는 폐포내의 마취제의 최소량의 농도)를 증가시킴에 따라 동맥내 이산화탄소 분압($PaCO_2$)에 대한 환기반응이 점차로 감소한다.

가 부족하다.

가) 이산화탄소 농도에 대한 반응

휴식하는 동안의 환기에 있어서 모든 흡입마취제는 환기를 억제하여 동맥 내 또는 호기 내(end-tidal) 이산화탄소 분압($PaCO_2$)을 상승시킨다. 이산화탄소 반응곡선(흡입 이산화탄소에 대한 환기반응)은 마취제의 농도가 증가함에 따라 경사가 감소하면서 점차 우측으로 이동한다(그림 4-5). 일반적으로, 매분 환기량의 감소는 호흡용적의 감소와 관련이 있다.

성인대상의 연구에서 halothane 마취를 했을 때의 평상 용적의 감소는 환기에 대한 신경자극의 감소와 많은 관련이 있음이 알려졌다. 흡기시간(T_I)은 마취했을 때에 감소하지만, 흡기시간/총호흡주기시간(T_I/T_{TOT})은 비교적 영향을 덜 받는다. 에테르와 페노바비탈을 모두 사용하여 어린 양에서 깊은 마취를 하면, 평상 용적/흡기시간(V_T/T_I)은 마취제 용량에 비례하여 감소한다. 흡기시간/총호흡주기시간(T_I/T_{TOT})의 변화가 종 특이적인지 혹은 연령과 관련이 있는 것인지는 명확하지 않다.

2~5세의 소아를 대상으로 한 연구에서는 매우 약한 전신마취(0.5% halothane)에서는 환기가 잘 유지되었다. 그러나 마취강도가 높은 외과적 마취(1.0%~1.5%, 1.0~1.5 MAC)에서는 마취제 용량에 비례하여 환기가 억제되고, 고탄산증이 발생하였다. 평상 용적은 감소하고 분당호흡수는 증가하였고 매분환기량은 감소했다. 신경호흡자극(neural respiratory drive)이 억제되었는데, 이는 평상 용적/흡기시간(V_T/T_I)이 감소하는 것으로 증명할 수 있다. 한편 흡기시간/총호흡주기시간(T_I/T_{TOT})은 증가하는 경향을 보이는데, 이때 흡기시간은 변화가 없거나 약간 감소한다. 12개월 미만의 영아에서 호흡억제가 훨씬 현저한데, 흡기시간/총호흡주기시간(T_I/T_{TOT})은 증가하지 않는다. 그 부분적인 이유로는 연장아에 비해 흉벽의 순응도가 높고 흉벽의 기형이 현저하기 때문일 것으로 생각된다.

나) 저산소증에 대한 반응

성인에서는 약하게 halothane 마취를 하였을 때 저산소증에 대한 환기반응이 감소되었는데, 동일 조건에서 고탄산증에 대한 환기반응은 저산소증에 대한 환기반응과 동일하지는 않았다. Halothane 1.1MAC 정도의 마취 하에서 저산소증에 대한 환기반응은 완전히 소실되는데 비해 고탄산증에 대한 환기반응은 각성상태의 대조군의 약 40% 정도로 감소하는데 그쳤다.

0.1MAC 정도의 마취가 안 되는 매우 약한 농도에서 halothane은 저산소증에 대한 환기반응을 대조군의 30% 정도로 감소시키는데 비해 고탄산증에 대한 환기반응에는 거의 영향을 미치지 못하였다. 매우 약한 농도에서 halothane은 고탄산증에 대한 환기반응에 매우 미미한 영향밖에 미치지 못하는데 그 이유는 이산화탄소에 대한 환기반응은 주로 중추화학수용체(central chemoreceptor)에 의해 조절되는데 반해서 halothane의 작용부위는 말초화학수용체이기 때문이다. 0.05~0.1MAC 정도의 매우 약한 농도의 마취가 영아와 소아의 환기에 미치는 영향에 대해서는 알려진 바가 없다. 그러나 저산소증이 발생할 가능성은 높고 고탄산증이 발생할 가능성은 낮으리라고 짐작된다. 이는 매우 약한 농도의 마취 하에서 저산소증에 대한 환기반응이 감소하게 될 것이라는 점을 시사해 준다.

다) 부하에 대한 반응

각성상태에서는 외부 부하가 가해지더라도, 흡기노력이 증가함으로써 환기가 유지된다. 그러나 마취제, 마약, barbiturate에 의해 이런 반응이 현저히 감소하거나 소실된다. 만성 폐쇄성 기도 질환 환자에 있어서 각성상태에서는 정상탄산상태(normocarbia)가 유지될 수 있다 하더라도, 고탄산상태가 발생할 수 있다.

소아에서 0.5% halothane의 가벼운 마취상태에서 환기하는데 저항을 주는 부하가 걸린다면 처음에는 평상 용적(V_T)이 감소하게 된다. 그러나 5분 내에 평상 용적은 정상으로 돌아온다.

3) 흡기에 사용되는 근육의 억제

흡기운동에 관여하는 근육에는 횡격막, 외부 늑간근, 상기도근육이 있다. 인두를 구성하는 근육들은 기본적인 긴장도(tone)를 가지고 있으며, 혀가 앞 쪽에 위치하도록 하여 인두기도의 개존성을 유지시켜 준다. 이들 근육들은 횡격막과 함께 수축하여 흡기동안에 인두의 구경을 넓혀준다. 성대 이완 근육, 특히 posterior cricoarytenoid 근육들은 횡격막과 조화를 이루어 수축함으로써 성문 입구를 넓혀준다. 흡기에 관여하는 이들 근육들은 흡입마취제에 의해 모두 억제되지만, 억제되는 정도가 각기 다르다. 최근의 연구에서는 흡입마취제의 호흡억제에 가장 예민하게 반응하는 것이 인두근육의 하나인 이설근(genioglossus)이고 횡격막은 예민도가 가장 떨어졌으며, 늑간근은 그 중간이었다(그림 4-6). 또한 영아나 소아의 상기도 근육은 흡입마취제의 호흡억제작용에 대하여 성인보다 훨씬 민감하다.

4) 호흡역학에 대한 작용

가) 압력-용적 관계
(Pressure-volume relationships)

전신마취 또는 근육이완제는 흡기에 관련된 근육의 긴장도를 소실시켜 흉곽의 outward recoil을 감소시키고, 기능성잔기용량(FRC), 폐의 유순도(compliance)를 감소시킨다. 영아에서는 폐의 elastic recoil을 상쇄할만한 내재적인 견고함(intrinsic rigidity)이 부족하고, 쪼그라들기 쉬워 기능성잔기용량을 유지하기 위하여는 흉곽의 근육 긴장도가 지속적으로 유지되는 것이 중요하다. Fletcher 등은 영아나 어린 소아에서 기관내 삽관을 통한 전신마취를 시행하였을 때, 폐의 순응도가 35%가량 감소하는 것을 보고하였다. 이러한 폐의 순응도 감소는, 근육이완제를 투여한 이후 자발호흡을 하거나, 손으로 앰부백을 이용한 호흡을 시행하는 경우 모두에서 나타났다. 이때 평상 용적(V_T)을 두 배로 증가시키자, 폐의 순응도가 마취 이전의 대조군 수준으로 회복되었다.

나) 기능성잔기용량(FRC)

각성상태의, 입위(upright)상태에서 기능성잔기용량은 총폐용량의 50%를 차지하는데, 횡와위(recumbent) 상태에서는 감소하여 40%를 차지한다. 대부분의 전신마취에서, 마취 유도 후에 즉각적으로 기능성잔기용량이 감소하고 그 이후 마취기간동안 감소한 상태로 지속된다. 영아와 소아에서는 흉곽의 유순도가 더 높기 때문에 전신마취제나 근육이완제로 인한 기능성잔기용량의 감소가 성인에 비해 훨씬 더 현저하다.

5) 폐의 가스교환에 미치는 영향

전신마취는 폐포사강의 면적을 증가시키며 폐포-동맥간 산소분압의 차이를 증가시킨다. 전신마취로 인한 기능성잔기용량의 감소가, 환기분포의 변화를 가져오는 주된 원인이다.

6) 점액섬모 기능에 미치는 영향

섬모는 호흡기의 이물질을 제거하는데 중요한 역할을 하는 방어기전이다. 섬모들은 일사분란하게 채찍

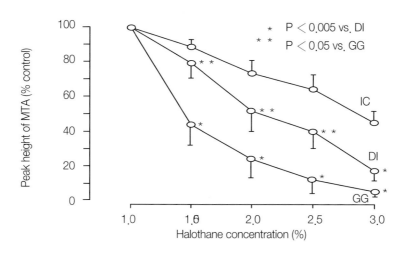

그림 4-6. 흡기에 사용되는 근육에 대한 흡기성 마취제의 억제작용. 고양이를 halothane으로 흡입 마취시켰을 때 그 농도를 증가시킴에 따라 흡기에 관여하는 세 가지 근육들이 흡기 때 근육활성도(phasic inspiratory muscle activity)가 감소하는 정도를 peak height of moving time average (MTA)로 나타냈다. DI: 횡격막, GG: genioglossus muscle, IC: external intercostal muscle

같은 방식으로 분당 600~1,300회 움직여서 점액층 위에 있는 점액과 입자들을 분당 1.5~2.0cm의 속도로 기도 개구부를 향해 이동시킨다. 섬모 기능은 점액층의 두께에 의해 영향을 받으며 감염, 탈수도 영향을 미친다. 건조한 공기를 단 3시간만 흡입해도 점액 이동은 완전히 정지하나 가습된 따뜻한 공기 흡입으로 섬모운동은 회복될 수 있다. 100% 산소와 양압 환기와 기관 내 튜브 커프의 팽창도 기관지내 점액의 이동속도를 감소시킨다. 흡입마취는 직접적으로 섬모 운동에 영향을 미칠 뿐만 아니라 점액의 생성 양이나 질에 모두 변화를 일으킨다.

나. 정맥용 마취제 혹은 수면제

1) Propofol

Propofol은 전신마취제와 진정제로 사용되는데 주로 수면 작용을 보이며 진통작용은 없다. 소아의 경우 마취 유도양은 2.5~4.0 mg/kg으로 성인보다는 높고 유지량은 100~200 µg/kg/min이다. 기관지경 같은 진단검사 수기를 시행할 때 진정제로도 사용되고 있다. 진정효과를 일으키는 용량은 전신마취를 하기 위해 필요한 용량보다 훨씬 적다.

부작용은 혈압하강, 심박출량 감소, 전신 혈관 저항 감소, 심박동감소와 같은 심혈관계 증상과 간대성 근경련이 나타나는 수가 있다.

또한 강력한 호흡억제 효과가 있으며 30초 이상 무호흡의 빈도도 높다. 특히 이전에 모르핀을 투여한 적이 있는 경우 무호흡의 빈도가 더욱 증가한다. 중간정도 용량의 propofol (100 µg/kg/min)을 지속적으로 주입하면 신경호흡자극(neural respiratory drive)이 감소하고 평상 용적이 40% 감소하며 분당호흡수는 다소 증가한다. 이산화탄소와 저산소증에 대한 환기 반응이 감소한다.

2) Benzodiazepines

Benzodiazepines은 진정, 수면, 건망증, 항불안, 항경련, 근육이완 등 여러 작용이 있다. 작용 발현 시간과 기간은 약제 지용성에 따라 다르다. Midazolam과 diazepam은 높은 지용성을 가지며 작용시간이 30~60초로 60~120초인 lorazepam보다 빠르다. Benzodiazepines은 진정작용 용량으로 투여하면 호흡에 미치는 영향은 극미하다. 그러나 양이 늘어나면 진정상태에서 최면상태로 그 다음 혼미상태가 된다. 일반적으로 benzodiazepines은 경련 한계치를 높이고 경미한 혈압 하강을 유발한다.

Midazolam (0.15 mg/kg)과 diazepam (0.3 mg/kg)의 호흡억제 효과는 거의 유사하여 단독 정주한 경우 호흡 억제는 3분내 발생하여 1~2시간 정도 지속된다. Midazolam은 수술시 진정 목적으로 가장 널리 사용되며 점막, 정주, 근주 등의 여러 경로로 투여가 가능하다. 점막으로 투여할 때는 정맥이나 근육을 통해 투여할 때보다 더 많은 양을 투여해야 한다. 소아의 진정을 위해서 정맥으로는 0.1 mg/kg, 경구로는 0.5~0.75 mg/kg, 비강이나 설하로는 0.2~0.3 mg/kg, 직장으로는 0.3 mg/kg를 투여한다. Flumazenil은 benzodiazepine 수용체 리간드이며 benzodiazepines에 대한 경쟁적 길항제로 3 µg/kg 투여로 midazolam에 의한 호흡억제를 다시 회복시킨다.

3) Barbiturates

과거에 가장 널리 사용되어온 진정, 수면제이지만 호흡억제와 부작용으로 인해 최근에는 benzodiazepines이나 속효성 합성 유도체가 그 역할을 대신하고 있으며 현재는 마취 유도나 항경련제와 같은 극히 제한적 용도로 사용된다. Barbiturates의 호흡에 대한 영향은 이산화탄소에 대한 환기반응과 매분환기량을 억제한다.

Thiopental sodium은 속효성 thiobarbiturate로서 정주용 마취 유도를 위해 가장 널리 사용된다. 또한 뇌압을 낮추므로 신경학적 진단 또는 수술시에 유용하며 오심도 별로 없다. 이외 memohexital sodium도 이용된다.

4) Chloral 유도체

Chloral hydrate는 소아과에서 가장 널리 사용되는 약제로 간에서 대사된다. 유럽에서는 triclofos sodium (trichomethanol의 phosphate ester)이 진정제로 사용된다. 1 g의 triclofos는 660 mg의 chloral hydrate와 같은 역가를 지닌다. Triclofos는 chloral hydrate보다 맛도 좋고 위장관 장애도 덜하기 때문에 영아 경구용으로 많이 사용된다. Chloral hydrate의 최면 용량은 영아의 경우 30~50 mg/kg이다. 폐기능검사를 위해 100 mg/kg까지 사용된다.

호흡에 미치는 영향은 평상 용적만 약간 감소하고 기타 호흡지수(breathing index)는 변화가 없다고 알려져 있으나, 호흡수가 증가하고 평상 용적은 변화가 없다는 다른 보고도 있다.

5) Ketamine

Ketamine은 phencyclidine 유도체로 limbic system에서 뇌피질의 해리 증세를 일으킨다. Ketamine을 주사하면 목적 없는 두부, 체간 및 사지의 움직임, 타액 과분비, 유루 분비가 증가한다.

Ketamine도 간에서 대사되는데, 신생아기에는 ketamine에 의한 마취가 급속하게 되며 오래 지속되나 소아에서는 상대적으로 작용 시간도 더디며 지속시간도 짧다.

Ketamine은 전신마취 유도 전 흥분된 상태를 진정시키거나 방사선과적 처치, 심혈관 도자, 상처 드레싱 교환, 치과 처치 등의 비교적 비침습적 처치를 할 때 움직이지 않게 하기 위해 진정시킬 필요가 있을 때에 특히 적합하다. 환각이나 악몽 같은 부작용은 성인에 비해 소아에서는 덜하다. Ketamine은 정주(2 mg/kg), 근주(2 mg/kg), 직장투여(6~10 mg/kg)가 가능하다. Ketamine은 호흡 억제가 경미해서 3분 미만의 일시적 호흡억제가 있을 수 있다. 소아의 경우에는 진단이나 간단한 수술을 위한 처치로 비강내 midazolam (0.2 mg/kg) 투여 후 ketamine (9 mg/kg)을 직장으로 투여해도 호흡이나 산소 포화도에는 영향이 없다. 그러나 bolus로 주사했을 때 일시적 호흡 억제가 발생함이 보고되었다.

6) 아편 유사제

아편 유사제나 마약은 진통, 진정, 마취용으로 사용된다. 신생아가 소아에 비해 마약에 더 예민하다. 모르핀의 혈중 농도가 같더라도 뇌에서의 농도는 신생아가 성인에 비해 2~4배 정도 높은데 이는 신생아의 BBB (blood-brain barrier)가 더 잘 침투되고 신생아에서는 반감기도 길기 때문이다. 호흡에 미치는 영향은 환기를 억제하는데 과량 투여하면 매분환기량의 감소, 호흡수 감소, 평상 용적 증가 소견을 보인다. 성인의 경우 모르핀(0.1~0.2 mg/kg)은 평상 용적과 호흡수를 감소시켜 매분 환기량을 11~13% 감소시킨다. 모르핀은 뇌간의 호흡중추 억제력으로 인해 이산화탄소에 대한 ventilatory response curve의 우측 이동을 일으키며 경사도를 감소시킨다. 무호흡에 대한 역치와 휴식기 end-tidal PCO_2는 증가한다. 저산소에 대한 환기기능을 억제하며 신경 자극(neural drive)도 억제한다.

Fentanyl에 대한 감수성은 생후 3개월 이상 된 영아에서는 증가되지 않는다. Nitrous oxide와 fentanyl 마취 후 회복기에 nitrous oxide를 끊고 자발적 호흡을 유도한 후 경피 이산화탄소를 측정해 보면 혈중 fentanyl 농도와 비례하여 이산화탄소가 증가한다. 같은 fentanyl 농도에서 무호흡의 발생 빈도는 영아보다는 성인에서 더 높다.

아편유사제의 환기 억제 효과는 흡입마취제나 바비투레이트, 벤조다이아제핀 등 다른 중추 신경 억제제와 병행 투여한 경우에 더욱 심해진다. 예를 들면 midazolam 단독 투여는 호흡기계에 별 영향을 보이지 않으며, fentanyl 단독 투여는 대상의 약 반 수에서 저산소증(SaO_2<90%)을 유발하며 이산화탄소에 대한 환기반응을 억제하나 무호흡증은 일으키지 않는다. 그러나 두 약제를 병행 투여하면 심각한 저산소증과 무호흡증을 일으키나 이산화탄소에 대한 환기반응은 억제하지 않는다.

Fentanyl과 sufentanil을 고용량으로 투여하면 흉곽의 강직성이 증가하여 환기에 심한 장애를 초래한다. 실제 기계 환기를 하는 소아에서 진정제나 근육 이완제 투여 없이 fentanyl만 bolus로 투여한다면 호흡 순응도는 더 나빠진다.

모르핀은 소아에서 진통 및 진정 목적으로 자주 사용되는 약제로 치료용량(0.1 mg/kg)을 투여하면 의식소실 없이 진통 효과를 기대할 수 있다. 그러나 다른 마약과 마찬가지로 호흡 억제 작용이 있다. 모르핀은 주로 간에서 대사되어 소변으로 배설된다. 신생아는 소아에 비해 반감기가 길고 청소율도 낮으므로 신생아에서는 작용 시간이 더 길다. Meperidine은 합성 아편유사제로서 진통효과는 모르핀의 100배이고 지용성이 높아 BBB를 쉽게 통과한다. Fentanyl은 강력한 합성 아편유사제로서 진통, 진정, 마취제로서 모르핀의 50~100배 효과를 보이며 BBB를 쉽게 통과한다. 이외에도 sufentanil, alfentanil 등의 약제가 있다.

다. 국소마취제

국소 마취제는 procaine, chloroprocaine, tetracaine 같은 ester형과 lidocaine, mepivacaine, bupivacaine 같은 amide형의 두 군으로 분류한다. Ester형은 혈장에서 가수분해 되는 반면 amide형은 주로 간에서 대사된다.

신생아에서는 혈중 cholinesterase의 농도가 낮아 국소 마취제를 가수 분해 시키는 능력이 떨어지며 혈중 단백질의 농도도 낮아 마취제의 약효가 어른에 비해 오래 동안 남아있을 수 있다는 점을 감안해야한다. 또한 국소 마취제는 상기도 점막을 통한 흡수 역시 신속하므로 기관지경과 같은 시술을 실시할 때 과량 투여가 되지 않도록 조심해야 한다.

7. 약물 유도성 폐 질환

약물에 의한 폐질환에는 폐렴, 폐 섬유화, 폐쇄성 세

기관지염, 비심인성 폐부종, 폐출혈, 기도과민반응 등이 있으며 주로 문제가 되는 약물은 표 4-2와 같다. 이 질환은 약물 투여 후 오랜 기간이 지난 다음에야 발생하므로 그 원인 규명이 어렵고 소아에서는 드물다.

가. 간질성 폐렴과 섬유화

간질성 폐질환을 일으킬 수 있는 대개의 약제들은 암이나 류마티스 치료제인 세포독성 항생제와 항대사 약물들이다. 특징적인 증상은 호흡곤란이며, 비삼출

표 4-2. 약물 유도성 폐질환을 일으키는 약물들

간질성 폐렴 및 섬유화와 관련된 약물들
  Bleomycin, Mitomycine, Cyclophosphamide
  Busulfan, Melphalan, Chlorambucil
  Steril carmustine(BCNU), Methotrexate
  Amiodarone, Nitrofurantoin, Gold, Penicillamine
과민성 폐렴 관련 약물
  가끔 문제가 되는 약물
    Gold salts, Methotrexate, Amiodarone
  드물게 문제가 되는 약물
    Nitrofurantoin, NSAID(aspirin, ibuprofen)
    Penicillamine, Phenytoin, Procarbazine
    Pyrimethamine, Sulfasalazine
    Vinblastine, Vindesine, Azathioprine
    Imipramine, Carbamazepine, Chlorambucil
    Cyclophosphamide, Dantrolene, mitomycin
폐부종 관련 약물
  Salicylates, Hydrochlorothiazine, Haloperidol
  Lidocaine, Tocolytics, Tricyclic antidepressants
  Naloxone, Mitomycin, Cyclophosphamide
  Methotrexate, Deferoxamine, Heroin
  Methadone, Cocaine
기도과민성 관련 약물
  Cyclophosphamide, Nitrofurantoin
  Aspirin, Ibuprofen, Naproxen
  Sulfasalazine, β-blockers, Dipyridamol
  Carbamazepine, Cocaine and its alkaloid
  Pentamidine(inhaled), Beclomethasone(inhaled)

성 기침, 흉통, 빈호흡, 수포음, 곤봉지 손가락, 발열, 피부 발진 등이 있을 수 있다.

주된 X선 소견은 양측성 망상 침윤과 폐포 침윤이며, 폐 결절도 관찰된다. CT 혹은 HRCT 등이 진단에 유용하며, 초기 병변 진단에는 Gallium[67] 섬광조영술이 도움이 된다. 폐기능 검사상 제한성 폐기능 이상 소견을 보이며 DLCO (carbon monoxide diffusing capacity)도 감소한다.

동맥혈에서 저산소증과 호흡성 알카리증을 보인다. 기관지 폐 세척액에서 림프구의 증가 소견을 볼 수 있고 여러 세포독성 변화를 볼 수 있다. 조직 검사 소견은 간질의 단핵세포 침윤, 섬유화, 비정형 등이다.

Bleomycin은 약물유발 폐질환 연구의 모델이 되는 약제이다. 폐조직 내에는 이 약물을 불활성화시키는 효소가 상대적으로 적기 때문에 폐손상이 쉽게 일어나며 기전은 산소 손상이다. 임상 및 X선 검사에서 폐렴의 소견을 보이며 폐결절도 관찰된다. 초기 조직학적 변화는 상피 손상과 1형 폐세포의 괴사이며, 그 이후에는 2형 폐세포의 화생(metaplasia)과 림프구의 침윤, 섬유아세포의 증식이 뒤따르고 마침내는 섬유화가 오게 된다. Bleomycin을 끊으면 이러한 병변들은 호전되며, 스테로이드 투여에 의한 효과는 불분명하다. 경미한 경우를 제외하고는 대개는 예후가 불량하다.

BCNU (1, 3-bis[2-chloroethyl]-1-nitrosuria)가 폐질환을 일으키는 기전은 폐포 대식세포의 glutathione 환원제의 활성 억제이다. 임상적, 방사선학적 소견이나 폐기능 검사 소견은 전형적 폐렴 소견을 보인다.

Methotrexate의 경우는 적은 용량에서도 폐질환이 발생할 수 있으며 주당 20 mg 이상 투여하면 폐렴과 섬유화가 발생하기 쉽다. 검사 소견은 폐렴에 합당하며 조직 검사상 호산구 침윤이나 육아종 형성과 같은 비정상적 소견을 볼 수 있다. 약 투여를 중지하면 폐병변이 호전되며, 예후는 비교적 양호하다. 심혈관계 약물인 amiodarone은 phospholipase A를 억제하여 인지질의 농도를 높이므로써 폐세포를 손상시킬 수 있다. Nitrofurantoin을 6개월 이상 투여 받는 경우는 산소에 의한 폐조직 손상이 발생할 수 있다. 약물 사용을 중단하면 부분적, 또는 완전 회복도 가능하지만, 병이 지속되는 경우는 스테로이드의 적응증이 된다.

나. 과민성 폐렴

약물유발 과민성 폐렴의 기전은 림프구의 항원 자극이 그 원인이며, 약물 자체가 항원으로 작용하는지 또는 약물이 항원 형성을 자극하는지 여부는 명확하지 않다.

증상은 호흡곤란, 비삼출성 기침, 발열, 근육통, 피부염 등이며, 증세 발현은 약물의 장기 투여 기간 동안 서서히 발생한다. 방사선 검사에서 다양한 정도의 폐 침윤을 보이며, 동맥혈 가스 검사에서 저산소증과 저탄산증을 볼 수 있다. 혈액내 백혈구 증가, 호산구 증가, IgE의 증가를 보이고, 기관지폐포 세척액에서 림프구가 주로 발견된다. 말초혈액과 폐포세척액에서 발견되는 림프구는 억제-T세포이며 T4/T8 비가 역전된다. 조직검사에서는 폐포 혹은 폐간질에서 호산구의 집중이 관찰되며, 원인 약물을 끊으면 대개는 호전된다. 심한 경우에는 스테로이드를 투여한다.

다. 폐부종

비심인성 폐부종시 호흡곤란이 급성으로 발생하여 호흡부전증으로 진행될 수 있다. 진찰 소견에서 빈호흡과 수포음이 청진된다. 폐부종에 합당한 흉부 X선사진 소견을 볼 수 있으며 저산소증이 심하게 나타난다.

관련 약제로는 salicylate, hydrochlorothiazide, terbutaline, ritodrine, deferoxamine 등이 있다.

라. 폐출혈

계면활성제, 항응고제, penicillamine 등의 약제는 폐출혈을 일으킬 수 있다. 항응고제의 경우 보통의 용량에는 폐출혈을 일으키지 않으나 과량 투여하거나 또는 streptokinase와 같은 다른 항응고제를 병행 투여하면 폐출혈의 위험이 증가된다.

계면활성제에 의한 폐출혈 기전은 명확하지는 않으나 폐혈관 저항의 급속한 감소에 기인된 것으로 생각된다. Penicillamine에 의한 병변은 Goodpasture 증후군과 유사하며, 심한 저산소증과 신부전증이 동반된다. 흉부 X선 소견은 폐출혈에 의한 광범위한 폐포 혼탁 소견을 보인다. 조직학적 소견은 Goodpasture 증후군과 유사하나 면역형광검사에서 기저막에 보체나 면역글로블린의 침착은 관찰할 수 없다. 스테로이드 치료에 의하여 질병의 호전을 볼 수 있다.

마. 기도과민성

몇몇 약제는 기도과민성을 유발시키거나 악화시켜 호흡곤란이나 흉통, 빈호흡과 천명을 조래한다. 흉부 X선사진 소견은 정상 또는 과팽창소견을 보이며, 유발 검사로 진단할 수 있다.

기관지 수축을 유발시키는 대표적 약제는 아스피린이며, 일부의 아스피린 과민성 환자는 기타의 비스테로이드계 항염증제에도 과민반응을 일으킬 수 있다. 그러나 non-acetylated salicylates는 기관지 수축을 일으키지 않는다. 기도과민반응의 기전에는 아라키도닌산의 대사가 관여하며 치료는 보통의 천식 치료와 동일하다. Propranolol, dipyridamole, pentamidine과 같은 약제도 기관지 수축을 유발할 수 있다.

바. 기타

Penicillamine이나 gold 치료 후 폐쇄성 세기관지염이 보고 되어 있다. 기침과 호흡곤란을 볼 수 있으나 발열은 없다. 흉부 X선사진 소견은 정상 또는 과팽창 소견, 또는 망상형의 혼탁 소견을 볼 수 있다. 조직검사에서 육아 조직이 기관지나 세기관지를 막고 있는 소견을 볼 수 있다. 약물에 의한 홍반성 낭창의 경우 폐 삼출액이 관찰된다. 대개는 양측성으로 발생되며

약물 투여를 중단하면 회복된다.

참고문헌

1. 전계리, 최병주, 배기수, 고중화, 전영명, 이수영. 소아의 기도내 이물흡인에 대한 임상적 고찰-수원 남부 경기 지역 환자를 중심으로- 소아알레르기 및 호흡기학회지 2000:10;225-32.

2. 최진옥, 이광민, 박강서, 조선자. 하제로 쓰인 광물성 지방에 의한 지방성 폐렴 1례. 소아알레르기 및 호흡기학회지 2000;10;75-81.

3. Ashbaugh DG, Bigelow DB, Petty TL, Levine BE. Acute respiratory distress in adults. Lancet 1967;2:319-23.

4. Smith GJ. The histopathology of pulmonary reactions to drug. Clin chest Med 1990;11:95-117.

5. Gregory SA, Grippi MA. The clinical diagnosis of drug-induced pulmonary disorders. J Thorac Imaging 1991;6:8-18.

6. Taylor RH, Lerman J. Induction, maintenance and recovery characteristics of desflurane in infants and children. Can J Anaesth 1992;39:6-13.

7. Benameur M, Goldman MD, Ecoffey C, Gaultier C. Ventilation and thoracoabdominal asynchrony during halothane anesthesia in infants. J Appl Physiol 1993;74:1591-6.

8. Robotham JL. Do low dose anesthetic agents alter ventilatory control? Anesthesiology 1994;80:723-6.

9. Hollingsworth HM. Drug-related bronchiolitis-obliterans organizing pneumonia. Diseases of the bronchioles. In: Epler GR, ed. Diseases of the bronchioles. New York: Raven Press, Ltd; 1994:367-76.

10. Amato MB, Barbas CS, Medeiros DM, et al. Beneficial effects of the "open lung approach" with low distending pressures in acute respiratory distress

syndrome. Am J Respir Crit Care Med 1995;152:1835-46.

11. Sarner JB, Levine M, Davis PJ, Lerman J, Cook DR, Motoyama EK. Clinical characteristics of sevoflurane in children. A comparision with halothane. Anesthesiology 1995;82:38-46.

12. Amato MB, Barbas CS, Medeiros DM, Magaldi RB, Schettino GP, Lorenzi-Filho G. et al. Effect of a protective-ventilation strategy on mortality in the acute respiratory distress syndrome. N Engl J Med 1998;338:347-54.

13. Artigas A, Bernard GR, Carlet J, Dreyfuss D, Gattinoni L, Hudson L. et al. The American-European Consensus Conference on ARDS, Part 2: Ventilatory, pharmacologic, supportive therapy, study design strategies, and issues related to recovery and remodeling. Am J Respir Crit Care Med 1998;157:1332-47.

14. Cotton RT. foreign body aspiration. In: Chernicl V, Boat TF editors. Kendig's Disorders of the respiratory tract in children. 6th ed. Saunders Co. 1998:601-7.

15. Kendig's Disorders of the respiratory tract in children. 6th ed. Saunders Co. 1998:448-9.

16. Henning R, Duke T. Lung trauma: Toxin inhalation and ARDS. In : Taussig LM, Landau LI, editors. Pediatric respiratory medicine. St. Louis : Mosby, 1999;376-404.

17. Bandla HP, Davis SH, and Hopkins NE. Lipoid pneumonia : A silent complication of mineral oil aspiration. Pediatrics. 1999;103:E19.

18. Furuya ME, Martinez I, Zuniga-Vasquex G and Hernandex-Contreras I. Lipoid pneumonia in children: Clinical and Imagenological manifestations. Arch Med Res 2000;31:42-7.

19. The Acute Respiratory Distress Sydrome Network. Ventilation with lower tidal volumes as compared with traditional tidal volumes for acute lung injury and the acute respiratory distress syndrome. N Engl J Med 2000;342:1301-8.

20. Imokawa S, Colby TV, Leslie KO. Helmers RA. Methotrexate pneumonitis: review of the literature and histopathological findings in nine patients. Eur Respir J 2000;15:373-81.

21. Sleijfer S. Bleomycin pneumonitis. Chest 2001; 120:617-24.

22. Anderson MR. Update on Pediatric Acute Respiratory Distress Syndrome. Respir Care 2003;48:261-76.

제5장

신생아호흡기질환

1. 분만 후 신생아 호흡관리

가. 신생아 호흡기의 특징

신생아가 첫 호흡으로 공기를 마시게 되는 순간 폐 내부에는 공기, 액체 접촉면이 생기게 된다. 이 접촉면에서의 표면장력이 감소하지 않으면 폐포는 서로 잡아 당겨 폐의 형태를 유지하기 어렵게 된다. 계면활성제(surfactant)는 바로 이 공기, 액체 접촉면에서 폐포를 덮고 있는 액체막에 hydrophobic lipid monolayer를 형성함으로써 표면장력을 낮추는 작용을 한다.

모체의 순환과 태반기능에 의존하던 태아 호흡이 신생아기에 독자적인 가스교환이 가능하게 되려면 몇 가지 폐의 적응과정이 필요하다. 즉 계면활성제가 생산되어야 하며, 폐는 분비기관으로부터 가스교환기관으로 변형되어야 하고, 전신순환과 병행하는 폐순환이 확립되어야 한다. 자궁외 호흡의 시작은 감각적 자극에 의하여 일어나는 것으로 생각되며, 환경온도의 변화(추위), 소음, 빛 등이 있다. 또한 기계적 자극이나 CO_2 분압의 증가와 저산소증 등 화학적 자극에 의해 시작된다. 처음 호흡을 시작할 때에는 폐 표면의 부착력을 이겨내기 위하여 여분의 힘이 필요하며, 첫 호흡 이후에 정상적인 호흡을 위해 15~20cm H_2O의 압력이 필요하다.

태아기의 폐는 액체로 차 있다. 자궁 내에서는 불규칙하지만 분당 30~70회의 태아호흡운동이 있으며, 복식 호흡을 한다. 분만이 가까워지면 태아의 호흡운동은 억제되어 분만 중에도 계속 억제된 상태에 있게 된다.

태아기에 폐는 분비기관으로 작용하여 전 재태 기간에 걸쳐 Cl^-, K^+, H^+가 풍부한 액체를 분비한다. 이 액체는 태아 폐 발육에 중요한 역할을 하지만 공기 호흡에는 적절하지 않으므로 임신말기가 되면 출산에 대비하여 폐에서의 액체 생산이 점차 감소되고, 분만이 시작되면서 액체의 분비는 더욱 감소되어 폐포를 통한 액체의 흡수가 일어나게 된다. 출생 후에도 폐에 남아 있는 액체는 수 시간에 걸쳐 폐혈관이나 림프계를 통하여 흡수된다. 출생과 동시에 폐순환은 고저항 상태에서 저저항 체계로 바뀌어 결과적으로 폐 혈류량이 전신으로부터 환수된 정맥혈만큼 증가된다. 곧 이어 난원공(foramen ovale)과 동맥관(ductus arteriosus)의 폐쇄가 일어나면 폐순환이 체순환과 분리된다. 따라서 동맥혈 산소 분압이 급격히 상승하고, 전신에 일정한 동맥혈 산소 분압이 고루 미치게 된다. 폐혈관 저항은 생후 첫 수 주 간에 걸쳐 폐혈관 근육조직의 구조가 변하면서 서서히 감소한다.

신생아의 호흡은 거의 전적으로 복식 호흡, 횡격막 호흡을 하므로 흡기 시 복벽이 돌출되는 동안에 부드러운 흉곽 전면부는 대개 함몰되는 양상을 보인다. 신생아가 안정되고 편하게 보이며 피부색이 양호하다면 이러한 역행성운동(paradoxical movement)은 환기

장애를 의미하지는 않는다. 반대로 힘들어하는 호흡 (labored breathing)은 호흡곤란증후군, 폐렴, 기형 또는 폐의 기계적 장애의 중요한 증거이다. 호기 동안 신음 소리 '그렁거리는 소리'를 내는 것은 잠재적인 중증의 심폐질환을 의미한다. 코를 벌렁거리거나 늑간근 및 흉골의 함몰은 폐 병변의 흔한 징후이다. 정상적인 호흡음은 기관지폐포성(bronchovesicular)이며, 신생아의 폐는 첨단부가 가장 먼저 확장되고 말초부와 아랫 부분은 가장 늦게 확장된다. 호흡음의 감소, 수포음(rale) 또는 타진 상 탁음이 있을 때에는 흉부 X선 검사를 시행해야 한다.

신생아의 호흡수와 리듬은 활동량, 의식 상태, 울음 여부에 따라 변화가 많다. 따라서 호흡수는 안정된 상태 또는 잘 때 1분 동안 호흡수를 세어야 한다. 안정 시 호흡수는 분당 30~40회이며, 미숙아는 만삭아보다 호흡이 빠르고 변화폭도 더 크다. 규칙적인 호흡을 하는 동안에 지속적으로 분당 호흡수가 60회 이상이면 심폐 질환이나 대사장애를 의심한다. 미숙아는 Cheyne-Stokes 리듬으로 호흡하는 주기호흡(periodic breathing)을 할 수 있으며 때로 완전히 불규칙적인 호흡을 하는 수도 있다.

주기성 호흡은 첫 24시간 내에는 드물며, 입과 턱의 연축성 운동을 동반하는 불규칙한 호흡일 경우 심한 호흡중추의 장애를 의미하므로 세심한 관찰을 요한다.

나. 신생아 호흡관리

출생 직후의 신생아에 대한 관리는 매우 중요하며, 자궁 내 생활에서 자궁 외 생활로의 적응이 순조롭게 되도록 하는 데 그 목적이 있다.

분만실에서 출생 직후 관리의 가장 중요한 원칙은 호흡의 확립, 적절한 영양 공급, 정상 체온의 유지 및 감염 방지와 생명을 위협하는 질환의 발견이다. 정상적인 태아의 분만 후 문제로는 저환기, 무호흡, 출혈, 저산소증, 서맥, 저체온, 저혈당증, 저혈량증, 저혈압 및 선천성 기형 등이 있으며 이 중 호흡에 대한 관리는 매우 중요하다.

대부분의 정상 신생아는 출생 후 몇 초 내에 호흡을 시작하므로 머리를 약간 낮춘 자세로 눕히고 구강이나 후두, 코로부터 점액, 혈액, 양수 조직 파편 등이 자연스럽게 중력에 의하여 흘러나오게 하거나, 질식을 막기 위하여 첫 호흡을 하기 전에 bulb syringe나 부드러운 rubber catheter (DeLee trap catheter 등)로 비인두강으로부터 분비물을 흡입하여 제거한다.

제왕 절개로 태어난 아기의 위는 질식 분만으로 출생한 아기보다 더 많은 양수가 있으므로, 위액의 역류로 인한 기도 내 흡인을 방지하기 위하여 위관(gastric tube)으로 비워주어야 한다.

신생아는 발뒤꿈치를 가볍게 친다든지 비강 카테터를 가볍게 넣어서 자극하면 심호흡을 하게 되고 뒤따라 울기 시작한다.

만약 호흡 곤란이 있으면 아기를 복사 온열기 아래에 머리를 밑으로 하여 뉘어 놓은 다음, 플라스틱으로 된 airway를 입에 넣어 혀가 기도를 막지 않게 하고, 산소 마스크나 카테터를 이용하여 산소를 공급해 주어야 한다.

신생아 가사(asphyxia)로 생각되면 즉시 소생술을 시행해야 하는데, Apgar 점수는 저산소증-산혈증이 있어 출생 직후에 소생술이 필요한 신생아를 알아내는 데 실제적인 방법이라고 할 수 있으나, 낮은 Apgar 점수가 반드시 태아 저산소증-산혈증을 의미하지는 않으므로 주의를 요한다

2. 신생아 호흡기질환

가. 호흡곤란증후군

호흡곤란증후군(respiratory distress syndrome)은 유리질막병(hyaline membrane disease)으로 알려져 있으며, 미숙아에서 호흡 부전의 가장 중요한 원인이다. 그러나 이 질환의 병태생리나 치료에 대한 많은 발

전에도 불구하고, 호흡곤란증후군은 임신 32주 미만의 미숙아의 이환율과 사망률의 주요 원인이다. 예방과 치료로서 인공 계면활성제의 도입이 임상 경과를 변화시켰으며, 이환율과 사망률을 상당히 낮추었다.

많은 질환들이 신생아에서 호흡 곤란의 양상으로 나타남에도 불구하고, 호흡곤란증후군은 폐의 발달이 미성숙하여 지속적인 폐의 팽창을 유지시켜주는 폐 계면활성제의 양이 충분하지 못하거나 활성이 충분하지 못하여 무기폐를 초래하는 대표적인 진행성 호흡부전의 하나로 정의된다.

1) 발생빈도

임신 연령이 작을수록 호흡곤란증후군의 발생빈도는 증가한다. 29주 미만의 미숙아에서 보고된 발생빈도는 50%이며, 34주 이상에서는 오직 5%만이 발생하였다. 임신연령 이외에도 다른 요소들이 호흡곤란증후군의 발생빈도와 연관되는데, 남아에서 안드로겐이 2형 폐세포의 계면활성제 생성을 감소시키며, 폐 성숙을 지연시킨다. 이는 여아에 비해 남아에서 호흡곤란증후군의 발생빈도가 높은 것을 설명해주고 있다. 흑인 미숙아들은 같은 임신주령에서 백인 미숙아에 비해 호흡곤란증후군의 발생빈도가 떨어지며 상태도 덜 심하다. 모체의 당뇨병은 호흡곤란증후군 발생의 또 다른 원인으로서 계면활성제의 단백질 양이 감소되어 있다. 주산기 가사와 제왕절개에 의한 출산 또한 질환의 발생을 증가시킨다. 한편 조기 양막파열과 만성 태아 스트레스 즉, 모체 고혈압, 모체 약물 남용, 만성 선천성감염 등은 질환의 발생빈도를 감소시키는 경향이 있다. 출산 전 모체에게 스테로이드나 갑상선자극호르몬(thyrotropine-releasing hormone)을 투여하면 호흡곤란증후군의 발생빈도를 감소시킬 수 있다.

2) 발생기전

호흡곤란증후군을 가진 신생아에서 가장 중요한 병리학적, 기능적 변화는 미만성 폐포 허탈에 의한 폐 용적의 감소이다. 고전적으로 호흡곤란증후군은 미성숙한 폐에서 계면활성제의 부족에 기인한 질환으로 알려져 왔다. 폐의 발달은 임신기간 3, 4주에 식도에서 기관의 발생으로 시작한다. 24주에 말단 공간(air space)이 발달하고 이는 호흡기 상피세포, 모세혈관, 1, 2형 폐세포의 분화와 관련이 있다. 이 시기부터 가스교환이 가능하게 되나 모세혈관과 공간의 거리는 성인보다 두세배 크다. 30주 후에 단 모세기관지의 분지가 발생하게 되며, 32주에서 34주에 폐포가 형성된다. 이런 형태학적 변화는 폐기능에 중요한 역할을 하는 다양한 생화학적 기능의 발달을 동반한다.

계면활성제는 23주에서 24주 사이에 태아 폐에서 나타나지만, 적절한 계면활성제의 양은 30주에서 32주까지는 충분히 분비되지 않으며 이 시기 이후로 호흡곤란증후군은 현저히 감소하게 된다.

1959년 Avery와 Mead가 계면활성제는 폐포에서 표면장력을 감소시키고, 폐의 팽창을 원활하게 하여 호기동안 폐 허탈을 막는다고 서술하였다. 또한 폐 부종을 막고 감염에 대한 방어작용도 하게 된다고 하였다.

계면활성제는 주로 인지질(phospholipids)로 구성되며 단백질과 탄수화물을 포함하고 있다. Phosphatidylcholine은 계면활성제에서 가장 풍부한 인지질이며 지방성분의 80%를 차지한다. 이것은 계면활성제의 표면장력에 필요한 성분이다. 다른 인지질로는 phosphatidylglycerol, phosphatidylinositol, phosphatidylserine, phosphatidylethanolamine, sphingomyelin이 있다.

계면활성제 단백질 A, B, C는 계면활성제의 10%를 구성한다. 이것은 계면활성제의 적절한 기능에 기여하는데 폐포의 공기, 물 표면사이에서 인지질의 형성을 촉진시키고, 계면활성제의 재순환에 작용한다. 2형 폐세포에서 계면활성제는 lamellar body 형태로 있는데 폐포 공간에 이것을 분비한 후 강한 계면 활성 특성과 함께 tubular myelin 형태를 갖게 된다. 미성숙한 신생아에서는 계면활성제 부족 외에도 흉곽벽이 부드럽고 호흡근육의 발달이 미숙하여 폐포 허탈을 가져올 수 있다. 이런 허탈은 환기-관류 불균형을 유발하여 대사성 산증을 초래한다. 저산소증과 산증은 폐혈류 감소와 함께 폐혈관의 수축을 유발한다.

2형 세포는 점차 계면활성제를 생산하는 능력이 감소된다. 폐혈관 고혈압은 난원공과 동맥관을 통해 우-좌 관류를 유발할 수 있는데 이는 저산소증을 심화시킨다. 폐혈류는 초기에는 감소되지만 폐혈관 저항의 감소와 동맥관 개존 때문에 결과적으로 증가된다. 이렇게 과도한 폐혈류는 혈관 투과성을 증가시키고 간질과 폐포 공간에 수액과 단백질의 축적을 가져올 수 있다. 이로 인하여 계면활성제는 폐포 공간에서 축적된 단백질에 의해 불활성화된다.

호흡곤란증후군을 가진 영아에서 특징적인 저산소증은 폐 내외의 단락(intrapulmonary and extrapulmonary shunt) 때문이며, 무기폐와 불충분한 가스교환으로 인한 사강(dead space)의 증가는 심한 경우 동맥내 이산화탄소 농도를 증가시킨다. 호흡곤란증후군을 가진 미숙아는 폐 용적의 감소에 반응하여, 동맥혈 탄산가스분압(PaCO$_2$)이 증가하며 호흡수가 증가된다. 저산소증이 심하여 점차적인 산증이 유발되며 이는 2형 폐세포에 손상을 가져와 폐혈관 수축을 가져올 수 있으며 점차 악순환이 계속된다. 주산기 가사와 저혈압이 있으면 대사성 산증이 더 악화된다.

3) 폐기능의 변화

기능적 잔류량(FRC)의 감소와 폐 탄성의 현저한 감소는 호흡곤란증후군의 특징이다. 폐포는 계면활성제 부족으로 허탈되며 이는 기능적 잔기용량을 감소시킨다. 폐 탄성은 현저하게 감소되는데 정상 기준의 반도 못 미치는 0.5 mL/cmH$_2$O/kg 이하를 보인다.

4) 병리기전

부검에서 육안적으로 광범위한 무기폐를 가진 울혈성 폐를 보이며, 현미경학적으로는 유리질막이 남아 있는 공간의 대부분을 이룬다. 이런 유리질막은 손상된 모세혈관을 통해 유출된 혈장 단백 즉, 적혈구, 백혈구, 세포의 조직파편 등으로 구성된다.

5) 증상

호흡곤란증후군의 증상은 미숙아에서 수분 내지 수 시간 내에 발생한다. 증상은 함몰 호흡과 호기시 신음소리, 청색증, 호흡음이 감소될 뿐만 아니라 호흡수가 점차 증가된다. 흉부 X선 소견은 양쪽 폐야에서 음영이 증가되고, 미세 결절성 음영, 공기기관음영, 횡격막 상승소견을 보인다(그림 5-1). 인공 계면활성제로 치료한 후에 X선 소견이 현저히 호전된다. 환자에서 산소 요구도는 질환의 경과에 따라 다양하며, 특징적으로 동맥혈가스 검사는 저산소증, 과탄산혈증, 경우에 따라 경한 대사성 산증을 나타낸다. 신생아에서 폐렴, 선천성 심장 질환, 선천성 기형, 빈혈, 과혈구증, 저체온 등 호흡 곤란의 다른 원인을 감별해야 한다. 인공 계면활성제의 처치 없이 생후 2~3일 동안에 상태가 심각해질 수 있으나 이는 개인마다 다르다. 초기에 합병증이 없다면 호흡기 상태는 호전되기 시작하고 32~33주 이상의 신생아에서 폐기능이 생후 1주안에 정상화된다. 26~28주의 미숙아에서 대부분 인공 호흡 환기가 필요하며 임상적 경과는 압력상해, 동맥관개존증, 병원내 감염, 뇌실내 출혈 등의 합병증이 자주 온다.

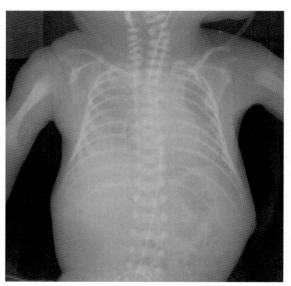

그림 5-1. 호흡곤란증후군 흉부 X선 사진. 폐문으로부터 넓게 분포된 음영을 보여 유리질막병으로 불리운다.

인공 계면활성제의 사용은 질환의 경과를 매우 빨리 호전시키며 산소 요구의 감소와 기흉과 같은 공기 유출의 발생을 감소시킨다.

6) 예방

호흡곤란증후군은 미숙아에서 일어나기 때문에 미숙아 출생을 예방하는 것이 가장 좋은 방법이지만, 많은 경우에 불가능하다. 호흡곤란증후군의 예방으로 미숙아 질환에 많은 진전이 이루어 졌으며 이는 폐성숙의 정확한 예측과 태아 폐성숙을 가속시키는 호르몬 사용에 의해 가능해졌다.

가) 폐성숙의 출생 전 예측

양수에서 레시틴과 스핑고마이엘린의 관계는 태아 폐성숙의 지표이다. 호흡곤란증후군의 발생빈도는 양수의 레시틴-스핑고마이엘린 비(L/S ratio)가 2 이상일 때 0.5%이었으나 1 이하일 때 100%에 가깝게 나타난다. 임신 36주 이상에서 레시틴-스핑고마이엘린 비는 2 이상이며 계면활성제 성분인 레시틴은 임신 30~34주부터 증가하나 스핑고마이엘린은 임신말기에도 변화가 없는 점을 이용한 방법이다. 양수에 존재하는 계면활성제를 측정하는 검사방법인 shake test는 양수나 위액에 동량의 95% 에탄올을 섞어 15초간 흔든 후 15분을 방치한 다음 띠의 형성을 보는 방법으로 이는 에탄올에서 안정적인 거품을 생성하는 폐의 계면활성제의 능력에 기초하고 있다. 이 검사는 호흡곤란증후군에 높은 예측 가치를 가지고 있다. 포스파티딜글리세롤은 임신기간 36주에 양수에서 나타나며 이는 폐성숙의 또 다른 지표자이다.

나) 태아 폐성숙의 유발

많은 호르몬이 폐성숙에 관여하고 있으며 폐성숙을 조장하는 물질로는 부신피질호르몬, 갑상선호르몬, 상피성장요소, cyclic adenosine monophosphate 등이 있다. 이 물질들은 계면활성제의 합성을 자극하며, 이들 중 스테로이드를 출생 전에 투여하면 호흡곤란증후군의 발생빈도와 중증도를 감소시킨다. 스테로이드는 폐세포의 특별한 수용체에 작용하고 이는 2형 폐세포에 의해 포스파티딜콜린 생성을 자극한다. 이러한 과정은 시간을 요하므로 분만 전 24시간 내에 투여하면 별 효과가 없다. 또한 재태 34주 이상에서는 효과가 없으며 투여 7~8일 후에는 효과가 감소한다. 갑상선자극호르몬과 스테로이드를 병용 투여하면 호흡곤란증후군의 발생빈도와 중증도를 감소시킨다고 하였으나, 최근 연구에서는 출생 전의 호르몬 투여에 대한 효과에는 이견이 있다.

7) 치료

치료의 목표는 저산소증과 산증을 방지하고, 적절한 수액공급과 대사를 유지시키며, 폐부종이나 무기폐 등을 방지하여 폐손상을 최소화하는데 있다. 인공 계면활성제 투여 이외에도 호흡곤란증후군의 일반적인 관리가 필요하며 주의깊은 안정, 적절한 심폐기능의 감시체계, 적절한 호흡관리, 체온유지, 대사 및 영양요법들이 있다.

가) 분만실에서의 응급소생술

주산기 가사는 폐 계면활성제의 생성을 저해시킬 수 있음으로 숙련된 신생아 응급소생팀이 모든 미숙아의 분만에 준비해야 한다. 저산소증은 되도록 피해야 하며 이러한 신생아는 신생아 집중 치료실에 입원해야 하고 지속적인 심박수, 호흡수, 혈압, 동맥혈가스 분석이 이루어져야 한다.

나) 산소화

경피적인 산소 전극과 맥박산소계측기(pulse oximetry)는 동맥 산소포화도의 관찰에 중요한 요소이다. 비록 동맥혈가스 검사를 대치할 수는 없어도 이는 지속적인 정보를 주고 비침습적이며, 기흉과 같은 합병증을 조기에 찾을 수 있게 한다. 또한 기관내 삽관, 흡입, 계면활성제 투여 등에 반응하는 정도를 반영할 수 있다. 동맥혈 산소의 부분압력은 가능한 50~80

mmHg로 유지되어야하며 산소포화도는 90~94%가 유지되어야 한다. 장기간의 고산소혈증은 미숙아망막증의 중요한 위험인자이므로 주의해야 한다.

다) 기계환기요법

경한 저산소증과 경도의 과탄산혈증을 가진 1,500 g 이상인 신생아는 산소투여에 잘 반응하고 환기요법을 필요로 하지 않는다. 기계환기를 필요로 하는 환자는 지속적인 저산소증을 가지며(동맥혈산소분압 PaO_2 <50 mmHg) 산소투여에 반응을 보이지 않고 일반적으로 호흡성 산증을 가지고 있다.

이런 환자에서 지속성 기도양압(CPAP)의 사용이 치료에 효과적이다. 지속성 기도양압은 기능적 잔류량(FRC)을 증가시키고 공간(air space)를 안정화시키며 호기 동안에 허탈을 예방한다. 지속성 기도양압은 체중이 큰 영아에서 특히 효과적이며 산소요구를 감소시키며 기계환기의 필요를 감소시킨다. 지속성 기도양압을 하지 못하는 저체중 미숙아에서 간헐적 양압환기가 필요하며, 압력-제한적(pressure-limited), 시간-순환적(time-cycled) 인공호흡기는 기계환기가 필요할 때 우선적으로 이용된다. 호흡곤란증후군을 가진 환자에서 호흡 부전과 저산소증은 폐 내의 단락으로 인해 나타난다. 적절한 산소화를 얻기 위해 폐포 재순환이 필요하며 흡기 시간(inspiratory time), 최대흡기압력(PIP), 호기말양압(PEEP)의 조절에 따른 평균기도압력(mean airway pressure)의 증가에 의해 가능하다. 긴 흡기 시간의 사용은 폐포 파열과 공기 유출을 유도하므로 피해야하며, 특히 고산소를 요구하는 환자에서 짧은 흡기 시간과 호흡수 증가는 공기 유출과 사망을 감소시킨다. 대부분의 환자에서 적절한 가스교환을 위해서 0.25~0.50 초의 흡기시간이 적합하고, 호기말양압의 사용은 기능적 잔류량을 유지하는데 효과적이며, 4~6 cmH_2O의 압력이 호흡곤란증후군의 급성기에 요구된다. 과탄산혈증이 나타날 때 최대흡기압력의 증가나 호기말양압의 감소는 평상 호흡과 분당 환기량(minute ventilation)을 호전시킨다. 그리고

호흡수도 증가시킬 수 있으나 기도저항이 높은 환자들에게 공기저류를 막기 위해서는 과도한 호흡수를 피해야 한다.

간헐적 양압환기로부터 이탈은 극소 저체중 출생아에서 시간이 오래 걸리고 어려운 과정이 될 수 있다. 테오필린과 카페인과 같은 methylxanthines는 호흡을 자극하며 이탈을 촉진시킨다. 발관(extubation) 후 비강을 통한 지속성 기도양압은 이탈의 성공률을 증가시킨다.

고빈도환기요법은 심한 호흡곤란증후군을 가진 신생아에 적용되는 새로운 치료법이다. 최근 고빈도진동환기나 고빈도제트환기를 받은 환자가 일반 환기요법을 받은 환아보다 만성 폐질환이 감소되었으며, 폐간질 폐기종으로 발전할 수 있는 환자들에서도 효과가 있었다.

환자유도환기(patient-triggered ventilation)는 유아 자신의 호흡 노력과 기계호흡 사이의 부조화를 제거함으로써 폐 압력상해(barotrauma)를 줄일 수 있으며, 만성 폐질환을 줄이고 이탈을 원활하게 해주지만 이는 극소 저체중 출생아에서만 효과가 보고되어 있다.

호흡곤란증후군이 의심되는 환자에서는 출생 후 우선 후드를 이용하여 산소를 투여하기 시작하고, FiO_2가 0.6이상에서 동맥혈산소분압이 50 mmHg이상 유지되지 않을 때 지속적인 양압호흡법을 시작한다. 이때 압력은 5~7 cmH_2O, 유량은 5~10 L/min, FiO_2는 후드와 같은 수준으로 시작하여 환아의 상태에 따라 조정한다.

지속적 양압호흡법으로 동맥혈산소분압이 유지되지 않으면 기계환기를 시작한다.

라) 산-염기 균형

대사성 산증은 계면활성제의 생산저하, 폐혈관저항의 증가, 심혈관에 악영향을 가져올 수 있으므로 막아야 한다. 그렇지만 sodium bicarbonate를 빠르게 주입하면 뇌실내 출혈을 유발할 수 있으므로 주의해야 한다. 호흡곤란증후군의 경과에서 심한 대사성 산증은 주산기 가사, 패혈증, 뇌실내 출혈, 순환부전을 가져오

므로 신속히 대처하고 원인을 교정하는 게 중요하다. 대사성 산증이 심하다면 sodium bicarbonate나 acetate의 지속적인 주입이 필요하다.

마) 혈압과 수액요법

폐부종은 호흡곤란증후군의 병태생리에서 중요한데, 이런 환자들은 첫 48시간동안 소변량의 감소를 보이며 체중감소와 함께 이뇨기를 갖게 된다. 수액과부하는 피해야 하며, 수분섭취는 60~80 mL/kg/day로 시작하며 수일간에 걸쳐 점차적으로 증가시켜야 한다. 많은 양의 수분섭취는 극소저출생체중아와 높은 불감성 수분손실의 환자에서 필요하며, 수분섭취는 몸무게, 소변량, 혈청 전해질 농도에 따라 조절한다. 첫 1일동안 과도한 수액 투여는 동맥관개존증(PDA)과 기관지폐 이형성증을 조장할 수 있다. 자발적인 이뇨가 호흡양상의 호전 전에 나타날 수 있기 때문에 이뇨제의 사용에 주의해야 한다. 호흡곤란증후군에서 이뇨제의 사용은 환자의 혈액학적 상태를 고려하여 평가되어야 한다.

폐동맥이 중요하며, 폐동맥이 있다면 열려있는 동맥관을 통해 우좌관류를 촉진시켜 저산소증을 조장하게 된다. 주산기 가사, 패혈증, 혈액량 감소는 저혈압을 일으킬 수 있어서, 의심된다면 반드시 치료해야 한다. 저혈압을 교정하기 위해 수액을 과도하게 사용하는 것은 피해야 하며, 도파민과 도부타민과 같은 혈압증강제를 사용하는 것을 고려해야 한다.

바) 영양

적절한 영양보충이 중요하며, 이는 정맥영양에 의해 첫 1일 동안 시행할 수 있다. 경구영양은 환자가 안정적이고 호흡곤란이 해결되면 즉시 시작한다.

사) 항생제

특히 group B *streptococcus*에 의한 신생아 폐렴은 호흡곤란증후군의 진단시 반드시 감별해야 하며 특히, 호흡부전을 가진 체중이 큰 신생아에서 고려해야 한다. 주산기때 조기양막파열, 분만동안 모체의 발열, 태아빈맥, 백혈구증가증, 백혈구감소증, 저혈압, 산증 등이 미숙아에서 감염이 증가하는 원인이 된다. 혈액 배양검사로 확인되기 전에 위험인자가 있으면 ampicillin과 aminoglycoside의 사용이 추천된다.

아) 계면활성제 보충요법

유리질막병 치료에 인공 계면활성제의 효과가 입증되어 사용이 보편화되었다.

두 가지 계면활성제가 주로 사용되는데 dipalmitoyl phosphatidylcholine, hexadecanol, tyloxapol으로 구성된 합성물질과 반합성물질이 있다. 대부분의 경우, 계면활성제는 기관지튜브를 통해 액체를 투여한다. 자연 계면활성제의 사용이 인공 계면활성제보다 동맥산소화의 호전과 공기누출의 합병증 감소를 보인다.

미숙아에서 예방적 계면활성제를 사용하는 것은 효과가 없는 것으로 보고되었으나, 최근에는 이런 환자에서 산소와 기계환기를 적게 필요로 하고, 응급치료를 받은 환자보다 생존율이 높다고 한다. 그러나 호흡곤란증후군으로 발전하지 않을 많은 미숙아에게는 응급치료만으로도 불필요한 계면활성제의 투여를 피하고 비용절감의 효과를 볼 수 있다.

인공 계면활성제의 투여는 동맥산소화와 폐포-동맥혈 산소분압 차이를 빨리 호전시키며, 환기요법의 필요성을 낮추게 된다. 그러나 계면활성제 투여로 반응하는 폐기능의 변화는 잘 일치하지 않는다.

자발호흡을 가진 환자들에서는 투여 후 1시간만에 폐 탄성이 증가하였다. 이러한 결과는 기계환기동안에는 폐가 과팽창되고, 압력-부피 곡선의 평탄한 부분에서 작용하기 때문에 탄성의 변화를 얻지 못하는 것으로 추정된다. 계면활성제의 투여 후 폐용적을 측정하면 빠르게 산소화가 호전되는 것은 기능적 잔류량이 증가하기 때문임을 알 수 있다.

인공 계면활성제를 사용하면 폐 공기누출과 사망률이 감소되며, 기관지폐이형성증 없이 생존율이 증가된다. 그러나 계면활성제를 투여하더라도 동맥관개존증, 뇌실 출혈, 괴사성장염이 발생하는 것을 감소시키지 못한다.

더구나 인공 계면활성제의 부작용으로 폐출혈의 가능성도 제시되었으며, 폐출혈은 계면활성제 투여 후 폐혈관 저항이 감소되어 좌-우 단락(left-to-right shunt)에 의해 유발된다.

앞으로 다양한 계면활성제의 특성과 적합성이 평가되어야 하며 용량과 장기간의 안정성에 대한 연구가 필요할 것이다.

기계환기요법이 필요한 800 g 미만의 미숙아에서는 예방적 계면활성제 투여가 필요하며, 환자의 호흡곤란 증상이 뚜렷하고, 흉부 X선소견상 호흡곤란증후군의 특징적 소견이 있으며, 적절한 동맥산소분압(55~70 mmHg)을 유지하기 위한 인공호흡기의 흡입산소 농도가 40% 이상일 때는 즉각적인 처치가 필요하다.

투여 직후에는 바로 인공호흡기에 연결하여 상태에 따라 인공호흡기 설정을 변경한다. 동맥혈가스분석을 실시하여 경과가 순조로우면 FiO$_2$를 줄일 수 있으며, 대개 1~3시간 이내에 FiO$_2$는 0.4이하까지 내릴 수 있다. 이 기간동안 FiO$_2$가 0.3까지 내려도 산소포화측정기상 계속 95% 이상 유지되면 흡기 시간, 호흡수를 낮추고 최대흡기압력을 내리기 시작하며 계속 좋아지면 양압기도 환기로 바꿀 수 있다. 재 투여는 계면활성제 투여 후 6시간 이상 경과한 후에도 위와 같은 단기 임상효과의 개선을 보이지 않거나 또는 개선되었다가 다시 악화되어 호흡기 요구가 증가하는 경우 이차 계면활성제를 투여한다.

8) 합병증

가) 동맥관 개존증

동맥관 개존증(patent ductus arteriosus)은 유리질막병을 가진 미숙아에서 약 90% 정도 발생한다. 미숙아 생존율과 인공 계면활성제의 사용과 함께 동맥관 개존증이 생후 1일동안 극소 저출생 체중아의 치료에 중요한 문제로 부각되었다. 미숙아에서 저산소증, 호흡부전, prostaglandin의 생성증가, prostaglandin E$_2$에 동맥관의 민감성 증가가 원인이다. 패혈증 또한 동맥관 개존증과 연관되어 있는데 prostaglandin이 증가된다.

동맥관 개존증은 좌-우 단락, 폐혈류와 폐동맥압과 연관되어 있다. 폐혈류의 증가는 폐 탄성을 감소시키며 결찰 후 호전된다. 이런 폐혈류 증가는 좌심실부전을 가져오며 폐부종을 일으키고, 폐포내 혈장단백질이 유출되면 계면활성제의 기능을 저해할 수 있다. 이런 폐기능의 악화는 산소요구량을 증가시키고 기계환기를 조장한다. 진찰상 수포음, active precordium, 넓은 맥박을 가진 bounding pulse, 부적절한 말초관류를 보여주며 대부분은 좌측 쇄골아래에서 수축기심잡음이 들린다.

방사선학적으로 폐부종이 관찰되며, 이는 심비대와 관련이 있다. 임상적으로 의심되면 동맥관 개존증은 도플러 심초음파에 의해 확인하고, 적절한 치료를 신속하게 시작한다. 이는 수분제한, 적절한 호흡요법, 인도메타신 치료를 시행한다. 치료 후에도 동맥관이 닫치지 않을 경우, 수술적 결찰을 고려한다. 증상을 나타내는 동맥관 개존증은 만성 폐질환의 발생을 높이기 때문에 가능한 한 조기에 닫히도록 해야 한다.

나) 출혈성 폐부종

신생아에서 폐출혈의 대부분의 경우 호흡곤란증후군과 동맥관 개존증의 합병증으로 심한 폐부종에 의해 이차적으로 오게 된다. 폐출혈의 발생빈도는 미숙아에서 1%이지만, 부검에서는 55%로 높게 나타난다. 공간(air space)내에 출혈액이 나타나는데 이는 간질공간으로부터 나온다. 조직학적으로 폐출혈은 간질과 폐포에 출혈을 가져오며, 간질형태는 늑막과 엽간격막(interlobular septal), 기관 주변(peribronchial), 혈관주변(perivascular), 폐포벽(alveolar wall) 부위의 출혈이 특징이다. 출혈이 폐포에서 발생시, 적혈구가 공간을 채우고 세기관지와 기관지로 확장하게 된다.

관련된 유발요인으로는 주산기가사, 저체온, 저혈당, 울혈성심부전, 응고장애, 폐렴, 과도한 수액투여 등이 있다. 계면활성제를 투여받은 환자에서 동맥관을 통해 좌우단락이 증가되어 출혈성 폐부종이 나타날 수 있다.

호흡곤란증후군 환자에서 폐출혈은 5~7일째 나타난다. 호흡의 갑작스런 악화가 오며, 서맥, 대사성 산증, 쇼크증상이 나타난다. 출혈액은 비강와 입 또는 기관 튜브를 통해 나온다. X선 소견상 양폐하에 미만의 혼탁화(opacification) 소견을 흔히 나타낸다.

폐출혈의 즉각적인 조치는 적절한 환기요법이다. 기도압력을 증가시키는 호기말양압환기는 출혈을 막을 수 있다. 적혈구와 신선혈장을 수혈하여 혈장감소를 대치할 수 있으나, 출혈이 좌심실부전으로 인한 원인일 때는 수분을 제한해야 한다. 폐부종과 출혈의 원인이 동맥관 개존증이라면 즉시 치료해야 한다.

나. 신생아 일과성 빈호흡

Wet lung syndrome 또는 제 II 형 호흡부전증후군으로 알려진 신생아 일과성 빈호흡(transient tachypnea of the newborn)은 주로 만삭아나 만삭아에 가까운 미숙아의 약 1~2%에서 발생하며, 출생 후 호흡곤란 증상을 보이지만 대체로 3일 이내에 호전되는 양성 질환이다. 출생 후 즉시 빈호흡을 보이며, 경한 임상적 경과를 가진 방사선학적 소견을 보여준다. 이런 일시적 호흡기 증상은 폐액(lung fluid)이 느리게 흡수되어 나타나며, 이로 인해 폐 탄성이 감소되고, 가스교환에 가벼운 부전을 가져오게 된다.

1) 발생빈도

신생아 일과성 빈호흡은 모든 신생아의 1~2%에서 나타나며, 특히 만삭아에서 흔하다. 주산기 위험인자들이 있는데 제왕절개, 출산동안 모체에 과다한 수액 투여, 산모의 과진정, 남아, 거대아, 분만이 길어짐(prolonged labor), 산모의 당뇨, 천식의 병력, 가사, 둔위분만, 태아의 적혈구증가(polycythemia), 제대의 늦은 결찰(clamping) 등이 신생아 일과성 빈호흡과 연관되어 있다.

2) 발생기전

출생시 태아 폐액의 제거가 외부 환경에 신생아가 적응하는데 중요하다. 이러한 액체의 제거는 최소한 출생시 기계적 가슴 압박으로 일어나며, 폐에서 기관과 입으로 액체의 제거 이외에도 다른 기전이 폐액제거에 중요한 역할을 한다.

태아 폐액은 산전에 이어 감소되고, 폐 공간에서 간질조직으로 액체가 이동된다. 그리고 분만과정은 산전 폐액의 재분포와 흡수에서 중요하다. 따라서 제왕절개 후 신생아 일과성 빈호흡의 발생빈도가 높다.

분만동안 태아 폐액의 분비가 감소되는 원인은 잘 모르지만, 분만 중 epinephrine의 혈중 농도가 증가되어 폐액의 분비가 감소되는 것으로 추정된다.

출생시 폐에 공기의 유입과 함께 폐순환에서 수압의 감소와 수액의 재배치가 일어나면 폐혈관으로 수액이 원활히 흡수된다. 폐혈관의 압력증가가 되는 상태에서는 폐순환에서 적절한 수액의 흡수를 방해한다. 이것은 모체에게 수액투여의 과다와 제대를 늦게 결찰한 경우에 신생아 일과성 빈호흡의 발생빈도가 증가하는 것과 연관된다. 가벼운 좌심실 기능이상이 신생아 일과성 빈호흡을 가진 영아에서 나타날 수 있다.

신생아의 폐기능은 제왕절개보다 질식분만 후에 더 좋다. 이런 총폐용적의 감소는 제왕절개 후 폐에 과도한 수액양으로 인해 나타나게 된다. 간질액에 의해 수액이 폐포에 채워짐으로써 경도 혹은 중등도의 저산소증을 유도하게 되고 이는 신생아 일과성 빈호흡 환자에서 자주 관찰된다. 이러한 저산소증은 때때로 일시적인 과탄산혈증에 의해 일어나는데 이는 폐저항의 증가와 관련된다. 태아 폐액의 흡수가 지연되면 기관지주변 림프계와 기관주변 혈관조직에 폐액이 차게 되어, 폐 탄성이 낮아지고 기도 저항은 높아져서 저산소혈증과 과탄산혈증을 보이는 호흡곤란이 유발된다.

3) 증상

빈호흡, 경한 흉골함몰, 경한 청색증을 보이고 일시적인 낮은 농도의 산소공급에도 호전된다. 대부분에서 임상경과는 좋으며, 빈호흡과 비정상적인 X선소견은 24~72시간내에 소실된다.

출생 몇 시간 후에 빈호흡을 동반한 호흡기 증상들이 나타나게 된다. 호흡수가 80~120회/분 사이에서 변동하며, 함몰, 비익 확장, 신음소리, 청색증이 나타날 수 있다. 만삭아, 특히 과숙아에서 흔하게 나타나며 주산기 병력상, 제왕절개 및 과도한 수액투여와 같은 요인들을 가지고 있다. 호흡부전 이외에 신생아는 원통형 흉곽(barrel chest)와 거친 호흡음을 보일 수 있다.

동맥혈가스검사에 정상이거나 빈번하게 경도 또는 중등도의 저산소증을 보이며, 이런 환자들은 적절한 동맥산소화를 유지하기 위해서 낮은 농도의 산소만으로 충분하다. 경우에 따라 저산소증은 경한 과탄산혈증에 의해 나타나기도 하지만, 일시적이며 대부분 24~48시간 안에 사라진다.

흉부 X선의 특징적인 소견은 폐문 주위로 혈관이 확장된 음영이 보인다. 엽간 격막이 뚜렷하며, 소량의 늑막액이 보이기도 하며, 심장 실루엣이 커지게 되지만 일시적이며 48~72시간 내에 사라지게 된다(그림 5-2).

비슷한 증상을 보이는 다른 질환들과의 감별이 중요하며, 만삭아에서 흔하므로, 특히 group B streptococcus로 인한 폐렴과 감별하여야 한다. 폐렴 환자의 주산기 병력에서 감염을 의심할 수 있는 조기 양막파열과 모체의 발열과 같은 정보를 얻을 수 있다. 이러한 환자는 저혈압, 체온 불안정, 백혈구증가증, 백혈구감소증과 같은 감염의 임상적 소견이 있다. 그외 감별해야 할 질환으로는 태변흡인증후군, 호흡곤란증후군, 선천성 심장질환, 다른 선천성 기형, 폐외 공기 누출, 대사질환, 적혈구 증다증, 과다 점도 등의 질환들이 있다.

4) 치료

신생아 일과성 빈호흡은 양성경과를 보이기 때문에 치료는 주로 적절한 안정과 감시체계가 필요하고, 다른 심각한 질환과의 감별이 중요하다. 산소는 정상 산소화 유지를 위해 필요하면 주어야 하며, 일반적으로

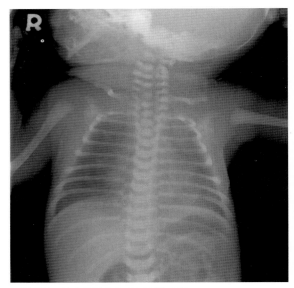

그림 5-2. 일과성 빈호흡 흉부 X선 소견

기계환기요법은 필요하지 않다. 수액의 제한이 증상이 호전될 때까지 필요하며, 환아가 안정되면 경구투여한다. 이뇨제투여는 질환의 임상적 경과와는 관련성이 없으며, 항생제 투여는 신생아 폐렴이 의심되는 경우에 배양결과와 임상적 평가로 폐렴을 배제할 수 있을 때까지 투여한다. 일반적으로 캐뉼라나 산소 후드 등으로 충분히 산소포화도를 90~95%까지 유지할 수 있으나, 산소 후드로 산소포화도 유지가 안될 때 호기말양압을 걸어 폐 림프관 내로의 폐액 흡수를 도와준다. 양압환기와 FiO_2가 0.4 이상 필요한 정도의 환자는 신생아 일과성 빈호흡이 아닐 가능성이 높고 다른 신생아 호흡기, 심장질환을 원인 질환으로 고려해야 한다.

호흡수가 분당 80회 이상이면 흡인의 위험이 있기 때문에 금식을 하고 정맥으로 영양을 공급해야 하며, 호흡수가 분당 60~80회 사이이고 임상적으로 호흡곤란이 심하지 않을 경우 수유를 시도할 수 있다. 호흡수가 분당 60회 미만일 경우는 수유를 고려하며 호흡수에 상관없이 FiO_2가 0.4 이상 필요하다면 일단 금식시켜서 관찰해야 한다.

다. 신생아 폐렴

신생아 폐렴은 호흡 곤란이 있는 신생아에서 반드시 감별해야 한다. 신생아 패혈증의 초기에 폐는 가장 흔히 침범하는 부위이다. 신생아 폐렴은 자궁 내, 출산 시, 출생 후 발생할 수 있다. 가장 흔한 원인은 세균이며 바이러스와 곰팡이도 원인이 될 수 있다. 선천성 신생아 폐렴은 부검 시 20~32%를 차지하며, 생존한 신생아에서는 정확한 진단이 어렵다. 양막염 (amnionitis)이 있는 산모에서 태어난 신생아의 약 4%에서 발생하며, 신생아 1,000명당 1.79명의 폐렴이 발생했다.

1) 원인 및 발생 기전

가) 태반을 통해 획득한 폐렴

산모의 감염을 포함하여 rubella, cytomegalovirus, Treponema pallidum, Listeria monocytogenes 등이 포함된다.

감염된 산모로부터의 혈행성 전파가 기전이며, 대표적인 예로 pneumonia alba가 있으며 이는 선천성 매독의 증상 중 하나이다.

나) 양수와 산도내 집락화된 균주에 의한 폐렴

원인 균주는 산도를 통하여 상행성으로 감염되는데 주로 융모양막염을 일으키고 특히 양막파열이 오래 지속된 경우이다. 감염은 융모양막염의 증거없이 산도를 통하여 발생될 수 있다.

미국과 유럽에서 group B streptococcus가 신생아 폐렴과 패혈증의 주된 원인이며, 이러한 세균의 산모 질내 집락화는 약 20%를 차지하고 조발형(early onset)은 1,000명당 1.8명 꼴로 발생한다.

감염된 신생아의 산모는 조기출산, 진통 지연, 조기 양막파열, 산욕열 등의 합병증이 있다. 조발형의 경우 대부분 자궁내 감염을 암시한다.

다른 원인균주로는 Escherichia coli, Klebsiella, Haemophilus influenzae, Enterobacter, L.

monocytogenes, Chlamydia trachomatis, Ureaplasma urealyticum, Candida, Herpes simplex virus 등이 있다. 신생아 폐렴이 융모양막염과 연관이 있을때 양수의 흡인이 주된 기전이 된다. 폐의 조직학적 검사에서 양수 조직파편들과 산모 백혈구의 존재로 입증되지만 항상 융모양막염이 폐렴과 연관되는 것은 아니다. 한편 태아 가사가 중요한 요인이 되기도 하는데 태아 가사의 증거는 종종 자궁 내 폐렴의 부검 시 나타나며, 가사가 있으면 태아가 헐떡거리는 호흡을 하게되므로 오염된 양수를 흡인하기 쉽다.

융모양막염을 일으키는 어떤 인자도 신생아 감염을 일으킬 수 있으며, group B streptococcus로 인한 조발형 패혈증의 발생률은 조기 진통, 조기 양막파열, 진통 지연, 산욕기의 감염 등과 연관이 있다. 산도를 통과할 때의 감염은 감염된 물질의 흡인이 주된 감염경로이다. 이러한 환아에서 조직학적 양상이 연장아나 어른의 경우와 유사하며, 기관지염, 세기관지염, 흉막염, 폐포출혈, 폐괴사 등을 동반한 기관지폐렴의 양상이다.

Group B streptococcus 폐렴에서도 신생아 호흡곤란증후군에서 관찰되는 유리질막이 발견된다. Herpes 감염에 의한 폐렴은 폐에서 herpes simplex virus가 발견된다.

다) 출생 후 획득한 폐렴

출생 후 병원에서 기계적 환기요법을 받는 신생아들은 오염된 장비로부터 감염될 수 있다. Staphylococcus aureus, coagulase-negative staphylococci, Pseudomonas, Proteus, Serratia, Enterobacter, Candida, respiratory syncytial virus가 가장 흔한 원내 감염 원인균이다.

퇴원이후 첫 1개월에는 respiratory syncytial virus나 adenovirus가 바이러스성 폐렴을 일으키고, C. trachomatis는 증상이 늦게 나타나며, 대개 첫 3개월 동안 발열이 없는 폐렴을 보인다. 원내 감염은 오염된 사람과의 접촉, 오염된 물질의 흡입(suction), 오염된 호흡기, 혈행성 감염 등으로 온다.

*S. aureus*와 *Klebsiella pneumoniae*의 조직학적 양상은 광범위한 조직괴사를 일으키는데 미세농양, 농흉, 폐기류(pneumatocele) 등을 나타내며, *E. coli*도 폐기류(pneumatocele)를 유발한다.

*Candida*에 의한 폐렴은 사후 폐조직 검사에서 효모, 위균사(pseudohyphae) 등이 보인다.

2) 증상

태반을 통해 획득한 폐렴은 주로 출생직후 증상을 나타내는데 자궁 내 성장지연, 태아 가사의 병력이 있다. 호흡저하가 있으면 기계적 환기요법이 필요할 수도 있고 흉부함몰, 신음소리, 빈호흡, 청색증 등의 호흡 곤란 징후와 저체중 출생아, 간비종대, 점상출혈, 신경학적 이상 등 선천성 감염의 징후가 있다.

혈청내 총 IgM농도가 증가되어 있고 선천성 감염이 의심될 때 특이적 혈청학적 검사가 필요하다. 폐렴이 오염된 양수나 산도로부터 기인한 것이라면 신생아 감염에 주의깊은 관찰이 필요하다. 신생아 폐렴은 호흡저하, 청색증, 수포음 등이 나타나며, 무호흡, 기면, 저혈압, 빈맥, 서맥, 말초순환 저하, 체온 불안정 등의 증세를 나타낸다. 이러한 증상은 첫 24시간 내에 나타나나 출생 시에 나타날 수도 있다. 미숙아에서 호흡곤란 증세가 있고 흉부 X선 검사에서 호흡곤란증후군이 있으면 폐렴의 가능성을 배제하기가 어려워진다. 이런 이유로 호흡곤란증후군이 의심되면 항생제 치료와 함께 균배양 검사를 실시한다.

폐렴의 흉부 X선 검사에서는 호흡곤란증후군처럼 양 폐야에 미만성의 음영과 결절성 음영을 보이는데 주로 group B *streptococcus* 폐렴인 경우에서 나타내는 소견이다. 방사선학적 변화가 출생 후 빠르게 나타나서 때로는 양 폐야에 완전한 혼탁화를 보이기도 한다.

백혈구 증가나 감소가 나타나고 좌방이동이 나타나며 소변의 latex agglutination assay에서 양성을 보이면 임상적 진단을 내리나 위양성과 위음성이 가능하다. 혈액배양을 하여 확진을 하나 음성이라도 폐렴의 가능성을 완전히 배제하지 못한다.

기관흡입물의 그람 염색에서 백혈구나 세균의 존재는 폐렴을 암시하는데 세균증식은 시행된 혈액배양과 연관성이 있다. 원내 폐렴인 경우 기관흡입은 진단에 별 도움이 되지 못한다. 만약 흉막액이 있으면 흉수검사로 진단할 수 있다.

원내 감염에서는 어떤 신생아도 폐렴을 의심해봐야 하며, 특히 기계호흡을 하는 미숙아의 경우 주의깊게 관찰해야 한다. 산소와 기계환기의 보조가 증가하거나 전신감염의 증세, 기관분비물의 변화, 기관분비물의 집락화, 흉부 X선소견의 악화 등은 원내 폐렴의 흔한 징후이다. *Candida*나 *coagulase-negative staphylococcus*에 의한 감염인 경우 특히 주의깊은 관찰이 필요하다. 만약 원내 폐렴이 의심되면 혈액, 기관분비물, 소변, 뇌척수액 배양검사를 치료 시작 전에 반드시 시행해야 한다.

3) 치료

치료의 목표는 적절한 보조요법과 함께 적절한 항생제 요법을 시행하는 것이다. 안정과 산소요법, 환기요법, 체온유지, 수액치료는 환자의 회복에 필수적이며, 폐고혈압이나 공기누출, 만성적 폐질환 등의 합병증을 예방한다.

배양전 항생제의 선택에서 생후 첫 5~7일에는 ampicillin과 aminoglycoside가 group B *streptococcus*, *L. monocytogenes*, 그람음성 세균에 효과적이다. 원내 폐렴이 의심되어지며, 원인을 모를 때에는 *staphylococcus*나 그람음성 세균에 대해 aminoglycoside나 광범위 세팔로스포린제제를 투여해야 한다. Candida 폐렴이 의심되면 amphotericin이 사용되며, 생후 5~7일째 아파보이면서 위험 요인이 있거나 증상을 보일때 herpes simplex 폐렴을 의심하고 acyclovir가 치료제이다. 항생제는 10~14일 사용하며 배양결과에 따라 바꾸고, 과립구 수혈(granulocyte transfusion) 또는 정맥용 면역글로불린을 투여하기도 하나 아직 논란이 되고 있다.

4) 합병증

폐고혈압이 동반될 수 있고 group B *streptococcus* 감염에서 혈관 내 혈액 성분에 노출된 type 3 항원은 내피세포에 중성구 접착을 촉진한다. 이런 중성구는 thromboxane, leukotrienes 등을 분비하여 폐혈관을 수축시킨다.

패혈성 속은 또 다른 합병증이며 폐출혈과 폐고혈압은 폐렴을 더 악화시킨다. *U. urealyticum*에 의한 폐렴은 만성 폐질환과 연관되어 있다.

5) 예후

조발형 신생아 폐렴의 사망률은 약 29%이며, 지발형에서는 더 낮다. 미숙아에서 조발형 때 사망률이 높고 기계적 환기와 산소요법으로 살아남은 환아들도 만성 폐질환이 발생할 위험이 있다.

라. 태변흡인증후군

태변흡인증후군(meconium aspiration syndrome, MAS)은 신생아에서 가장 흔한 호흡부전의 원인이다. 분만의 약 10%에서 태변이 양수에서 보이며 출생직후 반수 이하에서 태변이 성대 아랫부위에서 보인다. 기관내에 태변이 있는 환아의 10~30%에서 호흡부전에 빠지는데 태변이 끈적할수록 위험도가 더 높아진다.

1) 발생 기전

양수에 태변이 존재하는 것은 태아가사와 관계가 있으며 저산소증과 산증은 태변이 있는 양수를 하기도 내로 흡인하게 되면서 발생한다. 정상적인 호흡활동에서 태아에 의한 소량의 양수이동이 있으나 출생 전에는 대량의 태변이 기도로 잘 흡인되지는 않는다. 그러나 분만 시에는 흉곽에 큰 음압이 생기므로 인후 두부위에 있는 어떤 물질도 쉽게 기도 내로 흡인된다.

태변흡인증후군은 만삭아 및 과숙아에서 자궁 내 또는 분만 중 저산소증에 노출된 경우 장운동의 항진과 항문 괄약근의 이완으로 태변이 양수 내로 배출되고,

분만 시 태아의 헐떡호흡에 의하여 태변이 기도 내로 흡인되어 기도 폐쇄를 유발한다. 이런 이유로 태변의 흡입(suction)과 제거를 위해 출생직후 태아의 첫 호흡 전 효과적으로 비인두 흡입을 하는 것이 중요하다.

2) 증상

태변 흡인은 태아곤란, 낮은 Apgar 점수, 태변이 착색된 양수 등이 있을 때 자주 동반되는데 피부, 손톱, 제대 등이 착색된다. 출생직후 호흡곤란의 징후로 빈호흡, 늑간함몰, 청색증이 나타난다. 흉부는 과팽창 되어 원통모양을 보인다. 호흡음은 거친 기관지성음이며 호기시간이 길어진다. 흉부 X선소견은 양폐야에 증가된 음영이 있고 과투시성 부분이 보인다. 횡격막은 수평으로 눌려져 있고 기흉과 기종격동이 보이기도 한다(그림 5-3).

동맥혈 분석에서 대사성 산증을 보여 태아가사를 나타낸다. 동맥혈 산소분압이 떨어져 있으므로 산소공급이 필요하며, 저산소혈증의 정도는 폐손상의 정도와 연관되며 폐고혈압에 의해 악화된다. 심한 호흡부전으로 이산화탄소 분압이 증가되는 경우 기계적 환기요법을 필요로 하게 된다.

기종격증, 기흉은 기계적 환기요법을 필요로 하는 태변흡인증후군 환자의 10~15%에서 나타나고 이러한 공기누출은 소기도가 막혀서 나타나게 된다.

폐실질의 염증과 손상은 폐포 파열의 가능성을 증가시키며, 우-좌단락이 동반된 지속성 폐고혈압은 태변흡인증후군 환자에서 흔한 합병증이다.

심한 태변흡인증후군의 다른 합병증은 세균감염이며, 자궁 내 감염인 경우 주산기 가사와 태변 흡인의 빈도가 높다. 급성기에는 세균과의 중복감염이 확실치 않기 때문에 주의깊게 관찰해야한다.

임상 경과는 폐침범의 정도와 합병증 여부에 달렸는데 경한 경우는 산소요법만 해도 되고 심한 경우는 장기간의 기계적 환기요법이 필요하다. 약 30%에서 기계적 환기요법이 필요하고 전체 사망률은 4.2%이다.

3) 폐 기능

끈적거리는 태변이 소기도로 흡인되었을 때 기도는 부분적으로 막히게 되고 공기 저류와 원위부로의 과팽창이 있고 환기관류의 불균형으로 인해 저산소혈증이 나타난다. 증가된 기도저항과 감소된 폐유순도는 호흡을 힘들게 하고 폐포 과환기와 이산화탄소 축적을 증가시킨다.

태변흡인증후군 환아에서는 폐유순도가 현저히 떨어지는데 이것은 폐 탄성의 변화와 폐 계면활성제의 불활성화, 기도 저항의 현저한 증가 때문이다.

분당 환기량(minute ventilation)은 호흡수 증가로 인해 주로 증가되는데 평상호흡(tidal volume)은 감소하고 사강(dead space) 환기는 증가하며 폐포 호흡은 감소하여 이산화탄소의 축적을 일으킨다.

4) 치료

태변흡인증후군 환자는 신생아 가사의 경과를 밟으며, 여러 장기 특히 중추신경계, 심혈관계, 신장의 기능부전 등 합병증이 생긴다.

호흡 부전의 증거가 있는 환자에서는 동맥혈가스분석과 흉부X선 촬영을 반드시 시행하고 흡입 산소농도는 동맥혈 산소분압이 70 mmHg이상 혹은 산소포화도가 95% 이상 되도록 조절한다. 대사성 산증은 폐고혈압의 위험성 때문에 교정해야 한다.

고농도의 산소공급에도 저산소혈증이 지속되거나 동맥혈탄산가스분압(PaCO$_2$)이 50 mmHg 이상 증가되는 경우 간헐적 양압환기가 필요하게 된다.

기계환기요법에 반응하지 않는 심한 호흡부전인 경우 고빈도환기요법(high frequency ventilation)을 사용하여 동맥혈 가스변화를 꾀할 수 있다. 이것은 주로 폐외 우좌단락이 있으면서 폐고혈압이 있는 경우에 해당된다.

태변흡인증후군 환자에서 세균 감염이 증가하는데 임상적으로 진단이 어렵다. 발열, 비정상 백혈구수, 호흡기능의 악화, 방사선학적 변화 등으로 세균성 폐렴이 의심될 경우 혈액배양과 기관분비물의 배양을 시행하고 예방적 항생제 요법이 필요하다.

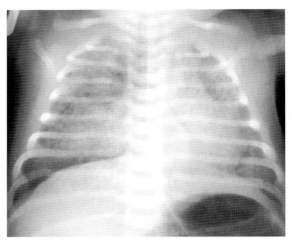

그림 5-3. 양폐야에 증가된 음영을 보이는 태변흡인증후군

5) 예방

태변흡인증후군을 예방하기 위해 출생 전 태아가사를 막기 위한 방법을 취해야 한다. 양수에 태변 착색이 있으면 태변을 희석시키는 intrapartum saline amnioinfusion이 태변 흡입의 위험성을 줄여줄 수 있다. 출생 시 양수나 상기도에서 태변이 보이면 흡입의 위험성을 반드시 줄여서 폐의 침범을 예방해야한다.

조기의 기도흡입이 태변흡인증후군의 위험성을 줄일 수 있는데 방법은 산도에서 흉부가 나오기 전에 큰 카테타로 비인두 흡입을 시행한다. 성대 아래에 끈적거리는 태변이 직접 후두경으로 확인되면 기관내 흡입을 시행한다. 기도에서 태변이 완전히 없어질 때까지 반복적으로 흡입한다. 구강 흡입(mouth suction)은 오염된 물질의 흡인을 예방하기 위해 피해야 한다. 최근 호흡저하가 없고 태변이 묽은 경우 기관내 흡입을 할 필요가 없으며 태변흡인증후군의 위험성이 낮다는 보고가 있지만, 일반적으로 양수에 태변이 보이면 흡인의 위험성을 줄이기 위해 조기에 비인두를 흡입하는 것을 추천하고 있다.

태변흡인증후군 환자를 장기간 추적조사한 결과, 대부분이 후유증 없이 살지만 만성 폐질환을 가진 미숙아와 유사하게 과민성 기도질환의 유병률이 증가하였다.

마. 지속성 폐 고혈압증

지속성 폐 고혈압증(persistent pulmonary hypertension of the newborn, PPHN)은 현저한 폐질환이 없는 신생아에서 처음 기술되었으나, 현재는 대부분의 경우 태변 흡인증후군이나 패혈증, 폐렴 및 선천성 횡격막 탈장 환자에서 보이는 저형성 폐(lung hypoplasia)와 같은 경우에 발생한다.

1) 발생 기전

정상 신생아에서 폐혈관 저항은 폐의 용적, 혈액 산도, 산소 분압, prostaglandin 농도의 증가와 함께 급속히 줄어들며, 출생 직후 폐동맥압과 우심실압이 감소되면서 난원공(foramen ovale)과 동맥관(ductus arteriosus)을 통한 우좌단락이 끝난다.

이런 과정은 저산소증, 산증, 감염, 저형성 폐, 감소된 혈관 단면적 등에 의해 변하게 되는데, 출생 후 폐혈관 저항이 떨어지지 않고 이러한 환경에서 난원공과 동맥관을 통한 우-좌단락을 유지하면서 폐동맥압이 전신혈압보다 높게 된다. 결국 산소를 공급하여도 심한 동맥혈 저산소혈증이 나타난다. 우심실의 증가된 압력은 종종 삼첨판 역류를 일으키는데, 심한 주산기 가사를 겪고있는 신생아에서 삼첨판의 유두근(papillay muscle)의 괴사에 의해 악화된다. 이러한 현상은 여러 가지 원인에 의하여 일어나므로 복합적인 원인에 의한 질환군으로 이해되고 있다.

다른 유발 요인으로 산전에 prostagladin 억제 약물에 노출되거나 적혈구증가(polycythemia)가 있고, prostanoid와 leukotriene, thromboxane, platelet-activating factor와 같은 염증성 매개체가 혈청이나 기관지분비물에서 증가되어 있다.

2) 증상 및 진단

신생아 시기에 지속성 폐 고혈압증을 갖는 대부분의 신생아는 주산기 가사와 태변 흡인, 신생아 감염 등의 증거가 있다. 이러한 증후군은 미숙아나 폐질환이 없는 신생아에서도 발생할 수 있다. 일부에서는 출생 후 저산소혈증에 빠지지만 대부분 적절한 산소화가 이루어진다. 출생 후 몇 시간은 산소 분압의 심각한 변화가 있고 자주 이산화탄소 분압의 증가가 있다.

많은 경우 동맥혈 산소 분압의 변화가 심하다. 우좌단락에 의한 산소화의 차이는 그 위치에서 단락이 존재함을 의미하며, 심장초음파에서 높은 폐고혈압, 삼천판역류, 난원공과 동맥관을 통한 단락의 존재로 신생아의 지속성 폐 고혈압증을 확진할 수 있다.

3) 예방 및 치료

신생아의 지속성 폐 고혈압증의 치료는 신생아 중환자실에서 제일 힘든 부분 중 하나이다. 주산기 가사나 패혈증, 적혈구증가 등 선행요인을 교정하는 것이 중요하다. 동맥혈 산소 분압은 저산소증을 예방하기 위해 100 mmHg를 넘어야 하고 대사성, 호흡성 알칼리증은 단락의 현저한 감소와 산소화의 뚜렷한 개선을 가져올 수 있다.

인공호흡기에서 평상 호흡(tidal volume)과 호흡수를 증가시켜서 유발된 과호흡은 공기 저류와 과도한 폐포 압력을 유발할 수 있고, 이것은 정맥혈의 흐름과 폐혈류를 방해하여 환자의 혈역학을 악화시킨다.

신생아의 지속성 폐 고혈압증이 심한 경우에 고빈도환기요법(high frequency ventilation)이 이산화탄소의 배출과 산소화를 현저히 개선시키지만, 공기 저류와 과도한 폐포 압력을 유발시킨다. 장기간의 과호흡과 저탄소혈증은 신경학적으로 예후가 불량하다.

심혈관계 지지요법은 대단히 중요한데 도파민(dopamine), 이소프로테레놀(isoproterenol), 도부타민(dobutamine)은 종종 동맥혈압과 심박출량을 증가시킨다. 칼슘 주입은 심근의 기능을 증가시키는데 특히 과호흡이 이온화 칼슘(ionized calcium)의 농도를 감소시키는 경우에 효과적이다.

기계적 환기요법시 방해되는 자발적 활동이 가스교환에 영향을 주므로 진정과 근이완이 때때로 필요하다. Alpha-adrenergic blocker, calcium channel blocker, prostacyclin은 전신적으로 저혈압을 일으키므로 사용하는데 제한이 있다. Prostaglandin D_2가 특이적으로 폐혈관확장제로 쓰여지나 효과는 불확실하다.

최근에는 강력한 혈관확장제인 산화질소(nitric oxide)를 흡입하는데 폐의 말단부분인 환기부위에 도달하여 혈관확장제를 전신적으로 투여하였을 때 나타나는 환기-관류 불일치를 예방할 수 있다. 신생아의 지속성 폐 고혈압증에서 산화질소 흡입은 반수 이상에서 산소화의 개선을 가져왔고 체외 순환 막성 산소화(extracorporeal membrane oxygenation: ECMO)의 필요성을 감소시켰다.

치료에 반응하지 않는 신생아는 체외 순환 막성 산소화(ECMO)로 치료할 수 있으며, 생존율은 90%이상이지만 합병증과 후유증 때문에 사용이 제한된다.

신생아의 지속성 폐 고혈압증의 최종 결과는 기저질환, 질환 진행의 정도, 치료의 효과에 따라 다르다.

대부분의 경우 생존하나 많은 수에서 장기간의 기계호흡이 필요하고 신경학적 후유증을 남기기도 한다. 일부에서는 감염이나 태변 흡인으로 인한, 또는 과도한 기계적 환기요법으로 인한 폐 손상의 결과로 만성적 폐질환이 발생한다.

바. 폐 공기 누출

보조환기를 필요로 하는 호흡부전의 주요한 합병증은 폐포 파열과 공기 누출(pulmonary gas leaks)이다. 말단기관지의 파열은 폐포 외 가스의 축적과 폐 간질 기종(pulmonary interstital emphysema), 기종격, 기흉, 피하 기종 및 임파선, 폐와 전신 혈관의 공기 색전화(gas embolization)를 가져온다.

1) 폐 간질 기종
가) 발생 기전
폐 간질 기종(pulmonary interstitial emphysema)은 과팽창의 결과로 발생하며 폐외 공기축적 진행의 첫 단계이다. 폐 간질 기종은 과도하게 팽창된 말단기관

지의 파열로부터 발생한다. 폐 실질 질환에서 저절로 발생하기도 하지만 기계적 환기요법의 결과로 흔히 발생한다.

신생아의 폐포는 과도한 압력과 용적에 견디기 힘들며, 이에 반해 어른의 경우 폐포 사이의 구멍이 "pop-off" 역할을 하여 과도한 압력에 견딜 수 있는데 이런 구멍(pore)의 숫자와 크기가 신생아에서는 적다.

기계적 환기요법동안 압력은 기도가 태변, 혈액 등에 의해 막히게 되면 모든 폐포에 동일하게 작용하지 않는데 태변, 혈액, 다른 물질 등이 더욱 악화시킨다. 폐포 파열과 폐 간질 기종의 발생은 폐포와 인접 혈관 사이에 과도한 압력차가 있을 때 발생하며, 압력과 기계적 스트레스가 폐포 파열을 유발한다.

한번 폐포가 파열되면 가스가 인접 간질조직으로 들어가고 혈관주위초(perivascular sheath)를 따라 폐 문부까지 박리된다. 가스의 양이 충분할 경우 혈관주위압(perivascular pressure)이 혈관허탈을 가져오고 결국 폐순환을 막게 된다.

나) 발생 빈도
극소저체중출생아에서 폐 간질 기종의 발생은 32%로 보고되고 있다. 호흡곤란증후군이 동반된 신생아에서 계면활성제의 사용으로 7%까지 감소시킬 수 있다. 전통적인 기계적 환기요법이 필요한 환아에서 흡기 시간을 짧게하고 호흡수를 높여 가스 누출의 빈도를 줄일 수 있다.

다) 진단
폐 간질 기종의 발생은 심폐기능의 변화와는 연관성이 적으나 심할 경우 저산소혈증과 과탄산혈증을 동반한다. 흉부 X선소견으로는 미세한 물방울 모양의 소견을 보이며 부분적으로 투과음영이 증가된 소견을 보인다.

라) 치료
인공호흡기 치료에서 가장 낮은 효과적인 기도압과

짧은 흡기시간을 사용함으로써 공기누출을 막는 것이 중요하다. 최근 고빈도 환기 요법이 폐 간질 기종의 치료에 효과적이며 심한 호흡곤란증후군에서 폐 간질 기종의 발생을 줄일 수 있다.

한쪽에 생긴 폐 간질 기종에서는 반대쪽 주 기관지에 기관 삽관을 하거나 침범한 부위를 아래쪽으로 위치시키면 도움이 될 수 있다.

심한 폐 간질 기종의 경우 특히 거대 낭종을 형성한 경우 침범한 폐엽의 외과적 절제를 고려한다.

2) 기종격

가) 발생기전

기종격은 종격동의 흉막안에 공기가 찬 것으로 저절로 혹은 기계적 환기요법의 합병증으로 발생한다.

가스는 폐문부로 가는 혈관초를 따라 들어가는 것으로 생각되며 종격동 내의 흉막이 파열되면서 발생한다. 다른 원인으로 인두나 식도에 발생한 외상성 천공이다. 건강한 신생아에서 발병률은 약 2%이며, 폐질환이 있는 상태에서는 현저히 높아진다.

나) 진단

기종격은 심폐장기를 충분히 누를 만큼 축적된 가스의 압력이 높을 때 증상이 나타난다. X선 소견에서 심장주위에 투과성(radiolucency)이 있어서 심장음영이 더 뚜렷이 보인다.

다) 치료

특이 치료법은 없으며, 보존적 치료만 한다.

3) 기흉

가) 발생 기전

기흉은 벽측과 장측의 흉막강 내에 공기가 차는 것을 말한다. 긴장성 기흉은 흉막강 내압이 대기압보다 높을 경우 발생한다. 기흉은 저절로 발생할 수 있지만 기계적 환기요법을 받는 신생아에서 가장 흔히 발생한다.

기흉은 대개 기종격 흉막이 파열되면서 흉막강 내로 공기가 누출되어 발생한다. 심한 기흉은 심박출량에 영향을 끼치고 폐혈관 저항을 증가시킨다. 기흉의 크기가 클수록 전신 혈압과 심박출량이 감소하며, 증가된 흉곽내압이 정맥순환을 막아 심박출량을 감소시키고 cardiac tamponade를 유발한다. 폐허탈은 폐혈관 저항을 증가시키고 심박출량 감소에 기여한다. 여러 요인들이 환기와 호흡기 변화에 관여하며 흉막 공기가 증가될수록 평상 호흡이 감소하여 호흡수 증가로 보상하게 된다. 폐용적이 감소하고 허탈되면 환기-관류 불일치가 나타나며 폐 내 단락과 저산소혈증을 나타낸다. 두개내압은 동맥압의 상승, 정맥순환의 막힘, 뇌혈류량 증가로 인해 대부분 증가한다. 미숙아에서 뇌실내 출혈의 위험성을 높일 수 있다.

나) 발생빈도

신생아에서 자발적이고 무증상인 기흉은 1% 정도이며, 기계적 환기요법을 요하는 폐질환이 있는 상태에서 자주 발생한다. 계면활성제가 도입되기 전 지속성 기도양압 치료를 받고 있는 호흡곤란증후군 환자에서 기흉은 20% 정도 발생한다.

계면활성제 치료를 받지 않고 짧은 흡기 시간과 분당 60회 호흡수로 기계적 환기 요법만을 받은 호흡곤란증후군 환자에서 기흉의 발생빈도는 18%이며, 호흡수를 줄이고 흡기 시간을 늘렸을 때는 33%로 증가된다. 한편 고빈도 환기요법은 기흉 발생빈도에 영향을 끼치지 못한다. 호흡곤란증후군 환자에서 계면활성제 치료는 기흉의 발생빈도를 3~10%로 낮추었다. 초기에 계면활성제를 투여하는 것이 기흉의 발생빈도를 줄이는데 중요하며, 임신기간 30주 미만의 미숙아에서 예방적으로 계면활성제를 투여할 때는 발생빈도가 7%였고, 반면에 출생 후 몇 시간째 투여할 때는 18%를 보였다.

다) 진단

임상적으로 기흉의 증상은 다양하다. 저절로 생기는 기흉은 대개 무증상이며, 심한 경우에는 폐질환이나 기계적 환기요법과 관련이 있다.

큰 기흉인 경우, 청색증, 신음소리, 늑간함몰, 빈호흡, 코 벌렁거림 등이 나타난다. 진찰소견에서 기흉은 흉부팽창이 비대칭적이고 간이 밀려나 있고 병변 있는 부위에 심음과 호흡음이 감소되어 있지만, 미숙아에서는 흉부전체에 걸쳐서 호흡음이 고르게 들릴 수도 있다. 기흉이 있으면 호흡수, 심박수, 동맥혈압이 증가하는 경우가 많다.

긴장성 기흉에서는 병변 반대쪽으로 심음이 이동한다. 긴장성 기흉에서는 활력징후의 현저한 변화를 보인다.

진단은 흉부 X선소견으로 확진한다. 앙와위에서 찍었을 때 흉부의 바깥부분을 따라 crescent-shaped lucency를 보이며 lucent한 부분에는 정상 폐 음영이 보이지 않는다. 이것은 담요나 피부면(skinfold)과 혼동될 수 있는데 특히 횡격막 아래로 이어질 때 그러하다.

폐가 허탈되지 않으면 crescent-shaped lucency는 나타나지 않고 폐 외 공기가 있는 부위에 전반적으로 감소된 음영을 나타낸다. 중심부(medial) 기흉은 심장의 바로 우측, 좌측에 인접한 부분에 lucency로 나타난다. 이런 경우 기흉은 "cross-table" lateral view를 통해 확인할 수 있다. 이 방법은 측와위를 할 수 없는 경우에 시행할 수 있다. 긴장성 기흉의 존재는 종격동이 반대로 밀려나고 늑간 간격이 넓어지고 병변 부위의 횡격막이 아래로 내려온다. 긴장성 기흉이 양쪽에 존재하면 종격동의 이동은 없고, 심장크기가 작아 보인다.

긴장성 기흉이 있어도 완전히 폐가 허탈되지는 않는다. 미숙아인 경우 흉부 투조기(transillumination)를 비춘 후 불빛이 번지는 것(halo)으로 의심할 수 있으며, 흉벽이 두꺼운 큰 신생아에서는 위음성이 있기 때문에 방사선학적 검사를 꼭 시행하여야 한다.

현저한 임상적 이상소견으로 기흉이 의심되면 방사선학적 검사를 신속히 시행하여야 한다.

라) 치료

기흉이 의심될 때는 기흉의 크기, 호흡 변화의 정도,

양압 환기의 사용 등에 근거하여 치료한다.

무증상인 신생아의 기흉은 치료가 필요하지 않으나 주의 깊은 관찰이 필요하다. 만약 기흉이 심폐기능의 이상을 동반하게 되면 즉각적인 치료가 필요한데 천자흡인(needle aspiration)이나 흉관삽관(thoraco-stomy)과 수봉식배액법(underwater seal drainage)이 필요하다.

100%의 산소는 공기의 재흡수를 증가시키는데 이 이론은 100%의 산소가 체내의 질소를 씻어낸다는 것이며, 공기로부터 혈액으로의 빠른 흡수를 촉진한다. 그러나 미숙아에서는 미숙아 망막증의 위험성 때문에 시행하지 않는다.

천자흡인(needle aspiration)은 양압환기가 필요하거나 긴장성 기흉이 있을때 즉각 필요하며 이어서 바로 흉관삽입을 해야한다. 흉관삽관(thoracostomy)은 수봉식배액법(underwater seal drainage)으로 하여 공기가 흉막강 내로 들어가는 것을 방지해야 한다.

기흉의 양이 적을 경우 수봉식배액법(underwater seal drainage)의 음압만으로도 충분하지만, 많은 양의 공기가 있거나 지속적인 공기 누출이 있다면 15 to 20 cmH$_2$O의 음압을 적용한다. 더 이상 배액이 안되면 음압을 끊고, 이후 더 이상 공기축적이 없으면 흉관을 막은 후 24시간 내에 제거한다.

높은 양압 기도환기가 필요한 심한 폐질환에서 흉관 제거는 기계적 환기요법을 중단할 때까지 연기하는 것이 좋다.

마) 예후

기흉은 때론 치명적일 수 있지만 적절하게 진단하고 치료한다면 적은 후유증을 보인다. 불량한 예후를 방지하는 방법은 적절한 장비와 인력, 효과적인 진단과 치료이다.

4) 가스 색전증

혈관 내 가스 색전증은 매우 드물며 급성 폐 공기손상으로 발생한다. 가스 색전증은 기능적인 폐포-모세혈관의 누공으로 발생한다. 정상적으로 호흡하는 신생아의 폐 모세혈관의 압력은 폐포보다 크지만 기도에 양압이 가해지면 이것은 역전되고 가스가 폐포로부터 혈관 속으로 유입되게 된다. 혈관 속으로 들어간 가스는 온몸으로 퍼져서 뇌, 심장 속에서 혈관을 막게 된다.

대부분은 높은 기도압을 유지하던 미숙아들로서, 가스 색전증이 발생되기 전 가스누출의 방사선학적 소견을 보인다. 임상적으로 창백, 청색증, 서맥, 저혈압 등 심폐기능 이상을 보이며, 임상적인 변화와 함께 gas bubble이 동맥, 정맥 카테터 속에서 나올 때 진단을 내릴 수 있다. 확진은 X선소견에서 심장 내나 혈관에서 공기음영을 보일 때 진단한다. 대량의 가스 색전증은 치명적이다. 그러므로 치료는 예방이 중요하다. 가능한 가장 낮은 환기압으로 유지하여 폐포 파열과 가스 누출을 막아야 한다.

5) Wilson-Mikity 증후군

Wilson-Mikity 증후군은 1960년에 지발형 호흡곤란을 보이는 미숙아에서 처음으로 기술되었다. 만성 폐질환과 달리 초기에 심한 호흡곤란을 보이지는 않으며, 호흡증세는 1~4주에 시작되어 몇 주에서 몇 달까지 지속된 후 대부분 회복된다. 방사선학적으로 낭종의 형태를 보이며 만성 폐 질환에서처럼 거친 줄무늬의 비투과성 음영(coarse streaky marking)을 보인다.

조직학적 검사에서 허탈과 중격 비후(septal thickening)가 교대되는 과팽창의 소견을 보이는데 만성 폐 질환과는 달리 기도상피의 현저한 변화를 보이지는 않는다. 원인과 병인은 아직 잘 모르나 흡입된 공기가 미숙한 폐에 고르게 배분되지 못하여 발생된다고 생각되며, 선천성 감염이 원인으로 추정되고 있다. 최근에는 미숙아 집중 치료 시 기계적 환기가 보급된 후에는 발생 보고가 거의 없다.

3. 신생아 무호흡

무호흡은 영유아에서 가장 흔한 호흡 조절 이상 질환이다. 연령을 불문하고 순간적인 무호흡은 있을 수 있으나 20초 이상 지속되거나 서맥이나 저산소증을 초래하는 경우에는 병적 혹은 잠재적 위험성이 있는 것으로 간주한다. 무호흡은 특발성으로 단독으로 나타날 수도 있고 다른 병적 상태를 의미하는 징후로도 볼 수 있다. 생후 첫 해의 무호흡은 미숙아 무호흡을 포함하는 신생아 무호흡과 주로 신생아기 직후에 나타나는 apparent life-threatening events(ALTEs)로 나눌 수 있다. 생후 수개월에 걸쳐 호흡 조절 중추가 성숙되며 대부분의 만삭아는 성인에서와 마찬가지로 중등도의 과이산화탄소증에 적절한 환기의 증가를 보인다. 그러나 생후 수일 내에는 저산소증에 대한 환기 반응이 비효율적이다. 신생아에서 경한 저산소증은 1~2분간의 분당 환기의 증가 후에 감소를 동반한다. 그 동반의 정도는 일부에서는 대사율에 비례한다. 재태연령 37주 미만의 신생아에서는 미주신경에 분포하는 기도 자극 수용체가 호흡을 증가시키기 보다는 오히려 억제한다. 후두의 화학수용체에 의한 반응도 여러 자극에 대하여 성인보다 강하게 호흡을 억제하는 것으로 알려져 있다. 미숙아에서는 약한 호흡이 중추 신경계의 미숙에 의한다.

가. 정의

대체로 미숙아 무호흡은 20초 이상의 호흡의 정지 또는 이보다 짧더라도 서맥과 저산소증을 동반하는 경우로 정의하며, 규명된 질환이 없고 재태 연령 37주 미만의 미숙아에서 일어난 경우로 제한한다.

이에 반하여 주기성 호흡은 규칙적 호흡 사이에 3~10초의 호흡 정지가 있으나 20초를 넘지 않는 경우로 적어도 3번 이상의 주기로 반복된다.

나. 빈도와 자연 경과

미숙아 무호흡의 빈도는 출생 때 재태 연령에 반비례한다. 1990년 이후에 미숙아의 생존이 향상됨에 따라 미숙아 무호흡의 빈도도 증가하였다.

주기성 무호흡이나 수면다원검사로 진단되는 무호흡은 거의 모든 미숙아에서 발견된다. 기계적 호흡기의 사용과 methylxanthine의 투여로 미숙아 무호흡이 시작되는 시기와 회복되는 시기를 정확히 알 수 없어 이에 대한 정확한 보고는 부족하다. 감시 장치에 의존한 무호흡을 추적한 결과 77%의 신생아에서 생후 2일에 무호흡이 시작되고 7일 이내에 98%에서 시작하는 것으로 알려져 있다. 무호흡의 시작은 주산기 가사의 존재 여부와 무관하다.

다. 병인

일반적으로 중심성(횡격막성), 폐쇄성, 혼합형으로 나눈다. 미숙아에서는 인두 부위의 기도 폐쇄가 중요한 원인이 된다. 혼합형에서는 중심성 요소의 전후에 폐쇄성 요인이 존재하며 중심성에서는 자발 호흡 노력이 없다. 무호흡은 가스 교환과 심혈관계 기능에 지대한 영향을 미친다. 저산소증과 과이산화탄소증이 점진적으로 유발되며 서맥이 일어난다.

중추신경계의 미숙, 상기도의 폐쇄 용이성, 상기도의 과다한 방어기전, 미숙한 호흡노력 등으로 그 병인을 설명한다. 만삭아에 비해 미숙아에서 이러한 병인이 더 흔하게 적용된다. 미숙아에서 뇌간의 성숙도와 무호흡의 빈도가 반비례한다는 보고도 있다. 미숙아일수록 흡입 이산화탄소에 대한 호흡반응이 미약하고 호흡자극 중추의 자극에 대해 오히려 역설적으로 호흡이 억제된다. 미숙아의 상기도는 상대적으로 구조적, 기능적으로 유지가 어려운 단점이 있다. 후두의 화학수용체의 반사도 무호흡과 서맥을 유발한다.

라. 감별진단

24시간 이내에 미숙아 무호흡을 일으키는 원인은 감염, 경련, 심한 호흡곤란증후군, 대사 이상, 저체온증, 심한 주산기 가사, 약물 등이다. 빈혈과 무호흡의 상관관계는 명확하지 않다. 위식도 역류 역시 무호흡의 원인으로 생각되나 호흡과 식도내 산도의 감시를 병행하기 어려워서 규명이 쉽지 않다(표 5-1).

미숙아 무호흡은 무호흡을 유발할 수 있는 다른 질환을 제외한 후에 진단할 수 있다. 드물게 재태 연령 40주 이상 만삭아에서 무호흡이 보일 수 있으나 미숙아 무호흡의 뒤늦은 임상표현으로 간주된다.

마. 치료

재태 연령 35주 미만에서 미숙아 무호흡의 빈도가 높아 적어도 생후 첫 주에는 감시장치를 설치해야 한다.

이차적 무호흡의 치료는 원인 질환의 치료에 기초한다. 폐쇄성 무호흡이 의심되면 머리의 위치를 조절하고 인공 기도유지 장치가 없다면 복위를 해주는 것이 바람직하다. 무호흡이 심하여 청색증이 동반되고 중심성이라면 원인 질환이 규명되어도 기계 호흡이 필요하다.

미숙아 무호흡의 치료는 기계 혹은 약물에 의한 호흡자극이다. 경증의 경우에는 피부 자극만으로 호전되며 물침대를 이용하기도 한다. 비강내 지속적 양압은 반복적 폐쇄성 무호흡에 효과적이다. 2~5 cmH$_2$O의 압력을 이용한다. 심한 무호흡은 산소와 기계적 환기를 필요로 한다. Methylxanthine은 초기용량(5 mg/kg theophylline, 10~20 mg/kg caffeine)으로 시작하여 유지용량(매 8시간 마다 2 mg/kg theophylline, 하루 한 번 10~20 mg/kg caffeine)을 사용한다. 치료 시작 48시간 후에 혈중 농도를 측정하고 매주 검사한다. 혈중 농도는 10~15 mg/L를 넘지 않도록 주의한다. 미숙아에서 theophylline보다는 caffeine의 부작용이 적으며, 미숙아에서 methylxanthine의 장기투여에 따

표 5-1. 신생아 무호흡의 감별진단

감염성
　패혈증
　뇌수막염
　폐렴
신경학적 원인
　경련성 질환
　두개내 출혈
　핵황달
심장질환
　저산소혈증
　동맥관 개존증
　폐울혈
대사성 질환
　저혈당증
　저칼슘혈증
　저나트륨혈증
　고나트륨혈증
　탈수
기타
　위식도 역류
　저혈압
　저체온증
　고열
　선천성 기형
　빈혈
　주산기 가사
　약물에 의한 호흡 억제, 호흡근의 약화
　모체의 약물-진정제, 항진제
　미숙아 무호흡증

른 효과는 알려져 있지 않다. 빈혈이 심한 경우에는 수혈을 고려한다. 무호흡이 7~10일 간 없으면 methylxanthine을 중지한다. 이 후 7~10일간 약물의 투여없이 무호흡이 없으면 퇴원을 고려할 수 있다. 단지 경한 무호흡만이 지속되는 환자가 다른 조건이 퇴원 기준에 합당하다면 약물을 투여하면서 감시장치를 달고 퇴원할 수 있다. 이 경우 2주간 무호흡이 없다면 약물투여를 중지하고 다시 2주간 무호흡이 없을 경우 감시장치도 사용을 중단한다. 미숙아 무호흡이 있었던 신생아는 respiratory syncytial virus에 감염될 경우

무호흡이 재발할 수 있다.

4. 미숙아의 장기적 호흡기 합병증

가. 만성 폐질환의 정의와 역학

만성 폐질환(chronic lung disease; CLD)은 미숙아에서 호흡기 증상에 대한 치료의 결과로 생기는 광범위한 상기도와 하기도의 질환을 포함한다. 이는 산전 및 산후의 여러 가지 요인들의 상호작용의 결과이며 임상적, 생리적, 병리학적 및 발생학적 문제의 범주까지 포함하는 포괄적인 질병개념이다.

미숙아 생존율이 향상되면서 기계 호흡과 산소 투여를 받았던 미숙아에서 임상적, 방사선학적인 만성 질환이 나타나면서 만성 폐질환에 대한 관심이 증가하였고 영유아, 소아, 청소년기까지 미칠 수 있는 영향에 대한 다양한 평가가 시도되고 있다.

만성 폐질환은 기관지폐이형성증(bronchopulmonary dysplasia; BPD)만을 포함하지는 않으며 Wilson-Mikity 증후군과 같이 심한 신생아 질환까지 포함한다(표 5-2). 저형성 폐나 위식도 역류를 포함하는 발생학적 질환도 독립적이기 보다는 영향을 미치는 요소로 볼 수 있다. 영아기 이후에도 진단은 용이하지 않고 미숙아로 태어난 소아에서 반복적 천명이 흔히 관찰되는 것이 그 예이다. 따라서 진단기준에 따르는 것보다는 임상적 문제에 기초한 접근이 보다 중요하다.

진단의 모호함으로 인해 유병률은 다양하여 미숙아의 3~33%로 보고되며 호흡곤란증후군(respiratory distress syndrome; RDS)이 있던 환자의 50%에서 진단되기도 한다.

주산기에 적극적으로 호흡곤란증후군의 빈도를 낮추기 위한 노력에 의해서 만성 폐질환의 발병에 영향을 미칠 수 있다. 폐의 성숙을 촉진하기 위해 산전에 스테로이드를 투여한 결과 만성 폐질환의 발병을 낮

추는 효과는 미미하였으나 생존은 향상되었다. 갑상선 분비 호르몬을 스테로이드와 병합 치료한 결과 기관지폐이형성증 발병 위험도는 감소하였다. 인공계면활성제의 사용은 만성적인 호흡기 합병증의 위험이 있는 환자의 생존율을 증가시키지만 만성 폐질환의 유병률에는 영향이 약하다. 그러나 예방적인 계면활성제의 사용은 기관지폐이형성증의 빈도 자체를 의미 있게 감소시켰다.

일반적으로 1,000 g 미만의 초극소 저출생 체중아의 생후 28일에 산소 의존도에 대한 위험인자로는 낮은 재태 연령, 남아, 생후 96시간의 과호흡과 저산소증 등과의 상호작용이 있다.

기계 환기에 의한 폐손상이 급성 폐손상을 일으키는 기관지폐이형성증과 달리 만성 폐질환은 폐의 미성숙에 의한 성장 저해의 정도에 의해 결정된다.

나. 병리

만성 폐질환의 병리소견은 부검소견에 기초한다. 초기에는 가역적 소기관지의 괴사와 폐포 손상이 주로 보이고 후기에는 간질의 섬유화가 나타난다.

호흡곤란증후군 당시에는 완만한 표면에 단단한 외형을 보이나 만성 폐질환이 발병하면서 폐의 표면이 불규칙해진다. 폐의 무게가 25~75% 정도 증가하고 3주경이 되면 폐포의 팽창과 허탈로 자갈과 같은 표면을 나타낸다. 시간이 흐르면서 무기폐와 폐기종, 섬유화, 성장의 결과로 표면이 갈라진다. 2년째에 이르면 표면이 매끈해지면서 균열만 남게 된다. 현미경 소견은 초기의 삼출성 염증기에 이어 섬유증식기의 완화기를 거쳐 만성 섬유증식기를 거친다(표 5-3).

염증기에는 유리질막, 소기관지의 괴사, 폐쇄성세기관지염의 소견이 보이다. 2~4주가 지난 아급성기에는 유리질막은 간질과 폐포주위의 섬유화로 대체된다. 중격 비후와 제 2형 폐포세포의 증식이 일어난다. 수개월이 지나면서 재구성이 일어나서 폐포의 허탈사이로 폐기종의 변화가 보인다.

최근에는 간질형과 소기관지형으로 분류한다. 간질형은 기도의 변형 없이 심한 간질의 섬유화가 현저하고 이런 경우 폐기종은 거의 없다. 소기관지형은 기도의 병변과 폐기종이 심하다. 두 군 사이에는 출생체중과 재태연령, 초기 X선 사진의 차이가 없으나 소기관지형이 최초의 폐기능이 더 나쁘고 산소투여와 기계환기의 요구가 더 높은 것으로 나타났다. 대부분의 환아들은 두 가지의 혼합형을 보인다.

기관지폐포세척액 검사에서 신생아호흡곤란증후군의 초기에는 세포가 거의 없으나 3일 째 호중구의 증가를 보이고 회복되면서 그 수가 감소하지만 만성 폐질환이 발병할 경우 호중구의 수치가 그대로 유지되는 것을 발견했다.

폐손상의 복구 후에 표피의 이형성도 흔하게 나타난다. 심한 경우 편평 세포로 대치되고 기저막의 현저한 비후를 볼 수 있다.

다. 위험요인과 병인

만성 폐질환의 원인은 현재까지 잘 모르지만 많은

표 5-2. 만성폐질환의 범주에 있거나 영향을 미치는 임상적 질환들

신생아기
발달 이상-저형성 폐, 태내 감염
기관지폐이형성증
　　제 1형-흉부 X선에서 'gray' lung
　　제 2형-Northway type IV
Wilson-Mikity 증후군-신생아호흡곤란증후군이 선행하지 않고 제 2형 기관지폐이형성증과 유사
미숙아의 만성 폐부전- 신생아호흡곤란증후군이 선행하지 않고 제1형 기관지폐이형성증과 유사
재발성 폐흡인- 만성 폐질환과 동반되는 위식도 역류
미숙아에서 더 심한 경향이 있는 후기 영아기 질환
천명성 질환-미숙아에서 심한 하기도 질환으로 만성 폐질환으로 간주함
숙주 방어의 결함-cystic fibrosis와는 별개이며 매우 드물다.
발달 이상-만성 폐질환에서 더 흔한 선천성 심장질환

표 5-3. 만성폐질환의 병리학적 변화

단계	병리학적 stage	병리소견
염증/완해	삼출성, 초기 재생기	유리질막, 기관지 괴사, 폐쇄성세기관지염, 기관지 확장, 초기 격막 섬유화
완해/복구	아급성, 섬유증식기	폐쇄성세기관지염, 기관지 확장, 잔류성 유리질막, 폐포주위관 섬유화, 간질 섬유화, 평활근 활성화, 과팽창 및 허탈 폐포
성장/개형	만성, 섬유증식기	간질 섬유화, 평활근 활성화, 벌집폐, 혈관벽 비후, 폐쇄성세기관지염 및 기관지 확장의 감소

위험 요인들이 알려져 있다. 만성 폐질환은 미숙아, 남아, 백인, 계면활성제의 부족, 산소 독성, 기계 호흡에 의한 압력손상, 패혈증, 동맥관 개존증 및 수액의 과다 투여와 관련이 있다.

1) 산소 독성

산소가 미성숙한 폐에 손상을 주는 것은 이미 증명되어 있다. 그러나 부적절한 항산화 작용이 폐에 손상을 주는 기전은 아직까지 잘 알려져 있지 않다. 과산소 환경에서 superoxides, singlet oxygen, hydroxy radical 같은 superoxide의 생성이 증가하면 미숙아에서 항산화 효소가 적절하게 증가하는 대응이 일어나지 못하는 것으로 추정된다. Free radical에 의한 손상은 내피세포, 상피세포, 폐포성 대식세포의 손상, 계면활성제 생성의 억제, 저산소증에 대한 폐혈관의 반응 억제, 정상적으로 일어나는 섬유모세포에 의한 복구의 저해, 폐의 발육 억제 등이 있다.

산소에 의한 폐 손상을 줄이기 위해 항산화 효소의 투여가 시도되었으나 그 효과는 아직 확실하지 않다. 항산화 방어의 기능을 가진 비타민 A, E, C와 β카로틴, 황을 함유한 아미노산, 구리, 아연, 셀레니움, 철분 등 영양소의 보충도 고려되고 있다.

2) 압력 손상

기계 호흡 중 최고 흡입 압력이 35 mm H_2O 이상인 경우 병리적 만성 폐질환과 연관성이 증명되었다. 과산소가 무엇보다 염증과 조직학적 변화를 유발하지만 압력 손상만으로도 경도의 폐 손상을 유발한다. 그 기전은 아직까지 잘 모르나 기관지폐포세척액에서 platelet activating factor 등 염증매체의 증가가 호흡곤란증후군과 관련이 있다. 여러 매체가 폐손상에 관여할 것으로 생각되며 기도의 과팽창에 따른 폐부종이 올 수 있고 이는 내피세포와 상피세포의 투과도의 변화로 이어진다. 과호흡은 계면활성제를 소모한다. 고빈도 인공 환기 요법으로 압력 손상을 덜어주면 만성 폐질환의 빈도도 감소한다.

3) 감염

만성 폐질환의 발생에 있어서 감염의 역할은 불분명하다. 만성 폐질환 환아에서 패혈증이 흔히 발견되고, U. urealyticum이 인후나 위세척, 기관지폐세척액에서 발견되는 경우 만성 폐질환의 빈도가 높았다. 감염은 폐에서 조기 염증과 계면활성제의 활성을 저하시키는데 기여할 것으로 생각된다.

4) 동맥관 개존증과 과다 수액투여

만성 폐질환과 동맥관 개존증의 관계가 있을 것으로 추정된다. 그러나 동맥관 개존증의 조기 수술이 산소 의존도를 낮추지는 않는다.

동맥관 개존증의 발생이나 과다한 수액투여는 폐부종을 악화시켜서 폐의 탄성을 저하시킨다. 그에 따라 환기 요구량이 증가하고 산소독성과 압력손상이 유발되면 급성 폐손상이 악화된다.

5) 기타

미숙아에서 만성 폐질환이 빈번하지만 만삭아에서

도 호흡곤란증후군과 만성 폐질환이 있는 것으로 미루어 폐의 미성숙과 관련이 있을 것으로 추정된다. 아토피 질환이 있는 가계의 신생아에서 만성 폐질환이 더 빈번하다는 결과도 있다.

라. 세포 기전

만성 폐질환의 발생에 관여하는 위험요인은 많으나 이에 합당한 동물 모델은 없다. 그러나 과산소나 약물에 의한 섬유화의 동물 모델과 성인의 폐 섬유화에 관한 연구는 만성 폐질환의 병인 연구에 많은 정보를 준다.

1) 세포 반응

간질의 섬유화, 무기폐, 폐기종, 2형 폐세포의 증식은 만성 폐질환의 전형적인 결과이다. 과산소에 계속 노출이 되면 기관지와 소기관지의 섬모 세포들의 부종에 이은 괴사와 탈락이 나타난다. 폐포에는 산소에 의한 손상의 결과로 내피세포의 50%가 손상되고 1형 폐세포가 괴사되어 2형 폐세포가 증식된다. 2형 폐세포는 폐포벽을 둘러싸고 가스교환을 하는 1형 폐세포의 기능을 하도록 변형된다.

동물 실험에서 호흡곤란증후군의 발생양상을 증명한 바 초기에는 호중구가 증가하고 회복기에 대식세포의 농도가 증가한다. 기계환기를 하는 신생아의 기관지 세척액에는 출생 수일 내에는 세포가 거의 없다가 72~96시간에 증가하며 주로 호중구가 관찰된다. 호흡곤란증후군이 해소되면서 호중구는 감소하나 만성 폐질환이 발생한 경우에는 호중구의 수가 유지된다. 4~5주에 만성 폐질환이 발생한 신생아의 경우 96시간에 대식세포가 증가되었다는 보고도 있다. 계면활성제를 사용한 미숙아에서 대식세포의 증가가 보다 일찍 일어나고 이는 신생아 폐의 상피에서 인지질의 도달에 의한 것으로 생각된다.

2) Elastase

단백 분해효소와 그 억제 효소의 불균형이 있는 경우 호중구에 의한 elastase의 분비로 분해성 폐 손상이 일어난다. 호중구 elastase와 α_1-antiproteinase의 비율은 호흡곤란증후군에서 회복이 되면 유지가 되지만 만성 폐질환이 발병하는 경우 크게 증가한다. 과산소증에 노출된 호중구에서 유래한 free radical에 의해 α_1-antiproteinase가 비활성화된다. 기계환기를 하고 만성 폐질환을 가진 신생아에서 72시간에 dexamethasone을 투여하면 elastase의 활성과 elastase와 α_1-antiproteinase의 비율이 의미있게 감소한다.

3) 사이토카인

만성 폐질환에서는 항염증성사이토카인인 TNF-α, IL-1, IL-6가 의미있게 증가한다.

호중구의 화학주성인자인 IL-8은 호중구의 탈과립을 일으키고 호흡기에 작용하여 oxygen free radical을 배출한다. 호흡곤란증후군의 기관지폐포세척액의 대부분을 차지하는 호중구에서 IL-8이 많이 분비된다.

TGF-β는 섬유모세포에 작용하여 fibronectin과 procollagen의 전사를 증가시킨다. 또한 단백분해효소의 생성을 억제하고 항 단백분해효소의 생성은 증가시켜서 세포외 기질의 파괴를 막는다.

PDGF-β는 섬유모세포의 강력한 화학주성인자이며 분열촉진물질이다. Collagen의 생성과 침착은 TGF-β의 영향을 받지만 collagen 기질의 농도는 PDGF-β에 의해 결정된다.

Fibronectin은 엄밀한 의미에서 사이토카인은 아니지만 collagen, elastin, laminins, proteoglycan과 함께 세포외 기질의 주요 구성을 이룬다. 폐의 상피, 내피세포에서 세포와 세포사이, 세포와 substratum을 유지한다. 폐 손상에서는 섬유모세포의 화학주성인자로 작용하고 섬유모세포의 성장인자이다.

4) 만성 폐질환의 가상 모델

미숙한 폐에서 가사, 감염, 염증, 계면활성제의 부족, 생리적 미숙함 등으로 인해 기계적 환기와 산소 치료를 필요하게 된다. 산소 독성과 압력 손상에 의해 손상이 일어나고 여기에 감염, 공기 유출, 과도한 수액 등이 가세한다.

염증반응은 항염증성 사이토카인과 호중구의 화학주성인자인 IL-8를 분비한다. 내피세포와 호중구의 표면의 유착물질의 복합적인 작용에 의해 혈액내의 호중구가 폐로 이동한다(그림 5-4). TNF-β와 IL-1에 의해 내피세포가 활성화되고 표면에 유착물질을 표현하고 이는 호중구의 표면의 유착물질과 작용하여 혈관을 따라 이동한다.

활성화된 호중구는 elastase를 포함한 단백분해 효소를 분비하여 분해에 따른 폐 손상을 유발한다. 단백분해효소와 항 단백분해효소의 불균형으로 그 손상이 가속된다. 산소의 투여에 따른 oxygen free radical이 분비되면 내피세포와 상피세포에 세포독성을 포함한 영향을 미치고 폐 계면활성제를 억제하며 섬유모세포에 의한 정상적인 복구를 저해한다. 기계환기와 압력손상에 따른 기도 손상도 병발한다.

시간이 흐르면 노출된 기저막에 의해 드러나는 fibronectin의 화학주성인자의 영향으로 손상된 폐조직에 대식세포가 모여든다. 대식세포는 TGF-β, PDGF-B를 분비한다. PDGF-B의 영향으로 섬유모세포가 손상부위로 모여들고 증식을 한다. TGF-β는 fibronectin과 procollagen의 전사를 증가시키고 간질의 섬유조직을 증가시킨다. TGF-β는 앞에서 언급한 것과 같은 작용을 하여 단백분해효소와 항 단백분해효소의 비를 복원시킨다.

마. 미숙아의 만성 폐질환의 임상적 특징

1) 신생아기

전형적인 기관지폐이형성증 환자에서 Northway는 임상적, 방사선학적, 병리적 변화에 따라 4단계로 나누었다.

1단계에서는 호흡곤란증후군의 특성을 보인다.

2단계는 4~10일 사이로 호흡 상태는 호전되거나 3단계로 진행하게 된다. 호흡곤란증후군의 회복기라면

흡입 산소농도, 최고 흡입 압력, 분당 폐용적이 감소한다. 기계 호흡에서 벗어나면서 다양한 기간에 걸쳐 산소를 투여 받는다. 상태가 호전되지 않을 경우 폐는 상대적으로 탄성이 감소하고 환기요구량은 증가한다. 폐간질 폐기종과 기흉, 종격동 기종이 생기기도 한다. 흉부 X선 사진에는 증가된 음영과 공기유출 등을 보이며 이 시기에 사망한 환아의 부검 소견에는 기도의 짙은 삼출물과 소기관지 및 폐포의 상피세포 괴사를 볼 수 있다.

3단계는 2~3주에 해당되며 환아는 산소 의존적이다. 호흡 상태는 서서히 호전되거나 만성 폐 간질 폐기종, 감염, 혈류역학적으로 의미있는 동맥관개존증 등이 있는 경우에는 호흡부전으로 진행한다. 보상적 호흡성 산증과 저산소혈증이 관찰되며 흉부 X선 사진에는 망상 가닥, 무기폐, 경화가 혼재되면서 낭포성 폐기종 변화가 나타난다. 부검으로 확인된 조직학적 변화는 폐기종성 폐포가 허탈된 폐포와 인접해서 관찰된

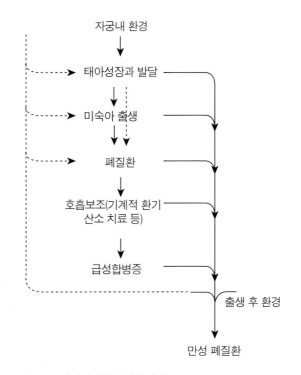

그림 5-4. 만성폐질환의 위험인자

다. 괴사된 기관지와 소기관지의 상피세포는 점막의 증식과 이화로 대치된다.

4주 이후의 4단계에서는 안정된 혹은 진행되는 호흡 부전의 양상을 보인다. 안정된 경우 기계 호흡을 중지한 후에도 수주 혹은 수개월에 걸쳐 산소가 필요하다. 진행되는 경우에는 환기 요구량이 증가하여 흡입 산소, 최고 흡입 압력, 분당 폐용적이 증가한다. 우심부전, 폐고혈압이 합병될 수 있다. 흉부 X선에서 과팽창되거나 낭포성 변화가 특히 하엽부위에 나타난다. 산소를 오랜 동안 필요로 하는 신생아에서도 4단계의 특징적인 흉부 X선 사진 양상을 보이지 않는 경우도 있다(그림 5-5).

2) 영아기

임상적으로 유용한 만성 폐질환의 정의는 재태연령 36주 이후에도 산소 의존도가 있는 경우이다. 폐쇄성 기도 질환의 양상이 뚜렷하다. 호흡곤란과 함께 증가된 호흡수, 다양한 정도의 저산소혈증이 나타난다. 퇴원 시에 산소가 필요하며 잘 먹지 않고 체중의 증가도 부족하다. 흉부 X선 사진에는 낭성, 경화, 섬유화, 무기폐와 같은 만성 폐질환에 합당한 소견이 보인다. 폐기능 검사에는 기도저항의 증가, dynamic compliance의 저하, 비효율적 가스 교환과 다양한 흉곽 용적이 나타난다. 심장 초음파에서 우심실 비대와 폐고혈압, 삼첨판 부전을 볼 수 있다.

흉곽 내 질환 외에도 상기도의 이상을 감별해야 하며 후두연화증, 기도연화증, 성문하 협착, laryngeal web, 혈관륜, 편도 및 아데노이드 비대 등이 여기 속한다. 극소 저출생 체중아의 30%에서는 상기도의 수술적 조치가 필요하다는 보고도 있다.

미숙아 특히 만성 폐질환을 앓았던 영아에서는 바이러스감염에 의해 호흡증상이 급격히 악화될 수 있다.

흡인, 심부전, 천명, 무호흡 혹은 수면과 관련한 저산소혈증, 신생아 돌연사와의 연관성을 시사하는 연구도 있다.

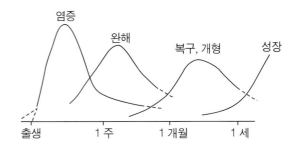

그림 5-5. 만성폐질환의 4단계

3) 청소년기 및 성인

만성 폐질환에서 회복한 청소년과 성인의 많은 수에서 폐기능 이상이 발견된다. 만성 폐질환을 앓았던 경우 천명, 심한 기침, 운동 유발성 천식의 빈도가 증가할 수 있다.

바. 치료

1) 일반적 치료

만성 폐질환은 미숙아, 저출생 체중아에서 주로 나타나는 질환이므로 신경 발달학적 문제, 성장과 영양의 곤란, 선천 기형, 심장 질환 등이 흔히 동반된다. 따라서 호흡기 외에도 각 분야의 전문가들과의 협조가 요구된다.

행동학적 섭식 장애, 연하 곤란, 위식도 역류, 만성 저산소혈증, 신부전 및 치료제인 이뇨제의 사용, 일시적인 스테로이드의 사용으로 정상적인 성장이 방해된다. 탄수화물만을 투여하면 대사율을 높여서 호흡부전을 가속화하므로 지질과 탄수화물의 복합 식이가 추천된다.

위식도 역류는 기도 폐쇄에 따른 무호흡의 원인이라기보다는 결과로 생각된다. 자세 교정과 H_2-blocker의 투여, fundoplication이 고려된다.

임상적으로 심부전이 의심되면 산소투여가 필요하다. 폐 고혈압이 없는 상태에서 일반적으로 동맥 산소 농도는 94~95%를 유지하도록 한다. 심부전이 나타나면 thiazide와 spironolactone이나 amiloride의 병합 투여가 요구된다. 폐 혈관 확장제는 심도자술이나 심에코의 결과에 따라 심장 전문의의 판단에 따라 산소에 반응하지 않는 심한 폐 고혈압에 사용해 볼 수 있다.

2) 호흡기

가) 기관지 확장제

만성 폐질환의 특징적인 병리 소견은 기도의 비후이므로 β_2 항진제, 항콜린성 약제, methylxanthine 등을 사용한다. β_2 항진제의 작용기전과 적절한 용량에 대해서는 논란이 많다. 기계 환기요법을 하고 있는 영아에서는 MDI와 spacer의 사용이 추천된다.

나) 항염증제

Cromoglycate를 MDI와 spacer를 이용하여 사용하면 증상이 호전될 수 있다.

만성 폐질환이 있는 환자에서 스테로이드를 사용한 결과 기도 삽관의 기간이 줄어들었으나 산소투여 기간과 입원기간을 줄이지는 못했다. 스테로이드 투여량과 기간에 대해서도 논란이 많다. Dexamethasone의 경우 하루 0.5~1 mg/kg로 3~42일을 준다. 스테로이드를 투여하고 12~72시간이면 호흡 저항은 30% 정도 감소하고 탄성은 60~70% 정도 증가한다. 좀 더 큰 영아에서 스테로이드 흡입치료로 천명과 기침 같은 증상을 경감시킬 수 있다.

다) 이뇨제

심혈관계의 적응증이 아니라도 호흡기 증상의 치료에도 이뇨제를 사용할 수 있다. 이뇨제는 폐혈관의 저항을 낮추고 혈관외의 폐의 수분을 감소시킨다. Furosemide 투여는 호흡기 탄성을 증가시키지만 기도 저항이나 산소 요구량을 저하시키지는 못한다. Thiazide와 spironolactone의 병합치료는 칼슘과 칼륨을 감소시키지만 저나트륨혈증을 유발할 수 있다. 1-2주 정도의 이뇨제 투여의 적응증으로는 만성적 호흡기 의존 환자, 100 mL/min 이하의 저농도 산소를 필요로 하는 환자가 곧 퇴원을 계획하는 경우, 급격한 체중 증가 등이 해당된다.

라) 기타

항생제의 사용은 필요한 경우에 한하며 ribavirin같은 항바이러스 제재는 일부에서 사용된다.

마) 호흡부전

여러 가지 원인에 의해 가스 교환이 적절하지 못한 경우로 정의한다. 오랫동안 기도삽관을 하고 있는 경우 상기도 폐쇄가 간과될 수 있다. 후두나 성문하 부종이 의심되면 단기간의 스테로이드가 유효하다.

바) 기계환기요법

만성 폐질환에서 기계환기요법에 대해서는 정확한 기준이 없다. 지속적 혹은 간헐적 음압을 유지하는 것이 일부 권해진다.

사) 산소투여

적절한 산소공급이 중요하다. 산소 포화도가 90% 이상이어야 하며 감시장치가 없는 상태라면 94~96% 정도를 유지해야 한다. 100~1,000 mL/min의 저농도의 산소 공급기가 유용하나 응급상태를 고려하여 backup cylinder와 휴대용 장치가 있어야 한다. 산소측정기를 이용하여 안전하고 안정적인 감시를 하고, 산소포화도에 문제가 있다면 폐혈관 저항이 높아지지 않았는지 심에코를 실시해야 한다. 심장 초음파는 퇴원 직전에 시행하고 산소 공급을 중단할 때까지 3개월 간격으로 시행한다. 병원에 내원하여 평가를 받거나 입원을 고려하는 적응증은 갑자기 흡입한 산소의 농도를 올려야 할 정도로 동맥의 산소 농도가 저하될 때, 비폐색으로 도관이 자주 막힐 때, 저산소증 spell 또는 acute life-threatening event가 있는 경우이다. 산소 공급을 끝내고도 2~3개월은 감시장치가 필요하며 이는 호흡기 바이러스 감염으로 갑작스럽게 악화될 수 있기 때문이다.

호흡기계

사. 예방

산전 스테로이드와 갑상선 분비 호르몬의 투여 및 호흡곤란증후군의 위험이 있는 경우 조기에 폐 계면활성제의 사용으로 미숙아의 단기 생존율은 향상되었다. 학령기의 환자의 상태를 결정하는 것은 급성 폐손상보다는 미숙의 정도에 보다 밀접한 것으로 보인다.

앞으로의 치료로는 계면활성제의 생성을 촉진하는 inositol의 사용이나 free radical에 의한 손상을 막는 항산화제의 투여 등이 고려되어야 할 것이다. *U. urealyticum*의 역할에 관한 연구, 조기의 항염증제의 투여 가능성, 호중구의 작용기전과 역할, 염증을 악화시키는 요인, 유착물질과 사이토카인에 대한 항체와 관련한 연구도 요구된다. 압력손상을 줄일 수 있는 인공호흡기 치료와 적절한 온도 및 습도에 대한 관심도 중요하다.

5. 영아돌연사증후군

특별한 병력이 없고 사후 부검에서 원인을 찾을 수 없는 경우를 영아돌연사증후군(sudden infant death syndrome, SIDS)이라 한다.

ALTE(apparent life-threatening event)는 중심성 또는 폐쇄성 무호흡, 청색증 혹은 창백한 피부색 변화, 축 늘어진 사지, 흡인, 혹은 구역질 등의 임상소견을 보이며 사망직전 보호자에 의해 발견되어 살아나는 사건으로 정의되며, 상기에 언급한 임상적 징후의 조건을 만족하면서 격렬한 자극 혹은 심폐소생술로 살아나는 경우도 포함된다.

무호흡에는 여러 가지 정의가 있는데 이곳에서는 호흡운동과 숨결이 4~20초 동안 자발적으로 멈추는 것을 무호흡 정지(apneic pause), 그리고 20초 이상 지속되는 무호흡 정지를 지속적 무호흡 정지(prolonged apneic pause)라고 정의한다.

가. 역학

1) 빈도

과거에는 영아돌연사증후군이 총 영아 사망률 중 적은 수만을 차지했으나, 최근에는 선진국의 주산기 후 영아 사망률의 주요한 원인 중 하나이다. 미국에서는 연간 약 3,000건에 달한다.

증가하는 이유는 확실하지 않지만, 아동 양육 방법의 변화와 관련이 있다. 예를 들면 네덜란드에서 영아를 엎드려 재우도록 권장한 후부터 영아 돌연사가 증가하기 시작했고, 최근에 엎드려 재우지 않도록 권장한 후부터는 줄어들고 있다. 그리고 영아 돌연사의 빈도는 나라마다 다르고, 같은 나라에서도 인종마다 차이가 있다. 이러한 차이는 사회 경제적 요인 및 유전적 요인과 관련이 있다.

2) 호발 연령과 시간

신생아 시기에는 흔하지 않고, 그 후 2개월에 갑자기 증가하기 시작하여, 3, 4개월에 가장 많이 발생하고 이후로 서서히 감소한다. 전체 영아돌연사증후군 중에서 75%가 2~4개월 사이에 일어나고, 95%가 9개월 이전에 일어난다. 출생 체중 1,500 g 이하의 극소 저출생 저체중아(very low birth weight)에서는 출생 후 개월 수보다는 교정 연령과 더 연관이 있으며, 최대 발생 빈도는 생후 6주 이후에 일어난다.

연중 추운 계절에 잘 일어나고, 북반구에서는 10월부터 4월 사이에 약 95%가 발생했다. 그 이유로는 호흡기 감염과 깊은 관련이 있다. 바이러스 또는 백일해의 유행 지역과 영아돌연사증후군의 유행 지역과 서로 일치하고, 백일해 예방 접종을 시행하고 영아 돌연사로 인한 희생자가 급격히 줄어들었다.

한 주간 안에서는 주말과 휴일에 더 많이 발생하며, 가족만 있을 때 보다 친구나 친척의 방문이 있을 때 더 적게 발생한다.

하루 중에는 밤에 주로 발생하며, 약 60%에서 자정부터 아침사이에 사망한 것으로 추정된다.

3) 위험인자

위험인자 중에는 사회적 요인과 관련이 많은데, 산모 흡연, 인공 수유, 높은 실내 온도, 엎드려 재우기와 부모와 같은 침대를 사용하는 것 등은 조절할 수 있는 위험 인자이다(표 5-4). 산모의 흡연 양과 관계가 있다. 부모가 모두 흡연을 할 경우, 산모가 흡연과 빈혈이 같이 있을 때도 위험도가 증가한다. 흡연이 태아 저산소증을 유발하고 기도의 성장과 발달을 억제하고, 호흡기 감염에 취약하게 만들기 때문으로 추정된다. 모유 수유를 하지 않는 것이 위험인자로서 모유 수유

표 5-4. 영아돌연사증후군의 위험인자

산모 요인들
젊은 나이
다산모
임신 중 흡연
약물 중독
이전 태아의 사망
임신 중 빈혈
낮은 사회 계층
적은 수입
전 임신과의 기간이 짧은 경우
결혼하지 않은 산모
산전 검사를 뒤늦게 한 경우
산후 우울증
정신과 의사와 상담중인 경우
영아 요인들
남아
저체중아
조산아
미숙아
B형 혈액
낮은 Apgar 점수
생후 48시간 혈액 검사에서 낮은 헤마토크리트
엎드려서 자는 경우
높은 실내 온도
인공 수유
청색증의 병력
영아돌연사증후군의 가족력

는 호흡기 감염의 위험을 줄인다.

영아를 너무 둘러싸는 것, 방안 온도를 올려서 영아의 체온을 높이는 것, 부모와 같이 침대를 사용하는 것도 위험인자로 알려져 있다.

엎드려 재우는 것은 미숙아와 호흡기 감염이 있는 영아에게 특히 산소 포화도와 무호흡 발작이 자주 나타나는 경우에 좋은 자세로 추천되고, 위식도 역류를 치료하는 방법으로 권장되었다. 그러나 최근 엎드려 재우는 경우 일부 아이에서 내쉰 이산화탄소를 다시 호흡해서 고이산화탄소혈증과 저산소증에 쉽게 빠지게 된다. 이런 이유로 대부분의 나라에서 엎드려 재우기를 더 이상 권장하지 않고 바로 누워 재우기를 권장하고 난 후 영아돌연사증후군으로 사망하는 아이의 수가 50~70% 감소되었다.

4) 임상적 위험군

그리고 임상적으로 위험한 군으로는, ALTE를 경험한 영아, 영아돌연사증후군으로 사망한 영아를 가진 형제나 쌍둥이, 그리고 재태기간 32주 미만이거나 1500g 미만인 경우의 극소저체중아(very low prematurity) 등이 위험군으로 분류되며 특히 이중 첫번째군이 가장 고위험군에 속한다.

나. 병리 소견

1) 흉곽내 점상 출혈

흉곽내 점막 점상 출혈(intrathoracic petechial hemorrhage)이 폐 표면, 심외막과 흉선에서 대부분 발견된다. 흉곽 내 점상 출혈은 영아돌연사증후군이 시작되는 초기부터 나타나는 것은 아니고 어느 정도 가사가 진행된 후 gasping이 시작된 후에 이차적으로 발생하는 조직 소견이다.

2) 기도와 폐의 혈흔 거품 분비물

영아돌연사증후군의 또 다른 특징적인 소견은 코와 입 주위에 피가 섞인 거품(blood-stained frothy secretions in the airway and lung)이 보이는데, 사망자 중 약 60%에서 관찰되며, 사망 직전의 심한 호흡 운동으로 인한 폐 부종과 폐에 전달되는 혈압이 증가하여 나타난다.

3) 감염

영아돌연사증후군의 과반수 이상에서 상기도 감염이 있다. 인플루엔자 A에 대한 IgM 항체가 발견되지만, 호흡기 감염을 영아돌연사증후군의 직접적인 원인으로 설명하기에는 충분치 않다. 감염은 기도의 호산구 탈과립과 수지상 세포 증식을 일으키고, 기도 상피의 손상과 폐부종을 일으켜서, 결과적으로 기도 폐쇄와 저산소증을 유발시킨다.

4) 저산소증 조직 표식자

영아돌연사증후군이 무호흡이 반복적으로 발작하는 것과 관계가 있기 때문에 만성적인 조직내 저산소증의 형태학적 변화를 찾아본 결과, 부신 주위에 갈색 지방이 침착되고, 뇌간에 gliosis, 폐 신경내분비 세포의 증식과 폐동맥과 기도의 벽이 두꺼워지는 것을 발견하였다. 이러한 소견은 영아돌연사증후군에 특이 표식자는 아니지만, 이러한 조직 변화로 미루어 영아돌연사증후군이 그냥 갑작스럽게 죽는 것이 아니라는 것을 시사한다. 영아돌연사증후군으로 사망한 경우에 유리액(vitreous humor)내에서 4~5시간 이상의 조직 저산소증(hypoxic tissue markers)이 지속될 때 나타나는 hypoxanthine의 수치가 증가한다.

5) 폐내 단락

영아돌연사증후군 희생자에서 폐내 단락이 있어 지속적인 조직 저산소증을 초래한다.

6) 비정상적인 계면활성제

영아돌연사증후군에서 전반적인 무기폐 소견이 발견되지 않고, phospholipid와 dipalmitoylphosphatidylcholine이 차이가 없어, 앞으로 더 연구가 필요하다.

이상 영아돌연사증후군에서 병리 소견을 요약해보면, 호흡기 감염이 영아돌연사증후군의 방아쇠 인자로서 중요한 역할을 하고, 대부분의 영아돌연사증후군 희생자에서 죽기 전 얼마동안 조직 저산소증이 나타나고, 폐내 기도와 혈관의 반응성이 증가하고, 마지막 단계에서 상당히 큰 폐내 압력 변화가 발생한다. 그러나 이러한 폐내 압력 변화가 상기도 폐쇄와 하부기도 폐쇄 또는 가사의 껄떡거리는 호흡(asphyxic gasping)을 직접적으로 일으키는 지는 정확하지 않다.

다. 병태생리

영아돌연사증후군으로 사망할 가능성이 있는 위험군에서 사망당시에 일어나는 생리학적 변화는 다음과 같다.

1) SIDS로 희생된 영아에서 희생되기 전 기록된 자료

위험군 영아를 대상으로 조사한 결과, 심전도 소견상 사망한 경우에서 심박동수가 빠른 것 외에는 무호흡발작, 심부정맥, 조기박동, QT 간격 연장 등은 나타나지 않았다.

호흡 양상과 중심성 혹은 폐쇄성 무호흡에 대한 연구에서도 호흡 운동의 이상이 없었다. 이상으로 미루어 일반적인 심전도와 단순 호흡 운동을 관찰하는 것으로는 영아돌연사증후군을 예측하기가 어렵다는 것을 시사한다.

전체 심박수 변이성(overall heart rate variability) 분석에서 호흡관련 동성 부정맥(sinus arrhythmia)의 범위가 수면-각성 상태에서 영아돌연사증후군에서 낮고, 심박동수 변이성(variability)이 각성 기간과 빠른 안구 운동(rapid eye movement) 수면 동안에 더 감소하였다. 그러나 숙면(quiet sleep)동안에는 차이가 없었다. 최근에 beat-to-beat 심박동수 변이성의 역동적 분석(dynamic analysis)에서 모든 수면 각성 상태에서

박동간 간격의 분산(dispersion)이 줄어드는 것이 알려졌다. 이러한 결과는 교감신경의 증가 혹은 미주신경의 감소, 혹은 이 두 신경 사이의 상호 관계로 인하여 발생하는 자율 신경계 제어에 이상이 있음을 시사하지만, 이러한 이상소견이 활력 기능의 유지에 어떻게 영향을 미치는지에 대해서는 아직 명확하지 않다.

수면 상태 구성을 보면 영아돌연사증후군에서 이른 아침에 덜 깨고 더 자는 경향이 있었고, REM 수면 중에 몸 움직임이 더 적었다.

야간 임피던스 폐측정(impedance pneumography)상 영아돌연사증후군인 경우에 심박동수가 더 높고, 숙면(quiet sleep)동안 주기호흡이 많고, 서맥이 자주 나타났다.

수면다원검사(polygraphic sleep study)에서 2초 이상 폐쇄성 호흡을 보이는 경우가 많았고, 수면 중 몸 움직임이 적었으며, 위식도 역류가 심했다.

2) ALTE 병력이 있는 영아에서 기록되는 자료들

가) 무호흡

ALTE를 경험한 미숙아에서 후두 화학반사(chemoreflex)의 자극에 의하여 능동적인 후두 닫힘이 관찰되는 것으로 미루어 보아 원인은 모르지만 갑작스런 상부 기도 폐쇄가 무호흡의 중요한 원인으로 추정된다.

나) 수면 중 각성 장애

영아돌연사증후군에서는 수면중 잘 움직이지 않거나 자극에 대하여 각성장애를 보이는 경우가 많은데 그 결과 수면중 간헐적으로 유발되는 저산소증이나 고이산화탄소증에 대해 적절히 반응하지 못한다는 가설이 제기되고 있다.

다) 환기 관류 불일치와 소기도 폐쇄

지속적인 환기가 일어남에도 불구하고 갑작스런 저산소증이 발생하는 점과 상기도의 환기가 잘 됨에도

표 5-5. ALTE 로 나타날 수 있는 질환들

호흡기 질환들
  세기관지염
  폐렴
  백일해
  기관식도루
  흡인
  후두연하증, 기도연하증
  Pierre Robin 증후군
신경 질환들
  뇌막염
  간질성 경련
  선천성 중심성 저환기증(Ondine's curse 증후군)
  척추 근위축증(Werdnig-Hoffmann)
  과놀람증(hyperekplexia, startle disease)
  Joubert 증후군
  Arnold Chiari 기형
  근병증(myopathies)
심혈관 질환들
  long-QT 증후군
  부정맥
  대동맥 협착증
  혈관륜(vascular ring)
위장관 질환들
  위식도 역류
  위장염에 의한 독성 쇼크 증후군
  Reye 증후군
대사 질환들
  Medium-chain acyl-CoA 부족증
  Biotinidase 부족증
  Ornithine transcarbamylase 부족증(OTCD)
  Glutaric aciduria II형
  전신성 carnitine 부족증
기타 질환들
  청색증을 동반하는 호흡 정지 발작
  빈혈
  의도적인 질식
  Munchausen syndrome by proxy

ALTE: apparent life-threatening event

불구하고 소기도의 기류가 없다는 점 등의 이유로 갑

표 5-6. 병력 청취 및 검사

질문 사항	이유
병력	
ALTE에 대해서	
피부 색 (창백/새파래짐/회색빛)	중증도 평가와 더 이상의 처치가 필요한지를 평가하기 위하여
기간 (몇 분 몇 초)	
의식 상태 (깨어있는지/졸린 상태/무의식)	
끝나는 양상 (자연적으로/가볍게 또는 거센 자극을 받고 /심폐소생술로)	
완전히 회복된 시간 (몇 시간 몇 분 몇 초)	
ALTE 바로 전 상황	
쇼크, 두려움, 분노	호흡 정지 발작
갑작스런 소리에 이은 놀람 반응	과 놀람증
기침, 사래, 구토	흡인, 기관식도루
	후두 화학반사 유발성 무호흡
수유 중	위식도 역류
눈이 돌아감, 비정상적인 혀와 입의 움직임, jerky 움직임	간질
진전(tremor), 흥건한 땀	저혈당증, 저칼슘증
ALTE 수 일 ~ 수 시간 전	
고열, 한기, 설사	감염
비정상적인 졸림 또는 보챔	뇌수막염, Reye 증후군
코골음	폐쇄성 수면 무호흡
천음(stridor)	후두 연하증, 기도 연하증
천명	세기관지염
경련, 눈 돌아감, 응시(staring)	간질성 경련
수 시간 동안 금식	Medium-chain acyl-CoA 결핍증
울 때나 먹을 때 나타나는 청색증	기관지폐 이형성증, 세기관지염, 심장 기형
ALTE 수 주 ~ 수 개월 전	
동일한 사람이 있을 때만 비슷한 증상이 나타남	Munchhausen 증후군 by proxy, 고의적인 질식
자발적 운동 활동성이 점차로 감소	척추 근육 위축증, 근병증
진한 땀	자율 신경 조절 장애
백일해, RSV 유행지역	백일해, 세기관지염
형제에서 영아돌연사/ALTE	유전성 질환(대사이상 질환, long-QT 증후군, 놀람 질환(startle disease), 보호자로 유발되는 사건
신체 검사에서 발견되는 특이 소견	
창백	빈혈
천음	후두 연하증, 기도 연하증, 혈관륜
Micrognathia	Pierre Robin 증후군
수유 중 기침	기도식도루
천명, 호흡 곤란	세기관지염, 폐렴
저명한 제 2 심음	잠재성 저산소증, 폐정맥혈의 증가

〈다음 페이지에 계속〉

질문 사항	이유
심장 잡음	대동맥 폐쇄증
근육 저긴장, 척추 반사 없음	척추 근육 위축증
흉벽 함몰	상부 기도 저항의 증가
특이 검사실 검사	
동맥 또는 모세혈관 혈액 가스 분석	중등도 평가, 대사 이상 질환, 저산소증/허혈성 사건
CBC with differential	빈혈, 감염
C-반응 단백/혈액 침강 속도(ESR)	감염
혈당	저혈당증, 대사 질환
칼슘, 마그네슘	저칼슘증, 저마그네슘증
비즙 도말	백일해, RSV, 아데노바이러스
소변에서 유기산(organic acid) 검사	Medium-chain acyl-CoA 결핍증
암모니아	OTCD 보균자, 글루타민 요산증, carnitine 결핍증
더 정밀한 검사	
심전도	Long-QT 증후군
흉부사진	흡인, 폐렴, 심혈관 기형, 기관지폐이형성증
뇌파 검사	간질
뇌초음파/컴퓨터 단층촬영	뇌출혈, 뇌간기형
수면 검사	기본 저산소증, 저환기증, 간질
가정 기록(home event recording)	

작스런 폐내 우좌 단락을 주요한 원인으로 생각할 수 있다. 폐내 우좌 단락은 하부기도 폐쇄 또는 무기폐에 의해서 발생할 수 있는데, 이러한 무기폐와 하부기도 폐쇄는 유아에서보다는 영아에서 더 잘 생기고, 계면 활성제의 부족이나 비정상적인 기능으로 생길 수도 있다.

라) 위식도 역류

무호흡과 청색증이 있을 때 식도의 산도(pH)가 떨어지는 경우가 있지만, 아직까지 ALTE와 위식도 역류 사이에 일치하는 관계를 보여주지 못하고 있다.

라. 예방

1) 치료 원칙

바로 누워재우기, 모유수유, 부모의 금연, 침대 따로 사용하기와 고위험군 영아를 찾아내어, 이에 맞는 적절한 예방 대책을 세우는 것이 중요하다.

2) 영아돌연사증후군의 고위험군 영아에 대한 임상 치료

표 5-5는 ALTE로 나타날 수 있는 진환들이며, ALTE에 대한 병력을 청취할 때나 진단하기 위해 고려해야 할 것들을 표 5-6에 정리하였다.

ALTE를 가진 영아를 위해 가정에서 적절한 감시(monitor)를 하는 것이 매우 중요하다.

ALTE가 일어난 경우 48시간 이내에 같은 호흡정지가 일어날 가능성이 아주 높기 때문에 이 기간 동안에는 입원해야 한다. 경보(alarm) 기능이 있는 호흡 운동 감시장치와 심전도, 경피 산소 포화도 측정기를 설치한다.

진단을 위하여 혈액 검사, 흉부 X선, 동맥혈 가스 분석, C-반응 단백, 혈액 침강 속도, 혈당, 칼슘, 마그네슘, 암모니아, 비즙 도말 검사, 소변에서 유기산을 검사하고, 안구움직임 검사(electrooculogram), 뇌파검사를 시행하고, 뇌 초음파, CT 촬영, 수면 검사 및 다중 수면 검사(polysomnogram)를 한다.

ALTE를 경험한 영아인 경우 마지막 무호흡이 있은 후 3개월까지는 적절한 감시가 필요하다. 영아돌연사증후군 형제나 쌍둥이가 있거나, 미숙아인 경우 교정연령 9개월까지 감시가 필요하며, 산소를 사용한 경우 중단 후 2개월까지는 감시가 필요하다.

영아돌연사증후군에 대한 정확한 작용 기전은 아직 밝혀지지 않았다. 그러나 호흡 조절 중추에 문제가 있기보다는 환기와 관류 사이에 불일치(mismatching)가 가능성이 있는 병리기전이다. ALTE가 있는 영아에서 사망으로 가는 동안 원발성 무호흡이 없었고 산소 포화도에 이상이 있다는 것이 그 가능성을 시사한다. 그럼에도 불구하고, 각성 반응이 둔화되어있는 것과 헐떡거리는 숨(gasping)을 통해서 스스로 소생하지 못하는 것을 보면, 중추 신경계의 이상도 의심할 수 있다.

아직 영아돌연사증후군의 병태 생리 기전을 잘 모르는 만큼 위험 인자를 피하는 예방이 매우 중요하다.

참고문헌

1. Northway WH Jr, Rosan RC, Porter DY. Pulmonary disease following respiratory therapyof hyaline membrane disease: bronchopulmonary dysplasia. N Engl J Med 1967;276:357-68.

2. Shennan AT, Dunn MS, Ohlsson A, Lennox K, Hoskins EM. Abnormal pulmonary outcomes in premature infants: prediction from oxygen requirement in the neonatal period. Pediatrics 1988;82:527-32.

3. Kraybill EN, Runyan DK, Bose CL, Khan JH. Risk factors for chronic lung disease in infants with birth weights of 751-1000 grams. J Pediatr 1989;115:115-20.

4. Weese-Mayer DE, Morrow AS, Conway LP, Brouillette RT, Silverstri JM. Assessing clinical significance of apnea exceeding fifteen seconds with event recording. J Pediar 1990;117:568-74.

5. Santiago R, Reyes DL, Robert W. Adult respiratory distress syndrome. In: Bettina C. Hilman. Pediatric Respiratory Disease: Diagnosis and Treatment. Philadelphia: Saunders, 1993:418-29.

6. Gregory JR. Pulmonary hypertension. In: Gerard M. Loughlin, Howard Eigen, editors. Respiratory Disease in Children: Diagnosis and Management. Baltimore : Williams & Wilkins, 1994:639-69.

7. Gonzalez A, Sosenko IR Chandar J, Hummler H, Claure N, Bancalari E. Influence of infection on patent ductus arteriosus and chronic lung disease in premature infant weighing 1000 grams or less. J Pediatrics 1996;128:470-8.

8. Chernick V, Boat TF, Kendig EL. Kendig's Disorders of the respiratory tract in children. 6th ed. Philadelphia: W.B. Saunders, 1998.

9. Eduardo B, Margarita B. Respiratory disorders of the newborn. In: Taussig LM, Landau LI, editors. Pediatric Respiratory Medicine. St. Louis: Mosby, 1999:464-88.

10. Taussig LM, Landau LI. Pediatric Respiratory Medicine. St. Louis: Mosby, 1999.

11. Barbara J, Stoll and Robert MK. Respiratory tract disorders: The fetus and neonatal infant. In: Richard E. Behrman, Robert M. Kliegman, Hal B. Jenson. Nelson textbook of Pediatrics. 17th ed. Philadelphia: Saunders, 2003:573-88.

제6장

감염성 호흡기질환

1. 급성 비인두염

소아에서 가장 흔한 질병으로 콧물과 비폐색을 주 증상으로 하는 바이러스 감염성 질환이다. 감기는 넓은 의미로 '상기도염' 이라고도 하지만 정확하게는 비강(코)과 인두(목)에 염증이 생겨서 기침, 콧물, 발열, 인두통을 동반하는 급성 비인두염을 감기라고 한다. 감기 환자에서는 근육통과 발열 같은 전신 증상 및 징후는 없거나 경미하다.

가. 원인 및 역학

원인은 대부분 바이러스이며 그 중 rhinovirus가 가장 흔한 원인이다. 그 외 지금까지 알려진 바이러스는 약 200종 이상으로 다양하여 한 번 감기를 앓고 난 후에도 또 다른 바이러스에 의해 재차 감염될 수 있다.

감기는 1년 내내 발병하지만 초가을부터 늦봄까지 가장 잘 발생한다. 어린 소아는 1년에 6회 내지 7회 정도 앓게 되나 10~15%에서는 12회 정도 앓을 수도 있다. 발병빈도는 나이가 어릴수록 가족내, 놀이방이나 유치원 등에서 빈번하게 발병한다. 그러나 연령이 증가할수록 빈도는 감소하여 청소년기에는 1년에 2~3회 정도로 줄어든다.

바이러스는 직접 접촉이나 공기 입자에 의하여 전달되어 감기를 일으키는데, rhinovirus나 RSV는 직접 접촉, influenza 바이러스는 작은 공기 입자에 의한 전파가 더 쉽게 일어난다.

호흡기 바이러스들에 의한 반복 감염이 생기는 것은 바이러스마다 많은 종류의 서로 다른 혈청형이 존재하기 때문이다. 즉, influenza 바이러스는 바이러스 표면의 항원성을 변화시키는 능력을 지니고 있어 여러 개의 혈청형을 가진 것과 유사한 특성을 지닌다.

비강 상피 세포의 influenza 바이러스와 adenovirus 감염 때에는 상피 세포의 배열 파괴가 뚜렷하나 rhinovirus와 RSV, coronavirus 229E 감염의 경우에는 상피세포의 파괴는 뚜렷치 않다. 그러나 비강 상피 세포가 감염되면 세포 손상과 상관없이 다양한 종류의 염증성 사이토카인들과 염증 세포들이 비점막내 침착이 된다.

나. 증상

증상은 바이러스 감염 후 1~3일 후에 시작된다. 첫 증상은 인두 자극 증상으로 시작되고 비폐색과 콧물 등이 동반된다. 인두 자극 증상은 곧 소실되며 발병 2일과 3일째에는 코 증상이 가장 뚜렷하다. 기침은 감기 환자의 30% 정도에서 관찰되며 대개 코 증상이 생긴 후 시작된다. 열과 근육통, 두통, 전신쇠약, 식욕감퇴 등의 전신 증세는 influenza 바이러스, RSV, adenovirus감염에서 더 자주 동반되나 rhinovirus 또는 coronavirus의 경우에는 드물다. 대부분의 감기는 약 1주일 정도 지속되나 약 10% 정도에서는 2주 까지 지속되기도 한다.

감기의 진찰 소견은 상기도에 국한된 것으로 비 분비물의 증가가 관찰되며 분비물의 색이나 점도가 병의 경과 중에 바뀔 수 있으며 이러한 경우에는 부비동염과 세균의 중복감염과의 감별이 요구된다. 비강 관찰 시 부종, 부비갑개의 홍조 소견이 비특이적으로 나타난다.

다. 진단

감별 진단이 가장 중요하다. 알레르기성 비염은 가려움과 재채기가 빈번하고 비강내 호산구 증가 소견이 있을 수 있다. 비강내 이물질은 편측의 냄새가 고약한 분비물 또는 혈성 비 분비물 등으로 감별 진단할 수 있다. 부비동염은 두통, 안면통, 안구 주위의 부종, 콧물 또는 기침이 10~14일 이상 지속되는 점 등으로 감별할 수 있다. 연쇄구균에 의한 비인두염은 바이러스에 의한 비인두염보다 발열, 인두통 등 증상이 더 심하며 백일해는 지속적인 발작성 기침이 있고 선천성 매독의 경우는 생후 3개월 이내에 시작된 지속적인 콧물과 비폐색 등이 있어 감별될 수 있다.

라. 검사실 소견

일반적 검사들은 감기를 진단하고 치료하는데 별 도움이 되지 못한다. 감기의 병원체 바이러스는 배양, 항원 검출과 혈청학적인 방법 등으로 검출될 수는 있으나 항바이러스제 치료가 가능할 경우에만 특정 바이러스 병원체의 검출이 의미가 있기 때문에 일반적으로 시행되지 않는다. 또한 세균 배양이나 항원 검출은 오로지 group A streptococcus, Bordetella pertussis와 nasal diphtheria가 의심될 경우에만 유용하다.

마. 치료

급성 비인두염 치료는 대증요법이 원칙이다.

1) 항바이러스제

리바비린(ribavirin)은 감기의 치료에는 효과가 없다. Oseltamivir와 zanamivir는 neuramidase 억제제로서 소아에서의 influenza 바이러스 감염시 증상 기간을 줄이는데 효과가 있으며, 증상 시작 48시간 이내에 투여하여야 효과가 좋다. Rhinovirus의 치료제인 pleconaril 등 새로운 항바이러스제를 감기의 치료에 사용하는데에는 논란의 여지가 있다. 항생제 치료는 감기에 의한 2차성 세균감염 합병증 외에는 치료 효과가 없다.

2) 대증 치료

합병증이 없는 감기에서 발열은 심하지 않기 때문에 해열제 치료는 일반적으로 적용되지 않는다. 비폐색을 감소시키기 위하여 혈관수축제인 국소용 아드레날린성 제제 xylometazoline, oxymetazoline과 phenylephrine 등을 사용하기도 하는데 일주일 이상 사용하면 약물성 비염을 일으킬 수 있고, 약물 중단 후 반동 작용으로 비폐색의 느낌이 심해질 수 있으므로 주의해야한다. 경구용 아드레날린성 제제는 국소용 제제에 비해 그 효과가 적고 중추 신경계 자극 증상인 고혈압, 심계 항진 등이 있을 수 있다.

1세대 항히스타민제는 콧물을 줄이는데 효과가 있으나 이는 항히스타민 보다는 항콜린 효과에 의한다. 따라서 2세대 항히스타민제는 코감기 증상 완화에는 효과가 적다. 그러므로 콧물이 심하면 국소용 항콜린제인 ipratropium bromide를 사용할 수 있고, 졸림이 없는 장점이 있으나 부작용으로 비 자극 증상과 비 출혈이 있을 수 있다.

인두통이 근육통이나 두통과 동반된 경우에는 약한 진통제로 치료할 수 있다. 소아에서 아스피린은 Reye 증후군의 위험을 증가시키므로 사용해서는 안 된다.

기침 억제는 초기 감기 치료에서는 필요하지 않지만, 후비루나 바이러스 유발성 반응성 기도 질환으로 수일 내지 수주 후 까지 기침이 지속되면 기관지확장제 투여가 필요할 수 있다. 그러나, 코데인이나 진해거담제는 감기 치료에는 효과가 적다.

가장 흔한 합병증은 중이염으로서 감기환자의 5~30%에서 발생한다. 대증적 치료는 급성 중이염 발병 예방에는 효과가 없으나 influenza 감염이 있는 환자에서 oseltamivir로 치료하면 중이염의 빈도가 19%에서 9%로 감소할 수 있다.

부비동염도 비교적 흔히 생기는 합병증으로서 자연치유되는 경우가 흔하지만, 5~13%에서는 급성 세균성 부비동염이 합병될 수 있다. 즉, 콧물이나 주간 기침이 10~14일간 지속될 경우나 발열, 안면통, 안면 부종 같은 심한 부비동염의 증상이 있는 경우에는 세균성 부비동염의 가능성을 의심해야 한다. 또한 rhinovirus에 의한 상기도 감염은 천식을 악화시키기도 한다.

바. 예방

일반적으로 비인두염에 대한 예방요법은 없다. Influenza에 대한 예방접종이나 약물투여는 influenza에 의한 감기의 예방에는 효과가 있으나 influenza감염이 전체 감기 환자에서 차지하는 비율은 매우 낮다. 감기예방에 비타민 C의 뚜렷한 효과는 없다. 부적절한 항생제 남용은 오히려 세균의 항생제에 대한 내성을 증가시킬 수 있기 때문에 주의해야 한다.

2. 인두염

가. 원인 및 역학

인두염은 다양한 병원체에 의해서 발생하는데 adenovirus와 group A *β-hemolytic streptococcus*가 가장 중요한 원인이다. 그 외에 group C *streptococcus*, *Arcanobacterium haemolyticum*, *Francisella tularensis*, *Mycoplasma pneumoniae*, *Neisseria gonorrhea*, *Corynebacterium diphtheriae* 등이 있다. 그러나 *Haemophilus influenzae*, *Streptococcus pneumoniae* 같은 세균은 인두에 정상적으로 존재하기 때문에 인두염 환자에서 배양 검출되어도 인두염의 원인균으로 보기 어렵다.

바이러스성 인두염은 영유아에서 잘 발생되고 연쇄구균과 같은 세균성 인두염은 2~3세 이후에 빈번하다. 감염은 형제간이나 급우들에서 잘 일어나고, group C *streptococcus*와 *A. haemolyticum*에 의한 인두염은 청소년과 성인에서 잘 발생한다.

나. 증상

연쇄 구균 인두염은 인두통과 발열을 주 증상으로 하며 빠르게 발생하는데, 두통과 소화기계 증상도 흔히 동반된다. 인두는 빨갛고, 편도는 부어 있으며 전형적인 노랗고, 혈액이 착색된 삼출물로 관찰된다. 연구개와 후인두 쪽으로는 점상 출혈 또는 도넛 모양의 병변이 관찰되며 목젖은 빨갛고 점상으로 부어있는 소견을 보인다. 전방 경부 림프절은 커져 있고 통증을 호소한다. 성홍열과 유사하게 입 주위가 창백하게 보이기도 하며 딸기혀, 미만성의 선홍색 작은 구진이 나타나며, 햇볕에 타고 소름이 끼친 것 같은 피부소견을 보이기도 한다(sunburn with goose pimples).

바이러스성 인두염은 연쇄구균 인두염과는 달리 서서히 발생되며 콧물, 기침, 설사 같은 증상들을 함께 보인다. Adenovirus 인두염은 결막염과 발열의 양상을 함께 나타내기도 한다(pharyngoconjunctival fever). Coxsackievirus 인두염은 작은(1~2 mm) 회색빛의 수포와 후방 인두쪽으로 punched-out 양상의 궤양을 형성하거나(포진성 구협염, herpangina), 후방 인두쪽으로 노란빛을 띠는 흰색의 작은(3~6 mm) 결절 등이 관찰되기도 한다(acute lympho-nodular pharyngitis).

그 외 Epstein-Barr virus(EBV) 인두염에서는 삼출액과 편도의 크기가 매우 커지며, 경부 림프절염, 간비종대, 발진, 전반적인 피로 등이 전염성 단핵구 증후군 양상으로 나타나기도 한다. Herpes simplex 초회 감염에는 고열과 더불어 치은 구내염(gingivostomatitis) 양상을 보인다.

다. 진단

진단의 주목적은 group A *β-hemolytic streptococcus*의 감염을 알아내 조기에 항생제 치료를 하여 후기에 발생할 수 있는 비화농성 합병증을 예방하는 것이다. 인두 배양은 연쇄 구균 인두염을 진단하는데 있어 기본이 되는 검사이다. 위양성이 있을 수 있으며, 위음성은 부적절한 검체 채취, 항생제를 사용한 경우 등의 다양한 원인에 의한다. 항원 검출법은 신속하고 특이도가 높아 양성으로 나왔을 경우에는 인두 배양 필요 없이 적절한 치료를 할 수 있다. 항원 검출법은 배양에 비해 민감도는 떨어진다. 그러므로 항원 검출법이 음성으로 나왔더라도 연쇄구균 감염이 강력히 의심되면 인두 배양을 시도해야 한다.

일반 혈액 검사에서 비정형 림프구와 양성 slide agglutination (또는 "spot") 소견을 보일 경우에는 EBV 전염성 단핵구증을 진단할 수 있다.

라. 치료

치료는 원인에 따라 달라진다. 연쇄구균 감염은 수일 내에 저절로 좋아지는 경우도 있지만 조기에 항생제 치료를 할 경우 12~24시간 이내에 임상적 회복을 앞당길 수 있다. 적절한 항생제 치료는 급성 류마티스열을 예방할 수 있다.

배양 결과 없이도 신속하게 항생제 치료를 해야 하는 경우로는 인두염의 임상 증상이 있으면서 ① 항원 검출법에서 양성 소견을 보인 경우, ② 임상적으로 성홍열로 진단된 경우, ③ 가족 내 연구균 인두염으로 규명된 환자와의 접촉, ④ 급성 류마티스열의 과거력이 있는 경우, ⑤ 가족 내에 최근에 급성 류마티스열 환자가 있었던 경우 등이 있다.

페니실린은 group A *β-hemolytic streptococcus*에 효과적인 항생제로서 10일간 일회당 소아 250 mg 청소년 750 mg 정도로 하루 2~3회 투여한다 아목시실린을 경구로 일일 1회 750 mg씩 10일간 투여하거나 25 mg/kg 용량으로 하루 2회 6일간 투여하여도 효과는 유사하다. Benzathine 페니실린을 27 kg 미만의 소아에서는 60만 U, 27 kg 이상의 소아와 성인에서는 120만 U 주사하거나 benzathine-procaine 페니실린 복합체를 1회 근육 주사하는 것은 통증이 있기는 하나 재발을 방지하는데 더욱 효과적이며, 순응도가 낮은 환자에서 사용할 수 있다. β-lactam계 항생제에 대한 과민반응이 있는 환자에서는 erythromycin (erythromycin ethyl-succinate 40 mg/kg/일, 10일간 3~4회 분복; erythromycin estolate 20~40 mg/kg/일, 10일간 2~4회 분복)을 사용할 수 있다. 경구용이나 근육용 페니실린을 투여 받은 환자들의 경우에 치료 후에도 배양에서 양성으로 남아 있는 경우가 있다. 치료 후 group A *β-hemolytic streptococcus* 제거율을 기준으로 하면 1세대 cephalosporin 계열의 약물이 페니실린 보다 더 효과가 좋다. Azithromycin 같은 새로운 약제들은 하루 한 번 투여로 간단하고 치료 기간이 짧아 순응도를 증가시키는 장점이 있으나 작용시간이 길어 내성균에 대한 염려도 있다. 증상이 재발하지 않는 한 치료 후 재배양은 필요하지 않다. 일부 환자에서는 인두내 group A *β-hemolytic streptococcus*가 남아 있어 연구균 보균자가 되는데 이 경우에는 clindamycin으로 20 mg/kg/day로 하루 3회 10일간 경구 투여한다.

바이러스 인두염의 경우에는 특별한 치료가 필요 없다. 대증 치료는 원인에 무관하게 중요한 부분으로 경구용 해열제 또는 진통제는 발열과 인두통을 경감시킨다. 따뜻한 소금물로 양치를 해주는 것도 도움이 되며 마취제 분무나 benzocaine, phenol, menthol 같은 것을 함유한 정제 투여는 인두의 국소 통증을 완화시켜 줄 수 있다.

3. 편도와 아데노이드

　호흡기는 그 입구가 잘 발달된 림프 조직(Waldeyer ring)으로 둘러싸여 있다. 구강과 비강의 입구에는 편도(palatine tonsil)와 아데노이드(pharyngeal tonsil)가, 이관(eustachian tube) 입구, 혀 뒷부분(lingual tonsil)과 인두 후벽(posterior pharyngeal wall)과 후구개궁(posterior pharyngeal pillars)으로 구성되어있다.

가. 기능

　Waldeyer ring을 구성하고 있는 림프 조직의 림프 세포의 2/3는 B 세포이고 나머지는 T 세포와 형질세포(plasma cell)로 구성되어 있다. 주로 분비성 면역 글로불린(secretory immunoglobulin)을 생산하여 분비 면역(secretory immunity)을 주도하여 호흡기에서의 1차 방어 역할을 담당하고 있다. 그러나 편도와 아데노이드를 절제하였다고 면역학적인 기능에 큰 변화는 없는 것으로 알려져 있다.

　편도와 아데노이드는 림프 조직의 일부이고 출생 때부터 존재하지만, 4~10세에 가장 활발하여 크기도 많이 증가한다. 그러나, 다른 면역계통의 기능이 강화되면서 사춘기부터 활동이 감소되고 크기도 상대적으로 서서히 작아진다. 따라서 유년기의 편도 비대가 감염에 의한 경우인지 또는 단순한 성장 과정에서 나타나는 비대인지를 감별해 주는 것이 필요하고, 또 절제 수술을 권해야 할 것인지를 결정해 주어야 한다(그림 6-1).

나. 병리

　건강상의 문제를 일으키는 경우는 우선 급·만성 감염이고, 기도 폐쇄에 의한 증상과 드물지만 종양을

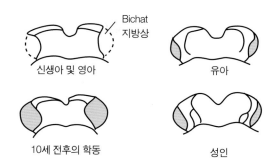

그림 6-1. 연령에 따르는 편도의 크기

열거할 수 있다.

1) 감염

　우선 가장 흔한 문제는 감염이다. 대부분 급성으로 반복하여 감염되는 경우지만, 만성적인 임상 경과를 거치는 경우도 적지 않다. 주로 연구균(group A β-hemolytic streptococcus)에 의한 감염이지만, 다른 종류의 연구균, 인플루엔자균(Haemophilus influenzae), 포도구균, 그람 음성균(gram negative organism)과 드물게는 임균(Neisseria gonorrhoeae)과 디프테리아균에 감염되기도 한다.

2) 기도 폐쇄

　흔히 상기도 폐쇄를 유발하여 코골음(snoring) 등과 같은 다양한 증상을 일으킨다. 특히, 수면과 관련된 호흡 장애(sleep disordered breathing)로 폐쇄성 수면 무호흡증(obstructive sleep apnea/hypoventilation : OSA/H) 또는 상기도 저항증(upper airway resistance syndrome)을 일으킨다.

3) 종양

　빠른 속도로 크기가 커지면 종양을 생각해 보아야 한다. 소아에게는 림프종이 대표적인 종양이다.

다. 증상

편도 또는 아데노이드의 비대 정도에 따라 증상은 서로 다르게 나타나지만(그림 6-2), 이 두 조직의 질환은 대부분 함께 나타나기 때문에 증상들도 함께 나타나는 경우가 많다. 특히, 아데노이드의 비대는 비인두를 거의 다 차지하고 있어 코를 통한 호흡을 방해할 뿐만 아니라 이관(eustachian tube)을 막고 비점액의 배출을 방해하여 중이염과 부비동염의 빈번한 재발을 초래한다.

대표적인 증상은 폐쇄에 의한 증상과 염증에 의한 증상으로 구별된다. 폐쇄에 의한 증상으로는 구강호흡(mouth breathing)으로 입 안이 건조해지고 목에 자극감을 느낀다. 그 외에 코골이와 수면 장애 등을 보일 수 있으며, 드물게 호흡 곤란, 저산소증, 폐동맥 고혈압, 폐성심 등이 나타날 수도 있다. 염증에 의한 증상으로는 재발성 또는 지속성 인두통, 전구개궁(anterior pillars)의 발적, 경부 림프절 비대, 피로감, 식욕저하, 체중 감소 등을 호소하기도 한다.

라. 치료

원인균에 적합한 항생제로 치료한다. β-lactamase를 생산하는 균이 페니실린을 불활성화하는 기능이 있어 cephalosporin 또는 clindamycin을 만성 감염에서 고려할 수 있다.

1) 편도 절제술

편도 절제술의 절대적 적응증은 종양 감별이 필요하거나 심한 수면 무호흡증(sleep apnea) 또는 폐색으로 인한 호흡 장애와 연하 장애가 동반된 경우로 국한하고 있다.

소아에서는 종양을 감별하기 위한 조직 검사를 위해 편도 절제술을 하는 경우는 매우 드물고, 거의 대부분 잦은 감염과 폐쇄 증상을 해결하기 위해 시행하고 있다.

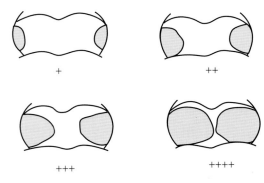

그림 6-2. 편도 크기의 정도

1년에 7회 이상 인두염으로 항생제 치료를 받았거나 2년간 연속 5회 이상, 또는 3년간 연속 3회 이상 치료를 받았다면 상대적 편도 절제술을 고려해 볼 대상이 된다. 그러나 잦은 감염을 줄이기 위해서 절제술을 시행하면 일시적으로 감염이 줄어들기는 하지만, 이러한 현상은 수술하지 않고 철저한 구강 위생 관리만을 해 주었을 때와 별다른 차이를 보이지 않아 논란의 대상이 되고 있다. 더욱이 감염이 있다고 편도 비대가 항상 나타나는 것은 아니고 만성인 경우에는 오히려 작아지기도 하기 때문에 크기로만 감염의 여부를 결정해서는 안 된다. 그리고 편도의 면봉 세균배양 검사, 치즈와 같은 삼출물 등도 만성 감염 여부를 확인하는 데 별 도움이 되지 않고, 이보다는 전구개궁(anterior pillars)의 지속적인 발적과 경부 림프절 비대가 만성 염증의 더 좋은 증거가 된다.

편도 주위의 농양과 같은 경우는 편도 절제술이 필요하지만 수술 전 항생제 치료와 배농을 우선적으로 하여 수술 후의 합병증을 줄이도록 해야 한다.

수술 후 인두통은 평균 5일 정도 지속되며 귀의 통증과 구강 악취가 흔하다. 경미한 출혈, 인후염 또는 마취 합병증이 10% 정도에서 발생할 수 있고, 수술로 상기도 폐색이 풀리면서 폐부종이 오는 경우도 있으므로 주의가 필요하며, 이러한 경우 호흡부전에 대한 치료가 준비되어 있어야 한다.

2) 아데노이드 절제술

잦은 비염과 폐쇄 증상을 치료하기 위해 시행하는 경우가 대부분이다. 약물 치료에도 해결되지 않는 부비동염과 중이염이 동반되었거나 기도 폐색 증상이 심하던지 또는 폐색으로 발생하는 얼굴 기형(craniofacial or occulusive developmental abnormality)이 생기면 수술을 고려해 보아야 한다.

3) 편도/아데노이드 동시 절제술

이 시술의 적응증은 일반적으로 편도 절제술과 같고 폐색에 의한 증상이 있을 경우이다.

마. 합병증

감염에 의한 2차적인 질환과 주위 조직으로의 파급 또는 기도 폐색에 의한 문제와 절제술과 관련된 합병증 등이 있다.

1) 2차적인 문제점

대표적인 질환으로는 연구균 감염 후 발생하는 신우신염(post-streptococcal glomerulonephritis)과 류마티스 열이 있다. 보균자에서는 만성 인두편도염(chronic pharyngotonsillitis)이 자주 발생하고 clindamycin, amoxicillin with clavulanate, 또는 페니실린-V를 10일간 투여하는 경우에는 마지막 4일간은 rifampin을 함께 투여하는 방법이 권장되고 있다.

2) 주위 조직의 감염

편도 주위염(peritonsillar infection), 후인두부 또는 인두 주위 농양이 있다.

3) 기도 폐색에 의한 문제

장기간 지속된 기도 폐색으로 얼굴 모양이 변한다는 설은 아직도 유동적이지만, 얼굴이 길어지고 턱이 뒤로 빠지는 모양, 즉 아데노이드 얼굴이라고 표현되는 모습의 가능성이 높다. 편도 아데노이드 절제술로

약간의 교정이 가능하다고 하지만, 다른 연구에서는 전혀 해결되지 못한다는 결과도 발표하고 있다.

4) 절제술과 관련된 합병증

출혈은 수술 직후나 회복기 상처가 떨어지면서 나타날 수 있다. 혀와 연구개(soft palate)의 부종으로 기도가 더욱 좁아질 수 있으며, 드물게 탈수, 비인두와 구강 인두의 협착이 동반되기도 한다.

4. 중이염

귀는 해부학적 기능적 분류에 의하여 외이, 중이, 내이로 구분된다.

가. 외이

외이는 이개(귓바퀴)와 고막으로 이어지는 통로인 외이도로 구성되어 있으며 외이도는 바깥쪽 1/3은 연골부, 안쪽 2/3는 골부로 구성되어 있다(그림 6-3). 연골부에는 두꺼운 피부가 덮혀져 있고 모낭과 피지선 등이 있어 귀지를 만들고 세균 감염이 잘 생긴다. 골부의 중간은 좁아지는 부위(isthmus)가 있어 고막을 들여다 보기가 힘들고 얇은 피부로 덮혀져 있기 때문에 자극을 주면 통증을 느낄 수 있다. 외이도는 미주신경, 삼차신경 지배 하에 있어 외이도를 자극하면 기침을 할 수 있다.

1) 선천성 기형

소아에서 가장 많이 볼 수 있는 외이의 선천성 기형은 전이개루(preauricular fistula)이다. 드물게 전이개루가 내이나 중이의 선천성 기형, 감각 신경성 난청 등을 동반 할 수 있다. 감염과 정체를 예방하기 위하여 가끔 짜주는 것이 좋고 자주 재발하면 절개와 배농만으로는 감염의 재발을 막을 수 없으므로 피부를 들어 완전히 도려내는 근치수술을 해야만 한다.

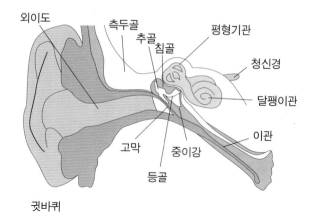

외이도 측두골 추골 침골 평형기관 청신경 달팽이관 이관 고막 중이강 등골

귓바퀴

그림 6-3. 귀의 해부학

2) 감염

외이도의 연골부에는 털이 나 있고 귀지샘이 있다. 이 부위가 상처를 받아 포도상구균의 감염을 받으면 이절(otofuruncle)이나 옹종(carbuncle)이 생긴다. 주 증상은 통증으로 심하게 보채는 경우가 많고 otic solution을 외이도에 넣어주고 clindamycin 같은 항생제를 경구 복용한다. 귀에 온열 압박을 하거나 절개, 배농하여야 될 때도 있다.

덥고 습한 여름철에 광범위하게 외이도염(diffuse external otitis, swimmer's ear)이 생기면 외이도의 소양감, 이통, 난청이 올 수 있다. 녹농균(*Pseudomonas aeruginosa*)이 가장 흔한 원인균으로 발열이 있을 수 있으며 항생제 연고(bacitracin 연고 등)를 살짝 발라두고 항염증제, 항생제, 진통제 등을 투여하면 통증과 염증이 조절되고 감염이 진정된다. 초기 치료에 효과를 보이면 2주 정도 지속적으로 치료한다.

이진균증(otomycosis)을 일으키는 진균은 60여종되나 아스페루길루스(aspergillus)와 칸디다(candida)가 가장 흔한 진균으로서 치료가 잘 안되는 외이도 심부의 소양증이 가장 흔한 증상이고 그 외 귓속의 불쾌감, 이물감, 이명, 청력장애 등의 증상을 보인다. Clotrimazole과 nystatin 용액이나 붕산 파우더를 사용하면 효과적이다.

3) 습진

아토피 피부염 환자에게서 외이도 습진이 자주 관찰된다. 가려워서 귀를 자주 만지기 때문에 귀의 염증으로 혼동될 수 있다. 스테로이드 연고를 발라주고 청결하고 건조하게 하는 것이 도움이 된다. 그러나 지루성 피부염(seborrheic dermatitis), neomycin 과민 반응, 이진균증과 감별이 요구된다.

4) 이물질

소아에서 흔히 발생하며 구슬, 플라스틱 장난감 부품들을 집어넣는 경우가 많다. 이물 제거는 흡입기구 끝을 이물질에 부착시켜 음압을 가해 빠져나오게 하거나 구슬처럼 면이 매끄럽고 꽉 끼어 있다면 흡입기구 끝이나 빨대 끝에 강력접착제를 묻혀서 이물질에 조심스럽게 대면 딱 붙어 잘 제거된다.

벌레가 들어갔을 경우에는 반드시 죽이고 난 뒤에 제거하는 것이 좋다. 에테르를 적신 솜을 5분정도 외이도에 넣어두면 벌레가 죽거나 마취되는데 그 뒤에 세척하여 제거하면 된다. 소아에서는 이물질이 협부보다 깊숙이 들어 있을 때는 무리하지 말고 마취를 한 뒤 제거하는 것이 좋다.

나. 중이

중이는 측두골내에 존재하며 고막, 중이강(고실), 골부이관으로 구성되며 유양봉소와 통해있다(그림 6-3).

1) 고막

고막은 외이도와 중이강 사이에 위치하는 얇은 반투명막으로 안쪽으로 깔때기 모양으로 약간 함몰되어 있고 가장 많이 함몰된 중심부를 고막의 배꼽(umbilicus)이라 한다. 이 배꼽은 추골병(handle of malleus)의 하단에 해당되고 고막을 통해 비추어 보인다. 여기에서 전방으로 있는 광반사를 광추(cone of light)라 하며 추골병의 상부 전방에 있는 백색돌기가 단돌기(short process of malleus)이다. 고막은 추골추

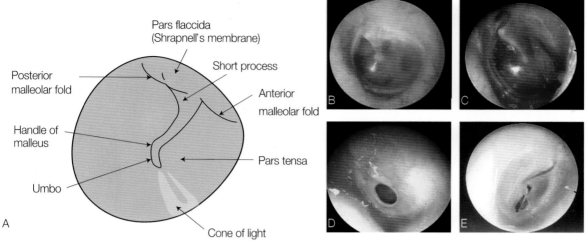

그림 6-4. 고막. 좌측 고막의 모식도(A), 삼출성 중이염(B), 만성 중이염(C), 염증성 천공(D), 외상성 천공(E)

벽에 의하여 상부는 이완부(pars flaccida) 하부는 긴장부(pars tensa)로 나누어져 있다. 고막을 쉽게 관찰하기 위하여 소아는 귀를 후 하방으로 당기고 성인은 후 상방으로 당기면 고막을 쉽게 볼 수 있다.

고막을 관찰할 때는 특히 고막 색깔의 변화, 추골의 단돌기, 추골병의 돌출 또는 함몰, 광추 존재 등을 주의 깊게 보아야 한다(그림 6-4).

발적, 출혈, 수포, 액체저류, 팽륜(bulging), 천공, 혼탁, 함몰(retraction), 위축, 운동성 변화 등은 고막이나 중이강에 이상이 있으면 나타나는 고막의 병적 소견이다.

고막의 천공은 원인에 따라 모양이 다르다. 구타 등에 의한 외상성 천공은 파열된 부위의 경계가 예리하며 주위에 출혈이나 혈괴를 볼 수 있다. 염증성인 것은 파열된 부위가 둥글다. 외상성 천공은 귀에 오염된 물 등이 들어가지 않도록 주의하면서 청결하게만 유지하면 2~3주 후에 자연 치유된다.

고막염(myringitis)은 중이염이나 외이도염과 동반되는 경우가 많다. 증상은 이통, 이충만감, 이물감, 이명 등이 있으며 인플루엔자 감염 경우에는 수포성 고막염이 많이 발생하는데 통증이 심하다.

항생제와 진통제 등으로 치료하고 특히 수포성 고막염이 심한 경우에는 고막절개를 해 주면 삼출액이 빠져나오면서 통증이 완화된다. 이때 임피던스 청력 검사를 하면 A형, 정상 소견을 보일 수 있는데 이는 아직 고막 뒤쪽 중이강 내에 삼출액이 고여 있지 않고 고막의 움직임이 정상이기 때문이다.

2) 이관

이관(Eustachian tube)은 중이강과 비인두간을 연결시키는 유일한 해부학적인 교통로로서 평소에는 허탈되어 있어 비인두와 단절되어 있으나 삼키거나, 하품을 하거나, 울거나 재채기를 할 때 tensor veli palatine (TVP)근육이 수축됨으로서 개구되어 비인두와 교통된다.

영유아들은 삼키(swallowing)는 힘이 부족하여 이관을 잘 열지 못하는 경우가 많다. 이로 인하여 중이강 내가 음압이 되는 경우가 흔히 있다. 때때로 막혀 있던 이관이 열리면 비인두 분비물이나 비인두에 존재하던 세균들이 음압인 중이강내로 들어가 세균성 중이염이나 삼출성 중이염을 유발한다. 소아의 이관은 성인에 비해 짧고 넓고 수평적이어서 비인두의 감염원이 쉽게 중이강 안으로 전파된다. 그러므로 이관 폐쇄에 의한 기능장애는 중이강 내의 공기압 감소를 초래하고

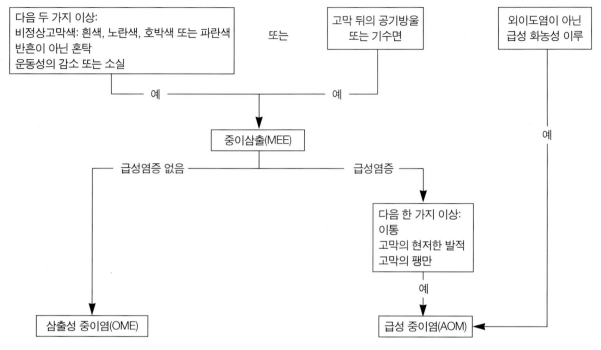

그림 6-5. 급성 중이염과 삼출성 중이염의 감별

감염, 삼출액 저류의 중요한 선행 요인이다.

소아는 성인에 비해 이관을 지지하는 연골의 양이나 경직성이 부족하고 아데노이드 비대가 자주 있어 이관 폐쇄가 흔히 일어나고 중이염의 발생빈도도 증가한다. 이외 알레르기와 면역결핍증 때에도 중이염이 증가한다.

3) 중이강

중이강은 앞쪽으로는 이관에 의하여 비인두, 뒤쪽은 유양동구에 의하여 유양동으로 교통되고 있다. 내벽은 후상방에 난원창(oval window) 또는 전정창(fenestra vestibuli), 후하방에 정원창(round window) 또는 와우창(fenestra cochlea)으로 내이와 연결되며 외측은 고막으로 경계된다. 고막에서부터 추골(malleus), 침골(incus), 등골(stapes)의 세 개의 이소골 연쇄가 난원창으로 연결되고 있다(그림 6-3).

다. 중이염

급성 중이염과 삼출성 중이염은 생후 첫 1년내에 상기도염 다음으로 흔한 질환이다. 중이염은 그 기간에 따라 급성(3주 이하), 아급성(4주~3개월), 만성(3개월 이상)으로 나누어지며 급성 중이염은 대부분 잘 치유되나 약 5~10%에서는 만성으로 진행된다. 임상적으로 중요한 중이염은 급성 중이염과 삼출성 중이염으로서 다음과 같이 감별할 수 있다(그림 6-5).

1) 원인

중이염은 이관 폐쇄에 의한 기능 장애, 중이의 세균 또는 바이러스 감염, 알레르기 비염이나 바이러스 상기도 감염에 의한 비강내 염증 등 다양한 요인에 의하여 발생된다.

급성 중이염 환자의 70%에서, 중이강 삼출액에서 세균이 증명된다. 이들 세균은 급성 부비동염의 원인 균

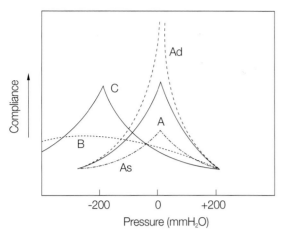

그림 6-6. 질환별 청력 검사 결과

주와 유사하며, 폐구균(*Streptococcus pneumoniae*)이 모든 연령에서 가장 흔하여 35%에서 동정된다.

근래에는 페니실린 내성 폐구균도 증가하고 있다. 중이강 삼출액에서는 비정형 헤모필루스 인플루엔자(nontypable *H. influenzae*), *M. catarrhalis* 가 자주 배양되며 최근 β-lactamase를 생산하는 내성균들이 증가하고 있다. A형 베타 용혈성 연쇄구균(group A *β-hemolytic streptococcus*), 포도상구균(*Staphylococcus aureus*)도 빈도는 높지 않지만 원인이 된다.

2) 진단

가) 증상

급성 중이염은 발열이 있고 이통 혹은 이루 (고름)가 있을 수 있으며 난청은 표현력이 부족한 소아에서는 잘 알지 못 할 수도 있다. 고막은 전체적으로 발적, 비후되어 있으며 혼탁하여 광추, 추골병 윤곽이 소실되며, 삼출액이 있으면 고막 후상부가 팽륜되어 보인다.

삼출성 중이염은 이통이나 발열 등 급성 증상이 없어 진단이 늦어 질 수 있다. TV 소리를 크게 한다든지 주의가 산만한 경우 난청을 의심해 볼 수 있다. 소아의 20~50%가 3~10세 사이에 적어도 한번은 중이염에 이환되며 유·소아의 가장 흔한 청력장애의 원인이 된다.

나) 이경검사

고막의 상태와 운동성을 동시에 진찰할 수 있는 이경으로 관찰하여 중이강 내에 삼출액이 고여 있으면 압력에 따라 고막 뒤로 기수면이나 기포를 관찰할 수 있다.

다) 청력검사

소아에서 간단하고 용이하게 사용되는 임피던스 청력검사는 이경과는 달리 환자나 보호자에게 환자의 귀 상태를 객관적으로 제시할 수 있으며 치료 전후의 경과를 비교할 수 있는 장점이 있다. 중이는 임피던스가 낮은 외이에 전달된 소리를 임피던스가 높은 내이로 전달하는 일종의 변압기 역할을 한다.

임피던스 청력 검사법에는 고막 운동성 계측(tympanometry), 등골근 반사(stapedial acoustic reflex), static compliance, 이관기능 검사법(E-tube function test) 등이 있으며 이 중 고막운동성 계측검사가 임상에서 흔히 사용된다.

고막운동성 계측검사는 외이의 공기압을 중이강내의 공기압보다 +200 mmH₂O 높은 상태로 만든 뒤 점차 압력을 낮추면서 압력 변화에 따른 고막의 운동성을 관찰하는 것이다.

만일 중이강에 삼출액이 고여 있거나, 중이강 내 압력이 높거나 이소골에 경직이 있다든지, 귀지가 꽉 차있는 경우에는 외이도의 공기 압력을 변화시켜도 고막의 움직임이 잘 나타나지 않아 그림으로는 가로의 선상으로 평평하게(B형) 나타난다. 다음에 중이가 정상 상태일 때와 비정상적인 상태일 때 나타날 수 있는 다양한 그림의 예시가 있다(그림 6-6).

· A형: 최대 compliance가 -100 ~ +50mmH₂O 사이에서 관찰되는 것으로 정상인이나 감각 신경성 난청 환자에서 나타난다. 일반적으로 중이와 외이의 공기압이 동일할 때 고막의 운동성 가장 크다.

· As형: 최대 compliance는 A형과 같은 범위에 있으나 compliance의 변화가 적은 것으로 이소골의 유착, 고실경화증(tympanosclerosis), 이경화증 등에서 나타난다.

· Ad형: 최대 compliance는 A형과 같은 범위에 있으나 compliance의 변화가 비정상적으로 증가된 것으로 이소골의 단절이나, 고막의 반흔성 천공이 있는 경우에 나타난다.

· B형: Compliance의 최고점이 없이 수평 또는 궁형을 보이는 것으로 고막의 비후, 중이강내 액체저류가 있을 때 나타난다.

· C형: Compliance의 위치가 -100 mmH$_2$O 이하의 음압에 위치하는 것으로 이관폐쇄 등으로 중이강내의 압력이 외이도내의 압력 즉 대기압보다 낮을 때 관찰된다.

라) 치료

중이염의 관리는 급성 중이염인지 삼출성 중이염인지에 따라 달라진다(그림 6-7, 6-8).

① 항생제 치료

급성 중이염은 항생제가 우선적인 치료 약제이다. 최근 내성균 발현이 급증함에 따라 항생제 사용에 논란이 있으나, 특히 2세 미만의 급성 중이염, 전신적으로 아파보이거나 심한 감염이 있는 경우, 재발하는 중이염의 병력이 있는 경우, 추적 관찰이 힘든 경우에는 적절한 항생제를 조기부터 투여하여야 하며, 최근에는 적절한 항생제 사용에 대한 지침이 제시되고 있다.

항생제 치료에 대한 지침을 보면 지난 1 개월 내에 중이염을 앓은 병력이 없으면 amoxicillin을 우선적으로 선택한다. 통상적인 용량인 40 mg/kg/day을 투여할 수 있으나 일부 페니실린 내성 균주나 2세 이하 영아, 근래에 β-lacatam 항생제를 투여 받은 경우 또는 다른 아이들과 집단 생활을 하는 경우에는 내성 균주의 발현이 많기 때문에 80~100 mg/kg/day의 고용량을 주는 것이 좋다. 치료 3일후에도 증상이 지속하면 항생제를 amoxicillin-clavulanate mixture(augmentin)이나 cefuroxime을 경구로 바꾸어 투여한다.

지난 1개월내에 중이염을 앓은 병력이 있으면 amoxicillin-clavulanate mixture 또는 cefuroxime을 우선적으로 투여하는데 이 약제는 β-lacatamase를 생성하는 일부 비정형 헤모필루스 인플루엔자나 대부분의 M. catarrhalis에도 효과적이다. 증상이 좋아지면 4~6주 후에 급성 중이염이 완전히 나았는지 혹은 중이강에 삼출액이 차 있는지를 검사한다. 삼출액이 3개월 이상 존재하면 주변의 위험 인자를 제거하고 경구용 항생제를 투여하고 4~6 주 간격으로 다시 관찰한다. 이들 약제에 알레르기가 있는 경우에는 azithromycin이 효과적이다. TMP-SMZ (bactrim)는 치료 실패율이 높아 일차 약으로는 부적절하다.

치료 기간은 통상 10일 정도로 개별적 차이가 있지만 6세 이하 소아는 10일 이상 치료하는 것이 바람직하다. 연장아의 일부 경한 중이염은 3~5일 정도의 치료도 효과적일 수 있다.

치료 후 2주 내지 4주 정도에서 고막을 관찰하여 비정상적인 소견을 보이거나 삼출액이 존재하더라도 증상이 없으면 치료기간을 연장할 필요는 없다.

치료 약물에 대한 반응이 없는 급성 중이염인 경우에는 고막 천자를 시행하여 삼출액에서 균을 동정한 뒤 감수성이 있는 항생제를 사용한다. 재발성 중이염은 6개월 내에 3회 혹은 12개월 내에 4회 발생한 경우로 항생제 치료 이외에도 위험인자의 존재나 면역 결핍 등이 있는지 찾아보아야 한다.

일차 항생제 치료가 실패하거나, 이미 예방적 약물요법을 받고 있는 중이거나, 면역 결핍증, 과거 중이염을 심하게 앓았던 경우에는 일차 항생제 대신에 이차 항생제를 우선적으로 사용한다.

이차 항생제는 amoxicillin-clavulanate, cefuroxime axetil 경구 또는 ceftriaxone 근주가 추천된다. 고농도의 amoxicillin에 clavulanate의 복합제는 중이염의 이차 약제로서 적절하다. Ceftriaxone 근주는 경구 약제를 투여할 수 없거나 이차 경구약제에 반응이 없거나, 심한 내성 폐렴연쇄구균(S. pneumoniae)이 원인인 중이염에 효과적이다. 새로운 macrolide인 clarithromycin, azithromycin은 내성 폐렴연쇄구균이나 β-lacatamase를 생성하는 일부 비정형 헤모필루스 인플루엔자 등에는

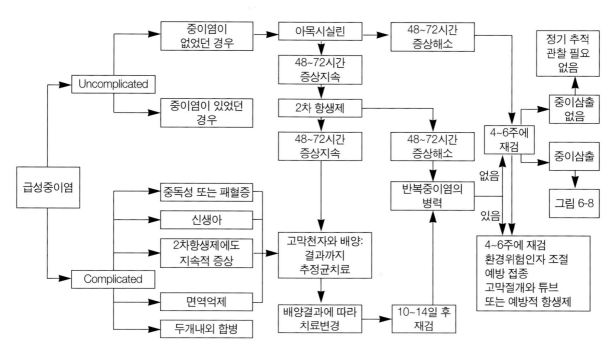

그림 6-7. 급성 중이염의 치료

효과가 제한적이다. 세파로스포린 계통에서는 cefpodoxime과 cefdinir가 cefuroxime axetil과 유사하게 사용될 수 있다. Trimethoprim/sulfamethoxazole (TMP-SMZ)는 비교적 값이 싸나 효과가 제한되어 있어 급성 중이염 치료에는 권장되지 않는다. Clindamycin은 폐렴연쇄구균에는 효과적이나 비정형 헤모필루스 인플루엔자나 M. catarrhalis에는 효과가 없으므로 다른 약제에 잘 듣지 않는 폐렴연쇄구균의 치료에 사용된다.

중이염의 재발은 중이나 상기도 감염원의 불충분한 치료나 재감염에 의하여 발생된다. 치료 수일 내에 재발하는 경우는 동일 세균에 의한 경우가 많다. 그러므로 항생제는 일차 또는 이차 중 효과가 있었던 것을 사용하면 된다. 치료 2주후에 재발하는 경우는 원발 균과는 다른 균에 의한 경우이므로 일차 약을 선택하여 사용한다.

② 고막 절개와 고막 천자

고막 절개는 심한 난치의 이통이 있거나, 고열증 (hyperpyrexia)이나 안면 신경 마비, 유양돌기염 (mastoiditis), 미로염(labyrinthitis), 중추신경 감염 등 합병증이 있거나 면역 결핍증이 있을 때 시행한다.

강력한 이차 항생제를 사용하였는데도 불구하고 효과가 없을때, 원인균주를 규명하고 항생제 감수성을 검사하기위하여 고막 천자(tympanocentesis)나 고막 절개를 시행하기도 한다.

③ 삼출성 중이염의 치료

중이강 내의 삼출액 저류는 급성 중이염의 자연경과로 발생되므로 급성 중이염을 일정 기간 치료하여 증상이 좋아지면 4~6주 뒤에 중이강 내에 삼출액이 저류되어 있지 않은지 검사하는 것이 좋다. 삼출액은 대부분 3개월 이내에 소실되나 3개월 이상 존재하면 청력검사를 시행하며 주변의 위험 인자를 제거하고 경구용 항생제를 투여하고 4~6 주 간격으로 다시 관찰한다.

삼출성 중이염에서 항생제 투여는 효과가 제한적이고 내성균을 양산할 수 있어 일률적으로 투여되지는

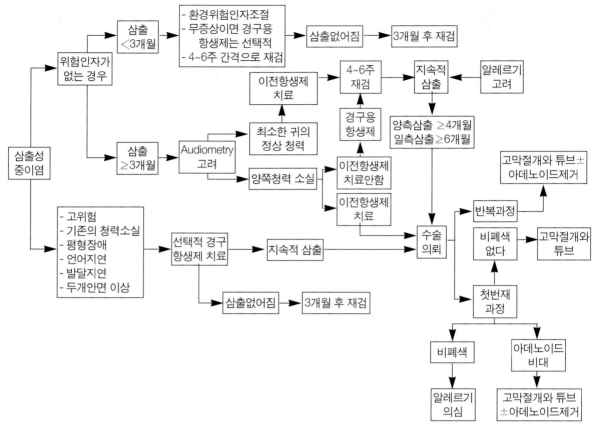

그림 6-8. 삼출성 중이염의 치료

않지만 세균성 상기도 감염이 있거나 만성이고 청력 장애가 있으면 2~4주 급성 중이염에 준한 항생제를 투여한다.

항히스타민제, 코 충혈 제거제 또는 점액 용해제는 일반적인 삼출성 중이염에 효과적이지 못하다. 그러나 알레르기가 있는 경우에는 알레르기염증을 교정하는 것이 치료에 도움이 된다.

적절한 항생제를 투여해도 삼출성 중이염이 6개월 이상 지속되면 고막절개를 하고 환기관을 삽입한다. 단순한 고막절개나 환기관의 조기 사출로 인해 삼출액이 다시 고이게 되면 합병증이 재발되므로 환기관은 6개월 정도 삽입되어 있다 자연 사출되는 것이 좋다. 환기관이 삽입되어 있는 동안은 오염된 물이 들어가 감염이 되는 것을 피하여야 한다.

고막 절개와 환기관의 삽입 시기는 논란이 있으나 양측 중이강내에 삼출액이 6~12개월 존재하거나 일측 중이강 내 삼출액이 9~18개월 지속되면 시행한다.

삽입한 환기관에서 농이 나오면 감염을 의심할 수 있으며 발열이나 통증이 동반되면 급성 중이염에 준하여 치료한다. 지속성 이루는 녹농균이 원인균일 가능성이 높으므로 항생제를 사용하여야 하며, 통증이나 발열이 없이 이루만 있는 경우는 ofloxacin 혹은 polymixin B-neomycin-hydrocortisone 이용액의 투여만으로 충분하다. 그러나 일반적인 치료에도 불구하고 호전되지 않으면 환기관을 제거하거나 전신적으로 항생제를 정맥주사 투여하여야 한다.

마) 합병증

급성 중이염의 합병증은 감염이 주위 조직으로 확산되거나 질병의 만성적 경과에 의하여 발생된다. 중이의 농성 분비물이 외이도에 감염을 일으켜 습진성 피부염이 발생된다. 적절한 항생제 치료가 이루어지지 않으면 만성 화농성 중이염이 될 수 있다. 급성 유양돌기염은 모든 중이염에 동반되나 초기에 항생제로 급성 중이염과 함께 치유되는 경우가 많고, 감염이 골막까지 확대되면 후이개 부위에 염증이 생겨 이개(귓바퀴)가 전 하방으로 이동한다. 염증이 더욱 확산되면 골막하 농양이 형성되거나, 제 5뇌신경을 자극하여 안구통이 발생하고 더욱 악화되면 제 6뇌신경의 마비가 온다. 유양돌기염이 의심되면 곧 컴퓨터 단층 촬영을 시행하여 질병의 범위를 결정한 뒤 치료를 시작하여야 한다. 폐구균, 비정형 헤모필루스 인플루엔자, 녹농균 등이 급성 유양돌기염의 가장 빈번한 원인 균주이므로 원인 균주가 규명되기 전 까지는 이들에게 감수성이 있는 항생제를 정주하며 유양돌기 삭개술을 시행한다.

진주종은 만성 중이염의 흔한 합병증으로 고막에 산재된 흰 혼탁소견의 판들이 있거나 고막의 손상부위에서 폴립이 돌출되어 있거나 고막의 상부에 흰 건락의 조직 파편이 지속적으로 존재하거나 지속적으로 귀에서 악취가 나는 분비물이 나올 경우 의심할 수 있다.

중이의 감염이 내이로 확산되면 미로염이 발생하는데 현기증, 이명, 구역, 구토, 청력 손실, 안구진탕 등의 증상을 보인다.

중이나 유양돌기에 감염이 있는 소아가 발열, 두통, 기면이 심하거나 뇌막자극증상, 중추 신경 증상 등 전신 증상이 있으면 두개 내 합병증을 의심하여야 한다. 이외 뇌수종, 고실경화증, 공기압 감소(atelectasis), 유착 중이염, 콜레스테롤 육아종, 전음성 난청 등이 초래될 수 있다.

바) 예방

모유를 수유하거나, 호흡기 감염이나 간접 흡연의 회피 등이 일반적인 중이염의 예방 방법이다. 중이염의 재발을 예방하기 위한 방법으로는 항생제에 의한 예방적 요법, 면역학적 예방, 그리고 수술에 의한 예방적 조치, 환경적 예방 등이 있다. .

항생제 예방요법 대상은 6개월 내에 3회 이상 혹은 1년 이내에 4회 이상 급성 중이염이 재발되는 경우로서 amoxicillin 20 mg/kg 또는 sulfisoxazole 50 mg/kg를 1일 1회 취침 전에 투여한다.

치료 시기 및 기간은 겨울철 또는 호흡기 감염이 빈번한 경우에 실시하여 6개월 정도 지속한다. 치료 기간 중 2개월 간격으로 정기적인 임상적 평가를 실시하고 이 기간 중에 급성 중이염이 발생할 경우 경구용 2세대 또는 3세대 세팔로스포린제나 amoxicillin/clavulanate 등의 항생제로 적극적인 치료를 실시하고 가능한 중이내 삼출성 병변이 지속되지 않도록 조처한다. 폐구균이나 인플루엔자에 대한 예방접종이 중이염을 예방할 수 있다. 그러나 그 효과는 백신의 종류에 따라 차이가 있다.

5. 부비동염

가. 부비동의 구조

부비동은 상악동, 사골동, 전두동, 접형동으로 이루어지며 상악동과 사골동은 출생 시기부터 존재하고 생후 1~2년 사이에 방사선학적으로 뚜렷한 모양을 나타낸다. 접형동은 생후 5세경에, 전두동은 7-8세경부터 서서히 청소년기까지 발달한다.

부비동은 점액섬모운동에 의하여 끊임없이 부비동 내 분비물을 자연공을 통해 비강으로 배출하기 때문에 정상적으로는 무균상태이다. 부비동 중 상악동, 사골동의 앞쪽 부분(전사골 봉소군)과 전두동의 자연공은 중비갑개 아래인 중비도(middle meatus)를 통하여 비강과 교통되고 사골동의 뒤쪽 부분(후사골 봉소군)과 접형동은 중비갑개 위쪽인 상비도(superior meatus)를 통하여 비강과 교통된다. 또한 부비동 점막은 비 점막과 연결되어 있어 비강내의 염증이 쉽게 부비동내로 전파될 수 있다.

나. 병태 생리

바이러스성 상기도염과 같은 다양한 원인에 의해 부비동내의 자연공이 폐쇄되면 부비동의 분비물 배출에 장애를 초래하고 점액 섬모 운동이 감소하여 분비물이 저류된다. 분비물이 저류되면 분비물의 점도가 증가하여 더욱 배출에 장애를 가져와 부비동내에 축적되는 악순환을 초래한다. 장기간 부비동 자연공이 폐쇄되면 부비동내의 산소압과 기압은 비강에 비해 떨어져 음압이 되며 특정 세균의 증식이 용이하게 한다.

재채기 또는 코를 푼다든지 하여 폐쇄된 부비동 자연공이 일시적으로 열리면 양압의 비강에서 음압의 부비동내로 기류가 흘러들어가고 동시에 비강 내의 세균들이 부비동내로 들어가 증식하여 염증을 일으킨다.

다. 원인

부비동염은 해부학적 구조 이상에 의한 자연공의 기계적 폐색, 점막 및 섬모의 기능장애, 면역 결핍, 알레르기, 감염 등 다양한 국소적 또는 전신적 인자들에 의하여 유발된다. 특히 급성 세균성 부비동염은 바이러스성 상기도염과 알레르기비염, 간접흡연 등이 가장 중요한 선행 인자이다. 선천적으로 점막의 이상을 보이는 낭성 섬유증(cystic fibrosis), 점액섬모운동이상증 등의 질환과 면역결핍증, 위식도 역류증 등이 있을 경우에는 만성 또는 재발성 부비동염이 자주 발생한다(표 6-1).

부비동염은 부비동 자연공의 폐색에 의하여 발생되는데 여기에 이차적으로 세균이 감염되어 염증 반응이 일어나는데 급성과 만성 부비동염의 중요한 원인균주에는 약간의 차이가 있다(표 6-2).

화농성 부비동염이란 부비동 천자를 통해 얻어진 분비물 배양에서 세균이 10^4 CFU/mL 이상일 경우를

의미한다. 소아에서 급성 화농성 부비동염의 원인균은 폐렴연쇄구균이 전체 원인균의 30%정도로 가장 흔하며, 비정형 헤모필루스인플루엔자 그리고 *Moraxella catarrhalis*가 각각 약 20% 정도를 차지한다. 폐렴연쇄구균의 70% 이상이 페니실린에 내성이 있으며 nontypable *H. influenzae*와 *M. catarrhalis*도 흔히 β-lactamase 양성소견을 보인다.

그 외의 원인균으로는 *Streptococcus pyogenes*, *Staphylococcus aureus*가 소수에서 발견되며, 치아의 병변과 관련 있는 경우는 *bacteroides*, *peptostreptococcus*, *fusobacterium* 등의 혐기성균이 원인이

표 6-1. 소아 급·만성 부비동염의 감별 진단 및 위험 인자

급성 부비동염
　상기도 염의 지속
　비강내 이물
　흡입성 알레르기의 급성 악화
　급성 아데노이드염 또는 아데노이드 편도염
만성 부비동염
　비염 (알레르기성 또는 비알레르기성)
　해부학적 이상
　　비갑개 비후
　　아데노이드 비후
　　비용종
　　심한 중격 편위
　　후비공폐쇄
　천식
　종양
　　연소성 혈관 섬유종
　　횡문근육종
　　림프종
　　유피낭(dermoid cyst)
　낭성 섬유증
　면역 결핍증
　원발성 섬모운동이상증
　Wegener's granulomatosis
　Churg-Strauss 혈관염
　충치 및 농양
　비인두역류를 동반한 위식도역류

되기도 한다.

만성 부비동염에서도 *S. pneumoniae*, non-typable *H. influenza*, *M. catarrhalis*가 중요한 원인균들이다. 그 외 빈번한 호기성 원인균들은 *S. aureus*, *S. pyogenes*, α-*streptococci*, group D *streptococci*, *diphtheroids*, coagulase negative *staphylococci*, *neisseria* species, gram-negative aerobic rods 등이며 혐기성 균으로는 *pepto-streptococus*, *prevotella*, *bacteroides*, *Fusobacterium* 균 등이다.

면역계 질환이 있는 경우는 mucomycosis, candidiasis, *aspergillus* 등의 진균 감염이 원인으로 고려되어야 한다. 부비동염 환자의 30~35%에서는 부비동 천자 후 배양검사에서 무균성이며, 약 10%에서는 바이러스가 발견되기도 한다.

라. 진단

1) 임상 증상

소아에서 부비동염의 증상은 비폐색, 비루(콧물), 발열, 기침 등 비특이적인 소견들이다. 드물게 숨쉴 때 악취 나든지, 후각이 떨어진다든지. 안와 주위의 부종이 관찰되는 수가 있다. 성인에서 흔히 관찰되는 두통, 안면통 등은 소아에서는 드물다.

가) 급성 부비동염

비루와 기침이 가장 흔한 증상이다. 비루의 양상은 비특이적이며 기침도 하루 중 언제나 나타날 수 있으며 발열이 동반될 수 있다.

특히 비루와 기침같은 상기도염 증상이 10~14일 이상 장기간 지속되거나 화농성 비루와 심한 발열(39℃ 이상) 등이 3~4일 지속되어 일반적인 상기도염보다 증상이 장기간 지속되거나 심할 때 의심할 수 있다. 흔한 증상으로 알려져 있던 두통과 안면통은 소아에서는 드물며, 방사선학적으로 진단된 부비동염과도 의미있는 상관관계가 없는 것으로 알려져 있다.

진찰 소견에서는 비강내 분비물이 많으며 점막 부종이 있고 중비도에서 화농성 분비물이 나오는 것을 관찰할 수도 있다. 투과조명법(transillumination)은 부

표 6-2. 부비동염의 원인균

원인균	빈도		
	Common	Occasional	Uncommon
Streptococcus pneumoniae	A, C		
Haemophilus influenza, nontypable	A, C		
Moraxella catarrhalis	A, C		
Streptococcus pyogenes		A, C	
Other *streptococcal* species		A, C	
Staphylococcus aureus		C	A
Diphtheroids		C	
Coagulase-negative *staphylococci*		C	
Other gram-negatives, *moraxella*, *neisseria*		C	A
Anaerobes		C	A
Respiratory viruses		A, C	
Fungi(*aspergillus*, *alternaria*, other dematiaceous fungi, *zygomycetes*)		C	A
Acanthamoeba			A

A : acute sinusitis, C : chronic sinusitis

표 6-3. 만성 부비동염의 임상적 진단기준

증상 및 징후	진단검사
주요 기준	주요 기준
화농성 비루	PNS 사진 소견에서 혼탁, 기수면, 상악동의 50% 이상의 점막 비후를 보일 때
화농성 후비루	coronal CT 소견에서 점막의 비후 또는 부비동의 혼탁을 보일 때
기침	
부수적 기준	부수적 기준
안와주위 부종	비즙도말 검사에서 중성구를 보일 때
두통	균혈증(bacteremia)
안면통	초음파 검사에서 양성일 때
치통	
이통	
인두통	
악취호흡	
증가된 천식음	
발열	

비동내에 액체의 저류를 증명할 수 있는 진단 방법이나 소아에서는 시행하기가 힘들다.

나) 만성 부비동염

만성 부비동염은 급성 부비동염을 적절하게 치료하지 않아 염증이 반복되거나 지속되어 3개월 이상 부비동에 염증 소견을 보이는 부비동 점막의 만성 염증성 질환으로 비 폐색, 만성 기침, 화농성 혹은 점액성 비루, 후비루가 주 증상이다(표 6-3).

만성 부비동염에서는 다수의 부비동들이 함께 이환되는 경우가 많고 대부분 양측성으로 침범된다. 해부학적 구조이상, 면역 결핍, 섬모기능장애, 알레르기 등 전신 질환이 있을 경우에 만성 부비동염이 흔하다

비루는 화농성 또는 점액성 등 다양한 양상을 보이며 때로는 경미하거나 없을 수도 있다. 비루보다는 비 폐색이 좀더 심하여 구강 호흡을 하며 인두통을 호소하기도 한다. 기침은 만성이며 야간에 악화되는 경향을 보이고 후비루로 인해 항상 목이 자극이 되어 목을 가다듬는 양상을 보인다. 그 외에 안면통이나 중압감, 후각 장애 등이 있을 수 있으며 기관지 천식을 악화시키기도 한다.

진찰 소견에서 하, 중 비갑개의 부종과 발적을 관찰할 수 있으며 상악동염에서는 비도에 농성 비루를 볼 수 있고, 사골동염에서는 침범된 중비갑개의 비후와 부종이 관찰된다.

2) 영상진단검사

부비동의 단순 X선 촬영에는 상악동, 전사골동, 전두동 저부를 잘 볼 수 있는 후두비부방향 촬영법(Waters' view), 전두동과 사골동을 볼 수 있는 후두전두 방향 촬영법(Caldwell's view), 접형동을 관찰하기에 적절한 하수직방향 촬영법(submentovertical view)이 있다.

X선 소견으로 부비동 전면 혼탁 소견, 기수면, 4 mm 이상의 부비동 점막 비후가 있으면 부비동염으로 진단할 수 있다. 2세 미만의 영아에서는 정상 혹은 단순 상기도염에서도 이러한 소견이 관찰되기도 하므로 진단에 주의를 요한다(그림 6-9).

관상면 전산단층촬영(coronal CT)은 개구비도단위(osteomeatal unit: OMU)의 정확한 해부학적 정보를

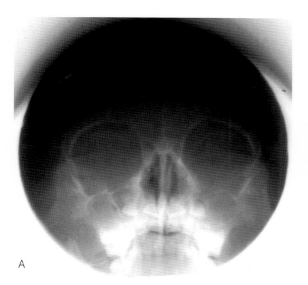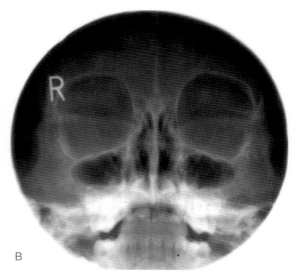

그림 6-9. 부비동염 X선 사진. Waters' view, 양측성 부비동염, 치료 전(A), 치료 후(B)

제공할 수 있으므로 치료에 반응하지 않는 급성 부비동염, 재발성 만성 부비동염, 합병증이 의심되거나 수술이 고려 될 때 권장된다. 그 외 자기 공명영상과 초음파를 시행할 수도 있다.

마. 치료

치료의 목적은 자연공을 개구하고 분비물의 점도를 묽게 하고, 점액 섬모운동을 회복하여 분비물의 배출을 원활히 하며 적절한 항생제를 투여하여 원인 세균을 박멸하는 것이다. 동시에 손상된 부비동의 조직과 기능을 회복시키는 것이다.

1) 항생제 치료
가) 급성, 아급성 부비동염
급성 부비동염의 항생제 치료는 일차적으로 amoxicillin (45 mg/kg/day)을 사용하며 80% 정도에서 반응을 보인다. 그러나 항생제 내성균주의 보유 가능성이 많은 경우 즉 최근 1~3개월 내에 항생제 치료를 받은 환아, 집단생활을 하는 경우, 2세 이하의 영아, 3일간의 일차 약제 치료에 반응하지 않는 경우에는 고용

량의 amoxicillin(80~90 mg/kg/day) 혹은 augmentin® (amoxicillin 80~90 mg/kg/day, clavulanate 6.4 mg/kg/day)를 투여한다.

페니실린에 알레르기가 있는 경우에는 cefuroxime (30 mg/kg/day), cefpodoxime (10 mg/kg/day), cefdinir (14 mg/kg/day)을 경구 또는 ceftriaxone (50 mg/kg/day)를 근주 하기도 한다. 그러나 심한 알레르기가 있는 경우에는 azithromycin (10 mg/kg/day on day 1, 5 mg/kg/day for 4 days), clarithromycin을 사용할 수 있다. Trimethoprim-sulfamethoxazole, erythromycin-sulfisoxazole는 *Streptococcus pneumoniae* 내성 균주가 많아 권장 되지 않는다.

적절한 항생제로 치료를 하면 48~72시간 내에 비루나 기침의 감소 등 임상적 호전을 보인다. 그러나 이런 호전 소견이 보이지 않으면 항생제가 비효과적이거나 진단이 부정확할 수 있기 때문에 이들에 대한 재평가가 필요하다.

치료 기간에 대해서는 정립된 것이 없고 개인에 따라 차이가 있다. 그러나 일반적으로 증상소실 후 7일간 더 사용하며, 대개 10~14일간 정도가 필요하다. 증상이 심하거나, 여러 번의 항생제 치료에 대한 반응이

없거나, 특히 두개 내 합병증이 의심될 때는 부비동 천자 후 배양검사를 시행하여 감수성 검사를 하고 결과가 나올 때까지 cefotaxime 혹은 ceftriaxone과 vancomycin을 복합적으로 정맥 주사하여 치료한다.

나) 만성 부비동염

만성 부비동염의 치료는 화농성 비루 등 감염의 증거가 있으면 amoxicillin 또는 amoxicillin-clavulanate을 일차 약제로 사용하고 그 외에 cefuroxime, cefpodoxime, cefdinir 등도 사용할 수 있다. 혐기성 균의 복합 감염도 있을 수가 있어 일차 약제에 대한 반응이 없으면 clindamycin이나 metronidazole을 복합 사용해 볼 수 있다. 진균 감염이 의심되면 항 진균제를 투여 한다.

치료반응이 좋은 경우 최소 2주간 항생제 투여가 필요하며 치료반응이 신속하지 않는 경우는 3~6주 정도 항생제를 투여한다. 그 뒤 부비동의 기능을 회복 유지하기 위하여 필요하면 항알레르기 약물, 점막 수축제, 거담제 등을 추가로 사용할 수 있다. 재발성 부비동염은 10일 이상의 무증상 간격을 두고 급성 부비동염이 반복적으로 재발하는 것으로 amoxicillin이나 sulfonamides를 예방적 항생제로 사용할 수도 있다.

충분한 기간 적절한 치료를 하였는데도 불구하고 증상의 호전이 없다면 다른 원인 질환들을 찾아보아야 한다. 알레르기는 소아에서 만성 부비동염의 가장 중요한 유발인자이며 그 외에도 면역 결핍, 위식도 역류, 해부학적 이상, 섬모 기능 장애등의 동반 여부를 규명하여야 한다.

2) 기타 약물

증상에 따라 비점막수축제, 항히스타민제, 거담제, 진통제, 국소용 스테로이드 분무제 등을 적절히 사용하면 치료 효과를 높일 수 있다. 그러나, 소아에서는 이러한 치료제 사용에 대한 효과 검증이 더 필요하다.

3) 보조 요법

미지근한 생리식염수로 하루 2회 비강을 3주 이상 세척하면 비강 내의 가피 형성이 감소하고 점액섬모운동이 증가하며 비강 혈류를 감소시켜 비울혈을 경감시키는 등 부비동염 증상 경감에 도움을 줄 수도 있지만 소아에서는 급성 중이염이 발생할 수 있기 때문에 주의를 요한다.

4) 수술

소아에서는 배농을 위한 부비동 천자는 충분한 약물 치료에 반응이 전혀 없거나 신경학적 합병증이 동반된 경우를 제외하고는 시행하지 않는다. 최근 일부 소아 만성 부비동염에서 내시경적 수술이 사용되기도 한다.

바. 합병증

합병증은 부비동 주위의 두개강이나 안와로 직접 침범하거나 혈전 정맥염에 의해서 감염이 확산되어 발생할 수 있다. 두개 내 합병증은 소아에서 부비동염으로 입원한 환아의 3% 정도에서 발생한다. 두개강 내 합병증은 주로 전두동염에 의해 발생하며 뇌수막염, 경막외 농양, 경막하 농양, 뇌 농양 등이 있다. 전두골의 골수염에 의하여 앞 이마의 부종과 종창 그리고 전두동에 점액 낭종이 발생하여 복시와 안구 위치 변화를 초래하는 Pott puffy syndrome이 발생되기도 한다. 해면정맥동혈전증은 사골동염과 접형동염의 직접적인 침범에 의한 특징적인 합병증으로, 심하게 아파보이며, 3번, 4번, 5번 뇌신경의 침범으로 안구 마비가 초래된다.

사. 예방

손 세척과 상기도 감염 환자와의 접촉을 피하는 것이 중요하다. Influenza 바이러스나 nontypable H. influenzae, Streptococcus pneumoniae 등은 중요한 원인균들이기 때문에 이들에 대한 예방 접종이 재발을 예방할 수 있다. 부비동염이 6개월에 3회 이상 또는 12개월에 4회 이상 빈번하게 재발하는 경우에는

amoxicillin (20 mg/kg/day given at night)이나 sulfisoxazole (75 mg/kg/day) 혹은 macrolide를 치료 용량 이하로 3개월 이상 혹은 호흡기 계절이 끝날 때까지 투여 하여 재발을 예방하는 방법이 고려될 수 있다.

6. 경부 림프절종대

경부림프절의 비대는 소아에서 흔하게 나타난다. 정상 소아의 약 38~45%에서 경부 림프절이 만져진다. 경부 림프절종대(cervical lymphadenopathy)는 1 cm 이상의 크기로 만져질 때로 정의하기도 한다.

가. 병태생리

경부 림프절염은 흔히 소아의 상기도 감염 및 여러 원인에 의하여 발생된다. 상기도 감염이나 급성 인두염의 합병증일 때가 많은데 이 경우 양측성으로 오기도 한다. 대부분의 경우 한쪽에만 생기고, 침범된 림프절은 대개 커지며, 압통이 심하고 열감이 있으며, 또 고열이 있을 수 도 있다.

경부 림프절종대는 결절(node)의 내적 세포인 림프구, 형질 세포, 단핵구, 조직구(histiocyte)의 증식이나 결절의 외적 세포 특히 호중구, 악성세포의 침윤으로 발생한다.

나. 원인

경부 림프절종대의 흔한 원인은 다음의 표 6-4와 같다. 반응성 림프절 종창은 소아에서 흔히 볼 수 있는 질환으로서 대부분 바이러스성 또는 세균성 감염, 결핵균 감염과 연관되어 있다. 이중 바이러스에서는 상기도 감염이 중요한데 이 상기도 감염에는 rhinovirus, parainfluenza virus, influenza virus, respiratory syncytial virus, coronavirus, adenovirus 등이 있다. 세균성 경부림프절 종대에는 *group A streptococcus*가

표 6-4. 경부 림프절종대의 원인

감염
　바이러스
　　Viral upper respiratory infection
　　Epstein-Barr virus
　　Cytomegalovirus
　　Rubella
　　Varicella-zoster virus
　　Herpes simplex virus
　　Coxsackievirus
　　Human immunodeficiency virus
　세균
　　Staphylococcus aureus
　　Group A β-hemolytic *streptococci*
　　Anaerobes
　　Diphtheria
　　Cat-scratch disease
　　Tuberculosis
　원충
　　Toxoplasmosis
악성 종양
　Neuroblastoma
　Leukemia
　Lymphoma
　Rhabdomyosarcoma
기타
　Kawasaki disease
　Collagen vascular disease
　Serum sickness
　Drug
　Post-vaccination
　Rosai-Dortman disease
　Kikuchi-Fujimoto disease

주된 원인균이지만, *staphylococcus*와 *pneumococcus*도 일으킬 수 있다. 디프테리아는 아주 드물다. 반면 아급성과 만성 경부 림프절종대의 원인으로는 cat scratch disease (*Baronella henselae*), atypical mycobacteria와 mycobacteria가 중요하다.

머리, 목, 경부 림프절은 소아 악성 종양의 25%이상

에서 흔히 침범되는 부위이다. 악성 림프절종대로는 호지킨 병과 비호지킨 림프종이 가장 흔한 질환이며, 경부 림프절로 전이를 가장 잘 일으키는 종양으로는 상부기도 또는 위장관을 덮고 있는 점막으로부터 발생한 편평세포암종이다. 그밖에 드물게는 타액선, 갑상선, 피부암에서도 전이된다.

다. 증상

1) 병력

연령에 따라서 흔한 원인에 차이가 있다(표 6-5).

급성 양측 경부 림프절종대의 흔한 원인은 상기도 감염 바이러스와 *streptococci* 이다. 가와사키병은 주로 편측성 경부 림프절종대를 보인다. 급성 편측 경부 림프절종대의 흔한 원인으로는 *streptococci*와 *staphylococci*가 40~80%를 차지한다.

동반되는 증상으로 발열, 인두염, 기침 등은 주로 상기도 감염과 연관되어 나타나며, 발열, 야간의 발한, 체중감소가 있는 경우는 결핵이나 림프종을 의심할 수 있다.

2) 진찰

결절의 크기는 항상 측정하여서 다음 방문할 때 비교하여야 한다. 또한 동통, 홍반, 열감, 이동성, 파동성(fluctuation), 일관성을 서술한다. 열감은 주로 화농을 의미하며, 파동은 농양 형성을 의미한다.

바이러스가 원인인 경우에는 결절이 양측성이며 부드럽고, 이동성이 있다. 세균성인 경우에는 편측성 또는 양측성이고, 동통이 있고, 이동성이 있다. 결핵에서 대부분 결절은 파동성과 홍반은 있으나 열감은 없다.

동반되는 징후 중 인두가 붉게 보이거나 편도에 삼출물이 보이며, 경구개에 점상출혈, 딸기 모양의 혀가 관찰되면 group A *streptococci* 감염을 의심할 수 있다. 디프테리아는 목의 연조직에 부종을 보여 '황소목(bull neck)' 소견을 보인다.

표 6-5. 연령대별 원인균주

신생아
Staphylococcus aureus
Group B *streptococci*
영아기
Staphylococcus aureus
Group B *streptococci*
1~4세
Group A β-hemolytic *streptococci*
Staphylococcus aureus
Atypical Mycobacteria
5~15세
Anaerobic bacteria
Toxoplasmosis
Cat-scratch disease
Tuberculosis

라. 진단

병력이 가장 중요하나 세포검사, 혈액검사, 배양검사를 통하여 원인균을 규명할 수 있고 초음파검사, 조직검사, CT, MRI 등도 감별진단에 도움을 준다.

세침 조직검사(fine-needle aspiration)은 안전하고 믿을만한 림프절 배양 검사 중의 하나이다. 모든 세침조직 검사는 그람 및 항산균 염색을 해야하고, 호기성 및 염기성과 mycobacteria, 진균 등 배양검사를 실시해야 한다. 만약 그람 염색에서 양성이면 세균배양만 해도 된다.

절제 생검 조직 검사는 원인 불명의 장기간의 발열, 체중 감소, 야간 발한, 단단한 종괴, 주위 조직과의 유착 등이 있을 때, 또는 2주일 이상 크기가 증가하고 4~6주가 되어도 크기가 줄어들지 않으며 8~12주가 되어도 정상 크기로 되지 않을 때, 그리고 새로운 징후나 증상이 나타날 때, 적절한 항생제에 반응하지 않을 때 시행한다. 절제 생검은 제일 큰 결절을 피막(capsule)까지 적출해야 한다.

마. 감별진단

경부 림프절 비대와 감별해야 할 질환들로서, 선천적인 경우는 동통이 없으면서 출생 당시부터 보이는 새열낭(branchial cleft cyst)과 갑상설낭(thyroglossal duct cyst)이 그 대표적인 예이다. 다음으로 감별해야 할 질환들로는 볼거리(mumps), sternomastoid tumor, cervical ribs, cystic hygroma, laryngocele, dermoid cyst 등이 있다.

바. 치료

대부분의 경우에는 치료가 필요없이 자연 치유되기도 하나 원인에 따라 적절한 치료가 필요하다.

화농성이 의심될 때에는 우선 1세대 cephalosporin 또는 amoxicillin-clavulanate를 투여하고 페니실린에 과민한 환자에게는 clindamycin으로 치료하도록 한다. 치주와나 치아 질환이 있는 경부림프절비대 소아에서는 penicillin V 또는 clindamycin을 투여하며 이 치료로 호전되지 않는 경우에는 천자법에 의한 세균 배양 검사 및 항생제 효능검사를 하고 그 결과에 따라 적절한 항생제를 선택한다.

적절한 항균요법으로 1~2주 혹은 대개 3주내에 림프절이 줄어들며 만일 화농하여 파동(fluctuation)이 생기면 절개하여 배농시켜야 한다.

결핵성 경부 림프절종대인 경우에는 폐결핵과 같은 방법이 추천되고 있다. 즉, INH, RFP, PZA(첫 2개월간)를 6개월간 투여하는 방법이 사용된다. 그러나 그 지역의 INH 내성률이 5~10%에 이르거나 원인이 된 성인이 높은 약제 내성을 가진 결핵균으로 감염된 경우에는 SM, EMB 또는 prothionamide (PTH) 중 하나를 더 추가할 것을 권장하고 있다.

7. 크룹증후군

크룹(croup)이란 ① 목이 쉬거나 목소리에 변화가 오고, ② 흡기 때에 거친 숨소리(천음)가 나며, ③ 기침이 개가 짖는 소리 같고(barking cough), ④ 호흡 곤란(흡기성), 호흡 촉박, 흉벽의 함몰(retraction), 특히 흉골의 하부, 상부 및 쇄골 상부의 함몰 등을 나타내는 증후군이다. 크룹은 대개 후두, 기관, 기관지 등을 어느 정도 침범하는데 후두 침범시 증상이 심하게 나타난다. 크룹은 침범부위에 따라 후두기관염, 급성후두개염, 연축성 크룹으로 크게 나누어진다.

가. 원인 및 역학

디프테리아, 세균성 기관염, 급성 후두개염을 제외하고 감염성 기도 폐쇄는 대부분은 바이러스성이다. Parainfluenza virus가 75%로 가장 흔한 원인이며, 그 외 adenovirus, respiratory syncytial virus, influenza virus, measles 등에 의하여 생길 수 있다. 급성 후두개염의 가장 흔한 원인균은 *Haemophilus influenzae*이며 그 외 *Streptococcus pyogenes*, *Staphylococcus aureus*, *Streptococcus pneumoniae* 등에 의해서도 발생된다. Hib 예방 접종으로 *H. influenzae* type b에 의한 후두개염은 예방할 수 있게 되었다. 대부분의 크룹 환자는 3개월에서 5세 사이로 2세 때가 최고 빈도를 보인다. 남아에서 더 흔하며, 겨울철에 흔히 발생하지만 1년 내내 발생한다. 생후 3개월에서 6세 사이의 연령에서는 재발도 흔하나 기도의 성장과 함께 그 빈도는 줄어든다. 약 15%의 환아에서는 가족력이 있다.

나. 증상

1) 급성 감염성 후두염

후두염은 흔한 질환으로 디프테리아를 제외하고는 거의 바이러스성이다. 대개 인두통, 기침, 쉰 목소리가 나오는 상기도 감염으로 시작한다. 일반적으로 경하게 병을 앓고 어린 영아를 제외하고는 호흡 곤란도 드물다. 진찰 소견상 인두의 염증을 제외하고는 특징적인 소견은 없다. 성대와 성대하 조직의 염증성 부종을 후두경상 관찰할 수 있다. 기도 폐쇄가 호발 하는 곳은 대개 성대하 부위이다.

2) 후두 기관 기관지염

성대와 성대 하부에 바이러스 감염이 있을 경우로서 상기도 감염과 관련된 콧물, 인두염, 경한 기침, 미열 등의 증상이 상기도 폐쇄가 뚜렷하게 나타나기 1~3일 전에 선행된다. 이후로 개 짖는 듯한 기침, 쉰 목소리, 흡기성 천음 등의 증상이 나타나며 발열은 39~40℃까지 오르기도 하나 열이 없을 수도 있다. 증상은 특징적으로 야간에 심하며 수일 내에 경한 정도로 재발하기도 하나 대부분 일주일 이내에 좋아진다. 보채거나 울면 증상이 악화된다. 일어나 앉아 있거나 상체를 올려주는 자세를 취한다. 진찰 소견에서 쉰 목소리, 콧물, 정상에서 중등도 정도의 인두염증 소견, 호흡수의 증가 등이 관찰된다. 환자에 따라 호흡 곤란의 정도가 다양한데 드물게 상기도 폐쇄가 심해지면서 호흡수의 증가 소견과 함께 비익 확장, 흉벽 함몰, 지속적인 천음 등의 소견이 나타난다.

저산소증이나 낮은 산소 포화도는 기도의 완전 폐쇄가 급박할 때에만 관찰된다. 저산소증, 청색증이나 창백한 소견을 보이는 소아에서는 즉각적인 기도 확보가 필요하다. 따라서 심한 후두 기관 기관지염의 경우에는 후두개염과의 감별이 어려운 경우가 종종 있다.

크룹은 임상적으로 진단이 가능하지만 경부 X선을 촬영하면 특징적인 성대 하부의 협착 소견 또는 후전방 사진에서 "첨탑(steeple) 소견"이 관찰될 수 있다(그림 6-10).

3) 급성 후두개염

급속히 진행하는 고열, 인두통, 호흡 곤란 등을 특징으로 하는 응급 질환이다. 호흡 곤란의 정도는 환자에 따라 다양하게 나타날 수 있다. 발병 수 시간 이내에 환자는 매우 아파 보이며 삼킴 장애가 나타나고, 호흡

이 힘들어진다. 침을 흘리기도 하며 기도 확보를 위해 목을 과신전 시키기도 한다. 보채면서 호흡 곤란이 있은 후 청색증이 심해지고 혼수상태로 진행되기도 한다. 천음은 뒤늦게 나타나는 증상으로 거의 완전 기도 폐쇄가 임박했음을 시사한다. 적절한 치료가 시행되지 못한 경우 기도의 완전 폐쇄와 사망을 초래할 수 있다. 크룹에서 전형적으로 관찰되는 개 짖는 소리 같은 기침 소견은 드물며 가족 중에 급성 호흡기 증상을 보이는 경우도 드물다.

진단은 후두경으로 크고 부푼 붉은 체리색의 후두개가 관찰되면 진단이 가능한데 때때로 성대 상부 구조 특히 aryepiglottic folds가 후두개 자체 보다 더 흔히 침범되기도 한다. 진찰도중 심정지가 유발되기도 하므로 이 질환이 예견될 때에는 기관 삽관이나 기관 절개의 준비 없이 인두를 건드려서는 안 된다.

후두개염이 의심될 경우에는 기도 측면 사진 촬영을 우선 시행해야 한다. 후두개염 환자에서 특징적인 X선 소견(thumb sign)을 보인다(그림 6-10). 방사선 촬영으로도 후두개염의 가능성을 배제할 수 없을 때에는 후두경을 통한 관찰이 필요하다.

후두개염에서는 기도 확보를 위해서 기관 삽관 내지는 드물게 기관 절개술 등이 호흡 곤란의 정도에 관계없이 필요하다. 항생제에 대한 치료 반응이 빠르므로 기도 삽관 기간은 대개 2~3일 정도이다. 대부분의 환자에서는 균혈증도 함께 일어나며 폐렴, 경부 림프절염, 중이염 등의 다른 감염들도 종종 동반된다.

4) 연축성 크룹

연축성 크룹(spasmodic croup)은 일반적으로 1~3세에 잘 일어나며 급성 후두 기관 기관지염에서 관찰되는 바이러스 감염 증상이 환자 본인이나 가족 내에 없는 점을 제외하고는 임상적으로 유사하다. 원인은 확실하지 않지만, 감염, 알레르기, 정신적 요인 및 식도 역류 등이 관여한다고 생각된다. 후두경으로 관찰하면 창백하고, 부종이 보인다.

증상은 저녁 또는 밤에 주로 발생하며 경도에서 중등

도의 콧물과 쉰 목소리 등이 있은 후 급작스럽게 특징적인 개 짖는 소리 같은 쇳소리 기침과 시끄러운 흡기성 호흡음, 호흡 곤란, 보챔 등이 시작되어 자다가 깬다.

대개 증상의 심한 정도는 수 시간 내에 줄어들고 수일 내에 약간의 쉰 목소리와 기침만을 제외하고는 증상의 호전을 보인다. 이런 발작이 2~3일 동안 밤마다 연속해서 일어나는 수가 있으며 겨울마다 재발하는 경향이 있다.

다. 진단 및 감별진단

크룹증후군에 속하는 4가지 질환의 증상을 각각 서로 감별해야 하며, 기타 상기도 폐쇄를 일으키는 여러 질환과도 감별해야 한다(표 6-6).

세균성 기관염은 감별해야 할 가장 중요한 질환이다. 디프테리아 크룹은 광범위한 예방 접종으로 현재는 드물지만 초기 증상으로 무력감, 인두통, 식욕 부진, 미열 등을 보인다. 발병 2~3일 이내에 인두에서 전형적인 회백색의 삼출막 소견이 관찰되며 크기는 다양하다. 질환의 경과는 서서히 진행하는 반면 기도 폐쇄가 갑자기 일어날 수도 있다. 홍역 크룹은 홍역의 진행 중에 발생하며 전형적인 홍역의 전신 증상이 있다.

이물질 흡인은 대개 생후 6개월에서 2년 사이에 생기고 갑작스러운 기도 폐쇄, 기침 등으로 나타난다.

인두 후부 농양 및 편도 주위 농양은 기도 폐쇄와 흡사한 증상이 발생하나 항균제가 나온 후로는 드물어졌다. 상기도와 흉부 X선 촬영은 이 질환들의 가능성을 배제하는데 필수적이다.

아나필락시스나 전신적인 알레르기 반응에 의한 기도 부종이나 저칼슘혈성 테타니, 전염성 단핵구증, 외상, 후두의 종양 또는 기형 등의 원인 등도 감별해야 한다.

라. 치료

크룹의 치료는 적절한 환기 상태를 유지하는 것이 중요하다. 급성 연축성 크룹이나 가벼운 바이러스성 크룹 환자는 가정에서 분무기로부터 나오는 차가운 증기를 쐬어 주는 등 대증요법으로 어느 정도 호전되지만 호흡곤란이 있으면 즉시 병원으로 가야한다.

에피네프린 흡입 치료는 크룹 환자에서의 기관 절개 필요성을 줄인다. 2.25%의 racemic 에피네프린을 생리식염수 3 mL에 혼합하여 20분마다 사용할 수 있

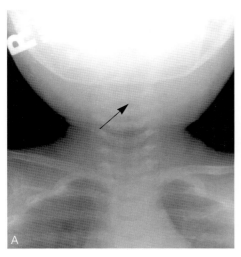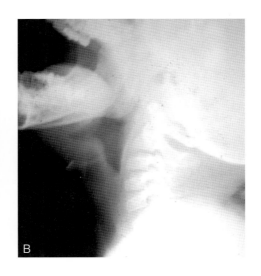

그림 6-10. 크룹환자의 X선 사진. 전후사진(A), 측면사진(B)

다. 에피네프린 흡입 치료의 적응이 되는 경우는 안정 상태에서 중등도 내지 중증의 심한 천음이 있는 경우, 기관지 삽관이 필요한 경우, 저산소증이 있는 경우, 차가운 증기를 쐬어도 호전이 없는 경우 등이 해당된다. Racemic 에피네프린의 작용 시간은 2시간 미만으로 크룹의 증상이 다시 나타날 수 있다. 안정 때 천음이 들리지 않고 호흡곤란이 없으며 정상 피부색 소견과 의식 상태가 명료하고 에피네프린을 시행 받은 경우

는 2~3시간 정도 관찰한 후에 귀가 조치가 가능하다.

바이러스성 크룹에서 스테로이드의 효과에 대해서는 아직까지도 논란의 여지가 있지만 항염증 작용을 통해 후두 점막의 부종을 경감시켜 입원 빈도의 감소, 입원 기간의 단축 등을 기대할 수 있다. Dexamethasone을 0.15~0.6 mg/kg로 1회 투여하거나 budesonide 흡입제를 사용하거나 경구용 dexamethasone를 투여할 수 있다.

호흡곤란이 심한 경우 입원이 필요한데 입원 치료의

표 6-6. 크룹증후군의 비교

	Spasmodic croup	Laryngitis	Laryngotracheobronchitis	Epiglottitis
Age	6 mo-3 years	<5 years	<5 years	2-6 years
Etiology	viral? allergy?	parainfluenza influenza adenovirus RS virus	parainfluenza influenza adenovirus RS virus	H.influenzae Group A streptococcus M. Catarrhalis
Symptoms and signs	sudden onset afebrile nontoxic barking cough stridor hoarseness	incidious onset afebrile/ febrile nontoxic hoarseness	incidious onset low grade fever nontoxic stridor hoarseness	sudden onset toxic high fever sore throat* drooling* dysphagia * muffled voice lean forward (tripod sign)
Endoscopic findings	pale mucosa subglottic narrowing	normal or mild redness on epiglottis	deep red mucosa	swollen cherry red epiglottis
Lab findings	no leukocytosis	normal mild leukocytosis lymphocytosis	normal mild leukocytosis lymphocytosis	marked leukocytosis shift to left
X-ray findings	subglottic narrowing	normal	subglottic narrowing	thick aryepiglottic folds swollen epiglottis
Treatment	mist racemic epinephrine steroid	mist supportive care	mist racemic epinephrine steroid antibiotics intubation(rarely)	intubation (usually critical) antibiotics
Response	rapid	transient	transient	rapid

* Symptom triad

기준은 천음이 진행되거나 휴식 때에도 심한 천음이 있는 경우, 호흡곤란, 저산소증, 청색증, 의식 약화, 주의 깊은 관찰이 필요할 경우에는 입원 치료의 대상이 된다.

후두개염은 응급 질환으로 기도 삽관, 기관 절개 등의 즉각적인 처치가 필요하다. 모든 환자에게 산소를 공급해야 하나 산소마스크는 보챔이 더 심해질 수 있으므로 피한다. Racemic 에피네프린과 스테로이드 모두 효과가 없다. 혈액, 후두개 표면, 특별한 경우에는 뇌척수액을 배양한다. *H. influenzae* type b가 동정되면 ampicillin를 투여하고, ampicillin에 내성을 10~40% 정도 나타내므로 항생제로 ceftriaxone, cefotaxime과 sulbactam 등을 투여한다. 후두개염은 항생제 사용 후 수일 내에 증상이 호전되며, 기관삽입과 함께 호흡곤란이나 청색증 등이 사라지면 기관삽관을 제거할 수 있다. 항생제는 7~10일간 지속적으로 사용해야 한다. 가족 내에 Hib 예방접종을 충분히 시행 받지 못한 만 48개월 미만의 소아가 있는 경우에는 rifampin 예방요법 (20 mg/kg, 하루 1회, 4일간 경구 복용; 최대치 600 mg)을 가족 구성원 모두에게 시행한다.

마. 합병증

바이러스성 크룹의 15% 정도에서 합병증이 생긴다. 중이, 말단 세기관지, 폐실질과 같은 다른 호흡기계로 감염이 진행되는 것이 가장 흔한 합병증이다. 중이염, 폐렴, 경부 림프절염 등이 생길 수 있으며 드물게 뇌수막염이나 관절염 등이 올 수 있다. 종격동 기종이나 기흉은 기관 절개 이후 가장 흔히 발생하는 합병증이다.

바. 예후

급성 감염성 상기도 폐쇄가 있는 경우 입원 기간과 사망률은 호흡기계의 침범 부위가 넓을수록 증가한다. 그러나 후두개염에서는 침범 부위가 국소적임에도 불구하고 치명적일 수 있다. 크룹으로 인하여 사망하는 이유는 대부분이 후두 폐쇄나 기관 절개의 합병증 때문이다. 그러나 조기에 진단하여 적절히 치료하면 예후는 좋다.

8. 세균성 기관염

세균성 기관염(bacterial tracheitis)은 후두개를 침범하지는 않으나 후두개염이나 크룹 같이 생명을 위협하는 기도 폐쇄증이다.

*Staphylococcus aureus*가 가장 흔한 원인으로 *Moraxella catarrhalis*, nontypable *H. influenzae*, 혐기성 병원체 등도 원인이 된다. 주로 3세 미만에서 발병하지만 연장아에서도 발병한다. 세균성 기관염은 일차적으로 발생하기 보다는 종종 바이러스성 호흡기 감염에 뒤따라 발생한다.

전형적으로 쇳소리 기침을 특징으로 하며 고열과 호흡 곤란과 독성 증상 등이 보일 수 있다. 세균성 기관지염 환아는 후두개염시 관찰되는 침 흘림이나 연하 곤란 등은 없으며 똑바로 누울 수도 있다. 고열, 화농성 기도 분비물 등 세균성 상기도 질환을 시사하는 소견들을 근거로 진단할 수 있으며 후두개염의 전형적인 소견들이 없어야 한다.

세균성 기관염이 의심되면 항포도상구균제를 포함하는 항생제를 사용해야 하는데 2~3일 후 증상은 호전되지만 충분히 입원기간을 연장하는 것이 좋다. 가습이나 racemic 에피네프린 같은 크룹의 통상적 치료는 효과가 없으며 심한 경우 기관 삽관이나 기관 절개는 필요할 수도 있다. 점막 부종과 화농성 분비물이 줄어들면 기관 삽관 제거를 안전하게 시행할 수 있으며 항생제와 산소 요법 등은 지속하면서 주의 깊은 관찰을 해주는 것이 필요하다. 예후는 비교적 양호하다.

9. 기관지염

기관지염은 특이적인 진단 방법은 없지만 발열이

심하지 않은 유소아가 객담이 있는 기침을 오래하며 청진에서 천명이나 수포음을 들을 수 있을 때 기관지염이라고 진단한다. 소아에서는 명확히 구분하기는 어렵지만 질병의 기간이나 증상에 따라 급성, 만성, 재발성 그리고 천명의 동반 유무에 따라 천명성 기관지염(wheezy bronchitis) 등으로 분류할 수 있다.

가. 급성 기관지염

급성 기관지염은 주로 상기도 감염 뒤에 병발하므로 호흡기 바이러스 감염이 빈번한 겨울철에 흔하다.

기관기관지 상피가 원인균에 의하여 손상 받으면 기도가 과민하게 되고 심한 기침이 1~3주 지속되는 증상이 나타나고 때로는 발열, 권태감 등이 동반되기도 한다.

첫 증상은 코 감기 증상이 3~4일 정도 지속되다가 건성 기침으로 발전한다. 기침이 수일 동안 지속되는 동안 객담이 생기고 객담은 진하고 농성으로 변하는데 이런 색조의 변화가 세균 감염을 의미하기보다는 객담에 호중구의 농도가 증가하기 때문이다.

유아에서는 객담을 삼키고 기침을 발작적으로 하여 구토를 하는 수가 있으며 연장아에서는 흉통을 호소하는 경우도 있다. 질병이 경과하면서 객담의 색조는 엷어지며 5~10일 이내에 기침이 감소하는 경향을 보인다. 질병의 전체 경과는 2주정도이며 3주이상 지속되는 경우는 드물다. 만일 임상 증상이 3주이상 경과 시에는 2차 세균 감염이나 만성 질환이 잠복되어 있는지 여부를 알아보아야 한다.

진찰 소견은 연령에 따라 조금씩 다르다. 대부분은 초기에 미열과 비인두염, 결막염, 비염 등과 같은 비특이적인 상기도 감염 소견을 보인다. 병이 진행하면 기침이 심해지고 호흡음은 거칠어지고 천명 또는 수포음이 청취되기도 한다. 흉부 X선 사진은 정상이거나 증가된 기관지 음영을 보이기도 한다.

대부분의 급성 기관지염은 rhinovirus, coronavirus, RS(respiratory syncytial) virus, adenovirus, influenza, measles virus 등 호흡기 바이러스 감염에 의하여 유발되며 기간이 경과하면 저절로 낫는 경우가 많다. 백일해, 디프테리아 감염 때에도 기관지염은 발생될 수 있으며. 객담검사에서 폐구균, 포도상구균, 연쇄구균 등이 동정되더라도 원인균이라 단정 지을 수는 없다.

급성 기관지염의 치료는 대증 요법에 의한다. 충분히 안정하고 수분을 많이 섭취하며 가습기를 사용하여 기도의 점액 배출이 용이하도록 도와준다. 백일해와 같이 심한 기침이 아니면 진해제의 사용을 자제하고 도리어 기침에 의한 객담 배출을 권장하는 것이 바람직하다. 항생제는 원칙적으로 사용하지 않으나 때로는 세균 감염에 의하여 급성 기관지염이 발생되거나 악화 될 수 있기 때문에 세균 감염이 의심되면 적절한 항생제를 투여한다.

Mycoplasma pneumoniae, *Bordetella pertussis*, *Corynebacterium diphtheriae*, *Chlamydia* 등의 감염이 의심되면 erythromycin을 10~14일 정도 투여한다.

나. 만성 기관지염

객담이 있는 기침을 4주 이상하고 청진에서 천명이나 수포음을 들을 수 있는 경우를 만성 기관지염이라 하고 연간 4회 이상 반복되는 증상을 보이는 경우를 재발성 기관지염이라 한다.

만성 기관지염은 단일 질환으로 생각하기보다는 잠복된 기저 질환에 의하여 나타나는 만성 증후군으로 간주하는 것이 바람직하다. 그러므로 이런 증상을 유발하는 다양한 기저 질환을 찾도록 노력하는 것이 중요하다.

특히 소아에서는 간접흡연과 같은 기도의 자극물질이나 유아원이나 유치원 등에서 반복적으로 호흡기 바이러스 감염에 노출되면 만성 기관지염 증상을 보일 수 있으므로 병력에서 이를 알아보아야 한다.

다. 감별진단

1) 천식

만성 기관지염에서 천명이 들리는 경우가 많지만

소아에서는 기도의 해부학적 특성으로 인하여 이런 증상이 흔히 관찰된다. 그러나 병력에서 아토피피부염이 있고 알레르기질환의 가족력과 높은 호산구를 보이는 경우는 천식으로 이행할 가능성이 높기 때문에 유의하여 조기 진단과 적절한 치료를 하는 것이 예후에 중요하다.

2) 기존의 폐 장애

소아에서 선천성 폐장애와 생후 초기에 받은 기도 손상은 만성적인 기도 증상을 유발할 수 있다. 신생아 호흡 곤란 증후군, 기관지폐이형성증을 앓은 많은 소아들이 성장하면서 기도과민성, 운동 관련 포화도 감소, 만성 기침과 천명을 보이는 경우가 많다.

3) 이물 흡인

이물을 흡인했을 당시 갑작스런 기침, 천명, 구토 등의 병력이 있으면 기도의 이물질 흡인을 쉽게 알 수 있으나, 이런 병력이 뚜렷하지 않고 만성적으로 기침을 하거나 천명만의 소견을 보이는 경우는 진단이 쉽지 않다.

그러나 자세한 병력 청취를 하여 만성 기관지염과 감별하는 것은 향후 질환의 예후에 매우 중요하다.

4) 흡인 증후군

점액생산의 증가에 따른 끈적한 기침은 만성 기관지염의 임상 양상과 유사하다.

기관지식도루, 위식도 역류증, 후두열, 가족성 dysautonomia와 같은 연하기능장애, 점막하구개열, 뇌성마비, 근 위축증에서는 만성적으로 음식물이나 위 내용물 흡인이 자주 생긴다.

5) 면역결핍증

면역 결핍증이 있을 경우 흔히 침범되는 장기는 호흡기, 위장관, 피부 등이므로 기관지염, 폐렴, 부비동염, 중이염 등이 재발된다. 특히 면역 결핍이 심하지 않은 경우에는 잦은 기관지염이 주 증상으로 나타나기도 한다

6) 섬모의 원발성 장애

만성 기도 질환은 섬모 장애나 결손에 의해 유발될 수 있으며 특히 만성기관지염이나 부비동염 그리고 장기적으로는 기관지확장증과 같은 합병증이 발생될 수 있다.

7) 감염

다양한 감염인자가 만성 기관지염을 유발할 수 있다. 유아기에서는 *Chlamydia* 또는 *B. pertussis*가 학동기에서는 *M. pneumoniae* 기도를 손상하여 만성 기침을 일으킬 수 있다. 더불어 mycobacteria 또는 진균 감염 역시 원인으로 고려 될 수 있다.

라. 치료

만성 기관지염의 치료는 잠복된 기저 질환을 찾아 이를 치료하는 방법과 더불어 유치원 등에서 다른 아이들로부터의 잦은 호흡기 감염 또는 간접흡연, 대기 오염 등과 같은 외적인 요인에 노출되지 않도록 노력하는 것이다.

원인 질환을 명확히 알수 없는 만성 기관지염 경우에는 급성 기관지염과 마찬가지로 기도에서 객담 배출을 용이하도록 호흡 물리 요법을 시행하고 테오필린제제나 기관지확장제 등을 사용하여 기침을 완화시킨다. 세균 감염이 의심되면 환자의 연령, 의심되는 균주에 따라 적절한 항생제를 선택 투여한다. 영아나 학동기 환아에서는 erythromycin이 *Bordetella pertussis*, *Chlamydia*, *M. pneumoniae*에 의한 감염에 효과적이다. 학동전기에서는 *H. influenza*, *Pneumococcus*, *Streptococcus*에 효과적인 amoxicillin을 사용하기도 한다.

10. 세기관지염

세기관지염은 상하기도의 감염으로 인해 세기관지의 폐쇄가 초래되는 호흡기 질환으로서 모든 연령에서 나타날 수는 있으나 주로 1세 미만의 영유아에서 빈번하게 발생한다.

가. 원인

Respiratory syncytial virus (RSV)가 가장 흔한 원인으로 2세 미만의 입원한 세기관지염의 약 75%에서 발견된다. 그 외 parainfluenza virus type 1과 3, influenza B, parainfluenza type 2, adenovirus types 1, 2와 5와 mycoplasma도 원인이 될 수 있다. RSV 세기관지염에는 다양한 면역기전이 관여하는데 특히 제1형 알레르기 반응이 관여한다. 모유 수유로 IgA 양이 풍부한 영유아는 세기관지염이 덜 걸린다.

나. 역학

영유아의 약 25% 정도는 호흡기 감염을 앓게 되고 이들 중 반수 정도에서 천명이 동반된다. RSV는 외래 환자의 1/3, 입원한 6개월 미만의 영유아의 80%에서 배양되며, 입원환자의 80%는 생후 1년 미만이고, 50%가 1~3개월, 5% 미만에서만 생후 30일 이전에 입원하게 된다. 위험인자로는 미숙아, 어린 나이, 저소득층, 과밀한 주거환경, 간접 흡연, 인공수유한 경우, 유아원에 맡겨지는 경우 등이다.

RSV는 겨울이나 초봄에 유행하며 파라인플루엔자 바이러스는 가을에 주로 유행한다. RSV는 A형과 B형의 아형이 있는데 주로 A형에 의해 유행이 일어난다.

전염성이 강하여 증상이 발현되고 6일에서 21일까지도 바이러스가 퍼진다. 잠복기는 2~5일로 가족내에서는 46%정도, 놀이방이나 유치원에서는 98% 정도 전염력이 있다. 따라서 손씻기와 마스크와 가운의 착용은 감염예방에 도움이 된다.

다. 증상

처음 2~5일 정도 콧물, 비폐색, 미열 등의 상기도염 증상이 선행되다가 기침, 호흡곤란, 천명, 식욕부진이 나타난다. 호흡기 증상이 심해질 때면 열은 내리게 되는데 1개월 미만의 영아에서는 저체온을 보이는 수도 있다. 심한 경우는 빈호흡, 천명, 코의 벌렁거림, 흉곽 함몰, 보챔, 청색증을 동반하며 호흡곤란으로 이어질 수 있다. 나이가 어릴수록 증상이 심한데 이는 작은 세기관지의 내경에 기인한다.

진단은 환자의 연령, 계절, 증상으로 가능하며 흉부 X선 검사에서 과팽창소견을 보이고 혈액검사에서 백혈구 수의 증가를 보이거나 좌측편위를 보일 수도 있다. 저산소증이 증상의 중증도를 측정하는 가장 중요한 방법이며 빈호흡 소견과 일치한다. 천명의 정도는 저산소증과 잘 일치하지 않는다. 증상은 첫 감염 때가 가장 심하고 이후에는 가볍게 나타난다. 세기관지염 이외에 RSV는 중이염을 일으키고 드물게는 심근염, supra-ventricular, ventricular dysrrhythmia와 antidiuretic hormone 분비를 유발할 수 있다.

RSV 감염은 무호흡과도 관계가 있는데 특히 미숙아 그리고 영유아기에 무호흡을 경험한 소아에서 더 잘 나타난다. 질병 초기부터 나타나는 경우도 많고 무호흡이 초기 증상인 경우도 있다. 무호흡은 기도 폐쇄에서 기인하는 것은 아니며 대개 수면 중에 오며 수일 지속되지만 세관지염의 약 10% 정도에서 기도 삽관이나 인공호흡이 필요할 수 있다.

라. 진단

비인두물의 배양검사가 정확한 진단방법이지만 일주일 이상의 시간이 걸리며, 비인두분비물이나 기도 세척액으로 IFA 혹은 ELISA 방법으로 진단하는 방법들이 용이하고 저렴하다. 이들 검사들의 민감도와 특이도는 약 80~90% 정도이다.

마. 임상경과

대개는 7~10일경에 회복되나 2~3주까지도 기침이 지속되기도 한다. 전반적으로 예후는 나쁘지 않으며 사망률은 약 1% 정도이다. 10%미만에서 인공호흡이 필요하다. 그러나 20% 정도는 수개월 동안 천명이나 폐기능 이상이 지속되는데 특히 기관폐이형성 등의 기존 폐질환이나 면역결핍증, 선천성 심장병이 있는 경우에 더욱 심하여 사망률도 증가한다.

RSV 세기관지염 후 천명이 재발하거나 천식으로 이행하는데 대해서는 아직도 논란이 있다. 미국의 Tucson에서 전향적으로 출생부터 13세까지 추적한 연구 결과 영아기의 RSV 세기관지염 발병 후 6세까지는 지속적인 천명성 질환을 가지게 될 위험이 뚜렷하게 증가하였으나, 이후에는 차츰 그 영향이 감소하여 13세에 이르면 거의 관련성이 없는 것으로 관찰되었다. 그러나, RSV 세기관지염은 천명증상의 지속과 무관하게 11세경까지 폐기능에 영향을 미칠 수 있음이 관찰되었다.

RSV 감염이 천식 위험 인자인지 혹은 이미 Th2 로 치우친 면역반응을 가진 환자에서 심한 세기관지염이 나타나는지는 논란이 있다. 또한 좁은 기도와 아토피 체질이 관여한다고 보여 진다.

바. 감별진단

급성 세기관지염과 가장 감별되어야 할 질환은 천식이다. 이 두 질환은 처음 발생할 때에는 감별이 힘들 수 있으나 반복되는 천명과 선행 바이러스 감염없는 갑작스러운 발병, 아토피피부염 및 다른 알레르기 질환의 기왕력, 가족력 등은 천식을 의심하게 하는 근거가 된다. 그 외에 기도 내 이물 흡인, 기관지 연화증, 혈관륜, 심부전, 낭포성 섬유증 등도 천명을 동반하여 세기관지염과의 감별 진단을 필요로 한다.

사. 치료

호흡 곤란 증상을 보이는 영아는 반드시 입원 치료를 해야 한다. 저산소혈증이 관찰되면 산소를 투여하여야 한다. 환아들이 심하게 보챌 수 있으나 진정제의 투여는 호흡을 억제할 수 있으므로 금기이다. 영아들은 빈호흡과 호흡 곤란으로 인해 입으로 수유하다가 흡인을 일으킬 위험이 높으므로 튜브를 삽입하여 먹이는 방법도 고려할 수 있다. 호흡 곤란이 점점 더 심해지면 기관 삽관과 인공 호흡기 사용이 필요할 수도 있으므로 금식하고 수액 공급을 하면서 경과를 관찰해야 한다.

세기관지염의 치료에서 기관지 확장제의 사용은 많은 이견들이 있으나 사용 여부는 기관지 확장제를 흡입하고 나서 환자의 반응을 관찰하면서 계속 사용할 것인지 결정하는 것이 바람직하다.

스테로이드의 사용은 그 효과에 대한 의견이 일치하지 않음에도 불구하고 정맥 주사, 경구 투여, 흡입제로 일부 사용되고 있는 실정이다. 그러나 이전에 천명의 경험이 전혀 없는 영아의 급성 RSV 세기관지염에서 스테로이드의 사용은 그 효과가 인정되지 않고 있다.

Ribavirin은 항바이러스 제제이며 흡입제로 사용된다. 특히 고위험군 환자에서 바이러스 분비의 감소, 산소 요구도의 감소 및 입원 기간 감소 등으로 인해 사용될 수 있다. 항생제는 2차적 세균 감염에 의한 폐렴이 의심될 때에 제한하여 사용한다. RSV 특이 면역 글로불린은 세기관지염의 급성기에는 치료 효과가 없다.

아. 예방

정맥 주사용 RSV 특이 면역 글로불린(RSV-IVIG, RespiGam)과 RSV F 단백에 대한 근육 주사용 단클론 항체인 palivizumab(Synagis)은 RSV 유행 전이나 유행 중에 고위험군 영아들에게서 심한 감염을 예방하기 위해 사용한다. 특히 palivizumab은 만성 폐질환을 가진 2 세 이하의 영아 또는 미숙아에게 투여하는 것이 권장되고 있다. 그러나 RespiGam을 청색성 심장 기형을 가진 영아에 투여한 후 사망률이 증가하는 위험이 관찰되어 현재로서는 금기이다.

11. 하부 기도의 바이러스 감염

세계적으로 매년 300~500 만명의 소아들이 급성 호흡기질환으로 사망하며 바이러스 감염이 이에 직간접적으로 중요하게 관련되어 있다.

바이러스 감염은 소아에 있어서, 특히 5세 이하의 연령에서 하부 기도 질환을 일으키는 가장 흔한 원인이며 RSV, parainfluenza virus type 1, 2, 3, influenza virus type A와 B, adenovirus 등이 중요한 역할을 한다(그림 6-11, 12).

주로 상부기도 질환을 일으키는 것으로 알려져 있는 rhinovirus, human corona virus (HCVs), influenza type C, parainfluenza type 4 등의 바이러스가 하부기도 질환의 원인이 되는지는 아직 명확하지 않다. 그 외에 Epstein-Barr virus (EBV), cytomegalovirus (CMV), human herpes virus-6 (HHV-6), measles virus 등은 주로 면역 기능이 저하된 환자에서 하부기도 질환의 원인이 될 수 있다.

최근에는 바이러스들의 역학과 더불어 감염의 면역 기전, 분자 생물학, 항바이러스 제제의 개발에 있어서도 획기적인 진전이 이루어지고 있다.

가. Respiratory syncytial virus (RSV)

RSV는 소아에서 하부 기도 질환을 일으키는 가장 흔한 원인이다. 5세 이하 소아에서 발생하는 하부 기도 질환의 60%가 RSV 감염에 의해 발생하는 것으로 보고되고 있으며 전세계적으로 매년 10월 경부터 이듬해 4월 경 사이에 최소 12주 이상 지속되는 유행을 일으킨다. RSV에 의한 감염은 매우 흔하게 발생하여 50% 정도의 소아들이 생후 1세 이내에 감염되고 3세에 이르면 거의 모든 소아들이 RSV에 의한 감염을 경험한다. RSV 감염에 의한 증상은 소아의 연령에 따라 심한 정도가 다양하며, 소아에서는 대개 경한 상기도 감염의 증상을 나타내지만 2세 이하의 영아에서는 심한 하부 기도의 질환을 일으키는 경우가 많아 실제로 영아에서 발생하는 급성 세기관지염과 폐렴의 50~90%가 RSV에 의해 발생한다. RSV에 의한 급성 세기관지염은 영아에서 가장 중요한 호흡 부전의 원인 중 하나이며 사망률은 0.5~1.5% 정도로 낮지만 미숙아, 신경 근육계 질환, 만성 호흡기 질환, 선천성 심장 질환 등을 가지고 있거나 면역 기능이 저하된 상태에 있는 고위험군 환자들에서는 훨씬 높은 사망률을 나타낸다. 자연적인 감염에 의해 얻어진 면역력은 불충분하여 실제로 RSV 감염을 앓은 이후 1~2년 내에 재감염이 일어나는 경우가 많다. 이렇게 재감염이 잘 발생하는 기전에 대해서는 아직 잘 알려져 있지 않으나 다양한 바이러스 항원의 변종이 존재하기 때문일 것으로 추측된다.

1) 증상

영아에서 처음 나타나는 증상은 주로 비폐색, 콧물 등이다. 이후 1~3일에 걸쳐 감염이 하부 기도로 진행하면서 기침이 시작되는데, 크룹, 기도기관지염 (tracheobronchitis), 세기관지염, 폐렴 또는 이들이 복합된 다양한 증상이 나타나게 된다. 이후 증상이 심해지면서 10일 정도 지속되다가 점차 회복되는데 3주 이상 때로는 7주까지 회복 기간이 연장될 수 있다. 발열은 심하지 않은 경우가 대부분이며 최고 체온이 38℃ 정도이며 열이 없을 수 있다. 증상이 심한 동안 흉부 함몰, 호기성 천명, 수포음 등이 관찰된다. 흉부 X선 소견에서 과팽창을 보이며 입원 환자의 26% 정도에서 주로 우상엽을 침범하는 무기폐 양상을 관찰할 수 있다. 흔히 저산소혈증, 과탄산혈증 상태를 보이며 말초 혈액의 백혈구 양상은 일정치 않으나 심한 저산소증이 있으면 좌방 이동 양상을 나타내기도 한다. 환아의 상태가 갑자기 나빠지는 경우에는 세균에 의한 중복

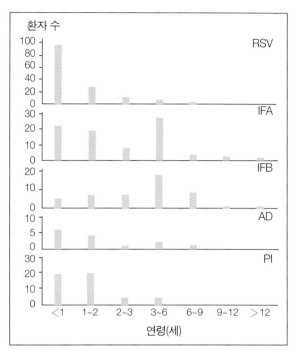

그림 6-11. 나이에 따른 원인바이러스의 분포(1997. 3~1998. 2 동안 서울지역에서 발생한 소아기 바이러스성 호흡기질환). IFA: influenza A virus, IFB: influenza B virus, AD: adenovirus, PI: parainfluenza virus

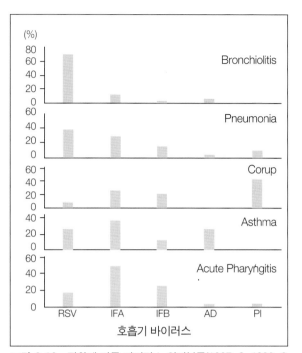

그림 6-12. 질환에 따른 바이러스 원인분포(1997. 3~1998. 2 동안 서울지역에서 발생한 소아기 바이러스성 호흡기질환). IFA: influenza A virus, IFB: influenza B virus, AD: adenovirus, PI: parainfluenza virus

감염을 의심해야 하며 서서히 호흡 부전으로 진행하는 경우도 있다. 특히 미숙아나 어린 영아는 무호흡이 발생하면서 갑자기 사망할 수도 있다. 부정맥, 심근염, 중추신경계 침범, 발진 등이 합병증으로 보고되고 있으나 매우 드물다.

2) 진단

RSV는 호흡기 증상이 나타나기 6일 전부터 증상이 나타난 후 평균 6~7일 정도까지 상부 기도에서 검출될 수 있다. 따라서 비인두 분비물의 배양에 의해 진단을 내릴 수 있으나 5~9일 정도의 시간이 소요되므로 현재 면역형광법으로 비인두의 탈락 세포에서 바이러스 항원을 직접 찾아내거나 비인두 분비물을 ELISA법으로 분석하는 방법을 주로 사용하고 있다. 결과를 빠르게 얻을 수 있고 상대적으로 저렴하며 예민도와 특이도가 90% 이상으로 가장 선호되는 방법이다. 혈청학적 검

사도 가능하나 예민도가 떨어지며 진단이 지연된다.

3) 치료

영아가 호흡 곤란으로 인해 잘 먹지 못하므로 충분한 수분 공급이 이루어지도록 해야 하며 저산소혈증이 있을 때는 산소 공급을 해야 한다. 호흡 부전으로 진행하는 양상을 보이면 기관 삽관과 인공 호흡기의 사용을 고려해야 할 수도 있다. 기관지 확장제는 시도해 보고 효과가 있으면 계속 사용하며 스테로이드 사용의 효과는 아직 확실하지 않다. 항생제의 사용은 세균의 중복 감염이 확실히 의심되거나 증명된 경우로 제한하여 사용해야 한다. RSV에 대한 항바이러스 제제인 Rivavirin은 어느 정도 효과가 있는 것으로 알려져 있으나 흡입제로 사용할 때 결정이 침착되는 문제점과 비싼 가격 때문에 증상이 심한 경우 또는 고위험군 환자들에서 사용하도록 권장되고 있다.

4) 예방

고위험군에 대해서는 RSV에 대한 단클론항체인 palivizumab 또는 RSV 특이 면역 글로부린(RSV-IVIG)을 유행 시기 동안 매달 1회 투여함으로써 감염의 빈도와 심한 정도를 감소시킬 수 있다. 주로 만성 폐질환을 가진 소아와 조산아가 대상이 된다. 그러나 청색증 심장 질환을 가진 소아에 대해서는 RSV-IVIG가 금기이며 palivizumab도 추천되지 않고 있다. 안전하고 효과적인 백신은 아직 개발되어 있지 않으나 최근에 아단위(subunit) 백신에 대한 연구가 진행 중이다.

나. 파라인플루엔자 바이러스

파라인플루엔자 바이러스(parainfluenza virus) 군에는 제 1형부터 4형까지 4종류의 바이러스가 속해 있으며 5세 이하의 소아에서 하부 기도 질환을 일으키는 두 번째로 흔한 원인이다. 입원을 요하는 환자들 중 크룹 50%, 세기관지염 및 폐렴 15% 등에서 주요원인균이다. 그 중에서 주로 제 3형에 의해 크룹, 기관지염, 세기관지염, 폐렴 등의 다양한 하부 기도 질환이 잘 발생하며 연중 발생하나 봄과 여름에 더 자주 유행하는 경향이 있다. 제 1형이 주로 크룹을 일으키는 원인으로 알려져 있으며 제 4형은 상기도 감염을 일으키는 것으로 생각되나 임상적으로 크게 문제가 되지 않는다.

진단은 배양이나 면역형광법 또는 ELISA법을 이용하여 항원을 직접 찾아내는 방법에 의해 이루어진다. 크룹 증상으로 응급실을 내원한 환자에게는 증상에 따라 흡입 또는 전신적 스테로이드 치료가 필요한 경우도 있다. Rivavirin을 치료에 이용하기도 하나 그 대상은 RSV 감염의 경우와 같다.

다. 인플루엔자 바이러스

인플루엔자 바이러스(influenza virus)에는 A, B, C 세 가지 항원형이 있으며 유행성 질환은 A와 B형에 의해 겨울에 주로 발생한다. 두 가지 형 모두 영아와 소아에서 심하고 때로는 치명적인 하부 기도 질환을 일으킬 수 있다. 증상을 보면 RSV나 파라인플루엔자 바이러스와 달리 발열, 피로감, 근육통 등의 증상이 시작 12~24시간 내에 급속하게 심해지는 특징을 보이며 기침과 비폐색, 호흡 곤란 등은 증상 시작 후 1~2일 후에 나타난다. 급성기의 기간은 3~7일 정도로 RSV에 비해 짧지만 회복기가 수 주 이상 지속될 수 있으며 어느 시기에서든지 세균에 의한 중복 감염이 발생하면 증상이 급속히 악화될 수 있다. 드물지만 바이러스 자체에 의한 폐렴이 아주 빠르게 악화되어 증상 시작 후 2~3일 내에 사망하는 경우도 있다. 진단은 배양이나 면역형광법 또는 ELISA법을 이용하여 항원을 직접 찾아내는 방법에 의해 이루어진다.

Amantadine 또는 ramantadine은 A형 influenza에는 효과가 있으나 B형에는 효과가 없다. 증상 시작 후 24~48 시간 내에 사용하여 5~7일 정도 계속 투여하면 발열 기간과 전신 증상을 감소시키고 세기관지의 기능을 빨리 회복시키는 효과를 얻을 수 있다. 최근에 A, B형 모두에 유효한 neuraminidase 억제제인 zanamivir, oseltamivir 등이 개발되었다. 이러한 약제들은 유행 시기에 고위험군 소아들에게 예방 접종을 실시하지 못했을 경우 예방적으로 사용할 수도 있다. Influenza 백신은 A, B형을 함께 포함하는 혼합 백신이며 매년 유행할 가능성이 가장 높은 항원의 형과 일치하도록 새로 만들어 공급하게 되는데 백신의 효과는 매 해마다 50~95% 정도로 다양하다. 6개월 이하의 영아는 효과가 확실하지 않으므로 접종의 대상이 되지 않는다. 반드시 접종을 하여야 할 대상은 만성 호흡기 질환, 심장 질환, 혈액 질환, 면역 질환, 대사 장애 등을 가지고 있거나 아스피린을 장기간 투여해야 하는 소아 등이며 그리고 이러한 소아들과 함께 사는 가족들이다.

라. 아데노바이러스

아데노바이러스(adenovirus)에 의한 하부 기도의 감염은 흔하지 않다. 폐렴은 주로 제 3, 5, 7, 21 형에 의해 발생하며 매우 심하고 수 주간 지속되는 양상을 보인다. 급성기에 흉부 X선 소견에서 주로 폐문 부위를 침범하는 광범위한 침윤 소견을 보이며 고열, 백혈구 증다증, 전신 장기 침범 증상을 나타내게 되는데 간장애, 뇌증, 혈액 응고 장애, 피부 발진, 설사 등이 흔히 동반된다. 심장 질환, 면역 기능 장애, 영양 대사 장애 등 기존의 질환을 가진 환자에서 더욱 심한 증상을 보인다. 폐의 가검물이나 조직에서 바이러스를 검출하여 진단할 수 있으며 최근에는 면역 형광법 또는 ELISA법을 이용하여 검출하는데 결과가 빠르지만 예민도가 30~60%로 낮다. 급성기와 회복기 중에 최소 2주 이상의 간격으로 혈청학적인 검사를 하여 진단에 도움을 줄 수 있다.

합병증으로 폐섬유화, 폐쇄성 세기관지염, 반복되는 천명과 기관지 확장증 등 영구적인 손상을 초래할 수 있는데 기도의 상피 세포에 아데노바이러스 항원과 유전 인자가 계속 남아있는 것이 이러한 합병증의 원인으로 최근 알려지고 있다.

마. 코로나바이러스

하부 기도 질환의 원인으로서의 코로나바이러스(human coronaviruses, HCV)의 역할에 대해서는 아직 확실하지 않지만 주로 OC43과 229E의 두 종이 관련 있는 것으로 알려져 있다. 소아에서는 인두통, 기침, 콧물, 발열 등의 증상을 나타내며 5% 정도의 환자에서 폐렴을 동반한다. 한 연구에 의하면 잦은 호흡기 질환을 앓는 6세 이하 소아들의 급성 호흡기 증상 발현시 30%에서 코로나바이러스를 검출하였다고 하며 그 중 30% 정도에서 하부 기도 감염의 증상을 나타내었다. 이 때 감염은 대부분 HCV 229E에 의한 것이었으며 늦가을과 겨울에 유행 양상을 보였다. 소아에서 성인보다 3배 정도 더 감염률이 높으며 재감염이 잘 된다.

바. 리노바이러스

리노바이러스(Rhinovirus) 군에는 최소 100개 이상의 혈청형이 속해 있으며, 성인과 연장에서 상기도 감염을 일으키는 가장 흔한 원인이다. 잠복기는 2~3일이며 급성기는 3~7일 정도 지속된다. 폐렴과 급성 세기관지염 등으로 인해 입원 치료를 해야 했던 12개월이하의 영아들에서 리노바이러스가 검출되었고 RSV와 유사한 증상을 나타내었다는 보고들이 있다. 또한 천식을 가진 환자에서 급성 천식 증상을 유발하는 중요한 원인이다. 진단은 조직 배양에 의존하며 빠른 진단 방법이 아직 개발되지 못하여 하부 기도 질환에서 리노바이러스의 역할에 대해서는 아직 명확하게 밝히지 못하고 있다.

사. 헤르페스바이러스

Herpesvirus 군에 속하는 바이러스 들, 즉 단순 포진 바이러스 (herpes simplex virus), varicella-zoster virus (VZV), 거대 세포 바이러스 (cytomegalovirus-CMV), Epstein-Barr Virus(EBV), human herpes virus(HHV)-6 등은 건강한 소아에서는 거의 폐질환을 일으키지 않는다. 면역 기능이 억제된 환자에서는 하부 기도 질환을 유발할 수 있으며 대부분 전신적 감염의 한 증상으로 혈행을 통해 일어난다. CMV는 장기 이식 환자에서 가장 주의해야 하는 폐렴의 원인이나 정상 영아에서도 급성 감염과 관련된 폐렴이 보고되어 있다. 골수 이식을 받은 환자에서 CMV 폐렴은 잠복해 있던 바이러스가 재활성화되거나 수혈에 의해 감염이 발생한다. 발열과 빈호흡으로 시작하여 점차 호흡곤란 증상으로 진행하며 흉부 X선 소견에서 광범위한 침윤 양상을 보인다.

VZV는 신생아나 면역 기능 저하 환자에서 치명적인 폐렴을 일으킬 수 있다. 폐렴은 대개 특징적인 발진이 시작된 2~5일 후에 시작된다. 신생아에서 폐렴을 동반한 심한 전신 감염이 발생하는 경우는 출산 전 5일부터 출산 후 2일 이내에 산모에게서 증상이 시작된 경우이다. 고위험군 환자들에게는 VZV에 대한 항체를 포함하는 감마 글로불린 제제를 노출 직후 투여하면 효과적으로 예방할 수 있으며 치료제인 acyclovir는 발진이 시작된 2일 이내에 투여했을 때 심한 증상을 감소시킬 수 있다.

EBV에 의한 폐렴은 매우 드물게 발생하며 돌발진의 원인인 HHV-6는 골수 이식 환자에서 폐렴을 일으킨 예가 보고되었으나 정상인에서는 하부 기도 질환을 일으키지 않는 것으로 알려져 있다.

아. 여러 병원체들의 동시 감염

RSV 감염에 의한 하부 기도 질환을 앓고 있는 어린 소아에서 다른 바이러스나 *Chlamydia trachomatis*, *Mycoplasma pneumoniae* 등이 함께 검출될 수 있다. 1993년의 Tucson 연구에 의하면 RSV에 감염된 환자들의 10.9%에서 다른 병원체에 의한 동시 감염이 관찰되었다. 중복 감염을 가진 소아에서 증상과 임상 경과는 RSV에 의한 단일 감염과 다르지 않아 건강했던 소아들에서 중복 감염을 크게 걱정할 필요는 없지만, 기존의 질환을 가진 소아에서나 질환의 임상 경과가 일반적인 경우와 다를 때는 중복 감염의 가능성을 의심해 보아야 한다.

12. 폐렴

폐렴은 세균, 바이러스 기타 원인에 의해 폐 실질에 염증이 생기는 것을 말한다. 폐렴은 대개 환자의 방어기전이 약해진 경우에 가벼운 바이러스 상기도염이나 독감에 의해 야기되는데 이들 바이러스 자체보다는 기도 내벽에 손상을 주고 세균의 증식을 일으킴으로써 폐렴이 초래된다. 해부학적으로 폐렴은 대엽성이나 기관지 폐렴의 형태로 나타난다.

가. 원인균의 획득지역에 의한 분류

1) 지역사회에서 획득된 감염

지역사회에서 획득된 폐렴의 경우는 대개 바이러스 감염 후에 오는 경우가 많다. 폐렴을 일으키는 가장 흔한 세균은 *Streptococcus pneumoniae*이다. 그러나 *Chlamydia* 또는 *Mycoplasma pneumoniae* 비정형성 원인균들도 흔하다.

2) 병원내 감염

병원내 감염에 의한 경우는 대개 그람 음성균이거나 포도상구균에 의해 생기며 매우 중한 경과를 밟게 된다.

나. 발병 경로

감염 균은 여러 경로를 통하여 폐로 들어가게 된다. 기도로 흡입하여 들어가는 경우, 구강내 정상균총이 폐로 흡입되는 경우, 혈액내의 균이 폐 실질로 퍼지게 되는 경우, 정상적인 기도의 방어기전이 무너져 외부에서 침입한 이물질을 효과적으로 제거하지 못한 경우 등이 이에 해당한다.

다. 폐렴의 원인

1) 바이러스

폐렴을 일으키는 바이러스에는 인플루엔자, respiratory syncytial virus, 단순 포진 바이러스, varicella-zoster 바이러스, 아데노바이러스 등이다. 유행시기는 대개 겨울과 초봄 사이이며, 특히 인플루엔자는 직접 폐렴을 일으키거나 기도 점막을 상하게 하여 이차적 세균성 폐렴을 초래한다.

RSV는 영유아와 면역결핍이 있는 환자에서 주로 발생하며, 아데노바이러스는 소아 폐렴의 원인 중 약 10%를 차지한다. 이외 면역결핍이 있는 환자에서는 varicella-zoster 바이러스, 헤르페스 바이러스, CMV 등이 폐렴을 일으킨다.

2) 세균

세균이 가장 중요하고 흔한 원인이지만 다른 원인 미생물과 동시에 감염을 일으키므로 원인 균을 밝히는 일은 쉽지 않다. 그람 염색 결과에 따라 양성과 음성으로 흔히 분류하는데 그람 양성균으로서는 *Streptococcus pneumoniae*가 가장 흔하여 지역에 따라 다르다. 지역획득 폐렴의 30~95% 정도를 차지한다. *Staphylococcus aureus*는 바이러스 감염 후나 어린 소아에서 특히 병원내 감염으로 잘 발생한다. 그람 음성균으로는 *Haemophilus influenzae*, *Klebsiella pneumoniae*, *Pseudomonas aeruginosa*, *Moraxella catarrhalis*, *Neisseria meningitidis*, *E. coli*, *Proteus*, *Enterobacteria* 등이 흔한 원인이다.

3) 비정형균

세균성 폐렴처럼 발열과 객담이 극명하지 않고 비교적 증상이 경하며 마른기침이 주로 나오고 폐렴에 이환되는 기간이 긴 경우를, 전형적인 세균성 폐렴에 대비하여 비정형성 폐렴이라고 한다. 주된 원인은 *Mycoplasma pneumoniae*, *Chalmydiae pneumoniae*, *Legionella pneumophilia* 등이다. 지역에 따라서는 폐렴의 원인으로 비정형균이 1.9~30%로 다양하다.

4) 흡인성 폐렴

구강내의 정상 세균총은 정상 상태에서는 아무 문제가 되지 않지만, 흡인되어 정상적으로 무균상태를 유지하는 기도 안으로 들어가면 폐렴을 일으키게 된다. 흔히 신경학적 문제, 마취, 두부 외상 등으로 삼키는 동작이나 구역반사(gag reflex)가 원활하지 않은 경우에 주로 초래되며 대개 이때의 원인 균은 산소가 없이도 생존할 수 있는 혐기성 균주인 경우가 많다.

5) 기회감염

정상인에게는 별 해가 없는 미생물도 면역결핍증이 있는 환자에게는 치명적인 폐렴을 야기할 수 있다. *Pneumocystis carinii*, *Fungi*, *Mycobacterium avium*, *cytomegalovirus*, 후천성 면역결핍증 바이러스(HIV)은 가장 대표적인 기회 감염의 위험 인자이며, 그 외 장기간 스테로이드나 항암제 등 면역억제제를 사용하는 경우에도 기회 감염을 일으키는 위험인자가 된다.

6) 풍토병 및 직업병

우리나라의 Hantavirus, 미국 서남부에는 진균인 *Coccidioides immitis*가 흔하며, 가축을 다루는 농장에서는 anthrax, brucellosis, Q fever에 의한 폐렴의 가능성이 있고 비둘기나 앵무새를 취급하는 농장에서 생활하거나 노출되는 경우에는 psittacosis의 위험이 증가한다.

라. 재발성 폐렴의 위험 인자

소아에서 재발성 폐렴을 일으키는 원인으로는 면역 결핍증, 위식도 역류증, 선천성 심폐질환, 구강 내 해부학적 이상, 천식 등이며 그 외 낭성섬유증, 섬모장애 증후군 등 유전적 질환이 있다.

13. 세균성 폐렴

가. 역학

1880년 Sternberg에 의하여 정상인의 타액에서 *S. pneumoniae*가 발견되고, 1881년에 Pasteur가 폐렴을 앓고 있는 소아의 타액에서 *S. pneumoniae*를 발견하였다. 폐렴은 소아 사망원인의 약 13~33%를 차지하며, 세균성 폐렴의 사망률은 바이러스에 의한 경우보다 2.7배 정도 높고 특히 *Streptococcus pneumoniae*나 *Haemophillus influenzae*에 의한 폐렴의 사망률은 50배나 높다. 중증 폐렴의 위험인자는 어린 나이, 후순위 출생, 저체중아, 산모 나이가 어린 경우, 부모 학력이 낮은 경우, 어린이 집을 다니는 경우, 간접흡연, 공해, 도시 생활, 만성 폐질환 및 심질환, 남아, 천식 환자, 영양결핍 등이다. 독감 같은 호흡기 바이러스 감염이 폐렴의 선행조건이 되기도 한다.

S. pneumoniae, H. influenzae, Staphylococcus aureus를 비롯한 대부분의 세균성 폐렴은 기침이나 콧물에 의하여 포말 전파 된다. Legionella pneumophila 균은 오염된 물과 에어로졸에 의하여 전파될 수 있으며, Klebsiella pneumoniae나 Pseudomonas aeruginosa 등은 의료 장비나 기구 등을 통하여 감염이 전파될 수 있어 병원 감염의 주된 원인이 된다.

나. 원인

세균성 폐렴을 일으키는 균을 빈도순으로 열거한 것은 표 6-7과 같으며, 지역사회 획득성 폐렴을 기준으로 한 내용이다. 임상적으로 단순히 증상만으로는 원인 균주를 확실하게 구별할 수는 없다. 그러나 연령이나 증상, 방사선학적 소견에 의한 흔한 원인균주를 숙지하면 일차적인 치료에 도움을 받을 수 있다. 신생아 폐렴은 Group B β-hemolytic streptococci(GBS)에 의한 경우가 가장 흔하고, E. coli, K. pneumoniae 등 그람 음성균도 비교적 흔한 원인이다. 신생아기 이후의 소아에서는 바이러스성 폐렴이 가장 흔하지만, 세균성 폐렴도 발생하며, 주된 원인 균은 S. pneumoniae 다. H. influenzae type b는 예방접종 이전에는 중요한 원인 세균이었지만, 접종에 의하여 급격히 감소하였다. S. aureus는 흔하지 않지만, 증상이 심하므로 관심을 기울여야 하며, Group A β-hemolytic streptococcus는 신생아기 이후에는 드물다. 만성적인 흡인성 질환이 있는 소아에서는 혐기성 세균들이 폐렴의 주된 원인 균이다. 학동기 소아의 경우에도 역시 바이러스성 폐렴이 가장 흔하며, 세균은 아니지만 Mycoplasma pneumoniae가 빈번하며, 세균으로서는 S. penumoniae가 이 시기 소아 폐렴의 흔한 원인이다.

표 6-7. 세균성 폐렴의 원인균

Causes of frequent clinical concern
   Streptococcus pneumoniae
   Group B streptococci
   Escherichia coli
Causes of occasional clinical concern
   Staphylococcus aureus
   Group A streptococci
   Anaerobic organisms
   Hemophilus influenza
   Klebsiella pneumoniae*
Causes of rare clinical concern
   Acinetobacter species
   Actinomycosis species
   Arcanobacterium haemolyticum
   Bacillus anthracis
   Bacillus cereus
   Bordetella henselae
   Bordetella pertussis
   Brucellosis species
   Citrobacter species
   Coxiella burnetii
   Enterobacteriaceae
   Francisella tularensis
   Kingella kingae
   Legionella pneumophila
   Leptospira interrogans
   Listeria monocytogenes
   Moraxella catarrhalis
   Neisseria meningitidis
   Nocardia species
   Non-group A & B streptococci
   Pasteurella multocida
   Proteus species
   Pseudomonas aeruginosa
   Pseudomonas cepacia
   Pseudomonas pseudomallei
   Streptobacillus moniliformis
   Salmonella species
   Serratia marcescens
   Yersinia enterocolitica
   Yersinia pestis

다. 병태 생리

대부분의 세균성 폐렴은 균에 오염된 공기를 흡입함으로써 발생한다. 구강 점막과 타액에는 세균 집락이 있으며, 따라서 타액의 흡인에 의하여도 폐렴이 발생할 수 있다. 일단 세균이 폐실질에 침범되면 옵소닌과 IgG 항체를 포함한 상피세포액이 모이게 되며, 대부분의 세균은 대식세포 기능을 지닌 2형 폐 세포에 의하여 처리되고, 일부의 남은 세균은 보체 매개성 세균 용해 과정을 거친다. 이후까지도 세균이 살아남는다면, 백혈구와 사이토카인이 분비되어 울혈과 부종을 동반한 폐실질 염증반응을 동반하는 폐렴이 된다. 이러한 반응은 S. pneumoniae에 의한 폐렴의 특징인데, 폐포내에서 부유하는 폐렴균은 'pores of Kohn'을 통하여 주변 폐포로 이동하면서 추가적인 염증반응을 야기한다. 시간이 지나면서 부종성의 병변이 적혈구와 섬유소, 세균, 백혈구 등으로 구성된 농성 병변으로 변하는데 이 시기를 세균성 폐렴의 'red-hepatization'이라고 한다. 다음 시기는 백혈구에 의한 왕성한 대식작용이 일어나는 시기로 'grey-hepatization'이라고 하며, 이 시기에는 분비된 S. pneumoniae의 세포벽 성분과 pneumolysin 등에 의하여 염증 반응이 가속화되고 폐실질 세포와 구조가 손상된다. 염증반응은 항 피막 항체(anti-capsular-antibody)가 생성되는 시기가 되면 호전되기 시작하는데, 이 시기에는 백혈구와 단핵구가 잔여 세균을 죽이고 병변을 청소하게 되며 이러한 부위를 'zone of resolution'이라고 한다. 그러나 다른 종류의 세균에 의한 폐렴의 병태생리는 S. pneumoniae 폐렴의 경우와 다소 다를 수 있으며 특히 S. aureus에 의한 폐렴은 심한 괴사를 특징으로 하며 병변이 클 경우는 완전한 회복이 어렵다.

라. 증상

소아의 경우 세균성 폐렴과 바이러스성 폐렴을 구별할 수 있는 특징적인 임상 소견은 없다. 단지, 세균성 폐렴을 앓는 소아는 보다 더 아파보이며 열 등 전신 증상이나 호흡기계 증상이 더 심할 뿐이다. 그러나 이러한 증상도 다양한 원인에 의한 여러 폐렴과 유사하여 감별 진단에 크게 도움을 주지는 못한다. 대부분 세균성 폐렴은 기침이 동반되며, 농성 객담이 생긴다. 그러나 어린 소아는 객담 배출을 잘 못하고 삼키는 경우가 많아, 분비물의 상태를 확인하기 어렵다. 복통과 구토도 다양한 정도로 발생하며 때로는 외과적 급성 복통으로 오인되기도 한다.

영아나 어린소아에서는 호기 때 잡음이 들리기도 하고 청색증, 코 벌렁거림, 흉부 함몰 등 호흡곤란 소견이 관찰된다. 영아에서는 호흡수의 증가와 약한 호흡이 폐렴을 진단하는데 도움이 된다. 세균성 폐렴에 의한 폐 경화(consolidation)시에는 기관음(bronchial breathing sound)을 폐 실질에서 청진할 수 있다. 때로는 진동음(fremitus)이 증가하거나, 호흡음이 감소할 수 있고 마찰음(friction rub)을 청진할 수도 있다.

신생아에서도 일반적으로 소아와 유사한 소견을 보이지만, 무호흡이 종종 동반되며, 전신적인 패혈증 증상이 두드러진 경향이 있다. 청진 소견이 정상일 수 있고, 열이 없는 등 연장아들의 경우와 다른 면도 많다.

마. 진단

1) 진찰소견

일부 폐렴 환자에서는 고열만이 주증상인 경우도 있지만 대부분 소아 폐렴은 기침, 객담 유무, 빈호흡 등 호흡기 증상과 청진 소견으로 진단된다. 빈 호흡은 12개월 이하 영아에서는 호흡수가 분당 50회 이상, 13개월~5세 사이는 분당 40회 이상인 경우를 말한다.

2) 검사 소견

세균성 폐렴이 의심되는 환자에서 원인 균 검출을 위하여 객담, 혈액, 늑막액, 폐조직 등을 얻어서 배양 검사를 시행할 수 있다. 혈액배양에 의해서는 3~12%

정도에서만 원인 균이 검출되지만, 비교적 비침습적인 방법이므로 늘 시행하게 된다. 늑막액이 있는 경우라면 늑막천자를 시행하여 균배양을 할 수 있는데, 이 경우는 원인 균을 확인할 가능성이 매우 높으며, 배양 결과가 나오기 전이라도 직접 도말 상에서 균이 검출되는 경우도 있고, 세포 화학적 검사를 동시에 시행할 수 있어 감염의 정도와 종류를 감별하는데 조기에 도움을 줄 수 있다. 객담을 이용하여 원인 균을 알아낼 수도 있지만, 8세 미만의 소아에서는 객담을 얻는 것이 쉽지 않고 검사 결과에 대한 신뢰도가 낮아 진단적 가치가 적다. 이 외에도 기관 삽관을 통한 분비물 획득, 기관지경 검사를 통한 분비물 채취, 혹은 폐조직 검사를 통한 균배양 검사 등 보다 침습적인 방법을 동원해서 원인 균을 확인하는 경우도 있다. 즉, 환자의 상태가 위독하거나 호흡곤란이 심하며, 특히 치료에 잘 반응하지 않는 경우, 혹은 면역결핍 상태인 경우에는 적극적인 방법으로 원인 균을 규명하는 것이 원칙이다.

이외에도 말초혈액검사에서 백혈구의 좌측편위가 있거나, 적혈구 침강속도와 C-반응성 단백이 급격히 증가된 경우 세균성 폐렴을 의심해 볼 수 있으며, 제한적이기는 하지만 소변이나 혈액에서 세균항원을 검출하는 방법들도 있다. 그 외 회복기 혈청을 이용하여 세균 특이 항체를 검출하거나 증가된 항체치를 관찰할 수 있으나 급성기 환자에서의 진단적 이용 가치는 낮다. 최근에 중합효소연쇄반응(PCR)을 이용한 진단방법도 적용되고 있다. 또한 세균성 폐렴이 한 종류의 균에 의하여 발생할 수도 있지만, 바이러스나 마이코플라즈마, 혹은 기타 세균 감염이 동시에 발생할 수도 있다는 점도 감안하여야 한다.

3) 방사선 검사

소아에서 원인 모를 고열이 지속되는 경우에는 호흡기 증상이 없더라도 폐렴이 원인일 경우가 있으므로 흉부 X선 검사를 시행하여 확인할 필요가 있다. 반대로 간혹 폐렴 초기에 증상이 있음에도 방사선 검사에서는 정상 소견을 보일 수도 있다. 또한 횡격막이나 심장 뒤쪽의 폐렴은 측면 사진 없이는 확인이 잘되지 않는다. 소아의 폐렴은 방사선학적으로 간질성(interstitial), 폐경화(consolidation) 소견으로 나누며, 후자는 폐포성과 기관지(bronchogenic) 폐렴으로 다시 나눈다. 세균성 폐렴의 경우는 주로 폐포성 폐렴으로 나타나며, 대엽성 혹은 광범위한 분포, 엽간 팽만, 폐농양의 생성, 늑막 삼출이 동반된 경우에는 세균성 폐렴을 더욱 의심할 수 있다. 흉부 X선 검사에서 늑막 삼출소견은 S. pneumoniae 폐렴의 20%, H. influenzae type b 폐렴의 40% 그리고 S. aureus 폐렴의 60~80%에서 관찰된다.

폐렴의 초기에는 폐포성 병변이 2~5 mm의 작은 음영으로 보일 수 있으며, 점차 폐렴이 진행되면 진한 침윤으로 보이게 되고, 정상 폐조직과는 경계가 불분명하게 보이나, 엽간이나 늑막과의 경계선은 명확하게 보인다. 또한 횡격막이나 심장 혹은 종격동 주변의 폐렴(우중엽, 좌설엽 등)은 이들 기관들과의 경계가 사라지는 소위 "실루엣 징후(silhouette sign)"를 보인다. 폐렴이 있는 폐실질은 공기 음영이 사라지는 반면, 병변 내의 기관지에는 아직 공기가 차 있기 때문에 기도의 음영이 폐렴과 구별되어 잘 보이게 되는데 이를 "air bronchogram"이라고 한다. 흔한 경우는 아니지만, 일부의 폐렴은 작은 비말 흡입에 의하여 폐의 말단 부위에서 폐렴의 핵이 시작되어 점차로 중앙 쪽으로 번지는 양상으로 발전하는 경우가 있는데, 이러한 경우는 특징적으로 "round pneumonia"를 형성하게 되며, 소아의 폐실질내 종괴양 병변(mass lesion)의 가장 흔한 원인으로서, 주로 S. pneumoniae, Legionella, K. pneumoniae 등에 의한다.

기관지 폐렴은 크기가 큰 비말의 흡입에 의하여 발생하므로 주로 폐문 가까운 기관지 주변에서 병변이 시작되고, S. aureus, S. pyrogens, H. influenzae 및 그람 음성 장내세균에 의한 폐렴에서 특징적으로 볼 수 있다. 이러한 세균들은 조직 괴사를 잘 일으키므로 공동이나 농양, 혹은 기류(pneumatocele) 등을 동반할 수 있다.

영상 진단법 중에서 초음파 검사는 폐렴 진단에 있어서 그 가치가 높지는 않지만, 늑막염의 존재를 확인하고 주변 구조들과의 유착 여부 및 입체적 관계를 확인하고 폐조직 이외의 병변과 감별이 필요한 경우에 유용하게 사용될 수 있다. 또한 병변 내외의 혈액 분포를 관찰할 수 있고, 공동의 초기 병변을 진단하기에는 적절한 검사법이다. 최근에는 CT나 MRI를 이용하여 정확한 병변 부위를 선정하거나, 합병증과 폐 손상의 정도를 확인하거나, 종양조직 또는 늑막질환을 감별하기도 한다.

바. 치료와 예후

세균성 폐렴의 치료 지침은 환자의 연령과 감염 장소, 그리고 환자의 면역 상태 등에 따라 차이가 있다. 지역사회에서 획득한 세균성 폐렴이 의심되는 4~6개월 미만의 영아에서는 입원 치료를 원칙으로 하며, 실제로 소아에서는 세균성 폐렴의 원인 균을 규명하기가 쉽지 않으므로 경험적인 항생제요법을 시행하는 경우가 많다. 따라서 병원감염과 지역사회 획득성 감염인 경우, 환자의 연령, 동반 질환, 폐렴의 중증도를 고려하여 원인 균을 예측하고, 이를 기초로 경험적으로 항생제요법을 시작하고, 추후 배양 검사 결과를 참고하여 치료제를 선택한다. 예를 들어 그람 음성 세균과 S. aureus는 병원감염의 주된 원인 균이며, 합병증이 없고 신생아기를 지난 지역사회 감염성 폐렴의 경우는 7일 정도 치료하면 충분하지만, 신생아의 경우는 14일 이상 항생제 주사를 시행하여야 한다. 병원 감염에 의한 폐렴은 최소한 10~14일간 항생제를 주사하며 균주와 환자 상태를 고려하는데, S. aureus에 의한 병원 감염의 경우에는 필요에 따라서 6주 정도 항생제요법이 필요하다.

신생아 폐렴, 심한 증상, 농양이나 늑막염 등의 합병증이 있던 폐렴이나 치료에 잘 반응하지 않는 폐렴의 경우에는 잦은 추가적인 X선 검사가 필요하다. 선진

국의 경우 합병증이 없는 세균성 폐렴에 의한 사망률은 1% 미만이나, 개발도상국의 경우는 이보다 높다. 연간 2회 이상의 세균성 폐렴이 있는 경우, 혹은 전체적으로 3~4회 이상의 폐렴을 앓는 경우에는 원인 규명을 위하여 철저한 검사를 시행하여야 한다. 세균성 폐렴은 원인 균에 따라서 농흉, 기흉, 기류, 농양 등의 다양한 합병증이 생길 수 있다.

사. 원인 균별 세균성 폐렴

1) *Streptococcus pneumoniae*
가) 역학
S. pneumoniae는 소아 세균성 폐렴의 가장 흔한 원인균으로서 면역학적으로 상이한 90가지 혈청형이 있다. 정상 소아의 20~40% 정도에서는 인두부에 무증상 세균 집락이 관찰되는데, 가장 흔하게 관찰되는 시기는 12월에서 4월이며, 무증상 군에서 가장 흔한 혈청형은 6, 14, 19, 23 이다. 중증 질환은 남아에서 흔하고, 보육원에 다니는 경우, 6개월에 3회 이상 중이염이나 상기도염이 반복되는 경우, 미숙아, 호흡기계 증상으로 입원한 경험이 있는 경우 등은 위험 인자에 해당한다. 이 외에도 빈혈, 천식, 고막에 삽관을 한 경험이 있는 경우도 위험인자이다. 또한 무비증(asplenia), 선천성 혹은 후천성 면역 결핍증, 면역 결핍이 동반되는 질환이나 면역억제제를 장기간 투여 받는 환자, 골수 이식환자, 만성 폐질환 혹은 만성 신질환 환자, 호지킨병, 보체 결핍 질환, 신증후군, 전신성 홍반성 낭창, sickle cell disease 환자의 경우도 고 위험군이다.

나) 증상
S. pneumoniae에 의한 폐렴은 초기에는 상기도 감염이나 화농성 결막염, 중이염 등의 증상으로 시작될 수 있다. 영아에서는 갑작스런 열과 경련, 설사와 구토가 초기 증상으로 나타날 수 있으며, 불안증, 코 벌렁거림, 빠르고 약한 호흡, 신음과 가래소리, 복부 팽만, 입주위 청색증, 빈맥 등이 관찰된다. 기침은 환자마다

다양하여 아주 심할 수도 있지만 기침이 없는 경우도 있다. 연장아나 청소년은 임상 증상이 성인과 거의 유사하다. 병의 시작이 급작스럽고 매우 아파 보이며, 오한과 경직이 있고, 열이 심하며 두통, 호흡곤란, 늑막 자극에 의한 흉통이 동반된다. 대부분 기침을 하며, 10세 이상의 소아에서는 객담 배출이 있다. 진찰 소견은 다른 폐렴과 유사하다. 타진 상에서 탁음(dullness)이 들리면 폐경화나 농흉을 의심하여야 하며, 연장아의 경우는 폐렴의 초기에는 수포음이 청진되지 않다가 회복기가 되어서야 비로소 수포음이 청진되는 경우도 흔하나, 영아에서는 수포음이 청진되지 않는 경우도 많다. 마찰음은 거의 들리지 않으며, 일측성 폐렴의 경우 반대편 정상 폐야의 호흡음이 증가되어 들린다. 흉통이나 복통이 흔히 동반되는데, 우하엽을 침범한 경우는 급성 충수돌기염을 의심하게 될 정도의 급성 복통을 호소할 수 있으며, 우 상엽을 침범한 경우는 뇌막 자극 증상(meningismus)을 보일 수도 있다. 그러나 때로는 실제로 뇌막염이 동반될 수 있어 주의해야 한다.

방사선 검사도 S. pneumoniae 특이적인 소견은 없으나, 하엽이나 상엽 후분절의 말단부터 폐 침윤이 시작되어 점차 중앙부로 병변이 확산되며 기관지 폐렴과는 달리 침윤의 경계가 뚜렷하지 않아 폐 종양 모양의 병변을 초래한다. 늑막삼출은 비교적 흔하지 않으나, 농양, 기류, 농흉 등도 가끔 동반된다. 흉부 X선 사진상 호전은 대부분 치료 시작 후 약 10~14일이면 나타나지만, 수개월까지 지속되는 경우도 있다.

다) 치료

일단 원인 균이 의심되면 경험적인 항생 요법을 시작하는데, 항생제가 적절하면 수 시간 후부터 열이 소실된다. S. pneumoniae의 치료는 1차 선택제인 페니실린 G를 사용하는데, 유소아의 경우는 100,000 U/kg/day, 연장아의 경우는 200,000 U/kg/day의 용량으로 7~9일 정도 주사 혹은 경구 투여한다. 페니실린에 대한 절대적인 내성균은 최근 전 세계적으로 증가 추세에 있다. 페니실린에 중등도의 내성이 있는 S.

pneumoniae 감염은 고용량의 페니실린을 사용하거나 광범위한 항생능력이 있는 3세대 세팔로스포린을 사용하며, 고도의 내성이 있는 균은 감수성을 확인한 후 clindamycin, vancomycin, chloramphenicol 등의 항생제로 대치하는 것이 안전하다. 또한 최근 3세대 세팔로스포린에도 내성균이 발견되고 있으며, 이는 뇌막염 환자에서 치료 실패의 원인이 되기도 한다. 페니실린에 과민반응이 있는 경우는 erythromycin (50~100 mg/kg/day)을 사용하거나, 혹은 clindamycin, vancomycin, chloramphenicol 등도 사용할 수 있다. 항생제요법 외에 심한 폐렴 환자의 경우는 산소공급, 수분 및 전해질 공급이 필요하다.

농흉은 가장 흔한 국소 합병증이며, 급성호흡곤란증후군(acute respiratory distress syndrome)의 발생은 흔하지 않다. 전격성 자반증, 뇌막염, 심내막염, 심외막염, 복막염, 화농성 관절염 등이 합병될 수 있다.

라) 예방

폐구균 백신은 14가 피막 다당백신(capsular polysaccharide vaccine)이 발매되어 뇌수막염이나 균혈증를 일으키는 S. pneumoniae 70~80%의 혈청형에 대한 효과가 있었으며, 23가 백신이 개발되어 거의 100% 혈청형에 효과가 있으나, 2세 미만의 소아에서는 그 효능이 미비하다. 현재는 7가 백신이 개발되어 영유아에서도 사용이 가능하며 conjugate vaccine도 개발되어 있다.

2) *Staphylococcus aureus*
가) 역학

S. aureus에 의한 폐렴은 흔하지는 않지만 임상적으로 매우 심하고 급격히 악화되는 폐렴을 일으킨다. 특히 1세 미만의 영아에서 흔하고 심각한 임상 증상을 보인다. S. aureus의 독성은 균이 분비하는 다양한 종류의 물질들에 기인하는데, coagulase, leukocidin, enterotoxins (A~G), exfoliatin, pyrogenic toxins 등이다. 지역사회 획득성 감염은 주로 어린 영아에서 발생

하는데, 30%는 3개월 이하 영아에서, 70%는 1세 이하에서 발생한다. 겨울에 주로 발생하며, 특히 독감을 앓고 난 후 이차로 감염되는 경우가 흔하다. 또한 S. aureus에 의한 폐렴은 비말에 의하여 전염되지만, 드물게는 습관적인 정맥 주사용 약물 사용, 혈액투석 환자 등에서도 균혈증에 의해 발생한다.

나) 증상

급격한 경과를 보이는 폐렴에서는 기관지 상피의 염증과 손상에 의하여 위막이 형성되거나 과도한 백혈구의 침윤으로 인하여 기관지 내벽의 심한 손상이 관찰된다. 보다 작은 기관지가 괴사되면 혈전과 폐실질 색전증이 생기며, 이어서 폐실질은 부종과 염증세포의 침윤이 심해지고 유리질막이 생성되고 폐포의 손상으로 이어진다. 폐포 손상으로 인하여 모인 공기들이 괴사된 기관지를 통해 배출되지 못하므로 기류의 원인이 되며, 때로는 기흉, 농기흉을 초래한다. 이와는 달리 비교적 서서히 진행하는 폐렴에서는 늑막하 폐실질에 주로 폐침윤이 생기며, 하엽을 흔히 침범하고, 작은 크기의 농양을 생성한다. 그외 증상은 기타의 세균성 폐렴의 경우와 유사하지만 질병의 경과가 빠르고 심하다는 것이 특징이다.

다) 검사소견

검사 소견에서 백혈구 증가가 심하며 때로는 백혈병양 반응을 보인다. 흉부 X선 소견은 초기에는 정상 혹은 기관지 폐렴의 소견을 보이거나 매우 광범위한 병변을 보일 수도 있으며 일측성 혹은 일부 폐에만 침범하는 경우도 있다. 또한 초반의 작은 병변이 급격히 번지는 경우가 흔하며, 농흉, 농양, 기흉, 농기흉, 기류 등이 발생하면 이에 해당되는 흉부 X선 소견이 관찰된다(그림 6-13). 폐렴의 초기에는 늑막 삼출이 관찰되지 않으나 궁극적으로는 90%에서 늑막 삼출 혹은 농흉이 발생하며, 25~50%의 환자에서는 기흉 혹은 농기흉이 발생한다. 한편 S. aureus 폐렴의 후기 합병증인 기류는 E. coli, Pseudomonas, Klebsiella, 기타 그람음성균, Group A Streptococci, 그리고 드물게는 S. pneumococci에 의한 폐렴에서도 관찰될 수 있어 감별을 요한다. 다른 질환의 치료를 위하여 입원해 있던 영아에서 특히 중환자실 치료 도중 발생한 폐렴은 반드시 S. aureus에 의한 폐렴을 의심해 보아야 하며, 드물게는 혈행성 감염도 가능하므로 감염원을 추적하여

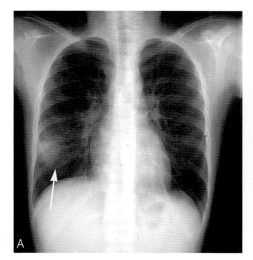 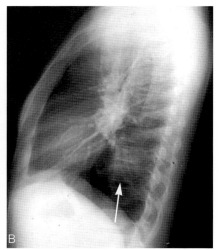

그림 6-13. 우측 하부 폐렴 흉부 X선 사진. 후전사진(A), 우측 측면(B)

야 한다.

라) 치료

대부분의 *S. aureus*는 β-lactamase를 생산하므로 이 질환이 의심되면 1차 선택약으로 β-lactamase에 저항성을 가진 페니실린을 사용하는 것이 좋은데, methicillin이나 최근에 개발된 methicillin-유사체인 oxacillin, cloxacillin, flucloxacillin, nafcillin 등을 사용한다. 그러나 최근 methicillin에 내성을 보이는 *S. auseus*(MRSA)의 출현이 증가하고 있어 치료에 어려움이 있으며, 이러한 경우에는 vancomycin을 사용한다. Methicillin에 감수성이 있는 *S. aureus*로 확인된 경우라도 환자가 methicillin에 과민증이 있는 경우에는 clindamycin으로 대치하고, MRSA인 경우라도 clindamycin에 감수성이 확인되면 역시 이를 사용하기도 한다. 합병증이 없는 폐렴의 경우는 2~3주간 항생제를 투여하면 되지만, 합병증에 관계없이 만성화와 재발을 막기 위하여 6주까지 사용할 수 있다. 가장 중요한 합병증은 농흉과 농양이며, 흉막루(bronchopleural fistula), 압박성 기흉 등의 심각한 합병증도 드물지만 발생한다. 적절한 항생제를 사용하면 치료가 잘 되지만, 어린 영아에서는 주의를 요한다.

3) Hemophilus influenzae type b
가) 역학

과거에는 *H. influenzae* type b에 의한 폐렴이 전체 세균성 폐렴의 5~18%를 차지하였지만, 예방접종 시행에 의하여 선진국에서는 95% 정도가 감소하였다. 혈청형 b가 가장 침습적인 감염을 일으키고 혈청형 b의 피막 항원인 PRP(polyribosylribitol phosphate)에 대한 항체가가 높으면 질병이 예방된다는 것이 확인되었다. *H. influenzae* type b는 폐렴, 뇌수막염, 봉와직염, 후두개염, 화농성 관절염, 골수염, 심외막염 등을 일으키는 가장 흔한 혈청형이며, 기타 항원 형이나 non-typable *H. influenzae*는 침습적인 감염을 거의 일으키지 않는다. 인간만이 유일한 숙주이며 정상인의 60~90%에서 인두부위에 집락이 확인되는데 대부분의 경우 non-typeable *H. influenzae*이다.

나) 증상

다른 세균성 폐렴에 의한 증상과 특별히 다를 것은 없지만, 후두개염이 선행된 경우에는 *H. influenzae* type b에 의한 것임을 의심할 수 있다. 흉부 X선 검사의 1/3에서 늑막 삼출이 관찰되며, 드물게는 심막 삼출도 확인되고 아주 드물게 기류도 관찰된다. 확진은 늑막액, 혈액, 척수액, 소변 등의 배양검사에 의하며, 체액에서 PRP 항원을 검출하는 다양한 면역검출법들도 이용되고 있지만, 우리나라에서는 사용이 제한적이다.

다) 치료

12개월 이하의 영아에서는 *H. influenzae* type b에 의한 폐렴이 의심되면 즉시 항생제 주사 요법을 시작하여야 하며, 연장아의 경우는 임상 증상이 경미하면 경구용 항생제의 투여도 가능하다. 과거에는 ampicillin에 의하여 치료가 되었으나, 점차 β-lactamase와 관계가 없고 척수액 침투가 용이한 chloramphenicol로 대치되었다. 그 외 초기 항생제로 광범위 세팔로스포린(ceftriaxone, 75 mg/kg/day; cefotaxim, 150 mg/kg/day)을 투여할 수도 있다. 중증 감염의 경우는 해당 항생제를 적어도 7~14 일 정도 투여하여야 하며, 경험적 초기 항생제 투여 후 감수성 검사가 확인되면 적절한 항생제로 바꾸도록 한다. 또한 세팔로스포린제에 비하여 ampicillin이나 chloramphenicol로 치료한 경우에는 질병은 호전되나 비강내 보균자가 되는 것을 완전히 예방하지 못한다. 농흉이 확인되면 흉막내 삽관을 시행하여 배농하여야 한다.

중증의 *H. influenzae* 감염이 있는 환자와 접촉한 48개월 미만의 예방접종이 불완전한 소아는 발병의 위험이 높으므로, 집안에 4세 미만의 소아가 있는 경우 성인을 포함하여 모든 가족이 예방적 항생요법을 시행해야 한다. 즉, rifampicin(20 mg/kg/day, 최대량

600 mg, 1회 복용)을 4일간 복용하며, 접촉 즉시 시행하는 것이 좋다.

4) Group B β-hemolytic *Streptococcus*
가) 역학

*Streptococcus agalactiae*는 Group B β-hemolytic *Streptococcus* (GBS)에 속하며 주로 소의 유방염을 일으키는 균으로 널리 알려져 있는데, 1960년대에 신생아에서 감염원으로 확인되었고, 몇몇 혈청형이 있다 (Ia, Ib, II, III, IV, V, VI, VII, VIII). GBS에 의한 폐렴은 생후 1주 이내에 발생하는 조발형 폐렴과 1주~1달 사이에 발생하는 지발형 폐렴이 있다. 조발형의 경우 대부분의 신생아가 24시간 이내에 증상을 보이며, 신생아의 방어기전 미숙과 산모의 비뇨 생식기에 과다하게 집락화된 균에 노출됨으로서 발생한다. 위험군으로는 미숙아, 저체중아, 조기 양막 파수, 모체 감염 등이다.

나) 증상

증상은 균혈증에서 심한 패혈증 까지 다양하며 자궁내 감염이 심하면 태아가 가사, 혼수 및 쇼크에 빠질 수 있다. 청색증, 빈호흡, 무호흡, 코를 벌렁거림, 흉부 함몰 등 호흡기 증상이 심하며 흉부 X선에서 망상과립 형태를 50%에서 보여 호흡곤란증후군과 감별을 요한다. 일부에서는 폐침윤이 보이며, 늑막 삼출, 폐부종도 관찰될 수 있다. 조발형 GBS 감염의 경우 거의 100%에서 폐렴이 동반되며, 10% 정도는 뇌막염을 동반한다. 지발형 GBS 감염의 경우는 무증상 균혈증이 흔하며(55%), 폐렴이 항상 동반되지는 않는다. 진단은 혈액, 소변, 척수액 등에서 균을 검출하는 것이고, 농흉이나 농양이 있는 경우 균 검출이 용이하다.

다) 치료

뇌막염이 없는 GBS 폐렴의 치료는 첫 1주간은 페니실린 G를 200,000 unit/kg/day을 3회에 나누어 정주하고, 그 다음 1주는 300,000 unit/kg/day을 4회에 나누어 정주한다. 뇌막염이 동반된 경우는 고용량으로 3주간 치료한다. 초기에 β-lactam제제와 aminoglycoside를 병행 치료하면 효과적이며, ampicillin이나 ceftriaxon도 사용이 가능하다. GBS 감염의 효과적인 예방법은 조기 양막 파수를 보이는 고위험군 산모에게 선택적으로 분만 중 화학요법을 시행하는 것인데, 진통이 시작되면 페니실린 G를 분만 때 까지 정주하는 방법이다. GBS에 의한 조발형 폐렴은 아무리 치료를 잘 한다고 하여도 사망률이 14%에 달하며, 지발형의 경우는 2~6%이다.

5) *Streptococcus pyogenes*
가) 역학

Group A β-hemolytic *Streptococcus*에 속하는 *S. pyogens*에 의한 폐렴은 드물지만, 괴사를 야기하는 균이므로 일단 발병하면 조기에 항생제를 사용한다 하더라도 진행이 매우 빠르고 심각하다. 항생제가 개발되기 전에는 이 균에 의한 폐렴은 사망률이 75~90%에 달하였다. 영아기 보다는 5세 이상의 연장아에서 주로 발생하며, 바이러스성 질환(influenzae, measles, varicella)이 선행하는 경우가 많다.

나) 증상

*S. pyogens*에 의한 폐렴은 2~3일간 감기 증상이 있던 중 급격히 진행하는 폐렴이 특징이며, 농흉이 흔하고, 미세농양, 기흉 등을 동반한다. 고열과 전신증상이 심하여, 1/3의 환자는 화농성 편도염이 있으며, 드물게는 purpura fulminans, streptococcal toxic shock syndrome도 동반된다. 늑막 삼출은 양이 많고 혈성이며, 많은 경우에서 농흉이 발생한다. 심막염도 10% 정도에서 발생하며, 기흉, 농기흉, 기관지 확장증, 만성무기폐, 흉막루 등 합병증이 발생할 수 있다.

다) 치료

치료는 페니실린 G를 100,000 unit/kg/day의 용량으로 근육 혹은 정맥으로 2~4주간 투여하는 것이 보통이나, 일단 증상의 호전이 있으면 후반부에는 경구 투여할 수도 있다. 균이 항생제에 반응을 하는 경우라도 열이나 흉통 등 증상이 8~10일간 지속되는 경우도 있다.

6) 혐기성 세균

혐기성 세균은 구강 내에서 집락을 이루고 있으므로 흡인성 폐렴의 중요한 원인이 된다. 따라서 연하장애, 경련환자, 신경학적 질환을 앓고 있는 환자, 전신 마취환자, 약물 남용자, 의식불명 환자 등이 고위험군이다. 혐기성 세균에 의한 폐렴은 흡인에 의한 경우가 많아서 선 자세에서는 하엽의 기저부에 흔히 발생하고, 누운 자세에서 일어나면 상엽의 후분절 및 하엽의 상분절에 흔히 발생한다. 원인균으로는 anaerobic streptococci, microaerophilic anaerobic *streptococcus* (*S. intermedius*, *S. parvulus*, *S. contellatus* 등)과 *Bacteroides* species 등 기타 혐기성 세균들에 의하여 발생한다. 치료는 일차적으로 페니실린 G를 사용하며, 경우에 따라서는 clindamycin을 1차 선택제로 사용할 수 있다.

7) *Pseudomonas aeruginosa*
가) 역학

운동성의 그람 음성 간균으로, 배양시 청녹색 색소를 만들기 때문에 녹농균으로 불린다. *P. aeruginosa* 폐렴이 지역사회 감염에 의한 경우는 매우 드물며 특히 면역기능이 정상인 소아에서는 거의 병을 야기하지 않는다. 주로 항암제를 투여 받는 소아에서 백혈구 감소증이 생겼을 때 감염되는 경우가 많고 이전의 입원 경력, 항생제를 투여 받은 경력, 장기간 카테터를 삽입하고 있는 환자에서 기회감염으로 발생한다. 또한 낭성 섬유증 환자나 HIV 감염 환자도 고위험군이다. 또한 중환자실에서 호흡기를 사용하는 환자에서 감염이 흔하다. 인공호흡기 사용 24시간 이후부터 감염증이 나타날 수 있는데, 인공호흡기 사용 중 구강내 이물질이 미세흡인 됨으로서 발생하며, 인공호흡기를 사용하는 환자의 약 35%에서 폐렴이 발생한다. 균의

감염은 오염된 기구들에 의하거나 혹은 중환자의 위산 분비가 억제되어 발생한다고 여겨진다.

나) 증상

증상이나 흉부 X선 소견은 비특이적으로서 주로 양측성 기관지 폐렴의 양상을 보이며, 하엽의 병변은 흔히 결절 양상을 보인다. 간질성 폐렴도 관찰되며, 소량의 늑막 삼출이 보일 수 있고, 농흉은 22~80%에서 다양하게 동반될 수 있다.

다) 치료

치료는 *Pseudomonas*에 민감하다고 보고된 세팔로스포린(ceftazidim)이나 페니실린(mezlocillin, ticarcillin, penicillin)을 aminoglycoside(gentamycin, tobramycin)계 항생제와 병용하여 사용하는 것이 좋다. 즉, cephalosporin/aminoglycoside 혹은 β-lactam/aminoglycoside 조합이 ceftazidime 단독 사용보다 효과적이다. 예후는 환자가 앓고 있는 기저 질환의 종류에 따라서 다르며, 낭성 섬유증 환자의 경우 예후가 가장 나쁘다. 또한 녹농균 폐렴은 호흡기를 사용하는 환자의 폐렴에 의한 사망의 60%를 차지한다.

8) *Klebsiella pneumoniae*
가) 역학

*Klebsiella pneumoniae*에 의한 폐렴은 매우 드물며, 신생아나 면역이 저하된 소아에서 주로 발생하고, 소아와 성인에서 지역사회획득 감염에 의한 폐렴은 드물다. 적어도 70종 이상의 피막 혈청형이 있으며, 피막 다당질은 보체의 opsonization 기능을 억제함으로서 병을 일으킨다. 감염시 균혈증이 흔하며 폐렴이 발생하는 경우는 흔하지 않고, 특히 면역 억제제를 투여 받는 환자에서 병원감염의 일환으로 발생한다.

나) 증상

증상은 다른 세균성 폐렴과 비슷하지만, 호흡 곤란 없이 흉통을 호소하는 경우 의심해 볼 수 있다. 또한

흔히 *S. pneumoniae*와 동시 감염이 일어나므로, 면역 기능이 저하된 소아에서 항생제 요법에 반응하지 않는 *S. pneumoniae* 폐렴이 있는 경우에는 *Klebsiella* 감염이 동시에 발생하였을 가능성을 의심해 보아야 한다. 환자의 1/3에서는 혈성 객담이 배출되며, 진단은 배양검사로 확인한다. 성인 환자의 경우에는 엽간이 팽만된 소견이 특징적이지만, 소아의 경우 이런 소견이 관찰되지 않을 수도 있다.

다) 치료

치료제로는 aminoglycoside 혹은 광범위 세팔로스포린을 사용한다. 1/3~1/2의 환자에서 농양이 합병되며, 농흉은 지속적인 늑막 비후를 남길 수 있다. 드물게는 폐의 대부분을 괴사시키는 심한 폐렴이 발생할 수 있으며, 1달 이상 지속되는 만성 폐렴도 일으킨다. *K. penumoniae*는 균혈증을 흔히 일으키므로 패혈증, 뇌수막염, 신장의 농양 등이 합병될 수 있으며, 또한 *K. penumoniae*는 HLA-B27을 표현하는 세포를 인식할 수 있기 때문에 ankylosing spondylitis나 Reiter 증후군의 병인과 관련 있다는 보고도 있다. 신생아 감염은 적절한 치료에도 불구하고 사망률이 매우 높지만, 소아의 경우는 적절한 치료에 의하여 대부분 회복된다.

14. 폐농양

가. 역학 및 원인

폐농양(lung abscess)은 소아에서는 드문 질환이며, 기저질환이 없이 생기는 일차적 폐농양과 기저질환에 합병된 이차적 폐농양으로 나눌 수 있다. 폐농양은 폐 실질 조직의 괴사에 의하여 내부에 화농 물질을 함유한, 흉부 X선 사진에서 뚜렷한 경계를 지니는 막이 있는 공동성 병변이다. 소아에서는 전신 마취, 편도나 아데노이드 절제 등이 위험인자이고, 국소 방어기전의 감소로 인한 감염 물질 혹은 구강내 물질의 흡입 혹은

흡인에 의하여 발생하며, 드물게 기관지 폐렴의 합병증으로 발생하기도 한다.

원인균은 주로 혐기성 세균인 *Bacteroides*, *Fusobacterium*, *anaerobic streptococci* 등이며, 호기성균으로는 *S. aureus*나 *Klebsiella* 감염에 의하며, 종양이나 이물질에 의한 기관지 폐쇄가 있을 때 이차적으로 발생할 수 있다.

나. 증상

증상은 서서히 발병하는 기침과 발열, 피로감, 식욕 부진, 체중 감소 등이며, 기침이나 혈성 객담이 보일 수 있고, 악취가 나는 농성 객담이 10일 정도 지속될 수 있다. *S. aureus* 나 *Klebsiella* 감염의 합병증으로 농양이 생긴 경우는 이들 세균에 의한 폐렴의 증상이 동반된다.

다. 진단

진단은 흉부 X선 촬영에 의하여 가능한데, 주변에 폐침윤을 동반한 공동성 병변이 관찰되며, 공동 내에 기수면(air-fluid level)이 관찰될 수 있다(그림 6-14).

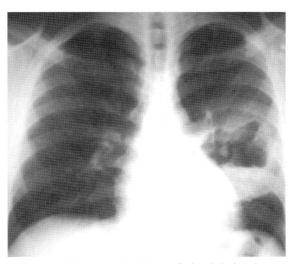

그림 6-14. 폐농양. 좌측폐에서 공동내 기수면이 관찰됨

조영제를 사용한 CT 촬영은 농양의 정확한 위치 파악에 도움을 주며, 농흉, 농기흉, 낭성 선천성 기형, 흉막루, 폐격리 등을 감별하는데 도움이 된다. 또한 흉곽과 늑막, 종격동 병변과의 감별이 필요한 중환자나 응급 환자에서는 농양의 진단을 위해 초음파 검사도 많은 도움을 준다. 농양은 주로 흡인에 의하여 발생하므로 상엽의 후분절과 하엽의 상분절을 흔히 침범하며, 객담이나 농양을 직접 천자하여 얻은 분비물을 배양함으로서 원인균을 확인할 수 있다. 또한 균혈증에 의하여 생긴 농양의 경우라면 다른 장기의 병변도 확인하여야 한다.

라. 치료

치료는 균 배양 결과가 나오기 전에는 경험적 항생 요법을 시행한다. 즉 혐기성 세균의 의심 하에 clindamycin이나 페니실린을 정맥 투여하며, 페니실린에 과민한 소아에서는 chloramphenicol이나 metronidazole을 사용한다. 대부분의 경우 적합한 항생제의 사용으로 1주 내에 열이 소실되지만, 최소한 2~3주간 정맥주사를 하여야 하며, 4~6주간 투여하는 것이 보편적이다. 또한 치료에 반응이 없거나 반응이 느린 경우라도 연속적인 흉부 X선 촬영을 하면 점점 농양의 크기가 감소함을 관찰할 수 있어서 대부분의 경우 수술적 제거는 필요하지 않다. 이물질 흡인이 의심되는 환자에서는 기관지경 검사로 확인할 수 있다. 적절한 치료를 하여도 반복적인 객혈이 있거나, 기관지 흉막루, 반복적인 악화가 있는 경우, 혹은 종양이 의심되는 경우는 수술적 절제술을 시행하여야 하지만, 이런 경우는 소아에서 드물다. 또한 농양이 터져서 주변으로 염증이 파급되는 경우도 있는데, S. aureus에 의한 농양에 의한 경우가 가장 흔하며, 국소적 기관지 확장증도 초래될 수 있다. 따라서 폐농양의 예후는 전체적으로 양호한 편이나, 환자에 따라서는 6개월 까지도 병변이 지속되다가 완치되는 경우도 있다.

15. 농흉

호흡 시 폐 운동의 윤활유 역할을 위하여 정상적으로 흉막 내에는 소량의 장액성 액체가 존재하며, 주된 구성 세포는 mesothelial cell과 단핵구이다. 소아에서의 병적인 흉막 삼출액은 흉막염에 의하는데, 흉막염은 건성, 혈장 섬유성 및 농성 흉막염으로 나눌 수 있다. 농흉(pleural empyema)은 흉막에 농이 고이는 경우로서, 적절하게 치료되지 않은 세균성 폐렴, 특히 S. aureus, S. pneumoniae, H. influenzae type b 감염의 합병증으로 인하여 발생한다. 따라서 해당 원인균에 의한 폐렴의 증상이 선행되며, 각각의 세균에 의한 임상 증상과 빈도, 중증도 등은 이미 설명된 바 있으며 농흉에 대한 자세한 사항은 본 책자의 11장에 자세히 서술되어 있다.

16. 결핵

가. 역학

결핵은 석기시대의 유골이나 이집트의 미이라에서도 발견되는 아주 오래된 질병으로 사람뿐만 아니라 가축이나 야생동물에도 광범위하게 퍼져있다. 1882년 Robert Koch에 의해 원인균이 발견되면서 감염병으로 인식되었으며, 산업사회의 발달과 함께 인류의 주요 사망원인이 되었다. 그 후 효과적인 항결핵제의 개발과 국가적인 노력으로 선진국에서는 유병률이 현저히 감소하였으나 근래 사람 면역결핍 바이러스(human immunodeficiency virus, HIV) 감염증에 동반된 결핵 환자의 급증과 약제 내성균의 증가로 저개발국은 물론 선진국에서도 많은 관심을 갖게 되었다. 세계보건기구에 의하면 전세계적으로 결핵감염자는 20억명 이상이며 해마다 800만명 이상의 새로운 환자가 발생하고 300만명이 결핵으로 사망한다. 새로운 환자와 사망자는 90% 이상이 개발도상국에 집중되어 있으며, 15

세 미만의 소아 환자도 해마다 130만명이 발생하고 45만명이 사망하는 것으로 알려져 있다. 소아결핵은 성인과 달리 임상병변이 없거나 경미한 경우가 많고, 원인균을 증명하기가 쉽지 않으며, BCG 접종을 받은 경우가 많아 치료 여부 및 방법을 결정하는 것은 물론 결핵을 진단하는 데에도 많은 어려움이 있다(표 6-8, 6-9). 우리나라에서도 1965년부터 5년마다 전국적인 결핵실태조사를 해오고 있으며 그동안 정부의 적극적인 노력으로 방사선상 활동성 폐결핵이나 균양성 폐결핵 유병률은 현저히 감소하였다. 그러나 아직도 감염성 환자가 많고 약제 내성률도 높은 실정이다. 우리나라의 결핵에 대한 주요 역학 자료는 표 6-10과 같다.

나. 원인균

*M. tuberculosis*가 거의 대부분을 차지하며 드물게 *M. bovis, M. africanum* 등이 있다. *M. bovis*는 과거에는 주요 원인균이었으나 근래 수의학의 발달과 우유의 멸균처리가 의무화되면서 거의 볼 수 없게 되었다.

1) 생물학적 특성

결핵균은 세포벽에 mycolic acid와 다량의 지질(lipid)을 가지고 있으며 항산성(acid-fastness)을 보인다. 감염 초기에는 항체나 보체(complement)를 통한 식작용에 저항하여 활성화되지 않은 대식세포에 들어간 다음에도 일부는 죽지 않고 살아남게 된다. 증식 속도가 일반세균(20분)보다 현저히 느려서 12~24시간에 이른다. 따라서 배양검사에만 3~6주가 소요되며 감수성 검사까지는 4주가 더 필요하게 된다. 근래 동위원소를 이용한 새로운 배양방법(BACTEC radiometric system)의 개발로 1~3주 이내에 배양검사와 감수성검사 결과를 얻을 수 있게 되었다.

2) 약제내성

결핵균의 약제내성 유전자는 모두 염색체에 위치하고 있고 플라스미드(plasmid)에는 존재하지 않는다. 따라서 균주 사이에서 내성균의 수평 전파는 이루어지지 않는다. 약제내성은 일차내성과 이차내성으로 구분하며 일차내성은 진단 당시 이미 특정약제에 내성을 가진 경우이며 이차 내성은 치료 도중에 내성균

표 6-8. 소아 결핵과 성인 결핵의 차이점

구분	소아 결핵	성인 결핵
초기의 폐병변	1개의 폐실질 병변, 폐 하부	폐첨 혹은 쇄골 상부
국소 림프절 침범	흔하다	없다
치유 양상	석회화(calcification)	섬유화(fibrosis)
진행 양상	혈행성(속립결핵, 뇌막염)	기관지성(건락성 괴사, 공동)
감염방법	초감염 결핵	재활성화 결핵 또는 재감염

표 6-9. 결핵 노출, 감염 및 질환의 정의 및 특징

	노출	감염	질환
정의	감염성이 의심되거나 확인된 결핵환자와 접촉한 경우	결핵 노출 후 결핵균이 증식하여 숙주의 면역반응이 생긴 경우	결핵 감염 후 임상증상이나 X선 검사상 병변을 보이는 경우
투베르쿨린 검사	음성	양성	양성
X선 소견	정상	정상 또는 석회화 소견	이상 소견 보임
예후	감염가능(+) 또는 (-)	재활성화(성인 결핵)	결핵 질환
치료	필요한 경우 예방적 화학요법	예방적 화학요법	결핵 치료(3제 또는 4제 요법)

표 6-10. 우리나라 결핵 역학조사

결핵감염률(1995), 0~29세 : 15.5%

  0~4세 : 3.5%, 5~9세 : 3.4%, 10~14세 : 14.9%, 15~19세 : 52.8%

연간 결핵 감염 위험률(1995)

  5-9세 : 0.48% (1965년 : 5.33%)

결핵발생률(1992-1994, 공무원, 20-64세)

  활동성 결핵환자(X선 검사 양성) : 202명/10만

  균양성 결핵환자 : 81명/10만

  도말 양성 결핵환자 : 54명/10만

결핵유병률(1995)

  활동성 결핵환자 : 1,032/10만

  균양성 결핵환자 : 219/10만

  도말양성 결핵환자 : 93/10만

결핵사망률(1998)

  7.4/10만(호흡기결핵 7.1/10만, 폐외결핵 0.4/10만)

약제내성률(resistance rate of anti-TB drug)

	전체환자 (%)		신환(%)		구환(%)	
	단일 약제	복합 약제	단일 약제	복합 약제	단일 약제	복합 약제
1995	9.9	5.3	5.8	1.9	25.0	17.9
1998-1999	11.8	2.7	10.6	2.2	21.9	7.1

- 발병률(break-down risk): 결핵 감염자에서 발병하는 결핵환자 비율.
- 결핵감염률(prevalence of tuberculous infection):
  결핵균에 감염된 인구비율(%)
  특정시기, 지역 및 대상연령군의 자연 감염률을 의미하며 BCG 접종 반흔이 없는 인구 중 투베르쿨린 반응 양성자로 조사한다.
- 연간 결핵 감염 위험률(annual risk of tuberculosis infection): 연간 결핵에 새로 감염되거나 재감염 되는 인구비율(%)
- 결핵발생률(tuberculosis incidence): 1년 동안 새로 발병한 결핵환자수(인구 10만명당)
- 결핵유병률(prevalence of tuberculosis): 결핵 환자수(인구 10만 명당)
- 결핵사망률: 연간 결핵으로 사망하는 사람 수(인구 10만 명당)

이 주요 균주로 나타나는 것을 말한다. 이차내성은 주로 약물을 제대로 복용하지 않았거나 부적절한 치료 때문에 생긴다. 소아환자에서 약제내성은 대부분 일차내성이며 따라서 성인 감염원의 내성 양상과 동일하다. 약제내성은 자연내성과 획득내성으로 구분하기도 한다. 자연내성은 약제에 노출되기 전에 이미 가지고 있는 내성이며 획득내성은 항 결핵제를 사용하면서 갖게 되는 내성이다. 많은 균이 있을 때는 변이(mutation)에 의해 자연 내성을 보이며 발생 빈도는 약제에 따라 차이가 있으나 대체로 10^{-6} 정도로 발생한다(SM : 10^{-5}, INH : 10^{-6}, RFP : 10^{-7}). 내성균의 내성유전자 자리(locus)는 서로 연결되어 있지 않으므로 한가지 약제에 대한 내성은 다른 약제와는 상관없이 독립적으로 발생한다. 따라서 한 개의 균이 2가지 약제에 대해 자연내성을 갖기 위해서는 10^{11}~10^{14} 정도의 균이 필요하므로 실제로 2가지 약제에 대해 동시 자연내성을 보이는 균은 없다. 소아에서 결핵 감염상태는 10^3~10^4개의 결핵균을 가지고 있으며, 일차 폐결핵이나 폐외결핵 등 결핵질환도 10^5~10^6개의 균을 가지므로 소아 결핵환자에서 자연내성균이 발생할 가능성은 거의 없다.

다. 병인론

1) 감염경로

병원체의 침입경로는 98%가 호흡기이며 극히 일부가 소화기나 피부, 점막을 통해 침범한다. 아주 드물게 임신부를 통해 선천감염을 일으키기도 한다.

2) 일차결핵

결핵균은 세포벽의 sulfatide가 대식세포내의 포식소체(phagosome)와 용해소체(lysosome)의 융합을 방해하기 때문에 감염 초기에는 폐포나 폐포내 대식세포내에서도 죽지 않고 살아남는다. 감염 4~8주에 세포성 면역반응이 활성화되면서 림프구 침윤과 함께 대식세포가 활성화되고 세포내의 세균을 죽이고 일차병변을 억제하게 된다. 이때 조직의 과민성도 동시에 나타난다. 일차결핵에서 폐실질내의 결핵균은 거의 제거되나 림프절내의 균은 일부가 살아남게 되며 이들 결핵균은 섬유화나 피낭(encapsulation)을 형성하여 수십 년간 살아남을 수 있으며 후에 재활성화 되어 성인 결핵을 일으키게 된다.

3) 이차결핵

재활성화는 숙주의 면역기능이 저하되는 경우에 잘 오며 산소농도가 높고 혈류량이 많은 폐의 상첨부(상엽의 apex)에 잘 오며 심한 폐 침윤과 공동을 형성하는 경우가 많다. 재활성화 결핵은 면역기능이 극히 저하되지 않는 한 전신적으로 진행되지는 않는다. 일반적으로 2세 이전에 감염되어 치료한 경우에는 재활성화가 드물며, 7세 이후에 첫 감염이 되는 경우에는 재활성화가 잘 온다.

4) 진행양상

초기감염에서 질환발생까지의 기간은 아주 다양하며 일반적으로 전신결핵이나 기관지 및 림프절 결핵은 감염초기(2~10개월)에 잘 오며, 골·관절 결핵이나 콩팥(신장)결핵은 수년 혹은 수십 년 후에 발병한다.

5) 면역

결핵에 대한 방어 면역은 주로 세포매개 면역이 관여한다. 면역세포의 활성화로 사이토카인 생성과 대식세포 활성화에 의한 숙주방어(세포내 및 세포외 결핵균 제거), 지연과민반응(delayed type hypersensitivity, DTH)에 의한 조직파괴와 건락괴사 및 면역기억을 얻게 된다. 조직학적 변화는 결핵균의 항원성분과 숙주의 세포매개면역반응의 균형에 따라 다양하게 나타난다. 항원성분이 적고 면역반응이 강한 경우에는 육아종(granuloma)을 형성하고, 항원성분도 많고 면역반응도 강한 경우에는 건락괴사를 일으키고, 항원성분이 많고 면역기능이 저하된 경우(영아와 면역기능결핍자)에는 파종결핵이나 심한 국소조직 파괴를 보인다. 세포나 조직파괴는 종양괴사인자 등 여러 사이토카인에 의해 촉진된다.

라. 진단

1) 증상

감염부위와 질병의 진행정도에 따라 다양한 증상을를 보인다. 감염초기에는 증상이 없다가 진행되면서 발열, 식욕부진, 식은 땀, 기침 등이 나타난다. 그러나 이러한 증상들은 모두 비특이적인 소견이므로 진단에 많은 도움을 주지는 못한다.

2) 세균학적 검사

결핵균을 분리 또는 확인하는 것이 결핵을 확진하는 유일한 방법이다. 검체의 종류는 객담, 위액, 체액, 혈액(백혈구), 조직 등 병변 부위에 따라 다양하게 사용할 수 있다. 객담 도말검사와 배양검사가 가장 효과

표 6-11. 투베르쿨린 검사방법

접종방법

주사기 : 1회용 투베르쿨린 주사기(1 mL, 10등분 눈금)

주사바늘 27 G, 길이 1 cm, 사단각도 20°

주사부위 : 전박전면 또는 배면

주사방법 :

엄지와 검지로 주사부위를 잡고 다른 세 손가락으로 수검자의 전박을 감싸쥔다.

검지와 장지 사이에 주사기 몸통을 잡고 사단을 위로 향한다.

전박선과 주사기 각도를 가능한 적게 하여 피내에 완전히 삽입한다.

이때 수검자의 피부에 주름이 가지 않게 펴주고 주사기 잡은 손의 새끼손가락으로 수검자의 전박을 눌러준다.

주사용량은 주사기 눈금을 보고 결정한다(팽진의 크기가 아님).

※정확히 주사하면 팽진의 크기는 6~10 mm 이다.

※너무 얕게 주사하면 새어나올 위험이 있고 너무 깊이 주사하면 반응의 크기에는 영향이 없으나 판독하기가 어렵다.

다시 주사 할 때는 수cm(1인치) 이상 떨어진 곳에 하고 기록한다.

같은 장소에는 몇 년 동안 접종을 피해야 한다.

※같은 장소에 실시하면 반응이 더 빨리, 더 크게 나타나고 더 빨리 소실되며 수포형성 빈도도 높다.

표준판독법

접종후 72시간에 판독한다(2~3일에 최대로 커짐).

촉진으로 경결을 감지하고 가장자리를 표시한다.

전박선에 대해 횡직경을 측정하여 mm로 표시한다.

부종, 수포 및 괴사는 반응의 크기 측정에는 이용하지 않으며 추가 특징으로 기술한다.

홍반을 판독해서는 안된다.

적이고 간편한 방법이나 소아에서는 객담을 배출하는 경우가 많지 않고 검체채취에도 어려움이 있어 실제로는 위액검사가 더 효율적이다. 위액은 아침에 일어나기 전, 가능하면 음식은 물론 눈물이나 침을 삼키기 전에 채취해야 한다. 위·식도 삽관을 이용하여 일차 위 내용물을 채취한 후 50~75 mL의 무균 증류수를 주입한 후 다시 채취하여 함께 섞은 후 10% Na_2CO_3를 이용하여 pH를 7.0으로 조절한다. 객담을 채취하기 위해서는 가습기를 사용하는 것이 도움이 된다. 객담이나 위액을 이용한 세균학적 검사는 일반적으로 3회 이상 실시하며 채취한 검체는 되도록 빨리 검사한다. 그 외에도 DNA probe나 중합효소연쇄반응(polymerase chain reaction, PCR)을 이용한 진단도 폭넓게 이용되고 있으며, 결핵균 특이 항원이나 항체를 검출하는 방법도 시도되고 있다. 특히 중합효소연쇄반응은 수 시간 내에 조기 진단이 가능하고 예민도와 특이도가 90% 이상으로 유병률이 높은 우리나라에서는 효과적인 방법으로 인정되고 있다.

3) X선 검사

폐결핵이나 골·관절 결핵의 진단에 효과적이다. 단순 흉부 X선 촬영은 chest PA 혹은 양측 측면 촬영을 하며 성인에서는 apicogram을 한다. 특수검사로는 CT, MRI 및 초음파검사가 있으며 단순촬영보다 진단에 많은 도움을 준다. 일반적으로 폐조직의 병변을 관찰하기 위해서는 고해상단층촬영(HRCT)을 사용하며, 림프절 비대등 덩어리를 관찰하기 위해서는 spiral CT를 한다. 초음파 검사는 비침습적일 뿐만 아니라 X선 노출 없이 흉막비후나 삼출액을 진단하는데 용이하고 생검이나 늑막천자 및 삽관 시에도 유용하게 사용할 수 있다. 흉부 X선 소견으로는 침윤, 무기폐, 늑막삼출, 공동, 속립결핵 병변(snow flake), 석회화 및 림프절 비대(폐문, 종격, 경부)가 올 수 있다. 석회화가 있는 경우에는 적어도 6~12개월 전에 병변이 있었음을 의미한다. X선검사의 판독은 반드시 해당분야의 전문가에 의해 이루어져야 하며 판독의 정확성과 일관성을 유지하기 위해 지속적인 노력과 검증을 해야 한다.

4) 투베르쿨린 검사

무증상 감염을 진단할 수 있는 유일한 방법이다. 현재 세계보건기구와 국제항결핵연맹에서는 Mantoux test (RT23, 2TU)를 표준검사로 인정하고 있으며, 우리나라에서도 같은 방법을 사용하고 있다. RT23, 2TU는 PPD-S 5TU와 동일한 역가를 보이며 민감도와 특이도는 각각 90% 정도인 것으로 알려져 있다. 상지의 전박에 피내주사한 후 48~72시간에 경결(induration)의 횡직경 크기를 mm로 표시한다.

너무 깊이 주사하면 판독이 어려워지며 경결의 크기가 클수록 결핵감염의 가능성이 높다. 자연감염후에는 3~6주(3주~3개월)에 양성반응을 보이며, BCG 접종후에도 10~12주 경에 양성반응을 보이나 자연감염에 비해 경결의 크기가 작다. 일반적으로 면역기능이 저하된 경우나 결핵유병률이 높은 지역, 결핵에 노출된 병력이 있을 때는 5 mm 이상을 양성으로 간주하며 유병률이 낮은 지역이나 결핵환자에 노출된 적이 없는 경우에는 10 mm 이상이면 양성으로 판정한다. 결핵연구원의 화학요법 적용기준은 BCG 접종자는 10 mm 이상이고 BCG 미접종자는 5 mm 이상이다. 2년 이내의 검사에서 10 mm 이상 증가한 경우에는 새로운 감염으로 간주한다.

투베르쿨린 검사에 영향을 주는 인자로는 ① 투베르쿨린 단백의 양, ② 감작된 림프구수, ③ 피부의 국소적인 반응 양상, ④ 결핵균의 증식정도 등이 있다. 스테로이드나 nitrogen mustard 등 면역저하를 시키는 약물의 사용, 방사선 조사, 바이러스 감염(홍역, 볼거리, 인플루엔자), 어린 영아, 영양실조 등이 있을 때는 반응정도가 감소하며, 결핵 수막염이나 전신결핵이 있는 경우 초기에는 50%에서 음성을 보인다. 특히 배양 양성 환자도 10~20%에서 음성반응을 보이는 경우가 있으므로 투베르쿨린 검사 음성만으로 결핵감염을 배제할 수는 없다.

투베르쿨린 검사도 방사선 검사와 마찬가지로 잘 훈련된 전문가에 의해 실시되어야 하며, 특히 피내주사와 결과의 판독은 정확성과 일관성을 유지하기 위해 지속적인 검증을 해야 한다(표 6-11, 그림 6-14).

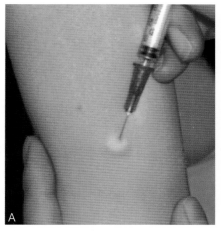
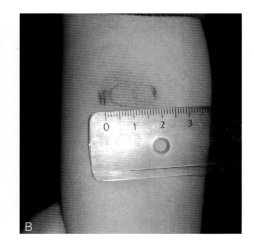

그림 6-14. 투베르쿨린 검사. 피내주사(A), 경결측정(B)

5) 병리조직학적 검사

생검조직이나 수술적출물, 부검조직 등을 이용하며 병리조직학적 검사와 결핵균을 검사한다.

마. 치료

1) 화학요법

가) 항결핵제

소아에서 흔히 사용되고 있는 1차 및 2차 항결핵제는 표 6-12와 같다.

EMB(저용량), PTH, CS은 정균 항결핵제로 주요 사용 목적은 다른 약제에 대한 내성균 생성을 억제하는 것이며, INH, RFP도 치료효과 외에도 다른 약제에 대한 내성균 생성을 억제하는 효과가 있다. Ciprofloxacin, ofloxacin 등 퀴놀론계 항결핵제는 일반적으로 소아연령에서는 사용 금기로 되어있으나 다제 내성균에 의한 결핵환자 치료에는 사용하기도 한다.

나) 화학요법의 실제

소아 결핵환자의 화학요법은 기본적으로 성인 환자와 같다. 다만 소아환자는 감염된 결핵균의 수가 10^{3-5}개로 성인에 비해 현저히 적어 초기 치료에 3제 요법을 추천하는 경우가 많다. 그러나 우리나라는 INH에 대한 내성률(1999)이 11.8%로 역학적으로 고도 약제 내성 지역에 속한다. 따라서 화학요법을 시작하기 전에 반드시 내성균에 의한 감염의 가능성을 생각하고 4제 요법을 검토해야 한다. 특히 감염원으로 생각되는 환자가 치료가 잘되지 않은 경우, 공동이 있거나 도말양성인 경우, 집안에 많은 결핵환자가 있는 경우에는 내성균의 가능성이 높다. 소아 결핵에서 추천되는 화학요법은 표 6-13과 같다.

① 내성균의 치료: 과거의 치료경력, 내성균 환자와의 접촉, INH 내성이 4% 이상인 지역, 도말양성, 공동을 가진 환자, 2개월간 치료해도 배양검사 양성인 경우에는 반드시 INH 내성 결핵의 가능성을 생각해야 한다. 일반적으로 내성균의 가능성이 있으면 확인 될 때까지 적어도 3제 이상, 대부분 4~5제를 초기치료에 사용한다. 특히 INH 내성이 의심되는 경우(INH 내성율 4% 이상 포함)에는 PZA가 RFP에 대한 내성균 생성을 억제하지 못하기 때문에 반드시 초기치료에 4제를 사용해야 한다. 소아환자는 감염원으로 생각되는 성인 환자의 세균학적검사 결과에 따라 약제 선택을 하며 감수성 살균 항결핵제를 2가지 이상 사용해야 한다.

② 재치료: 재치료는 치료실패한 경우와 재발하는 환자에서 시행한다. 치료실패는 6개월 이상 치료해도 객담에 균이 나오는 경우를 말하며 반드시 감수성 검사결과에 따라 과거에 사용하지 않았던 감수성 약제를 3제 이상(가능하면 5제) 투여하며 약제의 일부만 변경하는 것은 절대로 안된다. 치료기간은 환자에 따라 다르나 18~24개월 이상 치료한다. 재발은 치료 종료 후 다시 균이 배출된 것으로 대부분 휴면(dormant)균에 의한 것이므로 처음 사용했었던 약제를 다시 쓴다(치료 기간은 9개월). 흉부 X선 소견은 치료 종료 후에도 남아 있는 경우가 있으므로 재치료 여부는 반드시 세균학적 검사에 근거하여 결정해야 하며 흉부 X선 검사에서 공동이 지속되어도 균 검사 없이는 처방을 바꾸지 말아야 한다. 아울러 치료도중 X선 병변이 완전히 소실되어도 반드시 충분한 기간 동안 치료해야 한다.

2) 보조요법

가) 피리독신: 결핵 치료시 소아에서는 성인에 비해 간염 발생의 위험이 적으며, INH 투여시 말초신경염이나 경련도 드물다. 따라서 영양 실조, 증상이 있는 HIV 감염자, 임신부, 모유수유아 등에서만 INH 투여시 피리독신을 첨가한다.

나) 부신피질 호르몬제: 반드시 항결핵제와 같이 사용해야 하며 기관지내 결핵, 수막염, 속립결핵, 늑막염, 심낭염 등 호흡곤란이 있거나 증세가 심한 경우에 사용한다. 처음 2~4주간은 prednisone 1~2 mg/kg/day을 투여한 후 점차 양을 줄이며 총 6~12주(대개 6주) 정도 사용한다. 수막염을 치료할 때 초기에 덱사메타손을 투여한다.

표 6-12. 흔히 사용되고 있는 항결핵제

항결핵제	용량 mg/kg/day(최대)	부작용	참고사항
Isoniazid*† (INH)	10~15(300 mg) 1회 복용	간독성 말초신경염(소아에서 드물다)	우유에 타서 먹이지 말 것 영양실조, 모유 수유아 및 　임신부에서는 pyridoxine 투여
Rifampin*† (RFP)	10~20(600 mg) 1회 복용	간독성 소변 또는 눈물의 색깔 변화	강한 항균 효과 INH 내성 획득 억제 효과 주로 간으로 배설됨
Pyrazinamide*† (PZA)	20~40(2.0 g) 2~4회 분복	관절염 간 독성	강한 항균 효과 단기 요법의 초기 치료약제 세포내 결핵균 제거 효과
Streptomycin*† (SM)	20~40(1.0 g) 1회 근주	이독성 신장독성	독성은 총투여량과 관계 12주 이상은 쓰지 않는다.
Ethambutol‡ (EMB)	15~25(2.5 g) 1회 복용	시신경염 (가역적임)	내성균의 출현 억제 효과(15 mg) 시력, 시야, 색맹 검사(1회/월) 주로 6세 이상에 사용
Prothionamide‡ (PTH)	15~20(1.0 g) 1-3회 분복	위장장애 의식변화 간독성	약제 내성균에 효과 특히 INH 내성균에 사용
p-Aminosalicylic‡ acid (PAS)	200~300(15 g) 3-4회 분복	위장장애 과민성	현재는 드물게 내성균에 사용
Cycloserine‡ (CS)	10~20(1.0 g) 2회 분복	중추신경계 증상 신경독성	간, 신장 및 혈액 검사 실시 Pyridoxine을 같이 투여`
Capreomycin*‡ (CPM)	15~30(1.0 g) 1회 근주	이독성 신독성	SM 내성균에 사용
Kanamycin*‡ (KM)	15~30(1.0 g) 1회 근주	이독성 신독성	SM 내성균에 사용

* bactericidal agents, EMB는 고용량(250 mg)에서 bactericidal 효과가 있음.
† 일차 항결핵제, ‡ 이차 항결핵제

다) 외과적 치료: 치료되지 않는 폐결핵, 골·관절 결핵, 수막염 등 약물요법으로 병소의 완전제거가 어려운 경우나 후유증의 예방과 치료를 위해 외과적 처치를 해준다.

3) 일반요법

충분한 영양공급이 중요하며 가능하면 일상생활을 유지시켜 준다.

가) 입원 및 격리: 입원이 필요한 경우는 별로 없으나 정확한 진단을 위해 조직검사나 반복 배양검사가 필요한 경우, 영·유아나 심한 질환의 초기 치료, 부신피질 호르몬 사용(초기), 외과적 치료, 심한 약물의 부작용이 있는 경우에는 입원시키며, 객담 검사가 양성이거나 신장 및 피부결핵 환자는 격리시켜 치료한다(결핵예방 참조).

나) 추적 관찰: 소아에서는 성인에 비해 약물에 대한 부작용은 적으나 약제에 따라 말초혈액 검사, 간기능 검사, 청력 검사, 시력, 시야 및 색맹 검사 등을 통해 부작용을 관찰한다. 간 효소(AST, ALT)치의 상승은 대부분 일과성이나 3배 이상 증가한 경우에는 약제투여를

표 6-13. 소아 결핵 치료에 추천되는 화학요법

환자 상태	화학요법	참고사항
무증상 감염	INH 및/또는 RFP 6~12개월 투여	예방적 화학요법 참조
폐 및 폐외 결핵	INH, RFP, PZA, EMB 혹은 SM을 2개월간	약제 내성의 가능성이 없으면 EMB, SM을 제외
(수막염, 속립결핵,	매일 투여 후 4개월간 INH, RFP 매일 투여	환자가 의사의 지시에 따르지 않을 경우에는
골·관절결핵 제외)	INH, RFP을 9개월간 매일 투여	주 2~3회 요법을 실시
속립결핵	INH, RFP, PZA, EMB 혹은 SM을 2개월간	SM에 내성이 있는 경우에는 CPM이나 KM을 투여
수막염,	매일 투여 후 10개월간 INH, RFP을 매일 투여	
골·관절 결핵		

중단한다. 성공적으로 치료한 후 증세가 없으면 추적 X선 검사는 하지 않아도 된다(표 6-14).

4) 치료할 때 주의사항

① 치료를 시작하기 전에 환자는 물론 감염원에 대해서도 결핵균 검사 양성 여부 및 방사선 검사에서 진행성 결핵 유무를 반드시 확인해야 하며, 과거 항결핵제의 투여 경력 및 부작용, 전신 질환이나 장기 약물 복용 등에 대해서도 알아본다. ② 예방목적 이외의 단일 약제 사용은 물론 치료 실패시 단일약제의 추가나 변경은 절대 금기이다. ③ 약물 복용 중에는 약물이 제대로 투여되고 있는지 확인해야 하며 식욕부진, 구역, 구토, 소변 색깔, 복통 등에 대해서도 관심을 가져야 한다. 약물 투여 초기 및 상기 임상소견을 보이는 경우에는 간기능 검사를 시행하여 3배 이상 증가한 경우에는 약물 투여를 중단한다. ④ 투여 직후 토한 경우에는 다시 투여하도록 하며, 약물이 제대로 투여되고 있는지 철저히 확인하고 환자의 순응도를 높이기 위해 지속적으로 노력한다(표 6-15). ⑤ 치료가 조기 중단된 환자는 중단된 기간이나 중단시기(치료 초기 혹은 말기), 중단 전후의 임상 및 방사선소견과 세균학적 검사소견 등을 고려하여 결정한다. 일시적으로 중단된 경우에는 중단된 기간만큼 더 치료해준다. ⑥ 환자의 예방 접종력을 확인하고 적절한 예방접종을 실시해준다. 특히 홍역과 백일해 예방접종이 중요하다. ⑦ 성장 곡선을 이용하여 건강 상태를 수시로 확인하고, 영

표 6-14. 치료할 때 주의사항 및 추적검사

주의사항
　치료시작 전에 철저한 검사를 한다
　부작용 관찰 및 순응도를 확인하고 교육한다
　몸무게 변화에 따라 용량을 조절한다
　예방접종(홍역, 백일해)을 실시한다
　영양공급 및 건강상태를 확인한다
　예방목적 이외의 1가지 약제 투여나 1~2가지
　약제의 추가나 변경은 절대 해서는 안된다
추적검사
　임상 및 세균학적 검사는 매월
　X선 검사는 2~3개월마다
　부작용 검사:
　　간기능검사: 첫 3개월은 매월, 그 후 1~3개월마다
　　시력, 시야, 색맹검사: EMB 사용시 매월
　　청력검사: aminoglycoside제제 사용시 매월
　치료 종료후 투베르쿨린 및 X선 검사는 필요없음

양 공급에도 관심을 가져야 한다. 특히 단백질과 비타민 투여가 중요하다.

5) 예후

결핵환자의 예후는 기본적으로 숙주의 저항력과 결핵균의 수 및 독성에 의해 결정된다. 따라서 환자의 나이가 어릴수록, 수막염이나 속립결핵 등 혈행성 감염, 면역 및 영양 상태가 불량한 경우에는 예후가 나쁘다. 그러나 예후에 영향을 주는 가장 중요한 인자는 조기

의 적절한 치료이다.

바. 예방

환자의 조기 진단과 치료, BCG 접종, 예방적 화학 요법이 있으며 그 중에서도 가장 중요한 것은 감염성 환자를 조기진단하고 적절한 치료를 하며, 환자가 감염성이 없을 때까지 격리하고 적절히 관리하는 것이다. 객담도말 양성 환자나 공동을 가진 환자, 배농굴(draining sinus), 콩팥 결핵, 피부 결핵 환자는 반드시 격리를 해야 하며 기침이 심하거나, 폐 상엽에 심한 침윤이 있는 환자들도 격리해주는 것이 좋다. 의료기관에서의 환자 격리는 격리실 사용과 함께 음압환기(negative air pressure ventilation)와 자외선 소독을 해야 한다. 그러나 감염성을 가진 모든 환자들은 진단 당시 이미 다른 사람들에게 결핵균을 전파한 상태로 인정하고 가족이나 접촉자에 대해 철저히 조사해야 한다.

1) BCG

BCG는 M. bovis를 13년 동안 3주 간격으로 231회 계대 배양하여 만든 생균백신으로 1921년 처음으로 인체에 사용되었다. 1966년 세계보건기구에서 종자균주(seed lot)를 정하였으며 이를 기본으로 개발된 Pasteur(French)-1173P2, Glaxo-1077, Tokyo-172, Copenhagen-1131 등 4가지 백신주가 사용되고 있으며 현재까지 100여 나라에서 30억명 이상이 접종을 받았다. 예방효과는 백신의 종류와 용량, 투여방법에 따라 차이가 있으며 전반적으로 약 50%의 예방효과가 있는 것으로 알려져 있다.

우리나라에서는 1961년부터 비교적 독성이 강하고 예방효과가 좋은 Pasteur(French) 균주를 사용하고 있다. 접종방법은 표 6-16과 같다. 경피 접종은 정확히 접종하기가 어렵고 예방효과도 확실하지 않아, 최근 국내에서 적용되고 있으나 앞으로 더 많은 연구가 필요한 실정이다(표 6-17). BCG는 투베르쿨린 양성반응 유도와 결핵에 대한 저항력을 증가시켜 모든 연령에서 결핵 질환으로의 진행 및 재활성화를 억제하는 것으로 알려져 있다. 소아 연령에서는 성인에 비해 예방효과가 좋으며 특히 속립결핵이나 결핵 수막염 등 전신 중증 질환으로의 진행을 막아 주는데 효과가 있다. 이러한 예방 효과는 약 15년 정도 지속될 것으로 추정되며 세계보건기구에서도 결핵 유병률이 높은 지역에서는 에이즈 환자를 제외하고는 모든 영아에게 BCG 접종을 권유하고 있다.

그러나 BCG는 예방 효과가 한시적이고 결핵감염 자체를 예방할 수는 없으며 결핵 질환으로의 진행 억제 효과도 약 80% 정도로 알려져 있어 결핵근절을 위한 절대적인 방법은 될 수 없다. 따라서 BCG 접종자에 대해서도 결핵이 의심되는 경우에는 적극적인 검사와 추적관찰을 해야 한다. BCG는 DTaP, 홍역, 폴리오 등과 동시에 접종해도 된다. 많은 나라에서 BCG를 선호하고 있으나 미국 등 유병률이 낮은 일부 지역에서는 예방적 화학요법을 추천하고 있다.

표 6-15. 결핵환자의 순응도

순응도 측정
환자 면담, 중단 또는 복약 거부이유 확인
내원 예정일 확인
소변 색깔 및 남아있는 약 확인
순응도에 영향을 주는 요인
환자의뢰 대상 (의료기관, 의사)*
의료기관 이용 편의도 (진료시간, 대기시간)
약의 종류 및 용량
치료비
환자의 습관, 의지, 가족의 협조
의사와 환자의 인간관계 및 신뢰도
순응도 제고 방법
지속적인 환자 교육과 동기 부여
(지나친 설명은 역효과)
진료 약속일 및 진료 시간 준수(의사 및 환자)
사회단체나 행정기관의 협조
복약 확인치료

* 의사를 지정하여 의뢰한 경우에 순응도가 좋다.

2) 예방적 화학요법

예방적 화학요법은 주로 5세 이하의 소아를 대상으로 실시한다. 감염성 결핵환자에 노출된 경우와 결핵감염자에 대한 예방적 화학요법으로 구분되며 실제로 INH 투여는 예방과 함께 치료 목적으로 이해되기도 한다. 20여년 동안 시행되어 왔으며 25~92%의 예방 효과가 있는 것으로 알려져 있다. 특히 소아 연령에서는 100%에 가까운 높은 예방 효과가 인정되어 미국에서는 BCG 미접종자로 투베르쿨린 검사가 양성이며 임상 증세가 없고 과거 INH를 복용한 적이 없는 모든 소아(청소년기 포함)에서 INH의 예방적 투여를 추천하고 있다.

가) 결핵 노출 소아에 대한 예방적 화학요법

감염성 결핵 환자에 노출되었으나 투베르쿨린 검사가 음성을 보이는 상태에서 항결핵제를 투여하는 것을 말한다. 이는 실제로 감염이 되지 않은 경우와 감염은 되었지만 지연성 과민 반응이 아직 발현되지 않은 시기를 생각할 수 있으며 이때 고위험군에서는 감염 후 빠르게 질병으로 진행될 수 있기 때문에 반드시 예방적 화학요법을 실시해준다. 특히 감염성 결핵 환자와 확실한 접촉이 확인된 경우에는 모든 소아에서 약물 투여가 추천되기도 한다.

예방적 화학요법을 실시한 경우에는 3개월 후에 다시 투베르쿨린 검사를 시행하여 양성 반응을 보이면 약물 투여를 계속하고, 음성이면서 감염원의 전파위험이 제거된 상태면 약물 투여를 중단한다. 그러나 감염성이 확인된 활동성 결핵 환자와 밀접한 접촉을 한 경우, 특히 가족내 접촉이나 접촉한 소아의 나이가 어리거나 면역기능 저하 등 고위험군에서는 재실시한 투베르쿨린 검사에서 음성을 보여도 충분한 기간 동안 항결핵제 투여를 추천하기도 한다.

나) 결핵 감염자에 대한 예방적 화학요법

결핵 감염 상태에서 결핵 질환으로의 진행을 막아 주기 위해 항결핵제를 투여하는 것을 말한다. 일반적으로 70%에서 효과가 있는 것으로 알려져 있으며 소아에서는 훨씬 좋은 효과를 보여 고위험군에서는 반드시 예방적 화학요법을 실시해 준다. BCG 접종자에서 예방적 화학요법을 결정하기는 대단히 어려우며 일반적으로 투베르쿨린 검사의 강양성, 연령, 가족내의 밀접한 접촉, 면역결핍 상태 등을 고려해서 결정한다(표 6-18).

다) 예방적 화학요법의 실제

INH나 RFP의 단독 또는 복합 투여가 가장 보편화되어 있으며 6~12개월 동안 투여해준다. INH 내성 결핵균에 의한 감염이 의심되는 경우에는 INH와 RFP 을 동시에 투여해주며, INH 내성이 확인되면 INH는 중단하고 RFP만 9개월간 투여하며 INH 감수성이 확인되면 RFP을 중단한다. INH와 RFP 모두에 내성을 가진 경우에는 감수성을 가진 다른 약제 두 가지를 사용한다. 근래 몇 가지 약제를 동시에 사용한 단기간 강화요법에 대한 연구도 활발하게 시도되고 있다. 예방적

표 6-16. BCG 접종방법

피내주사: 투베르쿨린 검사 참조
용 량: 1세 이전 ; 0.05 mL, 1세 이후 : 0.1 mL
※신생아는 0.1 mL를 주사하기가 어렵다
※0.1 mL 내 3×10⁶ 생균 함유
접종부위: 상박외측 삼각근 중앙부(약간 아래쪽)
투베르쿨린 검사 필요성 : 투베르쿨린 검사 없이 접종
※많은 나라에서 투베르쿨린 검사 없이 BCG 접종을 한다
※과거 생후 1~2개월 이후 투베르쿨린 음성자를 대상으로 실시했던 접종은 BCG 반흔 유무를 기준으로 한다

표 6-17. BCG 피내접종과 경피접종 비교

구분	피내접종	경피접종
균주	Pasteur	Tokyo
생균수(0.1 mL)	30~60만	800만
독성(virulence)	강함	약함
예방효과	높다	낮다
접종실패율	낮다	높다
부작용	많다	적다
반흔	크다	작다
가격	싸다	비싸다

표 6-18. 예방적 화학요법의 위험인자

위험인자	점수			
	0	1	2	3
투베르쿨린 검사	음성	양성		강양성
BCG 접종	접종 반흔(+)	접종 반흔(-)	미접종	
나이		2~5	<2	
감염원의 상태	비감염성	X선검사상 활동성	도말 음성 배양 양성	공동 도말 양성
접촉 정도	드물다	흔함	밀접한 접촉	
결핵의 가족력	없음	있음	있음 직계존비속	

+1: 영양실조, 면역결핍, +2: 최근 투베르쿨린 반응 양전, +3: HIV 감염,
4~5: 추적관찰, ≥6: 예방적화학요법 고려

화학요법에 사용된 항 결핵제의 용량은 다음과 같다.

INH: 10 mg/kg/day, RFP: 10~12 mg/kg/day, PZA: 30~35 mg/kg/day, EMB: 25 mg/kg/day(처음 2개월), 15 mg/kg/day(2개월 이후).

사. 기타 특수 결핵

1) 선천 결핵

임신 중 결핵이 진단된 경우에는 즉시 INH+RFP+EMB를 적어도 6개월 이상 사용한다. SM은 사용 금기이며 PZA는 안전성이 확보되어 있지는 않으나 사용할 수 있다. 산모의 결핵이 태아에 감염되는 경우는 아주 드물지만 태반이나, 감염된 양수, 분만시 흡인 등을 통해 감염 될 수 있다. 산모가 임신 직전이나 임신 중에 일차 결핵을 앓은 경우, 특히 혈행성 결핵을 앓은 경우에 올 수 있다. 그러나 실제로 신생아 결핵환자는 분만 직후 호흡기를 통해 감염된 경우가 대부분이다. 자궁 내에서 감염된 경우에는 생후 2~3주에 호흡곤란, 발열, 기면, 보챔, 간 · 비장비대 등이 오며, 간에 초감염군을 형성하는 것이 특징이다. 분만 직후 감염된 경우에는 생후 1~2개월에 발병한다. 투베르쿨린 검사는 생후 1~3개월에 실시해 주나 음성반응을 보이는 경우가 대부분이다. 따라서 선천 결핵이 의심되는 경우에는 분만 직후 태반과 양수에 대한 철저한 검사와 함께 신생아에 대해서도 위액이나 중이액, 림프절 등을 이용한 적극적인 검사가 필요하다. 높은 사망률을 보이며 결핵 수막염에 준하여 치료한다. 부신피질 호르몬은 수막염이 있는 경우에 사용한다.

2) BCG 접종에 의한 국소 림프절염 및 농양

BCG 균주나 접종방법에 따라 차이는 있으나 접종 부위의 림프절 비대, 괴사 등이 올 수 있다. 대부분 그대로 두어도 별문제는 없으나 농양이 크게 형성된 경우에는 배농과 함께 주사용 RFP을 국소 투여해준다. 항결핵제의 경구 투여는 필요없으며 드물게 수술적 제거를 해주기도 한다.

3) 청소년 결핵

일반적으로 5~14세 연령군은 결핵의 유병률이 가장 낮으며 청소년기가 되면서 유병률은 증가한다. 청소년기에는 일차결핵과 재활성화 결핵이 모두 올 수 있다. 여자가 남자보다 결핵감염 위험률이 2~6배 높으며 사춘기에 감염되면 1~3년 내에 만성폐결핵으로 진행하는 경우가 많다. 치료에는 잘 반응한다.

4) HIV 감염자 결핵

일반적으로 결핵치료를 받지 않은 결핵감염자가 결핵질환으로 진행되는 위험률은 전체적으로 5~10%이

나 HIV 감염자에서는 매년 5~10%가 결핵질환으로 진행된다. CD4 림프구 수가 500/uL 이상이면 전형적인 결핵을 앓게 되나 500/uL 이하면 비전형적 결핵이나 폐외 결핵을 앓게 되며 급속하게 진행된다. 반드시 3가지 이상의 약제(대개 4제)를 9개월 이상 투여한다. 모든 결핵환자는 HIV 검사를 하는 것이 좋다.

17. 비결핵 항산균 감염

가. 원인균

1990년 비결핵 항산균증(Non-tuberculous Mycobacterial Infection)으로 명명되었으며 최근 HIV 감염자에서 문제가 되면서 관심을 갖게 되었다. 원인균은 *Mycobacteriaceae*에 속하지만 성장조건이나 색소생성, 효소기능 및 약제감수성이 결핵균과는 차이가 있으며 현재까지 14종이 인체에 병변을 일으키는 것으로 알려져 있다. *M. avium, M. scrofulaceum, M. knsasii*는 주로 소아에서 경부림프절염을 일으키고 HIV 감염자의 주요 감염원으로 알려져 있다. *M. marinum*은 물고기나 냉혈동물에 있으며, *M. fortuitum*이나 *M. chelonae*는 병원상재균으로 수술부위의 감염이나 카테터 감염을 일으킨다. *M. ulcerans*는 열대 우림의 물이나 흙에 광범위하게 분포하여 주로 피부병변을 일으킨다.

나. 증상

1) 림프절염

경부나 하악골아래에 림프절염을 잘 일으킨다. 1~5세에 호발하며 초기에는 대부분 단단하고 잘 움직이며, 통증이나 발적 등 피부이상소견은 없다. 특별한 치료 없이 회복되기도 하나 수주 후에 피부 발적과 함께 급격히 화농성으로 진행되어 배농관을 형성하고 수개월 혹은 수년간 농을 배출하기도 한다.

2) 피부감염

*M. marinum*이나 *M. ulcerans*에 의하며 물고기를 키우는 사람의 손이나 손가락에 육아종을 형성한다 (swimming pool 혹은 fish tank 육아종). 림프절 비대나 통증은 없고 3~5주 동안 커지며 피부결핵과 비슷하다. 드물게 건초염(tenosynovitis)이나 윤활낭염(bursitis), 골수염, 관절염으로 진행되기도 하며 열대지방에서는 다리에 홍반결절(erythematous nodule)이 생긴다. 통증은 없으며 6~9개월에 걸쳐 서서히 회복되거나 점차 진행하여 광범위한 연조직 파괴와 이차 세균감염, 장애나 위축이 올 수 있다.

3) 면역결핍자의 감염

HIV 감염자나 면역결핍자에서는 전격성 질환이 생길 수 있다. 대부분 *M. avium* complex에 의하며 호흡기나 소화기 감염으로 시작하여 림프절, 간, 비장, 골수, 신장 등 전신으로 퍼진다. 발열과 오한, 야간 발한, 식욕부진, 체중감소 등이 나타나며 5~9개월 이내에 사망한다.

다. 진단

병리조직학적 검사나 X선 검사로는 결핵과의 감별이 매우 어려우며 병원체를 규명하는 것이 유일한 진단방법이다. 비결핵 경부림프절염은 대부분 전방에 위치하며 일측성으로 온다. 투베르쿨린 검사는 결핵에 비해 약하게 반응하며 흉부 X선 검사도 정상이다. 병력조사에서 결핵환자에 노출된 적이 없으며, 확진을 위해서는 조직검사, 혈액배양, DNA probe 등으로 원인 병원체를 규명해야 한다. 균혈증이 있으면 배양검사에서 거의 양성을 보인다.

라. 치료

1) 약물치료

약제에 대한 감수성은 다양하다. *M. kansasii*나 *M.*

marinum, M. ulcerans는 항결핵제에 감수성을 보이나 M. avium, M. fortuitum, M. scrofulaceum은 내성을 보인다. Quinolone이나 macrolide에는 감수성을 보이는 경우가 많다.

약물치료는 복합투여가 원칙이며 결핵과 감별이 어려운 경우에는 INH+RFP+PZA를 4~6개월간 사용한다. 부신피질호르몬제는 사용하지 않는다. 면역결핍자의 M. avium 감염시에는 clarithromycin 혹은 azithromycin과 함께 rifabutin, EMB, quinolone 중 한·두가지 약제를 12개월간 투여한다.

2) 수술요법

림프절염이나 피부감염의 치료에 효과적이다. 가능하면 단단하고 피막형성이 된 상태에서 수술하는 것이 좋다. 수술로 병변을 완전히 제거한 경우에는 약물치료는 필요 없다.

18. 백일해

백일해는 *Bordetella pertussis* 감염에 의해 생기는 전염성이 강한 감염성 호흡기 질환으로서 매년 전 세계적으로 약 6,000만 예가 발생하며, 그 중 약 60만 예가 사망하는데, 대부분 예방주사를 맞지 않은 경우이다. 우리나라에서는 접종률이 높기 때문에 임상에서 전형적인 예를 경험하기가 쉽지 않다.

가. 역학

백일해는 전 세계적으로 분포되어 있으며, 아주 전염성이 강하고 사람 대 사람으로 전파되는데 전파 양식은 직접적인 접촉에 의하거나 기침할 때 튀어나온 비말에 의한 호흡기 전파로 이루어진다. 백일해 예방접종을 하지 않은 지역에서는 3~4년 마다 유행이 발생하며 2~6세에서 주로 감염되고 가족 내 접촉 시 전염률은 거의 100%에 가깝다. 신생아는 태반통과 면역이

없기 때문에 백일해에 이환될 가능성이 높으며, 증상이 심해져서 사망할 가능성이 있다. 우리나라의 백일해 이환율은 1984년 이전에는 인구 10만명당 약 1.9~4.6명이었고, 1985년 이후부터는 예방접종률이 높아지면서 1.9명 이하로 감소되었다. 우리나라에서 백일해는 봄, 가을에 유행하며, 주된 전염원은 비전형적 증상의 진단되지 않은 소아와 성인 환자들이며, 예방접종을 받지 않은 4개월 미만의 어린 영아에서 주로 발병하였다.

백일해의 원인균은 Bordetella 속인 B. pertussis, B. parapertussis, B. bronchiseptica, B. aviumm의 4종으로 분류되어 있고, 이 중 B. pertussis와 B. parapertussis가 주로 사람에게 질병을 유발한다. B. parapertussis는 Bordetella 인체 감염 중 약 5%를 차지하며, B. pertussis보다 경한 경과를 취하고, B. bronchiseptica는 주로 동물에서 감염을 일으키나 드물게는 사람에게 백일해와 유사한 질환을 일으키며, 면역이 저하된 환자에게 기회감염을 일으킨다.

나. 증상

백일해는 잠복기가 약 7~10일이며, 환자는 질병 첫 주가 가장 전염력이 높고 2~3주 후부터 점차로 낮아진다.

잠복기가 지나면, 6~8주에 걸쳐 전형적인 3단계의 임상 경과를 취한다.

1) 카타르기

감기 증상과 비슷한 경미한 기침, 콧물, 재채기, 결막충혈, 식욕감퇴, 나른함 등이 나타나며 1~2주 지속된다(catarrhal stage). 기침은 처음에는 야간에 나타나지만 점차적으로 주간에 나타나면서 심해진다. 가장 전염력이 강한 시기이다.

2) 경해기

기침 시작 후 약 2주 말이 되면 기침이 심해지면서 특징적인 발작성 기침을 하게 되는 시기로서 1~4주 정

도 지속된다(spasmodic or paroxysmal stage). 이 시기에는 심한 발작성 기침이 하루에 10회 이상 일어나는데, 기침은 짧은 호기성으로 5회 이상 연속되어 그 후에 깊은 흡기 노력이 동반되면서 특징적인 '흡' 하는 소리(whooping)를 들을 수 있다. 그러나 예방접종을 받은 환자나 1세 미만의 영아에서는 특징적인 '흡'을 들을 수 없는 경우가 많다. 발작적인 기침 중에는 얼굴이 붉어지고 눈이 충혈되며, 기침 끝에 구토가 동반되고, 끈끈한 점액성 객담이 나오기도 하며, 영아에서는 무호흡이나 청색증, 비출혈, 결막하 출혈 등을 보이기도 하며 사망할 수도 있다. 발작성 기침은 수유, 자극적 냄새, 울음 등에 의해 유발될 수 있다.

3) 회복기

발병 후 4~6주 후에 시작되며, 점차적으로 기침 발작의 빈도와 강도가 감소한다(convalescent stage). 그러나 회복기 이후에도 상기도 감염이 있으면 발작성 기침이 재발할 수도 있다. 합병증이 생기지 않은 백일해는 6~20주 정도 지속된다.

다. 진단

1) 말초혈액 검사

말초혈액 검사 상 백혈구 증가가 있으며, 림프구가 우세(60~80%)하다. 백혈구 수치는 약간 증가하여 15,000~20,000/mm³ 정도로 나타나는 경우가 많으나 소아의 약 40%에서는 백혈구가 25,000/mm³ 이상 증가하고, 영아에서는 백혈구 증가 소견을 볼 수 없는 경우가 많다. 열이 없거나 미열이 있으면서 의심되는 기침을 하는 3세 이상의 소아에서 림프구 증다증이 있는 경우에는 백일해를 의심해 볼 수가 있다.

2) 균 배양 검사

확진 검사로써, Regan-Lowe 배지 혹은 charcoal horse blood agar 배지가 균의 배양에 적합하다.

3) 중합효소연쇄반응(PCR) 검사

질병의 첫째 주 동안에 비인두 분비물의 중합효소연쇄반응 검사가 민감도와 특이도가 가장 높다.

라. 감별진단

아데노바이러스나 *Bordetella parapertussis* 등에 감염되어 오는 유사 백일해 증후군과 인플루엔자, 마이코플라즈마 폐렴, 클라미디아 감염, 결핵, 기도 이물, 기관지염 등과 감별해야 한다.

마. 예방

소아에서 예방접종 표에 따라서 6세까지 DTP 5회 접종으로 80% 이상의 예방 효과를 기대할 수 있다. 백일해 유행 시에는 접종 간격을 앞당겨 2, 3, 4 개월에 접종할 수 있다. 백일해 톡소이드 백신은 감염의 예방에는 효과적이지 않지만 임상 증상의 경감에는 효과적이라는 보고가 있다. 가족내 백일해 감염이 있을 때 erythromycin을 조기 투여하면 이차적 감염을 막을 수 있다.

바. 치료

1) 대증요법

백일해에 이환된 영아에게는 대증요법이 매우 중요하다. 발작적인 기침의 시작을 줄이기 위해서는 환아를 조용한 환경에 3주 동안 격리시키고, 호흡기 분비물을 조심스럽게 흡인하여 제거한다. 필요시는 산소 흡입도 시킨다. 기침을 하면서 토하는 경우에는 식사를 소량씩 나누어 먹인다. 방 안의 습도를 높여주고 급격한 온도변화, 연기, 먼지 등을 피한다.

2) 약물치료

Erythromycin(50 mg/kg/day)을 잠복기나 발병 초기에 투여하면, 임상 경과를 완화시키거나 예방할 수 있다. Roxithromycin, azithromycin, clarithromycin 등

의 새로운 macrolide계 약제들도 효과가 있다. 질병 초기에 백일해 면역글로불린을 투여하면 경해기의 기간을 줄일 수 있다.

사. 합병증

백일해의 합병증은 나이가 어릴수록 심하게 나타난다. 경한 합병증으로 결막하 출혈, 비출혈, 구토, 설사, 설하궤양 등이 있으며, 심한 합병증으로 기관지 폐렴, 무기폐, 기관지 확장증, 폐기종 질식 등의 호흡기 질환이 있으며, 중추신경계 합병증으로 급성 뇌염으로 인한 혼수, 경련, 뇌부종, 뇌출혈 등이 생길 수 있다. 장기적으로는 강직성 마비, 정신지체 등 신경학적 후유증이 나타날 수 있다.

19. 마이코플라즈마

가. 역학 및 원인

마이코플라즈마는 바이러스와는 달리 인공배지에서 자랄 수 있는 가장 작은 미생물체로서 사람과 동물에 광범위하게 질병을 일으키며 세포벽이 없어서 다형성이며 감염증에 경험적으로 자주 사용되는 페니실린과 세팔로스포린 같은 세포벽에 작용하는 항생제에 감수성이 없는 병원체이다. 인간의 질병과 관련된 주요 종은 *Mycoplasma pneumoniae*, *Mycoplasma hominis*, *Ureaplasma urealyticum* 등이 있으며, *Mycoplasma pneumoniae*가 호흡기 감염을 일으킨다. *Mycoplasma pneumoniae*는 소아 및 학동기 또는 사춘기의 호흡기 감염의 주요 원인으로 폐렴을 가장 흔히 일으키고, 세기관지염, 기관지염, 후두염, 인후염, 부비동염, 중이염 등을 일으키고 때로는 기관지 천식을 유발시키기도 한다.

Mycoplasma pneumoniae 감염은 호흡 분비물의 호흡 경로를 통해서 전파되고 잠복기는 평균 12~14일 정도이며 가족에서의 감염의 전파는 이보다 느려서 약 3주 정도이다. 감염은 주로 대도시에서 흔하고 3~7년을 주기로 불규칙적으로 유행이 일어나며, 유행은 대개 늦여름과 가을에 시작하여 수개월간 지속된다. 유행시기에는 발병률이 평소보다 3~5배 높다. 비유행시에는 연중 토착성으로 발생하며 가을, 겨울에 약간 많이 발생한다. 우리나라에서는 1987년부터 1993년 사이에는 3년 주기의 유행이 있었다(그림 6-15). 좌측 *Mycoplasma pneumoniae* 감염은 모든 연령에서 가능하며 특히 학동전기에서 사춘기 사이의 소아에서 호발한다.

나. 증상

1) 호흡기 질환
가) 폐렴
Mycoplasma pneumoniae 폐렴은 사회 획득성 폐렴의 일반적인 형태로서 감염된 사람의 단지 3~10%에서 폐렴이 발생되며, 전체 발생되는 폐렴의 약 20%를 차지한다. 이 질환은 점진적으로 발생하고 진찰 소견에 비해 증상이나 검사 소견이 더 심하게 나타나는 것이 특징으로서 처음에는 피로, 두통, 발열이 수 일에서 일주일에 걸쳐 일어난다. 기침은 증상 발현 후 3~5일부터 시작되어 초기에는 건성 기침이나 점차 진행되면서 심해지고 객담이 동반되는 악화를 보이다가 3~4주 후에는 대부분 소실된다. 소아에서 폐렴 관련 증상으로는 인후통, 목 쉰 소리, 흉통, 오한, 구역, 구토, 그리고 설사가 있으며, 영유아에서는 콧물도 동반될 수 있다. 진찰 소견은 상대적으로 덜 현저하지만 청진 상 나음은 약 3/4에서, 천명은 약 1/3에서 들을 수 있다. 그러나 청진상 특이 소견이 나타나지 않는 경우도 있다. 기관지 천식 환자에서는 *Mycoplasma pneumoniae*가 천명을 일으키는 유발인자로 작용할 수도 있다. 그 외의 진찰 소견으로는 비삼출성 인두염, 경부 림프선염, 결막염, 중이염과 발진 등도 나타난다. 흉부 X선 소견으로 보면 우측 하엽에 제일 많이 침범하며, 대부분 기관

지 폐렴으로 나타나나 폐엽성 폐렴이나 간질성 폐렴으로도 나타나고, 1/3에서 폐문 림프절 종대가 관찰되고 때로는 무기폐나 늑막 삼출을 동반하는 경우도 있다.

나) 폐렴 이외의 호흡기 질환

Mycoplasma pneumoniae 감염은 폐렴이외에도 인후염, 인후기도기관지염, 급성 기관지염, 세기관지염, 비특이성 상부 호흡기도 감염, 중이염, 부비동염 등 다양한 호흡기 질환을 일으킬 수 있다.

2) 비호흡기계 질환

Mycoplasma pneumoniae 감염은 호흡기 이외의 장기에 다양한 병변을 일으킬 수 있다. 비호흡기계 질환은 대부분 호흡기 증상이 시작된 후 3주 이내에 일어난다.

가) 신경계 질환

Mycoplasma pneumoniae 감염에서 신경 질환의 전체 발생률은 약 0.1%이지만 입원 환자에서는 더 높게 나타날 수 있다. 신경계 질환으로는 수막뇌염이 가장 흔하며, 그 외 횡단성 척수염, 중추신경증, 소아마비양 증후군, 소뇌성 운동 실조증, 대뇌 경색증, 국소 뇌염, Guillain-Barré 증후군 등이 있다. 예후는 다양하고 회복은 느리며 영구적인 합병증이 남을 수 있으며, 사망률은 약 10% 이다.

나) 피부 질환

홍반성 구진상 발진 혹은 수포성 발진은 *Mycoplasma pneumoniae* 감염 시 동반되는 가장 흔한 피부 병변이다. 가장 심각한 합병증은 다형성 홍반과 Stevens-Johnson 증후군 이다.

다) 순환기 질환

순환기 병변으로는 심낭염과 심근염이 가장 흔하며, 울혈성 심부전, 심근경색도 일어날 수 있다. 그 외 용혈성 빈혈, 간염, 췌장염, 관절염, 신우신염, 간질성 신세뇨관 등이 올 수 있다.

다. 진단

Mycoplasma pneumoniae 감염의 진단은 임상증상, 혈청학적 검사, 배양 검사, 중합효소연쇄반응 검사 등이 있다.

1) 혈청학적 검사

혈청학적 검사에는 냉응집소 검사와 *M. pneumoniae*

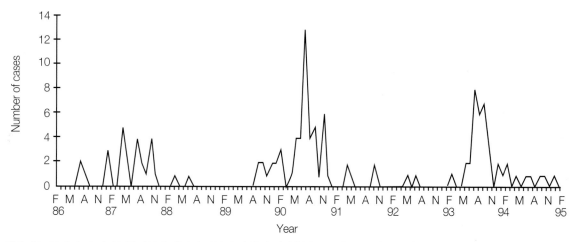

그림 6-15. 국내 소아 마이코플라즈마 폐렴의 연도별 및 월별 발생 분포. F: 2월, M: 5월, A: 8월, N: 11월

특이 항체 검사법이 있다. 냉응집소 검사는 비특이적 검사로 adenovirus, RSV, parainfluenza virus 감염, 홍역, 풍진, 전염성 단핵구증, 용혈성 빈혈 등 다른 질환에서도 증가할 수 있기 때문에 냉응집소치가 1:64 이상이거나 추적 관찰시 4배 이상의 증가를 보일 때 감염으로 추정할 수 있다. *M. pneumoniae* 특이 항체(IgG) 검사법은 임상에서 가장 널리 사용되는 방법으로 임상 증상이 있는 환자에서 항체가가 1:160 이상 혹은 추적 관찰시 4배 이상 증가가 있는 경우에 진단할 수 있다. 한랭 혈구응집소 (cold hemagglutinin) 반응은 1주 후부터 나타나기 시작하여 4주에 절정에 도달한 후 4개월 동안 점차 감소하며, *Mycoplasma pneumoniae* 특이 항체는 발병 후 1주 말에 증가하여 3~4주에 최고치에 이르렀다가 수개월에 걸쳐서 점차 감소한다.

2) 배양 검사

환자의 객담이나 비인두 도찰물을 이용한 배양 검사는 확진을 할 수 있는 방법이지만, 배양에는 특수 배지를 사용해야만 하고 1~3주의 시간이 소요되므로 실제 임상에서 적용은 어렵다.

최근에는 중합효소연쇄반응(PCR), 효소면역기법을 이용한 진단법이 개발되어 배양 검사나 혈청학적 검사의 문제점들을 보완할 수 있다.

라. 치료

Mycoplasma pneumoniae 병원체는 세포벽이 없으므로 페니실린계 항생제나 세팔로스포린 등 세포벽 작용 약제는 효과가 없다. 7~10일 간의 erythromycin 투여가 효과적이며, 증상 발현 4일 이내에 치료를 시작하는 것이 가장 효과적이다. 소아에서는 새로운 macrolide계 항생제인 azithromycin, clarithromycin, roxithromycin 등이 투여가 간편하고 훨씬 효과적이다.

20. 클라미디아

가. *Chlamydia trachomatis* 감염

1) 역학

무증상 감염과 진단의 어려움으로 정확한 감염 빈도는 알 수 없으나 미국에서 무증상의 여성 중 2~40%로 추정되며 약 5%정도로 간주한다. 일부 개발국에서는 그 유병률이 더 높다.

성인에서의 감염은 무증상이 보다 흔하며 임질에 비하여 그 증상이 미약하다. 10~20%의 감염 여성에서는 난관염을 일으켜서 불임이나 자궁외 임신 등 합병증을 남긴다.

신생아 감염은 주로 분만 시에 이루어진다. 분만 시에 노출된 신생아의 60%에서 배양이나 혈청 검사에서 양성을 보이거나 결막염, 폐렴 등 임상적인 증상을 나타낸다.

2) 증상

클라미디아 결막염은 생후 2일에서 1주 사이에 나타난다. 생후 1달 이내에 나타나는 결막염의 10~30%를 차지하나 이후에는 드물다. 대부분 저절로 호전되지만 심한 경우에는 점액농성의 분비물, 가막의 형성, 부종, 유두 위축 등을 보이고, 전형적인 결막의 trachoma는 드물다. 드물게 시력 저하를 남긴다. 치료를 하지 않는 경우 결막염 환아의 반수에서 폐렴이 생긴다. 비루 없이 비폐색만이 폐렴에 선행하기도 하며 중이염과의 관계는 명확히 규명되지 않았다.

클라미디아 폐렴은 결막염이 있던 신생아에서 2주에서 8주 사이에 점진적으로 호흡 곤란, 빈호흡, 발작적 기침, 체중 감소와 구토 등의 증상을 보인다. 흉부 X선에서는 과팽창, 간질의 변화, 무기폐, 흉막의 변화 등을 관찰할 수 있다.

심하지 않은 증상을 보이다가 몇 주에 걸쳐 호전되나 미숙아에서는 중한 경과를 보일 수 있다. 6개월 미만의 영아 폐렴 입원환자의 1/3은 클라미디아 감염으로 생각된다. 클라미디아 폐렴을 앓았던 영아들은 5~8세경에 폐기능의 이상이나 만성 증상을 보일 수 있다.

3) 진단

말초혈액 검사에서 호산구가 증가하며 인두에서 *C. trachomatis*의 검출, 혈청내 특이 IgM의 증명이 진단적 가치가 있다.

배양 검사가 가장 중요하나 세포 배양이 요구되고 시간과 비용이 많이 드는 단점이 있다. 특이 항원은 자궁 경부, 요도, 결막, 인두의 검체로부터 상피세포를 얻은 후 면역형광이나 효소 면역 검사로 확인한다. 배양 검사에 비해 예민도가 낮다. 이 밖에도 *C. trachomatis* DNA를 검출하는 중합효소연쇄반응 검사가 고안되어 배양검사를 대신할 수 있을 것으로 기대되며 이 방법은 소변으로도 검사를 시행할 수 있는 장점이 있다. *C. trachomatis* 항체를 검출하는 혈청 검사는 면역형광 현미경을 이용한다. 신생아 폐렴을 진단하는 경우 특이 IgM이 1:64이상인 경우에 유용하다.

4) 치료

Tetracycline, erythromycin, rifampin에 반응한다. 성인에서는 doxycyclin을 하루 200 mg 7일간 투여하며 임신 중에는 erythromycin을 처방한다. 배우자도 검사와 치료를 받는다. 신생아 결막염의 경우에는 2주간, 폐렴에는 적어도 3주간 erythromycin(50 mg/kg/day)을 쓴다. Tetracycline이나 erythromycin 점안액을 추가로 투여한다. 환아의 부모도 검사와 치료를 받도록 한다.

나. Chlamydia pneumoniae 감염

학동기 이후에 항체 양전이 증가하여 성인이 되면 약 50%에서 감염 과거력이 있다. 소아에서는 무증상의 감염이 많으나 나이가 들면서 증상이 심해진다. *C. pneumoniae*에 의한 폐렴은 *M. pneumoniae* 경우 보다 2배 정도 입원률이 증가한다. 경과는 대체로 양호하나 나이가 많아지면 증상이 심해지고 심막염, 심근염, 심내막염, 결결성 홍반 등의 합병증이 오기도 한다. 관상동맥질환이나 동맥경화증과도 연관이 있는 것으로 추정된다. 면역형광 현미경에 의한 항체의 검출이 가장 예민한 진단법으로 IgG 항체가 4배 이상 증가하거나 IgM 항체의 존재나 항체가 양전되면 유용하다.

치료는 10~14일 간 tetracycline이나 erythromycin을 투여한다. azithromycin이나 clarithromycin의 효과도 좋은 것으로 알려져 있다.

21. 진균

정상 소아에서 호흡기의 진균 감염은 아주 드물다. 그렇지만 면역 기능이 저하되어있는 미숙아나 악성종양, 선천성 또는 후천성 면역 결핍증 및 장기 이식 환자 등의 심한 면역 결핍 환자에서 기회감염의 주 원인으로 중요한 위치를 차지한다.

가. 콕시디오이데스 진균증

*Coccidioides immitis*가 원인으로서 영아나 면역이 저하된 환자에서 호흡기 감염을 유발한다. 감염자의 60%는 무증상이며 40%는 인플루엔자와 유사한 증상을 일으킨다. 영아나 면역이 약화된 환자에서는 감염이 호흡기 외부로도 전파되어 전신 질환을 야기할 수 있다. 건조한 토양 속에 있던 이 진균의 구상체를 사람이 흡입하면 감염된다. 호흡기 감염의 증상으로는 두통, 발열, 기침 등의 인플루엔자와 유사한 증상이 시작되며 영아에서는 천명도 들릴 수 있다. 흉부 X선 검사에서 대엽성 또는 분절성 경화가 빈번히 나타나며, 림프절 종대와 드물게는 공동화 소견도 나타난다. 정상인에서는 90% 이상이 저절로 회복되지만 면역이 약화된 환자에서는 호흡 부전을 초래할 수도 있다. 호흡기 외 증상으로는 피부에 사마귀 모양의 구진상 소결절 병변이 올 수 있으며, 그 외 골격계와 관절 그리고 뇌

막으로의 전파가 가능하다. 진단은 증상과 토양이 건조한 풍토성 지역을 여행한 병력이 진단에 도움이 되며 피부검사, 혈청검사, 배양검사 등으로 진단한다. 치료는 건강한 소아나 성인은 자연히 회복되나, 면역이 저하된 환자에서는 amphotericin B가 선택 약물이다. 그 외 azole계 약물로는 itraconazole, ketoconazole, fluconazole 등을 사용할 수 있다. 최근에는 liposomal amphotericin B가 개발되어 amphotericin B의 독성 부작용을 줄일 수 있다는 보고가 있다.

나. 히스토플라스마증

히스토플라스마증은 *Histoplasma capsulatum*이 원인이며, 미숙한 면역체계를 가진 영아나 AIDS 환자와 같은 면역이 약화된 환자들과 비둘기 또는 닭 사육자, 박쥐가 있는 동굴의 탐험가들 그리고 진균이 많은 건축물에 사는 사람들 등에서 발생한다. 증상은 두통, 발열, 기침과 함께 인플루엔자와 유사한 증상이 나타난다. 환자의 일부에서는 심막염, 관절염, 또는 홍반 결절로 진행된다. 흉부 X선 사진은 폐문 혹은 종격동 림프절이 커져있고 대엽성 침윤이 특징이다. 만성 폐쇄성 폐질환이 있거나 면역이 약화된 환자에서는 병소가 석회화되고 섬유화, 공동형성 그리고 결절화 된다. 만성 히스토플라스마증의 심한 합병증으로는 종격동의 육아종 그리고 섬유성 종격동이다. 고령이나 아주 어린나이, 만성 소모성 질환자, 세포면역 저하가 있는 환자는 파종성 진행(progressive dissemination)이나 병소의 공동화가 오기 쉽다. 파종성 진행이 있는 환자는 지속적인 발열과 병감, 기침 그리고 체중 감소가 있게 된다. 간 비대, 범발성 혈관내 응고장애(DIC), 급성 호흡곤란증후군(ARDS), 신부전, 심내막염 또는 Addison's 병으로 진행될 수 있다. 진단은 배양검사, 혈청검사, 방사선 면역측정법 등으로 가능하다. 호흡기 히스토플라스마증 환자의 대부분은 저절로 좋아진다. 치료를 해야 하는 환자로는 진행성 호흡기 질환자, 파종성 감염환자, 증상이 2~4주 이상 지속되는 환자,

ARDS나 기도 폐쇄가 동반되는 급성 호흡기 질환자 등이다. 치료 약제는 amphotericin B가 선택 약물이다. 그 외 azole계 약물로는 itraconazole, ketoconazole, fluconazole 등을 사용할 수 있다. ARDS나 기도 폐쇄가 동반된 호흡기 히스토플라스마증 환자의 치료에는 부신피질 스테로이드와 항 진균제의 병합요법이 도움이 될 수 있다.

다. 아스페르길루스증

호흡기 아스페르길루스증은 *A. fumigatus*와 *A. flavus*가 주 원인인 진균감염 질환으로서 아스페르길루스종(aspergilloma)(p. 554 참조), 알레르기성 기관지호흡기 아스페르길루스증(allergic bronchopulmonary aspergillosis), 그리고 침습적 호흡기 아스페르길루스증(invasive pulmonary aspergillosis)으로 나타난다.

침습적 호흡기 아스페르길루스증은 백혈병, AIDS, 골수이식, 고형 장기이식 등으로 인하여 면역기능이 감소된 환자에서 잘 발생하며 이런 환자들에서 사망의 주요한 원인이다. 침습적 질환은 폐, 피부 등 포자가 증식할 수 있는 곳이면 어디에서나 시작될 수 있다. 심한 백혈구 감소증이 있으면 시작 부위에서 주위 조직으로 직접 번지거나 또는 혈행성 전파를 통하여 다른 장기로 퍼진다. 부비동, 폐, 피부가 일차 병소인 경우가 많다. 침습적 호흡기 아스페르길루스증의 증상은 비특이적이며 갑작스럽게 발열, 기침과 호흡곤란이 나타난다. 객혈도 이따금씩 나타나며, 흉부 X선 사진 상 모든 폐엽에서 반점 모양의 침윤성 음영이 나타난다. 병이 진행됨에 따라 폐 경색이 발생하게 되고 초승달처럼 생긴 쐐기 모양의 음영이 보인다. 진단은 균을 배양하여 분리해 내거나 조직에서 균을 관찰함으로써 가능하나 임상적으로는 쉽지 않다. 치료는 amphotericin B가 추천되지만, 예후는 기저 질환의 호전 여부에 좌우된다. 그 외 flucytosin과 amphotericin B를 같이 사용하는 방법과 liposomal amphotericin B를 사용하는 방법, azole계 약물을 사용하는 방법 등이

논의되고 있다.

라. 호흡기 칸디다증

칸디다증은 소아 및 영아기의 기회 감염성 진균 중 가장 흔한 것이다. 원인은 *Candida albicans*가 전체 분리된 균주의 80%를 차지한다. 칸디다는 흙과 음식 그리고 병원 환경 안에 항상 존재하며, 건강한 사람의 위장관, 질, 그리고 점막의 세균총에 공생한다. 호흡기 칸디다증이 원발성으로 발생하는 것은 드물다. 그러나 면역 기능이 약화된 환자, 만성적 스테로이드 사용 환자, 항생제를 오래 쓰는 환자, 카테터를 삽입하고 있는 환자에게서 종종 발생한다. 폐 질환은 보통 패혈증 또는 다른 장기로부터 파종성 전파에 의해 발생한다. 비정상 흉부 X선 소견이 있는 환자에서 다른 원인들에 의해서는 설명될 수 없는 경우 또는 칸디다 혈증을 수반하는 환자에서 호흡 기도로부터 칸디다 균이 검출된 경우 칸디다성 폐렴을 시사한다. 치료는 다른 진균들의 치료와 같이 amphotericin B와 azole계 항진균제가 추천된다.

마. 크립토코크스증

*Cryptococcus neoformans*는 전세계적으로 널리 분포되어 있는 캡슐에 싸인 효모균이다. 이 균은 흔히 새의 배설물, 특히 비둘기의 배설물에 의해 오염된 흙에서 보통 발견된다. 크립토코크스증은 효모균을 함유한 공기 중의 미립자를 흡입함으로써 발생한다. 감염은 전형적으로 무증상이거나 또는 폐에만 국한되어 발생한다. 중추신경계, 뼈, 그리고 피부 같은 다른 장기로의 전파는 대부분 면역이 약화된 환자에서 발생한다. 크립토코크스증은 성인 AIDS 환자에게는 흔한 기회감염 균이지만 소아 AIDS 환자에게는 드물게 발생한다. 환자들은 두통, 발열, 흉통, 기침 등의 증상이 있고, 흉부 X선 사진에서 소결절, 공동, 혹은 하부폐를 침범하는 미만성 침윤이 특징이다. 진단은 임상 표본을 india ink(먹물) 또는 wet-mount preparation 하에서 캡슐에 싸인 효모가 발아하는 것을 증명하면 가능하다. 라텍스 응집검사는 크립토코크스 뇌막염 환자나 파종성 크립토코크스증 환자에서 높은 민감도와 특이도를 보인다. 증상이 있는 호흡기 크립토코크스증 환자에게 amphotericin B를 0.5~1 mg/kg/day 용량으로 6~8주 간 사용하는 것이 주 치료이다. 크립토코크스 뇌막염 환자의 치료에는 높은 재발율 때문에 amphotericin B를 1 mg/kg/day로 사용한다.

바. 기타 진균 감염

그 외 호흡기 감염을 일으키는 진균증으로는 모균증(Mucormycosis), 분아균증(Blastomycosis), 파라콕시디오이데스 진균증(Paracoccidioidomycosis), Sporotrichosis, Pseudallescheriasis 등이 있다.

22. 기타 감염

가. 주폐포자충 폐렴

주폐포자충(*Pneumocystis carinii*) 폐렴은 미숙아나 영양이 결핍되거나 혹은 면역이 저하된 어린이에서 호발하는 생명을 위협하는 호흡기의 기회감염증이다. 근래에 악성 종양 또는 면역 결핍 질환이 있는 환아들의 생존율이 증가되면서 이 질환의 발생 빈도가 증가하고 있으며, 특히 AIDS 환자에서 기회감염의 가장 중요한 원인으로 되어 그 중요성이 더욱 높아지고 있다.

1) 역학 및 원인

주폐포자충은 포유류의 폐에서 흔히 발견되는 세포외 진핵 병원체로서 분자생물학적 유전자 배열 상 진균과 비슷하나, 형태와 생물학적 양상은 전형적인 원생동물을 더 닮아있다. 주폐포자충은 낭성(cyst), 영양형(trophozoite), 포자소체(sporozoite)의 3가지의 형태로 구분된다. 영양형은 크기 1~5 μm의 다형으로 흔히 폐 조직이나 호흡기 분비물에 집단적으로 많이 존재한다. 영양형은 Giemsa 염색, Diff-Guik 염색이나 Wright 염색으로 확인된다. 영양형은 이분법으로 번식하며 포낭벽은 Giemsa 염색으로는 보이지 않지만 Gomori methenamine silver nitrate로 잘 염색된다(그림 6-16). 낭성형은 구면이나 초승달 모양의 구조로 크기는 약 5 μm로 괄호나 컵 모양으로 접혀져 있다. 포자소체형은 번식의 중간 단계로 4~6 μm의 크기로 포낭 형성을 하고 있는 근원세포를 나타낼 수도 있다. 사람을 감염시키는 병원체의 병소와 전파 방식이 아직 알려져 있지 않지만, 혈청학적 조사에 의하면 4세 이상의 소아와 성인 대부분에서 무증상 감염이 되어 있다가 숙주가 면역결핍 상태로 되면 재활성화 되는 것으로 이 질환의 발생을 설명한다. 이 폐렴은 미숙아, 영양실조, 악성 종양, 선천성 또는 후천성 면역결핍증, 장기이식 등의 심한 면역결핍 환자에서 발생한다. 특히 AIDS 환자에서는 소아의 50% 및 성인의 75%에서 이 폐렴이 발생한다.

2) 병리 및 기전

주폐포자충 폐렴은 병리학적으로 영아형 간질성 형질세포 폐렴과 미만성 낙설성 폐포 질환의 두 가지 양상이 있다. 영아형 간질성 형질세포 폐렴은 영양장애 영아에서 집단 발병시 나타나는 소견으로 폐포 중격의 비후와 함께 침윤이 심하며, 특히 형질세포의 침착이 현저하다. 미만성 낙설성 폐포 질환은 AIDS 환자에서 흔히 볼 수 있는 형으로 간질의 섬유화와 함께 조직의 미만성 세포손상이 특징적이다.

3) 증상

주폐포자충 폐렴의 증상은 빈호흡, 호흡곤란, 발열, 마른기침이 특징적이다. 소아 암 환자에서는 발열과 호흡곤란 등의 증상이 수일 내에 갑작스레 시작하여 진행되지만, 영양장애로 인한 영아형과 AIDS 환자에서는 증상이 서서히 나타나서 점진적으로 진행되기

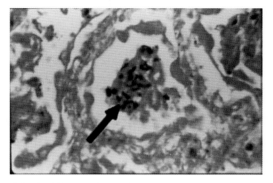

그림 6-16. Sliver methanamine stain

때문에 감염의 말기에야 알게 되는 경우가 많다. 거의 모든 예에서 동맥혈 산소분압이 80 mmHg 이하로 떨어지는 저산소증을 보이며 말기에는 과탄산혈증과 호흡성 산증을 보인다. 흉부 X선 검사에서 전형적인 간질성 침윤이 폐문 주위에서 시작하여 점점 주변으로 번져나가며, 폐첨부는 보통 이 질환의 후기까지 보존된다. 면역결핍 환자에서 이 폐렴의 사망률은 치료를 안하면 거의 100%이며, 영양장애 영아에서의 사망률도 최소 50%이다.

4) 진단

영양장애가 있는 영아나 면역력이 저하된 소아가 빈호흡, 기침, 호흡곤란, 발열, 저산소증을 보이면서 흉부 X선 사진에서 미만성 간질성 침윤을 보일 때 반드시 이 질환을 의심해야 한다. 확진은 의심되는 환자의 기도나 폐의 흡인물 또는 폐 조직에서 주폐포자충을 증명함으로써 가능하다. 검체를 얻기 위해서 기관폐포세척, 기관 흡인물, 경기관지 폐 생검, 경피적 폐 흡인, 개방성 폐 생검 등을 시행할 수 있으며, 객담이나 인두, 기도의 분비물 또는 위액으로도 병원체를 증명할 수는 있으나 양성률이 낮다. 염색 방법으로 Grocott-Gomori 염색과 toluidine blue 염색은 낭성 (cyst)을, Giemsa 염색은 영양형(trophozoite)과 포자소체(sporozoite)를 염색한다. 그 외에 혈청학적 검사법들이 있지만 면역기능이 저하된 환자에서는 도움이

되지 않는다.

5) 치료 및 예방

Trimethoprim-sulfamethoxazole(TMP-SMZ) (20 mg/100 mg)/kg/day로 정맥 또는 경구로 2주간 투여한다. AIDS 환자에서는 3주간 투여한다. 그러나 TMP-SMZ로 예방 중에 발병되었거나, 약제에 심각한 과민반응이 있거나, 약제를 1주 이상 투여했는데도 반응이 없는 경우는 pentamidine 4 mg/kg/day을 2주간 정맥주사한다. 복합면역결핍자, 장기이식, 악성 종양으로 면역 억제제를 사용 중인 환아 AIDS를 앓고 있거나 AIDS 산모에서 출생된 영아 등에는 예방적으로 TMP-SMZ (5 mg/20 mg)/kg/day을 사용한다.

나. 레지오넬라 증

레지오넬라(*Legionella*) 감염증은 면역력이나 호흡기능이 저하된 소아에서 올 수 있는 드문 감염증이다. 그러나 대형 건물이나 호텔, 병원의 에어컨의 냉방 용수가 오염되거나 에어로졸을 만드는 호흡기 장비가 오염되었을 때 폭발적인 유행을 일으킬 수가 있다.

1) 원인 및 역학

레지오넬라균은 그람 음성의 호기성 세균으로서 약 30종이 알려져 있는데, 그 중 몇 가지만이 인간에서 질병을 일으킨다. *Legionella pneumophila* 혈청형 제 1형은 레지오넬라 감염의 95%를 차지하며, 나머지의 대부분은 제 4형과 제 6형이 차지한다. 레지오넬라 균은 에어컨 냉방 용수, 강물, 호수, 샤워장 물 배출구 등 주로 더운 물(28~40℃)에서 발견된다. 그러므로 유행은 대형 건물, 병원이나 호텔 등에서 공동 감염원에 의해서 유행을 일으킬 수 있다. 환자의 호흡기 분비물에서도 균이 발견되므로 환자와의 직접적인 접촉에 의해서도 감염될 수 있다. 소아에서 레지오넬라 감염은 암, 장기 이식, 부신 피질 호르몬 투여, 기타 면역 부전증 환아에서 주로 발생하므로 병원 내 감염의 위험성

이 항존한다.

2) 증상

레지오넬라 감염증의 증상은 심각하고 치명적인 폐렴에서부터 저절로 좋아지는 바이러스 감염과 유사한 증상까지 다양하다. 그 중 특징적인 임상형 2가지가 재향군인병(Legionnaires' disease)과 폰티악 열(Pontiac fever)이다. 폰티악 열은 1~2일의 짧은 잠복기를 거쳐서 고열, 두통, 불쾌감, 근육통 등의 증상을 보이다가 7~10 일내에 폐렴이나 다른 합병증의 동반 없이 항생제를 사용하지 않아도 저절로 좋아진다. 재향군인 병(Legionnaires' disease)은 2~10일간의 잠복기 후 전신 쇠약감, 피로감, 불쾌감, 발열, 건성 기침으로 시작되어 농성 객담과 때로는 객혈이 있는 폐렴으로 되며 흉통과 오한을 호소한다. 신경계 및 소화기 증상이 동반될 수 있는데 두통, 기면, 혼미, 의식변화 등과 식욕부진, 복통, 설사 등이다. 혈액검사에서 저나트륨혈증과 간 효소치의 증가가 흔히 나타난다. 임상 경과는 질병을 앓기 전에 건강했던 경우는 7~10일 이내에 회복되지만 면역체계에 이상이 있는 환자의 경우는 여러 기관의 부전이 초래되어 회복에 수 주가 걸리거나 호흡부전으로 사망할 수 있다.

3) 진단

임상적으로 면역체계에 이상이 있는 환자에서 특징적인 폐렴, 설사, 혼미 등의 3대 주증상과 저나트륨혈증 및 간 효소치의 증가가 있으면 이 병을 의심할 수 있고, 여름에 호텔, 병원에서 유행이 있을 때도 진단에 도움이 된다. 확진은 호흡기 배설물, 폐 조직, 늑막 삼출액, 혈액 등에서 병원체를 증명해야 하는데, 검출률이 낮고 직접 형광 항체법으로도 진단할 수 있다. 발병 초기와 회복기 혈청에서 측정한 경우, 4배 이상의 항체치가 상승을 보이면서 1:128 이상이면 진단이 가능하다. 유행시기에는 1회 검사에서 1:256 이상이면서 임상증상이 있으면 진단된다. DNA probes를 이용한 소변검사도 예민도와 특이도가 높은 진단 방법이다.

4) 치료

Erythromycin (40~50 mg/kg/day)을 단독 또는 rifampicin (15 mg/kg/day)과 2~3주간 함께 치료하는 것이 효과적인 방법이다. Doxycycline과 TMP-SMZ의 병합요법을 사용하기도 한다.

23. 기관지 확장증 및 폐쇄성 세기관지염

종말 호흡 단위와 대기 사이의 교통을 담당하는 전도성 기도(conducting airway)는 폐포로의 공기 접근을 용이하게 하고 흡입 공기 내에 있는 감염성 오염 입자를 포착하고 배출시킴으로써 폐포를 보호하는 중요한 역할을 한다. 이러한 전도성 기도 기능의 마비는 호흡기에 심각한 결과를 초래한다. 기관지 확장증과 폐쇄성 세기관지염은 전도성 기도 기능의 마비를 일으키는 호흡기 질환이다.

가. 기관지 확장증

기관지 확장증은 기관지가 국소적으로 혹은 전체적으로 비가역적인 확장을 일으켜 발생되는 호흡기 질환이다.

1) 원인과 발병 기전

기관지 확장증은 어떤 원인이든 지속되는 기관지 폐쇄와 화농성 분비물의 축적이 가장 중요한 원인으로 생각되고 있다. 기관지 폐쇄로 인한 무기폐와 음성으로 작용하는 흉막내압이 생기고, 화농성 분비물에 있는 중성구로부터 분비된 elastase, collagenase, cathepsin과 같은 용해 효소에 의해 기관지 벽이 약해지면 기도 벽의 견인과 구조 단백질의 internal digestion의 복합작용으로 기관지 확장이 초래된다. 기관지 확장증이 생긴 기관지는 기도 벽의 근육, 탄력 성분의 파괴로 인해 휘기 쉽고 자주 비뚤어진다. 침범

된 기관지는 붓고 염증세포들로 침윤되고 섬유화되며, 기관지상피의 궤양이 혈관으로 침투하여 객혈을 초래한다. 만성 염증으로 서서히 기관 연골이 파괴되어 기관지연화증이 초래될 수도 있다. 확장된 기도의 내강은 종종 삼출물에 의해 폐쇄되고 지속되는 폐쇄는 소기도의 폐색과 폐 섬유화를 초래하며, 기관지 주위 폐포 역시 손상될 수 있다. 장기간의 기관지 확장은 주위 평활근의 수축을 자극하여 평활근의 비후를 초래할 수 있다. 이환된 폐엽에 분지된 기관지 동맥은 종종 확장되어 있고 폐동맥과 문합을 형성하기도 한다. 전신-폐동맥의 연결은 좌우단락을 초래하여 우심실의 부하를 더 증가시키게 된다. 감염 후에 일시적으로 오는 기관지 확장은 어느 정도까지는 가역적이다. 그러나 어떤 경우에는 반복 감염과 기도의 폐쇄가 영구적인 병적 상태를 초래할 수 있다. 기관지 확장증의 흔한 기저 질환으로는 세균성 폐렴, 홍역, 백일해, 아데노바이러스 폐렴, 인플루엔자, 기관지내 결핵, 마이코플라즈마 폐렴, 기도이물, 폐 농양, 낭종, 종양, 우측 중엽 증후군 등이다. 기관지 확장증을 일으킬 수 있는 선천성 질환으로는 낭성 섬유증(cystic fibrosis), Kartagener 증후군, Mounier-kuhn 증후군, Williams-campbell 증후군(bronchial cartilage deficiency), Ehlers-Danlos 증후군, Marfan 증후군, 면역결핍 증후군, α_1-Antitrypsin 결핍 등이 있다. 소아에서 기관지 확장증이 잘 생기는 부위는 우하엽과 좌하엽이며, 호발 연령은 6~10세라는 보고가 있다.

2) 증상

만성 기침, 화농성 객담, 객혈이 주 증상이며, 그 외 흉통, 발열, 호흡곤란, 체중감소 등이 있을 수 있다. 만성 기침이 가장 흔하며 객혈은 성인에서는 흔하나 소아에서는 비교적 드문 편이며, 객혈로 사망하는 경우는 매우 드물다. 재발성 혹은 지속성 폐 감염이 흔하여 청진시 침범 부위에서 수포음이 지속적으로 들릴 수 있고 천명도 들린다. 객담과 호기에서 악취가 날 수 있고 곤봉지, 흉벽의 기형도 관찰될 수 있다.

3) 진단

증상과 진찰 소견으로 이 질환을 의심할 수 있다. 재발하는 호흡기 감염과 지속성 습성 기침이 병력 상 특징이다. 기저질환을 확인하기 위해서는 낭성섬유증, IgA 결핍 등을 포함하는 면역결핍증, 섬모운동장애 증후군, Young 증후군, α_1-Antitrypsin 결핍 등의 가족력이 특히 중요하다. 이전의 천식 병력은 알레르기성 기관지 폐 아스페르길루스증에 대한 의심을 해야 하며, 우심증은 Kartagener's 증후군과 선천성 섬모 장애 증후군을 시사한다. 과거에는 기관지 조영술이 확진을 위한 방법이었지만 최근에는 비교적 안전한 고해상도 단층 촬영법(HRCT)으로 대체되었다(그림 6-17). 진단을 위한 검사실 검사로는 혈청 면역글로불린(IgA, IgG, IgG subclass), α_1-Antitrypsin, 중성구 수, 혈청 보체 농도, 땀의 염소 농도, 섬모 조직 검사 등을 해야 한다(그림 6-18). 기관지경 검사는 호흡 물리요법에 반응하지 않는 지속성 분절성 무기폐나 기도 이물과 같은 기도를 폐쇄하는 병변의 원인을 찾는데 도움이 된다.

4) 치료와 예후

홍역이나 백일해와 같은 호흡기를 침범하는 전염성 질환에 대한 예방접종의 도입과 항생제의 개발에 의해 기관지 확장증의 빈도가 현저히 감소하였고 예후도 비교적 좋은 편이다. 기관지 확장증의 경과는 원인 질환에 좌우된다. 섬모 장애 증후군이나 감염후 기관지확장증 환자는 예후가 좋은 반면에 낭성섬유증 환자의 예후는 불량하다. 기관지 확장증의 치료 목적은 과도한 분비물의 제거, 기도 감염조절 및 충분한 영양 공급 등이다. 기관지 확장증의 치료는 크게 내과적 치료와 외과적 치료로 나눌 수 있다.

증상이 경한 경우나 폐 질환이 광범위하고 진행하는 경우에 약물 치료와 체위 배액과 같은 호흡 물리요법을 시행한다. 악화 시에는 즉각적이고 강력한 항생제 치료를 하면서 감수성 검사를 한다. 예방적 항생제 요법은 권장되지 않는다. 기관지 확장제는 효과가 있을 수도 있으나 폐 기능을 모니터하면서 사용해야 한다. 진해제의 사용은 일반적으로 이점이 없으며 항염증제의 사용도 아직 확립되지 않았다. 원인 질환에 대한 치료가 도움이 된다.

지속적인 내과적 치료에도 불구하고 호전이 없는 환자, 국소적 기관지 확장증, 제거 불가능한 이물질, 침범된 대엽의 재발성 난치성 출혈이 있을 때 수술적

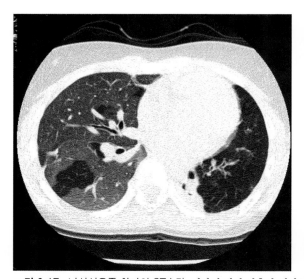
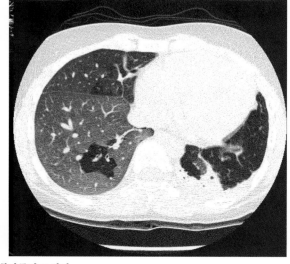

그림 6-17. 낭성섬유증 환자의 CT소견. 기관지 벽의 비후와 기관지확장증이 보인다.

치료를 고려한다.

5) 합병증

기관지 확장증의 합병증으로는 반복성 폐렴, 폐 농양, 농흉, 폐기종, 뇌 농양, 폐성심, 객혈 등이 있는데 폐성심으로는 사망할 수도 있다.

나. 폐쇄성 세기관지염

폐쇄성 세기관지염(bronchiolitis obliterans)은 하부 기도상피의 손상 후 원위부의 기관지나 세기관지가 섬유조직으로 부분적으로 혹은 완전히 막히는 드문 호흡기 질환이다.

1) 역학 및 발병 기전

폐쇄성 세기관지염은 하기도 상피의 손상과 원위부 기도의 섬유화로 인한 폐쇄와 파괴가 특징적이다. 폐쇄성 세기관지염은 드문 질환으로 인식되어 왔으나 최근 고해상도 단층 촬영(HRCT), 적극적인 조직검사로 인해 진단이 증가되고 있다.

조직학적 검사에서 비특이적 소견을 보일 수도 있지만, 전형적으로 소기도의 동심원 형태의 섬유화와 말초 기도를 막는 육아종 그리고 폐포까지 확장되어 기질화 폐렴을 일으키는 세기도를 볼 수 있다. 기도의 폐쇄는 무기폐 부위와 함께 과통기, 분비물의 저류, 기관지 확장, 섬유화 등을 초래한다.

과팽창증후군(hyperlucent lung syndrome)은 폐쇄성 세기관지염의 폐쇄 후 합병증으로 생각되는데 공기포획의 증가와 이차적인 폐 혈류의 감소, 침범된 폐의 위축 때문에 생긴다. 폐쇄성 세기관지염의 원인은 화학적 손상, 감염성 손상, 면역학적 손상으로 나눌 수 있다.

가) 화학적 손상

유해 가스나 이산화질소, 염산, 이산화황 같은 연무된 화학물질이나 독성 증기의 흡입은 급성 호흡곤란

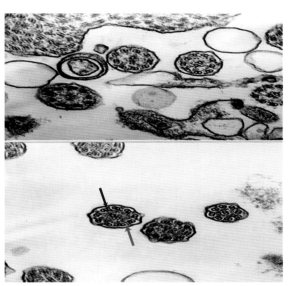

그림 6-18. Immotile ciliary syndrome의 섬모 전자현미경 소견. 바깥쪽 tubue의 inner dynein arm이 관찰되지 않음. 붉은색 화살표는 inner dynein arm이 원래 보여야 할 장소임. 반면에 outer dynein arm은 관찰됨(파란색 화살표)

을 일으킬 수도 있지만 소수의 환자에서는 3주 이내 비가역적인 기도폐쇄가 생긴다. 독성 증기에 의한 호흡손상의 정도는 흡입의 농도와 정도에 의한다. 위나 구강인두 내용물의 반복적인 흡인은 소아과 성인 모두에서 폐쇄성 세기관지염을 초래할 수 있다.

나) 감염성 손상

Influenzavirus, measles, adenovirus(7, 21) 등과 같은 바이러스 감염이 소아에서 폐쇄성 세기관지염을 가장 빈번히 일으킨다. *M. pneumoniae* 역시 폐쇄성 세기관지염을 일으킬 수 있다. 국내 다기관 연구에서는 총 34례중 14례가 adenovirus에 의해 발생하였다(그림 6-19). 환자는 전형적으로 초기 감염 수일 후 빈호흡, 호흡곤란, 발열, 지속적인 마른 기침을 보인다. 청진에서 천명과 수포음을 들을 수 있다. 이 질환은 수 주에서 수 개월간 지속되면서 종종 반복적인 무기폐와 폐렴이 동반된다.

다) 면역학적 손상

폐쇄성 세기관지염은 류마티스 관절염, 전신성 홍반성 낭창 등의 여러 류마티스성 질환에서 볼 수 있는 폐 침범의 형태이다. 때로는 페니실린과 류마티스 관절염에 사용되는 항염증제 같은 약제나 이식환자의 이식편대 숙주병의 수술 후 합병증으로도 초래될 수 있다. 이식 환자의 약 10%에서 볼 수 있다. 기침, 발열, 진행성 호흡곤란 등의 호흡기 증상과 징후는 이식 후 6개월 이후에 발생한다.

2) 진단

흉부 X선 소견은 초기에는 비특이적이지만 미만성 간질성 침윤과 무기폐 그리고 반점성 세망결절 음영이 종종 나타나며, 폐 용적이 감소될 수도 있다. CT 촬영은 기관지 벽의 비후, 공기 영역의 혼재, 소결절 등을 자주 볼 수 있다(그림 6-20, 표 6-19).

그 외에도 폐 기능 검사에서 전형적으로 제한성 호흡기 질환의 소견과 확산능 감소를 보인다. 방사선 동위원소 스캔으로는 환기와 관류의 감소 또는 불균형을 보이며 특히 과통기성 폐 증후군 환자에서 주로 나타난다.

침범된 폐 조직의 조직검사로 확진된다. 그러나 병변이 기관지에 불규칙하게 분포되어 있기 때문에 폐 생검으로 항상 진단되는 것은 아니다. 소기도의 동심성 섬유화와 말초 기관지와 세기관지를 막는 육아조직이 전형적인 조직 소견이다. 기도 폐쇄에 따른 이차적인 폐기종성 변화 역시 폐의 침범 부위에 있을 수 있다.

3) 치료와 예후

치료와 예후는 관련 질환에 크게 좌우된다. 독성 증기의 흡입에 의한 손상은 진행되지 않을 수도 있지만 이식 편대 숙주 병은 진행하며 치명적이다. 스테로이드의 전신적 투여에 대한 임상 반응은 다양하다. 다른 면역억제제와 항생제가 폐 손상의 급성 시기 동안의 치료에 도움이 된다는 증거는 없다. 병변이 국소적으로 침범된 경우는 침범된 폐 분절을 절제할 수도 있다.

24. 면역결핍에서의 호흡기감염

반복적 혹은 만성적인 호흡기 감염은 면역결핍증을 의심하게 되는 가장 흔한 초기 증상의 하나이며 많은 경우 호흡부전 등의 합병증으로 인해 사망의 원인이

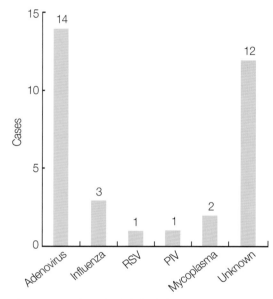

그림 6-19. 국내 소아 폐쇄성 세기관지염의 원인균. RSV, Respiratory Syncytial Virus: PIV, Parainfluenza virus)

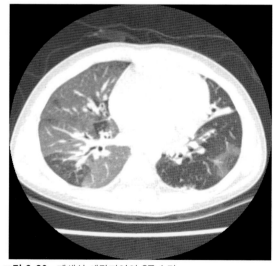

그림 6-20. 폐쇄성 세관지염의 CT 소견

되기도 한다. 이는 상기도에서 말단 폐포에 이르는 호흡기계 전반에 걸쳐 다양한 숙주의 면역 방어 기전들이 작용하고 있기 때문인데, 이러한 방어기전에는 면역체계뿐 아니라 점막, 섬모운동, 기침 등과 같은 비면역학적인 기전들도 중요한 역할을 한다(표 6-20). 이들 중 어딘가에 이상이 생기면 폐렴을 비롯한 부비동염, 중이염, 기관지염 등의 호흡기 증상이 반복적으로 나타나거나 치료에 잘 반응하지 않게 되고 때로는 치명적인 결과를 초래하게 된다.

가. 원인균

면역결핍증 원인 질환에 따라 결함이 생긴 숙주방어기전의 부위가 다르고 이에 따라 호발하는 균주가 달라지게 된다(표 6-21). 체액성 면역결핍시에는 주로 세균성 감염이 호발하며 세포성 면역결핍시에는 바이러스, 진균, 원충류 등 병원성이 낮아 정상면역을 가진

표 6-19. 폐쇄성 세기관지염의 고해상CT 소견

1. Areas of decreased lung opacity, patch in distribution
2. Bronchiectasis
3. Attenuation of pulmonary vessels
4. Combination of finding 1-3
5. Areas of consolidation or increased lung opacity
6. Reticulonodular opacities

1,2,3. most common findings
4. most helpful in differential diagnosis

표 6-20. 폐렴을 유발하는 숙주 호흡기 방어기전의 결함

Defense mechanism	Defective in
Upper airway	
Turbinates	Intubation
Epiglottis	Tracheostomy, aspiration syndrome
Mucociliary clearance	
Cillia	Ciliary dyskinesia
Mucous blanket	Cystic fibrosis
Cough	Muscle weakness, sedation
Immunoglobulin	
Secretory IgA	IgA deficiency
IgG (subclass)	Agamma(Hypo-)globulinemia
IgE	Job's syndrome
Cells	
Alveolar Macrophage	corticosteroids
Polymorphonuclear leukocytes	
number	Chemotherapy
mobility	Motility disorder
function	Chronic granulomatous disease (CGD)
Lymphocytes	
number	AIDS
function	T cell disorders, SCID
Others	
fibronectin, lysozyme complement	C3 or C5 deficiency

*SCID; severe combined immunodiciency

표 6-21. 면역결핍증의 종류에 따른 호흡기 감염균주

면역결핍증	Pathogens		
	Bacterial	Fungal	Viral, protozoal, or others
중성구감소증			
급성	S. aureus	-	-
만성	H. Influenza	-	-
장기입원	G(-)organism	Candida spp.	-
	(ex; pseudomonas)	Aspergillus spp.	
무(저)면역글로불린혈증	S. pneumonia	Aspergillus spp.	P. carinii
	H. influenza		
	Pseudomonas		
선천성 T세포 결핍증	Legionella, Norcardia,	Candida	CMV, P. carinii, VZV, HSV
	Listeria	Cryptococcus	
	M. tuberculosis		
AIDS	M. tuberculosis	Cryptococcus	CMV, P. carinii, Toxoplasma
보체결핍증	Encapsulated spp.	-	
면역억제제 치료	S. aureus, Listeria,	Aspergillus spp	CMV, P. carinii, HSV, VZV,
(신장, 간, 폐 이식)	M. tuberculosis	Mucor spp	Toxoplasma, Cryptococcus
		Histoplasmosis	

CMV: Cytomegalovirus, VZV: Varicella zoster virus, HSV: Herpes simplex virus

사람에게는 문제가 되지 않는 균에 의한 감염이 잘 생긴다.

1) 세균

그람 양성균으로는 흔한 균주인 *Streptococcus pneumoniae*, *Staphylococcus aureus* 등에 의한 감염뿐 아니라 *Listeria monocytogenes*, *Corynebacteria* 등에 의한 감염도 생길 수 있다. 또한 *Hemophilus influenza* type b가 가장 흔한 그람 음성 호흡기 감염균이며 장기 입원환자에서는 *Pseudomonas aeruginosa*가 흔히 문제를 일으킨다.

2) 바이러스

Cytomegalovirus(CMV)가 가장 문제가 될 수 있는데, 이는 감염된 산도나 모유, 타액, 혈액 등을 통해 전염되며 신생아 및 영아기에 초감염으로 잘 생기지만 항체가 있는 사람에게도 재감염이 발생 할 수 있어 최근 AIDS, 선천성 면역결핍증, 장기이식환자 등에서 특히 문제가 된다. 폐렴이 가장 흔한 증상이며 간염, 맥락막망막염, 장염 등도 생길 수 있다. CMV에 의한 폐렴 시에는 전반적인 망상 결절 음영을 보이며 항체검사나 세포변성 현상을 이용한 바이러스 검출, 중합효소연쇄반응 검사 등이 진단에 이용된다.

그 외 Varicella Zoster Virus, 단순 포진 바이러스, 아데노바이러스 등도 면역결핍아에서는 심각한 감염을 일으키는 원인이 된다.

3) 진균

Candida, aspergillosis가 대표적이다. 침습성 aspergillosis의 경우 부비동염이나 심한 폐렴을 일으키며 흉부 X선 검사상 결절성 침윤이나 괴사성 공동을 형성할 수 있다.

4) 기생충과 기타 원인

주폐포자충은 포유류의 폐포에서 흔히 발견되는 세포외 기생충의 일종으로 DNA는 진균과 비슷하나 형태와 약제에 대한 감수성은 원충과 비슷하여 그 분류에 대하여 아직 논란이 있다. 4세 전에 대부분의 사람에서 감염되며 정상 숙주에서는 무증상 감염을 일으키지만, 주폐포자충의 방어에 중요한 역할을 하고 있는 세포성 면역에 문제가 있는 환자. 즉 골수 이식환자, AIDS, 선천성 면역결핍증환자에서 심한 폐렴이 발생한다.

나. 분류

1) 일차성 면역결핍질환

가) 체액성 면역결핍증

대개 모체에서 물려받은 항체가 사라지는 생후 5~6개월 이후부터 증상이 나타나며 반복적인 중이염, 기관지염, 폐렴이 발생한다. 생후 2세 이전에 6개월 동안 세 번 이상, 1년 동안 4번 이상 반복적인 중이염이 발생한 경우 체액성 면역결핍증에 대한 검사를 고려해야 한다. 분류불능형면역결핍증(Common variable immunodeficiency)이나 X-연관성 범저감마글로불린혈증(X-linked agammaglobulinemina) 등은 성염색체 유전형 저감마글로불린혈증 S. pneumoniae, H. influenza type b 등 피막형세균에 대한 항체를 생산하지 못하여 심한 폐렴을 일으키며 이것이 반복되면 기관지 확장증 등 합병증을 남길 수 있다.

IgG 아형 결핍이나 IgA 결핍증은 상대적으로 경한 증상을 일으키거나 거의 문제를 일으키지 않는 경우가 많지만 IgG2 결핍 시에는 다당질항원에 대한 항체 생성에 문제가 있다.

성염색체 유전형 과 IgM 증후군은 T세포의 CD40 배위자에 결함이 있어 결과적으로 IgG 혹은 IgA 생성에 문제가 생기므로 세균에 의한 호흡기 감염이 빈번하며, 그 외 주폐포자충, Cryptosporidium 감염도 잘 생긴다.

하지만 위와 같은 체액성 면역결핍증환아에서 발생한 감염의 경우 대부분 항생제 치료에 잘 반응하며 정기적인 면역글로불린 주사로 면역력을 유지할 수 있으므로 예방적 항생제를 필요로 하지는 않는다.

나) 세포성/복합성 면역결핍증

세포성 면역결핍증시에는 비교적 병원성이 낮은 균주인 바이러스, 진균, 원충류 등에 의한 감염이 흔하며 만성 설사, 피부점막 칸디다증 등이 동반될 수 있다. 중증 복합성 면역결핍증(SCID)시에는 생후 초기부터 발육부진, 만성설사와 칸디다증, 주폐포자충에 의한 폐렴, CMV 감염 등이 반복되며 6개월이 지나 모체에서 받은 항체가 사라지면 그람 양성/음성 세균에 의한 감염도 잘 생기게 된다. 이런 경우 생백신을 접종하면 치명적인 결과를 초래할 수 있다. 과 IgE 증후군의 경우 S. aureus에 의한 감염이 반복되며 Wiskott-Aldrich 증후군은 S. pneumoniae, H. influenza 뿐 아니라 주폐포자충에 의한 감염에도 취약하다.

다) 식세포 이상증

중성구의 수가 대개 $<1,000/mm^3$, 특히 $<500/mm^3$인 중성구 감소증의 경우 세균감염이 증가하며 만성 육아종 질환(chronic granulomatous disease)의 경우 NADPH oxidase의 기능결핍으로 인해 호중구의 식작용에 장애가 생기므로 따라서 S. aureus, Serratia marcescens, Aspergillosis 등에 의한 감염이 호발하게 된다. 예방적 항생제와 IFN-γ를 투여하면 심각한 감염의 빈도를 줄일 수 있다.

라) 기타 선천성 면역결핍증

기능적/해부학적 무비증에 의한 opsonization 장애가 있을 때는 S. pneumonia, H. influenza type b, Salmonella 등의 피막형 세균에 의한 심각한 세균성 호흡기 감염의 위험이 높다.

2) 이차성 면역결핍질환

가) 사람 면역결핍 바이러스감염증

사람 면역결핍 바이러스(humum immunodeficiency virus; HIV)감염증은 감염 초기나 출생시에는 대부분 정상이나 질병이 진행되면서 림프절 비대, 간비대, 비장비대, 성장 부진, 반복된 설사 등 비특이적 증상과 더불어 면역기능저하에 따른 각종 감염증, 그리고 림프구 간질성 폐렴(lymphocytic interstitial pneumonia, LIP) 등을 초래한다.

면역 반응에서 가장 중요한 역할을 하는 CD4 림프구의 감소는 각종 감염병을 피할 수 없게 하며, 기회감염과 반복 감염이 많고 전격성 경과를 보인다. 주요 감염증으로는 균혈증, 패혈증, 폐렴이 있으며, 중이염, 부비동염, 피부·연조직 감염도 아주 흔하고 지속적으로 가지고 있는 경우도 많다. 주요 병원체로는 S. pneumoniae, Salmonella, Staphylococcus, Entero-coccus, P. aeruginosa, Mycobacteria 등 세균과, 바이러스로는 Herpes simplex, Varicella zoster, cytomegalovirus 등이 많으며, 그외 P. carinii, C. albicans 등도 흔하다.

치료는 모든 HIV 감염자는 증상과 면역 저하 정도에 따라 질병 상태를 구분하고 치료 및 예방을 실시한다. 현재까지 완치할 수 있는 방법은 없으나 적절한 치료로 바이러스 증식을 억제하고 질병의 진행과 합병증 발생을 억제하므로써 HIV 감염자의 수명을 연장시키고 건강 유지와 삶의 질을 향상시킬 수 있게 되었다. 그 외에는 HIV 감염 임신부로부터 출생한 생후 6주~1세 영아는 HIV 감염이 확인된 경우는 물론 감염이 확인되지 않은 경우에도 pneumocytis carini pneumonia (PCP) 예방을 위해 TMP/SMZ(trimethoprim/sulfamethoxazole)를 투여해 주며 1세 이후에는 CD4 림프구 수에 따라 치료를 결정한다. 1세 이후에는 정기적으로 투베르쿨린 검사를 실시하여 결핵을 진단하고 치료 또는 예방적 화학 요법을 실시한다. 1년 이내에 2회 이상의 심한 세균 감염이 있는 경우, 저 감마글로불린 혈증, 특이 항체를 생성하지 못하는 경우에는

정맥내 면역글로불린(intravenous immunoglobulin; IVIG)을 투여해 준다.

PCP나 비결핵 항산균증 등의 기회 감염이나 뇌증, 성장부전 등이 있으면 예후가 가장 나빠 75%가 3세 이전에 사망한다.

나) 무비증

해부학적 또는 기능적 무비증이 있는 경우에는 피막을 가진 세균, 특히 H. influenzae, S. pneumoniae, N. meningitidis의 감염이 흔하다. 감염증은 전격성인 경우가 많고 40~80%의 사망률을 보인다. 비장절제 후에는 나이가 어릴수록 전격 감염의 위험이 높다. 무비증 환자나 비장절제 후에는 5세까지 예방적 화학 요법을 해주며, 예방접종, 특히 H. influenzae, S. pneumoniae, N. meningitidis에 대한 접종을 한다.

일반적으로 thalassemia이나 호지킨병에 따른 비장절제 후에는 감염의 위험이 많고, 구형적혈구증이나 혈소판감소증, 겸상적혈구증에 따른 비장 절제 후에는 상대적으로 위험이 적다.

다) 항암치료

① 항생제 요법

항암치료를 시행한 환자에서 3일 이상 발열이 지속되는 경우 여러 원인을 조사해보아야 하지만 폐렴 등의 호흡기 감염에 대한 평가가 반드시 이루어져야 한다. 흉부 X선 소견을 비롯하여 부비동염, 폐렴이 있는 경우 초음파 또는 CT 검사를 시행할 수 있다. 비교적 흔하지 않은 감염인 T. gondii, HSV, CMV, EBV, enterovirus, enteric protozoa, M. tuberculosis, nontuberculous mycobacteria, C. pneumoniae 등의 감염이 임상적으로 의심되는지 살펴보고 부가적 검사를 시행한다. 그러나 이러한 모든 검사의 결과는 양성이라 할지라도 진단 가치가 높지 않은 경우도 있으므로 유의하여야 한다.

초기 항생제 투여 후 첫 4~5일 내에 해열이 되지 않고, 원인을 알 수는 없지만 환자가 안정상태이면 초기

항생제를 계속 투여한다. 특히 호중구 감소증이 5일 이내 회복될 가능성이 높으면 이 방법을 선택하는 것이 좋다. 반면, 5일 간의 항생제 치료로 환자가 악화되는 경우 첫째, 초기 항생제의 계속적으로 투여하던지 둘째, 항생제를 바꾸거나, 셋째, 항진균제를 추가 또는 항진균제로 바꾼다. 이때 전신적 진균감염을 확인하기 위해 병변의 생검이나 흉부 및 부비동 X선, 코 내시경, 배양검사, 혈청학적 검사, 흉부와 복부 CT 등을 시행하고 amphotericin B를 시작하다.

항생제 투여 중단에 있어서 중요한 요소는 절대호중구수이다. 호중구수가 2일 이상 ≥500/μL이며, 2일 이상 발열이 없는 경우, 흉부 X선 이상이 없으며, 증상이 호전된 경우에는 항생제를 중단할 수 있다.

Amphotericin B의 투여 기간은 다양하다. 전신성 진균 감염이 확인된 경우에는 원인 진균과 질환의 진행정도에 따라 결정되겠지만 호중구 감소증에서 회복되고, 안정된 증상을 보이며, 방사선학적으로 의심되는 병변이 없으면 amphotericin B를 중단할 수 있다.

② 항생제 예방요법

심한 호중구 감소(<100/μL)가 예견되는 환자들은 호중구가 500/μL 이상인 환자들보다 폐렴의 위험이 훨씬 높다. 따라서 이러한 환자에서 감염을 예방하기 위해 aminoglycoside, polymyxins, vancomycin 등을 예방적으로 투여하였으나 최근에는 TMP-SMZ, quinolone이 더 효과적이고 환자에게 편하여 많이 사용한다. 그러나 소아에서는 성장연골의 억제 등으로 quinolone이 금기이다.

③ 항암치료의 후기합병증

폐는 방사선에 매우 민감하여 독성 없이 견딜 수 있는 최대 방사선 조사량은 1,500~1,800 cGy이다. Wilms 종양에서와 같이 폐에 전이가 있거나 종격동 혹은 흉부에 방사선 조사가 이루어지면 폐기능 감소의 위험이 높아진다. 소수의 항암제가 폐섬유화를 유발하는데 가장 문제가 되는 것이 BCNU (1,3-bis[2-chloroethyl]-1-nitrosurea)와 bleomycin이다. BCNU에 의한 폐섬유화는 심각한 제한성 폐질환과 사망을 유발하며 발병은 치료 몇 년 후에 생긴다. Bleomycin은 폐의 양외측 하부의 수포음과 간질성 폐렴을 동반하는 폐부전을 초래할 수 있다. 최근 dextrazone이 bleomycin에 의한 폐섬유화를 예방한다고 보고되고 있다. 일산화탄소 확산능 검사에서 폐기능이 50% 미만으로 나타나면 약물을 중단하는 것이 합병증 예방에 매우 도움이 된다. 항암치료를 받는 경우는 운동불내성, 호흡곤란, 기침, 천명 등이 있으면 폐기능을 검사하여야 하고 증상이 있을 때는 운동이나 마취에 유의해야 한다.

라) 골수이식

골수이식(bone marrow transplantation; BMT)의 전처치에서 비롯되는 심각한 호중구감소증은 BMT 환자에게 치명적인 감염을 유발할 수 있으며, 특히 BMT 시작 후 21일 이내 이식 초 무과립 기간으로 세균, 바이러스(herpes virus 등), 진균(candida 등)에 의한 감염이 발생하기 쉽다. 주로 환자 자신의 정상 세균총에 의한 감염이 문제가 되기 때문에 세균 및 진균, 바이러스에 대한 예방적인 약물투여가 필수적이며, 장내세균총에 의한 감염을 막기 위해 vancomycin, colistin, neomycin으로 장내 멸균을 시행한다. 이식 후 20~120일 사이에는 CMV에 의한 감염이 특히 문제가 되며 CMV에 의한 간질성 폐렴은 치사율 85~90%로 매우 치명적이다. 이때 치료약물로 gancyclovir를 사용할 수 있다. 이식 후 폐렴을 동반하였을 때 RSV, parainfluenza virus, adenovirus 등 다른 바이러스들도 중요한 질환과 사망을 초래할 수 있으나, 이들 바이러스들에 대한 특효약은 개발되어 있지 않으므로 대증요법을 시행한다. 그 외 Pneumocystis carinii 폐렴은 과거 5~10%의 환자에서 발생하였으나, 경구 TMP/SMZ를 이식 전 1 주와 생착 후에 투여함으로써 예방할 수 있다.

표 6-22. 방사선 소견에 따른 원인균

Diffuse interstitial and alveolar
PCP, CMV, *C. neoformans*
virus (ex: adenovirus)
rare in aspergillosis, candida infection
Lobar or lobular
Bacteria(*S.pneumoniae, H.influenza, S.aureus*)
Norcardia, C. neoformans, Aspergillosis
Nodules, cavities, or lung abscess
Bacteria(*S.aureus, anaerobes*)
C. neoformans
Mycobacteria, aspergillosis

PCP; *Pneumocystic carinii pneumonia*
CMV; *Cytomegalo virus*

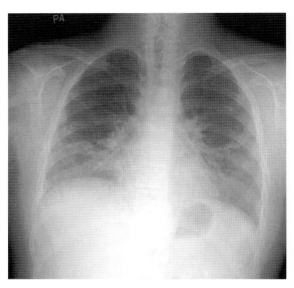

그림 6-21. 주폐포자충 폐렴의 흉부 X선 사진

다. 진단

1) 방사선 소견

주폐포자충의 경우 양측폐의 granular pattern을 동반하는 미만성 간질성/폐포성 폐렴 소견을 보이는데 초기에는 폐문주위에서 침윤이 시작되어 점점 바깥쪽으로 진행되는 양상을 관찰할 수 있다(그림 6-21). CMV 등 바이러스성 폐렴에서도 미만성 폐렴이 가장 흔한 소견이며 기관지 폐렴 혹은 대엽성 폐렴은 세균성 폐렴을 의심할 수 있다.

단일 결절이나 공동, 폐농양 등은 진균에 의한 감염을 시사한다.

원인균에 따른 방사선 소견은 표 6-22에 정리되어 있다.

2) 혈청학적 검사

특정 바이러스에 대한 IgG 혹은 IgM 검사를 시행할 수 있으나 각각의 의미에 대해서는 신중한 판단이 필요하다.

3) 기타

세균배양검사를 확인하고 침습적 방법으로 기관지 내시경이나 개흉 조직검사를 시행하여 원인균주를 확

인할 수도 있다.

라. 치료 및 예방

1) 급성기 치료

발열성 중성구 감소증 환자에게는 즉시 경험적 광범위 항생제 투여를 시작하는데 이때 대부분의 환자에서 methicillin-resistant S. aureus (MRSA)감염을 고려하여 vancomycin을 포함하게 된다. 이후 세균배양 검사 결과에 따라 적절한 항생제 치료를 계속한다. HSV 가 의심될 때는 acyclovir, CMV 감염 의심 시에는 ganciclovir 등 항바이러스제를 투여할 수 있으며 항생제 치료 중 새로운 병소가 생기면 항진균제도 추가한다. 이 외 면역글로불린 감소시에는 정맥용 면역글로불린을 투여한다.

2) 예방접종 및 관리

세포성/복합성 면역결핍증이나 AIDS 혹은 면역억제 치료환자의 경우 주폐포자충 감염을 대비하여 trimethoprim-sulfamethoxazole (TMP/SMX)를 투여한다. Ig A 결핍증을 제외한 체액성 면역결핍증시에는

3~4주 마다 정기적으로 정맥용 면역글로불린(400 mg/kg)을 투여하여 혈청면역글로불린을 유지해 준다.

면역결핍아에게 예방접종 시행은 매우 주의를 요한다. 사백신 접종은 대개 심각한 부작용을 일으키지는 않으나 그 효과는 떨어지는 것으로 알려져 있는데 생백신 접종은 오히려 질병을 일으킬 수 있어 대부분 사백신으로 대체하여 접종한다(예: 주사용 사백신 폴리오). 면역억제제 치료중인 환아는 면역기능이 회복된 시기에 생백신 접종을 시행할 수 있으며, AIDS 환자의 경우에도 CD4 림프구 수가 15%가 넘으면 홍역 접종을, 25%가 넘으면 수두 접종을 시행할 수 있다.

참고문헌

1. 김재오, 조성숙, 석정우, 안돈희, 손근찬. 수용시설 영아에서의 Pneumocystis Carinii 폐렴 15례. 소아과 1981;24:136-44.

2. 안대덕, 정태석, 이정권, 김윤자. Pneumocystis Carinii 폐렴 부검 2례. 소아과 1984;27:271-5.

3. 이경숙, 이옥엽, 박호진, 신미자. Cytomegalovirus 폐 감염을 동반한 Pneumocystis Carinii 폐렴 1례. 소아과 1987;30:1274-9.

4. 이혜숙, 정병주, 김규언, 이기영. 소아기관지확장증의 임상적 관찰. 소아과 1989;32:1669-76.

5. 이수경, 이준수, 이수영, 정병주, 김규언, 이기영. Mycoplasma pneumoniae 감염에 의한 Stevens-Johnson 증후군에 동반된 Bronchiolitis Obliterans 1례. 소아과 1993;36:1441-45.

6. 김미란, 강희정, 이환종. 중합효소연쇄반응을 이용한 Bordetella pertussis 감염의 진단. 소아과 1996;39:1260-70.

7. 유해숙, 강혜영, 정병주, 김규언, 이기영. 소아 Mycoplasma 폐렴의 임상양상 변화에 관한 연구. 소아 알레르기 및 호흡기 1995;5:112-8.

8. 은백린, 박상희, 독고영창, 성상철. 중합효소연쇄반응을 이용한 Mycoplasma pneumoniae 폐렴의 진단

9. 홍정연, 나송이, 남승곤, 최은화, 이환종, 박진영. 9년간 (1986-1995) 서울에서의 Mycoplasma pneumoniae 폐렴의 유행 양상. 소아과 1997;40:607-11.

10. 김근모, 국 훈, 조성호, 박지영, 우영종, 황태주. 침습성 진균증이 발생한 소아 혈액종양 환자에서 Intralipid 유탁액 고용량 Amphotericin B 치료 경험. 소아과 1998;41:216-23.

11. 민양기, 최종욱, 김리석. 일차 진료를 위한 이비인후과학 임상. 서울,일조각, 1999:341-77.

12. 국립보건원. 대한결핵협회 결핵연구원. 결핵관리. 2001:1-39.

13. 보건복지부. 대한결핵협회, 제 7차 전국결핵실태조사 결 과. 보건복지부, 1995:1-28. 홍창의: 소아과학. 완전개정 7판, 대한교과서, 2001:429-40.

14. 홍창의. 소아과학. 완전개정 7판. 서울. 대한교과서 주식회사. 2001:410-1.

15. 유 신, 안경옥, 박은혜, 조현상, 박종영, 이혜란. 소아 백일해 감염의 유행 및 임상 양상. 소아과 2002;45:603-7.

16. 홍수종, 김봉성, 안강모, 이상일, 김규언, 이기명, 임대현, 손병관, 한국 소아에서 폐색성 세기관지염에 관한 다기관 연구. 소아알레르기 및 호흡기학회지. 2002;12:136-45.

17. Henderson FW, Clyde WA, Collier AM, et al. The etiologic and epidemiologic spectrum of bronchiolitis in pediatric practice. J Pediatr. 1979;95:183-90.

18. Glezen WP, Paredes A, Allison JE, et al. Risk of respiratory syncytial virus infections for infants from low income families in relations to age, sex, ethnic group, and maternal antibody level. J Pediatr. 1981;98:708-15.

19. Carlsen KH, Orstavik I, Halvorsen K. Viral infections of the respiratory tract in hospitalized children. Acta Pediatr Scand. 1983;72:53-4.

20. Denny FW, Clyde WA. Acute lower respiratory tract

infections in non-hospitalized children. J Pediatr. 1986;108:635-46.

21. Leung AK, Robson WL. Cervical lymphadenopathy in children. Canadian Journal of Pediatrics 1991;3:10-7.

22. La Via WV, Grant SW, Stutman HR, Marks MI. Clinical profile of pediatric patients hospitalized with respiratory syncytial virus infection. Clin Pediatr 1993;32:450-4.

23. Buchino JJ, Jones VF. Fine needle aspiration in the evaluation of children with lymphadenopathy. Arch Pediatr Adolesc Med 1994;148:1327-30.

24. Chesney PJ. Cervical lymphadenopathy. Pediatr Rev 1994;15:276-84.

25. Larsson LO, Bentzon MW, Berg K, Mellander L, Skoogh BE, Stranegåd IL, et al. Palpable lymph nodes of the neck in Swedish school children. Acta Paediatr 1994;83:1092-4.

26. Groothuis JR. The role of RSV neutralizing antibodies in the treatment and preventing respiratory syncytial virus infection in high-risk children. Antiviral Res 1994;23:1-10.

27. Committee on infectious diseases, American Academy of Pediatrics. Reassessment of rivabirin therapy in respiratory syncytial virus infection. Pediatrics 1996;97:137-40.

28. Darville T, Yamauchi T. Respiratory syncytial virus. Pediatr Rev 1998;19:55-61.

29. Chernick V, Boat TF, Kendig EL. Kendig's Disorders of the respiratory tract in children. W.B. Sauders C. 1998.

30. Dubois DB, Ray CG. Viral infections of the lower respiratory tract. In: Taussig LM, Landau LI. Pediatric espiratory disease. St Louis, Mosby. 1999:572-94.

31. Harza R, Robson CD, Perez-Atayde AR, Husson RN. Lymphadenitis due to nontuberculous mycobacteria in children: presentation and response to therapy. Clin Infect Disease 1999;28:123-9.

32. Hamilos DL. Chronic sinusitis. J Allergy Clin Immunol 2000;106:213-27.

33. McAlister WH, Parker BR, Kushner DC, Bobcock DS, Cohen HL, Gelfand MJ, et al. Sinusitis in the pediatric population. American College of Radiology. ACR appropriateness criteria. Radiology 2000;215 Suppl:811-8.

34. Leung AK, Pinto-Rojas A. Infectious mononucleosis. Consultant 2000;40: 134-6.

35. Peters TR, Edwards KM. Cervical lymphadenopathy and adenitis. Pediatr Rev 2000;21:399-404.

36. Twist CJ, Link MP. Assessment of lymphadenopathy in children. Pediatr Clin North Am 2000;49:1009-25.

37. Yum HY, Choi JY, Choi JW, Lee KY, Kim CH, Shon MH, Kim KY, Lee KY. Correlation between Chlamydia pneumonia infection and childhood asthma. Pediatr Allergy Respir Dis 2000;10:218-24.

38. American Academy of Pediatrics: Clinical practice guideline: management of sinusistis. Pediatrics 2001;108:798-808.

39. Darville T, Jacobs RF. Lymphadenopathy, lymphadenitis, and lymphangitis. In: H. B. Jenson, RS Baltimore, editois Pediatric infectious diseases: Principles and practice, 2002;610-29. Philadelphia: W. B. Saunders Company.

40. Whiteside JL, Whiteside JW . Acute bronchitis : A review of diagnosis and evidence based management. Prim Care Update Ob/Gyns 2002; 9:105-9.

41. Fireman P. Otitis Media In : Leung DYM, Sampson HA, Geha RS, Szefler SJ, editors. Pediatric Allergy, Principles and practice. 1st. ed. St. Louis : Mosby, 2003:298-308.

42. Peebles RS Jr, Hashimoto K, Graham BS. The

complex relationship between respiratory syncytial virus and allergy in lung disease. Viral Immunol. 2003;16:25-34.

43. Openshaw PJ, Dean GS, Culley FJ. Links between respiratory syncytial virus bronchiolitis and childhood asthma: clinical and research approaches. Pediatr Infect Dis J. 2003;22:S58-64.

44. Welliver RC. Respiratory syncytial virus and other respiratory viruses. Pediatr Infect Dis J. 2003;22:S6-10.

45. Chan KH, Abzug MJ, Fakhri S, Hamid QA, Liu AH. Sinusitis. In : Leung DYM, Sampson HA, Geha RS, Szefler SJ, editors. Pediatric Allergy : principles and practice. St. Louis : Mosby, 2003:309-20.

46. Goldsmith AJ, Rosenfeld RM. Treatment of pediatric sinusitis. Pediatr Clin North Am 2003;50:413-26.

47. Kozyrskyj AL, Mustard CA, Becker AB. Chilhood wheezing syndrome and healthcare data. Pediatr Pulmonol 2003;36:131-6.

48. Klig JE, Chen L. Lower respiratory infection in children. Curr Opin Pediatr 2003;15:121-6.

49. Behrman RE, Kliegman RM, Jenson HB . Nelson Textbook of Pediatrics : The Respiratory System. 17th. Philadelphia : Saundrs 2004:1414-5.

50. Pappas DF, Hendley JO. Sinusitis In : Behrman RE, Kliegman RM, Jenson HB, editors. Nelson Textbook of Pediatrics. 17th. ed. Philadelphia : Saunders 2004:1391-3.

51. Paradise JL. Otitis Media In : Behrman RE, Kliegman RM, Jenson HB, editors. Nelson Textbook of Pediatrics. 17th. ed. Philadelphia : Saunders, 2004:2138-49.

52. Munoz FM, Starke JR. Tuberculosis, In: Behrman RE, Kliegman RM, Jenson HB, editors. Nelson Textbook of Pediatrics, 17th ed. Philadelphia: Saunders, 2004:958-78.

53. Starke JR, Smith KC. Tuberculosis, In: Feigin RD, Cherry JD, Demmler GJ, Kaplan SL, editors. Textbook of Pediatric Infectious Diseases. 5th ed. Philaelphia: Saunders, 2004:1337-90.

호흡기학

제 7 장

면역학적 폐 질환

1. 간질성 폐렴과 폐 섬유화 질환

만성 간질성 폐질환(interstitial lung diseases, ILD)은 폐포염, 섬유화, 조직 개형 등 폐포 구조의 조직학적인 변화로 정의되는 질환으로 소아에서는 매우 드물게 발생한다. 이러한 비정상적인 변화를 가져온 면역학적 과정들은 또한 기능적 변화도 동반하여 제한성 폐질환, 폐용적의 감소, 동맥성 저산소혈증, 폐성심(cor pulmonale), 사망 등을 초래하게 된다.

만성 간질성 폐질환을 유발하는 원인은 매우 다양하지만(표 7-1) 이 질환군은 흔히 만성 간질성 폐렴(chronic interstitial pneumonitis)으로 명명되며 조직학적 특성에 따라 박리성 간질성 폐렴(desquamative interstitial pneumonitis, DIP), 통상형 간질성 폐렴(usual interstitial pneumonitis, UIP), 림프구성 간질성 폐렴(lymphocytic interstitial pneumonitis, LIP)으로 분류된다. 박리성 간질성 폐렴과 통상형 간질성 폐렴은 특발성 폐섬유증(idiopathic pulmonary fibrosis, IPF)이나 cryptogenic fibrosing alveolitis 등의 한 질환군으로 분류되기도 한다. 최근 American Thoracic Society and European Respiratory Society (ATS/ERS)에서는 이러한 특발성 간질성 폐렴(idiopathic interstitial

표 7-1. 간질성 폐질환의 원인

감염: 바이러스, Chlamydia species, Mycoplasma pneumoniae, Pneumocystis carinii, Aspergillus fumigatus
과민성 증후군: 약물(nitrofurantoin, carbamazepin), 흡입성 유기분진
흡입 증후군: thesaurosis, 위내용물, 유지질 흡인
섬유화 폐포염(fibrosing alveolitis): 박리성 간질성 폐렴, 통상형 간질성 폐렴, 림프구성 간질성 폐렴
교원질 혈관 질환: 홍반성 루푸스, 전신성 경화증, 류마티스양 폐, 결절성 다발 동맥염
사르코이드증(Sarcoidosis)
독성 영향: 방사선, 약물(bleomycin, busulfan, methotrexate)
폐헤모시데린증(hemosiderosis)
폐포 단백증(alveolar proteinosis)
특발성 폐섬유증
축적증(Gaucher's disease, Hermansky-Pudlak syndrome, Niemann-Pick disease)
종양
백혈병성 침윤(Leukemic infiltrates)

pneumonia, IIP)을 표 7-2와 같이 분류하였다.

가. 역학

성인에서 간질성 폐질환은 전체 호흡기 환자 중 15%의 빈도를 보이며 특발성 폐섬유증은 간질성 폐질환의 30%를 차지한다. 소아 만성 비감염성 간질성 폐질환에서는 특발성 폐섬유증이 22%, 림프구성 간질성 폐렴이 15%를 차지하고, 림프구성 간질성 폐렴은 특히 인체 면역결핍 바이러스에 감염된 소아에서 많이 발생한다. 성인에서 특발성 폐섬유증은 남자에서 호발하나 소아에서는 특발성 폐섬유증이나 림프구성 간질성 폐렴에서 성별의 차이가 없다. 소아 간질성 폐질환 21례를 대상으로 한 국내 보고에서는 간질성 폐렴이 6례로 28.6%였고 이중 비특이성 간질성 폐렴이 3례, 박리성 간질성 폐렴이 2례, 통상형 간질성 폐렴이 1례였다. 가족 내 유전성 경향을 보이기도 하며 가족형 특발성 폐섬유증의 경우 상염색체 우성으로 유전된다.

나. 발생기전

만성 간질성 폐렴의 병인 과정은 면역 매개 폐포염으로 시작하여 폐포, 모세혈관, 간질성 구조의 손상을 가져오고 조직의 회복과 섬유화를 초래한다. 유발 원인으로는 특발성 폐섬유증의 경우 혈중 면역복합체, 림프구성 간질성 폐렴의 경우 Epstein-Barr virus 등의 잠복 감염 등이 제시되고 있으나 대부분의 간질성 폐렴에서는 원인과 노출 경로가 알려져 있지 않다.

통상형 간질성 폐렴과 박리성 간질성 폐렴의 조직학적 형태는 폐포염의 염증이 균일한 시기로 존재하거나 공간적, 일시적으로 균일하지 않은 과정이 혼재할 수 있음을 나타낸다. 통상형 간질성 폐렴은 한 시점에서 손상과 회복의 여러 시기에 나타나는 염증의 반상 분포(patchy distribution)를 특징으로 한다. 거의 정상인 폐포와 림프구, 형질세포, 대식세포의 수가 증가된 활동성 염증부위가 공존하며 또한 광범위한 섬유화로 이루어진 벌집모양 폐(honeycomb lung)도 함께 관찰된다. 이와 대조적으로 박리성 간질성 폐렴은 대식세포에 의해 폐포가 미만성으로 채워지고, 간질의 섬유화 및 염증소견은 경미하고 2형 폐세포의 증식도 동반되나 광범위한 염증에도 불구하고 섬유화된 부위가 없고 이 모든 조직소견이 시기적으로 또 부위별로 매우 균일한 것이 중요한 특징이다.

만성 간질성 폐렴의 병인 기전은 또한 현저한 감수성을 가진 숙주의 면역 반응과 지속성 염증 및 진행성 폐 섬유화와 관련이 있다. 특발성 폐섬유증 환자에서는 T세포, 폐포 대식세포, 호중구의 수와 활성도가 증가된다. T세포와 대식세포는 호중구와 단핵세포를 동원하고 활성화시키며 염증을 증폭시키는 사이토카인

표 7-2. 특발성 간질성 폐렴의 분류

조직학적 형태	임상-방사선-병리학적 진단
통상형 간질성 폐렴	특발성 폐섬유증(idiopathic pulmonary fibrosis나 cryptogenic fibrosing alveolits)
비특이성 간질성 폐렴(non-specific interstitial pneumonia)	비특이성 간질성 폐렴
기질화 폐렴(organizing pneumonia)	잠재성 기질화 폐렴(cryptogenic organizing pneumonia)
미만성 폐포 손상(diffuse alveolar damage)	급성 간질성 폐렴(acute interstitial pneumonia)
호흡성 세기관지염(respiratory bronchiolitis)	호흡성 세기관지염 간질성 폐질환(respiratory bronchiolitis interstitial lung disease)
박리성 간질성 폐렴	박리성 간질성 폐렴
림프구성 간질성 폐렴	림프구성 간질성 폐렴

을 생산한다. 간질성 폐질환 환자의 기관지폐포세척액에서 호중구의 증가는 스테로이드 치료에 잘 반응하지 않음을 나타내며 이는 호중구 매개 폐손상이 간질성 염증과 섬유화의 비가역적인 구성 요소임을 나타낸다. 폐포 대식세포는 tumor necrosis factor-α와 interleukin-1 등 섬유화 사이토카인과 transforming growth factor-β와 platelet-derived growth factor 등 성장인자를 생산하여 섬유모세포를 자극한다. 특발성 폐섬유증 환자의 기관지폐포세척액에는 제 III형 procollagen 펩티드가 증가되어 있고, 이는 섬유모세포의 활성도가 증가되어 있음을 의미한다.

폐포-모세혈관 부위에 대한 면역학적 손상의 결과로 1형 폐세포가 소실되고, 탈락된 기저막을 따라 2형 폐세포가 증식한다. 재상피화(reepithelization)전에 염증이 있는 간질에서 나온 단백성 삼출물은 염증 세포와 섬유모세포를 활성화시켜 손상된 조직을 탐식하고, 폐포-모세혈관 기저막의 손상을 회복하기 위하여 collagen과 elastin을 생산한다. 이렇게 회복된 구조의 재상피화로 인해 간질성 폐질환에서는 폐포 중격이 비후되는 조직학적 소견을 보인다.

간질과 폐포의 염증과 섬유화는 또한 인접하는 세기관지와 혈관구조를 침범한다. 혈관염 자체는 특발성 폐섬유증의 특징은 아니지만 근접한 간질의 염증반응으로 인해 혈관의 손상과 섬유화가 이차적으로 발생한다. 간질의 침범으로 유발된 폐쇄성 세기관지염, 세기관지확장증(bronchiolectasis), 폐혈관 침범은 말초 기도 폐쇄, 폐고혈압, 폐성심을 유도할 수 있다.

염증의 기간과 중증도가 어떻게 폐섬유화를 진행하는지는 명확하지 않다. 일부 환자들은 섬유화 없이 활동성 염증을 가지며 또 다른 환자들은 급속히 진행하는 섬유화를 유발하여 급성 간질성 폐렴(Hamman-Rich syndrome)으로 나타난다. 섬유화와 폐색 과정의 말기에는 특발성 폐섬유증의 특징인 벌집모양 폐가 초래된다.

림프구성 간질성 폐렴의 조직학적 소견은 특발성 폐섬유증과 구별되며 다른 병인 기전에 의한 것으로 생각된다. 림프구성 간질성 폐렴은 간질과 폐포강 내와 림프 경로를 따라 다양한 성숙 림프구가 얇은 층을 이루고 있는 것이 특징이다. 주로 나타나는 림프구의 종류는 환자에 따라 다르지만 B세포, CD8+ T세포, CD4+ T세포 등이 있으며 형질세포와 대식세포도 소량 존재한다. 선천성 면역결핍 증후군을 가진 소아에서 Epstein-Barr virus에 의해 림프구성 간질성 폐렴이 발생할 수 있는 것은 바이러스와 폐 면역반응 사이에 잠재적인 관련성이 있음을 시사한다.

다. 증상

1) 증상과 징후

특발성 폐섬유증은 일반적으로 기침, 빈호흡, 호흡곤란, 청색증, 수포음, 곤봉지, 성장지연 등의 증상을 보인다. 초기 증상은 연령에 따라 차이를 보이는데 영아에서는 수유곤란, 발육부전, 연장아에서는 운동시 호흡곤란, 피로감으로 나타난다. 빈호흡은 영아와 연장아 모두에서 가장 많이 관찰되는 소견이며 건성 기침이 나타난다. 질병이 진행되면서 안정시에도 청색증이나 호흡곤란이 나타난다. 수포음은 초기에는 충분한 흡기의 끝에 청진되다가 점점 심해지면서 질병이 진행되면 전체 흡기시에 청진된다. 이외에도 식욕부진, 흉통, 발열, 건성 수포음, 흉곽 변형, 흉부 함몰, 폐동맥 고혈압의 징후를 보인다. 진단시에 곤봉지나 청색증이 있으면 질병이 꽤 진행되었음을 나타낸다. 이러한 임상적인 소견들은 다른 간질성 폐질환을 가진 소아에서도 보일 수 있는 소견이다.

2) 방사선학적 특징

방사선학적 비정상 소견은 만성 간질성 폐질환을 가진 대부분의 환아에서 초기에 나타난다. 그러나 비정상적인 증상과 진찰 소견이 있어도 정상 흉부 X선 소견을 보이는 경우도 있다.

간질성 폐질환의 특징적인 방사선학적 소견으로는 간유리(ground glass), 망상(reticular), 소결절성

(nodular), 망상소결절성, 벌집모양 폐 형태 등이 있다. 간유리 형태는 질병 초기에 발견되며 폐생검상 활성 폐포염과 상관관계를 가진다. 방사선학적 벌집모양 폐 소견은 조직학적 벌집모양 폐나 심한 섬유화와 관련된다. 특발성 폐섬유증을 가진 대부분의 소아들은 망상소결절성 X선 소견을 가지며 간질과 폐포의 방사선학적 변화를 모두 보인다.

고해상 전산화 단층 촬영은 간질성 폐질환과 관련된 폐 변화의 정도와 분포를 찾아내는 정확하고 비침습적인 방법이다.

3) 폐기능과 혈역학

대부분의 간질성 폐질환에서 폐기능은 폐용적과 폐탄성의 감소를 가지는 제한성 폐질환의 형태를 보인다. 폐활량(vital capacity)과 총 폐용량(total lung capacity)은 감소되며 폐활량이 더 심하게 감소된다. 공기 포획(air trapping)은 기능성 잔기 용량(functional residual capacity)/총 폐용량 또는 잔기량(residual volume)/총 폐용량 비의 증가로 관찰된다. 1초간 노력성 호기량(forced expiratory volume in one second: FEV_1)과 기도 전도도(airway conductance)는 정상이다. 폐 확산능(lung diffusion capacity)도 특발성 폐섬유증을 가진 대부분 환아에서 정상 소견을 보인다.

환기-관류 불균형으로 생긴 동맥 저산소혈증은 성인과 소아 간질성 폐질환의 기본 특징이다. 간질성 폐질환 환자에서 동맥혈 산소 분압의 감소와 폐탄성의 감소는 관련이 있다.

폐동맥 고혈압과 폐성심은 특발성 폐섬유증 환자에서 병이 진행된 경우에 발견된다.

라. 진단

만성 간질성 폐렴은 일반적으로 개흉생검으로 얻어진 조직병리학적 소견으로 진단된다. 혈청학적으로 면역글로불린 증가, 류마티스양 인자 양성, 항핵항체 증가 소견이 관찰되지만 비특이적이다. 일부 간질성 폐질환에서는 병력과 혈청학적 방법이 진단에 도움이 된다. 미만성 간질 침윤을 보이는 환자가 면역결핍을 보인다면 비인두강 세포의 면역형광염색, 기관지폐포세척, 개흉생검 등으로 감염을 확인한다. 그러나 폐외 증상이 없는 대부분 간질성 폐질환의 비감염성 원인을 밝히기 위해서는 조직학적 진단이 필요하다. 폐생검은 간질성 폐렴의 유형을 진단할 뿐 아니라 특발성 폐섬유증 환자에서 염증 세포의 활성도와 섬유화의 정도를 측정하여 병의 진행 정도를 파악할 수 있는 가장 좋은 방법이다.

질환이 진행되거나 치료에 대한 반응이 감소할 때 간질성 폐질환의 진행 정도를 재평가하는 비침습성 방법으로는 폐기능 검사, X선 검사, 갈륨 스캔, 혈청학적 검사가 사용되며, 치료에 대한 반응과 생존을 예측하기 위하여 기관지폐포세척 검사를 시행할 수 있다.

마. 치료

특발성 폐섬유증으로 진단된 환아에서 치료는 적절한 보존요법과 항염증약물로 시작한다(표 7-3).

보존요법은 호흡기 중복감염을 치료하고, 호흡기 부작용을 최소화시키는 경로의 적절한 영양공급을 시행하며, 염증을 악화시키는 환경 인자들을 최소화 한다. 산소 치료는 수면시 저산소혈증으로 인하여 자주 깨는 환자들에 있어 수면의 질을 향상시킬 수 있다. 또한 산소는 운동 허용을 향상시키고 폐포 저산소증에 의한 폐동맥 고혈압의 진행을 예방할 수 있다.

성인에서와 달리 특발성 폐섬유증을 가진 소아에서는 자연관해가 보고된 바 없어 대부분 하나 이상의 항염증약물이 사용된다. 스테로이드가 일차적으로 사용되며 초기 용량은 6~8주 동안 2 mg/kg/day 이상을 사용한다. 임상적 호전은 증상의 완화, 방사선학적 호전, 폐기능 개선, 산소 요구도의 감소 등으로 나타나며 대개 치료 시작후 1주 이내에 증상이 호전되기 시작하나 1세 이하의 영아에서는 연장아에 비해 덜 호전된다.

연장아의 경우 치료 후 첫 3개월 내에 폐기능의 현저한 개선이 나타나고 9~24개월 후에는 정상 폐기능을 얻을 수 있다.

스테로이드에 의한 부작용을 줄이기 위하여 고안된 방법으로 주기적인 고용량 스테로이드 주사 치료가 있으며, 소아에서는 methylprednisolone 30 mg/kg/day을 3일간 투여한다.

치료 후 3개월 이내에 증상이 호전되지 않을 경우 스테로이드 용량을 줄이고 대체약물을 투여하기 시작하는데 chloroquine, hydroxychloroquine 등이 사용된다. 부작용인 망막병증이 적은 hydroxychloroquine이 선호되며 초기용량은 10 mg/kg/day이 사용된다. 최근에는 항섬유화 제제인 pirfenidone이나 interferon-γ의 사용이 연구되고 있다. 특발성 폐섬유증으로 확진된 소아에서 치료에 실패하고 상태가 악화되면 폐이식을 고려할 수 있다.

바. 예후

박리성 간질성 폐렴과 통상형 간질성 폐렴을 포함한 특발성 폐섬유증 환자에서 사망률은 43%로 만성 간질성 폐질환 환자의 사망률 11%와 비교할 때 매우 높다. 1세 이하 환자 사망률이 62%, 1세 이상 환자 사망률이 25%로 특이한 조직학적 진단보다는 발병 연령이 예후에 중요한 영향을 미친다.

표 7-3. 특발성 폐섬유증의 약물 치료

Steroids
Steroid pulse therapy
Chloroquine
Hydroxychloroquine
Cyclophosphamide
Azathioprine
Chlorambucil
Methotrexate
D-Penicillamine
Cyclosporine

2. 호산구관련 폐질환

가. 호산구증가증을 동반하는 폐침윤

폐침윤을 보이는 소아에서 말초혈액의 호산구증가증은 중요한 진단근거가 될 수 있으며 호산구증가증을 동반한 폐침윤(pulmonary infiltrates with eosinophilia: PIE)은 표 7-4와 같이 분류할 수 있다.

폐 호산구증가증(pulmonary eosinophilia), 호산구성 폐렴(eosinophilic pneumonia)과 PIE는 서로 치환하여 사용할 수 있는 용어는 아니다. 왜냐하면 PIE질환의 대부분에서 말초혈액 호산구수가 증가하고 폐병변에서 호산구가 나타나지만 폐호산구성 육아종(pulmonary eosinophilic granuloma)과 같이 말초혈액 호산구증가증이 없는 호흡기질환도 있기 때문이다. 무증상이거나 가벼운 호흡기증상과 이동성의 일시적인 폐침윤과 호산구증가증을 보이는 Loffler 증후군은 더 이상 사용되지 않고 있는 오래된 개념이며 이는 환자의 대부분이 아마도 진단되지 못한 알레르기성 폐기관지 구충증(allergic bronchopulmonary helminthiasis: ABPH), 약물반응(medication reaction)이나 알레르기 기관지폐 아스페르길로스증(allergic bronchopulmonary aspergillosis: ABPA)이기 때문이다.

폐의 호산구는 두 가지의 유익한 주요 기능을 하는 것으로 알려져 있다. 첫 번째로 비만세포에서 방출된 화학매개체를 분해하고 비만세포 과립과 IgE-항원 복합체를 포식하여 비만세포반응을 조절하며, 두 번째로는 여러 독성물질을 분비하여 항체의존성 또는 보체의존성의 반응을 통하여 기생충이 유충단계에서 조직단계로의 이행을 막는다. 그러나 이러한 유익한 효과들은 과다호산구증가증 상태에서는 오히려 점막, 실질 조직 및 간질 조직의 심한 손상의 원인이 된다. 예를 들어 호산구에서 분비되는 major basic protein(MBP)은 기생충에는 유해하지만 기관지 외벽에도 용량 의존성 상피세포 손상을 일으키고 조직배양에서 여러 세포계열을 사멸시킬 수 있다. MBP에 의해 발생

표 7-4. 호산구관련 폐질환의 분류

Group	Type of illness	Examples
Illnesses in which pulmonary infiltrates with eosinophilia(PIE) is a major component	Allergic bronchopulmonary aspergillosis	-
	Chronic eosinophilic pneumonia	-
	Medication reaction	Reactions to nitrofurantoin, nonsteroidal antiinflammatory drugs, and others
	Hypereosinophilic syndrome	
	Allergic bronchopulmonary helminthiasis	Tropical pulmonary eosinophilia
	Polyarteritis nodosa	Churg-Strauss syndrome
	Toxic oil poisoning	Oil-associated pneumonic paralytic eosinophilic syndrome
Illnesses in which PIE occurs infrequently and is a minor component	Infection	Bacterial (tuberculosis, brucellosis), fungal (histoplasmosis, coccidiomycosis), chlamydial, and viral infection
	Neoplasm	Hodgkin's disease and others
	Immunologic disorders	Rheumatoid lung disease, sarcoidosis
PIE without features of the other groups	Unknown	

하는 손상은 여러 다른 호산구 생산물질에 의해 악화될 수 있다. 실제로 스테로이드는 많은 PIE질환의 치료에 중요한데 이는 아마도 호산구 감소를 유도하기 때문으로 여겨진다.

나. 만성 호산구성 폐렴

만성 호산구성폐렴은 소아에서는 드문 질환이며 주로 20~30대 여성에서 발생한다. 일반적인 증상은 기침, 쇠약감, 호흡곤란, 야간 발한, 발열과 체중감소이며, 천식이 발생한 병력이나 객혈이 있을 수 있다. 특징적 방사선학적 소견은 "폐부종의 사진상 음성"(photographic negative of pulmonary edema)으로 표현된다. 빈혈과 적혈구 침강반응(ESR)의 증가가 나타나고 환자의 2/3에서는 말초혈액 호산구수가 증가한다. 일반적으로 스테로이드 치료로 빠른 임상호전을 보이며 흉부X선 소견이 정상이 되었을 때 스테로이드제 용량을 줄일 수 있다.

다. 약물반응

PIE질환은 다양한 약물에 의해 나타날 수 있으며 의심될 경우 잠재적인 반응약물의 사용을 중단함으로써 진단할 수 있다(표 7-5). 증상이 심할 경우에는 스테로이드 투여가 필요할 수 있지만 약물의 제거가 가장 효과적인 치료이다. 예후는 매우 양호하다.

라. 과다호산구증가증후군과 호산구성 백혈병

과다호산구증가증후군(hypereosinophilic syndrome)은 말초혈액 호산구증가증(≥1,500 eosinophil/mm³)이 6개월 이상 지속되고 호산구증가증의 다른 원인이 없으며 침범된 장기들에 호산구 침윤을 보이는 것이 특징이다. 증상은 침범 장기와 관련되며 울혈성 심부전, 심내막염, 심잡음, 간비종대, 중추신경계 이상, 설사, 발진, 빈혈, 발열과 체중감소 등이 포함된다. 폐와 관련하여 마른 기침, 호흡곤란, 흉부 X선의 간질 침윤(interstitial infiltrat)과 흉막염이 나타날 수 있다. 주로 중년 남성에서 발생하지만 1세정도의 어린 소아에서도 보고되었다. 심혈관계 이상이 두드러지며 높은 이환 및 사망률과 관계가 있다. 호산구수를 감소시키는 치료로 예후를 향상시킬 수 있으며 스테로이드나 세포독성제제(cytotoxic agent) 또는 두 약제를 복합 투여한다.

마. 알레르기성 기관지폐 구충증

기생충감염에 대한 면역학적 과반응이 PIE질환을 일으킬 경우에 알레르기성 기관지폐 구충증(allergic bronchopulmonary helminthiasis: ABPH)이라고 한다. 이러한 증후군 중의 일부는 기생충감염에 의해 직접적으로 발생하지만 다른 한편으로는 면역학적 과민반응으로 폐에 호산구의 침윤이 유발된다. ABPH는 Ascaris, Toxocara와 Strongyloides류 등의 감염에 의해 발생할 수 있으며 실제로 Ascaris감염이 Loffler증후군의 많은 증례의 원인일 것으로 추측된다.

바. 폐혈관염

1939년에 Rackemann과 Greene에 의해 처음으로 기술된 이 다발성 결절성 동맥염은 알레르기 비염, 천식, 폐렴과 혈액 호산구증가증을 특징으로 한다. 그 이후로 1951년에 Churg과 Strauss에 의해서 이 증후군의 조직병리가 규명되어서 현재는 알레르기 육아종성 혈관염(allergic granulomatous angiitis) 혹은 Churg-Strauss 증후군으로 불리고 있다. 그러나 Churg-Strauss 증후군은 변형(variant) 다발성 결절성 동맥염이라고 아직까지도 생각되고 있으며 다른 다발성 결절성 동맥염 증후군과는 특징적인 폐병변으로 구분된다.

일반적으로 20대에 시작하여 30대말까지 진행하나 간질성 폐렴, 전신성 호산구성 혈관염과 확실한 호산구증가증을 나타낸 16세 남아와 9세 여아의 증례가 보고 되었다.

사. 과민성 폐렴

흡입성 유기먼지(inhaled organic dust)에 지속적으로 혹은 강하게 노출되면 면역학적 간질성 및 폐포성 폐질환인 과민성 폐렴(hypersensitivity pneumonitis or extrinsic allergic alveolitis)이 발생할 수 있다. 거의 모든 유기먼지들이 과민성 폐렴을 일으키며(표 7-6) 직업적 노출이 많은 경우와 관련되므로 소아에서는 잘 일어나지 않는다. 소아에서 발생한 경우에는 대부분 동물단백항원, 곰팡이, 먼지에 의해 발생한다.

1) 발생 기전

병리소견에서는 간질성 및 폐포성 단핵구 침윤을 나타내며, 이는 주로 T세포와 활성화된 폐포 대식세포로 구성된다. 다른 기관들은 일반적으로 침범되지 않고 혈관염도 뚜렷한 특징이 없다. 보다 만성으로 진행된 경우에 비건락성 육아종(noncaseating granuloma)이 가끔 발견된다.

과민성 폐렴의 병리기전은 아직 정확히 규명되지 않았으나 여러 증거들이 세포매개성 과민성반응과의 관련을 뒷받침한다. 그림 7-1은 유기 먼지의 노출이

표 7-5. 호산구 증가증을 동반한 폐침윤(PIE)과 관련된 약물

Nitrofurantoin
Sulfonamides
Penicillin
Aspirin
Mephenesin
Imipramine
Methylphenidate
p-Aminosalicylic acid and aminosalicylic acid
Cromolyn
Beclomethasone
Tetracycline
Carbamazepine
Chlopromazine
Chlopropamide

호흡기학

표 7-6. 과민성폐렴의 원인물질

Antigen	Antigen source	Typical disorder
Animal products		
Avian serum proteins: pigeon, dove, parrot, cockatiel, parakeet	Droppings	Bird-breeder's lung, pigeon breeder's lung, etc.
Duck proteins	Feathers	Duck fever
Turkey proteins	Turkey products	Turkey handler's disease
Chicken proteins	Chicken products	Chicken plucker's disease
Bovine and porcine proteins	Pituitary snuff	Pituitary snuff taker's disease
Rat serum proteins	Rat urine and droppings	Rat lung, laboratory animal worker's lung
Actinomycetes-and fungus-laden vegetable products		
Thermophilic actinomycetes (*Micromonosporo faeni, Thermoactinomyces vulgaris*), *Aspergillus species*	Moldy hay	Farmer's lung
Thermophilic actinomycetes (*Thermoactinomyces sachari, T. vulgaris*)	Moldy pressed sugar cane	Bagassosis
Thermophilic actinomycetes(*M. faeni, T. vulgaris*)	Moldy compost	Mushroom worker's disease
Penicillium frequentans	Moldy cork	Suberosis
Aspergillus clavatus	Contaminated barley	Malt worker's lung
Cryptostroma corticale	Contaminated maple logs	Maple bark disease
Alternaria species	Contaminated wood pulp	Wood worker's lung
Thermophilic actinomycetes (*Thermoactinomyces candidus, T. vulgaris*), *Penicillium species, Cephalosporium species, amebas*	Contaminated humidifiers, dehumidifiers, and air conditioners	
Bacillus subtilis	Contaminated wood dust in walls	Familial hypersensitivity pneumonitis
Penicillum casei, P. roqueforti	Cheese casings (mold)	Cheese washer's lung, cheese handler's lung
Rhizopus species, Mucor species	Contaminated wood trimmings	Wood trimmer's disease
Saccharomonospora viridis	Dried grasses and leaves	Thatched roof disease
Streptomyces albus	Contaminated fertilizer	Streptomyces hypersensitivity pneumonitis
Cephalosporium species	Contaminated basement(sewage)	Cephalosporium hypersensitivity
Pullularia species	Sauna water	Sauna taker's disease
B. subtilis enzymes	Detergent	Detergent worker's disease
Mucor stolonifa	Paprika dust	Paprika splitter's disease
Insect products		
Acarus siro(mite)	Dust	-
Sitophilus granarius(wheat weevil)	Contaminated grain	Miller's lung(wheat weevil disease)
Chemicals		
Altered proteins or hapten protein conjugates	Toluene diisocyanate	TDI hypersensitivity pneumonitis
	Trimellitic anhydride	TMA hypersensitivity pneumonitis
	Diphenylmethane diisocyanate	MDI hypersensitivity pneumonitis
	Heated epoxy resin	Epoxy resin lung
Other agents		
Coffee dust	?	Coffee worker's lung
Hair dust	Animal proteins	Furrer's lung

폐병변을 일으키는 가능한 기전을 나타낸다. 즉 유기먼지의 흡인은 보체의 부경로를 활성화 시키고 이는 혈관투과성의 증가, 호중구의 유입 및 폐포 대식세포의 활성화를 초래한다. 대식세포는 효소, interluekin-1, 다른 monokine과 산소대사물(oxygen metabolite)을 분비하여 급성 조직손상과 림프구의 침윤을 유도한다. 국소성 B세포의 항체 생성은 면역복합체를 국소적으로 형성하여 보체와 결합하며 폐포 대식세포를 지속적으로 활성화시킨다. 반복적인 항원에의 노출은 강력한 T세포 매개성 과민반응을 유발한다. 감작된 T세포는 IL-2를 분비하고 이는 림프구군의 크기와 lymphokine을 증가시키며 대식세포를 지속적으로 활성화시켜 폐손상을 더 진행시킨다.

2) 증상 및 검사소견

노출 정도 및 기간, 입자의 크기 및 개인의 면역상태에 따라 질병의 양상이 다르다. 증상은 발열, 오한, 마른 기침, 호흡곤란, 무기력증과 같은 인플루엔자 질환과 비슷하며 급성 흡입 접촉 4~8 시간 후에 시작된다. 추가적인 노출이 없으면 심한 증상은 12~24 시간에 걸쳐서 호전된다. 천식이 없는 환자에서 기도경축(bronchospasm)은 흔하지 않다. 매번 노출될 때마다 증상이 재발하며 잦은 노출로 빈호흡, 만성기침, 식욕저하와 체중감소의 악화가 초래된다. 진찰 소견으로는 급성 병색과 호흡곤란을 보이며 양측 폐기저부에서 수포음이 들린다. 흉부 X선 검사 결과는 양측기저부의 침윤, 미세 실질 결절형성과 망상체 형성(reticulation), 부드러운 조각 형태의 폐실질 음영(soft and patchy parenchymal density), 미만성 또는 국소성의 간질성 및 폐포성 폐침윤 등으로 나타난다. 최근의 급성 병변 후에 충분한 시간이 경과하였을 경우에는 흉부 X선 결과가 정상일 수도 있다. 여러 번의 노출로 악화된 경우에는 초기 섬유화가 확연할 수 있다. 흉부 X선 검사결과는 일반적으로 흉수, 석회화, 무기폐, 동전 병변(coin lesion)이나 폐문부 림프선증은 보이지 않는다. 급성기의 폐기능 검사에서는 심한 저산소증,

노력성폐활량(forced vital capacity)과 비례적으로 감소된(proportionally reduced) 1초간 노력성호기량(forced expiratory volume in one second), dynamic lung compliance와 일산화탄소 확산능의 감소를 나타낸다. 폐기능이상은 급성기에 폐 증상 및 전신증상에 병행하여 일시적으로 나타난다.

원인 항원에 낮은 농도로 장시간 지속적으로 노출된 경우에는 진행성 폐질환이 나타날 수 있다. 이러한 만성형 과민성 폐렴은 화농성 점액을 동반한 만성기침, 호흡곤란, 체중 감소와 식욕저하를 특징으로 한다. 검사소견은 일반적으로 좌방이동을 수반한 백혈구증가증과 호산구증가증(10% 이상)이 나타나며 이는 항원에의 노출이 멈춘 후에도 몇 개월간 지속될 수 있다. 다른 항체는 증가될 수도 있지만 과민성 폐렴에서 IgE치는 증가하지 않는다.

3) 진단과 치료

진단은 주로 증상을 기초로 하여 결정되며 소아에서는 강하게 의심하는 태도가 필요하다. 따라서 항원에의 노출을 포함한 전반적 병력청취, 진찰 및 흉부X선 검사가 진단에 중요하다. 의심되는 유발항원에 대한 혈청 침전물(serum precipitin)이 중요한 검사이나 이는 과거에 노출된 적이 있다는 것만을 나타내며 위양성과 위음성 결과가 있을 수 있으므로 이들의 해석에는 주의가 필요하다. 말초혈액 호산구증가증이 있다면 진단을 시사하나 호산구증가증이 없다고 하여 과민성 폐렴이 아니라고 할 수는 없다. 피부시험은 비실용적이며 상용화된 항원이 없어 추천되지 않는다. 의심되는 항원을 이용한 흡입유발시험도 일률적으로 추천되지는 않는다. 진단의 확진을 위해 원인항원에의 재노출이 필요하다면 자연환경에서 의도적으로 노출시킨 후 환자의 호흡기 및 전신적 증상, 활력징후, 백혈구수치와 폐기능 검사를 의심 항원 노출 후 24시간까지 면밀히 관찰해야 한다. 병변 소견이 병특이적(pathognomonic)이지 않기 때문에 다른 질환을 배제하기 위하여 생검이 유용하며 특히 소아에서 개방성

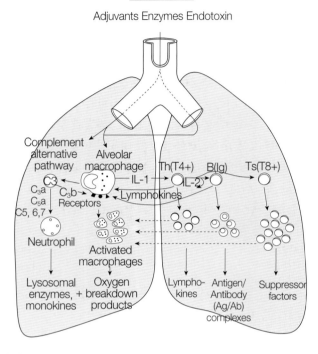

Organic dusts

Adjuvants Enzymes Endotoxin

그림 7-1. 유기먼지에 의한 과민성 폐렴증의 발생기전. Th. T helper (cell); Ts, T suppressor (cell); IL, interleukin; B, B cell; Ig(immunoglobulin)

폐생검이 경기관지성 생검보다 더 유용한 정보를 제공한다. 그러나 진단에 있어서 가장 유용한 방법은 환자를 의심되는 원인 물질으로부터 격리시키는 것이다.

가장 효과적인 치료는 환자가 처한 유해한 환경으로부터 원인 물질을 제거하거나 환자를 격리하는 것이다. 스테로이드를 투여하면 증상이 빠르게 호전되지만 일반적으로 꼭 필요하지는 않다. 스테로이드의 사용에 대한 반대 의견도 있는데 이는 스테로이드가 비특이적인 작용기전을 가진다는 것과 진단이 잘못된 경우 환자에게 오히려 해를 줄 수도 있기 때문이다.

3. 알레르기성 기관지폐 아스페르길루스증

알레르기성 기관지폐 아스페르길루스증(allergic bronchopulmonary aspergillosis: ABPA)은 천식환자 기관지내의 *Aspergillus fumigatus* 항원에 반응하는 다양한 면역학적 반응물질에 의한 급성, 아급성, 만성 혹은 재발성 기관지폐 염증성 질환이다.

가. 진단

증상은 식욕부진, 발열, 야간 발한, 천명과 가끔 전형적인 갈색전(brown plugs)을 포함하는 객담 기침 등이 있다. 천명은 상엽과 같이 부분적으로 들리기도 하며 흔히 호산구증가증($>1,000$ cells/mm^3)이 현저하게 나타난다.

*Aspergillus*는 연중 대기중에서 발견되나 가을에 특히 많다. 이것은 saprophyte로서 정원의 시든 식물, 특히 쌓인 식물더미에 많고 집안과 물가에도 매우 광범위하게 분포해 있다.

Risenberg 등이 개발한 ABPA 진단 기준은 표 7-7과 같다. 일차소견이 모두 있으면 확진이 가능하며 7번째 소견(중심 기관지확장)없이 첫 6개가 있는 경우에는 추정 진단이 가능하다.

감별진단해야 할 질환은 표 7-8과 같다. ABPA는 *A. fumigatus*에 의해 유발되는 다른 형태의 폐질환, 즉 침습성 혹은 패혈증성 아스페르길루스증, aspergilloma, *Aspergillus* 항원 흡입에 의한 알레르기성 천식과의 감별이 필요하다.

소아 연령의 ABPA는 천식 환자에서 관찰 된다. 소아기에서 ABPA의 조기 진단은 어려운데 그 이유는 전산화 단층촬영이 중심성 기관지확장증을 발견하는데 덜 민감하고 완해기에는 흉부 X선 검사상 침윤이 없으며 말초혈액 호산구증가증과 *Aspergillus* 침전소(precipitins)가 발견되지 않고 피부시험상 약양성을 보이기 때문이다. 그럼에도 불구하고 14개월의 어린 소아에서도 감염이 보고 되었으며 소아기에서 시작되어 성인기로 지속된 것으로 추론되는 경우도 종종 있다. ABPA는 다른 유사 질환 특히 과민성 폐렴과 혼동되는 경우가 많으므로 진단에 주의를 요한다(표 7-9).

1) 방사선 검사

ABPA의 단순 흉부 X선 소견에서는 일부에서만 정상소견을 보이고 많은 경우에서 폐열구(fissure)의 이동없이 균질음영을 보이는 폐경화가 관찰된다. 또한 폐문에서 기관지방향으로 퍼지는 평행의 매우 가는 선(hairline)을 가진 전차궤도음영(tramline shadow)이 보이기도 하며 확장된 기관지의 단면상이 고리(ring) 음영으로 나타나기도 한다.

기관지조영술에서도 특징적으로 근위기관지의 일부 확장과 폐색이 흔히 관찰되며 환상확장이 보이기도 한다. 최근에는 전산화 단층촬영이 기관지 조영술을 대체하고 있다.

2) 기타 검사

말초혈액의 호산구증가증, 총 IgE치 및 *Aspergillus* 특이 IgE치의 증가, *Aspergillus* 항원에 대한 다양한 응집소(multiple precipitins)등이 나타난다. 호산구와 IgE는 fungal hyphae와 함께 객담에서도 발견되며 *Aspergillus* 균체가 배양에서 발견될 수 있다. 폐기능검사에서는 기도폐색 소견을 보이며 일산화탄소확산능(CO diffusing capacity)이 감소되기도 한다. 악화 시

표 7-7. 알레르기성 기관지폐 아스페르길루스증의 진단 기준

Primary
  Episodic bronchial obstruction (asthma)
  Peripheral blood eosinophilia
  Immediate skin reactivity to *Aspergillus* antigen
  Precipitation antibodies against *Aspergillus* antigen
  Elevated serum immunoglobulin E concentrations
  History of pulmonary infiltrates (transient or fixed)
  Central bronchiectasis
Secondary
  A. fumigatus in sputum (by repeated culture or microscopic examination)
  History of expectoration of brown plugs or flecks
  Arthus reaction (late skin reactivity) to *Aspergillus* antigen

표 7-8. 알레르기성 기관지폐 아스페르길루스증의 감별진단

Mucoid impaction and bronchiectasis in poorly controlled asthma

Infective chest diseases, including viral or bacterial pneumonitis, tuberculosis, and other immune-mediated diseases such as Churg-Strauss vasculitis, hypersensitivity pneumonitis, and drug-and toxin-mediated pneumonitis

Parasitism, such as tropical pulmonary eosinophilia produced by *Wuchereria bancrofti*

Saprophytic or allergic invasion by other fungi, including *Candida*, *Penicillum*, *Stemphyllium*, *Geotrichum*, *Curvularia*, and *Drechslera species*

표 7-9. 과민성 폐렴과 알레르기성 기관지폐 아스페르길루스증의 감별

Diagnostic features	Hypersensitivity pneumonitis	ABPA
Nature of patient	Nonatopic (nonallergic)	Atopic(allergic)
Symptoms and physical findings	Cough, dyspnea, fever, no wheezing, weight loss, crackles at lung bases	Asthma, fever, +/- hemoptysis, chest pain
Skin tests	+/-(positive immediate and late reactions in some cases of pigeon breeder's lung)	+(immediate and late responses)
Blood count	Normal or lymphopenia	Eosinophilia
Immunoglobulins	Elevated IgG and IgA, IgG precipitating antibodies	Elevated IgE, IgG-precipitating antibodies
Sputum	Normal	Eosinophilia, mycelia
Chest radiograph	Pulmonary interstitial infiltrates	Pulmonary lobar infiltrates
Complications	Pulmonary fibrosis	Atelectasis, proximal bronchiectasis, fibrosis(late)
Pulmonary function tests	Restrictive	Obstructive (late restrictive)
Inhalation challenge tests	Late restriction (+/- immediate/late obstruction)(positive immediate and late reactions in some cases of pigeon breeder's lung)	Immediated and late obstruction
Immune mechanism	Immune complexes and delayed hypersensitivity	Immediate hypersensitivity and delayed hypersensitivity
Treatment	Avoidance, corticosteroids	Bronchodilators, corticosteroids

기에는 응집소가 더 발견되며 이는 침습성 aspergillosis의 경우에도 마찬가지이다. 총 혈청 IgE 치의 증가가 아마도 aspergillosis의 다른 형태로부터 ABPA를 구별하는 가장 좋은 단일검사이나 IgA와 C_3의 증가 또한 진단에 도움이 된다.

나. 치료

스테로이드가 1차 선택약물이다. 프레드니손 0.5 mg/kg를 2주동안 매일 사용하고 그 이후에는 동량을 격일로 투여하나, 치료에 필요한 기간은 아직도 논란이 많다. 스테로이드의 투여 후 총 IgE 치의 감소가 관찰되며, 반대로 총 IgE 치의 증가는 지속적인 스테로이드 치료의 적응증이 된다. 권장되는 프로토콜은 표 7-10과 같다.

흡입용 beclomethasone dipropionate의 투여는 ABPA 발병의 빈도를 감소시키지 못하며 경구용 스테로이드를 투여할 때에는 합병증의 발생에 주의해야 한다.

침습성 aspergillosis의 치료를 위해서는 amphotericin B를 투여하나 매우 독성이 강하다. 기타 triazole합성체인 fluconazole, itraconazole, fluorcytosine, natamycin, nystatin 등이 침습성 aspergillosis의 치료에 효과적으로 이용될 수 있을 것으로 기대되나 아직 표준적인 치료방법은 아니다. 기관지경을 이용한 제거가 간혹 필요하며 기관지중심성 육아종증의 경우에 특히 효과적이다.

다. 예후

많은 추적관찰연구에도 불구하고 예후는 정확하게

예측할 수 없다. 그 이유는 다양한 진단기준이 센터마다 있고 또 질환 자체의 다양한 자연경과 때문이다. *Aspergillus*의 감염이 초래될 수 있는 기저 폐 조건은 정상 건강체로부터 천식, 낭성섬유증, 그리고 육아종성 질환의 중증 결손까지의 다양한 면역결핍증까지의 범위이다. 유전적 다양성이 질환의 진행에 관여하여 이러한 차이를 나타낼 가능성이 있다.

혈청 총IgE치는 X선 소견과 연관성이 높다. 다양한 연구에서 소아 낭성섬유증의 치료 결과에 근거해서 ABPA의 양호한 예후를 보고하였다. Brueton 등은 ABPA 환자 7명중 2명에게 스테로이드제를 투여하여 이들이 나머지 환자에 비해서 양호한 예후를 보이는 것을 보고하였다. 낭성섬유증 환자 47명에 대한 11년간의 추적관찰에서는 A. fumigatus 양성 피부단자시험 결과와 호흡기 기능저하와의 어떠한 관련도 찾지 못하였다.

4. 결체조직 혈관질환

결체조직 혈관질환(collagen vascular disorders: CVDs)은 많은 질환을 포함하는데 대부분은 자가면역 이상이다. 이러한 질환들의 발현은 가족적인 성향은 거의 드물며 아직은 명확치 않은 환경요인에 대한 면역계의 비정상적인 반응으로 여겨지고 있다(표 7-11).

가. 기전

CVDs에서의 폐 이상은 3군으로 나눌 수 있다. CVDs의 첫 번째군은 감염의 위험이 증가되는 경우로 이는 1차 질환과 면역억제 치료에 의한 2차적인 질환으로 나누어진다. 기회감염은 CVDs 환자가 호흡기 증상을 가진 경우에는 반드시 우선적으로 의심해야 한다. 기침과 객담배출이 감염을 시사하는 중요한 소견으로 감염원으로는 cytomegalovirus, *E. coli*, alpha-hemolytic *streptotocci*, *Klebsiella* 그리고 *Aerobacter*, *Legionella pneumophilia*, *Candida albicans*, *Aspergillus* 및 *Pneumocystis carinii* 등을 특히 고려해야 한다. 두 번째 군은 폐 질환이 강력한 약물치료의 합병증으로 나타나는 경우이다. 일반적인 면역억제제와 더불어 CVDs의 치료에 사용되는 많은 약물들은 선택적으로 폐에 대해서 해로운 효과를 나타낸다.

표 7-10. 알레르기성 기관지폐 아스페르길루스증의 치료에서 권장되는 프로토콜

Initial therapy after diagnosis

Prednisone, 0.5 mg/kg, is administered as a single daily dose for 2 weeks and then every other day. (Occasionally, longer daily dose therapy in required for complete clearing of chest radiographs.)

Prednisone is continued at 0.5 mg/kg every other day for 3 months and then is tapered and discontinued during a 3-month period.

After initial clearing of lung lesions as determined by radiograph, repeated chest films are obtained every 4 months for 2 years, then every 6 months for 2 years, and then annually if no exacerbations occur.

A total serum IgE concectration is obtained monthly. A decrease in the IgE concentration appears in 1 to 2 months, and a plateau occurs after 6 months. A significant increase in the total IgE level suggests the presence of asymptomatic infiltrates or a subsequent recurrence of infiltrate and is thus an indication for the resumption of prednisone therapy, even in the absence of symptoms.

After 2 years of observation without evidence of recurrences, a total serum IgE concentration is obtained every 2 months.

Determinations of pulmonary function are made at every visit for at least a year.

Recurrence of ABPA involves resumption of this regimen at the beginning.

Penicillamine과 금 제제는 과민성 폐렴을 일으키며 폐쇄성 세기관지염(bronchiolitis obliterans)을 빈번하게 일으킨다. 또한 penicillamine은 급성 폐출혈, 폐포 및 간질 섬유화 그리고 Goodpasture 증후군과 유사한 폐 신장 증후군의 발생과도 관련이 있다. Methotrexate는 폐 섬유화 뿐만 아니라 급성 폐렴을 일으킨다. 민감한 개체에서는 salicylates와 NSAIDs가 기관지 폐색을 초래하며 천식과 비용종 혹은 부비동염을 특징적으로 나타낸다. 세 번째 군은 모든 CVDs에서 보이는 만성적인 전신성 염증이다. 폐는 풍부한 혈관 공급을 받고 표면의 넓은 범위가 지속적으로 환경자극에 노출되기 때문에 순환 면역복합체, 생화학적 매개체와 관련된 전신질환 및 항원들에 대한 국소적 조직 반응에 취약하다. 이때 조직손상은 hydrolase, collagenase, neutral proteases 그리고 elastase를 포함한 다양한 염증 산물에 의해서 초래된다. CVDs의 중증 폐합병증은 대부분 성인에서 보고되었으나 소아들에서도 가끔 발견되며 더 중요한 것은 소아기에 어느 정도의 점진적인 과정이 시작할 수 있다는 것이다. 그러나 이러한 합병증의 조기발견이 그 진행을 예방할 수 있는지는 아직 알려져 있지 않다.

CVDs에서의 폐 질환은 실제로는 흉벽, 횡격막, 늑막과 늑막강, 폐 간질, 폐혈관계, 폐포와 기도 등 호흡기의 모든 부위를 침범할 수 있다(표 7-12). 흉벽 질환은 흔히 다발성근염의 근 약화와 관련이 있으며 강직성척추염에서는 골격 강직과 같은 합병증이 동반되나 이러한 합병증은 소아에서는 드물다. 근약화는 스테로이드요법의 부작용으로 나타날 수도 있다.

횡격막 부전과 폐저부 무기폐는 성인과 소아의 SLE에서 나타날 수 있다. 이러한 "shrinking lung" 증후군은 1차 질환이 적절하게 치료되면 장애를 일으키지 않는다. 흉막염과 늑막삼출은 SLE 환자에서 특히 문제가 되나 소아의 류마티스관절염에서도 나타날 수 있다. 늑막 삼출은 흔히 양측성이나 일측성으로 나타날 수도 있으며 이는 국소적인 늑막내 면역반응에 의한다. 급성 늑막삼출인 경우에는 감염원인에 대한 검사를 시행하여야 한다. 만약 CVDs에 의한 것이면 1차 질환에 대한

표 7-11. 폐를 침범하는 소아 결체조직 혈관질환

Juvenile rheumatoid arthritis
Systemic lupus erythematosus
Progressive systemic sclerosis (scleroderma)
Polymyositis and dermatomyositis
Mixed connective tissue disease
Ankylosing spondylitis
Sjögren's syndrome

항염증 치료로 섬유화나 제한성 변화없이 완해된다.

간질성 폐질환(interstitial lung disease: ILD)은 모든 CVDs에 합병될 수 있다. 간질성 폐렴은 말단 기도와 폐포벽이 주로 단핵구로 침윤되는 시기인 질병의 초기에 시작되는데 이는 아마도 면역복합체 침착과 폐포 대식세포의 활성화에 기인하는 것으로 추측된다. 질병이 진행되면 사이토카인 특히 TGF-β가 유리되며 콜라겐 침착이 초래된다. 이러한 결과는 소아에서는 드물지만 광범위한 섬유화와 벌집폐 (honeycomb lung)로 관찰된다. Sjögren's 증후군에서는 다른 병리소견 양상인 림프구성 간질성 폐렴(lymphocytic interstitial pneumonitis)을 나타낸다.

나. 증상

1) 류마티스 질환

소아류마티스관절염(juvenile rheumatoid arthritis: JRA)은 소아에서 가장 흔한 CVDs 이다. 경미한 폐 합병증은 흔하지만 심한 폐 침범은 드물다. JRA는 4가지의 서로 다른 임상 양상을 나타내는데 예후와 후유증이 각각 다르다. 전신형은 4세이하의 소아에서 흔하게 나타나며 발열, 발진, 관절염, 간비종대, 백혈구증다증, 다골막염이 나타난다. 질병 발현시기에 폐 침범은 흔하며 폐 삼출액과 급성 면역성 폐렴으로 나타난다. 다관절형은 성인 질환과 유사하며 나이든 사람에서는 류마티스인자(rheumatoid factor)가 양성이다. 그러나 성인에서 볼 수 있는 폐 합병증은 소아에서는 드물다.

표 7-12. 소아 결체조직 혈관질환에서 나타나는 폐 질환의 임상 양상

Disease	CW	DD	PPE	ILD	LIP	VAS	PHTN	AIP	DAH	BO	AW	Other
Rheumatic disease												
Juvenile rheumatoid arthritis	+	-	++	±	w/SS		±	+	±	-	±	+
Systemic lupus erythematosus	-	++	++	++	w/SS	+	+	+++	++	±		
Progressive systemic sclerosis	±	-	+	+++	w/SS	++	+	-	-	+	-	
Dermatomyositis/polymyositis	++	+	-	+	-		+	+	-	+	+	+++
Mixed connective tissue disease	-	±	++	+	-	±	++	±	+	±	-	
Ankylosing spondylitis	-	++	-	±	+	-	-	-	-	-	-	-
Sjögren's syndrome	-	-	+	+	++	-	-	-	-	-		
Vasculitic diseases												
Wegener's granulomatosis	-	-	+	-	-	++	-		++		+	+
Churg-Strauss syndrome	-	-	-	-	-	++	-		-		+++	+
Henoch-Schonlein purpura	-	-	-	-	-	+	-		+		-	
Kawasaki disease	-	-	+	+	-	++						
Polyarteritis nodosa	±	-	-	-	-	+	-	-	-	-	-	+
Behçet's disease	-	-	-	-	-	+	-	-	+	-	-	+

CW, chest wall disease, DD: diaphragm dysfunction, PPE: pleuritis and/or pleural effusion, ILD: interstral lung disease, VAS: vasculitis, PHTN: pulmonary arterial hypertension, AIP: acute immunologic pneumonia, DAH: diffuse alveolar hemorrhage, BO: bronchiolitis obliterans, AW: airway disease, LIP: lymphocytic interstial pneumonitity, other: aspiration, atelectasis, granulomas, thrombosis; w/SS, with Sjögren's syndrome

합병증에는 늑막삼출을 동반하거나 그렇지 않으면 흉막염, 폐결절, 간질성 폐렴, 폐쇄성 세기관지염 등이다. 폐고혈압은 드물며 ILD의 합병증으로 나타난다. 폐기능 이상이 나타나는데 비정상적 확산능과 함께 제한형의 이상을 보이며 소아환자를 대상으로 한 연구에서는 2/3에서 폐기능 이상이 나타났다. 소수관절형은 소수의 큰 관절을 침범하는 만성관절염으로 항핵항체(anti-nuclear antibody)가 흔히 나타나며 류마티스인자는 음성이다. 소수관절형의 소아에서는 호흡

기증상을 동반하는 폐 합병증이 보고된 바 없으나 비정상적인 이산화탄소 확산과 소기도의 폐쇄성 변화가 폐기능 검사에서 확인되었다.

전신성홍반성루프스(sytemic lupus erythematosis: SLE)는 JRA보다 드물지만 소아에서 폐병변을 더 잘 일으킨다. 치명적인 급성 면역학적 폐렴이 나타나기도 하며 감염성 폐렴과의 감별이 필요하다. 루프스성 면역폐렴은 스테로이드에 잘 반응하나 반응하지 않으면 다른 면역억제제나 혈장분리반출술(plasmapheresis)

이 필요하다.

흉막액의 동반유무에 관계없이 흉막염은 SLE 소아에서는 비교적 흔하게 나타난다. 흉막액은 특징적으로 소량이나 환자들은 흉막통과 함께 자주 호흡곤란, 기침과 발열을 보인다. 흉막액은 SLE와 관련되어 생긴 신장질환에서도 볼 수 있으나 흉막통이 없으므로 감별할 수 있다. 흉막액에서는 세균감염이나 JRA와 달리 당과 pH가 정상소견을 보인다. 또한 흉막액의 LE preparation이 양성이면 진단적이며 고농도의 항핵항체는 SLE를 시사한다. 그러나 흉막액내 dsDNA는 결핵이나 악성종양에서 발견되기도 한다. SLE를 갖고 있는 소아에서 간질성 폐질환(ILD)도 보고 되었다. 흉부 X선 검사가 정상인 경우에도 호흡곤란, 기침, 가슴 답답함을 보일 수도 있으며 폐기능 검사에서는 확산능이 감소되어 있는 제한성 소견을 보인다.

SLE 환자에서는 폐포 출혈이 나타나기도 하는데, 이는 급성면역학적 폐렴과 임상적으로 유사하므로 감별을 요한다. SLE와 관련되어 나타나는 폐질환 중 가장 서서히 진행하는 병변은 폐동맥 고혈압으로서 임상적으로 호흡곤란을 나타내며 진단을 위해 심초음파검사가 필요하다. 그 외에도 횡경막의 기능부전과 이와 관련된 '쪼그라드는 폐(shrinking lung)', 상기도 또는 하기도의 폐쇄가 SLE와 관련되어 발생하기도 한다.

진행성 전신경화증(progressive systemic sclerosis: PSS)은 경피증이라고도 불리우며 소아에서는 드문 질환이다. 일단 진행하면 폐와 심장의 합병증이 흔히 일어나며 이것이 간혹 소아에서의 사망 원인이 된다. 병리기전은 확실하지 않으나 특징적인 피부병변과 함께 관절통, 신장질환, Raynaud 현상, 폐섬유화 등의 전신증상을 기초로 진단한다. PSS를 가진 성인의 약 50~90%에서 ILD가 발생하며 이로 인해 사망하기도 한다. 호흡곤란이 주증상으로 진찰소견으로는 양측 폐의 기저부에서 수포음이 들린다. 단순 흉부 X선 검사에서는 미만성의 망상결절성 음영을 보이다가 진행하면 공동(cyst)이 생기면서 벌집폐(honeycomb lung)가 된다. 폐동맥 고혈압이 나타나기도 하고 폐 섬유화에 의해 폐성심이 발생하기도 한다.

다발성근염과 피부근염은 피부와 근육을 포함하는 혈관염과 근증(myopathy)을 특징으로 한다. 가장 문제가 되는 합병증은 인후근의 약화에 따른 연하장애와 이로 인한 음식물과 타액의 흡인이다. 흉부 X선검사에서는 반복적인 무기폐를 볼 수 있다. 호흡근육 약화가 진행하면 기침을 효과적으로 못하게 되고 궁극적으로는 환기 장애가 일어난다. 폐활량과 호흡근육 근력의 관찰이 도움이 된다.

복합결체조직질환(mixed connective tissue disease)은 SLE, 근피경화증, PSS와 유사한 특징을 갖는 임상증후군으로 추출성 핵항원의 ribonucleo-protein부분에 대해 특이적으로 반응하는 순환혈액응고항체와 관련이 있다. 흔히 폐질환이 나타나며 흉막액, ILD로 인한 제한성 폐기능 이상과 폐고혈압을 보인다. 이러한 폐질환은 어느 정도 진행할 때까지는 아무런 임상적 이상이 발견되지 않는 경우도 있으며 스테로이드에 대한 반응도 다양하다. 성인에서 폐질환은 매우 심하고 급속히 진행될 수 있으므로 스테로이드에 대한 반응이 적절하지 않은 환자에서는 세포독성제제(cytotoxic agent)의 초기 사용을 권장하고 있다.

강직성 척추염(ankylosing spondylitis)은 척추와 천장관절(sacroiliac joint)과 관련된 염증성 관절질환이다. 소아에서는 폐질환이 보고되어 있지 않지만 성인에서는 흉부확장 제한과 상엽의 섬유수포성질환으로 인한 제한성 변화를 초래할 수 있다.

Sjögren 증후군은 간혹 JRA, SLE, PSS, 피부경피증과 같은 다른 결체조직성 혈관염 질환과 관련이 있으며 소아에서 이 증후군과 관련된 폐질환이 몇몇 보고되었다. 안구건조증과 구강건조증은 외분비조직의 림프구침윤에 의해 발생한다.

2) 혈관염 질환

Wegener육아종증(granulomatosis)은 주로 호흡기와 신장의 작은 혈관에 미만성의 괴사성 육아종을 보이는 혈관염으로 모든 연령대의 소아환자에서 발생할 수 있다. 증상으로 기침, 발열, 만성 부비동염, 비출혈, 관절통, 혈관염성 발진, 객혈과 혈뇨 및 단백뇨 등이 있다. 폐질환은 전신증상 이전에 나타날 수 있어 특히 객혈이나 특발성 폐헤모시데린증(idiopathic pulmonary hemosiderosis)(표 7-1)을 갖는 환자에서는 최종진단이 지연되기도 한다. 방사선학적 소견으로는 양측성 결절성 침윤이 나타나고 가끔 공동도 동반할 수 있다. 기타 소견은 흉수, 흉막비후, 이주성 급성 침윤(migratory acute infiltrate), 기흉과 무기폐를 유발시키는 기관지내의 육아종이 포함된다.

Churg-Strauss 증후군은 '알레르기성 혈관염과 육아종'이라고도 하며 호산구증가증, 발열, 혈관염과 천식을 특징으로 한다. 가장 일반적인 폐증상은 천식이고 이는 일반적으로 혈관염에 앞서서 나타난다. 흉부 X선에서 반점상 결절성 침윤이 드물게 공동을 동반하여 폐에 나타나고, 조직학적으로는 호산구성 폐렴, 괴사성 혈관염과 육아종 형성이 관찰된다.

Henoch-Schönlein 자반증은 anaphylactoid purpura 라고도 불리며 소아기에 가장 많은 혈관염이다. 겨울에 가장 흔하게 발생하고 상기도 감염이 자주 선행한다. 폐합병증은 매우 드물지만 치명적인 폐포출혈이 발생하기도 한다.

가와사키병은 소아에서 가장 많은 괴사성 동맥염이다. 기침과 호흡부전이 간혹 나타나며 흉부 X선소견에서 이상소견을 15%에서 보였으며 망상과립성 침윤(reticulogranular infiltrate), 기관지주위 둘러쌈(peribronchial cuffing), 흉수, 무기폐와 공기포획(air trapping) 등이 관찰된다. 더불어 심장이상도 있으며 관상동맥류가 가장 심각한 만성 합병증이다. 심부전에 의한 폐부종이나 간질성 폐렴, 치명적인 경우 폐동맥염이 가끔 나타난다.

다발성 결절성 동맥염은 소동맥부터 중간크기의 근육성 동맥을 침범하는 다기관성의 괴사성 혈관염이다. 폐 이상은 소아에서는 드물지만 혈관염, 국소성 혈전과 심장과 신장이상에 의해 이차적으로 폐부종이 발생할 수 있다.

Behcet병은 구강과 생식기의 아프타성 궤양과 재발성 홍체염이 특징이다. 소아에서 폐이상은 보고가 없으나 성인에서 흉막액, 출혈, 혈관염과 동맥류 및 혈전 등의 심한 합병증이 있을 수 있다.

다. 진단

CVDs의 폐질환 치료에서는 폐 증상이 원인 질환의 합병증인지 혹은 감염성 합병증이거나 진행중인 치료의 부작용인지를 결정하는 것이 중요하며 감별을 위해 흔히 기관지폐포세척술(bronchoalveoar lavage: BAL)과 같은 침습적 진단방법들이 사용된다.

BAL은 비감염성과 감염성을 감별하는데 가장 유용한 침습적인 진단방법으로 중증환자에서는 위험할 수 있지만 면역부전환자에서는 민감도와 특이도가 높은 진단법이고 특히 급성 폐출혈이 의심되는 환자에서 폐합병증을 검사하는데 도움이 된다. 궁극적으로 BAL내 세포조성이 ILD를 조기 진단하는데 도움이 된다. CVDs환자에서 BAL내 중성구는 활동성 폐포염을 시사하며 이는 임상적으로나 방사선학적으로 이상이 없는 환자에서도 나타날 수 있다. CVDs환자의 초기 ILD의 증상이 나타나기 전에 림프구증가증이나 간혹 호산구증가증이 나타날 수 있다.

고해상도 컴퓨터 단층촬영(high resolution computed tomographic scanning: HRCT)은 진단과 폐생검의 위치 결정 및 치료의 추적관찰을 위한 표준화된 진단법으로 기도 질환뿐만이 아니라 미만성 또는 국소성 말초 폐병변의 진단에 도움이 된다. CVDs환자에서 폐실질 병변 부위는 다른 ILD환자들보다 일반적으로 더 말초부위이며 흉막하조직이다.

자기공명영상(magnetic resonance imaging)은 혈관염과 폐출혈이 의심될 때 도움이 되며 SLE 환자에서 최근에 이러한 소견이 진단되고 있다.

폐기능 검사는 CVDs환자의 호흡기 증상을 객관적으로 보여주며, 제한성 폐질환이나 급성 합병증 뿐만 아니라 기도의 이상도 관찰할 수 있다. 기도의 폐쇄성 변화가 있는 경우에는 기도확장제로 기도폐쇄의 가역성을 확인하는 것이 임상의에게 있어 중요한데 이러한 소견이 일차적 CVDs질환의 합병증이 아니라 진단되지 않은 천식의 증상일 수도 있기 때문이다.

라. 치료

치료 원칙은 감염성 합병증을 치료하고 독성 약제에 대한 노출을 줄이며 원인질환에 대한 약물 치료를 향상시키는 것이다(표 7-13). 감염에 대해서는 항생제, 약물의 부작용이 의심되는 경우에는 대체 약물의 사용이 포함된다. 폐증상이 CVDs에 의한 이차적인 것이라고 판단되는 경우 약물치료를 강화한다.

급성 폐합병증은 환자에게 치명적이므로 조기 진단을 위해 침습적 진단법을 종종 필요로 한다. 감염이나 약물과 관련된 합병증이 CVDs와 관련된 폐질환과의 감별을 필요로 한다. 모든 CVDs는 폐합병증을 일으키는 것이 가능하므로 임상의들은 이들과 관련된 문제들을 진단해 내야 하며 조기에 이들을 치료해야 한다. 소아기에는 폐합병증들의 빈도가 낮지만 폐의 초기 변화의 인지는 성인기의 진행성 비가역적 합병증을 예방하는데 의미가 있다.

5. 폐단백증

폐단백증(alveolar proteinosis)은 1958년에 Rosen등에 의하여 처음 기술되었다. 많은 원인들이 제시되었지만 학동기 소아와 성인에서는 원인 미상이다. 최근에는 선천성 폐단백증이 치명적인 신생아 호흡곤란의 원인으로 알려졌고 계면활성단백 B (surfactant protein B: SP-B)와의 관련성이 보고되었다.

가. 증상과 진단

폐단백증으로 진단받은 대부분의 환자는 성인이지

표 7-13. 소아 결체조직 혈관질환에 의한 폐 질환의 치료

Disease	Antigen removal	Corticosteroids	Cytotoxic therapy	IVIG	NSAIDs
Rheumatic disease					
JRA	-	++	++		+
SLE	-	+++	++		+
PSS	-	++	+		+
Dermatomyositis/polymyositis					
Mixed connective tissue	-	+	-		+
disease	-	+	++		
Ankylosing spondylitis	-	+	+		
Sjögren`s syndrome	+	+	+		
Vasculitic diseases					
Wegener`s granulomatosis	-	++	++	-	-
Churg-Strauss syndrome	-	++	+	-	-
Henoch-Schonlein purpura	?	+	-	-	++
Kawasaki disease	-	-	-	+++	++
Polyarteritis nodosa	-	++	+	+	-
Behçet`s disease	-	-	-	-	-

IVIG, intravenous immunoglobulin; NSAIDs, nonsteroidal antiinflammatory drugs, PSS: progressive systemic sclerosis

만 소아와 청소년이 포함되기도 한다. 운동불내성이 연장아와 성인에서 가장 흔한 초기 증상이며 진단이 지연된 경우에는 호흡곤란, 마른 기침, 간헐적인 흉통이 주 증상이 된다. 어린 소아와 영아에서는 일반적으로 호흡기 증상이 서서히 발병하며 성장부진, 위장관 증상, 세균 감염 등이 비교적 흔한 양상이다. 지속성 폐렴과 흉부 X선 검사에서의 미만성 침윤이 궁극적으로 진단적 근거를 제공한다. 이와는 대조적으로 선천성 폐단백증의 신생아에서는 호흡곤란과 호흡곤란증후군에 합당한 흉부 X선 소견을 나타낸다.

진찰 소견으로는 미만성의 수포음과 간혹 빈호흡이 나타난다. 감염이 동반된 경우를 제외하고는 발열은 없다. 흉부 X선 소견은 50% 이상에서 양측 폐포가 대칭적으로 filling defect를 나타낸다. 이러한 "박쥐날개" (bat-wing) 모양은 침윤이 주로 폐문주위에 있고 늑횡경막각 부위는 정상이기 때문이다. 폐 전산화단층촬영에서는 일반적으로 폐포강을 미만성으로 침범하는 광범위한 양상을 보인다.

폐기능 검사는 전형적인 제한성 양상을 보여 총폐용적(TLC)과 폐활량(VC)이 감소되며 이와 비례하여 기류감소를 보인다. 어린 소아와 영아는 전형적인 빈호흡을 보이며 초기 치료시기에 산소포화도의 감소를 보일 수 있다. 선천성 폐단백증의 신생아는 출생 첫 24시간내에 중증 호흡곤란이 나타난다.

임상검사는 진단에 거의 도움이 되지 않는다. 확진에는 대개 폐생검이 필요하며 어린 소아에서는 개방 혹은 흉강경 생검이 필요하다. 연장아에서는 경기관지 생검으로도 진단할 수도 있다. SP-B 결핍이 의심되는 신생아의 경우에 SP-B 분석을 위한 폐세척과 환자 혹은 부모의 혈액으로 돌연변이 분석을 할 수 있다.

나. 치료

폐단백증의 원인은 밝혀져 있지 않으나 장년층에 대한 대증치료는 매우 성공적이다. 전신 스테로이드, 헤파린흡입, acetylcysteine, trypsin, 계면활성제와 전폐세척(whole lung lavage)을 포함한 많은 치료법이 시도되었다. 약물 치료는 노년 환자에서 자연관해가 있을 수 있다는 것과 이들 약물의 독성때문에 효과적이 아닌 것으로 밝혀졌다. 어린 소아의 경우도 성인과 같이 치료하고 있으나 원인이 다르고 기술적으로 어렵기 때문에 그 성공률은 매우 낮다.

현재의 치료는 지지요법이며 전폐세척술을 이용하여 폐에서 단백물질을 제거하는 것에 중점을 두고 있다. 1965년부터 도입된 폐세척술은 증상조절에 대해서 1차적으로 적용이 된다. 폐세척술로 기회감염의 가능성이 감소될 수 있어 대개 진단이 되면 세척 치료가 시도된다. 결과는 종종 즉각적인 효과를 보이게 되고 환자의 운동내성이 가장 현저하게 개선된다. 영아는 대개 2세전에 사망하게 되나 연장아와 성인은 부분 회복되며 폐세척을 받은 경우 폐단백증에 의한 사망은 드물다. 치료 유무에 관계없이 노년 환자의 20-30%에서 자연관해가 일어나며 대부분의 환자는 거의 정상적인 폐기능으로 회복된다.

선천성 폐단백증의 치료에는 SP-B 결핍의 확인이 필요하며 현재로서는 계면활성제를 이용한 대치요법이 성공적이지 않다. 폐이식이 1차 선택 치료이며 향후 SP-B 유전자 보충이 궁극적인 치료가 될 수 있을 것이다.

6. 폐 헤모시데린증

폐 헤모시데린증(pulmonary hemosiderosis: PH) 증후군은 폐 침윤, 철결핍성 빈혈 그리고 객혈로 특징 지울 수 있다. 소아에서는 생명을 위협할 정도로 다량의 폐출혈이 있는 경우에도 객혈이 없을 수 있다. 폐포, 기도 혹은 폐 실질에 출혈이 발생하면 헤모글로빈은 대식세포에게 탐식, 용해되어 헤모시데린(hemosiderin)으로 변환된다. 특징적인 'hemosiderin-laden macrophages'는 혈액이 상기도로부터 흡인되었거나 또는 폐 자체에서 나온 경우에 기관지폐포세척액(bronchoalveolar lavage fluid: BALF) 혹은 생검표본에서 발견된다.

1차성 PH(primary pulmonary hemosiderosis: PPH)에는 (1) 특발성 PH, (2) 우유알레르기와 관련된 PH, (3) Goodpasture 증후군과 같이 폐와 신장의 기저막에 대한 항체와 관련된 PH 등이 있다. 2차성 PH(secondary pulmonary hemosiderosis)에는 (1) 심부전, 승모판 협착, 폐고혈압과 관련된 pulmonary venoocclusive disease, (2) 전신성 홍반성 루프스, 면역복합체 매개성 사구체신염 등과 관련된 혈관염, (3) purpuric syndrome, 패혈증에서의 혈액응고장애와 관련된 전신적 출혈성 질환 등으로 나누어 볼 수 있다.

가. 역학

1차성 PH는 간헐적인 폐출혈과 철결핍성빈혈로 특징되는 잘 알려진 질환이지만 흔하지는 않다. 이 질환은 일반적으로 소아와 젊은 성인에서 나타나나 매우 어린 영아와 노인에서도 보고되어 있다. 대부분 1~7세 사이에 진단되나 진단당시에 16세 이상인 경우가 15%정도이다. 남여 비는 10세 이하의 소아에서는 같으며 이후에는 남자가 2배 많다.

그러나, 소아 PPH는 중증 병상태이며, 치명적일 가능성도 높기 때문에 조기발견과 적절한 치료의 시작이 필수적이다.

나. 증상과 진단

휴식시 혹은 운동에 의한 호흡곤란, 빈호흡, 기침, 천명 혹은 혈색변화 등의 증상들이 나타난다. 보다 오래된 PH에서는 만성 피로, 심한 운동제한, 성장부전 등이 동반된다. 심한 출혈시에는 객혈이 나타날 수 있으나 많은 환자에서는 보이지 않으며 특히 영아에서는 그렇다. 급성출혈 직후에는 혈액에 의한 자극과 염증세포 침윤이 나타나 부종, 기관지경축, 점액분비증가, 기류폐쇄 등이 초래된다. 그 결과 가스교환이 방해되어 동맥혈 산소분압과 산소포화도가 감소된다. 폐기능 검사에서는 폐 유순도 감소와 기류폐색이 나타난다. 진찰소견으로는 기침, 창백, 빈호흡, 발열, 빈맥, 수포음 혹은 천명, 청색증과 곤봉지 등이 나타나나 없는 경우도 있다. 기침은 건성이거나 객담을 동반하며 질병의 비활동기에는 없을 수도 있다. 흉부 X선 소견은 질병의 활동과 만성도에 따라 다양하다. 침윤은 대개 폐포성으로 급성기에는 양측성이다. 그러나 편측성 질환의 경우에는 작거나 반점상의 침윤, 간질형 그리고 폐문주위 음영 또한 진단적이다.

PH의 증상이 대단히 다양하기 때문에 임상적인 의심과 폐증상과 철결핍성 빈혈의 동시적 발생이 진단에 필수적이다. 조기진단은 아무리 강조해도 지나치지 않는데 그 이유는 진단이 지연되면 비가역적인 폐손상이나 사망이 초래될 수 있기 때문이다. 철결핍성 빈혈은 소아기에 흔히 나타나며 많은 경우에 식이적 원인으로 생각된다.

PH와 감별해야 할 질환에는 급성 감염성 폐렴, 낭성 섬유증, 흡인, 간질성 폐렴 등이 있다. 폐렴의 가장 흔한 원인은 감염이므로 우선적으로 감염성 폐렴을 감별해야 한다.

객혈과 빈혈 혹은 신장질환이 동시에 있을 때에는 PH를 강하게 시사한다. BAL이 진단적으로, 많은 수의 hemosiderin-laden macrophages를 보이나 배양과 염색에 음성결과를 나타낸다.

특발성 PH는 배제진단이기 때문에 진단에 이르기 위해서는 폐출혈과 연관되는 면역병리를 제시하는 증거를 찾아야 한다. IgE치의 증가와 말초 호산구증가증은 우유관련 폐출혈을 시사한다. 확진은 우유에 대한 다수의 혈청 침전소에 대한 확인이다.

다. 치료

산소보충, 환기요법, 수혈 그리고 과도한 분비물과 기도경련에 대한 보조적인 호흡기 치료를 포함하는 일반적인 유지요법을 장애의 정도에 따라 적용한다. 진단 직후에는 고용량의 스테로이드 치료가 1차 선택

치료이다. 프레드니손을 1일 2~5 mg/kg 경구투여하거나 혹은 동등량을 정맥 투여한다. 특발성 PH에는 고용량의 스테로이드를 적어도 대량 출혈이 진정된 후 7일간 투여하며 이후에 수 주간에 걸쳐서 감량한다. 특발성 PH의 급성 발현이 적절하게 조절된 후에는 환자를 주의 깊게 추적관찰 하여야 한다. 특히 성장 평가, 산소포화도, 혈색소, 흉부 X선검사와 폐기능 검사는 주기적으로 시행한다. 신기능에 대한 조기 및 정기적인 평가도 시행한다. PH에서의 만성 면역억제요법의 필요와 유용성에 관해서는 아직도 논란이 많다. 우유관련 PH(milk-associate PH)의 주된 치료는 우유와 유제품의 섭취 중단이다.

라. 예후

특발성 PH에 대한 초기의 연구에서는 진단에서 사망까지의 기간을 짧게는 2년으로 보고하였으나 최근 과감한 치료로 생존율이 개선되고 있다. 특발성 PH의 경우에는 생명을 위협하는 급성출혈이나 중대한 만성 폐질환이 없으면 감염이나 면역억제의 다른 합병증에 대한 주의 깊은 추적관찰과 적극적인 감시로 좋은 결과를 얻을 수 있다.

7. 사르코이드증

사르코이드증(sarcoidosis)은 만성 다기관, 육아종성 질환으로 원인은 밝혀져 있지 않으나 흔하게 언급되는 병인은 감수성이 있는 개체, 숙주에서 하나 혹은 그 이상의 환경요인의 작용에 의한다는 것이다. 소아에서는 성인에서보다 드물게 발생하며 남녀비는 같다. 소아에서는 사춘기에 가장 흔하나 2개월된 영아에서도 발견된 경우가 있다. 대부분의 소아에서는 자연 관해가 나타나나, 상당수에서는 진행성 질환이나 잔여 기관 손상을 보인다.

가. 증상

사르코이드증 병변은 거의 모든 기관에서 발생할 수 있지만 흔히 폐, 림프절, 눈, 피부, 간과 비장에서 흔하다. 대부분 하나 이상의 기관이 침범되며 소아의 75%에서는 5개 이상의 기관이 침범되었다고 보고되었다. 사르코이드증으로 진단받은 약 90%의 소아에서 증상을 나타낸다. 증상은 비특이적일 수 있으며 체중 감소, 피로감, 기면, 식욕부진, 두통과 드물게는 발열 등이 포함된다. 침범된 기관과 관련된 다른 증상으로는 기침, 호흡곤란, 흉통, 시력장애, 관절염, 관절통 등이 흔하고 말초 림프절염이 나타난다. 피부 병변은 흔하지만 치료가 필요하지 않는 경우가 많다. 이하선 종창과 복통, 구역 증상이 드물게 나타난다.

가장 흔한 진찰 소견으로는 말초 림프선 병증, 눈 변화, 피부 병변 그리고 간 혹은 비장 비대이다. 흉부의 이상 소견은 흔하지 않다. 말초 림프선 병증은 특징적으로 단단하고 가동성의 압통이 없는 결절을 보인다. 어느 한쪽 눈은 거의 침범되며 홍채염, 포도막염, 결막 육아종 등이 흔하게 나타난다. 피부 병변은 흔하고 다양하며 소아에서는 성인과 대조적으로 결절성 홍반이 드물다.

나. 진단 및 감별진단

대부분의 증례에서 임상병력, 흉부 X선 및 조직학 소견으로 진단을 할 수 있다. 가장 도움이 되는 검사는 흉부 X선 촬영이다. 소아에서 가장 흔한 흉부 X선 소견은 폐실질 침범을 동반하거나 하지 않은 양측성 폐 문림프절 종대이다. 폐기능 이상은 소아에서는 잘 보고되어 있지 않으나 약 50%의 소아에서는 노력성 폐활량, TLC 그리고 FRC의 감소를 나타내는 제한성 폐질환의 특징적인 기능적 변화를 보인다. 폐쇄성 변화는 15%의 소아에서 관찰되며 이러한 폐쇄는 반응성 기도질환, 림프절 압박이나 기관지내 사르코이드 육아종에 의해 2차적으로 발생한다. 혈침속도증가, 고면역글로불린치, 혈청단백치의 증가가 흔하며 질환의 급성 염증기에 의한 것으로 추측된다.

소아의 90%에서는 조직 생검으로 확진된다. 사르코이드증의 병리적 특징은 경계가 명확한, 비건락(noncaseating) 육아종으로서 방사상으로 밀집되어 배열된 흐리게 염색되는 핵을 지닌 표피양세포(epitheloid cell)와 약간의 다핵 거대세포 그리고 가장자리의 림프구로 구성된다. 육아종은 신체의 어느 기관에나 존재할 수 있다. 조직을 얻을 수 있는 가능성이 많은 부위는 침범의 빈도가 높은 순서로 피부병변, 결막 결절, 누선 혹은 이하선 종창, 말초 림프절 등이다. 폐문림프절 생검은 조직을 얻는 표준 부위이며 거의 항상 양성 결과를 나타낸다. 결론적으로 일관성이 있는 임상 병력, 흉부 X선 소견 그리고 조직 생검이 진단에 가장 유용하다. 다른 육아종성 질환들이 반드시 감별되어야 한다(표 7-14). 사르코이드증과 감별해야할 가장 중요한 질환은 결핵과 림프종이다.

사춘기 소아에서의 사르코이드증은 성인의 경우와 유사하나 매우 어린 소아에서의 사르코이드증은 특징적으로 주로 피부, 관절, 눈 그리고 드물게는 폐에서 발현된다. 4세 이하의 소아에서는 반점구진상, 홍반성 발진이 76%, 포도막염이 58%, 관절염이 58% 그리고 폐침범은 단지 22%에서만 나타난다. 어린 소아에서 JRA와 사르코이드증의 감별은 어려우며 특히 다른 양상보다 관절병변이 우선하여 나타날 때는 특히 그러하다.

다. 치료

일단 진단이 확정되면 모든 신체기관 특히 폐, 눈과 칼슘 대사를 검사하여야 하고 이들의 침범정도를 평가하기 위해서 재조사하여야 한다. 치료는 중요한 증상이 있거나 침범된 기관에 대한 진행성 손상의 증거가 있는 경우에 적용이 된다. 스테로이드제가 1차 선택 치료이며 그 반응은 경우에 따라 대단히 효과적이다. 눈, 신경, 그리고 심장을 침범하는 폐외 사르코이드증인 경우에는 대개 고용량의 스테로이드가 필요하다. 선(gland) 침범, 비장비대, 이하선 종창과 피부 병변은 중간 용량의 스테로이드에 잘 반응한다. 무증상성 간 침범의 경우에는 진행성의 간기능 장애가 확실한 경우를 제외하고는 대개 치료가 필요 없다.

폐 사르코이드증만이 있는 경우에는 스테로이드제가 증상적 치료와 급성 폐기능 저하에 효과적이다. 폐실질 병변이 없이 양측성 폐문 선병증이 있으면서 무증상인 경우에는 일반적으로 치료가 필요 없다. 만약 성가신 증상이나 진행성의 검사이상이 발생하면 스테로이드를 사용할 수 있다. 프레드니손 혹은 프레드니

표 7-14. 단순 흉부 X선 소견에서 사르코이드증과 감별해야 하는 질환

Hilar adenopathy
Lymphoma
Tuberculosis
Metastasis
Enlarged pulmonary arteries
Leukemia
Infectious mononucleosis
Berylliosis
Coccidioidomycosis
Histoplasmosis
Hilar adenopathy and pulmonary infiltrates
Tuberculosis
Pneumoconiosis
Cartinoma
Idiopathic hemosiderosis
Pulmonary eosinophilia
Histiocytosis X
Diffuse pulmonary infiltrates
Same as above, plus the following:
Honeycomb lung
Rheumatoid lung
Progressive systemic sclerosis
Fibrosing alveolitis
Hemosiderosis
Extrinsic allergic alveolitis

솔론은 대개 1 mg/kg/day로 시작한다. 증상이 소실되면 용량의 단계적인 감량을 시작한다. 최소 6개월간 격일로 0.25 kg/day 용량의 요법이 치료과정에서 필요하다. 만약 재발이 되면 질환 조절에 필요한 만큼 용량을 증량하고 점차 유지용량으로 감소시키는데 이 용량은 대개 재발당시의 용량보다는 높다. 성인의 폐외 침범이 없는 일부 예에서는 흡입 스테로이드제의 유용성이 보고되었다.

라. 예후

흉부 사르코이드증을 가지고 있는 성인 환자의 약 60%는 2년내에 자연 관해가 나타나며 20%는 스테로이드 치료로 완해되고 10~20%에서는 완해가 없다. 대체적으로 소아 사르코이드증은 대부분 임상 발현, 흉부X선 소견, 폐기능 검사의 호전을 보이면서 예후는 양호하다.

참고문헌

1. 정지현, 하승주, 김봉성, 홍수종. 소아의 간질성 폐질환에서 폐 조직생검 소견과 임상 양상. 소아과 2002;45:79-87.

2. Hinson KFW, Moon AJ, Plummer NJ. Bronchopulmonary Aspergillosis: a review and a report of eight new cases. Thorax 1952;7:317-33.

3. Rosen SH, Castleman B, Liebow AA. Pulmonary alveolar proteinosis. N Engl J Med 1958;258:1123-42.

4. Soergel KH, Sommers SC. Idiopathic pulmonary hemosiderosis and related syndromes. Am J Med 1962;32:499-511.

5. Heiner DC, Sears JW, Kniker WT. Multiple precipitins to cow's milk in chronic respiratory disease. Am J Dis Child 1962;103:634-54.

6. Ramirez-R J, Kieffer RF, Ball D. Bronchopulmonary lavage in man. Ann Intern Med 1965;63:819-28.

7. Carrington CB, Addington WW, Goff AM, Madoff IM, Marks A, Schwaber JR, et al. Chronic eosinophilic pneumonia. N Engl J Med 1969;298:801-9.

8. McCarthy S, Simon C, Hargreave FE. The radiological appearances in allergic bronchopulmonary aspergillosis. Clin Radiol 1970;21:366-75.

9. Bardana EJ Jr, Gerber JD, Craig S, Cianciulli FD. The general and specific humoral immune response to pulmonary aspergillosis. Am Rev Resp Dis 1975;112;797-805.

10. Wang JLF, Patterson R, Roberts M, Ghory AC. The management of allergic bronchopulmonary aspergillosis. Am Rev Respir dis 1979;120:87-92.

11. Athreya BH, Doughty RA, Bookspan M, Schumacher HR, Sewell EM, Cahtten J. Pulmonary manifestations of juvenile rheumatoid arthritis: a report of eight cases and review. Clin Chest Med 1980;1:361-74.

12. Schatz M, Wasserman S, Patterson R. Eosinophils and immunologic lung disease. Med Clin North Am 1981;65:1055-71.

13. Wishnick MM. Valensi Q, Doyle EF, Balian A, Genieser NB, Chrousos G. Churg-Strauss syndrome. Development of cardiomyopathy during corticosteroid treatment. Am J Dis Child 1982;136:339-44.

14. Hetherington S. Sarcoidosis in young children. Am J Dis Child 1982;136:13-5.

15. Bresnitz EA. Strom BL. Epidemiology of sarcodosis. Epidemiol Rev 1983;5:124-56.

16. Chryssanthopoulos C, Cassimos C, Panagiotidou C. Prognositic criteria in idiopathic pulmonary hemosiderosis in children. Eur J Pediatr 1983;140:123-5.

17. Schatz M, Wasserman S, Patterson R. The Eosinophil and the lung. Arch Intern Med 1982;142:1515-9.

18. Weller PF. Eosinophilia. J Allergy Clin Immunol

1984;73:1-14.

19. Lanhan JG, Elkon KB, Pusey CD, Hughes GR. Systemic vasculitis with asthma and eosinophilia: a clinical approach to the Churg-Strauss syndrome. Medicine(Baltimore) 1984;63:65-81.

20. Fink JN. Hypersensitivity pneumonitis. J Allergy Clin Immunol 1984;74:1-10.

21. Claypool SC, Rogers RM, Matuschak GM. Update on the clinical diagnosis, management, and pathogenesis of pulmonary alveolar proteinosis. Chest 1984;85:550-8.

22. Mendelson EB, Fisher MR, Mintzer RA, Halwig JM, Gereenberger PA. Roentgenographic and clinical staging of allergic bronchopulmonary aspergillosis. Chest 1985;87:334-9.

23. Nakada H, Kimoto T, Nakayama T, Kido M, Miyazaki N, Harada S. Diffuse peripheral lung disease: evaluation by high-resolution computed tomography. Radiology 1985;157:181-5.

24. Case records of the Massachusetts General Hospital (Case 30-1988), N Engl J Med 1988;319:227-37.

25. Richerson HB, Bernstein IL, Fink JN, Hunninghake GW, Novey HS, Reed CE et al. Guidelines for the clinical evaluation of hypersensitivity pneumonitis: report of the subcommittee on Hypersensitivity Pneumonitis. J Allergy Clin Immunol 1989;84:839-44.

26. Turner ES, Greenberger PA, Sider L. Complexities of establishing an early diagnosis of allergic bronchopulmonary aspergillosis in children. Allergy Proc 1989;10:63-9.

27. Schmacher RE, Marrogi AJ, Heidelberger KP. Pulmonary alveolar proteinosis in a newborn. Pediatr Pulmonol 1989;7:178-82.

28. Cassidy JT. Petty RE. Textbook of Pediatric Rheumatology. New York, 1990, Churchill Livingstone.

29. Muthiah MM. Macfarlane JT. Current concepts in the management of sarcoidosis. Drugs 1990;40:231-7.

30. Singsen BH, Platzker ACG. Pulmonary involvement in the rheumatic disorders of childhood, In Chernick V, Kendig EL, eds: Disorders of the resoiratory tract in children, Philadelphia, 1990 W B Saunders.

31. Ottesen EA, Nutman TB. Tropical pulmonary eosinophilia. Annu Rev Med 1992;43:417-24.

32. Rossi GA, Balsano E, Battistini E, Oddera S, Marchese P, Acquila M, et al. Long term prednisone and azathioprine treatment of a patient with idiopathic pulmonary hemosiderosis. Pediatr Pulmonol 1992;13:176-80.

33. Saboor SA. Sarcoidosis. Br J Hosp Med 1992;48:293-302.

34. Schwarz MI. Pulmonary manifestations of the collagen-vascular diseases. In Bone RC, ed: Pulmonary and Critical care medicine, St. Louis, 1993, Mosby.

35. King TE. Connective tissue disease, In Schwarz MI, King TE, eds: Interstitial lung disease, St Louis, 1993, Mosby.

36. Nogee LM, de Mello DE, Dehner LP, Colten HR. Deficiency of pulmonary surfactant protein B in congenital alveolar proteinosis. N Engl J Med 1993;328:406-10.

37. Sharma OP. Pulmonary sarcodosis and corticosteroids. Am Rev Respir Dis 1993;147:1598-600.

38. Redding GJ, Fan LL. Idiopathic fibrosis and lymphocytic interstitial pneumonoia. In:Taussig LM, Landau LI, editors. Pediatric Respiratory Medicine. St. Louis:Mosby, 1999:794-804.

39. American Thoracic Society/European Respiratory Society International Multidisciplinary Consensus Classification of the Idiopathic Interstitial

Pneumonias. This joint statement of the American Thoracic Society (ATS), and the European Respiratory Society (ERS) was adopted by the ATS Board of Directors, June 2001 and by the ERS Executive Committee, June 2001. Am J Respir Crit Care Med 2002;165:277-304.

40. White ES, Lazar MH, Thannickal VJ. Pathogenetic mechanisms in usual interstitial pneumonia/ idiopathic pulmonary fibrosis. J Pathol 2003;201:343-54.

호흡기학

제8장

심혈관 관련 폐질환

1. 폐성심과 심질환에 의한 폐 질환

폐혈관 순환의 이상은 소아의 폐질환과 심질환의 이환과 사망률에 상당한 영향을 줄 수 있다. 폐 순환계는 폐형성부전, 폐혈관종증, 동정맥루, 폐정맥 환류 이상 등과 같은 폐의 발생과 성숙과정에서의 변이와 관련된 1차적 원인이나 급성 호흡부전, 만성 폐질환, 만성 저환기증, 선천성 심장병 등 폐 손상으로 인한 2차적 원인에 의해 변형된다.

가. 폐성심과 폐동맥 고혈압의 정의

폐성심(cor pulmonale)은 폐동맥 고혈압에 의해서 증가된 우심실 후부하에 대한 우심실의 보상 반응이며, 우심실 비대는 우심실 후부하가 만성적으로 증가할 때 나타난다. 폐성심이라는 용어는 우심실부전의 명백한 징후가 나타났을 때를 가리키나, 그러한 징후는 대부분 폐심질환(pulmonary heart disease)의 임상적 경과중 말기에 발현되고, 심한 만성 폐질환이 동시에 있을 경우 폐성심의 징후를 구분하기가 어렵다. 따라서 임상적으로 좀 더 유용한 폐성심의 정의는 임상적 징후, X선검사, 심전도, 심초음파, 심도자술 또는 부검 등에 의해 발견된 우심실의 확장, 비대, 부전 등이 폐의 구조나 기능 이상의 원인이 되었거나 일차적 원인이 좌심부전 또는 우심부전에 의한 것이 아닌 경우이다. 폐동맥 고혈압은 환자의 연령과 거주 지역의 고도에 따라 달라진다. 심도자 검사시 영아기 이후의 정상 폐동맥압은 10~17 mmHg으로서 평균 폐동맥압이 20 mmHg이상이면 비정상으로 간주하고 25 mmHg이면 폐동맥 고혈압으로 정의한다. 출생시 전신 동맥압 수준인 폐동맥압은 점차 저하되어 출생 3~4개월에는 이미 성인과 같아진다. 기능상 폐동맥압은 평균 동맥압의 50%이상 일 때 의미가 있다.

나. 폐동맥 고혈압의 임상적 의미

폐동맥 고혈압은 급성 또는 만성 심폐질환의 임상 진행에서 나타날 수 있다. 예를 들면 고산 폐부종(high altitude pulmonary edema) 또는 급성 저산소혈증 호흡부전(hypoxemic respiratory failure)은 건강한 소아에서도 폐동맥압을 상승시킬 뿐 아니라 혈관 투과성을 증가시키거나 혈관 반응성을 변화시킨다. 급성 호흡기 질환에 의한 폐동맥 고혈압의 중증도는 환자의 연령, 기존 심질환 또는 폐질환, 기타 원인 등에 의해 결정된다. 예를 들면 신생아가 급성 호흡부전이 있을 때 갑자기 폐동맥압이 상승하곤 하는데, 이는 동맥관 개존 또는 난원공에서 우-좌 단락이 형성되어 결국 현저한 저산소혈증이 일어나기 때문이다. 흔히 폐동맥 고혈압과 폐성심은 만성 폐질환, 신경 근육질환, 심질환과 연관되어 발생된다. 폐동맥 고혈압과 우심실 비대의 정도는 손상 받은 시기, 이환기간 그리고 좌측 선천성 심장 질환의 존재 여부와 연관이 있다. 정맥폐쇄 질환 또는 비정상적 폐정맥 환류로 인한 폐정맥의 폐쇄는 간질성 폐질환으로 오인될 수 있다. 폐동맥 고혈압은 기관지폐 이형성증, 낭성 섬유증, 간질성 폐질환 등의 만성 폐질환에서의 사망률을 높인다. 기관지 폐 이형성증에서는 사망의 선행 요인이 되지만, 다른 질환들에서는 우심실 비대가 실제 사망의 원인이 되거나 병의 진행을 의미하는 중요한 표지가 되지는 않는다. 또한 폐성심은 낭성 섬유증으로 사망한 환자의 70%에서 발견되지만, 폐성심을 적극적으로 치료 한다고 해서 임상 결과가 달라질지에 대해서는 명확하지 않다.

다. 기전

폐동맥 고혈압은 높은 기저압(basal tone), 혈관반응성(vasoreactivity)의 이상, 혈전, 염증, 혈관 재형성 등 다양한 요인에 의해 영향을 받는다. 폐동맥 고혈압이 여러 임상상에서 발현될 수 있는데 이러한 질환들에는 몇 가지 공통점이 있다. 첫째, 폐혈관 질환은 보통 구조와 기능의 변화와 연관이 있고, 재형성(vascular remodeling)은 같은 질환 내에서도 다양하게 나타난다. 둘째, 혈관반응성의 변화와 연관성이 있는데 기저 혈관저항을 높이는 것과 자극에 대한 혈관 수축이 중요한 병태 생리적 특징이다.

혈관 내피세포는 prostacyclin, NO, endothelium-derived hyperpolarizing factor(EDHF)와 같은 혈관확장제뿐 아니라 강력한 혈관수축제 (endothelin-1, thromboxane, 기타 endotheline derived contracting factors)도 분비한다. 스트레스, 혈류량증가, 신장(stretch), 엇갈림힘(shear stress) 등 여러 혈역학적 자극, 저산소증 또는 염증이 혈관내피세포에서의 분비 물질 생성에 변화를 주고 혈관수축과 확장 사이에 불균형이 생겨 기저압이 높아지고 혈관반응이 자극된다.

지속적으로 저산소증에 노출되어 발생한 만성 폐동맥 고혈압은 산소농도가 정상으로 돌아와도 교정되지 않는다. 만성 폐동맥 고혈압은 이러한 저산소증이외에도 혈역학적 자극(압력, 혈류량의 증가, 혈관벽의 장력), 혈관 활성 물질과 성장인자의 분비(염증, autocoids, paracrine mediators. neurohumoral stimuli) 등에 의해서도 발생한다. 이들 인자들의 단기간 자극은 혈관 저항과 반응성을 높이는 반면, 장기간 노출은 혈관의 성장과 재형성에 영향을 준다. 지속적으로 폐동맥압이 상승하기 위해서는 적어도 다음 3가지 즉, 혈관수축, 혈관벽의 증식과 재형성 그리고 혈관의 수와 표면적의 변화가 필요하다.

폐동맥압(PAP)은 심박출량(CO), 폐혈관저항(PVR), 폐모세혈관 쐐기압(PCWP) 또는 정맥압에 따라 결정된다.

$$\text{PVR} \ (\text{mmHg/L/min}) = \frac{\text{PAP-PCWP}}{\text{CO}}$$

심박출량은 몸의크기에 따라, 폐혈관저항은 폐표면적에 따라 달라진다. 폐동맥압은 혈관 재형성, 혈관 수축, 혈전에 의한 혈관 폐쇄, 폐용적 변화에 따른 미세 폐동맥의 압박 등에 의해 높아진다. 폐모세혈관 쐐기압의 상승은 좌심실부전, 승모판 질환, 폐정맥폐쇄나 협착 등에 의해 폐혈관 저항의 변화 없이 폐동맥압을 높이고, 좌-우 단락이 있는 심장 기형의 경우에는 폐혈관 저항이 크지 않아도 폐혈관압은 높을 수 있다. 적혈구 증가증에 의한 과다점도와 인공 호흡기 사용 시 흉곽내압의 상승도 폐혈관저항에 영향을 준다.

폐동맥 고혈압의 초기 징후는 운동할 때 뚜렷해진다. 정상적으로 운동할 때에 폐동맥압과 폐모세혈관 쐐기압은 약간 상승하고 심박출량이 많아지나 폐혈관 저항은 기저에서 60~70%가량 감소한다. 초기 폐혈관 질환에서는 혈관의 확장이 제한되므로 운동시 폐혈류량이 증가하면 폐동맥압의 상승이 현저해진다.

폐동맥 고혈압은 폐탄성과 용적을 감소시켜 폐역학과 가스 교환에 변화를 준다. 가스 교환에 대한 직접적인 효과는 만성 폐질환의 증상, 징후와 감별이 어렵지만, 일차성 폐동맥 고혈압은 폐환기-관류만 비정상이다. 만성 폐질환이 동반된 폐동맥 고혈압은 폐부종형성, 반응성의 변화로 폐기능 및 가스 교환을 악화시킨다.

라. 증상

호흡곤란, 피로, 운동능력 감소, 실신, 청색증, 흉통, 두근거림, 간헐적 마른 기침 또는 구토 등이 일어나며 심한 경우 원인이 밝혀지지 않은 경련이 일어날 수 있는데 특히 고지대에 사는 경우 발생하기 쉽다. 어린 영유아의 경우 수유시 호흡곤란, 청색증, 목이 매는 증상(choking)이 생길 수 있으며 수유량이 줄어 성장부전이 생기기도 한다. 코를 골거나 폐쇄성 수면 무호흡증, 낮에 졸리거나 야뇨증, 고혈압이 있어도 검사가 필요하다. 초기에는 징후가 미약하지만 좀 더 진행되면 빈맥, 빈호흡, 청진상 제 2심음의 분열, 수축기 구출성 심잡음이 들린다. 우심실부전에 의하여 우심실의 융기(heave), 경정맥의 확장, 간비대와 부종이 발생한다.

마. 진단

폐동맥 고혈압은 단일 질환이 아니라 많은 다른 심, 폐 질환에 의해 발생하는 혈역학적 이상이므로 체계적인 접근이 필요하다.

초기 검사로 동맥혈 가스 검사, 흉부 X선 검사, 심전도, 심초음파, 폐환기-관류 스캔, 수면 검사, 운동 검사 등이 필요하며 폐질환과의 감별을 위하여 간기능 검사, 혈액 응고 검사, 결체조직 질환에 대한 선별 검사 등이 필요하다.

단순 흉부 X선 검사에서는 우심실 비대와 폐동맥 확장이 보이며 폐혈관 음영은 폐 주변부에서 감소되어 있다. 만성 폐질환이 있는 폐동맥 고혈압의 경우 폐의 과다 팽창이 심비대를 가리고 반점상 간질 침윤이 혈관 음영을 모호하게 하므로 평가가 쉽지 않다.

자기 공명 영상법 (MRI)은 비침습적 검사로서 우심실벽두께, 좌심실 후벽 두께 대 우심실 벽두께의 비, 우심실 수축-이완 용적 지수(RV end systolic-diastolic volume index)를 계산할 수 있다는 장점이 있다. 폐환기-관류 스캔을 시행하면 혈전은 큰 관류 결손을 보이는 반면 심한 폐동맥 고혈압은 작은 'moth-eaten' 현상을 보이므로 진단에 도움을 준다.

혈관 폐쇄, 혈관종증(hemangiomatosis), 동정맥기형과 같은 구조적 이상, 혈관 전정(vascular pruning)을 정확히 평가하는데에는 폐동맥 혈관조영술이 이용된다. 심한 폐동맥 고혈압에서 혈관 조영술을 시행할 때 고혈압 위기(hypertensive crisis), 심율동장애(dysrhythmia)가 발생할 위험성이 있으나 최근 새로운 조영제가 이런 위험을 감소시켰다.

심전도와 심초음파는 장기간 추적 관찰에 유용하며 반드시 폐동맥 고혈압의 진단과 중증도 평가에 연속적으로 검사할 필요가 있다. 폐성심을 가진 환자의 28-75%는 우심실 비대를 보인다. 초음파상 우심실 비대로 인해 우심실벽두께 증가, 심실크기 증가 소견이 있고 우심실부전이 임박했을 때 심실 사이막의 paradoxical motion, 폐동맥 판막의 조기 폐쇄, 삼첨판막의 불완전 폐쇄의 소견을 보인다. 이 외에도 우심실의 구출기 시간 간격(RV systolic time interval)을 구할 수 있는데 이는 산소나 혈관 확장제 치료를 받고 있을 때 폐동맥압의 급격한 변화를 반영하지만 민감도는 떨어진다.

심도자 검사는 폐동맥 고혈압의 중증도를 확인 할 수 있고 심장의 해부학적 이상, 폐혈관의 구조적 이상, 혈전색증이나 기관지 곁가지의 비대를 배제할 수 있다. 적정한 산소 치료 농도를 정할 수 있고, 폐혈관 반응성의 평가가 가능하며, 장기간 사용할 약물을 테스트 할 수도 있다.

바. 치료

우심부전의 급성 치료는 폐동맥압을 낮추어 우심실 후부하를 감소시킴으로써 심박출량, 전신혈압과 조직

내 산소 전달을 유지시키는 것이다. 생명의 위협이 있는 폐동맥 고혈압 환자는 진정, 마비, 과호흡, 알칼리혈증, 그리고 고농도의 산소 흡입 치료를 한다. 혈관 확장제는 이들의 치료에 반응하지 않는 우심실부전 또는 폐혈관 불안정성(vasolability)이 심할 때 사용할 수 있는데, 혈관 확장제는 폐동맥압은 급속히 저하시키는 효과가 있지만, 가스 교환은 오히려 악화되어 저산소혈증이 유발되므로 폐질환이 있는 경우에는 사용에 주의해야 한다. 흡입 일산화질소(inhaled NO)는 이런 부작용 없이 선택적으로 폐혈관 확장에 작용한다.

만성 폐질환 환자에서 발생한 폐동맥 고혈압의 장기 치료에서는 기존 폐질환의 치료, 미처 발견하지 못했던 심폐이상이나 합병증에 대한 진단과 치료, 산소 치료와 약물 치료 등을 반드시 고려해야 한다. 만성 폐질환에 동반된 폐동맥 고혈압이 진행하는 가장 큰 원인은 저산소증이므로 산소공급을 해야 한다. 장기간의 산소 치료는 산소 전달을 증가시킬 뿐 아니라 폐동맥 혈관의 확장 작용을 하기 때문이다. 따라서 수면과 활동시 산소 포화도가 94%이상을 유지하도록 한다.

약물 치료로 이뇨제와 digoxin이 많이 사용된다. 이뇨제는 만성 폐질환에서 가스 교환을 호전시키지는 않지만 폐부종을 감소시키므로 간비대, 말초 부종, 전신 정맥 울혈이 있는 환자에서는 수분 저류를 감소시킨다. 폐혈관저항이 높은 경우에 이뇨제를 자주 투여하면 우심실 전부하를 낮추어 폐혈류량과 심박출량을 감소시키게 되고 또한 염소 배출 증가, 중탄산염의 증가와 같은 전해질 불균형으로 인해 대사성 알칼리혈증과 저환기를 일으킨다. 폐성심에서 digoxin의 사용은 다소 논란이 있다. 좌심실 기능이 저하된 경우 심근활동력과 심박출량을 증진시키나 대부분은 별 변화가 없고 일부 경우에 오히려 폐동맥 고혈압이 더 상승한다.

단기간 사용 약물로는 prostaglandins E_1과 I_2, sodium nitroprusside, isoproterenol, tolazoline, hydralazine, phentolamine 등이 있다. 최근 주목받고 있는 Adenosine은 폐혈관에 선택적으로 작용한다고 보고되었다. 만성 폐질환이 동반된 폐동맥 고혈압에

서 혈관 확장제의 효과는 증명되지는 않았으나 폐동맥 고혈압이 중증일때 칼슘 통로 차단제(diltiazem, nifedipine), 항혈소판제 또는 항응고제(warfarin, heparin, dipyridamole) 등을 장기간 사용 할 수 있다. 항혈소판제와 항응고제는 혈전의 발생을 줄여주는 작용을 하며, diltiazem과 coumadine 을 같이 사용했을 때 항응고제 단독 사용 할 때보다 효과가 더 좋다는 보고가 있다. 또한 최근 혈관확장제로서 phosphodiesterase-5 inhibitor의 투여가 연구중이다. 폐이식은 진행된 폐동맥 고혈압과 일차성 폐동맥 고혈압의 치료법으로 최근 많이 시행되고 있으나 공여가 많지 않고 합병증으로 폐쇄성 세기관지염이 발생하기도 한다.

사. 폐동맥 고혈압과 연관된 질환

1) 만성신생아폐질환

만성신생아폐질환(chronic neonatal lung disease: CNLD)은 신생아 호흡 부전으로 인공호흡기와 산소 치료를 받은 후 영아기에 발생하는 질환이며, 폐동맥 고혈압이 동반되면 사망률이 높아진다.

CNLD에서 폐동맥 고혈압은 적극적으로 산소 요법을 하면서 모니터링이 필요하다. 혈관 재형성과 같은 폐혈관수축의 부작용을 최소화하기 위하여 높은 산소화가 필요하며 산소 포화도를 언제나 94%이상으로 유지하도록 한다. 산소 요법과 칼슘 통로 차단제를 장기간 사용하는 것에 대하여 명확히 밝혀진 바는 아직 없다. 중증의 폐동맥 고혈압에서 혈관 확장제를 사용할 때는 심도자 검사를 시행하여 폐혈관 확장제의 반응을 평가한 후 적정한 치료 농도를 정하고 이후에도 주의 깊은 관찰이 필요하다.

적절한 치료가 이루어진 경우 심전도나 심초음파에서 폐동맥 고혈압의 소견이 없어지기도 하지만, 지속적으로 우심실 비대가 있었던 환아는 회복 여부에 대해 더 철저한 검사가 필요하다. 산소포화도 및 수면검사이외에도 흡인, 상기도 폐쇄, 심장의 해부학적 문제 등 임상 경과에 영향을 미칠 수 있는 심장과 폐의 문제

를 재평가해야 한다.

2) 만성 상기도 폐쇄

폐동맥 고혈압은 만성 상기도 폐쇄나 폐쇄성 수면 무호흡을 가진 소아가 반복되는 저산소증에 노출되면서 발병할 수 있다. 상기도 폐쇄의 다양한 원인들의 공통적인 병태 생리는 저산소증에 노출되는 것이고 이는 간헐적으로 폐동맥압을 상승시키며 결국 폐동맥 고혈압과 우심실부전을 일으킨다. 건강한 소아들에서도 폐동맥 고혈압을 일으킬 수 있지만 심폐 질환이 있는 소아에서는 더 빨리 발생할 수 있다. 폐동맥 고혈압 환자는 반드시 상기도 폐쇄와 폐쇄성 수면 무호흡에 대해 검사를 해야 한다.

증상은 거친 숨소리, 코를 골거나 잠에서 자주 깨어 깊이 잠들지 못하고, 공기부족(air hunger)이 있으며 수면시 흉곽 함몰이 있다. 이 외에도 낮에 졸거나 학업 수행능력이 저하되고 행동에 변화가 생기며 야뇨증, 고혈압, 아침 시간의 두통, 성장 부전 등이 있다.

진단하기 위해 맥박 산소 측정, 말초 혈액 가스 분압($PaCO_2$), 수면검사, 굴곡성 기관지경, 바륨 조영제 검사 등이 필요하다.

폐쇄의 원인과 정도에 따라 다르지만, 저산소증은 산소 요법으로 교정할 수 있고, 아데노이드와 편도 제거, 반복 수면검사, nasal CPAP(continuous positive airway pressure), BiPAP 인공호흡기, 기관절개술(tracheostomy) 등이 논의된다.

3) 간질환에서의 폐순환

만성 간질환에서의 폐혈관 질환에는 심한 저산소혈증이 있으면서 혈관 저항은 낮은 경우와 혈관 저항이 높으며 광범위한 구조적 재형성(주로 "onionskinning")이 있는 경우가 있다.

만성 간질환에서 저산소혈증은 폐용적의 감소, 흉수, 무기폐, 폐부종을 포함한 폐질환이 원인이 되기도 하지만 만성 간질환을 가진 환자의 1/3에서는 기존 심폐질환이 없어도 저산소혈증이 발생한다. 간폐증후군(hepatopulmonary syndrome)을 가진 환자는 운동시 심한 호흡곤란, 숨참, 곤봉지, 청색증, 피부 거미 모반(cutaneous spider nevi)을 보인다. 흉부 X선 사진에서는 거의 정상이거나 기저부에서 간질성 침윤이 증가되기도 하며, CT에서는 폐문 주위와 주변부의 혈관이 증가되어 있다. 폐기능 검사는 제한형 또는 혼합형일 수 있고 일산화탄소 확산능은 비정상이다. 확진을 위해 폐관류 스캔을 시행한다. Technetium(Tc) 99m-labeled albumin을 정맥으로 주입하여 신장이나 뇌 등 폐외 부분에서 검출되면 이는 심장의 우-좌 단락 또는 폐내 단락이 존재함을 의미한다. 심초음파로 심장 내 단락 존재를 알 수 있으며, 폐혈관 조영술은 진단에 필수적이진 않지만 혈관기형을 알아낼 수 있다.

간폐증후군에서 저산소혈증과 운동 불내성은 부분적으로는 폐기저부의 낮은 V/Q zone이 원인이다. 간경화 환자에서는 저산소성 폐혈관 수축이 더 심해지고 혈류의 재분배가 어려워 폐환기/관류 불균형이 악화된다. 100% 산소를 투여해도 증상의 뚜렷한 호전이 없으면 단순히 낮은 V/Q 만이 원인은 아니며, 특히 폐내 단락이 있을 때 불응성 저산소혈증이 된다. 과거에는 estrogen, β-차단제, cyclooxygenase inhibitor 같은 약제를 사용하였으나 별로 효과적이지 못했고 최근에는 저산소성 폐혈관 수축에 Almitrine의 효과가 논의되고 있다. 또 과거에는 저산소증 때문에 하지 못했던 간 이식이 일부에서 시행된 후 징후들이 호전되기도 하였다.

단락내 혈관의 낮은 저항을 가진 경우와는 달리 일부에서 폐동맥 고혈압이 생기는데 간경화에 문맥 고혈압은 치명적 요인이다. 폐동맥 고혈압은 문맥 고혈압이 없어도 생길 수 있는데 그 기전이 알려지진 않았고 아마도 자가면역성 또는 강력한 혈관 수축 기능이나 성장 자극 효과가 있는 순환 매개체들과 연관이 있을 것으로 추측한다. 문정맥 혈전과 과다응고에 대한 검사가 필요하다. 중등도의 폐동맥 고혈압은 간이식의 금기인데 이는 수술후 우심장부전으로 이식 기능 부전이 생길 수 있고 수술 전후의 혈역학적 관리가 매우 어렵기 때문이다.

4) 급성 호흡곤란 증후군

급성 호흡곤란 증후군에서는 폐혈관 투과성 증가, 계면활성제의 불활성화와 함께 폐부종이 일어나 폐탄성이 저하되고 가스 교환이 감소된다. 또한 폐동맥고혈압, 폐혈관 반응성의 변화, 폐 환기/관류 불균형의 악화, 폐부종 생성의 가속화, 우심실 기능 장애가 특징적으로 발생한다.

전신 저혈압과 가스 교환을 저하시키지 않고 폐동맥압만 선택적으로 낮출 수 없기 때문에 혈관확장제의 사용은 제한적이다. 일부 환자에서 흡입 일산화질소가 선택적으로 폐동맥압만 낮추며 가스 교환은 호전시킨다고 하여 활발한 연구가 이루어지고 있다.

아. 심혈관 질환의 폐 합병증

만성 폐질환이 폐동맥 고혈압을 유발시키는 원인으로 작용하듯이 변화된 심장의 기능 또한 폐기능에 영향을 줄 수 있다. 심장 질환에 동반된 많은 호흡기 합병증 들은 장기 예후 뿐 아니라 심장 질환의 교정 수술 후 급성기 치료에도 영향을 미친다. 심혈관 질환은 크게 3가지 형태로 폐기능에 이상을 초래할 수 있는데, 큰 기도를 폐쇄시키는 혈관 기형, 많은 양의 좌우 단락으로 유발된 높은 폐 혈류량, 마지막으로 좌심실로의 유입 또는 유출에 장애가 생기는 것이다.

첫째, 혈관의 압박으로 인하여 중심 기도의 폐쇄가 오는 경우로는 이중 대동맥궁(double aortic arch), 우측 대동맥궁(right-sided aortic arch), 이상 우측 쇄골밑동맥(aberrant right subclavian artery), 이상 무명동맥(anomalous innominate artery) 그리고 폐 걸이(pulmonary sling) 등이 있다. 천음(stridor), 반복 지속되는 천명, 기침, 무호흡, 수유 장애가 있는 경우에는 의심해야 하며, 또한 중심 기도에 기형(complete tracheal ring, 기관지 협착)이 있을 시에는 심장 기형이 동반될 수 있으므로 확인해야 한다.

두 번째는 커다란 좌우 단락으로 인하여 폐의 혈류량이 증가한 경우로 심실 중격 결손, 동맥관 개존, 심방심실관, 단심실, 대동맥폐동맥관(aortopulmonary canal), 동맥간증(truncus arteriosus) 등이 있다. 많은 폐 혈류양은 작은 폐동맥을 확장시키고 폐동맥압을 증가시킨다. 이는 좌심실의 이완말기의 용적과 압력을 증가시키고 결국 좌심방과 폐정맥압을 증가시킨다. 폐동맥압, 폐정맥압이 상승하면서 혈류량이 증가하면 기관지주변과 폐간질의 부종이 생기며 작은 기도의 폐쇄를 야기하는데 이를 심장 천식(cardiac asthma)이라고 한다. 심장 천식은 작은 기도의 폐쇄로 높은 기도 저항의 임상 증상을 나타낸다. 기도 부종은 기관지 주변과 점막의 부종의 결과로 작은 기도의 기계적 폐색을 유발한다. 늘어난 폐동맥들은 작은 기도를 외부에서 압박하는데, 명백한 심부전이 없어도 혈류량의 증가가 있을 수 있다. 기관지 수축과 변화된 기도 과민성은 기도 협착을 더욱 악화시킨다. 만성적인 폐혈류의 증가는 평활근의 비대와 세포외 간질의 생성 증가로 인한 기관지주위 벽 비대와 관계가 있다.

기도 저항이 증가함에 따라, 높은 폐 혈류량은 폐의 순응도를 감소시키고 호흡 노력을 증가시키는데 이는 평균 폐동맥압이 25 mmHg 이상일 때 더욱 뚜렷하다. 크게 확대된 좌심방은 좌우 주 기관지를 압박하여 기류를 막고 과팽창을 야기할 수 있다. 빈호흡과 얕은 호흡은 생리적 사강(dead space)를 증가시킨다. 다른 증상으로는 흉부 함몰, 천명, 수포음 등이 있다. 흉부 X선 검사에서는 과팽창이 있거나 환자에 따라 대엽성 폐기종이나 무기폐가 있을 수 있다. 치료에는 폐부종과 부전을 이뇨제나 digoxin을 사용하여 조절하고 흡입성 기관지 확장제를 사용한 다음에 호전을 평가하는 것이 포함된다. 이러한 환자들은 RSV를 포함한 하기도 호흡기 감염으로 심각한 폐기능 부전으로 빠질 위험성이 아주 높다. 기저 심장 질환을 수술적으로 교정한 후에 호흡기 증상은 좋아지지만 경우에 따라서는 기도 폐색이 지속되기도 한다.

세 번째, 좌심실로의 유출과 유입에 장애가 생기는

경우인데 폐정맥 폐쇄질환(pulmonary venoocclusive disease), 전폐정맥 환류이상(total anomalous pulmonary venous return), 승모판 협착, 삼심방(cor triatrium), 대동맥 축착(coarctation of aorta)에 의한 좌심실의 폐쇄, 단속궁(interrupted arch), 대동맥 협착·폐쇄, 심근병 등이 폐기능을 손상시킨다. 폐정맥 폐쇄나 고혈압은 폐의 혈류량과 폐간질의 부종을 증가시키고 결국에는 폐기능에 영향을 주게 된다. 임상적으로는 소아에서는 간질성 폐질환처럼 기도 폐쇄의 증상만이 있어 심한 빈호흡, 청색증, 수포음이 나타난다. 흉부 X선 검사에서는 정상 심장 모양에 정맥이나 간질의 음영이 증가한다. 장기간의 폐동맥 고혈압은 구조적으로 정맥과 동맥의 변화를 일으켜 심각한 폐동맥 고혈압에 이르게 한다.

2. 일차성 폐동맥 고혈압

폐동맥 고혈압은 신생아기 폐 성숙의 정상적인 발달 과정에서 초기에 존재한다. 태아기에는 폐동맥의 압력이 전신 순환의 수준이었다가 출생 후 수 시간 이내에 떨어져서 수일에서 수주 이내에 최종적인 낮은 수준에 다다른다. 그러나 다음과 같은 경우에는 이 기간 이상으로 고혈압이 지속된다. 첫째, 고지대에 거주하게 되면 산소 분압이 감소하여 폐동맥의 압력이 높아지며, 이들이 저지대로 내려오면 폐동맥의 압력은 감소된다. 둘째, 일부 선천성 심질환을 가진 소아들이 폐동맥 고혈압을 지닌다. 이들에서 폐동맥 고혈압은 폐 혈액 흐름이 증가하면서 좌-우 단락 병변, 높은 좌심방 압력 등과 연관되어 있다. 세 번째로 소아에서 중요한 폐동맥 고혈압의 원인으로는 수술이나 다양한 질환의 결과로 폐 조직을 소실한 경우이다.

일차성 폐동맥 고혈압은 원인이 불분명한 드문 질환으로서 진단을 위해서는 위에 언급한 경우와 폐동맥 고혈압을 일으키는 다른 질환을 배제하여야 한다. 발생 빈도는 성인에 비해 대단히 낮아 소아에서는 1~2

명 정도의 보고가 가끔 나오고 있다.

가. 발병 기전

일차성 폐동맥 고혈압의 원인은 알려져 있지 않다. 다양한 가설들이 있으나 많은 질환들의 마지막 공통된 경과로 이 질환이 나타나기 때문에 다인성일 가능성이 있다. 성인에서는 경피증이나 루프스와 같은 결체조직 질환, Raynaud 현상, 일차성 폐동맥 고혈압 간에 연관성이 알려지고 있다. 일부에서는 폐동맥 고혈압과 조직 주적합 항원(major histocompatibility complex) 사이의 관련성을 보고하였는데 이는 일차성 폐동맥 고혈압에서의 면역 조절 기능 변화 가능성을 시사하는 소견이다.

나. 병리

일부 보고에 따르면 젊은 환자들에서는 주로 동맥 중간막(medial) 비대가 있고, 내막(intimal) 섬유화는 적으며, 망상(plexiform)의 병변은 거의 없다. 반면 고령의 환자에서는 반대로 나타난다. 다른 연구에서는 영아기에 시작된 폐동맥 고혈압을 지닌 환자들에서는 폐동맥의 탄력도는 대동맥의 것과 유사하였지만 후천적으로 생긴 폐동맥 고혈압에서의 조직 소견은 성인의 것과 유사하다고 보고하였다.

다. 증상

일차성 폐동맥 고혈압은 흔히 운동시 피로와 호흡곤란을 점진적으로 일으킨다. 또한 심계 항진, 실신, 어지러움, 운동시 흉통 등이 일어난다. 증상은 보통 짧게 나타나며 가족내 발병이나 교원 질환의 동반도 흔하지 않다.

일차성 폐동맥 고혈압에 특이한 진찰 소견은 없다. 소아에서는 폐혈관내 단락으로 인하여 경한 청색증과 곤봉지가 있을 수 있다. 경정맥에 큰 A 파가 보일 수 있으나 소아들은 목이 짧고 두꺼워 관찰하기 어렵다. 우심실의 충격량이 증가하여 촉진 가능하며 청진하면 확장된 폐동맥으로 인하여 폐동맥 잡음(pulmonary click)이 들린다. 제 2 심음에서 폐동맥 판막 소리의 강도가 증가되고 대동맥 판막 소리와 좁게 분리되며 제 4 심음은 들릴 수 있다. 폐동맥 역류의 잡음을 좌흉골 상연에서 흔히 들을 수 있고 이러한 잡음은 높은 폐동맥 이완기 혈압 때문이며, 그 기간과 강도는 폐동맥과 우심실 사이의 이완기 동안의 순간적인 차이를 반영한다. 우심실 부전의 증후로는 간비대가 있으며 말기에는 말단의 부종과 복수가 흔하다.

라. 진단

1) 심전도

심전도에서는 항상 우심방과 우심실의 비대가 나타난다. ST 파와 T 파의 변화가 전측부의 명치 부위(precordium)에 나타날 수 있는데 이러한 환자들은 부정맥으로 사망할 수 있기 때문에 Holter 감시 검사가 유용하다.

2) 흉부 X선 검사

항상 비정상으로 나타나나 이상의 정도가 미약하면 포착하기 어려울 수도 있다. 질환의 초기에는 심장 크기가 정상일 수 있으나 말기에 가면 우심방과 우심실이 커진다. 큰 폐동맥이 커지고 말초 폐혈관이 감소하는 것이 특징적 소견이나 발견하기 어려울 수도 있다.

3) 심초음파

일차성 폐동맥 고혈압이 의심되는 환자에게 시행할 수 있는 가장 유용한 비침습성 검사이다. 이 검사를 통하여 폐동맥 고혈압을 일으킬 수 있는 다른 선천성 심질환을 배제하고 정상 심장 구조임을 확인한다. M-mode 검사로는 우심실 전벽의 비대를 관찰하기에 유용한데 정상 소아나 청소년에서는 이완기 말에 그 두께가 3 mm를 넘지 않는다. 의미있게 폐동맥 고혈압이

있는 경우에는 우심실 전벽의 두께가 5 mm 이상이다. 이 이외에도 이완기 말에 우심실의 내강이 커지며 중격도 비대해질 수 있다. 폐동맥 판막의 "flying W" 모양도 관찰할 수 있는데 이는 일차성 폐동맥 고혈압의 특징적 소견은 아니며 일반적으로 폐혈관이 협착되는 질환에 나타난다.

도플러 초음파를 이용하여서는 폐동맥에서의 흐름, 최고 폐동맥 혈류 속도에 다다르는 시간, 폐동맥 판막과 삼천판에 증가된 역류 속도, 그리고 비정상적인 간정맥과 상대정맥의 속도 등을 측정할 수 있다. 영아기에는 최고 폐동맥 혈류 속도에 다다르는 시간이 90 ms 이상이며 이보다 짧아지면 폐동맥 고혈압일 가능성이 높다. 또한 우심방과 우심실로의 유입 속도가 비정상으로 나타나는데 이는 우심실의 유연성(compliance)이 감소되었음을 시사한다.

2차원 심초음파와 컬러 도플러의 유용성은 선천성 심질환을 배제하는 것이다. 2차원 심초음파에서는 늘어나고, 두꺼워진 우심실, 모순된 중격의 움직임(paradoxical septal motion), 늘어난 폐동맥 등을 관찰할 수 있다.

4) 심도자 검사

과거에 심도자 검사는 심장 병변의 진단을 배제하고 일차성 폐동맥 고혈압의 가능성을 확실하게 하는 기본적인 방법이었다. 최근에는 도플러 심초음파가 이를 대신하게 되었으나 폐동맥 쐐기(pulmonary artery wedge) 혈관 조영술을 통하여 작은 폐동맥과 그들의 가지에 대한 직접 검사는 시행되고 있다. 이 이외에도 압력, 산소 포화도를 직접 측정하거나 혈관 조영술을 위해 시행되고 있다.

5) 환기-관류 스캔

폐 환기-관류 스캔 검사는 폐색전증을 찾는데 주로 이용된다. 그러한 경우에는 넓은 부위에서 관류가 소실된다. 일차성 폐동맥 고혈압인 경우에는 대부분 정상으로 나타나며 소수에서 작은 관류 소실이 보일 수

있다.

마. 치료

일차성 폐동맥 고혈압의 최우선적인 치료 방법은 아직 정하여져 있지 않다. 초기에는 울혈성 심부전을 조절하는 것이 중심이었고 tolazoline, pentolamine, isoproterenol, diazoxide와 같은 많은 혈관 확장제가 이용되었다. 또한 nifedipine과 같은 칼슘 통로 차단제의 효과와 부작용에 대해서도 많은 연구가 뒤따르고 있다. 최근에는 환기에 의한 산화 질소(nitric oxide)가 특별한 폐혈관 확장제로 이용되고 있다. 신체 내에서 생성되는 산화 질소는 endothelial-derived relaxation factor로써 같은 효과를 얻기 위해 치료적 목적으로 투여할 수 있다. 산화 질소의 중요한 장점은 거의 폐순환에만 작용한다는 것이다. 흡입된 산화 질소는 환기 지역으로 이동하여 혈액 순환에 의해 공급된 약물보다도 더 정확하게 환기-관류의 지역에서 효과를 나타낸다.

폐 이식은 일차성 폐동맥 고혈압의 또 다른 치료 방법이다. 시기와 필요성은 혈관 확장제 치료에 따라 변동될 수 있다. 그러나 이식 수술 그 자체의 위험성과 사망률을 감수하여야 한다. 그리고 환자가 결체조직 질환이나 다른 면역학적인 이유에 의해 일차성 폐동맥 고혈압이 발생하였다면 폐 이식 후에도 이식전의 원래 폐와 비슷한 결과로 고통을 받을 수 있다.

바. 예후

일차성 폐동맥 고혈압의 평균 수명이 2년이라고 보고된 바도 있었으나 아직 이에 대한 자료는 많지 않다. 여러 가지 치료법이 적용되었으나 생존율이 극적으로 개선되지는 않은 것으로 보이며, 예후를 결정하는 인자로서는 심박출량과 우심부전 등이 고려되고 있다.

3. 폐색전증

가. 역학

폐색전증은 소아에서는 드문 질환으로서 혈전에 의해서 뿐만 아니라 공기, 지방, 양수, 종양, 감염 종괴, 이물 등이 폐 혈관을 폐쇄시킴으로서 유발된다.

혈전의 위험도는 혈류의 정체, 혈관 벽의 손상, 혈액의 과응고성에 의해 높아진다. 성인에서의 위험인자는 최근에 수술을 하였거나 잘 움직일 수 없는 경우, 심(深)정맥 혈전 혈관염, 결체조직 질환, 악성 종양, 심부전, 감염, 임신, 경구 피임 제제, 과응고 경향 등이 있다. 질환 중에서는 Güillain-Barre 증후군, Düchenne 근이영양증, 전신성 홍반성 루프스, 교원성 질환, 신증후군, 호모시스틴증 등이 폐색전증과 연관되어 보고되었다. 소아나 청소년에서 성인과 달리 많이 언급되는 위험인자들로는 외상, 움직임 장애, 임신중절, 신증후군, 뇌수종의 뇌실심방간 단락, 중심 정맥 도관, 선천성 응고 장애, 확장성 심근병증과 다른 심질환 등이 있다. 그러나 이러한 위험 인자를 가지지 않는 경우도 많이 있다. 종양을 가진 소아에서는 백혈병이나 림프종보다는 고형 종양에서 폐색전증의 위험이 더 높다. 경구 피임 제제와 관계된 폐색전증은 점차 감소하는 것으로 나타나고 있는데 이는 에스트로젠 함량을 낮추어 사용한 경향 때문으로 추측된다. 신생아에서는 출생 시의 손상, 탈수, 패혈증, 최근의 수술, 심장병, 산모의 당뇨병, 양수과소증, 임신 중독증이 있을 때 정맥 혈전증과 폐색전증의 위험이 높아진다. 동맥관 개존과 그 외의 혈관 동맥류에서 발견되기도 한다. 중환자실에 있는 영아와 소아에서는 움직일 수 없는 경우가 많고 중심 정맥 도관, 수술 등의 빈도가 높기 때문에 혈전 색전증의 위험이 높다. 광범위한 색전증은 도관 끝부분에 의한 혈관의 상처와 혈관의 막힘으로 인한 정체로 발생한다. 색전증의 빈도는 도관을 갖고 있는 기간이 길수록 빈도가 증가한다. 폐색전증은 도관을 가지고 있는 동안, 또는 제거하는 동안, 심지어는 도관을 제거한 뒤 수일에서 수 주 이후에도 발생한다. 그 이외에 고삼투압 상태를 유발하는 뇌부종 조절 치료나 요붕증과 같은 질환에서도 혈전 색전증의 위험은 증가한다. 혈액응고체계의 여러 장애도 혈전 색전증과 관계가 있는데 내인성 항응고 단백질 C, S, antithrombin III가 선천적으로 결핍된 환자나 루푸스 항응고 물질(lupus anticoagulant)를 가진 전신성 홍반성 루프스 환자의 일부에서도 혈전이 발생한다. 소아에서 폐색전증과 연관된 정맥 혈전의 위치는 성인과 다르다. 소아에서의 혈전은 종종 무증상이며 성인에서 많은 골반이나 하지의 정맥보다는 복부나 두부의 정맥에서 오는 경우가 많다. 정맥 혈전은 흔히 감염이나 외상 부위의 근처에 있다.

나. 발병 기전

폐색전증의 주 사망 원인은 우심실 부전, 쇼크와 연관된 폐혈관 저항의 급격한 상승이다. 좌심실 압력이 60 mmHg, 주 폐동맥 압력이 30~40 mmHg 이상이면 심각한 폐동맥 고혈압이다. 그러나 만성적으로 폐동맥 고혈압을 지닌 경우에는 우심실 압력이 전신의 혈압과 비슷하거나 더 높기도 한다. 혈관활성 인자(vasoactive substance)나 압력 수용체가 영향을 주기도 하지만 폐 고혈압의 주 원인은 색전에 의한 혈관 폐쇄이다.

환기와 관류의 급격한 변화는 가스 교환의 비정상을 초래한다. 폐쇄된 부분에서 폐쇄되지 않은 부위로 혈류가 재배치되고 폐포의 사강이 증가하여 이산화탄소 감소에 영향을 줄 수 있다. 그러나 아주 심각한 경우를 제외하고 대부분의 경우는 과환기로 보상하여 저탄산혈증의 상태가 된다. 산소를 공급하여 저산소증을 교정한다고 해도 과환기와 저탄산혈증이 거의 사라지지 않는 것은 이러한 반응이 산소나 이산화탄소가 아닌 다른 자극에 의한 고유감각기(proprioceptor)나 화학수용체(chemoreceptor)의 반사 작용일 것을 시사한다. 저산소증은 환기-관류 장애, 우심실 부전에 의한

난원공을 통한 우좌 단락, 심박출량 감소로 인한 정맥 산소 포화도의 감소 등에 기인한다. 폐색전증에 의한 저산소증에 더하여 무기폐나 폐부종이 있을 때에는 산소 공급이나 양압 기계 환기가 도움이 되나 심장내 우좌 단락이 있을 때에 양압 환기는 오히려 이를 악화시킬 수 있으므로 심초음파로 확인 후 시행해야 한다. 저산소증이나 저탄산혈증이 성인보다는 청소년이나 소아에서는 뚜렷하지 않는데 이는 폐혈관이나 심폐기능이 더 좋기 때문으로 생각된다.

다. 증상

대부분의 작은 폐색전증은 증상이 없거나 미미하다. 소아에서 설명되지 않는 폐동맥 고혈압, 호흡 부전, 범발성 혈관내 응고증이 있을 때에는 폐색전증을 고려해야 한다. 증상은 흉통, 호흡곤란, 기침, 발한, 객혈 등 대부분 비특이적이며 상태에 따라서는 급성 호흡기 감염 증세도 나타낸다. 증상과 징후의 비특이성으로 말미암아 임상적으로 진단내리기 어렵기 때문에 기저 질환, 동반되는 진정 상태나 근육 이완, 인공 환기 치료 등에 의해 폐색전증의 진단이 종종 늦어진다.

라. 진단

신속한 진단과 치료는 사망률을 낮추어 줄 수 있으나 소아에서는 폐색전증의 진단이 쉽지 않다. 저산소증은 없거나 미미할 수 있기 때문에 폐포-동맥간 산소 분압의 차이[P(A-a)O₂]가 가스 교환 이상의 보다 민감한 지표이다. 흉부 X선 검사나 심전도는 소아에서는 대개 정상으로 나타난다. 폐색전증에 의하여 폐혈관의 폐쇄가 왔을 시에는 환기-관류 동위원소 스캔 검사를 시행하여 환기는 정상적이나 관류가 되지 않은 부분을 찾을 수 있다(그림 8-1). 환기 검사는 xenon-133으로, 관류 검사는 technetium-99m macroaggregated albumin으로 시행한다. 그러나 이 검사가 정상으로 나왔다 하더라도 폐색전증을 완전히 배제할 수는 없

Lung perfusion scan ⁹⁹mTc-MAA

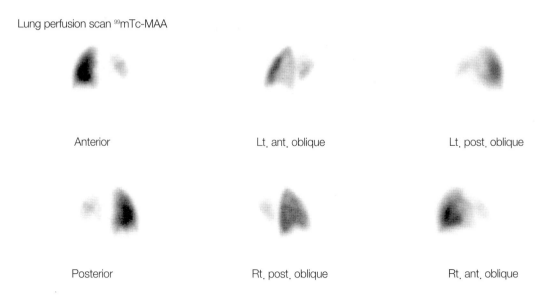

Anterior   Lt. ant. oblique   Lt. post. oblique

Posterior   Rt. post. oblique   Rt. ant. oblique

그림 8-1. 폐색전증 환자의 관류 검사. 좌폐에 관류 결손이 관찰된다.

다. 환기 검사가 불가능한 경우에는 정상 흉부 X선 검사 소견을 가지며 관류 검사에서 다발성의 이상 소견이 있을 경우 폐색전증을 의심할 수 있다. 환기-관류 스캔 검사가 이상이 있고 정상 흉부 X선 검사 소견을 나타내더라도 폐혈관 조영술에서 폐색전증의 증거를 찾을 수 없는 경우도 있다.

소아 환자에서는 폐색전증의 발생률도 낮고 장기간의 항응고제 사용의 문제점이 있기 때문에 정확한 진단이 필수적이다. MRI나 CT로 큰 크기의 색전을 발견하기도 하지만 작은 크기를 찾기에는 제한점이 있다 (그림 8-2). 폐혈관 조영술은 폐색전증이 의심되는 소아나 청소년기의 환자에게서는 반드시 시행을 고려해야 한다. 폐동맥에서 조영제로 채워지지 않는 부분이 관찰되면 진단을 내리는데 가장 확실하다.

심초음파는 우심실 과부하나 부전을 판단하는데 유용하며 의미가 있는 폐색전증을 가진 많은 환자들이 심초음파에서 이상을 나타낸다. 우심실이 과부하가 되면 수동적인 정맥 울혈과 심박출량의 감소가 나타나게 된다. 심초음파는 심성 쇼크(cardiogenic shock)가 발생하기 전에 심각한 혈류역동학적 이상을 찾아내는데 도움을 줄 수 있다. 또한 우심실, 우심방, 폐동맥에 있는 혈전이나 심장이나 혈관의 확장, 비정상적인 움직임을 관찰할 수 있다. 특히 움직이고 있는 우심방내 혈전이나 근위부 폐동맥의 혈전은 폐혈관 조영술을 시행하지 않고도 바로 폐색전증의 치료를 시행하여야 한다. 도플러 초음파는 삼첨판이나 폐동맥 판막의 역류가 있을 때에 폐동맥압을 정확히 측정할 수 있다. 삼첨판 역류 속도는 우심실과 폐동맥의 수축기 압력을, 폐동맥 판막의 역류 속도는 폐동맥의 이완기 혈압을 산출할 수 있게 한다.

소아나 청소년기에 폐색전증이 흔하지 않기 때문에 폐색전증이 있는 환자에서는 이를 잘 동반할 수 있는 다른 질환이 있는지, 혈액 항응고 단백질 등에 대하여 검사해 보아야 한다.

마. 치료

폐색전증 치료의 주 목표는 혈전이 더 커지는 것을 예방하고 색전의 재발을 막는 것으로 항응고제제가 이용된다. 폐색전증으로 진단되면 정맥내로 heparin

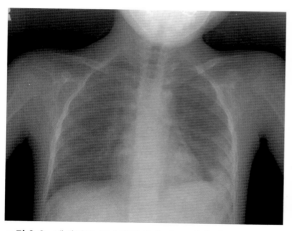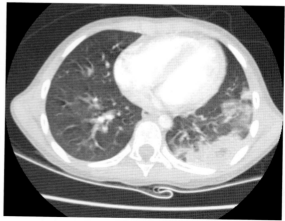

그림 8-2. 폐색전증. 단순흉부사진 및 CT에서 좌하폐의 경화 음영과 함께 좌측 횡격막의 거상 소견이 관찰된다.

을 500~750 U/kg/day의 용량으로 투여하여 aPTT (activated partial thromboplastin time)가 정상치의 2배 정도로 유지하게 한다. 그리고 환자에게 금지될 만한 상태가 아니면 경구용 warfarin을 시작하여 최소 6주 이상, 상황에 따라서는 그 이상 사용한다. Warfarin 치료는 INR (international normalized ratio) 검사로 적정화하게 되는데 INR를 2.0~3.0으로 유지시킨다. Heparin 만을 단독으로 사용 시에는 처음 수일간 폐쇄된 부위에는 작은 변화만이 올 수 있으며 확실한 호전에는 수 주간의 시간이 필요하다.

소아 영역에서는 아직 연구의 단계이기는 하나 urokinase나 streptokinase가 혈관내 혈전이나 폐색전을 녹이는데 이용되어 왔다. Urokinase는 처음에 4,400 U/kg 의 용량으로 부하 투여하고 계속하여 2,000~4,400 U/kg/hr의 용량으로 36시간까지 유지 투여한다. 신생아의 경우에는 섬유소 용해 기능이 미약하기 때문에 이러한 혈전용해 치료에 상대적으로 잘 반응하지 않는다. 그래서 영아에서는 성인에 비하여 상대적으로 고용량(최대 8,000 U/Kg/hr)이 필요하다. Streptokinase는 3,500~4,000 U/kg로 부하 투여하고 이어서 1,000~1,500 U/kg/hr으로 유지 투여한다. 그러나 이 약제들은 heparin과 비교하여 장기간 예후에서 차이가 없었던 반면 출혈의 위험성은 더 컸기 때문에

혈류의 흐름을 방해하는 심각한 폐색전증이 있는 경우를 제외하고는 일상적으로 사용하는 것을 권장하지 않는다.

Human recombinant tissue plasminogen activator (rt-PA)를 사용하면 대부분의 성인 환자에서 혈관 조영술상 크게 호전됨이 관찰되었다. 19개월 소아에서 rt-PA를 0.1 mg/kg/hr의 농도로 11시간동안 도관을 이용하여 국소적으로 주입하여 폐의 관류가 호전된 것이 보고 되었다.

혈전 용해제를 사용할 수 없는 경우나, 혈류의 장애가 심각하여 혈전 용해 치료에 대한 반응을 기다릴 수 있는 시간이 제한될 때, 그리고 혈전 치료를 하여도 혈액의 흐름이 원활하지 않을 때에는 색전 제거술 (embolectomy)를 고려해야 한다. 충분한 혈전이 제거되면 혈류는 즉각적으로 호전된다.

심(深)정맥 혈전이나 고위험군의 환자에서 폐색전증을 예방하기 위한 다양한 지침들이 제안되고 있다. 그러나 확장성 심근병증 때문에 심장 이식을 기다리는 소아 환자에서 폐색전증을 예방하기 위해 아스피린이나 disopyramide, 저용량의 heparin 피하 주사는 적절하지 못하다. 이러한 환자에서는 warfarin이 권장되며 위험 요소가 지속된다면 최소한 1개월간 치료를 받아야 한다. 폐색전증과 anticardiolipin 항체를 가진

환자의 상당수에서는 warfarin 치료에 실패하므로 이러한 환자들은 항체가 없다고 확인된 뒤 최소 4~6개월간 heparin으로 치료받아야 한다.

바. 예후

폐에는 효과적인 섬유소 용해 체계가 있기 때문에 대부분의 폐색전은 저절로 좋아진다. 소아나 청소년에서는 심폐 기능이 더 좋기 때문에 폐색전증으로 진단받고 치료했을 때의 사망률이 성인보다 낮다.

참고문헌

1. Abman SH. Cor Pulmonale and Pulmonary Complications of Cardiac abnormalites. In : Taussig LM, Landau LI, editors. Pediatric Respiratory Medicine. St Louis : Mosby, 1999:881-904.
2. Goldberg SJ. Primary Pulmonary Hypertension. In :Taussig LM, Landau LI, editors. Pediatric Respiratory Medicine. St Louis : Mosby, 1999:905-9.
3. Donnerstein RL and Berg RA. Pulmonary Embolism. In: Taussig LM, Landau LI, editors. Pediatric Respiratory Medicine. St Louis : Mosby, 1999:910-5.

호흡기학

제9장

선천성 폐쇄성 폐질환

1. 낭성 섬유증

낭성 섬유증(cystic fibrosis)은 백인에서 가장 흔히 유전되는 상염색체 열성 질환으로 만성 기침, 호흡곤란, 태변성 장폐색, 흡수장애, 성장부진, 불임 등의 다양한 증상을 나타낸다. 이 질환은 7번 염색체의 장완에 있는 cystic fibrosis transmembrane conductance regulator (CFTR) 유전자의 돌연변이에 의해서 일어나며, 이 질환과 관련하여 1,000개 이상의 돌연변이가 발견되었다.

가. 역학

낭성 섬유증은 코카시안에서 많이 발견되며 그중에서도 북부 유럽과 중앙 유럽에서 약 2,500명 중 한명의 빈도로 가장 높은 발생률을 보이고 있다. 반면 이 질환은 동양인에서는 드문 것으로 보고되고 있다. 대규모 역학조사가 이루어지지 않아 확실하지는 않지만 하와이에서의 아시아인 영아를 대상으로 했을 때의 낭성 섬유증의 발생률은 90,000명중 1명, 일본에서의 추정 발생률은 350,000명중 1명 정도라고 알려져 있다. 우리나라에서의 발생률은 다른 동양인에서와 마찬가지로 높지는 않을 것으로 보이지만 최근 국내에서도 환자가 보고되고 있으므로 감별진단에 유의해야 한다.

나. 유전형

CFTR 유전자는 27개의 exon를 가지고 있으면서 1,480개의 아미노산으로 구성된 단백질을 발현한다. 이 단백질은 상피세포의 세포막에 존재하면서 염소이온 통로로서 작용하며, 주로 기도, 폐포, 부비동, 췌장, 간, 장(intestine), 땀샘, 부고환, 난관(oviduct) 등에 분포한다. 낭성 섬유증의 경우 CFTR 단백질의 발현에 장애가 발생하며 이로 인해 염소 이온이 세포로부터 배출되지 못하고 2차적으로 상피세포를 통한 나트륨과 수분의 흡수가 증가하게 된다. 결과적으로 기도점막의 분비물의 점도가 증가하여 객담의 배출이 어렵게 되고 이로 인해 이차적인 감염이 자주 반복하여 기관지확장증과 폐섬유화가 진행된다. 또 췌장과 장점막의 분비 감소로 지방과 단백질이 잘 흡수되지 못하여 지방변, 비타민 결핍증, 저조한 체중 증가와 성장장애의 증상을 나타낸다. 낭성 섬유증에서 발현되는 증상으로는 이와 같은 호흡기 증상과 소화기 증상이외에도 담즙정체 및 간경변, 불임 등의 증세가 나타나기도 한다.

낭성 섬유증 환자에서 CFTR 유전자 돌연변이중 가장 많이 발견된 것은 아미노산 508번 위치의 phenylalanine이 소실된 $\Delta508$이다. 이외에도 다양한 형태의 돌연변이가 보고되고 있지만 미국인에서는 약 30개 정도의 돌연변이가 전체 환자의 80~90%를 차지한다고 하며, 아직 정확한 돌연변이가 발견되지 않는 경우도 있다. 아시아인에서는 지금까지 CFTR 유전자 이상까지 확인된 경우가 15례 정도에 불과하고 아직 대단위의 역학조사가 이루어진 바는 없지만 코카시안과 비교해볼 때 유전자 이상의 패턴이 다른 것으로 보인다. 즉, 코카시안에서는 Δ508이 가장 많은 돌연변이 형태인데 비해 동양인에서는 Δ508보다는 다른 형태의 돌연변이가 더 보고되고 있다. 또한 유전자이상의 형태(genotype)와 증상의 발현형(phenotype)과의 연관성도 아직 확실히 알려져 있지 않다.

다. 진단

낭성 섬유증 환자에서 땀의 전해질 이상이 있음이 보고된 이후 땀 검사는 낭성 섬유증의 진단에 가장 유용한 진단방법이 되었다. 그러나 땀을 채취하는 방법, 전해질 농도의 측정방법, 결과의 분석 등 여러 요인에 의해 위양성 또는 위음성으로 결과가 나올 수 있기 때문에 주의를 요한다. 현재 가장 많이 사용되는 땀검사법은 pilocarpine iontophoresis 법이며, 염소의 농도가 60 mmol/L 이상 나오는 경우를 양성으로 판정한다. 땀의 염소 농도가 40 mmol/L 이하인 경우에는 음성으로 간주하며 임상증상이 뚜렷하지 않으면 더 이상의 진단적 검사를 요하지 않는다. 40~60 mmol/L의 농도를 보인 경우에는 재검이 요구되며, 재검에서도 같은 정도의 농도를 보이는 경우에는 CFTR 유전자의 돌연변이가 있는지를 확인해야 한다.

낭성 섬유증이 아니면서 땀 염소 농도가 증가하는 경우로는 치료를 하지 않은 부신기능부전, ectodermal dysplasia, 선천성 신성 요붕증(hereditary nephrogenic diabetes insipidus), glucose-6-phosphatase 결핍증, 갑상선저하증, 부갑상선저하증, 가족성 담즙정체(familial cholestasis), 췌장염, 뮤코다당증(mucopolysaccharidoses), fucosidosis, 영양실조 등이 있다.

낭성 섬유증에서 2개의 CFTR 유전자 돌연변이의 확인은 민감도는 낮지만 특이도가 높기 때문에 진단적

으로 유용하다. 따라서 유전자검사는 땀 검사를 보조할 수 있는 방법으로 이용된다. 낭성 섬유증의 진단기준은 표 9-1과 같다.

이밖에도 낭성 섬유증 환자의 현재 상태를 평가하기 위해 여러 진단적 검사들이 시행되며, 여기에는 췌장기능 검사, 폐기능 검사, 호흡기의 X선 검사, 세균배양검사 등이 포함된다. 호흡기에서의 2차 감염이 흔하며 호흡기 분비물의 세균 배양검사에서는 *Staphylococcus aureus*, *Pseudomonas aeruginosa*, *Burkholderia cepacia* 등이 흔히 발견된다. 단순흉부X선 촬영이나 CT에서는 기관지확장증, 무기폐, 과팽창 등의 소견을 볼 수 있으며 부비동염도 관찰된다(그림 9-1). 폐기능검사로는 초기에는 주로 폐쇄성 폐질환(obstructive pulmonary disease)의 형태를 보이다가 질환이 진행하면서 섬유화가 진행되면 제한성 폐질환(restrictive pulmonary disease)의 형태를 보이게 된다. 췌장기능검사로는 대변에서의 fat balance 측정, trypsin 또는 chymotrypsin activity 측정, 혈청내 immunoreactive trypsinogen 측정 등의 방법을 사용하고 있다.

라. 치료

낭성 섬유증의 근본 치료방법으로는 정상 유전자를 삽입하는 생채내 유전자 치료, CFTR 단백질의 발현을 도와주는 gentamicin, phenylbutyrate, CPX(8-cyclopentyl-1,3-dipropylxanthine), 또는 genistein 투

표 9-1. 낭성 섬유증의 진단기준

1. 호흡기계, 소화기계, 비뇨생식기계의 전형적인 증상이 있는 경우
2. 형제중 낭성 섬유증 환자가 있는 경우
3. 신생아 선별 검사에서 양성으로 판정된 경우
+
a. 땀·염소 농도의 증가가 2회 확인된 경우
b. CFTR 유전자의 돌연변이가 2개 발견된 경우
c. 코 상피의 전위차(potential differences)가 있는 경우
1, 2, 3 중에 하나와 a, b, c 중에 하나가 해당되는 경우

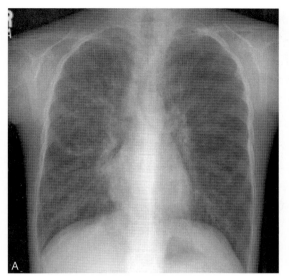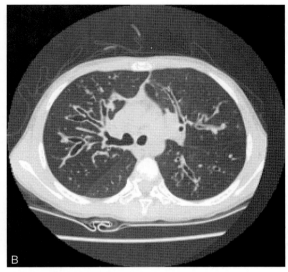

그림 9-1. 낭성 섬유증 환자의 흉부 X선(A), CT(B) 사진. 기관지벽의 비후와 기관지확장증이 보인다.

여, 염소 배출을 도와주는 UTP (uridine triphosphate), 나트륨의 흡수를 억제하는 amiloride의 투여 등의 방법이 개발되고 있으나 아직까지 치료효과는 명확하지 않다. 따라서 현재로서는 근본적인 치료보다는 증상을 완화하고 합병증의 발생을 억제하는 대증치료가 필요하다.

호흡기에 2차 감염이 발생한 경우 즉각적인 항생제 치료를 해야 하며 이러한 항생제 치료는 발열, 객담, 기침 등의 호흡기 증상이 나타났을 때 뿐만 아니라 비록 호흡기 증상 없이 colonization만 되어 있을 경우에도

필요하다. 주로 사용되는 항생제는 표 9-2와 같다.

낭성 섬유증에서의 기도 염증을 감소시키기 위한 치료로서는 경구용 스테로이드가 시도되었다. 이는 중증 기도 염증이 있는 경우에 폐기능의 호전을 보여주었으나 장기간 사용할 때에 부작용이 발생할 뿐 아니라 중등도 이하의 기도 염증이 있는 경우에는 뚜렷한 효과가 없어서 모든 환자에서 사용되지는 않는다. 흡입용 스테로이드의 사용은 부작용의 발생을 줄일 수 있었지만 확실한 폐기능의 개선을 보여주지는 못하고 있다. 항염증 치료로서 고용량의 ibuprofen의 투

표 9-2. 낭성 섬유증 환자에서 호흡기 감염시에 사용하는 항생제

투여 경로	세균	항생제
경구	*Staphylococcus aurues*	Dicloxacillin, cephalexin, clindamycin, amoxicillin-clavulanate
	Hemophilius influenzae	Amoxicillin
	Pseudomonas aeruginosa	Ciprofloxacin
	Burkholderia cepacia	Trimethoprim-sulfamethoxazole
	Empirical	Azithromycin, erythromycin
정주	*Staphylococcus aureus*	Nafcillin, vancomycin
	Pseudomonas aeruginosa	Tobramycin, amikacin, neptimicin, carbenicillin, ticarcillin, piperacillin, Ticarcillin-clavulanate, imipenem-cilastatin, ceftazidime, aztreonam
	Burkholderia cepacia	Chloramphenicol, meropenem
흡입		Tobramycin

여는 질병의 진행을 완화시키는 효과를 보였다고 보고된 바 있으나 이 치료방법도 치료범위가 좁아서 부작용의 발생을 줄이기 위해서는 혈청 내 농도를 자주 확인해야 하는 단점이 있다.

호흡기 내에 축적되는 분비물의 제거는 무기폐와 폐렴 발생 등을 예방하는데 중요하다. 이를 위해서는 호흡물리치료를 통해 적극적으로 분비물을 배출할 수 있도록 도와야 하며, 분비물의 점도가 높아서 잘 제거되지 않을 경우에는 인간 재조합 DNase를 흡입하거나 기관지경으로 직접 투여하는 방법을 쓸 수 있다. 상기한 치료에도 불구하고 폐기능이 악화된 경우에는 폐 이식, 또는 심장-폐 이식을 시도할 수 있다. 그러나 다른 기관의 이식과 비교할 때 예후는 좋지 않아서 3년 생존율이 약 60%인 것으로 알려져 있다.

낭성 섬유증 환아는 대부분 영양 섭취에 문제가 있으며 이로 인해 성장 부진과 저단백혈증을 유발한다.

췌장의 기능 이상이 있는 경우 microspheric pancreatic enzyme preparation을 투여하고 지용성 비타민(비타민 A, D, E, K)을 보충한다. 과거에는 저지방, 고단백질, 고칼로리식이 권장되었지만 최근에는 췌장 효소제제의 발달로 가능하면 정상 식이를 하도록 한다.

마. 예후

예후는 적극적인 진단 및 치료에 의해 호전되고 있다. 생존 연령의 중앙값을 보면 1969년에 14년이었던 것에 비해 2000년에 32년으로 증가하였으나, 아직도 근본적인 치료는 하지 못하고 있어 새로운 치료방법의 개발이 절실한 상태이다.

2. α_1-antitrypsin 결핍

α_1-antitrypsin의 동형접합 결핍(homozygous deficiency)은 20~30대의 성인에서 발생하는 중증 폐기종의 중요한 원인이다. 이 질환은 소아에서는 간질

환의 중요한 원인이 되기는 하지만 드물게 폐 질환을 일으킨다. α_1-antitrypsin은 대부분이 간세포에서 생산된 후 분비되며 일부 식세포에서 생산되기도 한다. 이렇게 분비된 효소는 52 kD 정도의 작은 물질이기 때문에 혈장으로부터 간질액으로 쉽게 확산되어 들어가며 폐에서는 endothelial-interstitial-epithelial barrier를 통과하여 폐포 내에 존재하게 된다. α_1-antitrypsin을 비롯한 혈청 내 antiprotease는 죽은 세균이나 호흡기 내 백혈구로부터 배출되는 단백질분해 효소(proteolytic enzyme)를 불활성화시키는 단백분해효소 억제제 활성도를 가지고 있다. 따라서 이러한 antiproteases의 결핍은 폐 내에 단백질 분해 효소를 축적시킴으로써 폐 조직의 파괴와 폐기종을 초래하게 된다. 또한 α_1-antitrypsin이 일정한 경우에는 백혈구 내의 protease의 농도가 임상적 중증도를 결정하는 중요한 요소로 작용하게 된다.

가. 역학 및 유전형

α_1-antitrypsin과 관련된 유전자는 염색체 14q32.1에 위치하고 있다. α_1-antitrypsin 결핍증의 표현형은 isoelectric focusing(IEF)에서의 electrophoretic mobility에 따라 PI allele product를 분류(A~Z)함으로써 이루어진다. 그중 α_1-antitrypsin의 혈액 농도가 정상인의 15% 이하로 저하되는 중증의 α_1-antitrypsin 결핍증을 잘 일으키는 표현형으로는 PiZZ 형이 가장 흔하다. 이러한 표현형은 주로 백인에게 나타나서 유럽인에서는 1/1,670~3,500명이 PiZZ 동형접합인 것으로 알려져 있으며, 반면 흑인, 아시안, 에스키모인에서는 드물다. PiZZ 표현형을 가지는 개체가 모두 α_1-antitrypsin 결핍에 의한 임상증세를 나타내는 것은 아니다. 정확한 통계는 없지만 약 5%에서 호흡기 질환이 발현된다고 하며, 이러한 차이는 아마도 질환의 발병에 유전적 요소 외에도 흡연과 같은 환경적 요소가 관여하기 때문인 것으로 생각된다.

나. 증상

α_1-antitrypsin 결핍증은 주로 성인에서 발현되는 질환이다. 그러나 소아에서도 호흡기나 간질환을 일으키기도 하므로 진단에 주의를 요한다.

소아에서의 호흡기질환은 드물기는 하지만 만성 기침, 천명, 호흡곤란 등을 일으키며 심한 경우 곤봉지가 관찰되기도 한다. 이러한 호흡기 증세는 폐기종에 의해 나타나기도 하며 일부에서는 폐기종에 기관지염, 기관지확장증 등이 합병증으로 나타나면서 증세를 발현시키기도 한다. 일반적으로 소아의 α_1-antitrypsin 결핍증에서는 호흡기 질환만 나타내는 경우는 드물고 간질환과 함께 동반되어 나타난다. 소아에서는 낭성 섬유증, 면역결핍증, 천식 등과 감별 진단해야 한다. 진찰 소견으로는 성장 부진, 흉곽의 전후 직경 증가, 타진 때 공명음 증가, 청진 때 거품소리, 곤봉지 등이 있다. 중증의 폐기종이 있으면 횡격막이 하방으로 밀리면서 간이나 비장이 만져지기도 한다. 흉부 X선 소견으로는 폐의 과팽창 및 횡격막의 하방 이동을 볼 수 있으며 흉부 CT촬영에서는 이러한 소견이외에도 기관지확장증 등을 관찰할 수 있다.

소아에서의 α_1-antitrypsin 결핍증은 호흡기 질환보다는 간질환으로 더 흔히 나타난다. PiZZ 환자에서의 간질환의 경과는 매우 다양하다. 보통 무답즙변(acholic stool), 황달, 성장부진, 간비대 등의 증상이 생후 수주 내지 수개월이내에 나타나며, 황달 등의 증세는 3~4개월 이내에 호전된다. 대부분의 경우에는 간질환이 호전되지만 약 2~3%의 환자에서는 만성경과를 밟으면서 간경변 및 간문맥 고혈압으로 발전한다. 만약 serum glutamic-oxaloacetic transaminase (SGOT) 수치가 생후 3년까지도 상승되어 있다면 예후가 더 나쁘다고 할 수 있다.

α_1-antitrypsin 결핍증의 호흡기 증세는 주로 20~40대에 나타난다. 특히 흡연자의 경우에는 25~40세에, 비흡연자의 경우에는 40~50세에 증세가 나타난다. 호흡기 증세는 폐기종이 발생하면서 서서히 진행하는 양상을 보여주며, 주로 호흡곤란, 만성기침 등을 호소한다.

다. 진단

임상적으로 의심되는 환자들에서는 흉부 X선, 폐기능 검사, 동맥혈 가스분석, 간기능 검사 등을 시행해야 한다. 혈액 내 α_1-antitrypsin의 농도가 80 mg/dL (11 μM)이 되면 protease에 의한 폐의 손상을 막을 수 있다고 하며 α_1-antitrypsin 결핍증 환자에서는 일반적으로 50 mg/dL (7 μM)이하로 저하되어 있다. PI 표현형을 알기 위해서는 isoelectric focusing(IEF)에 의해 전기영동 이동성을 확인하면 되고, 유전형은 중합효소연쇄반응(polymerase chain reaction)으로 확인할 수 있다.

라. 치료

치료방법은 인간 혼주혈장(pooled human plasma)으로부터 α_1-antitrypsin을 추출하여 투여하는 것이다. α_1-antitrypsin의 혈액 내 정상 농도는 180~280 mg/dL이지만 80 mg/dL을 유지하면 폐기종을 막을 수 있으므로 이를 치료 목표로 삼는다. 이러한 효소 투여법은 안전하며 아직까지 급성 독성반응은 보고 된 바 없다. 따라서 미국 식품의약품안전청(FDA)에서는 PiZZ나 Pi(null)(null) 환자에서 α_1-antitrypsin의 투여를 승인하고 있다. 그러나 위약 대조군 시험이 이루어진 바 없기 때문에 α_1-antitrypsin 투여의 치료 효과는 아직 확실하지 않다. α_1-antitrypsin 투여법은 현재까지는 FEV$_1$이 예측치의 30~65% 정도 되는 중등도 이상의 폐쇄형 폐질환 또는 경증의 폐질환이더라도 갑작스러운 폐기능의 저하를 보이는 경우에 가장 유효한 것으로 보인다. α_1-antitrypsin 결핍증 환자에 대한 α_1-antitrypsin 투여법은 아직까지 몇 가지 문제점이 있다. 첫째, 인간 혼주 혈장으로부터 추출되는 α_1-antitrypsin의 양이 적기 때문에 제한적으로 공급될 수밖에 없다. 최근 DNA technology를 이용하여 재조합 α_1-antitrypsin이 생산되었으므로 이러한 제한점은 줄어들 것으로 전망된다. 둘째, 에어로졸을 이용하여 α_1-antitrypsin을 직접 호흡기 내로 투여하는 방법이 연구되고 있다. 이러한 방법으로 빠르고 확실한 치료효과와 치료용량의 감소가 기대되나 아직까지 임상적 이용에 있어서는 논란의 여지가 많다. 효소 투여법 이외에의 특이적 치료방법으로는 유전자치료법이 개발되고 있는 중이며, 말기 환자에서는 폐 이식술을 고려해 볼 수 있다.

보존적 치료방법으로는 호흡기 감염에 대한 적극적인 항생제 치료, *S. pneumoniae*이나 인플루엔자에 대한 예방접종, 기관지 확장제 투여, 금연, 호흡물리치료, 적절한 영양공급 등이 있다. 이러한 치료는 비록 호흡기 증상이 없다고 하더라도 PiZZ나 Pi(null)(null)을 보이는 대상에게 적용된다. 혈액 내 antiprotease의 농도가 낮은 사람에서의 폐기종 발생은 환경적인 요소와 관련성이 있으므로 산업공해, 호흡기 감염, 흡연 등에 대한 노출을 최소화함으로써 폐기종의 발생을 예방해야 한다.

참고문헌

1. di Sant' Agnese PA, Daring RC, Perera GA, Shea E. Abnormal electrolyte composition of sweat in cystic fibrosis of the pancreas: Clinical significance and relationship to the disease. Pediatrics 1953;12:549-63.

2. Wright SW, Morton NE. The incidence of cystic fibrosis in Hawaii. Hawaii Med J 1968;27:229-32.

3. Moon HR, Ko TS, Ko YY, Choi JH, Kim YC. Cystic fibrosis : A case presented with recurrent bronchiolitis in infancy in a Korean male infant. J Korean Med Sci 1988;3:157-62.

4. Lemna WK, Feldman GL, Kerem BS, Fernbach SD, Zevokovich EP, O'Brien WE, et al. Mutation analysis for heterozygote detection and the prenatal diagnosis of cystic fibrosis. N Engl J Med 1990;332:291-6.

5. Tsui LC. The spectrum of cystic fibrosis mutations. Trends Genet 1992;8:392-8.

6. Welsh MJ, Tsui L, Boat RF, Beaudet AL. Cystic fibrosis. In: Scriver CR, Beaudet AL, Sly WS, Valle D, editors. The metabolic and Molecular Bases of Inherited Disease. New York: McGraw Hill, 1995;3799-876.

7. LeGrys VA. Sweat testing for the diagnosis of cystic fibrosis: Practical considerations. J Pediatr 1996;129:892-7.

8. Cystic Fibrosis Foundation. Patient Registry 1996.

9. Yamashiro Y, Shimizu T, Oguchi S, Shioya T, Nagata S, Ohtsuka Y. The estimated incidence of cystic fibrosis in Japan. J Pediatr Gastroenterol Nutr 1997; 24: 544-7.annual data report, 1997.

10. Cuppens H, Lin W, Jaspers M, Costes B, Teng H, Vankeerberghen A, et al. Polyvariant mutant cystic fibrosis transmembrane conductance regulator genes. The polymorphic (TG)m locus explains the partial penetrance of the T5 polymorphism as a disease mutation. J Clin Invest 1998;101:487-96.

11. Netzel M, Kinberg K, Gwinn G, Townley R. α_1-antitrypsin deficiency. In : Taussig LM, Landau LI, editors. Pediatric respiratory medicine. St. Louis : Mosby 1999;1206-15.

12. Farrell PM. Improving the health of patients with cystic fibrosis through newborn screening. Adv Ped 2000;49:79-115.

13. Feldmann D, Laroze F, Troadec C, Clement A, Tournier G, Couderc R. A novel nonsense mutation (Q1291X) in exon 20 of CFTR (ABCC7) gene. Hum Mutat 2001;17:356.

14. Wong LJ, Alper OM, Wang BT, Lee MH, Lo SY. Two novel null mutations in a Taiwanese cystic fibrosis

patient and a survey of East Asian CFTR mutations. Am J Med Genet 2003;120A:296-8.

15. Boat TF. Cystic fibrosis. In: Behrman RE, Kliegman RM, Jenson HB, editors, Nelson Textbook of Pediatrics. Philadelphia: Saunders 2004;1437-50.

16. Winnie GB, Boas S. α_1-antitrypsin deficiency and emphysema. In: Behrman RE, Kliegman RM, Jenson HB, editors. Nelson Textbook of Pediatrics. Philadelphia : Saunders 2004;1421-2.

17. Ahn KM, Park HW, Lee JH, Lee MG, Kim JH, Kang IJ, Lee SI. Cystic fibrosis in Korean children: A case report identified by a quantitative pilocarpine iontophoresis sweat test and genetic analysis. J Korean Med Sci 2005;20:153-7.

호흡기학

제10장

구조적 이상으로 인한 폐질환

1. 선천성 기형

  선천성 폐기형의 빈도는 모든 선천성 기형의 7.5~18.7%로 알려졌지만 증상이 없는 경우도 있어 실제로는 더 높을 것으로 추측되며 다른 선천성 기형, 특히 심혈관계의 기형과 자주 동반된다. 출생당시에 폐 발달은 불완전하다. 말단 세기관지까지 기관지가 발달하는 것은 재태 16주에 완성 되고 폐 혈관 형성은 기관지 형성과 비슷하나 약간 나중에 일어난다. 그 후 호흡 기관지가 형성되고 난 뒤에 폐포가 형성되는데 태생 24주부터 출생 후 8~12년까지 또는 그 이상 계속된다. 폐 발달의 어느 단계에서는 개개 조직의 성장 속도, 즉 기도, 폐포, 동맥, 정맥, 림프선 등의 성장 속도는 일정하지 않을 수 있다. 초기에는 기관지 돌기의 끝 부분은 원시 대동맥에서 기원하는 체모세혈관총에서 공급을 받지만 폐가 발달하면서 모세혈관총은 퇴행하게 되고 폐동맥이 발달하면서 혈관공급을 맡게 된다.

  비정상적인 폐발달의 원인으로 손상의 특성이 반드시 중요한 것은 아니고 손상의 시기나 정도가 병변의 형태를 주로 결정한다. 성장하는 기관지뿐만 아니라 폐동맥까지 같이 손상을 입은 경우는 손상 원위부는 모두 다 성장이 정지되어서 폐의 엽이나 분절이 발생되지 않는다. 손상이 경미하거나 일시적이라면 원위부 기관지와 폐실질 혈관계는 정상으로 성장할 수 있다. 이 경우는 기관지 폐쇄나 기관지성 낭포(bronchogenic cyst)같

은 국소 병변이 생긴다. 기관지의 발달에는 이상이 없으나 폐동맥 발달이 정지된 경우도 있을 수 있다. 기관지는 폐동맥의 공급을 받지 못하고 정상적으로 퇴화하는 체모세혈관총으로부터만 공급을 받게 된다. 체혈관은 자라나는 기관지와 함께 자라면서 실제 혈관이 되어서 관여된 폐의 한 부분을 공급하는 체동맥을 형성한다. 이 혈관은 그들이 기원한 원시 대동맥이 자라 미부로 이동하면서 같이 원위부로 이동하여 결국 하흉부나 상복부 쪽에 위치하게 된다. 또는 손상이 심해서 기도와 폐동맥 발달에 모두 장애를 주어 체동맥 공급이 폐의 비정상적인 부분에 국한되는 경우에는 폐 격리(sequestration) 같은 병변이 발생한다. 기관지 폐 연결에 심각한 손상이 있어도 폐동맥은 계속 발달해서 비정상 폐분엽을 공급하는 경우가 있다. 이런 경우 선천성 폐 낭종이나 낭성 선종양 기형(cystic adenomatoid malformation) 이 생길 수 있다. 선천성 대엽성 폐기종 같은 말단 기관지와 폐포를 침범하는 말초성 병변은 발달 후반부에 결손이 있다. 또 하나 중요한 점은 정상적으로는 기도만 침범했다고 예상된 병변이 체동맥 공급을 받거나 비정상적인 정맥을 가지게 되는 것을 발견하는데 이는 다양한 형태의 부적합 사이에 배아적인 연결이 있다는 이론을 뒷받침 해주는 것이다. 소아 후반기나 성인기에 진단된 폐 기형은 출생 당시부터 존재했던 폐 기형과는 달리 오랫동안 공기가 차있거나 과팽창 되어서 병변이 왜곡될 수 있고 감염될 수 있어 육안 또는

현미경적으로나 차이가 있다.

초기에는 발달하는 폐돌기는 주변의 중간엽과 함께 그것이 기원한 원시 전장(premitive foregut)의 근위부 가 가까이에 놓이게 된다. 이러한 발달하는 두 기관이 인접해 있는 부위에 어떤 손상이나 부착이 생기게 되면 두 기관 다 영향을 받게 되고, 손상의 시기와 정도가 예후에 중요한 영향을 미치게 된다. 정상적으로 폐는 유전적으로 결정된 방식으로 발달하게 되고, 분화하는 상피세포는 주변의 중간엽에서 나오는 체액의 영향을 받게 된다. 폐 상피세포가 분화하면서 원시 전장을 향해서 부착이 당겨지면서 중간엽에 놓이게 되는데 이는 정상 발달에서는 없는 것이다. 이는 결국 조직이 잘못 놓이게 되는 기형을 초래하게 된다. 이러한 정규장소를 벗어난 조직과 주변 기관 사이에 원시적인 소통이 생기는 것은 어떤 단계에서나 생길 수 있다. 이후 늑막이 발달하면 이런 조직을 모기관으로부터 부분적으로 또는 완전히 격리 시켜서 폐외 격리나 폐내에 이소성 전장 유도체를 생성한다. 이로써 폐외 폐기형과 전장 기형이 높은 빈도로 동반되는 것을 설명할 수 있다.

가. 폐 무발생증, 무형성증, 폐 형성저하증

무발생증(agenesis)과 무형성증(aplasia)의 차이는 기관과 기관지 절단의 유무가 차이점이고 양측성 무형성증은 극히 드물고 무뇌증과 같이 일어난다. 일측성 무발생증은 결손된 폐쪽에 기관지 절단이 없어서 분기부가 없는데, 이는 엽성 무발생증이나 무형성증 만큼 드물고, 발생하면 보통 우상엽과 중엽을 같이 침범한다. 일측성 무형성증은 분기부와 잔유의 기관지 절단이 존재하는 것으로 증상이 거의 없는 경우에서 실제 발생 예의 1/3만이 진단을 받는다. 전체 일측성 무발생증이나 무형성증에서 폐동맥은 항상 존재하지 않게 되고 교감신경과 부교감신경도 모두 발생하지 않게 되며 늑막도 보통 없게 된다. 병변은 70%가 왼쪽에서 생기고 남녀비는 같다. 환자의 약 50%가 생후 일 년 이내에 사망하게 되고 동반된 기형에는 심혈관계,

척추기형, 늑골 기형 등이 있다. 편측성 안면 기형, 편측성 사지 기형과 소화기계 기형, 편측 신장이나 편측 난소가 없는 경우, 단각 자궁 등이 있다. 구개열과 구개순도 보고 되었다. VATER 증후군의 한 변이로 볼 수 있는 경우도 있다.

임상적으로 일측성 폐 무형성증이나 무발생증을 가진 대부분의 환자들은 신생아기에 호흡곤란의 증상을 보인다. 생존률은 폐의 결손 부위가 좌·우에 따라 다르게 되는데 우측 폐가 없는 경우 심혈관계 기형의 동반 빈도가 높고 대동맥이 중심 기도를 누르는 경우 등으로 치사율은 최소한 75%인 반면 좌측 폐가 없는 경우는 25%정도로 낮다. 남아있는 쪽의 폐가 보상적 성장을 하지만 중격의 이전으로 기도압박과 측만증이 발생될 수 있고 합병증으로는 폐 고혈압이 있다. 이환된 쪽의 흉벽의 움직임이 감소되어 있고 납작해져 있으며 청진할 때 호흡음이 감소되어 있다. 기관지 조영술과 기관지 내시경은 확진을 위해서는 거의 필요치 않지만 심장 초음파와 혈관조영술은 동반된 심혈관계 병변을 배제하기 위해서 항상 필요하다. 치료는 산소 공급 등의 보존적 치료, 연관 기형 교정, 호흡기 감염의 예방과 치료이다.

폐 형성저하증(hypoplasia)은 폐의 성장을 저해하는 원인인 산모의 양수 과소증, 자궁내에서 흉강의 크기를 감소시켜 결과적으로 폐 형성저하증을 일으키는 횡경막 탈장, 흉곽내 낭종, 종양, 심비대증, 전신 부종 때 늑막삼출, 단늑골증후군, 흡입성 흉곽 이영양증(Jeune 증후군)같은 흉곽 기형, 흉곽이 작은 난장이, Potter 증후군 등으로 인해 이차적으로 생기고 항상 폐 혈관의 형성저하증도 동반한다. 우측 형성저하증에서는 Scimitar증후군과 가장 흔하게 연관되어 있으므로 혈관의 양상을 보는 것이 중요하다. 연관된 병변이 없으면 일측성 폐 형성저하증을 가진 환자는 정상적인 성장, 발달, 수명을 누릴 수 있다. 합병증으로는 운동 능력의 감소, 반복되는 감염, 척추 측만증 등이다.

나. 후두 기형

1) 후두연화증

후두연화증(laryngomalacia)은 상기도에서 발견되는 가장 흔한 선천성 기형으로 진짜 기형이라기보다는 후두를 지지하는 조직의 성숙이 지연되는 것이다. 천음(stridor)이 생후 2주 이내에 나타나 6개월까지 점점 심해진다. 천음은 보통 울거나 수유 중 또는 간헐적인 호흡기 감염이 있을 때 악화된다. 2.5배 정도 남아에서 많고 바로 누웠을 때(supine) 증상이 악화되나 엎어 누이면(prone) 증상이 경해진다. 진단은 병력 청취와 진찰로 가능하고 후두 내시경과 기관지 내시경은 증상이 심하거나 비전형적인 경우에 시행한다. 1/3에서 다른 후두기관 기형, 특히 식도폐쇄나 기도식도폐쇄 같은 질환과 공존할 수 있다. 대부분 성장하면서 저절로 좋아지므로 대개 특별한 치료는 필요없다. 수유장애가 있으면 작은 젖꼭지를 사용하거나 점적기(dropper)를 사용하여 수유하고 드물게 경관 수유가 필요할 수 있다. 누워 있는 자세보다 엎드린 자세를 취하는 것이 천음을 줄이나 질식을 주의해야 한다. 대개 18개월까지는 증상이 좋아지지만 그 이후로도 미약한 흡기장애가 남을 수 있으며, 증상이 심하면 기도 삽관을 하고 드물게는 기관절개나 후두 수술이 필요하다.

2) 후두기관지식도열

후두기관지식도열(laryngotracheoesophageal cleft)은 생존아 1/10,000~1/20,000명으로 발생하고, 모든 후두기형의 1% 미만에서 발생한다. 남자가 여자보다 더 흔하다. G증후군, Pallister-Hall증후군 등과 관련되기도 하고 다른 후두기도식도 기형, 특히 식도 폐쇄와 기도-식도루의 동반이 빈번하다. 후두기도의 이환된 길이에 따라 네가지로 나누는데, 제 1형은 환상연골까지, 제 2형은 환상연골과 경부 기도까지, 제 3형은 분기부까지이고 제 4형은 한쪽 또는 양쪽 주 기관지를 다 이환시킨 경우이다. 음식과 침 등이 반복적으로 기도로 흡인되어 기침과 질식, 호흡곤란, 반복적인 폐렴이 생길 수 있다. 침을 많이 흘리고 천음이 있고, 울음소리가 낮고 소리가 나지 않는 것이 열(cleft)의 진단에 특징적인 증상이고 수유할 때 호흡곤란이 있으면 후두기관지식도 열을 반드시 고려해 보아야 한다. 조영촬영을 해보면 비정상적 통로를 볼 수 있는데, 내시경은 병변의 범위를 확진하기 위해서 항상 필요하다. 대부분의 제 1형 병변은 위식도 역류 같은 합병증이 없거나 있더라도 잘 조절된다면 교정이 필요치 않다. 제 2, 3, 4형의 수술 시기는 진단 할 때 전체적인 상태에 따라 기관 절개를 한 뒤에 환자가 안정되면 수술을 하는 단계적인 교정이 최선이다.

수술 부위가 벌어지거나 기관식도 누공, 계속된 흡인이나 연하곤란, 위식도 역류 등 기도기관지연화증, 만성 호흡기 질환 등이 흔한 수술 합병증들이다.

3) 후두폐쇄와 후두막

후두폐쇄는 즉각적인 진단과 치료를 요하는 응급 질환이다. 원위부 폐 발달과 전체적인 태아 성장은 보통 영향을 받지 않는다. 이런 환자들은 출생할 때에 완전히 기도가 막혀서 태어나게 되어서 흉벽 함몰이 심하면서 공기가 유입되지 않고, 울지 않고 청색증이 지속된다. 진단은 후두내시경으로 이루어지며, 치료는 즉시 막을 파열하여 주거나 응급 기관절개이다. 생존자 중 후두의 기능은 보통 비정상이어서 나중에 수술적 재건이 필요하고 특히 말을 하는데 도움이 필요하다.

후두막(laryngeal web)은 양측 후두간의 중간엽의 불완전한 분리로 발생하며, 75%가 성문에 있고, 나머지는 성문하 또는 성문상부에 있다. 보통 앞쪽으로 막이 위치하며 뒤로 오목한 성문 개구가 있다. 완전막은 출생 즉시 심한 호흡곤란이 있는 반면 부분막은 천음과 쉰울음소리 또는 약한 울음소리, 그리고 폐쇄의 정도에 따라 다양한 정도의 호흡곤란이 생기게 된다. 진단은 내시경으로 보는 것이고 치료는 막을 절제하는 것인데, 일부 작은 성문하 막은 늘려주는 것만으로도 치료가 되기도 한다.

4) 후두낭종

후두낭종(laryngeal cyst)은 보통 성문 상부에 생기고 신생아기에 쉬거나 둔탁한 목소리, 무발성, 천음, 호흡곤란 등의 증상을 보인다. 경부 외측 X선 사진을 찍으면 둥근 성문 상부의 부종이 있고, 후두 내시경에서 푸른빛의 액체로 가득찬 낭종이 발견되는데 주로 후두개 주름 내에 있다. 흡인을 해주면 그 당시에는 증상이 완화되나, 재발을 방지하기 위해서는 절제가 필요하다.

5) 성문하협착

후두막이나 후두폐쇄와 유사하게 성문하협착(subglottic stenosis)의 선천적 형태는 후두의 재관화가 되지 않아서 생기는데, 성문하협착은 결손이 주로 성문아래 약 2~3 mm정도 환상 연골에서 생긴다. 가장 흔한 증상은 흡기할 때 천음인데, 숨을 쉬기 위해 노력을 하거나, 상기도 감염이 있을 때에 더 악화되어 크룹으로 잘못 진단 될 수도 있다. 그러므로 유아에서 크룹이 반복되면서 특히 질병의 경과가 비전형적이고, 치료에 잘 반응하지 않는다면, 항상 성문하 협착과 같은 고정성 상기도 협착의 가능성을 염두에 두어야 한다. 기관지 내시경이 확진법이고 후천성 성문하 협착이 선천성보다 더 흔한데 후천성의 진단은 후두 외상의 병력이 있거나 기도 삽관의 병력, 특히 미숙아에서 기도 삽관의 기간이 길었던 경우 가능성이 더 커진다. 치료는 두 경우가 모두 같아 성장하면서 좋아지기 때문에 보존적 치료, 특히 증상이 있을 때 보존적 치료를 하면 된다. 수술은 보존적 치료가 실패 했을 때에 하게 되는데 이때는 기도 절개가 필요하다.

다. 기관 및 폐실질 기형

1) 기관 무발생증과 무형성증

기관 무발생증(agenesis)은 기관 전체가 없고 주기관지는 서로 직접 연결되어 있거나 식도에서 분지한다. 무형성증(aplasia)은 기관 근위부는 맹낭을 형성하고, 원위부는 두 주기관지가 나누어지기 전에 식도에서 기원한다. 모든 형태에서 폐는 정상이나 연관된 소화기계 비뇨생식기계 기형이 흔하다. 출생 직후 심한 호흡 곤란이 특징적이다. 기도 삽관할 때 관을 식도에 삽관하면 어느 정도 환기는 가능하다. 생후 수일이상 생존의 보고는 없다.

2) 기관 협착

기관 협착(tracheal stenosis)은 기도가 고정적으로 좁아져 있는 것으로 내인성(선천성 혹은 후천성) 또는 외인성으로 눌려서 생길 수 있다. 선천성 내인성 기관 협착은 많은 형태로 인식될 수 있는데 Wolman은 두 가지 형태를 보고하였다. 첫째 유형은 정상 내경의 기관 위·아래로 짧게 좁아진 분절이 있는 경우이다. 둘째 유형은 기관 내경이 분지부쪽으로 내려가면서 점차 좁아져서 당근 모양 또는 "쥐꼬리 모양"의 기관이 된다. 협착은 기관-기관지 기시부쪽으로 기관의 원위부쪽에서 잘 발견되고 협착이 분지부쪽으로 특징적으로 연장되나 좌·우 주 기관지의 직경은 정상이다. 기관 협착은 연골 이형성증(Ellis van Creveld 증후군), 선천성 점성 골단, 좌측 폐동맥 슬링 증후군 같은 다른 기형과 동반될 수 있다. 짧은 분절 협착의 다른 드문 원인으로는 주로 분지부 위에서 발견되는 기관 막, 기관 낭종, 기관 내에 격리된 식도 조직 등이 있다. 특징적으로 기관의 흉곽외 부분에 국한된 기관 협착을 가진 환자들은 주로 흡기 때에 천음이 더 심하다. 흉곽내 협착을 가진 환자들은 주로 호기 때에 천명이 심하다. 두 경우 모두에서 협착이 심하고 고정적이면 흡기와 호기 모두에서 천명이 들릴 수 있다. 협착 부근의 기도가 구조적으로 약하던지, 기도압력이 증가하는 등의 부가적인 요인이 협착과 호기 때 나는 소리에 영향을 미친다. 협착이 심하면 거친 호흡음과 함께 심한 호흡곤란이 동반될 수 있지만, 경한 경우에는 운동이나 감염이 있을 때에 호흡음만 증가될 수 있다. 기도의 X선 소견에서 좁아진 부위를 확인할 수 있지만 보통 기관지 내시경이 진단을 위해서 필요하다. 폐기능 검사 때 기류-용량 곡선에서 흡기와 호기부분이 특징적으로 납작해진 것을 관찰할 수 있다.

기관 협착의 부위가 넓으면 생존할 수가 없어서 수술을 하지 않지만 국소적인 협착인 경우는 좌측 폐동맥을 다시 이식하여 연화된 분절을 감압시킨다. 좁아진 내경의 확장술과 레이저 절단술의 결과가 좋지 않고 시술 후에 협착이 재발한다. 일부 환자들은 보존적 치료를 하면서 기관이 성장하면 협착이 좋아지는 경우도 있다.

3) 기관연화증

일차성 기관연화증은 드물고 연골이 비정상적으로 부드럽거나 막양부로 대체된 연골 고리가 짧은 경우이다. 일차성 기관연화증은 다운 증후군, 흉근 결손, 엄지의 선천성 결손, 깔때기 모양 흉부, 선천성 심질환 등과 동반되어 나타날 수 있다. Williams-Campbell 증후군은 기관기관지 연화증의 일종으로 드물며 심한 가족성 병변으로 기관기관지를 걸쳐서 연골이 많이 감소되어 있거나 없는 증후군이다.

대부분의 기관연화증은 혈관륜이나 종격동 낭종과 같이 외부의 압박에 의해 이차성으로 국소적 병변이 생긴다. 특히 기관식도루가 있는 모든 환자들에게서 발견되는데, 연화가 된 곳은 루가 있는 곳에 한정된 것은 아니고 기도 어디에도 있을 수 있어 대부분의 환자들이 수술 후에도 기도 문제가 지속된다. 기관연화증은 보통 후두연화증과는 동반되지 않는데 그 이유는 후두는 전장(foregut)에서 직접 발생하는 것이 아니기 때문이다.

증상은 보통 유아기 초기에 나타나는데 거칠고 큰 진동성의 기침소리, 덜거덕 소리를 내는 가슴, 호흡곤란, 천명, 천음 등이 나타난다. 기침과 덜거덕 소리를 내는 가슴은 정상 점액이 제거가 되지 못하고 비정상적인 기관 분절을 지나기 때문에 생긴다. 이 연화된 분절은 호기동안에 흉강내압이 증가해서 허탈되어 기도 내경을 좁게 하고 기도가 막히고 호기성 천명이 생기게 한다. 울 때, 수유 때, 기침, 상·하기도의 감염이

있으면 더 증가 되어서 급격하게 호흡곤란과 심한 호흡부전에 빠지게 된다. 호흡곤란이 심해지면 흡기성 호흡곤란도 같이 생기게 된다. 가장 심한 형태는 급성 중증 폐쇄성 호흡곤란이 청색증과 함께 나타나는 경우 소위 치명적 발작이 함께 나타날 수 있다. 이때는 즉시 산소와 양압환기를 필요로 하는데, 때로는 기도 삽관을 해서 비정상 분절을 지나가야 좋아지는 경우도 있다. 이 환자들에게서 천명은 흔한 증상으로 많은 경우에서 천식으로 오인하고 오랫동안 치료를 하게 된다. 지금은 기관연화증이 있는 환자에게서 천식의 발병률이 높지 않다고 생각하고 있어서 환자가 적절하게 천식치료를 해도 반응이 없을때 기관 연화증을 반드시 고려해 보아야 한다. 다른 증상으로는 전형적인 개 짖는 소리의 기침과 "백파이프(bagpipe) 징후", 호기 말 후까지 마찰소리가 지속되는 것 등이 있다. 연화된 분절의 기도 내경이 많이 변화하는 것이 흡기와 호기 때의 흉부 X선 외측 사진에서 확인된다. 이는 특히 짧은 분절의 연화증에서 잘 보이는데 비정상 분절과 나머지 정상 분절의 차이를 쉽게 구분할 수 있다. 넓은 분절이 이환되거나 기관 전체가 이환되면, 기도 내경이 어느 정도 비정상인지를 구분하기가 힘든데 그 이유는 특히 어린 유아에서는 정상 변이의 범위가 넓어서 호흡기 감염 중에는 50%정도는 정상 변이에 속하기 때문이다. 기관지 내시경은 연화된 부위를 직접 볼 수 있어서 확진에 가장 많이 쓰는 진단 방법이고 외부에서 기도를 누르는 병변이 없는지 항상 보아야 하고, 비정상 부위가 심하게 박동하면 혈관성 병변을 고려해야 한다. 만약 박동이 기관의 전벽에서 감지되면 비정상 우쇄골하 동맥이 가장 가능성 있고 기관의 후벽에서 박동하는 것은 혈관륜을 시사하는 소견이다. 기도를 누르는 비박동성 병변은 기관지 낭종, 종격동 종양, 커진 림프선 등이 있다. 기관을 누르는 모든 병변에서 CT는 수술 전에 해부학적인 구조를 확진하기 위해서 반드시 필요하다.

기관연화증만 있는 환자들 대부분에서는 보존적 치료가 가능하다. 정체된 분비물을 제거하기 위해 물리

요법을 하고 감염이 있으면 항생제를 쓴다. 연령이 증가하면 기관의 내경이 증가하고 비정상 부위가 단단해 지면서 기도의 기능이 점차 향상된다. 그러나 증상이 완전히 없어지기까지는 수개월에서 수년이 걸릴 수 있다. 신생아나 유아에서 심각한 폐쇄성 병변이 있는 경우, 기도의 단단함이 생기기 전까지는 일정기간 마스크, 비인두 관(nasophayngeal tube), 기관 내 삽관을 통해 지속성 양압 환기등 보존적 치료를 하고 반응하지 않는 심한 폐쇄성 병변을 가진 경우는 치사율이 80%에 달하므로 대동맥 고정술과 기관 고정술같은 수술적 치료를 해주어야 한다.

4) 기관식도루를 동반한 식도폐쇄

기관식도루(tracheo-esophageal fistula)와 연관된 식도와 기관의 기형은 출생아 1/3,000명 정도로 발생하고, 신생아에서 호흡곤란의 원인이 되는 중요한 기형이다. 원위 기관식도루를 동반한 식도폐쇄가 가장 흔한 해부학적 형태(85%)이고, 독립된 식도폐쇄(5~10%), 근위루를 동반한 식도폐쇄(<5%), 그리고 식도폐쇄를 동반하지 않는 기관식도루(H-type, <3%)가 나머지를 형성한다(그림 10-1).

50%이상에서 척추기형과 관련되어 있고, 25%는 심장기형과, 10%는 쇄항(imperforate anus)과 관련이 있다. 대부분은 조산으로 태어나고 다운 증후군에서 빈도가 증가한다. 식도폐쇄에서, 흔히 상부 식도낭은 적정한 크기이고, 기도의 약 1/3 아래쪽까지 확장되어 있다. 원위 식도 부분이 매우 얇은 구조로 기도분지의 뒤쪽에 부착되어 수술 후에도 원위 식도의 허혈과 괴사가 지속적인 위험요소이다. 순수한 식도폐쇄는 기관이나 기관지로의 루 연결이 존재하지 않고, 원위 식도말단이, 간신히 횡격막 위쪽 혹은 더 흔하게는 근위부에 닿는 작은 식도게실로 되어 있다. 식도폐쇄는 임신 중 모체의 양수과다의 과거력이 있다. 출산 후 아기는 입의 분비물을 삼킬 수 없고, 지속적인 거품이 섞인 침흘림과 흡인을 유발하여 기침과 청색 발작을 동반한다. 원위 기관식도루의 존재는 위분비액의 폐로의

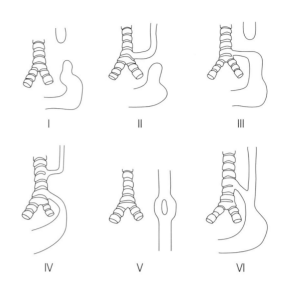

그림 10-1. 선천성 기관식도루의 다양한 형태

직접직인 역류의 통로를 제공하고, 공기로 복부팽만을 이끌어 호흡곤란을 유발시켜, 결국에는 호흡을 위태롭게 할 수 있다. 출생 때부터 호흡문제와 침흘림을 가지고 있는 소아에서 흉부와 복부 X선에서의 가스로 가득찬 장이 가끔 식도폐쇄를 동반한 기관식도루 존재의 실마리를 제공한다. 진단은 흉부 X선에서 근위 식도부위의 맹관으로 비위관을 통과시킬 수 없는 것으로 확진할 수 있다. 공기가 덜 찬 복부는 원위루를 동반하지 않는 폐쇄를 시사한다. 흡인이 일어날 수 있기 때문에 조영제 촬영은 피해야 한다.

치료는 외과적이다. 수술 전에 흡인을 피하기 위해 식도낭의 상부 맹단에 카테터를 통해 지속적으로 흡인해주어야 하고 위식도 역류와 흡인을 최소화하기 위해 반수직위 자세를 취해야 한다. 수술은 호흡기 부작용이 수술 후 사망률에 크게 영향을 주기 때문에 조절될 때 까지 연기되어야 한다. 대부분의 환자에서 기관식도루의 결찰과 분할과 식도 양끝의 end-to-end 문합이 가능하다. 식도 양끝의 간격이 너무 넓을 때는 대장이나 합성물질이 사용되는 이식간치술(interposition graft)이 필요하다. 수술 후 부작용은 흔하고 까다로우

며, 소화기와 호흡기로 나눌 수 있다. 흔한 식도 부작용은 수술 부위의 파손으로 인한 종격으로의 누출과 식도협착, 연하곤란과 위식도 역류를 포함한다. 문합된 부위의 협착은 1/4의 환자에게서 흔히 3개월 이내에 나타나고, 연하곤란, 역류, 기침, 그리고 지속적인 흡인성 폐렴도 발생된다. 호흡기 문제는 10% 이상에서 루의 재발로 상처의 파손과 지속적인 흡인, 지속적인 호흡기 감염, 특징적인 짖는 기침, 천명, 호흡곤란, 가르릉 소리를 포함한다. 이런 증상은 식사 때, 호흡기 감염, 혹은 운동할 때에 증가한 분비물을 적절하게 제거하지 못해 악화되면서 심한 기침과 천명이 나타난다.

이러한 천명으로 천식으로 오인될 수 있다. 그러므로 적절한 천식치료에 대한 반응이 없는 경우에는 재발을 꼭 의심해 보아야 한다. 결론적으로, 기관식도루 환자의 수술 후 치료는 분비물 제거를 위한 물리치료, 항생제와 호흡기 증상을 유발하는 것으로 여겨지는 위식도 부작용의 치료에 있다. 전체 생존율은 70%에 달하며, 정상 만삭신생아에서는 90%이상이다.

식도폐쇄를 동반하지 않는 기관식도루(H-type fistula)는 기관식도루의 3%정도에서 발생한다. 임상적으로 잦은 기침과 마신 액체로 목이 메는 호흡기 증상과 반복적인 감염과 울음을 동반한 복부팽만이 흔하다. 흉부 X선에서 가스로 가득 찬 장과, 우상엽과 우중엽의 반복적인 감염의 흔적을 보인다. 복와위에서 식도조영상은 대부분의 루를 진단하지만 놓칠 때도 있다. 식도내시경과 기관지경은 임상적으로 기관식도루가 강하게 의심되나 식도조영에서 나타나지 않을 때 적응이 된다. 루가 재발 할 수 있지만 다른 형태의 기관식도루보다는 수술 후 문제가 덜하다.

5) 기관지성 낭포

기관지성 낭포(bronchogenic cyst)는 유아와 소아 종격동 종양의 5% 정도를 차지하고 있으며, 성인에서의 비율은 조금 더 높게 보고 되고 있다. 낭포는 일반적으로 하나이며 얇은 막을 가지고 있고 섬모호흡상피와 점액샘의 표면조직을 가지고 있으며 근육과 섬

유조직으로 둘러 쌓인 형태를 취하고 있다. 낭포의 조직학적 형태나 위치 등은 낭포가 발생과정 도중 떨어져 나오는 시기에 의해 결정지어지게 된다.

기관지성 낭포가 흉부에서 발견되는 주된 장소는 50%가 용골(carinal) 부위로 기도 압박의 주된 원인이 되는 곳이고 우측 기도 주변부, 주기관지 또는 대엽성 기관지 주변에 위치한 폐문 부위, 분문부 아래에 위치하며 식도를 압박하는 식도주변부, 분문주변부(pericardial), 흉골뒤편(retrosternal), 척추주변부 등이다. 증상은 낭포의 위치에 의해서 결정된다. 기관지 연결을 통해 감염이 일어나면 급성 확장으로 인해 압박 증상을 일으킬 수도 있다. 많은 경우 무증상이며 흉부 X선에서 우연히 발견 된다(그림 10-2). CT는 낭포의 성격과 위치, 그리고 종격동내의 병변을 관찰하는데 가장 이상적인 검사법이고 치료는 발견되면 적출한다.

6) 낭성 선종양 기형

낭성 선종양 기형(cystic adenomatoid malformation)

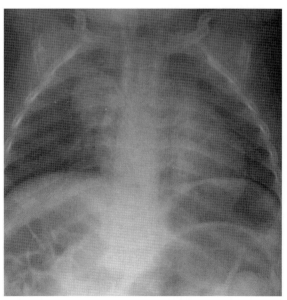

그림 10-2. 기관지성 낭포 흉부 X선. 우측 폐 낭포 소견이 관찰된다.

은 선천성 폐기형의 25%를 차지하고 재태기간 5~6주에 폐포의 발달전지와 세기관지의 과다한 발달로 생기는 다안종성의 과오종으로 여겨진다. 이것은 연골을 포함하지 않는 말단 호흡기 구조의 드문 기형인데 아마도 폐 발달 중기에서 말기 정도에 일어나는 병변으로 생각된다. 내배엽성 폐 돌기가 세기관지와 폐포를 포함한 모든 기관지폐요소를 구성한다고 믿고 있고, 이는 말단 기도 발달의 특징적인 단계에서 결체 조직과 모세혈관을 발달시키는 중배엽 기원의 체액이 단순히 붕괴되어 이 병변이 비정상적인 분화와 증식을 하는 것이라고 믿어진다. 세 가지 형태가 형태학적 특징에 따라서 나누어진다(그림 10-3).

거대낭성 선종양 기형(1형)은 50~65%로 가장 흔하며 하나 이상의 큰 낭종이 발견되며 예후가 좋다. 낭종은 섬모가 있는 가성층화된 상피세포로 둘러쌓여 있고, 낭종의 벽은 평활근과 탄성 조직을 함유하고 있다. 세기관지와 폐포는 낭종 사이에 흩어져 있다.

소낭성 선종양 기형(2형)은 25~40%로 이 병변은 대부분 섬모가 있는 입방형 또는 원주형의 상피로 싸여 있다. 크기가 1~2 cm를 넘지 않는 다발성 소낭종으로 구성되어 종격동 헤르니아의 빈도가 낮다. 사산 및 조기 사망의 빈도가 높고 반 이상에서 선천성 기형이 동반되어 예후가 나쁘다.

고체낭성 선종양 기형(3형)은 가장 드물며, 부분적으로는 섬모가 있는 미성숙 입방형 상피로 싸여 있고 일부는 폐포성 구성을 가진 고체성의 공기가 없는 덩어리로 구성되어 있다. 이 형태가 가장 예후가 나쁘고 사산이나 출생 후 바로 사망한 신생아들에게서 많다.

보통 한 엽의 부분 또는 전체를 침범하고 때로는 두 엽을 침범하기도 하여 드물게는 폐 전체를 침범하기도 한다. 낭성 선종양 기형은 다른 선천성 폐 질환과 종종 동반되나 신체의 다른 부위의 기형과 동반되는 일은 드물다. 모체의 양수 과다증이 흔하고 일부 환아들은 양측성 늑막 삼출과 복수를 동반하여 태어나기도 한다. 낭성 선종양병변은 때론 폐 격리나 기관폐쇄와 같은 다른 선천성 폐질환과 형태학적인 특징이 겹

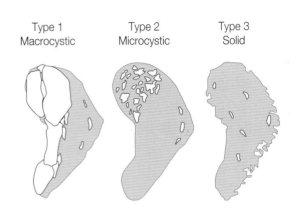

그림 10-3. 낭성 선종양 기형의 3가지 병태생리학적 특징

치기도 한다. 때때로 비정상적인 체동맥의 공급이 있을수 있고 하나의 폐외 격리도 발견되는 것을 보아 낭성 선종양 기형과 다른 기관혈관 부접합과에 연결이 있음을 시사한다. 드물게는 신생아기 이후로 증상의 발현이 늦어지는 경우도 있다. 큰 병변은 종격동 편이를 일으켜 반대쪽 폐와 종격동 혈관을 누른다. 낭종이 터지면 기흉을 일으킨다.

3 가지 임상양상을 보이는데 첫째 양수과다증을 동반하면서 사산 또는 출생직후 사망하거나, 둘째 형성된 종괴가 연골이 없어 계속적으로 공기가 차서 폐기종 양상을 보여 신생아에서 급성적이고 점진적인 호흡부전을 나타내거나, 셋째 호흡기 감염으로 나타나게 된다.

단순 흉부 X선과 CT에서 우측 폐에서 낭성 소견을 관찰할 수 있다(그림 10-4). 만약 거대낭성인 경우에는 X선으로 단순 선천성 실질폐낭종(congenital parenchymal Lung cysts)과 유사해서 조직학적으로만 구분이 가능하며, 좌측에 병변이 있는 경우에는 횡격막 탈장으로 오인할 수 있는데 낭성 선종양 기형에서는 횡격막을 쉽게 분별할 수 있는 점이 감별점이다. 또 다른 고체성 또는 낭성 선천성 폐 병변과 감염 등과도 감별이 필요하다. 거의 모든 경우에서 조기에 수술적 제거를 해주는 것이 원칙이다.

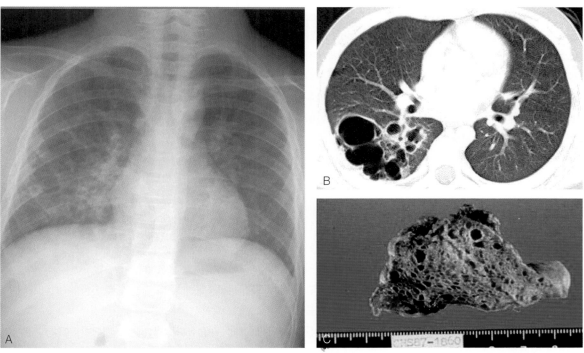

그림 10-4. 낭성 선종양의 흉부 X선 (A), CT(B), 낭성 선종양의 적출 조직(C). 우측 폐의 얇은 벽을 가진 낭성 소견이 관찰된다.

7) 선천성 엽성 폐기종

선천성 엽성 폐기종(congenital lobar emphysema) 은 출생후 1개 이상 폐엽의 과도한 팽창을 특징으로 한다. 이것은 1개월경 25~50%에서 발견되고, 6개월 후에 증상이 나타나는 것은 드물다. 좌상엽에서 가장 흔하게 발생하고 우상엽, 우중엽순으로 발생하나 모든 엽에서 발생할 수 있으며 선천성 심장 질환이 흔하게 동반된다. 이환된 엽의 과팽창이 특징으로 다른 폐조직을 압박하고 이환된 엽이 폐종격의 전방으로 이탈되어 폐종격을 이동시키고(그림 10-5) 호흡곤란 때문에 조기에 외과적 교정이 필요하다. 가장 흔하게 연관된 기형으로는 기관지 연골 부족이 50%에서 나타나고 기관지 낭종에 의한 기관지 압박, 기관지 점막주름, 점액전(plug), 폐포의 과형성(polyalveolar lobe), 엽의 염전 등이 있다. 동반 기형으로 기술된 것으로는 비정상적 기관지 연골, 기관지 협착, 낭성 선종양 기형이 기관지 협착과 동반된 경우가 있다. 무기폐에 의한 보상성 폐기종은 Krypton-81 같은 짧은 반감기를 가진 동위원소 환기 스캔에서는 정상적인 환기가 발생하지만 선천성 폐기종에서는 환기가 일어나지 않는다. 대부분의 영아는 신생아시기에 호흡곤란이 나타난다. 이환된 엽의 외과적 절제가 표준화된 치료이나 최근에는 심한 호흡곤란을 가진 환자들의 일부에서 자연적으로 치유되는 것이 발견되었다.

8) 폐격리증

폐격리증(pulmonary sequestration)은 중심 폐조직과 연결되지 않은 기관지폐 종양 또는 낭종으로써 정상적인 또는 비정상적인 혈관 공급을 받는 조직이라고 할 수 있다. 다른 특이한 폐기형, 즉 낭성 선종양 기형, 엽성 폐기종, 또는 단순한 선천성 실질 폐낭종 같은 것을 갖지 않아야 한다. 흉막의 경계안에 병변이 있는 경우인 폐내에 생기는 것과 흉막외부에 있는 이소성 폐조직인 폐외에 생기는 것으로 분류 한다.

가) 폐내 격리증

폐격리증의 90%는 폐내 격리증(intrapulmonary sequestration)으로 이 중 60%는 좌하엽의 후기저분절엽(posterior basal segment)에서 발견된다. 대부분의 예에서 이환된 정도는 분절 정도이거나 그 이하이다. 정상 중심 기도와 연결되어 있지 않거나 연결이 있어도 비정상적이다. 대신에 원기 흔적기관(rudimentary connection)이 분리된 폐부위와 기관지, 둘러싸여진 폐실질 또는 폐외부의 기관, 특히 식도 위, 소장, 췌장, 간, 담낭과 연결되어 있을 수 있다. 주위 폐실질과의 연결은 때때로 감염된 조직이나 낭종이 파열되어 주위 폐로 전달할 수 있고 대부분 감염 전에 있다고 생각된다. 식도로부터 발생된 기관지가 폐내 격리증의 유일한 연결을 형성한 경우도 있다. 비슷하게 식도성 기관지가 폐외부 분리증의 공급을 할 수도 있고 매우 드물게는 정상 기관지와는 연결되어 있지 않은 폐의 정상 분엽에 연결될 수도 있다. 원기 흔적기관이나 fibrous band가 분리조직과 소화기관을 연결시키는 경우가 있는데 이것은 분리된 부위에 이소성 전장조직이 존재했다는 것을 시사한다. 한 영아에서는 좌·우엽에 이소성 췌장조직이 있어 수유할 때에 췌장효소의 분비가 자극되어 정상 폐 실질을 자가분해 시키거나 염증을 일으키기도 하였다. 폐내 격리증은 낭종성일 수도 비

낭종성일 수도 있다. 기관지와의 연결이 없는 경우 공기화가 폐포수준의 Kohn 통로를 통해서만 이루어지고 이때 환기는 매우 비효율적이나 감염경로로는 충분하다. 이에 대한 증거로 분리조직의 대부분에서 기관지 확장증이나 반흔성 실질이 관찰된다. 대개 하흉부, 상복부 대동맥에서 비정상적인 전신 동맥 순환을 받지만 다양하여 폐동맥과 전신동맥의 공급을 동시에 받는 경우도 있고 정상 폐동맥의 공급을 받는 병변도 있으나 이 부위의 혈관저항이 너무 낮아서 심부전을 일으킬 수도 있다. 임상적으로 폐내 격리증은 감염에 의한 증상이 나타나 뒤늦게 발견되는데 대개 소아기 중반에 나타나고 때때로 성인기 후반에 나타날 수도 있다. 증상은 발열, 기침 그리고 화농이나 객혈이 나타날 수 있다. 폐렴이 적절한 내과적 치료에 반응하지 않으며 특히 병변이 좌하엽의 후기저분절인 경우에는 폐 격리증을 의심하여야 한다. 임상적으로 진단이 의심될 때는 CT, 도플러 초음파, MRI 등을 시행하고 비정상적인 혈관을 가지고 있다고 추측되므로 혈관 조영술을 시행하여 혈류 공급의 윤곽을 잡는 것이 필요하다(그림 10-6). 폐 격리증을 가진 모든 환자에서 혈관카테터를 이용한 풍선 폐쇄술이나 색전술을 시행하고 실패했을 때는 외과적 절제를 한다.

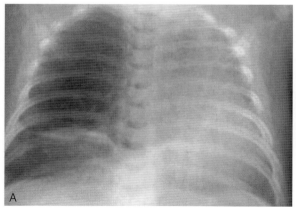
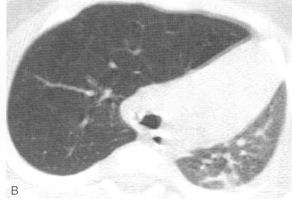

그림 10-5. 선천성 엽성 폐기종. Congenital lobar emphysema의 단순흉부 X선(A)과 CT 소견(B). 우상엽이 과팽창되어 부피가 증가되어 있으며 우측 폐가 좌측으로 herniation되고 있다. 상대적으로 좌측 폐의 부피는 감소되어 있고 종격동의 좌측 이동이 관찰된다.

나) 폐외 격리증

폐를 둘러싼 흉막 외부에 위치한 것을 말하는데 폐외 격리증(extrapulmonary sequestration)은 종종 폐내 구조물과 연결되어 있기도 하고 또는 전장의 일부와 연결된 원기 흔적기관을 가지기도 한다. 다른 선천성 기형 특히 횡격막 탈장, 폐내 격리증이 동반되기도 한다. 폐외 격리증의 90%정도는 좌측에 위치하고 흉부 대동맥에서 비정상적 전신 동맥의 공급을 받는다. 정맥은 특징적으로 비정상적인 우심방, 대정맥, 부대정맥(azygous system)으로 흘러가지만 정상적인 경우도 있다. 임상적인 증상은 보통 없거나 경미하고 증상이 있으면 외과적 치료를 하고 예후는 동반되는 기형에 따라 결정된다.

라. 기타 흉곽 내 기형

1) 횡격막 탈장

횡격막 탈장은 선천성 기형의 약 8%를 차지하는 흔한 선천성 병변으로 횡경막은 가로 중격과 배측 장간막에 의해서 형성된다. Bochdalek 구멍을 포함한 후외측은 가장 마지막에 완성되고 발달이 정지되면 넓어진 구멍을 통해서 탈장이 일어날 수 있다. 정상적으로 이 구멍은 늑막과 복막에 의해서 6~8주에 막히게 되고 이 시기 이후에 형성된 탈장은 낭 내에서 막힌다. 횡격막 근육은 재태 8주 이후에 늑막성 복막 사이에 발달하는 중배엽에 의해 형성된다. 이 막의 발달이 불충분하면 내장전이가 일어난다. 횡격막 탈장은 Bochdalek 구멍(90%이상), Morgagni의 앞쪽 구멍(1~5%), 식도 열(1~5%)과 같은 세 가지 주요한 부위에서 발생한다.

가) Bochdalek 탈장(후외측 탈장)

선천성 횡경막 탈장의 가장 흔한 형태이며 생존 신생아 10,000명당 4.8명의 빈도로 일어나고 모든 횡격막 병변의 90%이상을 차지한다. 80~90%가 좌측에 병변이 있고 90%에서는 탈장 낭이 없고 남아에서 두 배 더 흔하다. 연관된 기형의 빈도가 높아서 장회전 이상, 격리, 척추, 심혈관계 기형이 동반될 수 있는데 가장 흔하게 동반되는 것은 폐형성저하증이다. 태아기 초반에 큰 탈장이 있으면 심한 폐형성저하증을 초래하여 결국 반대쪽 폐에도 성장에 제한이 오지만, 태아 말기에는 성장된 폐를 단순히 누르기만 하므로 출생 후에 탈장을 수술적으로 제거해주면 별문제가 없다. 출생 후 24시간 내에 인공 환기를 필요로 하지 않는 횡격

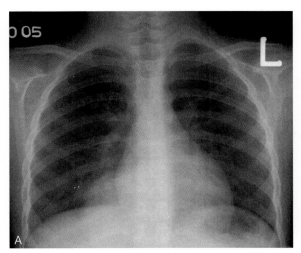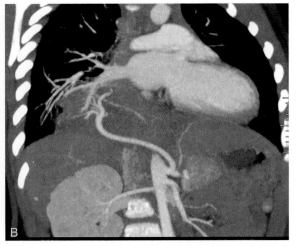

그림 10-6. 폐격리증. 단순흉부사진에서 연부조직 음영이 우폐야의 내하측에 보이고(A), CT 혈관조영술의 관상면 재구성영상에서 대동맥 분지에서 기시한 영양동맥과 폐정맥으로 유입되는 정맥이 관찰된다(B).

막 탈장은 예후가 좋으며 수술 후에 거의 완전히 회복하지만 생후 24시간 이내에 인공 환기를 필요로 하는 경우는 심한 폐 형성저하증이 있는 것을 의미하기때문에 예후가 좋지 않다.

증상은 주로 호흡기 증상 즉, 빈호흡, 호흡곤란, 청색증 등이 있다. 흡기노력의 증가와 더불어 흉곽 내 음압이 증가하게 되면 내장이 흉강내로 끌려 올라가게 되고 호흡곤란은 더욱 악화된다. 흉부 X선에서는 흉강내에 위장관이 보이고 종격동 이동 소견이 관찰된다(그림 10-7). 횡격막 탈장이 의심되는 환자에서는 응급 처치를 해주면 환자의 상태를 상당히 호전시킬 수 있다. 환자를 똑바로 세우고 산소를 공급하고, 비위관을 삽입하여 감압해주고 조기에 기도삽관을 하여 인공 환기를 실시하나 양압 환기는 금기이다. 치사율은 생후 24시간 이내에 수술이 요했던 경우는 30%, 24시간 이후에 수술을 요했던 경우는 6%, 치료하지 않은 경우는 75%였다. 수술 전후에 가장 흔한 합병증은 태아순환지속증이다. 수술 후 장관의 문제는 수 일내에 보통 정상으로 회복된다.

나) Morgagni 탈장

흉골 뒤에 있는 Morgagni구멍 주위의 결손으로 크기가 작고, 가장 큰 위험은 좁은 탈장 구멍을 통해서 장이 감돈되면 가장 위험하다. 외측 흉부 X선을 찍어보면 진단할 수 있다. 감돈될 위험이 있으므로 무증상인 환자에게도 수술이 필요하다.

다) 식도 열공 탈장

식도 열공에 결손이 있어서 흉강내로 위를 함유한 낭이 들어오는 드문 질환이다. 증상은 무증상부터 구토(92%), 반복되는 흡인으로 인한 반복성 호흡기계 질환(13%), 토혈이나 빈혈(25%)등 다양하다. 때때로 전후 흉부 X선의 하부 종격동에서 둥근 X선 투과성의 음영이 관찰되면 이 병변을 의심할 수 있다. 바륨 조영 검사로 진단을 확진할 수 있으며 역류의 정도를 판단하는데도 도움이 된다. pH 검사와 식도 내시경을 하

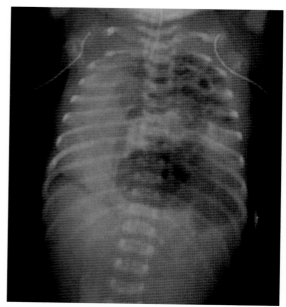

그림 10-7. 선천성 횡격막 탈장의 infantogram 사진. bowel gas가 복부대신 좌측폐야에서 관찰된다.

면 이차성 식도염의 정도를 파악할 수 있다. 치료는 처음에는 보존적으로 바로선(upright) 자세를 잘 취하거나 음식을 농축해서 먹이거나 제산제를 먹이는 등의 방법을 쓴다. 내과적 치료에 실패하면 수술의 적응증이 되는데 예후는 좋다.

라) 횡격막성 내장전이

횡격막성 내장전이(diaphragmatic eventuration)는 가로중격(septum transversum)의 근육이 부분적 혹은 전체적으로 발달하지 않아 횡격막(주로 좌측)이 비정상적으로 올라가고 있는 경우를 말하는데 남아에서 여아보다 두배 더 흔하다. 횡격막 신경이 더 작을 수 있으나 퇴행의 징후가 없어서 횡격막 신경 손상으로 인한 횡격막 마비와는 구분할 수 있다. 임상적으로 선천성 내장전이는 증상의 경중에 따라 나눌 수 있다. 가장 중한 형태는 신생아기에 나타나는데 횡격막 탈장과 비슷해서 환자 대부분은 인공 환기가 필요하고 인공 환기 없이 생존이 불가능하면 수술을 하기도 한다. 경한 형태는 유아기에 호흡곤란, 연하장애, 역류와 성장장

애의 증상을 보인다. 유아기에는 흉벽의 유연성이 커서 흉곽의 지지가 약하기 때문에 호흡기 증상이 과장되어서 나타날 수 있으나 나이가 들어가면 늑골이 더 단단해지고 늑간 근육과 부속 근육의 도움을 받아 흉곽의 지지가 강하게 되어 수술하지 않고도 횡격막의 약한 부분을 효과적으로 보완할 수 있게 된다. 따라서 성장을 촉진시키기 위해 적절한 영양과 칼로리를 공급하면서 가능하면 오랫동안 보존적 치료를 해줄 필요가 있다. 일부 환자들은 정상적으로 성장하기 위해서 수술이 필요하기도 하다. 대부분의 내장전이 환자들은 무증상이거나 호흡수가 약간 증가한다던지 같은 나이의 다른 소아들에 비해 운동 할 때 숨 차는 증상이 조금 더 있는 정도로서 흉부 X선 검사에서 우연히 발견되거나 또는 감염이 있어서 발견되기도 한다. 감염은 항생제와 물리적 요법에 잘 반응하나 재발하기도 한다. 흉부 X선에서 횡격막의 반이 올라가서 둥근 천정 모양을 이루고 형광투시경을 해보면 약간의 전이나 호흡할 때 이환된 부위의 반대의 움직임을 볼 수 있다. 증상이 없으면 수술은 필요하지 않다. 수술은 증상이 있는 환자 중 보존적 치료에 실패한 경우에 시행하며, 횡격막의 주름을 형성해 주어서 편평하고 견고한 막을 만들어 횡격막의 반대 움직임을 없애고 둥근 천정에 의해서 생기는 폐 공간의 감소를 제거하는 효과가 있다. 이 술식은 효과적으로 폐활량을 증가시켜서 호흡기능을 개선시켜 준다. 시간이 지나면 주름을 잡아준 횡격막이 펴져서 점점 느슨해져서 효과가 떨어지게 된다. 신생아 때 시행한 술식의 효과는 짧은 기간만 지속된다. 폐의 유연성이 증가하고 흉벽의 유연성은 감소하며, 늑간 근육과 부속 근육의 기능이 강화되어 환자가 더 잘 지낼 수 있게 된다. 선천성 횡격막 내장전이는 때로 폐와 전장의 다른 기형과도 연관되어서 소화기계 기형, 폐 격리, Scimitar 증후군과도 동반될 수 있다. 부가적으로 선천성은 후천성 횡격막 신경 마비 또는 횡격막 악화와는 구분되어야 하는데 횡격막 약화는 전신적 근육질환이나 신경질환이 동반되어서 신생아가 호흡곤란을 호소하므로 감별이 된다.

마. 혈관 기형을 동반한 폐질환

1) 혈관륜

혈관륜(vascular ring)은 모든 선천성 심혈관계 기형의 1% 미만을 차지하는 드문 기형으로서 해부학적인 구조에 의하여 두개의 군으로 나눈다. 완전 혈관륜은 기관과 식도를 완전히 둘러싼 형태로서 중복대동맥궁과 좌측동맥관인대를 동반한 우대동맥궁이 이에 속하며, 불완전 혈관륜은 기관과 식도를 완전히 둘러싸지는 않으면서 기관과 식도를 누르는 형태로서 비정상적인 무명 동맥(innominate artery), 비정상적인 우쇄골하동맥, 좌폐동맥슬링 등이 있다.

중복대동맥궁은 가장 흔한 혈관륜의 한 종류로서 약 40% 정도를 차지하며 양쪽 네번째 새궁(branchial arch)의 퇴행이 이루어지지 않아서 생긴다. 대개 우동맥궁이 좌동맥궁보다 크고 경동맥과 쇄골하동맥이 양 동맥궁에서 모두 기시한다. 좌측동맥관인대을 동반한 우대동맥궁은 혈관륜에서 두번째로 흔한 질환으로서 약 30% 정도를 차지하며 좌측배대동맥근의 퇴화로 인해 유발된다. 비정상 무명동맥은 혈관륜의 10% 정도를 차지하고 있으며, 비정상적인 우쇄골하동맥은 혈관륜의 20% 정도를 차지하는데 무증상인 환아들까지 포함한다면 이보다 빈도가 높을 것으로 생각된다. 좌폐동맥슬링은 매우 드문 질환으로 우폐동맥에서 좌폐동맥이 기시하여 오른쪽 주기관지의 근위부를 지나서 기관과 식도 사이를 지나 좌폐문에 도달하는 기형이다.

가) 증상

폐동맥슬링의 경우는 약 반수에서 출생직후에 첫 증상이 나타나며 대부분이 생후 1년이내이지만 성인이 되어 우연하게 발견되는 수도 있다. 중복대동맥궁에서는 대개 3개월 미만에서, 좌측동맥관인대를 동반한 우대동맥궁에서는 대개 1세 이후에 가벼운 호흡곤란이 나타나는 경우가 많다. 증상은 흡기성 천음이나 천명, 그르렁거림, 호흡곤란, 반응성 기도질환, 잦은 호흡기감염, 지속성 기침, 청색증 등의 증상이 있을 수 있으며 식도 압박 증세는 적은 편이나 음식물로 인한 질식, 구역질, 연하곤란 등이 있을 수 있다.

나) 진단

진단을 위해서는 호흡기 증상이나 소화기 증상을 주소로 내원하는 환자들에서도 선천성 심혈관계 기형을 한 가지 원인으로 의심하는 것이 중요하며, 확진을 위하여 다양한 검사방법을 시행하여야 한다. 흉부 X선 소견에서는 공기가 차있는 기관의 압박받는 소견이나 흡인성 폐렴을 볼 수 있다. 이 때 기관의 편위는 우동맥궁을 암시할 수 있으며 오른쪽 폐의 과팽창은 폐동맥 슬링과 동반될 수 있다. 바륨식도조영술은 비정상 무명동맥의 경우를 제외하고는 유용한 비침습적인 진단방법의 한가지로 알려져 있는데, 폐동맥슬링에서만 식도 전방부 함요가 관찰되며 이외의 혈관륜에서는 식도 후방부 함요가 관찰된다. 보통 심전도는 정상이며, 심초음파는 심장 기형과 혈관륜을 진단하는데 유용하다. 혈관 조영술은 혈관의 주행방향을 알아보고 흔히 동반되는 심혈관계 기형의 확인 및 기관지원낭(bronchogenic cyst), 종양 등을 감별하고, 수술

을 준비하는데 있어서 필요하다. 기관지경 검사는 기관이나 기관지의 기형이 자주 동반될 수 있는 중복대동맥궁이나 폐동맥슬링 환자에서 유용할 수 있다. 그러나 최근에는 전산화단층촬영 및 자기공명영상법과 같은 비침습적인 방법으로도 혈관기형과 기도의 해부학적인 구조를 알아볼 수 있다(그림 10-8).

다) 감별진단

혈관륜의 경우 기도폐쇄에 의한 다양한 호흡기 증상을 나타내기 때문에 세기관지염, 영아 천식, 기관 및 기관지 이물, 좌심실 부전, 낭성섬유증, 종격동종양, 기도 및 후두의 막양구조, 기도 및 기관지 협착, 기관지연화, 선천성 대엽성폐기종 등을 감별 진단하여야 한다.

라) 동반기형

중복대동맥궁에서는 드물지만 대혈관전위, 심실중격결손, 총동맥관증, 활로증후군, 대동맥축착 등과 같은 심장 기형이 동반될 수 있으며, 좌측동맥관인대를 동반한 우대동맥궁에서는 심장 기형이 거의 동반되며

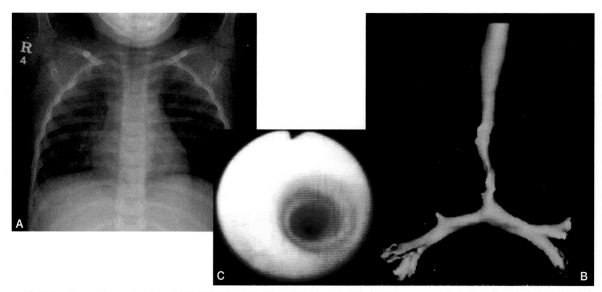

그림 10-8. Complete tracheal ring의 단순흉부 X선(A), 3D CT(B) 및 기관지경 소견(C). Trachea가 좁아져 있으며 기관지경검사에서는 membranous portion이 없는 원형의 trachea가 관찰된다.

그 중에서도 활로증후군이 가장 흔하다. 비정상 무명동맥은 심실중격결손과 같은 심기형을 잘 동반하며, 변형된 우쇄골하동맥은 활로증후군이나 대동맥축착, 대동맥궁단절과 같이 동반될 수 있다. 폐동맥슬링 환자에서는 50% 이상에서 동맥관개존증이나 심실중격결손, 심방중격결손, 심방심실중격결손, 단심실, 여러 가지 대동맥궁 기형과 동반되어 있으며, 약 40%에서 기관 및 폐의 기형들을 동반한다고 되어 있다.

마) 치료

무증상인 환자는 수술이 필요없으며, 호흡기 감염의 철저한 예방과 치료가 필요하다. 수술의 적응증은 호흡곤란이나 잦은 호흡기 감염, 또는 무호흡발작이 있는 경우이며, 수술 시기는 증상의 경중에 따라 결정되어지고, 영아기에 시행될 수 있다(그림 10-9, 10-10).

바) 예후

전체 혈관륜에 대한 사망률은 5% 미만이었으나 최근의 보고에서는 거의 0%에 가까우며, 좌폐동맥슬링의 경우에는 동반된 기관과 기관지의 결함 때문에 사망률이 약 50%이었던 것이 최근에는 연구자에 따라서 사망률이 20%에서 거의 사망하지 않는 경우까지 보고되고 있다.

최근에는 산전초음파검사의 발달로 혈관륜의 산전진단이 가능해졌고, 한 보고에 의하면 태아 1/1,000명 정도에서 혈관륜을 발견할 수 있었다고 한다. 대부분의 혈관륜이 증상이 없으며 수술이 필요한 경우는 극히 적지만, 산전초음파에서 혈관륜으로 진단된 경우 보호자들에게 증상이 나타날 수 있는 시기와 증상에 대하여 교육함으로써 치료를 향상시킬 수 있으므로 산전 진단이 중요하다고 할 수 있다.

바. 폐 동정맥기형

폐혈관의 결체조직 이상에 의해 동맥과 정맥간에 연결통로가 만들어지고 이를 통한 혈류량이 증가하게 되면 우좌 단락이 나타나면서 청색증, 곤봉지, 적혈구증가증, 진행성 저산소증 등이 발생한다. 이를 폐 동정맥기형(pulmonary arteriovenous malformation, PAVM), 동정맥루(arteriovenous fistula), 또는 동정맥류(arteriovenous aneurysm) 라고 한다.

폐 동정맥기형은 숫자, 크기, 분포에 따라 여러 가지 형태가 있다. 이 병변은 하나일 수도 있고, 여러 개일 수도 있으며, 산재할 수도 있고, 미만성으로 나타날 수도 있다. 폐 동정맥기형은 흔히 하엽에 나타나며, 체순환으로부터 동맥혈을 공급받는 경우는 드물다. 폐 동정맥기형은 단독 병변인 경우 약 30~40%, 여러 병변인 경우 약 50~60%에서 유전성 모세혈관확장증(hereditary telangiectasia)의 한 형태로 나타난다. 역으로 유전성 모세혈관확장증 환자는 15%에서 폐 동정맥기형을 가지고 있다. 이 두가지 질환을 모두 가지고 있는 경우 증상도 더 많이 나타나고, 여러 개의 병변을 가지고 있는 경우가 많으며, 빨리 진행해서 합병증도 많이 나타난다. 그러나 유전성 모세혈관확장증은 소아기에서 폐 동정맥기형이 나타날 때까지 발견되지 않을 수 있다.

가) 증상

폐 동정맥기형의 3가지 주증상인 청색증, 곤봉지, 적혈구증가증이 소아와 성인에서 특징적으로 나타나지만 청소년기 이전에 진단을 받는 경우는 폐 동정맥기형 환자의 10%에 불과하다. 다른 증상으로는 호흡곤란, 기침, 흉통 등이 있고, 혈관의 괴사로 인해 폐출혈, 객혈 등이 나타날 수 있다. 또한 적혈구증가증, 두개내 모세혈관확장증(intracranial telangiectasia), 뇌농양 등에 의해 신경학적 증상이 나타나기도 한다. 이학적 검사에서 청색증, 곤봉지 이외에 모세혈관확장증, 쉿소리(bruit), 떨림(thrill), 수축기 심잡음 등이 발견되고, 폐출혈이나 위장관 출혈로 인한 빈혈이 보이기도 한다. 신생아의 경우에는 청색증과 울혈성 심부전의 한 원인이 되기도 한다.

호흡기학

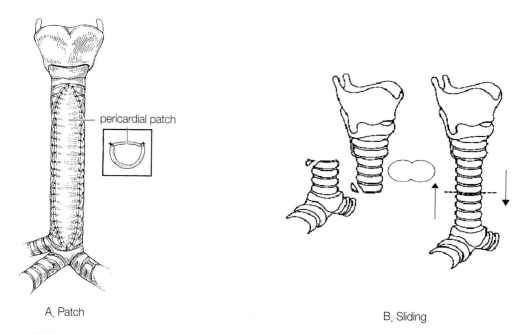

pericardial patch

A. Patch

B. Sliding

그림 10-9. 기관륜(trachea ring)에서 시행되는 기도 성형술의 다양한 기법

나) 진단

80% 이상 환자의 초기 검사에서는 동맥혈의 산소 분압 감소가 있다. 100% 산소 공급에도 불구하고 산소 분압이 증가하지 않는 것은 우좌 단락이 있음을 시사한다. 적혈구증가증이 동반될 경우 진단이 확실해질 수 있으나, 이러한 소견은 선천성 심장 질환으로 단락이 생긴 경우에서도 볼 수 있다. 흉부 X선은 심장비대, 사행성 폐혈관(tortuosity), 폐문(hilum)과 연결되는 비석회성 병변 등이 있다. 심전도나 심에코 등도 선천성 심장 질환과 감별하는데 도움이 된다. 일단 의심이 들면 CT를 시행하고, 이때 혈액과 같은 정도의 음영을 가진 구조물을 확인할 수 있다. 그러나 혈관에서 유래하는 다른 혈관 질환과 구별하지 못하는 경우도 있다. Radionucleoide angiocardiography 나 contrast echocardiography로도 우좌 단락을 확인할 수 있으나 비특이적이다. 확진 방법으로는 폐혈관조영술이 이용되며, 병변의 갯수, 정도, 위치, 치료가 적절한지 여부를 확인하기 위해서는 필수적이다.

다) 치료

폐 동정맥기형이라는 진단이 내려지고 그 위치와 정도가 확인되면 치료에 관한 결정이 이루어져야 한다. 최소한의 증상만 보이는 경우에는 치료하지 않고 정기적인 재평가만 할 수도 있다. 그러나 증상이 있는 환자에서 치료하지 않으면 합병증이 많이 일어나기 때문에 적극적인 치료가 필요하다. 현재 유용한 치료 방법으로는 영양공급 혈관의 결찰, 병변과 그 병변을 둘러싸는 주위조직의 절제, 색전화(embolization) 등이 있다. 영양공급 혈관의 결찰은 단독 병변으로서 잘 분리되어 있고 동맥 공급이 잘 구분되는 경우에 성공적으로 시행할 수 있다. 그러나 여러 개의 병변이 있거나 동맥 공급이 광범위하게 이루어지는 경우가 더 많기 때문에 이럴 경우 이러한 치료 방법은 부적절하다. 단독 병변인 경우에 주위의 폐분엽이나 폐엽까지 절제하는 방법도 좋은 치료 방법이 될 수 있다. 간혹 일측성으로 광범위한 병변이 있을 경우에는 폐 절제술이나 폐동맥 결찰술이 이용되어 왔다. 양측성으로 나

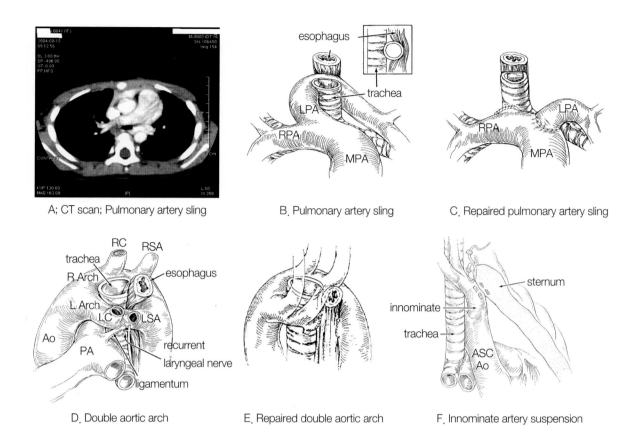

A; CT scan; Pulmonary artery sling

B. Pulmonary artery sling

C. Repaired pulmonary artery sling

D. Double aortic arch

E. Repaired double aortic arch

F. Innominate artery suspension

그림 10-10. 혈관륜의 다양한 형태와 수술 후 모식도. LPA: left pulmonary artery, RPA: right pulmonary artery, MPA: Main pulmonary artery, RC: right common carotid, LC: left common carotid artery, RSA: right subclavian artery, LSA: left subclavian artery, R Arch: right aortic arch, L Arch: left aortic arch, Ao: aortic arch, Asc Ao: ascending aorta, PA: Pulmonary Atresia.

타나는 경우에는 단계적으로 절제술(staged procedure)을 시행한다. 풍선을 이용한 색전화(balloon embolization)는 1980년에 성인에서 처음으로 시행된 이후 현재까지 많이 이용되는 방법이다. 병변 부위가 너무 광범위해서 위와 같은 여러 치료 방법들이 적절치 않은 경우에는 폐 이식술을 고려해볼 수 있다.

라) 예후

폐 동정맥기형의 형태와 치료의 성공 여부에 의해 결정된다. 무증상인 환자에서 치료하지 않았을 때의 결과에 대해 추적 관찰한 보고는 거의 없다. 증상이 있는 환자에서 치료하지 않았을 때에는 폐출혈, 객혈, 뇌

색전증, 뇌농양, 세균성 동맥내막염, 진행성 저산소증 등의 합병증이 발생하여 사망에 이르게 된다.

급성 또는 만성 간질환 환자에서는 후천적으로 폐 동정맥기형이 발생할 수 있다. 간 증상이 사라진 후에 청색증이나 곤봉지와 같은 증상이 나타나기도 하며, 일반적으로 병변이 미만성으로 발생하여 치료에 잘 반응하지 않는다. 저산소증이 진행하여 결국 사망하기도 한다. 그러나 간이식이 성공적으로 시행되면 폐 동정맥기형이 퇴화할 수도 있다.

사. 선천성 림프관확장증

폐에서의 림프관 발달은 태생기 8주부터 시작하며 14주에 이르면 거의 확립되어 20주이후에는 거의 발달이 미미하다. 선천성 림프관확장증(congenital lymphangiectasia)은 태생기 20주이후에도 지속적으로 림프계가 증식하는 질환으로서 반 이상의 경우에서 무비증(asplenia), 선천성 심질환, 폐혈관 기형을 동반한다.

일반적으로 림프관 확장은 전신형으로 나타나며 5 mm이하의 작은 낭을 여러 개 가지고 있다. 조직학적으로는 확장된 림프관이 증가되어 있고, 폐 외부의 기형(extrapulmonary anomaly)에 동반되어 이차적으로 나타난 림프관 확장과는 달리 림프관의 근 비대는 관찰되지 않아 감별점이 된다.

전신형의 선천성 림프관확장증은 출생 직후에 빈호흡, 흉부함몰, 청색증 등의 증상이 나타난다. 청진으로는 이상 호흡음을 듣지 못하는 경우도 있으며 흉부 X선 검사에서는 미만성의 망상결절형 음영을 볼 수 있다. 반 정도의 환자가 출생 후 24시간 이내에 사망하며 일부 환자의 경우에서는 심한 증상을 보이면서 수주까지 생존하기도 한다.

약 30%에서는 obstructed anomalous pulmonary venous return과 동반되어 나타나며 진단은 심혈관기형의 교정에도 불구하고 증상이나 방사선학적 이상소견이 호전되지 않을 때 의심할 수 있다. 이때 예후는 전신형의 선천성 림프관확장증보다 약간 좋거나 비슷하다.

국소적으로 침범된 경우에는 늦게 소아기에 발견되며 일반적으로 감염의 형태로 나타나서 진단된다. 국소적인 병변이므로 치료는 수술적으로 제거하는 것이다.

2. 수면관련 호흡장애

폐쇄수면무호흡 증후군(obstructive sleep apnea syndrome; OSAS)은 상기도의 장기적인 부분폐쇄와 간헐적 완전 폐쇄로 인해 수면 중 환기장애와 수면을 저해하는 호흡질환으로 정의된다. 모든 연령의 소아에서 일어나고 흔하면서도 치명적일 수 있는 질환이나 간과되기 쉬워 진단을 위해서 모든 소아에게 코골이 여부를 질문하라고 권하고 있다. 빈도는 학동 전기 소아의 3~12%가 습관적으로 코를 골고 OSAS의 유병률은 2%정도로 남녀 비는 같고 편도와 아데노이드가 기도에 비해 상대적으로 큰 2~5세에 가장 빈도가 높다.

가. 원인과 발병기전

코에서 후두까지 상기도는 기도 크기와 근육의 활동에 의해 유지된다. 상기도 반사는 호흡 요구에 대해 적절하게 근육의 활성을 조절하여 흡기 때 흉곽의 음압에 대항하여 이완근의 능동적 활동으로 기도의 개방을 유지하는데 수면 때는 근육들이 이완하고 반사도 감소되어 폐쇄를 초래한다. 성인의 OSAS의 일차적 장애는 구인두 근육의 기능이상으로 간주되나 소아에서는 구조적으로 작은 기도에 기인한다. 상기도 폐쇄때 이를 완화하는데는 뇌간반사가 필수적이며 각성도 수면 중 상기도의 보호에 중요한 요소인데 성인에서는 잦은 각성으로 수면은 방해되고 호흡 노력이 증가하면서 무호흡이 사라지나 소아에서는 운동 활동은 증가하나 피질각성은 드물다. 상기도 폐쇄가 있으면 국소 상기도 반사도 근 활동을 증가시키는데 수면 무호흡이 있는 영아에서는 이 반응이 덜 활발하고 쉽게 기도가 허탈된다. 소아에서는 호흡조절이 성인과 달리 억제반응이 강해 상기도 폐쇄는 자극보다 무호흡을 더 유발하고 후두반사는, 특히 감염에 의해 상기도 상피에 손상이 오면, 생명이 위험한 무호흡을 초래하여 영아에서는 감기가 있을 때 무호흡이 올 수 있다. 뇌간의 화학수용체도 성장에 따라 변하여 일정한 반응을 보이는 성인과 달리 영아는 이산화탄소 분압의 상승으로는 늘 각성이 되지만 저산소증에는 반응이 일정치 않아 많은 소아들이 각성에 실패한다.

표 10-1에서와 같이 기도 구경을 작게 하거나, 기도 허탈을 용이케 하거나 신경 조절을 변화시키는 원인들이 OSAS를 초래한다. 아데노이드 편도 비대가 가장 흔한 원인이고 기저질환으로 만성폐질환, 얼굴과 상기도에 기형을 갖고 있는 선천성 이상, 선천적과 후천적 신경근 이상 등이 있다. 어떤 소아에서는 얼굴이 작거나 상기도의 이상이 유전되는 것으로 여겨지며, 역학적 연구가 이것을 뒷받침한다. 작은 상기도는 전비공에서 후두사이에 어디든지 생길 수 있으며 원인이 정적일 수도 있고 동적일 수도 있다. 후두연화증이나 대기도의 협착으로 흡기 때 흉곽음압을 증가시키면 상기도가 허탈 되기 쉽다. 다운증후군이나 두개골 조기봉합에서는 명백히 작은 상기도를 갖고 있는데 출생하면서부터는 아니고 성장해 가면서 나타난다. 뮤코다당증에서는 기도 내강이 연조직의 비후로 차있다. 이런 구조적으로 작은 기도들은 아데노이드 편도 비후로 더 좁아진다. OSAS 환자의 약 반수는 증후군이나 기형, 아데노이드 편도비대가 있다. 가장 큰 군은

표 10-1. 폐쇄수면무호흡증후근을 일으키기 쉬운 질환들

상기도를 좁게 만드는 해부학적 요인
　　Adenotonsillar hypertrophy
　　Trisomy 21
　　다른 유전적 또는 두개안면증후군과 연관된 질환
　　　　Midface hypoplasia
　　　　Small nasopharynx
　　　　Micrognathia or retrognathia
　　　　Choanal atresia or stenosis
　　　　Macroglossia
　　　　Cleft palate
　　비만
　　비강 폐쇄
　　Laryngomalacia
　　Velopharyngeal flap repair
인두근육 이완의 활성을 억제시키는 신경학적 요소
　　약물; 수면제 또는 마취제
　　Brain stem disorders-Chiari malformation, birth asphyxia
　　신경근육질환

32%의 알려진 선천기형이나 증후군으로 치료 불응성 무호흡이 있어 아데노이드편도절제 후에도 증상이 있는 군의 40%와 비강 CPAP를 동반한 치료를 해야 하는 환자의 70%가 이 군이다. 상기도의 비정상 신경조절은 OSAS와 연관되어 있으나 선천적인지 수면무호흡에 의한 이차적인지 명확치 않으나 소아는 상기도 폐쇄가 일어나거나 저산소증이나 고탄산증이 있어도 각성이 잘 안된다.

중추성 저환기증(central hypoventilation)은 선천성과 후천성이 있는데 선천성 폐포 저환기 증후군(Ondine's curse)는 해부학적으로 정상적인 구조의 뇌와 기도가 있음에도 불구하고 호흡수와 리듬을 만드는 신호에 대한 중추협조의 실패가 있고 일부에서 선천성 거대결장증이나 공동의 무반응 등 세로토닌 이상을 시사하는 병과 관련이 있으며, 수면 때에만 저환기가 있는 경증에서 깨어있는 상태에서도 보조 환기가 필요한 중증도 있다. 후천적으로 늦게 시작된 경우에는 뇌간,전각 세포의 구조적 이상, 근병증 등의 원인을 찾아야 하고 호흡기 감염으로 갑자기 악화되어 발견되면 폐쇄성 무호흡과 잘 구별해야 한다. ALTEs (acute life threatening events)의 일부 환자는 수면 연구에서 폐쇄 사건이 발견되었고 영아돌연사 환자의 사망 전 수면연구에서도 폐쇄성 무호흡이 관찰되었고 역학적 연구에서 영아돌연사와 OSAS의 가족력에 연관이 있었다.

영아돌연사의 사망원인으로 상기도를 포함, 심폐조절 신경경로의 미성숙이 가설로 제기되었다.

구개열, 근이영양증같은 근육 기능이상의 결과로 상기도 근육들은 폐쇄를 극복해내기 위하여 협력적으로 기능을 하지 못할 것이다. 구개열 봉합 후 근육의 위치나 조절은 정상화되지 못하고 기도의 크기만 작게 할 것이고 이런 근육들은 기도의 폐쇄를 막지 못한다. 다운 증후군에서는 일반적 근력저하가 상기도 폐쇄에 기여하고 Arnold-Chiari 기형이나 syringobulbia에서는 뇌신경의 운동 조절과 호흡중추의 조절에 이상이 있다. Marfan 증후군이나 Ehlers-Danlos 증후군 같은

결합조직이상에서도 OSAS의 유병률이 높고 연골무형성증에서는 대후두공이 작아 뇌간과 경추 척수의 압박, 작은 기도 크기 등을 포함하는 여러 원인에 복합되어 나타나므로 치료할 때 이를 구분할 필요가 있다.

나. 정상 수면과 수면다원검사

정상수면은 stage 1~4 까지와 램수면의 5단계로 구분지어 지는데 연장아와 성인의 수면은 초기가 stage 3과 4 깊은 잠 또는 서파 수면으로 한밤중이 중요하고 수면 후기인 새벽에 램수면이 나타난다. Stage 1과 2 얕은 잠은 밤 전체에 간헐적으로 나타난다. 성숙한 사람의 낮잠은 얕은 잠으로 이루어지고 램수면과 서파 수면은 거의 없다. 영아에서는 6개월 때까지는 수면 단계가 잘 구분되지 않고 평균 생후 3개월에 일 중 리듬이 성숙되어 밤과 낮 수면의 구분이 명확해지나 수면은 램 활동으로 시작되며 성숙되면서 서파 수면이 늘고 램수면은 감소되며 이른 청소년기에 성인과 비슷해진다. 수면 중 심폐기능의 변화는 램수면에서 폐용적은 가장 낮게 떨어지고, 저산소증과 고탄산증에 대한 환기반응도 가장 낮고 산소 분압, 심박수, 호흡수가 크게 변화하며 각성반응은 저하되어 있고 근 긴장도가 떨어진다. 심각한 호흡장애는 램수면 기간에 나타난다. 서파 수면에서는 호흡이 화학감각조절에 의해 거의 관리되고, 근 긴장도는 유지되지만 각성반응이 가장 낮고, 일정한 심박수, 호흡수, 일정한 일호흡량을 유지한다. 중추성 호흡질환은 서파수면에서 나타난다.

수면다원검사(polysomnography)는 수면 중 호흡운동, 뇌파, 안구운동, 심박동, 산소포화도, 근전도, 공기흐름 등을 다채널로 기록하는 생리적 검사로, 좋은 결과를 얻기 위해 8~10시간 동안 분극을 확실하게 부착시켜 놓아야 하며 수면 무호흡이 가장 심해지는 후기 램수면을 포함하는 모든 수면상태에서 검사가 시행되어야 한다는 점이다. 성인들을 위한 평가기준은 소아에서는 적합하지 않는데 성인의 무호흡은 10초 이상

일 때로 정의되나 소아에서는 2번 이상의 호흡주기가 지연되었을 때가 많이 쓰이고 산소 포화도(SaO_2) 감소는 3~4%이상 감소하거나 각성을 일으킬 때로 정의하며 PCO_2의 8 mmHg 이상 상승은 비정상이다. 비축호흡능이 낮아 뚜렷한 호흡문제가 없이 짧은 무호흡도 심각한 불포화를 유발시킬 수 있다. 무호흡 때 호흡을 위한 노력이 계속되느냐에 따라 폐쇄성, 중추성, 복합성으로 구분하는데, 중추성 무호흡에서는 횡격막의 움직임이 없고 폐쇄성 무호흡은 공기의 흐름은 없으면서 호흡을 계속하려는 노력은 있다. 복합 무호흡 때에는 공기 흐름은 없고 횡격막의 운동이 일부에서 있다. 무호흡은 정상 수면에서도 나타나는데 중추성이고 드물며 폐쇄성 무호흡은 성인에서는 시간당 5회까지는 정상이나 소아에서는 없는 것이 정상이다(그림 10-11).

다. 증상과 합병증

수면 관련 상기도 폐쇄에 대한 일반인의 인식은 아직 낮고, 소아들의 나이가 들어 갈수록 부모들은 소아들이 정상적으로 잠을 자는 것을 볼 기회가 적어져 수면력를 얻기가 더 어려워진다. 가장 뚜렷한 증상은 코골이, 수면 중 호흡곤란과 지속시간에 관계없이 호흡이상의 중요한 지표인 무호흡이고 자면서 기도를 유지하기 위해 심히 뒤척이며 고개를 지나치게 젖히거나 베개를 높게 베는 경향을 보이고 입을 벌리고 자고, 땀을 많이 흘리거나 흉골하 및 늑골 함몰을 보이기도 하지만 일부에서만 나타난다. 성인의 심한 코골이와 더불어 반복적이고 극적인 무호흡을 소아에서는 찾기 어렵고 성인에서는 심각한 주간 졸리움도 소아에서는 부모의 관심을 끌지 못한다. 낮에는 호흡음이 거칠고 입으로 숨을 쉬는 것이 발견되나 정상인 경우도 많다. 잦은 상기도 감염이 종종 보고되고 있으나, 임상적으로 지속적인 비강 폐쇄와 감염을 구분하는 것은 어렵다. 하기도 질환, 야뇨증, 잦은 오심과 구토, 성장 지연, 과잉활동, 집중장애, 아침 두통 등이 있을 수 있다.

OSAS의 합병증은 성장장애와 폐 고혈압이다. 성장의 저하는 성장호르몬 분비나 대사장애에 의한 것으로 수술 후 호전된다. 폐 고혈압은 아마도 저산소증에 의한 이차적인 것으로 생각되고 무증상이 흔하다. 선천적 기형을 가진 경우 수면 중 급사하기도 한다. 학습장애, 행동문제, 주의력 장애의 빈도가 높고 수술 후 호전되었다는 보고가 있다. 유아는 반복적인 무호흡으로 이해 각성이 되면 램수면을 얕게 하는데, 동물에서 성장기에 램수면의 박탈은 영구적인 행동변화와 뇌의 형태와 생화학적 이상을 초래하였고, 램수면의 박탈은 심각한 후유증을 일으켜 신경 흥분도를 증가시키고 경련을 증가시킨다.

라. 진단

OSAS는 소아에서 흔하지만 자세한 병력을 물어보지 않으면 진단이 간과되기 쉬워 모든 소아에서 수면 중 코골이 여부를 물어보아야 한다. 코골이가 있다면 잠자면서 힘든 호흡, 무호흡, 뒤척임, 발한, 야뇨증, 청색증, 주간 졸리움, 행동·학습장애 등이 있는지를 알아본다. 진찰 때는 구강호흡, 코막힘, 아데노이드형 얼굴, 저비음 등을 관찰한다. 합병증으로 성장장애, 고혈압, 제 2 심음 증가 등을 조사한다.

병력과 진찰만으로도 검사가 필요한 사람을 선별할 수는 있지만 치료방침을 결정할 수는 없다. 그 이유는 수면과 환기에 지장이 없는 단순 코골이와 수면무호흡증을 병력과 진찰만으로는 감별이 어렵고, 편도나 아데노이드 크기와 폐쇄수면무호흡증의 중증도는 비례하지 않는다고 보고되었는데 이는 구조적 이상만이 아니라 상기도의 신경근육 긴장도가 복합적으로 영향을 주기 때문이다. 자세한 야간 수면 연구가 가장 진단학적으로 유용한 정보를 제공하나 비싸고 시간이 많이 소요되는 검사이다. 야간 산소포화도 측정은 단독으로는 민감도와 특이도가 낮고 낮잠 때 수면다원검사나 녹음, 비디오 촬영 등은 큰 도움이 되지 않고 결국 야간 수면다원검사를 시행하여야 한다.

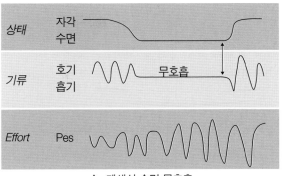

A. 폐쇄성 수면 무호흡

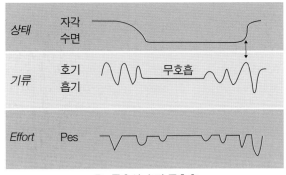

B. 중추성 수면 무호흡

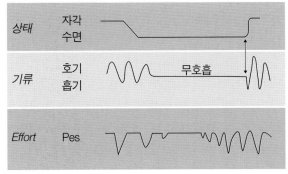

C. 혼합형

그림 10-11. 수면다원검사. Pes; esophageal pressure

측면 기도 X선은 손쉬운 방법으로 대강의 기도 크기와 연조직에 의한 막힘을 알아내는데 유용하나 이는 정적인 정보로 역동적 기도는 굴곡성 비내시경으로 상기도와 후두를 관찰하고 특히 6개월 이전에 증상이 나타난 소아들에서 고려되어야 한다. CT는 2차원적으로 정적인 기도 영상을 보기에 적합하고 연수 기능이나 설명되지 않는 저환기가 있는 경우 MRI가 유용하다. 이산화탄소 저류가 심각하거나 지속되는 산소불포화가 있는 경우 심전도, 심초음파를 시행하는 것이 적합하다.

마. 치료

내과적 치료는 보조요법으로 감염에 의한 악화 때 국소 혈관수축제의 일시적 사용이나 경구용 스테로이드제로 림프선종대를 감소시킬 수 있으며 알레르기비염이 동반된 경우 국소 스테로이드가 효과가 있다. 항경련제인 벤조다이아제핀 등은 상기도의 비협조에 기여하고 분비를 증가시키므로 사용을 최소화한다. 성인과 소아에서는 비만환자는 체중감량을 시도한다. 급·만성의 호흡기 질환은 수면 호흡곤란을 악화시키므로 항생제 등으로 적극적으로 치료하며, 필요할 때는 야간에 산소를 비강으로 투여한다.

소아에서 폐쇄수면무호흡증후군에 대한 일차적 치료법은 아데노이드편도절제이다. 편도와 아데노이드가 모두 제거되어야만 하는데, 하나만 제거하는 경우 증상호전이 실패하거나 나중에 악화되기 때문이다. 수술 후 80%에서 호전을 보이나 수술 전 편도와 아데노이드의 크기는 수술 후 호전정도를 예측하지 못한다. 수술 후 무호흡, 감염, 출혈, 급사 등의 합병증을 주의해야 하며 특히 고 위험군은 수술 후 잘 모니터해야 한다. 초기의 뛰어난 증상호전과는 달리 12개월 후에 재조사할 때 상기도의 부분적인 폐쇄가 지속되고 있음이 알려져 추적 검사가 필요하다. 특히 구개열, 두개안면기형, 연골무형성증, Pierre-Robin 증후군 등 해부학적으로 작고 기능에 문제가 있는 상기도를 갖는 소아들은 무호흡의 정도가 심하고 아데노이드편도절제 후에도 증상이 지속되고 근이양증이나 뮤코다당증 환자들은 나이가 들면서 점점 악화되므로 지속적인 관찰과 중재가 필요하다. 비강 양압환기법(CPAP)과 비강 마스크 환기법 등은 수술 후 상기도 폐쇄가 호전되지 않은 소아들에게 다른 치료법으로 개발되고 있다. 두개안면성형은 미용적 이점과 상기도의 상태완화를 위해 시행되나 OSAS를 치유하지는 못하며 구개열 수술 후에는 폐쇄가 악화되는 수가 있다. Uvulopalato-pharyngoplasty는 장기간의 예후가 좋지 않고, 심각한 합병증이 있어 소아에서는 시행하지 않는다. 기관절개는 발성장애와 5~10%의 치사율이 있으므로 마지막 수단으로 고려한다. Diaphragmatic pacing은 낮에도 저환기증을 가진 소아들에서 이용되고 있다.

3. 신경근육 질환

가. 호흡근의 발달

횡경막은 흡기때 음압을 만드는 피스톤 작용과 복압을 증가시켜 흉곽 내 복부 구조물이 하부 흉곽을 밀어 팽창시키고 횡경막 부착부위에 있는 늑골의 수평 상방이동을 유도해 흉곽의 팽창에 중요한 역할을 하는데 영아기에는 흉곽 내 복부 구조물이 적고 횡경막 부착부위가 좁고 횡경막 근육량이 적어 흡기 때의 역할이 미숙하다. 일상 호기 때에는 수동적 탄성 되먹임에 의존하나 고탄산혈증이 있으면 복근의 추가적 활동을 필요로 하는데 이는 어린나이에 긴 램수면 때에는 감소된다. 또한 고도로 유연한 흉벽으로 인한 기계적 불리함으로 미숙아와 신생아는 호흡근 피로와 그로 인한 호흡기 펌프기능 부전이 오기 쉽게 된다.

조직 화학에 의해 결정된 호흡근 섬유형의 발달상의 변화를 보면 1형 근섬유는 연축이 서서히 일어나고 피로에 저항성인 반면 2형 섬유는 연축이 신속하고 곧 피로해진다. 호흡근에서 1형과 2형 섬유의 상대적 비율은 발달에 따라 변화하여 사람 횡경막에서 1형 섬유의 구성비는 미숙아, 신생아, 2세 이상 소아에서 각각 10%, 25%, 55%이며 늑간근에서의 변화도 유사하다. 따라서 나이가 어릴수록 호흡근 피로가 오기 쉽다.

나. 흉벽 기능의 평가 방법

1) 흉벽 운동

흉벽 운동의 정량화로 흉벽 기능과 폐 기능에 관한 정보를 얻을 수 있는데 흉곽과 복부 구획의 평상호흡에 대한 기여도의 크기를 정량화 할 수 있다. 신생아는 주로 복부 구획으로 호흡하고, 반면 성인은 주로 흉곽호흡자로 신생아에서 수면 중 일상 호흡 때 흉곽의 기여도는 35%(20~50% 범위)이고 생후 1년간 점차 증가하여 정상 성인 수치인 65%에 도달한다. 흉벽 운동은 흉벽 유순도가 증가하고 흉막 압력 변동이 증가할수록 비동시성으로 되어, 흉벽이 흡기 때 흉막 압력 감소를 더욱 견디지 못하게 되면, 흡기 때 흉곽의 밖으로 팽창은 복부 움직임보다 늦게 나타나거나 아예 모순적으로 일어난다. 따라서 미숙아는 정상적으로 수면 때 비동시성 혹은 모순적인 호흡을 보이며 기관지폐이형성증 유아는 현저히 비동시성인 호흡을 보이며 그 비정상적인 정도는 폐 저항과 탄력성의 비정상적인 정도와 연관이 있다. 하부기도 폐쇄 유아에서 기관지확장제 투여 후 비동시성이 현저히 개선되며 비동시성의 정량이 기도 폐쇄의 비침습적, 간접적인 지표로 이용될 수 있다. 흉벽 운동은 일차성 흉벽 질환의 영향도 받을 수 있다. 신경근육계 질환(neuromuscular disorders) 환자는 모순적인 호흡을 보이며, 흉곽-복부 모순 모형으로 기저 질환에 대한 중요한 단서를 얻을 수 있다. 일차성 늑간근 약화 환자는 흡기 때 안쪽으로 향하는 흉곽운동을 보이나, 일차성 횡격막 마비 환자는 흡기 때 안쪽으로의 복부 운동을 보인다.

호흡 펌프 기능과 피로도의 평가로 흉곽과 복부의 기이 운동은 눈으로도 확인하기 쉬우나, 호흡의 어느 시기인지도 같이 기록해야 하는데 이는 입에 손가락 끝을 대거나 청진으로 확인하여야 한다. 흡기 때 안으로의 흉곽 운동과 밖으로의 복부 운동은 늑간근이나 흉곽 기능 부전을 의미하며, 심한 기도 폐쇄가 있는 유아나 정상 미숙아의 램수면 때 잘 관찰된다. 또한 사지마비처럼 늑간근 약화는 있으나 횡격막 기능 손상은

없는 신경근육계 질환에서도 이를 볼 수 있다. 흡기 때 안으로의 복부 운동과 밖으로의 흉곽 운동은 횡격막 기능 부전을 의미하며, 심한 기류 폐쇄가 있는 성인에서 곧 닥칠 횡격막 피로를 의미한다. 또한 횡격막 신경마비 환자에서도 이를 관찰할 수 있다. 복부 근육의 촉진으로 호기 때 능동적 수축을 감지할 수 있다. 이는 심한 폐쇄성 폐질환 환자에서 볼 수 있으며, 호흡기의 수동적 되감김(반동)이 호기 기류 폐쇄를 극복하기에 충분한 압력을 제공하지 못하기 때문이다.

2) 호흡근 강도의 평가

정상 성인은 폐쇄된 기도에 대하여 최대 흡기압 및 최대 호기압으로 각각 100과 200 cmH$_2$O 이상을 유발할 수 있다. 최대 흡기압은 발달단계에 관계없이 일정하지만 최대 호기압은 증가한다. 그러나 이러한 압력의 측정이 어려우므로, 임상적으로 흡기압 80 cmH$_2$O 및 호기압 100 cmH$_2$O이면 호흡근 약화는 없는 것으로 간주하기도 한다. 흡기 때 호흡근 강도 및 노력은 연부조직 후퇴의 크기에 의해서도 영향을 받는다.

최대 흡기력은 간혹 기계적 환기로부터 벗어날 능력이 있는지에 대한 지표로 사용된다. 이의 측정은 반복 측정은 가능하나, 실제 호흡근 강도를 반영하는 신빙성 있는 지표는 되지 못할 수도 있으므로 기계환기 제거의 예상지표로도 신빙성이 없을 수 있다.

횡격막 관통압은 전체 호흡근 강도보다는 횡격막 강도의 지표이다. 이는 측정하기가 더 어려워서 위 및 식도압 측정을 위한 장치가 필요하다.

3) 호흡근 피로의 평가

횡격막 근전도 활동의 긴장-시간 지표 측정과 빈도양상 평가가 절박한 호흡근 피로의 지표들이 될 수 있다. 호흡근 피로는 기계적 부하가 있는 상태에서 호흡근이 분당 환기를 지속시키는데 필요한 힘을 유지하지 못하는 것이라고 정의할 수 있다. 피로의 발생은 근육 수축의 세기 및 기간과 밀접한 연관이 있다. 장력-시간 지표(tension-time index: TTI)는 발생한 횡격막

관통압(Pdi)의 최대 횡격막 관통압(Pdi max)에 대한 비율에 흡기 시간(Ti)의 호흡 주기 시간에 대한 비율을 곱한 값이다. TTI는 성인에서 피로의 발생을 예측하는 데 사용되며, TTI가 0.2를 초과하면 피로가 발생할 확률이 높다. 유아에서 횡격막 피로 때 근전도에서 고빈도는 감소하고 저빈도는 증가하는 양상을 보인다.

기계적 환기로부터 이탈 때, 근전도가 정상인 소아는 이탈에 성공하였으나, 실패하여 다시 기계적 환기가 요구된 소아에서는 이산화탄소 정체와 임상증상 악화 이전에 근전도 변화가 먼저 관찰되었다.

다. 호흡 펌프 피로 치료의 일반적 원칙

호흡 펌프 피로는 만성 폐쇄성 폐질환이나 간질성 폐질환 등 저항성 혹은 탄력성 호흡 노력이 증가되는 폐 고유 질환과 신경근육병 등 호흡근력 이상의 결과인 일차적 펌프 이상 및 펌프 효율을 감소시키는 척추 후측만 등과 같은 흉곽 변형 등 세 가지 기전이 원인이다.

1) 호흡근 휴식

만성적인 야간 환기요법이 호흡근 휴식 요법 중 가장 보편적이며, 주로 야간에 8시간 이상 일주일에 3회 혹은 1회 사용하기도 한다. 보조환기요법 중 동맥혈 가스 분압의 호전이 관찰되며, 이는 보조 환기 요법 중단 후와 그 다음날까지 유지된다. 기전은 휴식으로 인한 호흡근력 회복과 아울러 보조환기요법 기간 중 저하된 이산화탄소 분압으로 인해 재설정된 호흡조절중추의 결과이다. 또한 보조환기요법 중 일회 호흡용적의 증가로 무기폐가 재확장 될 수 있다. 보조환기요법 중 가장 많이 쓰이는 것은 음압 환기요법으로 신체 인공호흡기 내에서 이루어지나 요즘 비침습적 양압환기 인공 호흡기(bilevel positive-pressure ventilator BiPAP)를 야간에 비강을 통해 사용할 수 있다.

2) 호흡근 훈련

훈련으로 골격근의 세기와 인내력을 증가시킬 수 있다. 세기 훈련은 고강도의 자극을 수회 주는 것으로 주된 세포 반응은 근세포 비대이며, 인내력 훈련은 낮은 세기의 자극을 자주 반복해서 주는 것으로 주된 세포 반응은 산화 능력이 증가되는 것이며, 산화 효소 증가, 미토콘드리아 수와 크기 증가, 모세혈관 밀도 증가를 통해 이루어진다.

정상 성인에서 호흡근 세기와 인내력은 특수 훈련에 의해 증강될 수 있으며, 호흡근 세기 증강은 최대 강제(maximal forced) 호흡 동작의 반복과 높은 흡기 저항 부하에 대한 저항 부하 호흡으로 훈련한다. 인내력 훈련은 비특이적 조건화(conditioning)로 전신 운동과 특이적 조건화로는 자발적 isocapneic 과호흡, 저항 부하 호흡, 흡입 한계 부하 등이 있다.

만성 폐쇄성 폐질환, 낭성 섬유증 및 사지마비 환자에서 호흡근 세기 훈련으로 호흡근 세기를 증강시킬 수 있으며, 호흡근 인내 훈련으로 호흡근 인내력을 증가시킬 수 있다. 폐질환이 없는 미숙아에서 흡입 기류 저항 부하 훈련으로 호흡근 인내력은 증가시킬 수 있으나 호흡근 세기의 증가는 일어나지 않는다. 주요한 의문점은 언제 호흡근 운동을 시키고 언제 호흡근을 휴식시키는가 인데, 일반적 방침은 쇠약한 근육은 운동을 시키고 피로한 근육은 쉬게 하는 것이나 임상적으로 쇠약과 피로의 구별이 어렵다.

3) 호흡근 피로의 약물요법

테오필린은 호흡근 피로 치료에서 가장 많이 연구된 약제로, 체외 실험에서 약 용량에 비례하여 횡격막의 최대 연축 장력의 증가를 일으킨다. 정상인에서 테오필린은 횡격막 수축성을 증가시키고, 만성 폐쇄성 폐질환 환자에서 테오필린은 횡격막 세기를 증가시키고 저항 부하성 호흡으로 야기되는 횡격막 피로의 시작을 연기시킨다. 신생아에서는 상충되는 결과를 보이지만 미숙아에서 횡경막 반진폭(excursion)을 증가시킨다.

라. 신경근육 질환의 분류

만성 신경근육 질환에서 호흡기는 궁극적으로 흔히 침범되며 호흡 부전은 흔한 사망의 원인이다. 호흡근의 침범은 호흡 펌프 피로와 기침의 약화를 초래하고 상기도근의 침범으로 상기도 폐쇄와 삼킴 기능의 장애가 발생되어 음식과 침이 흡인되고 위장관근 침범은 위식도역류를 용이케 한다. 흔히 동반하는 척추 측만증도 폐기능을 더욱 제한시킨다. 표 10-2에서와 같이 많은 신경근육 질환에서 질환의 상태, 위치, 급 · 만성에 따라 호흡기가 침범된다. 하부 운동신경 질환과 말초 병변, 급성 신경질환은 늘어지는 근과 흉곽 안정을 저하하고 상부 운동신경 병변과 만성 신경질환은 근육과 흉곽인대, 관절의 경직을 초래한다.

C3~5 이상의 척수 손상은 횡격신경에 영향을 주어 횡격막 운동을 저해함으로 자발호흡이 불가능하다. 상흉부, 경부 척수 손상에서는 늑간근 활동은 없어도 횡격막 호흡을 할 수 있다. 하흉부 척수 손상에서는 복근이 관련된 기침과 forced expiratory maneuver의 장애가 있을 수 있지만 호흡장애는 거의 문제되지 않는다.

마. 호흡기 합병증

1) 재발성 폐렴

흡인, 약한 기침반사, 약한 기침, 약한 흡기력으로 인한 무기폐 등으로 폐렴에 걸리기 쉽고 또한 일단 걸리면 더 심하게 앓는다. 복근, 흉근, 호기근 약화로 인한 기침 장애로 재발성 폐렴이 잘 생긴다. 항생제는 지역사회 획득 폐렴 환자들과 같게 사용하나 구강 내 혐기성 균도 같이 조절할 수 있는 것으로 고르고 인공호흡기 부착 시는 그람 음성균에 잘 듣는 것으로 선택한다.

2) 흡인

재발성 폐렴의 주원인으로 삼킴장애와 위식도역류가 흡인의 주원인이고 기관절개도 삼킴장애를 유발한다. 삼킴장애는 뇌간침범, 중추신경계질환, 하부운동

신경질환, 신경근 접합질환, 일차성 신경증에 흔하나 흉추이하의 척수장애, 말초 신경병에는 빈도가 낮다. 신경근육질환시 위식도 역류도 일반인보다 흔하여 흡인의 원인이 된다.

3) 호흡부전

급성 호흡 부전이 급성 폐렴 시 잘 오고 가벼운 감기 또는 호흡기외의 다른 감염에서도 쉽게 올 수 있다. 다량의 흡인 후 급성 호흡곤란증후군이 발생할 수 있다. 오랜 신경근육 질환으로 인한 흉벽 유순도 감소, 재발성 폐렴, 흡인으로 인한 만성 폐 섬유화, 측만증 등으로 호흡 때 일량이 많아져 말기에는 만성 호흡부전이 합병된다.

4) 폐성심

폐성심(cor pulmonale)은 심한 측만증으로 인한 제한적 폐기능, 야간 저산소증, 환기 관류, 무기폐, 상기

표 10-2. 호흡기를 침범하는 흔한 신경근육 질환들

중추신경계
뇌종양
두부 외상
중추신경계 감염(뇌막염, 뇌염)
미숙아의 중추신경계 출혈
퇴행성 신경질환(e.g., Leigh's encephalopathy, Tay-Sachs, storage disease)
뇌성마비
척수
외상(e.g., cervical cord or high thoracic lesions)
선천성(수막척수류)
하위 신경근
Spinal muscular dystrophy
말초 신경 및 신경근
Güillain-Barre syndrome
신경근 접합
보툴리즘(성인형, 신생아형)
중증근무력증(성인형, 신생아형)
근육
근이영양증
근병증: 선천성, 미토콘드리아, 대사성, 스테로이드 유발성

도 폐쇄 등의 복합적 요인에 기인한다.

5) 영양

삼킴장애, 식욕저하 등으로 영양실조가 생겨 근육이 약화되기도 하지만 영양과잉과 비만으로 폐용적과 유순도가 감소될 수 있다.

바. 호흡기능에 미치는 악영향

1) 폐기능 장애

총폐용적과 폐활량이 경증에서는 정상이지만 중등증 이상에서는 흡기근 약화, 척추 측만증과 일회 호흡용적이 오래 감소되어 흉곽과 폐의 경화 등으로 저하된다. 잔유용적은 호기근 약화로 정상이거나 증가하고 RV/TLC도 증가하며, 폐용적 감소와 호기근력 저하로 최대 호기유속(maximal expiratory flow rate)의 감소나 FEV_1/VC는 정상이다. 폐유순도는 감소한다.

2) 호흡근력

흡기 및 호기근력이 감소되는데 원위근 장애보다 근위근 약화시 상지근이 흉부를 고정하므로 더 심하게 감소한다.

3) 흉곽 변형

중증 늑간근 약화는 미숙아의 호흡과 비슷하여 어릴 때는 유순도가 증가해 있으나 오랫동안 일상호흡때 흉벽 반진폭(tidal chest wall excursion)의 감소로 흉곽관절의 구축을 일으켜 성인에서 폐유순도가 감소한다.

4) 호흡조절

신경근질환 때 일차적 또는 이차적으로 호흡조절중추에 이상이 생기는데 뇌간의 이상으로 저산소증, 고탄산혈증에 대한 환기반응의 이상, 중추성 또는 폐쇄성 무호흡증, 심한 주기적 호흡을 보인다. 만성 폐질환으로 탄산가스 정체가 오래되어 화학 중추의 탄산가스에 대한 반응이 둔화되어 있다.

5) 기침 장애

복근, 흉근, 호기근 약화로 인한 기침 장애로 재발성 폐렴이 잘 생긴다. 그러나 하흉부 척수 마비나 하지마비 시는 복근력이 정상으로 기침이 효율적으로 이루어지고 사지마비 환자도 대흉근(pectoralis major)을 기침이나 호기 때 사용할 수 있다.

사. 폐 합병증에 대한 치료

환자에게 재발성 폐렴, 위식도 역류 증상, 분비물의 흡인, 코골이, 무호흡 등의 수면 저환기증의 증상에 대해 문진하고 경련이 조절 안 되면 흡인성 폐렴이 더 용이하므로 경련에 대한 병력을 물어본다. 진찰할 때 척추 만곡증 여부, 폐성심, 재발성 화농성 폐렴을 시사하는 곤봉지 같은 소견을 살펴본다. 폐기능, 동맥혈 가스 분석, 흉부 X선, 삼킴검사, 역류검사, 수면 중 산소포화도 검사, 심전도와 심초음파 등을 필요에 따라 시행하고 수면다원검사는 폐활량이 50%이하, FEV_1가 40%이하의 폐기능으로 수면 저환기의 위험이 클 때나 수면무호흡 증상이 있을 때 검사한다.

치료는 재발성 폐렴과 위식도 역류증상을 치료하고 삼킴장애로 인한 흡인 때 경피 내시경하 위루설치술(PEG)을 하고 야간 저산소증 때는 산소공급, BiPAP 등으로 야간 호흡 보조를 한다. 음압인공 호흡기는 폐쇄성 수면 무호흡을 악화시킨다. 일반 보조치료로 독감, 폐구균, b형 헤모필루스 균에 대한 백신을 주사하고 재발성 폐렴 때 페니실린, 클린다마이신, amoxacillin-clavulanic acid 등을 사용한다. 영양장애가 되지 않도록 조심하지만 비만도 피해야 한다. 물리치료, 복근이용 기침, 기관지확장제로 객담 이동을 쉽게 하고 폐합병증의 원인, 즉 삼킴장애, 역류, 환기장애, 약한 기침, 화농성 폐질환 여부, 폐고혈압, 폐성심을 일찍 발견해 이에 대한 대처를 한다.

표 10-3. 흡인 증후군

증후군	흡인물 종류	주된 병리현상
기도 폐쇄	대량의 고형물	무기폐
무기폐	대량의 액체 (위내용물 등)	저산소혈증
질식		고이산화탄소혈증
폐기흉		기관지염, 기도확장증, 폐렴
천명, 기침		사망
무호흡이나 후두경련		
급성 화학적 손상	위내용물(pH<2.5)	폐부종
미만성 폐침윤	독성 외부액체(hydrocarbon)	쇼크
급성 호흡부전증	독성 가스	저산소혈증
무호흡이나 후두경련		출혈성 폐렴
기도기관지염		폐포 경화증
감염성 손상(급성 또는 만성)	비강, 구강 분비물	점막 딱지(sloughing)
폐렴/기관지폐렴	위내용물(입원 환자경우)	괴사성 폐렴
농양	외부 오염물	폐포경화
늑막삼출		세균(혐기성과 호기성 세균)
인공호흡기와 연관된 폐렴		그람음성 간균
반복적인 화학적 손상	구강, 비강, 위내용물	육아성 염증
기관지염, 세기관지염		섬유화
기관지폐렴, 폐렴		간질성 염증
무기폐		지질성 폐렴
천명, 기침		폐쇄성 세기관지염
무호흡, 후두경련		
위식도역류		

4. 흡인 증후군

흡인 증후군(aspiration syndromes)은 히포크라테스가 기원전 400년에 흡인에 대하여 언급한 바 있으나 1946년 Mendelson에 의한 분류가 있을 때까지 흡인에 의한 폐손상에 대하여 정확히 묘사가 되어 있지 않았다. 위액이 기도내로 들어가 전형적인 폐손상이나 폐부전을 유발하는 현상을 흡인이라 정의하고 이물질이나 일산화탄소, 물에 빠졌을 경우는 다른 부분에서 언급하도록 한다.

가. 급성의 다량 흡인 증후군

1) 발병 기전

위액의 흡인은 pH나 흡인액의 양, 액의 성질 등 병리, 생리학적으로 매우 다양하다. 다량의 흡인액인 경우 급성 기도폐쇄나 급성 호흡곤란을 초래할 수 있으며, 소량이라 하더라도 흡인기전에 따라 출혈성 폐렴이나 이차 무기폐, 폐부종, 저산소증 등에 의해 초래될 수도 있다(표 10-3). 과량의 산성 흡인액(> 1 mL/kg, pH<2.5)인 경우 중증 저산소증을 초래한다. 산성 액체인 경우 중성 액체보다 저산소증이 더 심하고 오랫동안 지속된다. 흡인된 지 수분 이내로 부분적으로 무

기폐가 나타나기 시작하면서 폐포에 중성구와 fibrin 이 축적되고 기도상피세포의 변형과 1형 폐 세포의 괴사로 인해 폐부종과 출혈이 유발된다. 24~36시간이 지난 후 중성구 축적이 증가되면서 폐포 경화, 점막 딱지형성(sloughing) 등이 진행하게 되며 폐렴 소견으로 나타난다. 유리질막은 48시간이 지나면서 나타나기 시작하고 72시간이 되면 기도상피의 재생, 섬유아세포의 증식, 급성 염증반응의 감소 등 재생과정이 진행되고 2~3주가 경과되면 대식세포, 림프구, hemosiderin 등과 함께 폐 실질 손상이 남게 되어 폐쇄성 세기관지염이 되기도 한다.

생리학적인 변화는 일정한 시간이 지난 후 일어나게 되며 염증반응은 액체 흡인보다는 작은 입자의 흡인 후에 더 지속하게 된다. 액체가 흡인된 후 몇 분이 지난 후에, 작은 입자의 경우 3~4시간이 지난 후에 혈관 내 액체가 폐로 이동하게 된다. 소량의 위액이나 산이 흡인되는 경우 급성 간질성 폐렴으로 발전되고 만성기도염증이 진행되면서 폐실질이 두꺼워지고 육아종(granuloma)이 형성되고 섬유화가 진행된다. 중증 폐렴을 초래하는 흡인량은 0.8 mL/kg정도다. 다량 흡인 폐렴에 대한 진단은 항상 다량 위액을 흡인하였다는 증거가 있어야 한다. 이러한 증거가 없는 경우 흡인에 대한 임상적, 방사선학적인 증거가 있어야 한다. 초기에 기관지내시경으로 판정하는 경우 위액이 발견되고 현미경소견에서 폐 조직에 홍반이 보인다.

2) 치료

환자에 대한 관리는 산소공급과 필요한 경우 인공호흡(positive end-expiratory pressure)과 흡인재발을 방지하는 것이다. 기관지내시경과 세척은 다량의 흡인액인 경우 필요하며 경직성 기관지 내시경은 크기가 큰 고형질인 경우 유용하다. 액체 흡인인 경우 기관지세척은 불필요하며 이런 경우 액체를 중화시켜야 하고 혈관 내 양은 유지되도록 한다. 스테로이드의 사용은 논란이 많지만 일반적으로 사용하지 않는 것을 추천한다.

사망률은 40~60%이지만 최근 5%정도이고 세균데

미만의 폐렴을 침범하는 경우 사망은 매우 드물다. 예방이 최선이며 흡인된 경우 후유증을 최대로 적게 하는 것이 중요하다. 위식도역류가 있는 경우 음식물 섭취량을 나누어 소량을 먹이면 흡인성 폐렴의 발생을 감소시킬 수 있다.

항생제를 경험적으로 사용하는 것에 대해서는 논란이 많으며 일반적으로 세균이 증명되기 전까지 항생제를 사용하지 않는 것을 원칙으로 한다. 임상적으로 의심되는 경우 항생제의 선택은, 전에 건강하였던 환자 경우 penicillin, ampicillin, clindamycin 등이 추천된다. 그 외 metronidazole, cefoxitin 등도 사용된다. 기존 질환이 있는 소아의 경우 2세대, 3세대 cephalosporin이 추천된다. 면역결핍이 있는 경우 aminoglycoside와 ceftazidime 등과 같은 항생제가 병용되어야 한다.

3) 합병증

위액이 흡인되는 경우 환자의 50%에서 폐막이나 폐의 감염과 연관된다. 세균 감염의 주요 감염원은 항상 구강인두이지만 최근 위장으로부터의 원인균도 증가되고 있다. 흡인성 폐렴의 세균감염을 밝히는 데는 기존의 질병 유무가 중요하다.

흡인 폐렴의 초기 증상은 발열, 기침, 그리고 천명이 들리고 혈액 소견에서 백혈구가 증가되고 흉부 X선에서 폐침윤이 관찰된다. 이러한 현상이 초기 치료 후에도 악화되면 감염이 연속적으로 진행된다고 의심할 수 있다.

인공 삽관이나 위장관내 삽관 등은 타액 등을 삼키기 때문에 흡인폐렴을 증가시킬 수 있다. 이러한 경우 구강 내 상주하는 정상세균이 기도내로 들어가서 감염을 초래하게 되며 구강 내 상주하는 정상세균은 표 10-4와 같다. 1세 이상인 경우 혐기성 세균이 호기성 세균에 비해 3:1에서 10:1정도로 높다. 13~16세인 경우 *Bacteroides melaninogenius*가 호발한다. 대표적인 혐기성 세균으로는 *Bacteroides melaninogenius*, *fusobacteria*, *Bacteroides fragilis* 등이며, 대표적인 호기성 세균은 *alpha hemolytic streptococci*, *E coli*,

Klebsiella pneumoniae, Staphylococcus aureus 등을 들 수 있다.

나. 반복적인 소량 흡인 증후군

흡인되는 양과 질 뿐 아니라 반복적인 소량의 흡인 (microaspiration 또는 silent aspiration)에서도 개체에 따라, 질병 빈도와 연관이 많다. 폐로 소량의 구강인두 액이 흡인되는 현상은 정상적인 사람에서도 잠을 잘 때 일어날 수 있다. 기관지삽관이나 코위장삽관 등이 있는 경우 더 자주 흡인이 되어 흡인성 폐렴을 초래하기도 한다. 반복되는 흡인이 위식도역류와 연관이 많은 것으로 알려져 있으나 이에 대한 정확한 기전은 아직 확실치 않다.

1) 발병기전

소량의 흡인증후군과 폐렴의 연관성을 밝히는 것은 가끔 어려울 수가 있다. 그러나 소아에서는 위식도역류가 흔하며 이는 소아의 폐질환과 연관성이 있는 경우가 많다. 한편 위식도 역류와 흡인증후군은 서로 각각 독립적으로 작용할 수도 있다. 만성 폐질환을 갖고 있는 환자의 25~80%에서 위식도 역류가 있는 것으로 알려져 있다. 이에 관련된 기전은 표 10-5에 나열되어 있다. 이러한 흡인으로 인한 기도의 염증반응은 기도 과민성을 더 증가시킬 수 있다.

식도 산성화에 따른 반사성 기도수축현상은 여러 연구에서 밝혀져 있다. 산이 역류되면서 기도의 저항이 증가되는 현상은 미주신경 자극에 의해 일어난다. 식도의 산성화는 기본적인 폐기전의 변화 없이 기도의 비특이적 과민반응을 증가시킨다.

그 외 위식도역류 현상과 연관된 호흡기 질환은 표 10-6에 나열되어 있다. 미숙아에서는 반사성 중심성 무호흡이 일어나는데 이러한 중심성 무호흡보다 위식도역류에 의한 폐쇄성 무호흡이 더 흔하게 일어난다.

위식도역류에 대한 치료 후 호흡기 질환이 호전되는 경우가 많아 두 질환간의 연관성을 역으로 증명하는

표 10-4. 구강인두에 상주하는 세균

나이	균주
출생~1일	*Streptococcus salivarius*
1일~1세	*Staphyloccus species*
	Neisseria species
	Veillonella species
	Nocardia species
	Fusobacterium species
	Bacteroides species
	Corynebacterium
	Candida species
	Coliforms
1~12세	Anaerobes
	Streptococcus mutans
	Streptococcus sanguis
13~16세	*Bacteroides melaninogenicus,* spirochetes

표 10-5. 위식도역류와 호흡기질환의 연관성

호흡기질환을 유발하는 위식도역류
  직접적인 영향: 기관염, 기관지염, 폐렴, 무기폐, 기도폐쇄, 상기도 반사로 인한 후두경련, 기도경련
  간접적인 영향: 염증 반응이나 기도 과민성의 변화
위식도역류를 유발하는 요인
  횡격막의 편평화, 복부 늑막압의 변화
  하부 식도괄약근압 감소를 유발하는 약물 복용효과 (theophylline)

연구도 있으나 대조군 없이 후향적인 연구가 대부분이다. 호흡기 질환과 이에 대한 치료가 위식도역류를 악화시킬 수도 있다. 지속적인 기침으로 인한 흉강 내 음압과 복강 내 압력 증가가 위식도역류를 악화시킬 수 있으며 기도팽창과 횡격막이 편평하게 되면서 위식도역류현상을 증가시킬 수 있다. 또한 테오필린 사용은 하부 식도괄약근압을 감소시킬 수 있으며 체위변경이나 호흡물리요법도 위식도역류를 증가시킬 수도 있다.

2) 진단

환자를 진단하는데는 무엇보다도 과거력과 진찰소견이 가장 중요하다. 증상 발현시간과 환자의 식사습관, 체위변화 등에 대하여 조사하고 영유아의 경우 보채거나 구토가 얼마나 자주 있었는지, 연장아에서는 상복부 동통이나 불편함, 또는 천명이나 야간 기침 증상 등이 있었는지에 대해 알아보아야 하며 이런 사항들을 식사하는 동안에 관찰하는 것이 진단에 필수적이다. 잘 삼키지 못하거나 사래가 잦고 자주 목에 음식물이 걸리는 경우 비인두 역류규명위해서 비인두, 혀구강내부 관찰이 필요하다. 삼키는 동안 성대를 통한 흡인은 후두식도열(laryngoesophageal cleft)을 통한 흡인과 구별하기가 어렵다. 침을 너무 자주 흘리거나 입안에 많이 고여 있는 경우에도 식도의 운동성 장애를 관찰하여야 한다. 때로는 흡입시에 청진상 일시적으로 천명이나 수포음 등이 들릴 수 있다.

위식도역류를 진단하는 방법들이 표 10-7에 나열되어 있다. 바륨식도조형술은 비인두나 기도로 직접 역류되어 흡인되는 것을 찾아낼 수 있다. 식도조형술은 혈관륜, 식도협착, 틈새 탈장(hiatal hernia), 기관식도루(tracheoesophageal fistulae) 등 해부학적인 기형을 찾아내는데 가장 유용하다.

바륨을 삼킨 뒤 videofluoroscopy를 촬영하면 음식을 삼키는 것에 대한 기전을 관찰할 수가 있어 흡인의 원인을 찾는데 유용할 수 있다.

위식도 스캔(scintiscan)은 바륨 식도조형술보다 더 예민할 수 있다. 특히 위 배출시간(gastric emptying time)을 측정하는데 유용하나 단점으로는 위 해부학적 이상을 찾기가 어렵다는 것이다.

식도 pH 측정은 산성 식사를 한 후 식도의 pH를 측정하는 것으로 예민도가 92%로 높지만 병적인 위식도역류를 갖고 있지 않는 환자의 31%에서도 양성으로 나오기 때문에 비특이적이기도 하다. 18~24시간 지속적으로 식도 pH 측정하는 것이 위식도역류를 진단하는 가장 정확한 검사로 알려져 있다. 상하부 식도 pH를 측정하면 상하부 식도역류와 그 기간이나 역류현상의 주기 또는

야간 위식도역류를 찾아 낼 수 있다. 단점은 비싸고, 침습적이며 비산성 역류를 밝히기가 어렵다는 것이다.

3) 치료

만성적인 흡인은 일반적으로 기저 질환이 있는 경우가 많다. 치료는 이 기저 질환을 해결하는데 중점을 두며 호흡문제의 주기와 정도에 의해 그 정도를 판정한다. 흡인은 인두와 후두 그리고 식도간의 부조화에 의해 나타날 수 있는데, 경한 정도로 음식물을 삼키는

표 10-6. 위식도역류와 연관된 질환

천식	폐쇄성 세기관지염
만성기침이나 천명	무기폐, 서맥
폐렴, 기관지염	천음(stridor)
무기폐	쉰 목소리
기도확장증	후두연화증
폐섬유화	급성 치명적 증상발현

표 10-7. 위식도역류와 흡인을 위한 진단법

진단법	상대적 특이도
위식도역류	
식도생검	중
단기간 식도 pH	하
위식도 스캔	중
지속적인 식도 pH	상
바륨 식도조형술	하
생검없는 식도내시경	상
식도 운동성 측정	하
흡인	
Barium swallowing	상
Salivagram	상
기도 세척;	
lipid-laden macrophage(질적)	하
lipid-laden macrophage(양적)	상
sugars, food particles	상
위식도 스캔	상
염색검사법	상
바륨 식도조형술	중

데에만 문제가 있는 경우는 음식물을 고형질로 바꾸기만 하여도 호전되는 경우도 있다. 구강 위생관리와 상기도 감염에 대한 항생제 치료가 흡인에 따른 후유증을 감소시킬 수 있다.

위식도역류에 대한 치료에서 체위 변경만하여도 호전되는 경우도 있으며 음식물을 좀 더 진하게하여 먹이는 것에 대해서는 아직 논란이 있다. 약제로는 bethanechol과 metoclopramide 등을 사용할 수 있다. H$_2$ blocking 약제는 좀 더 효과적인 일차약으로 사용할 수가 있다.

약물치료가 실패하는 경우 수술적 요법도 고려해야 한다. 흡인증후군으로 인한 폐렴의 재발률은 약 40%되며 이는 특히 신경 이상이 있는 환자의 경우 더 높다.

5. 섬모장애 증후군

섬모 기능 이상(ciliary dysfunction)과 호흡기 질환과의 연관성은 1970년대 중반에 보고되었다. 기도확장증과 좌우바뀜증(situs inversus)과의 연관성이 1904년에 보고되었지만 1930년대 Kartagener가 부비동염, 좌우바뀜증, 기도확장증을 갖고 있는 일련의 환자들을 보고할 때가지도 이들의 연관성은 잘 알려지지 않았다. 1975년 두 연구팀이 서로 독립적으로 정자의 무운동성과 Kartagener 증후군이 있는 환자섬모의 axonemes에 dynein arm이 없다고 각각 보고하였는데 이러한 이유로 이 증후군은 남성 불임도 동반한다는 것이 알려졌다. 더불어 호흡기계의 섬모에 대한 연구에서도 섬모운동이 저하되어 있고 dynein arms가 결핍되어 있다는 것도 밝혀지기 시작했다. 처음에는 이러한 환자군을 immotile cilia syndrome으로 명명하였으나 최근에는 일차성 섬모이상장애(primary ciliary dyskinesia; PCD)로 명명하기에 이르렀다.

섬모장애증후군은 증상이 있는 환자의 형제에서도 일어나는 경우가 있으며 이는 상염색체 열성으로 유전한다.

발생 빈도가 2만명에 1명으로 흔한 질환은 아니지만, 기관지 확장증과 반복성 부비동염을 가지고 있는 영유아에서는 반드시 감별해 주어야 할 질환이고 우리나라에서도 드물게 발견되고 있다. 섬모 운동장애의 증상을 가지고 있는 환자의 50%에서 좌우바뀜증이 동반되고, 또 정자의 운동 장애가 관찰되기도 한다.

가. 섬모 구조와 기능

섬모는 전반적으로 체내에 광범위하게 분포되어 있는데 대부분 섬모나 편모 등의 초미세구조에서의 변형은 거의 없고 일정한 내부구조를 형성하고 있다. 호흡기계에서는 점액 이동을 용이하게 하기 위해 섬모 길이 짧아지고 수가 많아지게 되었으며 기도 상피 층에서 배세포 등에서 점액이 생성되면 상피세포의 표면의 섬모가 파도처럼 규칙적으로 작동하여 점액을 상부로 이동시킨다.

나. 섬모의 분포

호흡기계에는 후두에서부터 말단 세기관지까지 섬모상피층이 분포되어 있으며 비강과 부비강내도 섬모상피층으로 둘러싸여 있는데 이 섬모운동은 구강인두를 향해 진행되고 있다. 호흡기계의 상피는 4~8주 간격으로 새롭게 교체되며 호흡기계 외에도 이러한 섬모세포는 중이도, 유스타키안관(E tube), 뇌실막(ependyma), 생식기계 등에 분포하고 있다.

다. 구조

호흡기 섬모세포는 그들의 표면에 200~300개의 섬모가 있다. 섬모의 세포막은 유동성 실린더형 돌기형태이며, 직경은 약 0.25 μm이며 내부에 미세관(microtubule)과 세포질이 존재한다. 기관지 섬모의 길이는 5~8 μm이며, 기관지 말초 부분으로 갈수록 길이가 짧아진다. 미세구조를 보면 axoneme은 9개의 미세관 쌍과 2개의 중심미세관으로 구성되어 9+2형 구조를 이루고 있다. 9개의 미세관 쌍은 내부에 단백질과 α, β-tubulin으로 구성되어 있으며 이들 미세관은 서로 filament(nexin links)에 의해 연결되어 있다. 각 미세관 쌍은 A 와 B 미세관으로 나누어 있는데 A 미세관에 outer dynein arm과 inner dynein arm이 연결되어 있으며 중앙을 향하여 radial spoke가 돌출되어 있는데 이들 dynein arm은 adenosine triphosphatase(ATPase)를 갖고 있는 단백질로 구성되어 있다. 이들 미세관과 nexin links 그리고 radial spoke가 섬모의 골격을 이루고 있으며(그림 6-18, 그림 10-12), 이들에 의해 섬모의 탄력성과 경직성이 결정된다. 각 섬모의 미세관에서 basal body가 나와 세포에 연결되어 있으며 이 basal body에서 basal foot이 옆으로 나와 갈고리처럼 세포질에 섬모가 걸려 있게 하는 역할을 하고 모든 basal foot은 같은 방향을 향하고 있다.

라. 생리적 기능

인간의 비강과 인두에서 섬모의 운동은 10~15 Hz(600~900 beats/min) 속도로 움직인다. 각 운동은 효과 작용과 회복 작용의 두 가지 작용에 의해 움직이는데 효과 작용의 경우 비교적 빠르고 폭이 넓게 움직여 점액 등 물질의 전진 이동을 용이하게 하고 회복 작용의 경우에는 그 다음 효과 작용기로 가기 전에 섬모를 천천히 원래 모습으로 돌아오게 해주는 역할을 한다. 섬모운동은 처음에는 각 섬모가 약간씩 움직이고 그 뒤 전체 섬모가 크게 움직이는 모습을 나타낸다(metachronal waves). 이러한 섬모운동은 칼슘 이온이 섬모세포내로 진입하면서 조절되게 되는데 gap junction을 통한 세포간의 전기적 결합은 상피세포를 통한 칼슘의 이동을 용이하게 해준다. 이 섬모운동에 결함이 생기거나 서로 박자가 엉키게 될 경우 점액의 이동이 늦게 되며 결과적으로 점액 청소율이 떨어지게 되어 문제를 유발하게 된다.

Primary ciliary dyskinesia(PCD)가 있는 환자의 대부분은 dynein arm에 구조적 손상이 있다. 이 dynein arm의 손상은 부분적인 것부터 완전 결함까지 매우 다양한데 outer dynein arm의 손상이 있는 경우 비교적 이동은 순조롭게 이루어지나 inner dynein arm에 손상이 있는 경우에는 점액 등의 이동이 원활하게 진행되지 못한다. 그 외에 섬모의 크기가 틀리거나 섬모가 완전히 없는 경우 등 다양하게 섬모 이상에 대한 보고들이 있다(표 10-8).

마. 증상

섬모장애증후군이 있는 환자는 호흡기 증상을 매우

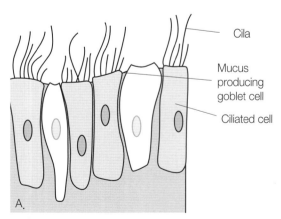

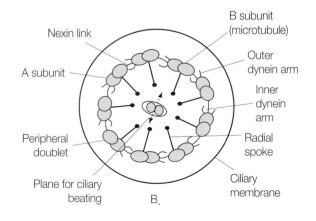

그림 10-12. 섬모의 장축(A)과 횡축(B)의 모식도

다양하게 호소한다. 이들은 출생할 때는 정상이었으나 신생아기를 지나면서 호흡곤란과 반복되는 호흡기 감염을 나타내기 시작하며 대부분은 만성 기침을 하게 되고 만성 기관지염이 되면서 수 년이 지나면 기관지확장증이 나타나기 시작한다. 이들의 증상은 섬모 이상이 없는 기관지확장증 환자의 증상과 다르지 않으나 기관지확장증이 있는 환자 대부분은 섬모기능에는 이상이 없다.

상기도염이 자주 나타나게 되어 많은 환자에서 만성 부비동염이나 반복되는 중이염 등을 호소한다. 이들 환자의 비강내를 보면 항상 점액 분비물이 가득 차 있어 비폐색, 후비루 등의 증상이 있게 되고 비강 폴립도 흔하게 발견된다.

남아의 경우 정자의 수는 정상이나 기능에 이상이 있어 불임증을 유발하나 여성의 경우 난관의 섬모운동에는 장애가 있지만 대부분 임신에는 지장이 없다.

그 외에는 내부 기관의 이상회전이 흔하여 우심장, 복부좌우바뀜, 혹은 전기관의 좌우바뀜현상이 일어날 수도 있다. 이것은 배아기에 흉부강이나 복부강이 닫히는 동안 섬모운동의 이상으로 정상적인 장기의 회전이 부족하여 발생하게 된다.

호흡기 질환이 있는 대부분의 섬모장애 환자의 예후는 비교적 좋은 편으로 이들의 생존기간은 정상인과 같다.

바. 진단

임상적으로 별다른 원인 없이 만성적이고 반복되는 호흡기 감염이 있는 경우 섬모장애증후군을 의심해보아야 한다.

1) 점액섬모 청소

점액섬모의 청소 기능 이상을 임상적으로 측정하기 어렵다. 가장 많이 사용하는 방법은 technetium-99을 이용하여 기도 중앙부에 침착시킨 뒤 폐에 침착된 X선 표식자를 감마 카메라로 측정하는 것인데 이 방법의

표 10-8. 섬모장애증후군 분류

	Ciliary defect
I	Dynein arm defects
	Inner dynein arms
	Outer dynein arms
	Inner and outer dynein arms
II	Radial spoke defect
III	Microtubule translocation defect
IV	Normal ultrastructure but impaired function
V	Random ciliary orientation
VI	Ciliary aplasia
VII	Abnormally long cilia
VIII	Abnormally short cilia
IX	Abnormal basal bodies

가장 큰 단점은 검사비가 너무 비싸고 정확한 기도의 표식자를 측정하기 위해 검사 시술자가 숙련이 되어 있어야 한다는 것이다. 연장아에서 비강 내 섬모운동의 측정은 saccharin 방법을 이용하기도 하는데 소량의 saccharin 입자(1 mm^3)를 하부 갑개에 떨어뜨려 이 sacchrarin 입자가 구강인두내로 이동하는 시간을 측정하는 방법으로 점적한 후 30분 이내가 정상이다.

2) 현미경적 진단

섬모는 기관지경이나 비경을 통해 채집할 수 있으며 이들 섬모의 beat 주기는 비강과 하부 기도 간의 연관성을 이용하여 측정할 수 있다. 점막 층 섬모의 구조적 이상에 대하여 고배율의 광학현미경이나 전자현미경(100,000~ 200,000 x)에 의해 진단될 수 있다(그림 6-18 참조).

사. 치료

특이한 치료법은 없다. 기관지확장증이 진행되는 환자에게는 체위변경이나 호흡 물리요법을 통해 객담을 제거함으로써 질환의 진행을 억제할 수 있다. 급성 감염악화의 경우 항생제와 물리요법을 동시에 병행하

여야 한다. 잔틴계 약물이나 기관지확장제 등은 점액 섬모운동이나 섬모 청소율을 증가시키나 거담제는 별 효과가 없는 것으로 알려져 있다. 조기 진단과 치료는 기관지확장증으로 진행되는 과정을 늦출 수 있으며 수술적 요법은 거의 필요가 없다.

아. 이차적 섬모장애증후군

점액섬모 청소율은 섬모 운동 횟수와 관련이 있는데 적절한 속도와 섬모 상호간의 관계가 중요한 역할을 한다. 점액섬모 청소율의 저하는 부비동염이나 기관지 확장증 등 이차적 호흡기 감염을 유발하게 되며 원인 균에 따라 점액의 탄력성이 다른데 바이러스성 감염인 경우에는 점액의 점도가 묽으나 세균성인 경우에는 점 도가 더 진하게 되는 경향을 나타낸다.

이차적 섬모장애증후군을 유발할 수 있는 세균은 *Pseudomonas aeruginosa, Haemophilus influenzae*(a heat-labile protein, lipopolysaccharide), *Staphylococcus aureus*(hemolysin), *Mycoplasma pneumoniae, Bordetella pertussis*(Peptidoglycan), *Streptococcus pneumoniae*(pneumolysin) 등이 있다. 그러나 이들에 의한 섬모의 기능과 구조의 장애는 elastase와 proteinase 등 세포 생성물에 따라 다르게 나타난다.

참고문헌

1. 정진아, 전경희, 박용민, 이주석, 정은희, 남승연 등. 선천성 낭성 선종양 폐기형 17례의 병리학적 분류에 따른 임상양상의 분석. 소아알레르기 및 호흡기학회지 2001;11: 51-60.

2. Bynum LJ, Pierce AK. Pulmonary aspiration of gastric contents. AM Rev Respir Dis 1976;114:1128-36.

3. Afzelius BA. A human syndrome caused by immotile human cilia. Science 1976;193:317-9.

4. Rossman CM, Forrest JB, Lee RM, Newhouse MT. The dyskinetic cilia syndrome. Ciliary motility in immotile cilia syndrome. Chest 1980;78:580-2.

5. Brook I, Finegold SM. Bacteriology of aspiration pneumonia in children. Pediatrics 1980;65:1115-20.

6. Sleigh MA. Primary ciliary dyskinesia, Lancet 1981;2: 476-83.

7. Dodds WJ, Dent J, Hogan WT et al. Mechanism of gstroesophageal reflux in patients with reflux esophagitis. N Engl J Med 1982;307:1547-52.

8. Greenstone MA, Dewar A, Cole PJ. Ciliary dyskinesia with normal ultrastructure. Thorax 1983;38:875-6.

9. Wilson R, Cole PJ. the effect of bacterial products on ciliary function. Am Rev Respir Dis 1988;138:S49-53.

10. Raidoo DM, Rock e DA, Brock-Utne JG, Marszalek A, Engelbrecht HE. Critical volume for pulmonary acid aspiration: reappraisal in a primate model. Br J Anaesth 1990;65:248-50.

11. Herbst JJ, Hilman BC. Gastroesophageal reflux and respiratory sequelae, Pediatric respiratory disease: diagnosis and treatment. 1st ed. 1993:521-32.

12. American Thoracic Society. Standards and indications for cardiopulmonary sleep studies in children. Am J Resp Crit Care Med 1996;153:866-78.

13. Krummel TM. Congenital malformations of the lower respiratory tract. In : Chernik V. Boat TF, Kendig EL, editors Kendig's disorders of the respiratory tract. St Louis, Mosby. 1998:287-317.

14. Clements BS. Congenital malformations of the lungs and airways. In : Taussig LM, Landau LI, editors Pediatric Respiratory Medicine. St Louis, Mosby. 1999:1106-35.

15. Waters KA, Sullvan CE. Sleep-Disordered Breathing. 1136-1153 In : Taussig LM, Landau LI, editors 1999 Pediatric Respiratory Medicine. St Louis, Mosby.

1999:1136-53.

16. American Academy of Pediatrics. Clinical Practice Guideline: Diagnosis and Management of Childhood Obstructive Sleep Apnea Syndrome Pediatrics 2002;109:704-12.

제11장

흉강내 질환

1. 흉강내 질환

흉막공간(pleural space)은 장측흉막(visceral pleura)과 벽측흉막(parietal pleura)으로 구성되어 있다. 장측흉막은 폐 전체를 둘러싸고 있으며 각 폐엽을 구분한다. 벽측흉막은 흉곽의 안쪽과 종격동, 횡격막을 감싸고 있고 장측흉막과는 폐문의 끝에서 만나게 된다. 이러한 막과 공간은 폐와 흉곽이 호흡주기 동안 유기적인 운동을 할 수 있도록 도와주며 각종 전해질이나 수분의 교환에도 관여한다.

가. 흉막공간의 생리적 기능

흉막공간 내의 압력은 대기압보다 낮은 상태로 유지하고 있으며 정상적으로는 이 공간 내에 공기가 존재할 수 없는데 이는 정맥혈과 조직내의 공기분압의 총합이 대기압이나 폐포압에 비하여 낮기 때문이다. 흉막공간 내에 존재하는 소량의 수액은 흉막하 모세혈관에서 흉막내공간으로 유입될 때 여과작용에 의하여 생성되며 일부는 림프관으로부터 수분이 제거되는 과정에서 역시 여과작용에 의하여 만들어진다. 흉수 (pleural effusion, pleural fluid)의 수압이 폐간질 내의 압력에 비하여 낮기 때문에 수액은 자연히 흉막공간 내로 Starling force에 의하여 여과되어 유입된다. 이와 같이 형성된 수액은 폐 운동 때 윤활작용을 하는데 도움을 준다.

호흡운동에 따라서 흉막공간내의 수분이나 물질 등이 림프관 내로의 유출입이 일어나며, 반대로 마취상태나 무호흡 상태에서는 이와 같은 물질의 교환이 억제된다. 흉수의 배출속도는 성인보다는 신생아에서 보다 빠른데 폐간질 압력의 증가, 수분을 교환할 수 있는 림프관의 표면적 증가, 폐림프유량 증가 때문이나 단백질의 유출입은 성장함에 따라 변동되지 않고 일정한 것으로 알려져 있다.

흉막공간 내에 비정상적으로 많은 양의 수액이 축적되려면 상당한 양의 수분이 림프관에서 보관할 수 있어야 하며 이를 제거시키는 기전에 이상이 있을 때 발생한다. 여기에는 정수압(hydrostatic pressure)과 삼투압(oncotic pressure)간의 불균형, 모세혈관 투과성 변화, 림프관 폐쇄 등과 같은 기전이 동반되어야 한다.

나. 흉수

흉강 내 압력 변화는 무기폐, 과팽창된 폐, 상기도 폐쇄 등에 의하여 발생하며 과도한 흉강 내 음압은 흉수를 생성한다. 이때 폐가 벽측흉막으로부터 분리되거나 기도폐쇄를 극복하기 위하여 과도한 공기 흡입이 발생할 때 음압이 더욱 심해지게 된다.

1) 증상 및 진찰소견

증상의 정도는 흉수의 양과 관계가 있는데 소량에서는 무증상인 경우가 흔하지만 다량에서는 빈호흡, 호흡곤란, 마른기침, 호흡부전 등이 발생하면서 흡기 때에 국소적인 흉통이나 견갑통이 동반된다. 진찰소견으로는 늑골운동 감소, 늑골간 공간 팽창, 성음진전(vocal fremitus)이나 촉각진탕음(tactile fremitus) 감소, 호흡음 감소 등이 나타난다.

2) 진단

가) 흉부X선

흉수를 판정하는데 가장 저렴하면서 간편한 진단방법이다. 흉부X선사진에서의 흉수 판정은 환자의 자세와 연관성이 있다. 환자가 직립위자세인 상태에서 소량의 흉수가 있을 경우에는 대부분의 수액이 폐 후면에 위치하게 되므로 사진에서 발견되지 않거나 "apical cap"과 같은 소견이 폐첨부에서 관찰되며 때로는 한쪽 폐가 전반적으로 희미하게 나타나는 소견을 보이기도 한다. 소량의 폐하수액(subpulmonic fluid)이 있는 경우에는 횡격막 상층부의 편평함, 외측으로의 전위 및 상승 등이 발생한다(그림 11-1). 폐엽 사이에 수액이 축적되었을 때에는 "pleural stripe"과 같은 선이 관찰된다. 흉수의 양이 보다 많을 때에는 늑횡격막각(costophrenic angle)이 소실되며 흉수의 양이 증가함에 따라 fluid stripe은 보다 선명해지고 종격동은 반대편으로 이동한다.

때로는 직립위자세에서 발견되지 않은 소량의 흉수가 와위(decubitus)자세에서 발견되는 수가 있는데 수액은 중력이 가해지는 부위(dependent position)에 모이게 되어 하나의 수액선을 형성한다. 그러나 너무 다량의 흉수가 한쪽 폐 전체를 차지하고 있는 경우에 이와 같은 수액선은 도움이 되지 않는다.

단순 흉부X선 검사로는 폐렴, 폐농양, 종격동 종괴 등을 감별할 수 없으므로 이런 경우에는 초음파검사나 컴퓨터 단층촬영검사(CT)를 이용하면 된다.

나) 흉수천자 및 분석

흉수가 있는 경우 가장 중요한 진단 검사법은 흉수액을 추출하여 성상을 분석하는 것이다(표 11-1). 흉강천자(thoracentesis)는 흉수의 원인이 불분명할 때와

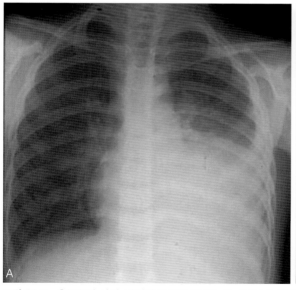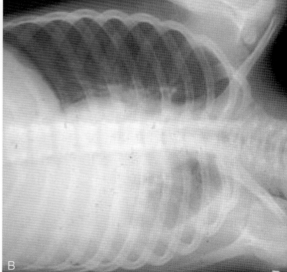

그림 11-1. 흉부 X선 사진. 폐렴에 합병된 좌측농흉, 후전(A), 측와위(B)

표 11-1. 흉수액의 감별

구분	누출액	삼출액
pH	>7.2	<7.2
WBC count	<2,000/μL	>2,000/μL
	(주로 단핵구)	(주로 다핵구)
Protein	<3 g/mL	>3 g/mL
Protein P/S	<0.5	>0.5
LDH	<200 IU/L	>200 IU/L
LDH P/S	<0.6	>0.6

P; pleural fluid concentration, S; serum concentration

치료에도 불구하고 발열이나 흉수량이 증가할 때 시행하며, 울혈성 심부전, 신증후군, 복수가 차 있는 환자, 최근에 복막투석을 받은 환자에서는 불필요하다. 합병증이 동반되지 않은 바이러스 또는 마이코플라즈마 감염으로 인한 소량의 흉수 역시 흉강천자를 하지 않는다. 흉강천자는 와위자세 사진에서 수액면이 최소한 1 cm이상 되었을 때 실시하며 만일 이와 같은 수액전위(fluid shift)가 발견되지 않은 경우에는 초음파나 CT를 이용하여 소방형성의 수액(loculated fluid) 부위를 찾아서 천자술을 그림 2-32와 같이 시행한다.

흉강천자술의 가장 흔한 합병증은 기흉, 시술부위의 동통 또는 출혈 등이며 그밖에도 늑간신경 손상, 간이나 비장 손상, 2차적 폐기종 등이 발생할 수 있다. 또한 너무 다량의 수액을 뽑아 낸 경우에는 폐부종이 발생하므로 주의를 요한다.

흉부 외상으로 발생한 혈흉이나 유미흉으로 인하여 흉수가 형성된 환자나 혹은 장기적인 흉수 배출이 필요한 환자에서는 즉각적인 흉관삽입술이 요구된다. 또한 흉막내에 농이 있는 경우, 흉막액을 그람 염색하거나 배양 했을때 세균이 발견된 경우 흉막액의 pH가 7.2이하인 경우, 흉막액의 당 농도가 40 mg/mL이하일 때 시행한다. 림프종, 결핵, 진균감염, sarcoid, 류마티스양 질환, echinococcosis 등과 같이 흉수의 성상이 비특이적일 때는 경피적 흉막생검술이 도움이 된다. 그밖에도 흉강경을 이용한 생검술, 기관지경검사, 기관지폐포성 세척술(bronchoalveolar lavage) 등이 제

한적으로 이용된다.

흉막생검술의 합병증은 흉강천자술과 비슷한데, 출혈성 경향이 있는 환자나 흉강이 폐쇄된 경우, 그리고 항응고제 치료를 받고 있는 환자에서는 금기사항이다.

다. 흉수 관련 질환

1) 누출액 관련 질환

누출액(transudates)은 정수압과 삼투압의 불균형으로 인하여 발생하고 염증반응이 없으므로 단백질 성분이 적고 세포들도 주로 단핵구로 구성되어 있으면서 500 세포/mm³미만인 경우가 대부분이다. 당과 수소이온은 혈청치와 유사하지만 lactose dehydrogenase (LDH)치는 낮다. 누출액을 유발하는 질환으로는 무기폐, 좌심실부전증, 신증후군, 갑상선기능 저하증 등이 있다.

가) 좌심실부전증

좌심방 압력이나 폐모세혈관쐐기압(pulmonary capillary wedge pressure)이 상승된 심질환이 있는 환자에서 흉수가 발생한다. 대부분 양측 흉강내에 발생하나 일측에 발생한 경우에는 주로 우측에 호발한다. 이렇게 심질환이 동반된 경우에는 반복적으로 흉강천자술이나 흉막유착술(pleurodesis)을 시행하여 난치성 심부전으로의 이행을 예방하여야 한다.

나) 신증후군

신증후군 환자 중 약 20%에서 흉수가 발생하는데, 저알부민혈증으로 인한 삼투압 감소와 수분과잉으로 인한 정수압 증가가 주된 원인이다. 흉수는 일반적으로 소량이며 양측성으로 생기고 단백질 손실 교정과 수분을 제한하면 쉽게 호전된다. 그러나 흉통이나 복통이 있는 환자, 발열, 폐렴 또는 일측성 다량의 흉수가 있는 환자에서는 흉강천자술을 시행하여야 한다. 그밖에도 신질환이 호전되었는데도 불구하고 흉수가 지속적으로 존재하거나 다른 질환(예: 감염, 혈전색전

증, 교원성 혈관질환 등)들을 감별하기 위해서도 흉강천자술을 실시한다. 하지만 다량의 흉수를 치료목적으로 제거하였을 때 발생하는 저혈압증을 조심하여야 한다.

다) 복강내 수액

복막강내(peritoneal fluid)에 있는 수분은 횡격막에 있는 작은 구멍을 통하여 흉강내로 이동할 수 있다. 복수에 의하여 발생한 흉수는 주로 오른쪽에 생기는데 비하여 복막투석 후 이차적으로 발생한 흉수는 소량이면서 양측성이다. 일반적으로 복막투석한지 첫 수일 내에 발생한다.

라) 갑상선기능 저하증

주로 심부전증, 심막액(pericardial effusion) 또는 복수 등과 동반되어 발생하며, 갑상선기능이 회복되면 호전된다.

2) 삼출액 관련 질환

삼출액(exudates)은 흉막의 염증반응이나 림프관의 폐쇄로 인하여 유발된다. 염증반응은 흉막강내의 모세혈관으로부터 수분과 단백질의 유출을 증가시키고 이들을 흡수하는 기능을 담당한 림프관도 폐쇄에 의하여 제 기능을 수행하지 못하므로 흉막강내에 수분이 축적된다. 삼출액을 유발할 수 있는 원인질환으로는 림프관을 폐쇄시킬 수 있는 악성종양이나 육아종 질환, 복막 내 수액의 유출, 췌장염, 식도파열 등이 있다. 그러나 임상증세와 흉강천자술로는 삼출액의 원인질환을 감별하기 어려울 때가 많다.

가) 호중구 삼출액

① 폐 주위 삼출액

농성 삼출액의 가장 흔한 원인 질환으로서는 세균성 폐렴의 합병증으로 유발되는 경우가 가장 많다. 2세 이하에서 호발하며 선행 바이러스 호흡기 감염 후 기침, 흉통, 발열, 호흡곤란 등을 동반하면서 진행한다.

감염에 의해서 발생하는 흉수는 초기에는 무균성이며 주로 호중구로 구성되어 있는 백혈구수도 적고 (1,000 세포/mm³이하) LDH치는 1,000 IU/L이하이며 당이나 PH는 혈액과 동일하다. 그러나 감염이 진행됨에 따라서 세균과 백혈구가 흉막강 내에 침입하게 되면 각종 매개체 및 응고인자들이 분비되어 섬유아세포가 활성화된다. 이렇게 형성된 섬유조직들은 수분을 함유하면서 소방(loculation)을 만들어서 치료 및 배농을 어렵게 한다. 더욱 진행되면 흉막 표면에 딱딱한 섬유조직이 둘러싸게 되고 폐를 누르면서 감싸게 된다. 이와 같은 현상은 흉막 감염 후 1~3주 후에 발생한다. 흔히 이 시기가 지나면 감염이 소실되어 호전되지만 때로는 영구적인 흉막손상이 남을 수 있다.

약 75%정도에서 흉수나 혈액에서 원인균을 발견할 수 있으며, 소아에서 폐주위 삼출액을 유발하는 주요 원인균으로는 S. aureus, S. Pneumoniae, H. influenzae, group A streptococcus, 혐기성균, 그람음성 장내균 등이다. 그러나 경구용 항생제를 수일간만 사용하더라도 균 검출이 어려우며 20%이상에서는 한 종류 이상의 균이 동정되기도 한다.

이러한 원인균들은 연령에 따라서 발생빈도가 다르다. 신생아의 농흉을 유발하는 것으로는 group B streptococcus, E. coli, Listeria 등이 있으며, 혐기성 세균에 의한 감염은 6개월 이하의 영아에서 호발한다. 신생아기 이후 영아기에서는 S. aureus가 주된 원인균이다. H. influenzae와 S. Pneumococcus 감염은 생후 6개월에서 12개월 사이에 가장 많은데, S. Pneumococcus는 소아기 전반에 걸쳐서 지속적인 원인균으로 작용하는 것에 비하여 H. influenzae는 7세 이후에는 드물다. Group A streptococcus는 학동기 소아에서의 주요 원인균이다.

증상으로 원인균을 식별할 수 있는데, S. aureus 감염에서는 기흉, 기류(pneumatocele), 기관지흉막 누공, 폐농양 등이 흔히 동반된다. 혐기성균은 심각한 괴사를 유발하며 수주이상 지속되면서 악취를 풍기는 흉수가 특징적이며 흡인이 잘 발생하는 환자, 구강위생이 불량한 환자, 흉관삽관(thoracotomy) 받은 환자에서 주로 관찰된다. 지속적인 발열, 중한 전신질환, 기관지폐렴, 농가진, 수두, 홍역, 인후염 등은 group A *streptococcus* 감염과 관련 있다.

전신적인 항생제 투여가 치료 목적으로 필요한데, 발열이 호전되고 흉수의 배출이 감소된 이후에도 최소한 수일동안 항생제를 계속 사용하여야 하며 그 이후에도 추가적으로 경구용 항생제를 1~2주간 사용하기도 한다. 단순히 흉수가 있는 경우에는 수 일 이내에 호전되지만 농흉이 동반된 경우에는 이보다 장기간 치료가 필요하며, 특히 *S. aureus*, 혐기성세균, group A *streptococcus* 감염에 의한 농흉은 3~4주간 항생제와 함께 흉관을 통한 지속적인 배농이 필요하다. 치료에 대한 효과는 백혈구 수치, 호흡수, 심박수 등의 감소 및 배출되는 흉수의 양 감소와 임상적으로 호전된 양상을 가지고 판정하며, 감염이 소실되거나 흉수가 깨끗해진 후에도 계속 혼탁하게 보이는 X선 사진만으로 판정하면 안된다.

흉관삽관술을 통한 배농이 필요한 경우는 우선 정주용 항생제 치료에 호전되지 않는 경우에 이용되고 또한 난치성 흉수(complicated effusion)인 경우에 실시하는데 이를 구분하기 위하여 흉수의 양, 성상, 그람염색, PH, 당, LDH를 가지고 결정하며 흉통, 발열, 백혈구증가증 등의 증상은 도움이 되지 않는다. 그러나 이와 같은 지침에도 불구하고 흉강삽관술은 많은 논란의 대상이 되고 있다. 흉관은 24시간동안 흉수가 배출되지 않거나 거의 없으면 제거하여야 하는데 이는 흉관 자체가 흉막을 자극하여 삼출액을 형성할 수 있기 때문이다.

소방형성(loculation)은 지속적인 발열, 호흡곤란, 공기 유출입 장애 등의 원인이 되면서 항생제나 흉관을 이용한 치료 효과를 저하시킨다. 이런 경우에는 개흉술(open thoracotomy)을 실시하여 섬유조직들과 감염된 흉수를 제거하여야 한다. 대체방법으로 흉막강내에 urokinase를 흉관을 통해서 주입하거나 흉관경 검사 (thoracoscopy)를 이용한 변연절제술

(debridement)을 시행할 수 있다.

대부분의 폐주위 삼출액은 후유증 없이 호전되지만 일부에서는 흉막이 두꺼워진 상태로 수개월간 지속되며 7세까지 폐기능상 경한 제한성 또는 폐쇄성 이상소견을 보이기도 한다. 사망률은 6~9% 이며 어린 영아나 영양실조아동, 만성폐질환이 있는 소아에서 사망률이 높다.

② 췌장염

급성 또는 만성 췌장염이 있는 환자 3~17%에서 흉수가 동반된다. 주로 흉수는 일측성이며 좌측에 발생한다. 종종 혈성 흉수가 발견되기도 하며 흉수내의 amylase치는 증가되어 있고 혈청내의 amylase치와의 비는 1.0 이상이다. 때로는 췌장내의 위낭(pseudocyst)과 흉막간의 누공이 형성되기도 한다.

③ 식도천공

식도내로의 삽관, 내시경술, 이물질 등에 의한 외상이나 심한 구토 증상과 동반된 식도파열은 amylase치가 증가된 흉수를 유발한다. 방사선학적 검사에서는 흔히 기흉이 발견되고 종격동은 확장되어 있다. 흉수 성상은 폐주위 삼출액과 비슷하나 pH가 현저히 감소되어 있다.

④ 폐 경색

폐 경색(pulmonary infarction)이나 색전증 환자 80%에서 삼출액이 발생하는데, 헤모글로빈혈증, 신증후군, 장골골절 등이 동반된다. 흉수는 주로 혈성이며 호산구가 주종을 이루는 백혈구 증가를 볼 수 있다. 혈흉이 발생한 경우는 흉관삽입을 이용하여 배출시키면 되고 항응고제는 필요 없다.

⑤ 심낭 또는 심근 손상

심낭이나 심근은 손상(pericardial or myocardial injury)을 받은지 수일에서 3개월 이내에 흉통, 발열, 호흡곤란(Dressler syndrome) 등을 동반한 흉수가 발

생한다. 주로 좌측이나 양측성으로 나타나며 좌하엽 폐렴이 흔히 동반된다. 치료로는 비스테로이드성 소염제나 스테로이드를 이용한다. 만성적인 흉막 비후는 드물다.

나) 림프구 삼출액

림프구 삼출액은 림프구를 주성분으로 하며 백혈구 수가 5,000 세포/mm³ 미만이다. 간혹 만성 농성 흉수에서 호중구가 림프구로 변화된 질환과 혼동할 수 있지만 흉수내 총 백혈구수가 훨씬 더 많다.

① 결핵

결핵균이나 균 단백질이 흉막강내를 침범하면 그 부위가 파괴되고, 주위조직으로 직접 전파되거나 혈행을 타고 파급된다. 결핵균에 의해 발생하는 흉수는 소량이고 일측성이며 동측 폐의 염증이 동반된다. 흉수 성상은 장액성 또는 장액혈액성이며, 주로 호산구와 호중구로 구성되어 있는 백혈구증가증을 볼 수 있고 당은 20~60 mg/mL이하로 감소되어 있고 pH는 7.0~7.3정도이다. 흉수에서 결핵균이 배양되는 경우는 25~70%이나 항산(acid-fast)염색법으로 도말한 경우는 10%미만에서 균이 검출된다. 흉막 생검때 55~80%에서 육아조직을 발견할 수 있다. 그밖에도 결핵균 항원에 반응하는 특이 IgG 항체를 측정하는 ELISA방법이나 흉수내의 adenosine deaminase (ADA), IFN-γ, tuberculosteric acid 치를 측정하는 방법들이 있지만 그 특이도가 떨어진다.

흉수는 2개월 정도 항결핵 치료를 받으면 호전되므로 추가적인 치료가 필요 없다. 스테로이드는 흉막 염증반응을 감소시키는데는 도움이 되나 섬유화로 이행되는 것을 막지는 못한다.

② 악성종양

소아악성종양 중 흉수를 유발하는 가장 흔한 원인 질환은 림프종이며 그밖에도 백혈병, 신경아세포종, 흉벽육종(chest wall sarcoma; Ewing 육종, 횡문근육종), Wilms 종양, 간종양 등에서도 볼 수 있다. 종양조직의 직접적인 흉막 침투, 종격동이나 흉막 주위의 림프관 폐쇄, 종양 종괴의 압박에 의하여 발생하는 무기폐나 폐렴 등의 기전을 통해서 흉수가 생성된다.

악성삼출액은 주로 일측성으로 발생하며, 혈액 삼출액인 경우는 흉막 침윤을 의미하고 유미 삼출액 (chylous effusion)은 림프관의 폐쇄를 시사하는 소견이다. 흉수내 당과 pH는 흉막의 섬유화가 장기간 지속되지 않는 한 정상 수치이며 진단을 위하여서는 세포검사 뿐만 아니라 림프구나 종양세포의 면역학적 표지인자에 대한 검사도 아울러 시행하여야 한다.

대부분의 삼출액은 화학요법이나 X선치료에 반응을 잘 한다. 만성적으로 증상이 있는 악성삼출액 치료로 가장 흔히 사용되는 것이 화학적 흉막 유착술 (chemical pleurodesis)이며 이 시술에 효과가 없으면 흉막-복막간 단락술(pleuroperitoneal shunt)을 하여야 하고 드물게는 흉막절제술(pleurodectomy)을 시행하기도 한다.

③ 요독증

요독증 환자 20%에서 발생하며 신장투석을 받으면 호전된다.

④ 결체조직질환

류마티스성 관절염과 전신성 홍반성 낭창이 흉수를 유발하는 가장 흔한 결체조직질환이다. 면역복합체가 침착된 후 보체계가 활성화되고 호중구나 T-림프구에서 분비되는 각종 염증성 매개체들에 의해 흉막 모세혈관들이 파괴되면서 혈관 투과성이 증가하여 삼출액이 발생한다.

류마티스성 관절염에서의 흉수액은 장액성이거나 혼탁하다. 세포수는 100~15,000 세포/mm³이며, 당은 50 mg/mL이하, pH는 7.0이하인 것이 특징적이다. 그밖에도 면역학적인 특징으로 rheumatoid factor치가 1:320 이상이고, 보체계치는 감소하며 혈청에 비하여 높은 면역복합체 수치를 나타낸다. 거대 다세포 또는 길쭉한 대식세포를 흔히 발견할 수 있으며 과립형 물질들이 산재하여 있다. 삼출액은 수개월에 걸쳐서 자연 치유되나 일부에서는 흉막 비후가 동반되어 협착심낭염이나 제한성 폐질환을 유발한다.

전신성 홍반성 낭창에서의 흉수액 성상은 류마티스성 관절염에 의한 것과 비슷하나 당과 pH는 정상 수치이다. 흉수 내에서는 LE 세포, 저 보체계 수치, 이중나선 DNA 등도 발견할 수 있고 항핵항체(ANA)치가 1:160이상이거나 혈청 ANA치보다 높다. 치료는 스테로이드가 효과적이고, 약물에 의하여 발생한 홍반성 낭창인 경우는 해당 약물을 중단하면 호전된다.

⑤ 진균 감염

진균들 중에서 폐질환을 유발하면서 흉수를 발생시키는 대표적인 것들로는 *Coccidioides immitis*와 *Candida*를 들 수 있다. 그밖에도 *Histoplasma capsulatum*, *Blastomyces dermatitidis*, *Penicillium marneffei*, *Paracoccidioides brasiliensis*, *Cryptococcus neoformans*, *aspergillus* 등도 삼출액을 일으킨다.

병의 경과는 비교적 느린 편이며 정상인에서는 자연 치유된다. 진단 목적으로 흉수를 검사하는 것 이외에도 환자의 면역상태를 파악하는 것이 중요하다. 면역결핍증 환자나 공동 병변(cavitary lesion)이 있는 경우, 또는 중한 병을 앓고 있는 환자에게는 amphotericin B, ketoconazole 등과 같은 항진균제 투여가 필요하다. 공동 병변이 있거나 수성기흉(hydropneumothorax)이 있는 경우에만 흉관삽입술이 필요하다.

다) 단핵구 삼출액

Adenovirus, influenza, herpes, varicella, measles, CMV 등과 같은 바이러스나 *Mycoplasma pneumoniae* 감염에 의하여 흔히 발생하며 세포수는 5,000 세포/mm³이하이고 당과 pH는 혈액과 동일하다. M. pneumoniae 감염이 있을 때에는 erythromycin이나 doxycycline이 효과적이다.

라) 호산구 삼출액

삼출액내의 세포 성분 중 10%이상이 호산구인 경우를 의미하며, 최근에 발생한 기흉이나 흉막강내에 혈액이 존재할 때 동반될 수 있다. 그밖에도 약물(예: dantrolene, nitrofurantoin)이나 진균 또는 기생충 감염과도 관련이 있다.

3) 유미 삼출액

유미 삼출액(chylous effusion)은 흉막강내로 공급하는 주요 림프관의 누수에 의하여 발생한다. 유미흉을 유발하는 가장 흔한 원인으로는 혈관 기형의 교정술 중에 발생하는 흉관의 손상이며 흉부나 경부 외상, 경부 과신전 등에 의해서도 일어난다. 그밖에도 드물지만 기침, 구토, 체중부하, 종양(예: 림프종), 결핵, sarcoidosis 등과도 연관성이 있다.

유미흉은 신생아기 흉수의 원인 중 가장 흔한 질환으로서 대부분의 경우 원인을 잘 모르거나 분만손상과 관련 없이 발생한다. 특히 다운 증후군, Noonan 증후군, 엽외폐분리증(extralobar sequestration), lymphangiomatosis, 림프관확장증 등이 있는 신생아들에서 호발한다.

증상은 생후 첫 주 내에 발생하는 호흡곤란이 특징적이며 그 이후의 시기에는 운동할 때 호흡곤란이 주된 증상이다.

유미(chyle)는 chylomicron 성분 때문에 우윳빛을 띠지만 영양이 결핍된 신생아나 아직까지 장관내 음식섭취를 하지 않은 신생아에서는 장액성 또는 담황색(straw color)을 나타낸다. 삼출액내의 당과 pH는 혈액과 비슷하나 triglyceride치가 110 mg/mL이상인 것이 진단적 가치가 있는 소견이며 50 mg/mL이하이면 유미흉이 아닌 다른 질환을 의심하여야 한다. 확진은 지단백질 전기영동법이나 methylene blue가 함유된 지방식을 섭취시킨 후 30~60분 경과한 다음 삼출액이 푸른색으로 변하는 것으로 할 수 있다.

흉관배액술을 이용하면 호흡곤란을 완화시킬 수 있고 흉막강 내로의 유미 삼출액 유출정도를 측정할 수 있다. 유미 삼출액내에는 세균이 없으므로 농흉이 발생하는 경우는 드물다. Medium-chain triglyceride 형태로 섭취된 지방식은 림프관을 우회하여 직접 혈관 내로 흡수되므로 유미 유량을 감소시킬 수 있다. 상당한 양의 단백질과 전해질이 흉관을 통하여 소실되므로 경구 또는 정맥을 통한 충분한 영양공급이 필수적이다. 첫 수일 내에 유미 삼출액의 양이 감소하지 않으면 경구섭취를 제한하고 림프액의 양을 증가시킬 수 있는 위액을 비위영양관(nasogastric tube)을 통하여 흡입하여 제거시킨다. 악성종양과 동반된 경우는 종격동 부위의 X선치료가 효과적이고 흉관배액술은 불필요하다.

유미흉의 사망률은 저출생체중아에서 매우 높은데, 이는 폐형성부전이나 선천성 기형과 관련이 있는 것으로 알려져 있다. 신생아 이후의 사망률은 낮으며 유미흉 자체보다는 기존의 선천성 심질환, 악성종양, 외상 등에 의하여 사망한다.

유미흉과 감별할 질환이 위유미흉(pseudochylothorax, chyliform effusion)인데 유미흉과 같이 우윳빛의 삼출액을 볼 수 있지만 이는 콜레스테롤 성분이 높아서 나타나는 현상이다. 위유미흉은 결핵이나 류마티스성 관절염에 의하여 발생한 삼출액이 약 5년가량 장기간 지속된 경우에 볼 수 있으며, 아직까지 병인 기전은 밝혀지지 않았지만 고콜레스테롤혈증과 관련이 있을 것이라 추측하고 있다.

라. 혈흉

혈흉(hemothorax)은 삼출액내의 적혈구용적률(hematocrit)이 혈액의 50%이상일 때로 정의한다. 가장 흔한 원인은 외상이며, 중심정맥도관술시 혈관파열, 폐경색, 악성종양, 혈소판감소증, 혈우병, 기관지폐분리증이나 동정맥 기형의 파손, 흉곽내 혈관의 자연파손 등에 의해서도 발생한다. 외상을 받은 후 수 시간이 지나야 방사선학적 검사에서 나타나므로 외상을 받은 경우 주기적으로 반복하여 촬영을 하여야 하며

때로는 기흉이 동반된 경우도 있다.

치료로는 즉시 큰 구멍의 흉강삽관술을 시행한다. 흉관을 삽입한 후에도 다량의 혈액이 배출되거나 지속될 때에는 개흉술을 실시한다. 또한 폐주위의 응고된 성분들을 제거하는 목적으로도 개흉술이 이용된다. 이러한 수술적인 방법에 효과가 없는 환자들에게는 streptokinase를 주입하기도 한다. 남아 있는 소량의 혈액은 수개월동안 지속될 수 있는데 대부분 자연소실 된다.

마. 기흉

기흉이란 폐 외측에 존재하는 흉막강 내에 비정상적으로 공기가 차는 것을 말한다. 흉막강 내로의 공기유입은 폐나 기관지의 파손에 의해서 발생하는데, 이때 흉벽의 손상 유무에 따라 개방형 기흉(open pneumothorax)과 폐쇄형 기흉(closed pneumothorax)으로 나눌 수 있다. 기흉을 일으키는 원인들로는 폐 감염, 흉부 외상, 물리적 또는 화학적 물질의 흡입으로 인한 급성 폐손상, 급성 또는 만성 염증성 폐질환, 종양, 진단적 또는 치료적 처치행위 등이 있다. 기포(bleb)가 존재하거나 Marfan 증후군과 같이 collagen 형성이상이 있는 환자에서 흔히 기흉이 동반되며, 자발형 기흉(spontaneous pneumothorax)은 마르고 키가 크며 쇠약한 남성에서 호발한다.

현재까지 공기가 누출되어 흉막강 내에 모이게 되는 정확한 기전은 알려지지 않았지만 정상인에서도 흔히 볼 수 있는 기포의 존재와 연관성이 있는 것으로 추측된다. 잠수나 고지대 비행 또는 기침이나 천식발작 등으로 인한 급작스런 흉곽내 압력변화 등이 발생함에 따른 대기압의 변화가 하나의 관련인자라고 생각하고 있다.

1) 증상

기흉의 주요한 증상은 급작스런 흉통이며 그밖에도 빈호흡, 빈맥, 호흡곤란, 청색증도 발생할 수 있다. 증

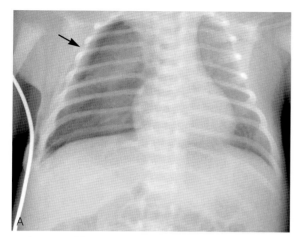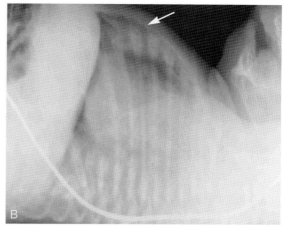

그림 11-2. 기흉. 흉부 전후면 X선사진에서 장측 늑막이 예리한 흰선 음영으로 보이는 우측 기흉의 소견을 보이며(A), 바로 누워서 얻은 측면사진에서 전면에 기흉의 소견이 관찰된다(B).

상의 정도는 발병하기 전의 폐 상태나 유입된 공기의 양, 환자의 동통에 대한 역치 등에 의해서 좌우된다.

심한 흉통과 호흡곤란으로 인하여 환자들은 불안감이 고조되고 이로 인하여 임상증상은 더욱 악화되기도 한다. 흉통은 흉골후부(retrosternal)에 국한되는 경우에서 흉부 전체에 걸쳐서 호소하는 경우까지 다양하며 병변이 있는 동측 견갑통이 흔히 동반된다. 호흡음이나 음성의 전달 그리고 흉곽운동이 감소되어 있다. 타진상 과다공명이 병변 부위에서 촉지되고 기흉이 심한 경우(예: 긴장성 기흉)에는 종격동이 반대측으로 이동하기도 하여 기관 전위 및 최대심계동(maximal cardiac impulse)의 전위를 유발시킨다. 누출된 공기는 저항이 낮은 곳으로 이동하려는 경향이 있어서 피하기종(subcutaneous emphysema)을 유발하는데 피하기종의 침범부위는 광범위하여 경부, 복벽에 호발하고 때로는 회음부에도 발생한다.

2) 진단

기흉을 확진 하는데 가장 중요한 방법은 흉부 X선검사이며 정면과 측면 사진을 찍어야 한다. 정면 사진에서 발견할 수 없을 정도로 소량의 공기가 있는 경우는 숨을 내쉬면서 측와위 자세에서 촬영하는 것이 도움이

된다. 특징적인 소견으로 공기가 폐의 최상부위로 모이게 되고 과팽창 부위의 경계가 명확하며 폐혈관 음영이 감소되어 있다. 때로는 기종격증(pneumomediastinum), 심막기종(pneumopericardium), 피하기종 등이 단순 흉부X선에 나타나기도 한다(그림 11-2). CT 검사는 재발성 기흉 환자에서 낭포(bullae)나 기포를 찾아내거나, 단순흉부X선검사로 진단이 어려운 기흉 환자에서 도움을 준다. 폐포-동맥간 산소경사도(alveolar-arterial oxygen gradient) 증가와 혈색소 불포화반응의 증가를 동맥혈 가스분석이나 맥발산소측정(pulse oxymetry)에서 볼 수 있다. 긴장성 기흉과 같이 종격동과 심장의 회전이 발생하는 경우는 심전도상에서 QRS 전압과 심장축의 이상소견이 동반된다.

기흉은 선천성 대엽성 폐기종(congenital lobar emphysema), 낭성 선종양 기형(cystic adenomatoid malformation) 등과 같이 낭종을 동반한 폐질환이나 신생아에서의 횡격막 탈장과 감별을 하여야 한다. 연장아에서 감별하여야 할 질환으로는 늑막염, 천식, 심장병, 심인성 흉통 등이 있다.

3) 치료

흉막강내의 공기를 제거하고 손상된 부위를 치료하

는 것이 기흉 치료의 주된 골격이다. 만일 축적된 공기량이 적고 증상이 없다면 일단 자연소실 될 때까지 기다려 본다. 그러나 공기량이 많고 환자가 호흡곤란증상을 호소한다면 흉관삽관을 시행한 후 음압(-20 cmH$_2$O)을 걸어서 공기를 흡입한다. 이때 폐는 천천히 펴지게 하여야 하는데 이는 급작스러운 폐 팽창은 폐부종을 유발할 수 있기 때문이다. 흡입은 흉곽내에 공기가 없을 때까지 실시하여야 하며 24시간동안 공기 누출이 없으면 흉관을 제거한다. 끊임없는 공기 누출은 지속적인 흉막이나 폐 실질의 손상을 의미하며 때로는 기관지흉막누공이 있는 경우가 있어서 수술을 필요로 할 때가 있다. 이런 경우 기포를 봉합하기도 하며 국소적 흉막유착술 등이 널리 이용되고 있다. 최근에는 연장아에서 흉관경을 이용하여 이러한 시술을 시행한다. 침 흡인(needle aspiration)은 환자가 응급상태일 때만 이용한다.

　신생아에서는 질소를 대체하거나 폐의 재팽창 목적으로 100% 산소를 사용하는데 연장아에서는 효과적이지 못하다.

　기흉의 합병증으로는 혈관 파열로 인한 혈기흉(hemopneumothorax), 흉막강내의 감염, 급성 심혈관계 허혈 등이 있다. 낭성섬유증(cystic fibrosis)같이 중한 폐질환이 동반된 경우를 제외하고는 기흉의 예후는 양호하다.

2. 기타 흉곽 내·외 질환

가. 림프절종대

1) 양성 림프절종대

　반응성 림프절 종창은 소아에서 흔히 볼 수 있는 질환으로서 대부분 바이러스 또는 세균성 감염, 결핵균 감염과 연관되어 있다. 특히 괴사 없이 양측성 종창을 유발하는 원인으로는 전염성 단핵구증, 헤르페스, 거대세포바이러스, 풍진바이러스, HIV 감염 등이 있다. Sarcoidosis에서도 경부 림프절종대를 볼 수 있으며 이때는 종격동에도 병변이 있는 경우가 흔하다. 병력청취, 세포검사, 혈액검사, 배양검사를 통하여 원인균을 규명할 수 있고 초음파검사, CT, MRI 등도 감별진단에 도움을 준다.

　그 밖에도 소아에서는 선천성 기형에 의해서도 경부 림프절종대를 관찰할 수 있는데, 새열낭(branchial cleft cyst)과 갑상설낭(thyroglossal duct cyst)이 그 대표적인 예이다(그림 11-3).

2) 악성 림프절종대

　호지킨 병과 비호지킨 림프종이 가장 흔한 질환이며, 조직검사와 CT, MRI, 초음파검사가 진단 및 치료방법을 결정하는데 도움을 준다.

3) 전이성 림프절종대

　경부 림프절로 전이를 가장 잘 일으키는 종양으로는 상부기도 또는 위장관을 덮고 있는 점막으로부터 발생한 편평세포암종이다. 그밖에 드물게는 타액선, 갑상선, 피부암에서 전이된다.

나. 종격동내의 혈관-림프관 질환

　종격동내에서 볼 수 있는 혈관-림프관 이상(vascular-lymphatic abnormalities)은 해면 혈관종(cavernous hemangioma), 혈관주위세포종(hemangiopericytoma), 혈관육종(angiosarcoma), 낭성 히그로마(cystic hygroma)로 분류할 수 있다.

　혈관 종양은 소아에서는 드문 질환으로 흉곽 상부나 종격전부(anterior mediastinum)에 호발하며, 일반적으로 무증상인 경우가 많다.

　특히 낭성히그로마는 영아나 소아에서 종종 볼 수 있는 질환이다. 이는 특징적으로 확장된 림프관내에 투명한 액체를 함유하면서 편평한 내피세포로 둘러싸여 있고 여러 개의 소방(multilocular)을 형성한다. 종격동내에 단독으로 존재하는 경우도 있지만 경부에

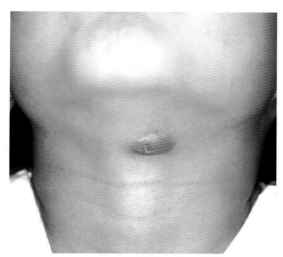

그림 11-3. 갑상설낭

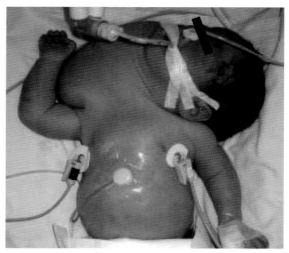

그림 11-4. 대형 우측 낭성히그로마

병변이 공존하는 경우가 더 흔하다(cervicomediastinal hygroma).

　진단은 진찰에서 관찰되는 경부 종창과 흉부X선 검사로 이루어진다. 경부의 수활액낭종(hygroma)은 주기적인 크기 변화를 일으키는데 특히 흡기때 크기가 증가한다. 종격동에만 존재하는 낭성히그로마는 부검이나 단순 흉부X선 검사에서 우연히 발견되는 경우가 흔한데 종양 자체가 매우 연하고 낭종이므로 무증상인 경우가 많기 때문이다. 흉부 X선 검사만 가지고는 다른 형태의 낭종과 감별은 어렵다(그림 11-4).

　호흡기 감염이 발생한 경우 수활액낭종도 감염될 수 있는데, 이 경우는 화학요법을 이용하거나 절개 및 배농을 해 주어야 한다. 때로는 자발적 또는 외상 후의 출혈이 낭종내로 유입되고 크기가 증가된 낭종에 의해서 급작스런 기관압박이 발생할 수 있는데 이는 응급수술을 요하는 상황이다. 수활액낭종이 악성변화를 일으킨다는 보고는 아직까지 없다.

　외과적 절제술이 가장 효과적인 치료법이다. 흉관에 수활액낭종이 발생한 경우 합병증으로 유미흉이 발생할 수 있다.

다. 흉곽 내 악성 종양

　흉곽 내에서 흔히 관찰되는 악성종양은 다음과 같으며 표 11-2에 정리되어 있다.

1) 폐 종양

가) 흉막폐 모세포종

　흉막폐 모세포종(pleuropulmonary blastoma)은 드문 질환으로 가족력이 있으며 폐 내부, 종격동, 흉막 등 어느 곳에든지 발생할 수 있다. 병리학적인 특징은 태아 모세포나 기질(stroma)을 볼 수 있으며 육아종 양상의 분화를 한다. 크기가 큰 병변(>5 cm)은 치료에도 불구하고 재발과 전이를 잘 한다. 일반적으로 예후는 불량하다.

나) 기관지원성 암종

　소아에서 볼 수 있는 기관지원성 암종(bronchogenic carcinoma)은 대부분 미분화된 선암종(adenocarcinomatous)이며 일부에서 편평세포암종도 보고되고 있다. 주로 청소년기에 호발하며 수술적 제거가 필요하나 예후는 성인과 마찬가지로 나쁘다.

표 11-2. 흉곽 내 발생하는 종양

폐

양성; 과오종(hamartoma), 중배엽 종양(기관지 선종), 기관 종양(유두종, 섬유종, 혈관종), 폐 평활근종, 지방종, 신경원성 종양

악성; 기관지 암종, 기관지 섬유육종, 평활근육종, 다발골수종, 융모막상피종(chorioepithelioma)

전이; 백혈병(골수성 또는 림프구성), 림프종(호지킨 병, 림프육종), 육종(Wilm종양, 원발성 악성 횡문근종양, Ewing종양, 세망 세포 육종, 연조직육종)

종격동

원발성; 기관지원성 낭종, 식도 낭종 또는 중복, 위장관 낭종, 흉곽내 수막류(intrathoracic meningocele)

흉선 종양; 흉선증식증, 악성 종양(림프육종, 호지킨 병, 암종), 양성 흉선종, 흉선 낭종, 흉선 기형종, 결핵 감염

기형종; 양성 낭성 기형종, 양성 또는 악성 기형종

신경원성 종양; 신경섬유종과 신경초종(neurilemoma),

　　　　　신경모세포종(neuroblastoma),

　　　　　신경절신경종(ganglioneuroma), 신경절신경모세포종,

　　　　　갈색세포종(pheochromocytoma),

　　　　　화학감수체종(chemodectoma)

림프절 이상; 백혈병, 호지킨 병, 림프육종, 육종, 염증성 질환

혈관-림프관 이상; 해면 혈관종(cavernous hemangioma), 혈관주위세포종(hemangiopericytoma), 혈관육종(angiosarcoma), 낭성히그로마

지방종과 지방육종

갑상선 & 부갑상선 질환; 흉골하 갑상선, 이소성 갑상선, 부갑상선 선종

심장 & 심낭 종양

; 횡문근종, 점액종(myxoma), 원발성 육종, 혈관종, 섬유종, 지방종, 과오종

횡격막 종양

흉벽 종양

; 지방종, 해면 혈관종, 연골종, 연골육종, Ewing종양, 형질세포종(plasmacytoma)

다) 기관지 선종

기관지 선종은 carcinoid 종양과 점액표피양 암종(mucoepider-moid carcinoma)이나 원주세포종(cylindroma)과 같이 천천히 증식하는 악성종양 등이 기관지 선종(bronchial adenomas)에 속한다. 외과적 절제술이 치료 목적으로 이용된다.

2) 종격동 종양

일반적으로 종격동은 전부, 중부, 후부로 구분할 수 있는데 중부에서 발생하는 종양은 드물다. 호발하는 종괴의 종격동 부위별 위치이다(그림 11-5).

가) 종격전부

종격전부(anterior mediastinum)는 이 부위에서 가장 많이 호발하는 소아 종양으로 림프종과 배아세포(germ cell) 종양이며 기도 압박으로 인한 기침, 천음, 천명 등을 주 증상으로 호소한다. 종양이 매우 큰 경우는 두부, 경부나 상지의 정맥혈류를 차단하기도 한다.

① 비호지킨 림프종: 종격동은 비호지킨 림프종(non-Hodgkin's lymphoma)의 발생부위 중에서 두 번째로 호발하는 장소이며 주요 구성세포는 림프아세포와 T 림프구이다. 흉수를 흔히 볼 수 있으며 흉수 검사에서 종양세포를 찾아내는 것이 진단에 중요하다. 종격 전부나 폐문주위에 종괴가 있는 환자에서는 일단

감염에 대한 것을 조사하고 만일 감염에 대한 증거가 없다면 개흉술을 하기 전에 골수천자 및 생검을 시행하여야 한다. 림프종이 골수에 침범하는 경우는 15~20%정도이다. 화학요법에 비교적 반응을 잘하며 생존율도 높은 편이다.

② 호지킨 병: 호지킨 병(Hodgkin's disease)은 일반적으로 경부나 쇄골상부 임파선 질환으로 나타나며 진단 당시 최소한 2/3에서 종격동에 침범되어 있다. 그리고 1/3의 환자에서 전신 증상을 호소한다. 대부분의 호지킨 병은 결절성 경화증(nodular sclerosis) 형태이고, 비록 병이 진행되었을지라도 화학요법에 대한 효과가 뛰어나다.

③ 배아세포 종양: 원시적인 배아세포에서 기원한 종양으로 양성과 악종의 성향을 모두 내포하고 있다. 병리조직학적 분류에 의하여 배아종(germinoma), 기형종(teratoma), 태아 암종(embryonal carcinoma), 난황낭 종양(yolk sac tumor), 융모막암종(choriocarcinoma), 성선모세포종(gonadoblastoma)과 이들 종양의 혼합형으로 구분할 수 있는데, 이중 기형종이 가장 흔하다. 주요 증상은 호흡곤란과 흉통이지만 50%에서는 무증상

이다. 양성인 경우는 외과적 절제술만 시행하고 악성의 경우는 화학요법을 추가한다.

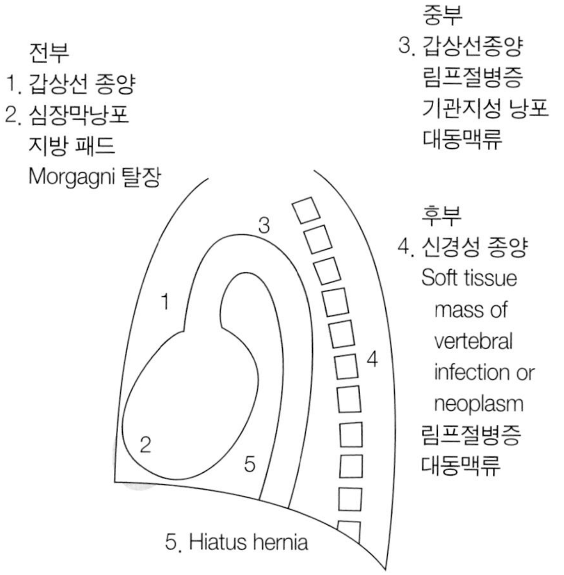

④ 흉선종(thymoma): 종양성 상피세포 성분이 포함되어 있는 진정한 의미의 흉선종은 소아에서 매우 드문 질환이다. 중증근무력증, 적혈구 형성부전증, 저감마글로불린혈증 등이 흔히 동반된다. 외과적 절제술이 주된 치료법이며 보조적으로 방사선치료를 시행한다.

나) 종격후부

이 부위에 종양이 있는 경우 무증상일 때도 흔하나 때로는 신경학적 증상을 호소한다. 아령 모양의 종양 형태를 유지하면서 흉곽내 뿐만 아니라 척수내강까지 침범하는 경우가 흔하다.

① 신경모세포종(neuroblastoma): 이 종양은 척추 주위의 신경절이나 부신수질 등을 포함한 교감신경계를 구성하고 있는 신경능선(neural crest) 세포에서 기원한다. 종양의 양상은 주위 조직으로의 침범이 제한된 양성종양(신경절신경종; ganglioneuroma)으로부터 악성종양에 이르기까지 다양하다. 흉곽내에 발생하는 신경모세포종은 1세 이상의 소아보다 영아에서 흔히 볼 수 있다. 치료 방법은 환자의 나이와 종양의 단계에 따라서 결정하며 외과적 절제술과 화학요법이 이용된다.

② 유잉 육종(Ewing's sarcoma): 뼈에서 발생하는 종양으로 10대에 호발하며 남녀 성비는 비슷하다. 종양의 기원에 대하여는 논란이 많으나 최근에는 원시적인 신경세포에서 발전한다는 설이 지배적이다. 화학요법, 수술, 방사선치료를 복합적으로 시행하여야 하며 진단시 전이되지 않은 경우의 생존율은 60~70% 정도인 것에 비하여 전이된 경우는 3년 생존율이 30%로 나쁘다.

③ 악성 말초신경초 종양(malignant peripheral nerve sheath tumor), 악성 신경초종(malignant schwannoma): 이 육종은 말초신경이나 척수근(spinal nerve root)에서 발생하며, 종괴감, 흉통, 감각이상 등의 신경학적 증상들을 호소한다. 제1형 신경섬유종

전부
1. 갑상선 종양
2. 심장막낭포
   지방 패드
   Morgagni 탈장

중부
3. 갑상선종양
   림프절병증
   기관지성 낭포
   대동맥류

후부
4. 신경성 종양
   Soft tissue
   mass of
   vertebral
   infection or
   neoplasm
   림프절병증
   대동맥류

5. Hiatus hernia

그림 11-5. 종격동 종괴의 호발 위치

(neurofibromatosis)이 동반되는 경우가 20~50%이며, 이전에 방사선치료를 받은 부위에서 발생하기도 한다. 완치를 위해서는 완전 절제술이 필요하고 화학요법이나 방사선치료는 효과적이지 못하다. 50%정도에서 재발하며, 7세 이상의 환자나, 종양의 크기가 매우 큰 경우 그리고 제1형 신경섬유종이 동반된 경우는 예후가 나쁘다.

3) 흉벽 종양

유잉 육종, 원시적 신경외배엽(primitive neuro-ectodermal) 종양, 악성 말초신경초 종양 등이 흉벽에서 볼 수 있는 종양이며 그밖에도 횡문근육종(rhabdomyosarcoma)과 중피종(mesothelioma)이 있다.

가) 횡문근육종

이 종양은 소아기와 청소년기에 발생하는 연조직 육종 중 가장 흔한 것으로 주로 두경부, 골반부, 사지에 호발하고 10%에서 몸통에 침범하는데 이중 절반정도가 흉벽에 존재한다. 예후를 결정하는 주요인자는 임상 단계이며, 완전히 절제할 수 있는 종양일수록 예후가 좋다. 화학요법과 방사선치료도 이용된다. 일반적인 횡문근육종의 생존율이 70%이지만 흉벽에 침범된 경우는 50%미만이다.

나) 중피종

중피종은 양성 또는 악성일 수 있고 조직학적으로 다양한 형태를 나타내면서 흉막 표면을 따라서 전파되는 경향이 있다. 양성 종양인 경우는 수술적 치료에 효과가 좋은 반면 악성 종양은 일부 화학요법에 반응하는 경우가 있으나 대체적으로 예후가 나쁘다.

4) 전이암

원발성 폐암은 소아에서 드물지만 다른 조직으로부터 전이된 암은 매우 흔하다. 신체 어느 곳에서든지 전이될 수 있으며 진단시 이미 폐증상을 나타낸다. 가장 흔한 전이암으로는 Wilm 종양을 들 수 있는데 이는 마

표 11-3. 폐전이가 잘되는 소아 종양

원발소	종양
근골격계	골육종
	Ewing 육종
	연골육종
	에나멜모세포종(ameloblastoma)
	횡문근육종
	연조직 육종
	(예: 활액(synovial) 육종, 악성 섬유성 조직구종(histiocytoma))
위장관계	간모세포종(hepatoblastoma)
	간암
	간 태아 육종
	평활근육종
	대장 선암종
비뇨생식계	Wilm 종양
	신장 악성 간성(rhabdoid) 종양
	신장 투명세포(clear cell) 육종
	성선(gonadal) 배아세포종양
	영양막 융모막암종

치 폐렴의 양상으로 방사선학적 검사에서 발견된다. 화학요법과 방사선치료에 효과적으로 반응한다. 청소년기에서 볼 수 있는 갑상선 암종은 속립성 양상(miliary picture)을 띄며, 특히 청소년기 여아에서는 융모막암종을 감별하여야 한다. 급, 만성 골수성 백혈병 환자 중 백혈구수가 100,000 세포/mm³ 이상인 경우는 폐로의 백혈구 전이가 발생할 수 있는데 이는 의학적으로 응급상황으로서 즉각적인 화학요법과 백혈구분반술(leukapheresis)을 시행하여야 한다. 기타 소아의 충실성 종양(solid tumor) 중 폐 전이를 일으키는 종양들을 표 11-3에 열거하였다.

참고문헌

1. Light RW, Girard WM, Jenkinson SG, George RB. Parapneumonic effusions. Am J Med 1980;69:507-12.

2. Lee RB. Radiologic evaluation and intervention for empyema thoracis. Chest Surg Clin N Am 1996;6:439-60.

3. Givan DC, Eigen H. Common pleural effusions in children. Clin Chest Med 1998;19:363-71.

4. Antony VB, Mohammed KA. Pathophysiology of pleural space infections. Semin Respir Infect 1999;14:9-17.

5. Antony VB. Pathogenesis of malignant pleural effusions and talc pleurodesis. Pneumologie 1999;53:493-8.

6. Quadri A, Thomson AH. Pleural fluids associated with chest infection. Paediatr Respir Rev 2002;3:349-55.

7. Mocelin HT, Fischer GB. Epidemiology, presentation and treatment of pleural effusion. Paediatr Respir Rev 2002;3:292-7.

8. Breysem L, Loyen S, Boets A, Proesmans M, De Boeck K, Smet MH. Pediatric emergencies: thoracic emergencies. Eur Radiol 2002;12:2849-65.

9. Jaffe A, Cohen G. Thoracic empyema. Arch Dis Child 2003;88:839-41.

10. Gates RL, Caniano DA, Hayes JR, Arca MJ. Does VATS provide optimal treatment of empyema in children? A systematic review. J Pediatr Surg 2004;39:381-6.

제12장

호흡기 증상으로 표현되는 심리적 질환

1. 폐질환의 정신적 측면

가. 불안 장애

공황 발작, 공황 장애, 과호흡 등은 임상적인 증상이나 병리학적인 기전, 그리고 치료원칙이 비슷하므로 같이 이해될 수 있다. 이들은 대개 급작스럽고 발작적인 증상과 증후를 나타내는데 특징적인 것은 심한 불편감이나 공포, 자율적인 각성(autonomic arousal), 모호하고 비전형적인 신체감각, 과호흡, 자신에 대한 통제를 잃거나 미칠 것 같은 공포, 죽을 것 같은 파국적인 생각, 회피 행동(대인기피) 등이다. 대개 증상의 발현은 청소년기 후반이나 성년기 초기에 시작되지만, 사춘기 전에 발현하는 경우도 있다.

1) 공황 발작과 급성 과호흡

공황 발작은 매우 흔하게 발생한다. 미국의 경우 전 국민의 1/4 또는 1/3 일생에 한 번은 공황 발작을 경험한다고 한다. 공황 발작은 예기치 못하게 발생한 강한 공포나 불쾌감이 몇 분간 급격히 고조되며 심계항진, 질식감, 어지러움, 미치거나 죽을 것 같은 공포 등의 신체 및 인지적 증상이 같이 나타난다. DSM-IV (diagnostic and statistical manual of mental disorders-IV)에서는 공황 발작와 공황 장애를 분리하여 기술하고 있다(표 12-1, 12-2).

반면에 급성 과호흡은 생리적으로 과호흡하는 것을 말하며 $PaCO_2$의 감소 등 대사적 변화를 가져온다. 대부분의 전형적인 급성 과다호흡은 호흡수는 정상 범주이고 일회호흡량이 중등도로 증가한다.

급성 과호흡 때 나타나는 여러 가지 생리적인 변화는 공황 발작 때 나타나는 여러 가지 증상들을 일으키는 원인이 될 수 있다. 과호흡은 즉각적으로 $PaCO_2$의 감소, 혈중 pH의 증가를 가져와 대개 1분 내에 호흡성 알카리혈증을 일으킨다.

표 12-1. 공황 발작의 DSM-IV 진단기준

비정기적으로 극심한 공포 또는 불쾌감이 있으면서, 다음의 증상 중 4가지 이상이 급격하게 발생하여 10분 이내에 최고에 도달함.
심계항진, 심장이 심하게 뜀, 빈맥
발한
떨림(trembling) 또는 후들거림(shaking)
숨이 가쁘거나 질식하는 느낌
숨막히는 느낌(choking)
흉통 또는 흉부의 불쾌감
메스꺼움 또는 복부 불편감
어지럽거나 불안정한, 멍한 또는 쓰러질 듯한 느낌
이인증 또는 비현실감
자신에 대한 통제를 잃거나 미칠 것 같은 느낌
죽음의 공포
감각이상(감각의 둔화 또는 따끔거리는 느낌)
한기 또는 발열감

호흡성 알카리혈증은 이차적으로 여러 가지 생리적인 변화를 야기한다. 첫째 산소-헤모글로빈 곡선을 변화시켜 산소 공급의 효율을 떨어드리며 둘째, 중추신경계 혈관 수축을 일으킨다. 이로 인해 경미한 두통, 어지러움증, 이인증(depersonalization), 시야 흐림, 혼돈, 국소적 신경학적 증상 등을 일으킬 수 있다. 셋째, 지속적인 호흡성 알카리혈증은 직접적으로 말초신경계에 영향을 끼칠 수 있으며, 이로 인해 감각이상이나 동통을 유발할 수 있다. 넷째, 구강호흡과 공기삼킴증(aerophagia)은 입안건조, 복부팽만감 등을 일으킨다. 다섯째, 환자가 이러한 증상들을 이해하려고 노력할 때 오히려 이러한 것들이 뇌간을 자극하여 발작을 지속시킬 수 있다. 최종적으로 이러한 일련의 증상들은 신장의 보상기전에 의해 완화되고 결국 증상이 멈추게 된다.

2) 공황 장애

공황 장애는 자연발생적으로 반복되는 공황 발작과 이 발작에 대한 과도한 걱정을 특징으로 한다. 유병률은 2~5%이고, 병태생리는 점차 밝혀지고 있는 추세이다.

공황 장애는 뇌줄기(brainstem)의 호흡 중추가 과민반응을 보이는 것에서 시작된다. 뇌실척수계의 이산화탄소(CO_2) 상승에 대한 화학수용체의 과민반응은 "질식 경고(suffocation alarm)"를 유발하여, 즉시 pontine noradrenergic nucleus와 locus nucleus를 활성화시킨다. 이에 따라 분당호흡량이 2~3배로 증가하여 공황 발작이 유발된다. 이산화탄소의 흡입이나 나트륨 젖산(sodium lactate)의 주입하면, 호흡이 증가하는 것은 이러한 이론을 뒷받침한다.

공황 장애의 특징은 첫째, 공황 발작 중에 나타나는 급성 공황 불안(acute panic anxiety)이다. 이러한 불안은 곧 죽을 것 같은 강한 불안으로 이와 동반하여 심계항진, 흉부 동통, 흉부 불쾌감, 질식감, 현기증 등을 동반한다. 환자들은 이러한 불안이 나타나는 이유를 알지 못하며, 때문에 반복되는 발작에 무기력하고 혼란스러워한다. 둘째, 예기 불안이다. 이는 발작이 없

표 12-2. 공황 장애의 DSM-IV 진단기준

다음의 모두가 존재한다
반복적이고 예기치 못한 공황 발작
최소 한 번 이상의 발작과 더불어 한 달 이내에 다음 중 한 가지 이상이 있음.
또 다른 발작에 대한 지속적인 염려
발작이나 그 결과에 함축된 의미로써 자아 통제 상실, 심장발작, 정신질환에 대한 근심
발작과 관련된 현저한 행동 변화
공황 발작은 물질이나 일반적 의학적 상태의 직접적인 생리적 효과에 의한 것이 아님.
공황 발작은 사회공포증, 특수공포증, 강박장애, 외상 후 스트레스 장애, 이별불안장애 등 다른 정신질환에 의해 더 만족스럽게 설명되지 않음.

는 중간 시기에 다시 발작이 생길까봐 불안해하는 것이다. 이런 만성 불안 환자들은 과도한 스트레스를 보이며, 만성 과호흡 상태에 놓여 있으며, 공황 발작의 병태생리에 대해 대뇌피질계가 "학습"되어 있다. 공황 장애의 세 번째 특징은 광장공포증이다. 이는 도움을 받기가 곤란할지 모르는 상황을 피하는 것으로, 정상적인 사람에 비해 매우 강경하다. 즉 공포 때문에 환자들은 혼잡한 거리, 폐쇄된 공간 등 공포의 대상이 되는 장소를 최대한으로 피하며 산다. 이러한 기피 현상으로 인해 대인 관계나 사회·직업적으로 어려움을 야기 시킬 수 있다. 넷째, 사기 저하 혹은 우울증이 나타난다. 공황 장애의 약 75%에서 임상적으로 우울증이 동반된다고 보고 되고 있다.

3) 공황, 과호흡과 천식

공황 발작이나 공황 장애는 만성호흡질환을 가진 환자들에게 흔하게 동반될 수 있는 정신질환의 하나이다. 이러한 환자를 치료할 때 의사는 "신체화" 불안 장애와 천식 두 가지를 동시에 직면해야 한다. 과호흡은 기관지 수축을 유발한다. 실제로 과호흡은 천식 환자의 기도과민성을 검사하는데 이용된다. 역으로 급성 천식 발작 시 $PaCO_2$의 증가는 공황 장애가 있는 환

자에서 공황 발작을 유발할 수 있다. 실제로 공기 부족, 헐떡거림, 흉부 불편감, 공포 등 공황 장애와 유사한 증상을 호소하는 환자는 많으나 이러한 증상들에 대한 약물치료는 거의 시행되지 않는다. 따라서 공황 장애와 천식을 동시에 갖고 있는 환자들에게는 천식에 대한 약물치료가 그다지 효과적이지 않을 수 있다. 또한 베타 항진제 등 몇몇 천식 치료제는 자율적인 각성(automatic arousal)일으켜 천식 발작을 악화시킬 수 있다.

4) 치료 원칙

가) 교육

공황 발작이나 급성 과호흡은 환자에게 있어 끔찍하고 공포스러운 경험이다. 환자들은 일반적으로 깜짝 놀라고 혼란스러워하고 매우 불편해 한다. 그들은 대개 자신의 신체가 극도로 잘못 되었다고 느낀다. 따라서 의사가 환자에게 공황 발작의 긍정적인 예후에 대해 설명하는 것이 매우 중요하다. 첫째, 공황 발작은 매우 흔한 질병임을 알려주어야 한다. 둘째, 공황 발작은 실제로 신체에 이상이 있는 것이 아니고 단지 대뇌에서 "잘못된 경고"를 주었기 때문이고, 환자의 신체는 단순히 경고에 반응한 것 뿐 임을 설명해 주어야 한다. 셋째, 몇몇 의학적 문제들은 공황 발작과 유사한 증상들을 나타낼 수 있음을 설명하고 이를 면밀히 검사해야 한다. 넷째, 공황 발작의 증상이 저절로 없어지지 않더라도 안전하고 효율적인 치료방법이 있다는 것을 설명해 주어야 한다. 이러한 치료는 약물치료, 호흡 및 행동치료가 복합되어 있으며 몇 주간의 치료로 증상이 호전될 수 있음을 설명해 주어야 한다.

나) 약물 치료

약물 치료는 공황 발작을 방지하거나 약화시킨다. 대부분의 공황 장애 환자의 1차 약물은 삼환계 항우울제(TCA) 또는 선택적 세로토닌 재흡수 차단제(SSRI)이다. 이 중 삼환계 항우울제(imipramine, desipramine 등)는 임상적 효능이 잘 알려져 있으며, 선택적 세로토

닌 재흡수 차단제(fluoxetine, sertraline, clomipramine 등)는 최근 들어 많은 연구들이 이루어지고 있다. 이 밖에 trazodone, buspirone 등 다른 향정신성 약물은 공황 장애에는 효과가 없거나 있더라도 미미한 것으로 알려져 있다.

공황 장애 환자의 대부분은 항우울제의 효과에 민감하여 초초(agitation), 안절부절(restless), 불면증(insomnia) 등 부작용을 호소할 수 있으므로 초기에는 낮은 용량으로 시작하는 것이 바람직하다. 성인의 경우 초기 용량으로 fluoxetine은 하루 5~10 mg, desipramine은 하루 10~25 mg이 권장 되며 소아의 경우는 이틀에 한번 fluoxetine 5 mg을 투여하는 것이 권장된다.

또한 공황 장애에 주요 우울 장애가 동반된 경우, 우울증이 행동 치료의 효과를 감소시키므로 보다 고용량의 항우울제의 사용이 필요하다.

고효능의 benzodiazepine계는 공황 장애의 단기 치료에 매우 효과적이다. 최근의 연구에 의하면 이는 심한 천식에 동반된 공황 장애 소아에도 매우 안전하고 효과적이다. 그러나 benzodiazepine계는 약물 내성, 약물 의존성 및 호흡 억제의 가능성이 있으므로 정기적으로 투여하는 것은 피하는 것이 좋다. 따라서 공황 발작이 드물게 나타나는 천식 환자에 있어서 일시적인 투여나 또는 심한 공황 장애 환자에서 항우울제가 효과를 나타낼 때까지 초기 치료에만 이용하는 것이 권장된다.

다) 호흡 조절 요법

약물 치료의 시작과 동시에 환자는 공황 발작 도중에 과다호흡이 일어나는 것을 방지하기 위한 호흡 조절 요법을 시작해야 한다. 환자는 구강호흡이나 흉곽호흡을 피하고 천천히 규칙적인 복식호흡을 하는 것을 배운다. 이러한 호흡 조절 요법은 연습이 필요하며, 공황 발작이 시작될 때 치료사나 가족 구성원이 복식호흡을 하도록 지시해 주는 것이 도움이 된다.

라) 회피 행동의 치료

공황 장애의 30%에서 광장공포증 같은 심각한 회피 행동을 보이는 것으로 알려져 있다. 이러한 회피 행동의 치료를 위해 노출 요법이 종종 사용된다. 노출 요법은 환자를 자신이 두려워하는 환경에 서서히 노출시킴으로써 그 환경에 대한 두려움을 없애는 것이다. 환경에 노출될 때 호흡 조절 요법을 통해 환경에 대한 적응도를 높여 가도록 유도한다. 특징적으로 2~10회 정도 반복하여 노출되면 환자들은 환경에 대한 적응능력이 생긴다.

나. 성대 기능장애

1) 증상

성대 기능장애(vocal cord dysfunction)는 최근에 알려지기 시작한 질환이다. 환자는 흡기 동안에 성대가 닫혀져 상기도 폐쇄가 일어나게 되며 따라서 천명이나 천음을 들을 수 있다. 나타나는 증상은 경미한 천식이나 크룹의 양상에서부터 상기도의 완전 폐쇄까지 다양하다. 대개의 경우 발작이 나타나는 동안에도 동맥혈 산소 포화도는 정상이지만 저산소혈증이나 저탄산혈증도 나타날 수 있다. 나타나는 증상이 매우 극적이기 때문에 종종 오진을 할 수 있으며, 기관삽관, 기관절개, 고용량의 스테로이드의 투여 등 불필요한 처치를 하기도 한다.

이 질환은 1842년 Dunglison에 의해 처음 보고되었다. 그는 히스테리성 신경 장애가 있는 여자 환자에서 후두 근육의 내전을 관찰하고 "히스테리성 크룹"이라고 명명하였다. 1981년 Appelblatt 등은 3명의 환자에서 "기질적인 이상이 없는 상기도의 기능적 폐쇄"를 발견하였는데 이들은 상기도 폐쇄, 저산소혈증을 보였고 기관절개를 시행받았다. 이들은 발작 동안에 가성 및 진성 성대의 내전이 관찰되었다. "성대 기능장애"라는 용어는 1983년 Christopher 등에 의해 처음 사용되었는데 그들은 발작적인 쌕쌕거림과 호흡곤란이 있고, 기존의 천식 치료에 반응하지 않는 5명의 환자에 대해 보고하였다. 이들은 후두경 검사를 통해 발작 중에 가성 및 진성 성대의 내전이 관찰되었으나, 발작이 나타나지 않을 때는 정상이었다.

성대 기능장애의 유병률은 정확히 밝혀져 있지는 않다. 성대 기능장애가 매우 낮게 느껴지는 것은 그동안 이 질환이 다양한 이름으로 각기 중복되지 않는 여러 가지 학회지에 개별적으로 보고되었기 때문이다.

최근 특징적으로 고등학교이상, 비만여성, 평균이상 지능 지수를 보이면서 강한 성취욕구를 가진 청소년에서도 나타난다고 보고된다.

2) 치료

성대 기능장애의 치료는 천식이나 다른 원인에 의한 기질적 상기도 폐쇄와는 매우 다르다. 기관지 확장제나 소염제는 이 경우의 환자에게는 거의 도움이 되지 않고, 오히려 심각한 부작용을 야기할 수 있다. 따라서 성대 기능장애 환자가 천식이 동반되지 않았다면 서서히 약을 끊는 것이 바람직하다. 성대 기능장애가 있는 소아 환자의 치료에 있어서 여러 전문직의 팀접근(multidiciplinary team approach)은 중요하다. 치료에는 다양한 방법들이 있는데, 첫째, 설명과 안심시키기, 둘째, 호흡 조절 요법 등을 이용한 행동 치료, 셋째, 생체되먹이기, 넷째, 최면요법, 다섯째, 개인 또는 가족의 정신치료, 여섯째, 항우울제을 이용한 약물치료, 일곱째, 헬륨-산소 혼합 가스 호흡 등이 시도되며 그 외에 CPAP, botulinum toxin, 양측 신경 차단 등도 시도되어진다. 대부분의 환자들은 성대 기능부전을 진단 받기 전에 이미 기관절개를 시행받았고 극히 일부의 환자(6%)는 모든 치료를 거부했다.

치료의 첫 단계는 환자에게 자신의 질병이 천식이 아니라는 것을 알려 주는 것이다. 때로는 성대가 내전된 모습을 찍은 화면을 보여주는 것이 도움이 되기도 한다. 복식호흡 등을 포함한 행동 치료가 도움이 될 수 있다. 증상 발작이 나타날 때 가족이나 치료진의 도움으로 복식호흡을 시작하는 것은 매우 효과적이다. 생체되먹이기(biofeedback), 이완 요법, 최면 요법 등은 도움이 될 수 있으나 복강 호흡만큼 효과적이지는 못하다. Benzodaizepine계 약물이나 항우울제는 급성 발작을 완화시키는 데는 도움이 되나 재발을 방지하는 데는 효과가 없다.

성대 기능장애는 설명, 호흡요법, 정신치료 등에 잘 반응하여 예후가 비교적 좋으나, 일부에서는 치료에 반응하지 않는 경우도 있다.

다. 습관 기침

1) 증상

습관 기침(habit cough)은 '정신적 기침(psychogenic cough)', '사춘기의 짖는 듯한 기침(barking cough of puberty)' '자발 기침(operant cough)', '호흡성 틱 장애(respiratory tic)' 등으로 불린다. 이는 지속적이고 파괴적인 짖는 듯한 기침이 특징적이며, 병리학적 검사나 방사선학적 검사, 기관지경 검사, 폐기능 검사 등에서는 정상 소견을 보인다. 뿐만 아니라 메타콜린 유발시험에서도 음성 소견을 보인다. 진해제나 기관지확장제, 소염제 등의 약물 치료에 반응을 하지 않는 것이 특징이다. 기침은 점점 만성적으로 진행되어 학교나 사회활동에 제한을 초래한다. 이러한 환자들은 잘못된 진단으로 인해 과도한 약물 치료를 받는 경우가 많다. 습관 기침의 특징은 다른 기질적 폐질환에 의한 기침과는 달리 환자가 잠들었을 때는 증상이 없어지고, 심한 운동에 의해 기침이 악화되지 않는다는 특징을 갖는다.

2) 치료

습관 기침의 치료에 대해서는 여러 가지 방법이 제시되고 있다. 습관 기침의 치료는 단순 운동성 틱장애의 치료와 유사하다. 초기에는 전기 충격 요법 등을 이용하였으나 최근에는 잘 시행하지 않는다. 최근에 사용되는 행동 요법은 "교육과 암시"이다. 예를 들어 치료자는 "기침하는 습관은 대개 감기로부터 시작합니다. 매번 기침할 때면 이것이 목을 자극하게 되어, 다시 기침하는 것을 유도하고, 이것이 점차 습관화되는 것

입니다. 이럴 때 기침을 어떻게 참는지에 대해 설명드리겠습니다."라고 설명하고, 아이에게 의지적으로 기침을 참는 것을 가르친다. 일반적인 운동 처방으로는 복식호흡을 하고, 숨을 헐떡거리다가, 삼키는 것을 사용한다. 부모들은 아이들의 치료 진행양상을 감시할 수 있어야 하고, 기침을 줄이게 되면 아이들에게 적당한 보상을 할 수 있어야 한다. 약물치료는 일시적인 운동틱과 음성틱에 대해서는 거의 사용하지 않는다.

어떤 환자에 있어서는 최면술과 항우울제 등을 포함한 더 적극적인 정신치료가 필요하다. 성인의 경우에는 드물지만 정신병리적인 요소가 개입되는 경우가 있으며, 이러한 경우 소아, 청소년의 습관 기침보다 치료하기가 어렵다.

2주 이상 기침이 지속되고 병리적, 폐기능적 혹은 방사선학적 이상이 없다면 습관 기침을 의심해야 한다. 어린이들과 부모들에게 기침이 어떤 위험한 질병을 나타내는 것이 아님을 설명해 주어야 하고 이러한 것이 "습관"일 수 있다는 것을 알려 주어야 한다. 어린이들이 기침을 참고 표정을 유지하는 법을 배울 수 있도록 행동 요법도 시행되어야 한다. 그러나 만약 한가지 이상의 틱이나 틱 장애의 가족력이 강한 경우엔 신경과나 정신과의 자문을 구해야 한다. 마찬가지로 행동치료적 접근이 성공적이지 못하거나, 이차적인 정신과적 문제가 동반된 경우 소아 정신과나 심리학자에게 진단, 치료를 위해 자문을 청해야 한다.

습관 기침의 경과를 살펴보면 진단 전 평균 7~8개월간 습관 기침이 지속되었으며 이들에서 70~80%는 특별한 치료 없이도 완전관해를 보였으나 일부에서는 평균 5~6년간 기침이 더 지속되었다. 그래서 습관 기침에 대한 적극적인 개입은 기침의 기간을 줄이고 유병률을 감소시킨다. 따라서 환자들과 가족들에게 이러한 진단에 대한 정보를 정확히 제공하고, 해결되지 못한 습관으로 인해 이차적인 문제가 발생하는 것을 막기 위해, 아이들의 행동 양식을 교정하는 것이 중요하다.

참고문헌

1. 이종범. 불안장애. 민성길 편. 최신정신의학. 4판. 일조각. 2001:297-330.

2. Sadock BJ & Sadock VA. Synopsis of psychiatry. 9th ed. Philadelphia: Lippincott Williams & Wilkins. 2003:599-609.

3. Marianne z, et al. Psychiatric aspects of respiratory symptoms. In: Taussing LM, Lan dau LI, editors. Pediatric Respiratory Medicine. St. Louis: Mosby, 1999:1222-34.

제13장

전신질환의 폐증상

호흡기 생리 및 기능은 폐에 국한된 것이 아니라 다른 장기 및 조직에 의해서도 영향을 받게 된다. 즉, 폐는 다른 장기나 조직의 기능 장애로 인하여 성장, 구조, 기능 및 생리학적으로 영향을 받을 수 있다. 특히 폐는 췌장, 간, 신장 기능의 이상, 혈액학적 이상, 영양학적 이상 등에 영향을 받는다.

1. 영양학적 이상

가. 비만

비만은 과도한 지방조직으로 정의되며 식이에 의해 외인적으로 생길 수도 있고 어떤 기저질환에 의한 2차성으로 내인적으로 생길 수도 있다. 비만에서는 발달, 생화학, 구조, 기능적인 폐의 변화가 온다.

이러한 효과는 폐기능과 생리의 변화를 통해 관찰된다. 폐기능의 변화와 가장 일치하며 특징적인변화는 ERV (expiratory reserve volume)의 감소이다(표 13-1). 또한 MVV (maximal voluntary ventilation), 기타 폐용적이 감소하여 폐와 흉곽의 순응도가 감소하고 작은 기도의 유속이 감소한다. 호흡수는 증가하고 VE(minute ventilation), work of breathing, oxygen consumption (VO_2), carbon dioxide production (VCO_2), 잔기량(residual volume)/총 폐활량(total lung capacity) 등이 증가한다. carbon monoxide diffusing capacity (DLCO)는 다양하게 측정된다. 추가적으로 환기/관류 불균형과 저산소혈증이 발생된다.

비만 자체는 정상 이산화탄소혈증(eucapnia) 혹은 저탄산증(hypocapnia)을 보이게 되나 심한 비만이 이산화탄소에 대한 뇌간의 호흡반응을 상쇄시켜 결과적으로 호흡저하 증후군(hypoventilation syndrome)을 초래하며 이것은 중심성 수면 무호흡(central sleep apnea), 주간 졸림, 고탄산혈증, 저산소혈증, 적혈구 증가증, 폐고혈압, 폐성심 등으로 나타난다. 더욱이 지방조직에 침범된 상기도 근육과 연부조직의 이완에 의해 폐쇄성 수면 무호흡증이 나타날 수 있다(표 13-1).

치료에는 식이, 약물, 외과적 그리고 기계적 치료가 있다. 체중감소는 폐기능을 향상시키고 폐용적을 정상화하고 환기/관류장애를 줄이고, 과탄산혈증, 저산소혈증을 정상화하며 비만 호흡저하 증후군을 호전시킨다. 그러나 체중감소의 폐에서의 생화학적 그리고 구조적 변화 효과에 대해서는 알려져 있지 않다. 프로게스테론(progesterone), 테오필린(theophylline), 프로트립틸린(protriptyline), 브스피린온(buspirone) 등의 호흡 자극은 호흡에 대한 중심성 욕구(central drive)를 개선시켜 동맥혈 이산화탄소 분압을 정상화할 수 있다. 테오필린은 횡격막의 수축을 강화하고 폐의 기계적 운동과 환기를 향상시킨다. 그러나 부작용과 제한된 효과 때문에 사용에 제약이 따른다. 체중 감소로 호전되지 않는다면 수술적 처치를 하게 된다. 기관절개술, uvulopalatopharyngoplasty (UPPP), 치아정형술(dental orthoses) 등을 할 수 있다. 게다가 야간에 기도압을 증가시켜주는 방법으로 기도양압법(continuous positive airway pressure; CPAP)과 biphasic positive airway pressure support ventilator가 사용될 수 있다. 기도양압법은 같은 압력을 모든 호흡주기 중 사용하는 반면 biphasic mode는 호기와 흡기 사이의 다른 압력을 허용한다.

나. 영양실조

영양실조는 대사필요에 비해 칼로리 섭취가 부적절함을 특징으로 한다. 급성의 기아와는 달리 영양실조는 만성적이며 노쇠나 단백열량 부족증을 초래할 수 있다. 노쇠는 총열량의 부족에 의하고 단백열량부족증은 단백열량의 부족에 의해 초래된다. 부적절한 음식량, 장관에서의 소화흡수 장애에 의해 영양실조가 나타난다.

비만과 함께 영양실조도 폐의 성장, 생리, 구조, 기능에 영향을 미친다. 호흡근과 호흡의 조절도 영향을 받는다. 내분비, 세포방어기전, 폐 자체, 폐의 고산소혈증에 대한 반응 등에 변화가 온다.

영양실조는 생화학적, 구조적인 폐의 변화를 초래한다. 비록 심한 정도와 시간, 영양실조의 기간이 폐의 성장과 구조에 영향을 미치지만 몇가지 일반적인 원칙이 적용될 수 있다. 출생전과 이유식 이전(출생후 전기), 이유식 이후(출생후 후기)로 나누어 생각할 수 있다. 동물 모델에서의 영양실조에서 보면 몸무게에 대한 폐 무게의 비는 출생전 영양실조에서만 감소하였다. 이것은 이 시기에 열량섭취감소가 있는 경우 몸의 다른 부분보다 폐에 더 큰 영향을 미친다는 것을 의미한다. 몸무게에 대한 폐용적의 비는 이유식 이후의 영양실조에서 증가하였고 이것은 폐포 비대와 이 시기의 체중감소를 반영한다.

정상조직성장은 처음에는 세포비대가 없는 세포의 증식으로 특징지워진다. 이 시기 이후에 세포분화속도가 떨어지면서 단백축적이 일어나고 세포의 비대가 나타난다. 최종적으로 세포 비대는 세포 증식이 없이 이뤄지게 된다. 대조군과 비교하였을 때 출생 전 혹은 이유식이 전에 영양실조에 노출되었던 동물의 폐는 세포 크기는 정상이나 세포수가 더 적다는 것이 확인되었다. 이는 영양실조에 의해 세포 분열에만 영향을 받았다는 것을 의미한다. 이유식이 후기의 영양실조는 세포크기는 작았으나 세포수는 정상이었다. 결과적으로 영양실조가 있을 때 폐는 모든 단계에서 세포수를 기준으로 하든지 세포크기를 기준으로 하든지 간에 성장 장애가 있다(표 13-1).

초기와 후기 출생 후 영양실조 동안에 폐 콜라겐과 에라스틴(elastin) 수치는 히드록시프롤린(hydroxy-proline)과 데모신(desmosine)을 통해 측정되는데, 이들이 감소되어있다. 그 결과 폐포의 발달과 안정성에 뼈대를 이루는 폐 연부조직의 양과 구조의 변화가 생긴다.

호흡근 또한 영양실조에 의해 영향을 받는다. 횡격막근은 영양실조가 있으면 감소하는데, 동물 모델에서 횡격막의 무게, DNA, 단백, 두께, 탄성 모두 감소를 보였다. 흡기와 호기근은 영양실조 환자에서 체중감소에 비례하는 근력의 감소를 보이며 결과적으로 근섬유의 위축을 초래한다. 반면 동물실험에서 급성의 열량 부족시에는 횡격막 기능에 거의 영향이 없었다.

폐기능의 변화는 생화학적 그리고 구조적인 폐와 호흡근의 변화에 의한다. 폐활량(VC)과 기능성 잔류량(FRC), MVV 그리고 1초간 노력성 호기량(FEV_1)이 감소한다. RV와 RV/TLC ratio는 증가하며 이는 공기포획(air trapping)과 폐포 비대를 의미한다. 호기와 흡기압을 통해 측정된 최대 호흡 근력도 감소한다. 게다가 정상적인 환기와 심장의 반응에도 불구하고 근수축력 감소와 질량의 감소로 운동 지구력 감소가 나타난다. 저산소혈증과 고탄산혈증에 대한 정상적인 중추신경계의 호흡조절은 영양실조에서 감퇴되고 호흡근의 피로는 호흡의 변화를 초래하여 결과적으로 호

표 13-1. 비만과 영양실조에서의 폐기능의 변화

폐기능	비만	영양실조
폐활량(vital capacity)	정상, ↑	↓
기능성 잔기 용량(functional residual capcity)	↓	↓
호기 예비량(expiratory reserve volume)	↓↓	↓
잔기량(residual volume)	↑	↑
총 폐활량(total lung capacity)	정상, ↑, ↓	정상
잔기량/총 폐활량(residual volume/total lung capacity)	↑	↑
폐 확산능(diffusing capacity)	정상, ↑, ↓	불분명
최대 노력 호흡(maximal voluntary ventilation)	↓	↓
기류 속도(airflow rates)	↓	정상
폐의 순응도(compliance, lung)	↓	↓
흉벽의 순응도(compliance, chest wall)	↓	
최대 정적 흡기 및 호기 압력(maximal static inspiratory and expiratory pressures)	정상	↓
분당 환기(minute ventilation)	↑	↓
호흡량(work of breathing)	↑	↓
산소소모(oxygen consumption)	↑	↓
이산화탄소 배출(carbon dioxide production)	↑	↓
환기-관류 부적합(ventilation-perfusion imbalance)	가능	가능

↓ ; 감소, ↑ ; 증가

흡부전에 빠질 수 있다(표 13-1).

치료는 이러한 변화를 교정할 수 있도록 열량과 단백을 공급하는 것이다.

영양의 공급은 영양결핍환자에서 폐와 호흡근, 기능, 환기 그리고 지역적인 전신면역의 향상을 가져 올 수 있다.

2. 췌장 질환

가. 당뇨병

당뇨병는 합병의 정도에 따라 신체의 다양한 기관에 영향을 미친다. 특히 콜라겐(collagen), 엘라스틴(elastin)과 미세혈관의 이상으로 폐 침범이 초래되며 폐의 성장, 구조, 기능 등에 영향을 미쳐 질병을 발현한다.

즉 당뇨병에서 폐는 무게, 용적, DNA 함유량에 있어 저하되며 polyalveolar하다.

당뇨와 연관된 산모의 저혈당증은 태반을 통과하여 태아의 췌장에서 인슐린분비를 자극한다. 지속적인 태아 고인슐린혈증의 억제 효과는 호흡기 변화를 야기하고 생화학적으로 계면활성제 전구물질의 합성, 활용성 등의 감소와 2형 폐세포의 숫적 감소, 2형 폐세포내 당원(glycogen)의 감소, 공기 주머니의 감소, 폐 팽창성의 감소 등을 일으킨다. 신생아 폐의 미성숙은 호흡곤란증후군 발생의 선행 요인이다. 인슐린과 인슐린유사 성장인자 수용체는 정상적으로 출생전후에 폐에서 일어나며 고인슐린혈증 때 이들의 부착 능력이 증가하므로 당뇨병 산모의 신생아 폐내에서 인슐린이 중요한 역할을 한다. 그러므로 호흡 조절, 폐와 흉벽의 이상이 당뇨병에서 합병될 수 있다.

혈당이 높은 환자는 일반적으로 폐감염 빈도가 높

표 13-2. 당뇨와 연관된 호흡기 질환

신생아 질환
　당뇨 산모에서 출생한 호흡곤란 증후군
감염성 질환들
　세균; *Staphylococcus aureus, Streptococcus pneumoniae, Escherichia coli, Klebsiella pneumoniae*
　진균; *zygomycetes(Muor, Rhizopus, Absidia species), Candida species, Aspergillus species*
　Mycobacteria; *Mycopbacterium tuberculosis*
　바이러스
폐실질 질환들
　성인형 호흡곤란증후군
　폐 부종
　흡인성 폐렴
　기흉, 종격동기흉
　늑막 삼출
　폐성심
기도 질환
　자율신경계 이상(기도반응성저하, 점액전)
흉벽 이상
　저칼륨혈증성 호흡근 마비
호흡 조절 이상
　저산소증과 과탄산혈증에 대한 반응저하
　중추성 호흡저하증
　중추성 무호흡
　수면 무호흡

다(표 13-2). 당뇨병 산모의 세포매개성면역의 결함, 림프구, 단핵구의 정량적, 정성적인 기능저하, 폐포 대식세포와 다형핵 백혈구 활성의 변화는 감염의 중증도와 빈도를 증가 시킨다. 그람 음성균, 그람 양성균, 칸디다, 결핵균은 당뇨병에서 유병률과 사망률의 증가와 관련이 있다. 결핵균의 중증도는 당뇨병의 중증도에 비례하며, 이런 현상은 높은 연령군에서 더하고, 특히 하엽에 공동(cavity)이 잘 발생한다. 또한 당뇨병에서 고혈당증과 산혈증에 의한 단핵형 백혈구와 폐포 대식세포의 식작용 감소는 진균의 성장에 유리한 환경을 조성한다. 포자의 흡입으로 폐내로 들어간 진균은 큰 기도와 혈관으로 침입하고 기도의 협착, 허혈성 괴사, 경색증을 일으킨다. 폐 경색증은 급성 폐렴으로 발현할 수 있으며 첫 증상으로 발열, 호흡곤란, 마른 또는 습한 기침을 보인 후에 흉통, 객혈 등이 나타날 수 있고 생명을 위협할 수 있다. 흉부X선 검사에서 국소적 침윤 또는 낭 등이 나타날 수 있다.

폐부종이 당뇨병성 케톤산증에서 드물게 관찰된다. 주로 폐모세혈관의 투과력 변화에 기인하는데, 이 경우 대량의 수액을 짧은 시간내에 공급하게 되면 정수압이 올라가고 팽창압이 감소하는 결과로서 폐부종이 동반될 수 있다. 당뇨병성 폐혈관계의 맥관장애가 당뇨에 선행되어 폐부종이 생기기도 한다. 심한 고혈당에 따라 체액의 이동이 생기기도 한다. 급성폐포성 혹은 간질성 폐부종이 반복하여 생기는데 이는 심한 고혈당 경과 중에 볼 수 있다. 인슐린 치료나 정상적인 혈당유지로써 극적인 효과를 볼 수 있다.

수면관련 호흡장애는 자율신경장애가 있는 당뇨환자에서 자주 관찰된다. 당뇨가 있을 때 저산소증에 대한 환기 및 심박동반응은 저하되어 있는 반면 과탄산혈증에 대한 환기반응은 잘 유지되고 있다. 근육에서의 당뇨병성 미세혈관장애는 과탄산혈증이나 호흡부전을 일으킬 수 있으며 이는 근위축 그리고 중심성 저환기가 초래되기 때문으로 해석하고 있다. 저산소증에 대한 환기반응이 감소되기도 하는데 이는 저산소증에 대한 환기반응의 수뇌억압이 정상에서보다 당뇨환자에서 크다는데 있다고도 한다.

인슐린으로 치료하고 있는 환자에서는 폐활량이나 1초간 노력성호기량이 예측치 보다 감소되어 있다. 이들은 아무래도 흡기근의 근력 감소에 따른 것으로 해석하고 있다. 총폐활량과 폐확산능 역시 감소하는데 특히 인슐린 의존성 당뇨환자에서 관찰된다. 기침반사가 잘 일어나지 않으며 이들은 찬 공기에 대한 기관지유발 혹은 기관지 천식 유발검사에 대한 반응이 저하되어 있다는 것과도 관련되어 있다. 소아당뇨에서는 폐탄성이 감소되어 있다. 따라서 총폐활량 역시 감소되어 있다. 다만 당뇨병이 있다고 해서 폐기능 검사를 기본적으로 시행할 조건은 아니지만 폐 증상이나 흡연력이 있을 때는 폐기능 검사를 해 봐야 한다.

나. 췌장염

췌장염으로 인한 통증과 염증은 크게 횡격막의 운동제한과 림프구 순환을 방해하고, 흉수를 축적시켜서 좌측 횡격막의 상승, 하엽의 무기폐, 폐렴 등을 일으키기 쉽다.

흉막삼출액은 주로 좌측을 침범하지만 우측 또는 양측을 침범하기도 하며, 급성 췌장염 발생 직후에 종종 생긴다. 이때 삼출액은 pH가 7.30~7.35, 당의 농도는 혈액과 유사하고, 다형핵백혈구 위주이다. 또한 흉막액/혈장의 비에서 아밀라제(amylase), 단백, LDH (lactate dehydrogenase)가 증가되어 있다. 만약 삼출액이 14일 이상 지속되면 만성 췌장염을 고려한다.

농흉은 흉막삼출액에 세균감염이 일어남으로써 발생하며 대부분의 농흉에서는 Echerichia coil와 Staphylococcus aureus가 배양된다. 증상이 심한 경우에는 환기-관류의 부적합이 생기고, 저산소증 등이 초래된다. 좌측 하엽에 폐렴이 재발하면 pancreatico-bronchial fistula를 의심해 볼 수 있으며, 객담 및 흉수에서의 아밀라제는 pancreaticobronchopleural fistula와 만성 췌장염에 동반될 수도 있다.

췌장염 환자에서는 무기폐가 발생되기도 하는데, 이러한 무기폐는 췌장에서 분비하는 phospholipase A2 (lecithinase)가 계면활성제의 주요 인지질 성분인 palmitoyl phosphatidylcholine (lecithin)을 분해함으로써 폐포의 표면장력이 감소되어 일어난다. 따라서 혈액내 phospholipase A2 농도는 췌장염과 무기폐의 경과를 알 수 있는 지표를 이용되기도 한다.

3. 간질환

급·만성 간질환시 간염 수치가 증가하고 소화 장애, 권태 및 피로 등 자각증상이 있으면 안정이 요구되며 때로는 침상휴식이 필요하다는 것이 일반적인 개념이다. 이는 육체활동이 간으로 가는 혈류를 감소시켜 당분대사, 단백 및 효소합성, 노폐물 제거 등 간 기능에 장애를 주어 급·만성 간염에서 간의 회복에 나쁜 영향을 줄 수 있다는 이론에 근거를 두고 있으나, 반면 간은 거대한 예비기능을 보유하고 있어 심한 육체운동에도 부수적인 간 기능의 이상을 초래하지 않는다고 알려져 있다.

간질환과 연관된 폐질환은 다양하다. 간질환에서 폐 질환을 일으키는 원인으로는 감염, 약물, 독성물질 때문이다. 예를 들어 간내 농양이 있는 경우 흉수에서 Entamoeba histolytica가 배양된다던지, 낭포낭(hydatid cyst)에서는 Echinococcus granulosus가 배양된다. 흉수는 간 병변이 직접적으로 횡격막을 자극하여 형성된다. 간 병변이 파열되면 횡격막을 통해 농흉이 발생하며 이후 간-흉막간 루(hepatopleural fistula)가 형성되기도 한다.

문맥-폐정맥 연결(portopulmonary venous anastomoses)의 결과로 폐동맥 고혈압이 초래된다(그림 13-1).

4. 신질환

가. 신부전

급·만성 신부전은 폐의 실질, 기도, 흉막간, 흉벽, 호흡중추의 조절에 영향을 미칠 수 있다. 특히 혈장 요소의 농도가 20 mmol/L이상이거나 약 60 mg%으로 대사이상이 동반되었을 때 폐질환이 나타난다.

요독 흉막 삼출액은 장기간의 신부전(적어도 1년이상)에서 초래되며 표 13-3과 같은 특성을 보인다.

또한 Goodpasture 증후군에서는 IgG, IgA와 C_3가 폐포 중격에 침착하여 폐포 출혈, 염증, 섬유질화한다. 그외 신질환과 연관된 폐질환은 표 13-4와 같다.

호흡기학

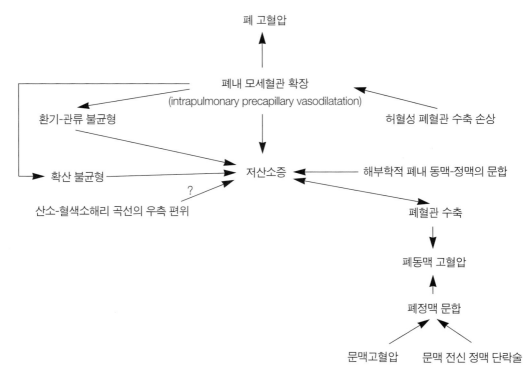

그림 13-1. 간폐이상(hepatopulmonary disorders)에서의 저산소증의 원인

표 13-3. 요독증 때 흉수의 조성

형	양상	세포	포도당(mg/dL)	단백(mg/dL)	LDH (IU/L)	Creatinine (mg/dL)	비고
요독	삼출액 ; 장액, 혈액성	림프구	정상	↑	↑	↑	편측성 또는 양측성
신증후군, 울혈성 심부전증	누출액	단핵구, 림프구	정상	↓↓	정상	-	양측성
유미흉	누출액; 백색	림프구	정상	↑	↑	정상	콜레스테롤과 triglceride 보임, 편측성
투석	누출액	단핵구	↑	↓	↓	↓	편측성 또는 양측성

↓; 감소, ↑; 증가

나. 투석

투석이나 중탄산염 치료를 시행하지 않으면, 대사성 산증을 보상하기 위해 분시환기량(minute ventilation)이 증가한다. 폐의 혈관외 수분은 간질부종의 형태로 증가하고, 폐포와 동맥간 산소분압차가 증가되고 저산소증을 발생할 수 있는 소인이 된다.

일부 환자는 폐포 모세혈관막의 투과성 증가로 인해 폐 모세혈관 압력이 정상임에도 불구하고 폐부종을 일으킨다. 흉부 X선 소견에 "butterfly wings" 처럼 보인다.

표 13-4. 신-폐증후군(renal pulmonary syndrome)

증상 및 징후		검사소견	흉부 X선 소견
폐	전신성		
Goodpasture's syndrome			
객혈, 기침, 호흡곤란, 저산소혈증, 흉막성 흉통, 흉막마찰음	발열, 권태감, 체중감소, 중이염, 청력소실, 포도막염, 안구돌출, 결막염, 관절염, 부비동염, 피부염, 비출혈, 중추신경계질환, 사구체 신염	빈혈, 혈소판감소증, 적혈구 침강속도 증가, 크레아티닌 증가, 혈액요소질소 증가, 적혈구 원주, 혈뇨, 농뇨, 단백뇨, RF양성, 순환면역 복합체, 보체, C₃ 증가, IgE 및 IgA 증가, 화학 주성과 세포기능 부전, 과감마글로불린 혈증, 항중성구 세포질 IgG 항체, HLA-DR2 항원과의 연관성	중심성 공동화를 동반한 양측성 결정성 침윤, 미만성 폐포간질 혹은 망상 결절성, 폐포 침윤, 단일결절, 판상 무기폐, 흉막 삼출, 기관지 흉막루, 출혈
Churg-Strauss syndrome			
쌕쌕거림, 객혈, 기침, 호흡곤란, 저산소혈증	알레르기, 점출혈, 자반, 결절성, 피하병변, 경련, 혼수, 말초신경병증, 설사, 흑색변, 심근 혹은 심내막 병변, 사구체 신염	말초 호산구 증다증, IgE 약간 증가, ↑ESR, 순환 면역 복합체, ↑BUN level, 혈뇨 단백뇨, 적혈구 원주, 빈혈, ↑WBC count	일시적 미만성 결절성 혹은 간질성 침윤, 흉막 혹은 심낭 삼출, 출혈
Systemic lupus erythematosus (전신성 홍반성 루프스)			
객혈, 기침, 호흡곤란, 저산소혈증	발열, 권태감, 체중감소, 중추 신경계 질환, 탈모증, 관절염, 장막염, 광과민성, 신염	↓C3 level, positive ANA & anti-DNA titers, 순환 면역복합체, positive Coombs' test, ↑ESR, ↑BUN level, 고감마글로 불린혈증, ↑creatinine level, 혈뇨, 단백뇨, 적혈구와 과립원주, 빈혈, ↑ or ↓WBC count	미만성 일측성 혹은 양측성 침윤, 간질성 침윤, 무기폐, 흉막삼출, 부종, 출혈
Scleroderma(경피증)			
객혈, 기침, 호흡곤란, 저산소혈증, 흉막성 흉통	피부 경화증, 말초혈관 확장증, 피부석회화 근염, 관절염, 폐성심, Raynaud 현상, 고혈압, 식도 운동 저하, 심낭삼출, 신혈관 질환, 신부전	↑ESR, ↑BUN level, ↑creatinine level, positive ANA titer, hypergammagl-obulinemia, circulating immune complexes, T cell hyperactivity, 단백뇨, 혈뇨, 빈혈	미만성 양측성 간질성 기저부 침윤, 간질성 섬유화, 낭성 병변, 봉와상폐, 흉막삼출, 석회화, 출혈, 폐동맥 돌출, 심비대
Henoch-Schönlein purpura			
객혈, 기침, 호흡곤란, 저산소혈증	관절염, 자반, 복통, 흑색변, 사구체신염	↑ESR, IgA level, ↑BUN level, ↑creatinine level, 혈뇨 단백뇨, 적혈구 원주, 빈혈, ↑WBC count, 정상혈소판수	간질성 폐렴, 출혈, 흉막 삼출
Behcet's disease			
객혈, 기침, 호흡곤란, 저산소혈증, 흉막성흉통	포도막염, 궤양(oral, laryngeal, genital), 박열, 피하결절, 혈전, 정맥염, 사구체신염	↑BUN level, ↑ceratinine level, ↑ESR, 혈뇨, 단백뇨, 적혈구 원주, 빈혈	미만성 망상결절성 침윤, 흉막삼출, 경색, 출혈, 폐동맥 돌출, scan 상 미만성 양측성 관류 장애

5. 혈액 질환

가. 겸상 적혈구 질환

Sickle 혈색소는 β polypeptide chain의 6번째 아미노산이 glutamic acid 대신에 valine으로 대치된 것으로 낫 모양의 겸상 적혈구를 형성하는 질환이다. 겸상 적혈구 빈혈에서는 흔히 폐렴, 폐혈관 손상, 폐 경색증, 급성 폐 증후군(acute chest syndrome), 겸상 적혈구 만성 폐질환(SCLD) 등이 생길 수 있다.

폐렴은 세균성에 의하며, *Haemophilus influenzae*, *S. pneumoniae*, *Salmonella typhimurium*, *S. aureus*, *Klebsiella species*, *E. coli*, *Acinetobacter organisms*, *M. pneumoniae*와 *Plasmodium species* 등이다.

폐혈관 손상은 낫모양 적혈구에 의해 작은 혈관이 폐쇄되고 혈액 점성의 증가로 혈관과 허혈이 초래되어 발생한다.

나. 탈라세미아

탈라세미아(thalassemia)는 messenger RNA 이상, 유전 인자의 결실(deletion), DNA 배열의 변화에 의하여 mRNA 양이 부족하게 되고 혈색소 polypeptide chain 생성에 이상이 생겨 발생하는 유전 질환이다. 그 중에서도 6개월 이후의 영아기에 중증 용혈성 빈혈의 증상이 나타나는 Thalassemia-major는 정기적인 수혈로 빈혈에 의한 심장의 위험부담을 줄여야 한다. Thalassemia-major와 연관된 호흡기 질환으로는 폐렴, 만성 폐렴, 폐부종, 폐동맥 고혈압 등이 있다.

참고문헌

1. Cooper DM, Mansell AL, Weiner MA, Berdon WE, Chetty-Baktaviziam A, Reid L, Mellins RB. Low lung capacity and hypoxemia in children with thalassemia major. Am Rev Respir Dis 1980;121:639-46.

2. Rochester DF, Esau SA. Malnutrition and the respiratory system. Chest 1984 ;85:411-5.

3. Bush A, Gabriel R. The lungs in uraemia. J Royal Soc Med 1985;78:849-55.

4. Hammer LD, Kraemer HC, Wilson DM, Ritter PL, Dornbusch SM. Standardized percentile curves of body-mass index for children and adolescents. Am J Dis Child 1991;145:259-63.

5. Wilber JF. Neuropeptides, appetite regulation, and human obesity. JAMA 1991;266:257-9.

6. Bowman CM. Hemoptysis. In Loughlin GM, Eigen H(editors); Respiratory disease in children: diagnosis and management. Baltimore, Williams & Wikins, 1994:201-5.

7. Lopez-Jimenez F, Luna-Jimenez MA, Polanczyk CA, Rohde LE, Rivera-Moscoso R, Reza-Albarran AA, Macias-Hernandez AE, Obrador GT, Levey AS, Mora R. et al. Frontiers in Internal Medicine. Arch Med Res 1997;28:473-88.

8. Williams DM, Sreedhar SS, Mickell JJ, Chan JC. Acute kidney failure: a pediatric experience over 20 years. Arch Pediatr Adolesc Med 2002;156:893-900.

9. Antonio MA, Ribeiro JD, Toro AA, Piedrabuena AE, Morcillo AM. Evaluation of the nutritional status of children and adolescents with asthma. Rev Assoc Med Bras 2003;49:367-71.

10. Nicolaie T, Zavoianu C, Nuta P. Pulmonary involvement in diabetes mellitus. Rom J Intern Med 2003;41:365-74.

11. Kunst H, Thompson D, Hodson M. Hypertension as a marker for later development of end-stage renal failure after lung and heart-lung transplantation: A cohort study. J Heart Lung Transplant 2004;23:1182-8.

면역학
Immunology

제1장

면역계의 발달

1. 림프기관

면역에 관여하는 세포와 분자들을 면역계라 하며, 면역계가 외부 물질과 작용하여 나타나는 반응을 면역반응이라 한다. 면역계에 의한 면역반응은 림프기관에서 이루어지는데, 외부 항원에 대한 면역반응이 효과적으로 수행되기 위해서는 형태와 기능학적으로 서로 다른 면역 세포들이 효율적으로 작용해야 한다. 림프기관은 새로 생성된 림프구가 항원 수용체를 발현하고, 성숙한 면역세포로 발달하는 일차 림프기관과 외부 항원과 반응한 림프구가 활성화되고 분화하는 이차 림프기관으로 분류된다. 인체에서의 일차 림프기관으로는 골수와 흉선이 있다. 골수는 골수에서 생성된 B 림프구(B lymphocyte)가 항원 자극 없이 증식하고, 성숙한 세포로 발달하는 기관이다. 또한 T 림프구(T lymphocyte)도 골수에서 생성되어 미성숙 세포로 발달한다. 흉선은 골수에서 생성된 미성숙 T 림프구가 면역 기능을 갖는 세포로 성숙하는 기관이다. 일차 림프기관에서 생성된 림프구가 외부 항원과 반응하여 항원 특이 면역반응이 일어나는 이차 림프기관으로는 림프절, 비장, 피부 면역계, 점막 면역계 등이 있는데, 이차 림프기관은 태생기 초기에 일차 림프기관이 생성된 다음에 발달한다.

가. 일차 림프기관

1) 골수

인체의 골수에서 생성되는 모든 면역 및 혈구세포들은 다능성 줄기세포(pluripotent stem cell)에서 유래하여 발달한다. 줄기세포는 적혈구(erythrocyte), 거핵구(megakaryocyte), 과립구(granulocyte), 단핵구(mono-cyte), 림프구(lymphocyte) 등으로 분화한다(그림 1-1). 면역세포가 생성되는 조혈작용(hematopoiesis)은 태아기 2.5~3주에는 난황의 혈도(blood islet)와 심장주변의 중간조직(para-aortic mesenchyme), 5주에는 간과 비장, 임신 말기에는 주로 골수에서 이루어진다. 사춘기 시기의 조혈작용은 흉골(sternum), 추골(vertebrae), 장골(iliac bone), 늑골(rib) 등에서 일어난다. 줄기세포는 성숙한 혈액세포에서 발현되는 표식자가 발현되지 않지만, CD34와 줄기세포 항원-1(stem cell antigen-1, Sca-1) 등의 분자는 발현된다. 골수 기질세포에서 생성되는 줄기세포인자(stem cell factor, SCF)는 미성숙 줄기세포가 다능성 줄기세포로 발달하고, 군체 자극인자(colony stimulating factor, CSF)에 반응하도록 작용한다. 활성화된 T 림프구, 대식세포, 내피세포, 골수 기질세포 등에서 생성된 군체 자극인자는 줄기세포가 증식하고 분화하는 과정에서 자극인자로 작용한다. 골수에서 유래된 백혈구와 적혈구 계열의 세포들이 증식하고 발달하는 과정에는 세포계열 군체 자극인자와 여러 사이토카인들이 관여한다.

2) 흉선

흉선은 T 림프구가 성숙되는 기관이다. 흉선은 2엽으로 구성되어 있고, 종격전부(anterior mediastinum)에 위치한다. 각 엽(lobe)은 섬유성 격막에 의해 많은 소엽(lobule)으로 분할되어 있다. 소엽은 외부의 피질(cortex)과 내부의 수질(medulla)로 구분되어 있으며, 수질내에는 상피세포로 구성된 흉선소체(Hassall's corpuscle)가 있다(그림 1-2). 골수에서 생성된 미성숙 T 림프구는 흉선 피질로 이동하여 성숙하게 되는데, 이와같이 성숙단계에 있는 T 림프구를 흉선세포(thymocyte)라 한다. 성숙초기 단계에서 피질에 집중적으로 분포하고 있던 흉선세포는 수질로 이동하면서 형태와 기능적으로 성숙된 T 림프구로 발달한다. 흉선 피질과 수질의 기본구조는 상피세포, 깍지수지상세포(interdigitating dendritic cell), 대식세포들로 형성된 간질로 구성되어 있다. 흉선세포가 증식하고 성숙하는 과정에는 간질세포들과의 물리적 접촉 작용이 중요한 역할을 한다. 흉선세포는 유전자가 재배열되어 세포 표면에 항원결합 수용체가 발현된 후 긍정선택과 부정선택이라는 두 가지 선택과정을 거치면서 성숙된다. 이 과정에서 간질세포는 MHC class I과 class II 분자를 발현한다. 흉선세포가 자신의 MHC 분자를 인식하지 못하거나, MHC 분자가 자가항원으로 인식되어 반응하면 제거된다. 결과적으로 자신의 MHC 분자와 외부 항원을 인식할 수 있는 흉선세포만이 살아남으며, 이를 충족시키지 못한 흉선세포의 95~99%가 성숙되기 전에 사멸된다. 성숙한 T 림프구는 모세혈관이후소정맥(post-capillary venule)을 통해 흉선을 떠나 혈액에서 순환하다가 이차 림프조직에 위치한다. DiGeorge 증후군은 태생기에 유전자 돌연변이에 의해서 흉선이 생성되지 않아서 T 림프구가 발달하지 못하여 발생한 세포성 면역결핍 질환이다.

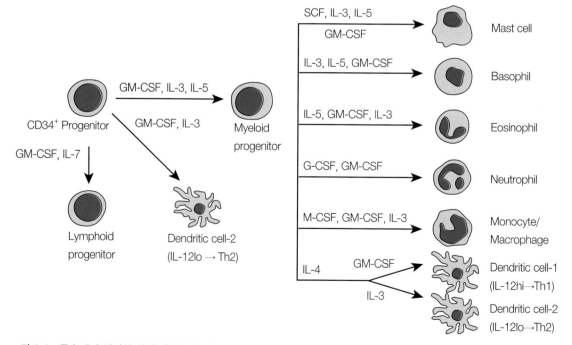

그림 1-1. 골수에서 생성된 혈액 세포의 분화

나. 이차 림프기관

1) 림프절

림프절은 단백질 항원에 대한 면역반응이 이루어지는 기관이다. 림프관 연결 부위를 따라 위치한 림프절은 림프구에 의해 형성된 작은 림프소절들로 구성된 조직이다. 림프절은 섬유피막(fibrous capsule)에 의해 둘러 싸여져 있고, 많은 수입림프관(afferent lymphatic vessel)들은 피막하동굴(subcapsular sinus)이나 가장자리동굴(marginal sinus)로 연결된다. 림프관에서 림프절로 림프를 운반하는 림프관을 수입림프관, 림프절에서 림프를 내보내는 림프관을 수출림프관(efferent lymphatic vessel)이라 한다. 림프절은 주변부 피질, 중심부 수질과 이 사이에 위치한 부피질(paracortex)로 구성되어 있다(그림 1-3). 림프는 림프절의 수질동굴(medullary sinus)을 통과하면서 여과된 다음에 문(hilum)에 있는 수출림프관을 통해서 림프절을 떠난다. 피질에는 세포들이 집합하여 소포(follicle)를 형성하며, 일부 소포는 종자중심(germinal center)이라는 중앙 부위가 있다. 종자중심이 없는 소포는 일차소포

(primary follicle), 종자중심이 있는 소포는 이차소포(secondary follicle)라 한다. 부피질에는 수지상세포, 대식세포, 림프구로 형성된 많은 부피질끈(paracortical cord)들이 림프와 혈관동굴 주변에 둥글게 배열되어 있다. 부피질끈 내 림프구와 부속세포들은 서로 연결되어 있지 않다. 이러한 구조는 림프구가 림프, 혈액, 조직 사이를 이동하고 순환하는데 중요한 역할을 한다. 부피질 밑은 수질로서 수질동굴로 이어지는 수질끈(medullary cord)으로 구성되어 있다. 이 부위에는 대식세포와 형질세포가 많이 분포하고 있다. 부피질 내에 특별히 분화된 고내피세혈관(high endothelial venule, HEV)을 통해 림프절 기질(stroma)로 유입된 림프구는 종류에 따라 서로 다른 부위에 위치하여 B 림프구 부위(B cell zone)와 T 림프구 부위(T cell zone)를 형성한다(그림 1-3, 1-4). 피질의 소포는 B 림프구가 많이 분포하고 있는 부위이다. 일차소포에는 성숙한 미감작 B 림프구가 주로 분포하고 있으며, 종자중심은 항원자극에 의해 B 림프구가 증식하여 고친화도 항체를 생성하는 단계에 있는 B 림프구 또는 기억 B 림프구로 분화되는 부위이다. 또한 종자중심은

면역학

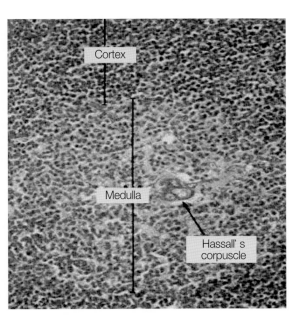

그림 1-2. 흉선 수질과 피질의 형태

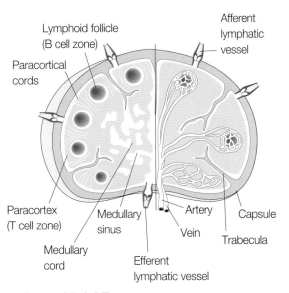

그림 1-3. 림프절의 구조

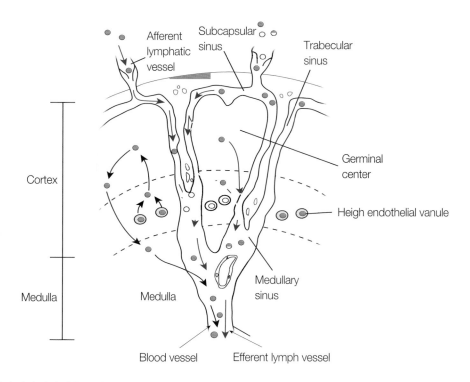

그림 1-4. 림프절 수질과 피질의 구조 및 림프의 흐름

소포 수지상세포(follicular dendritic cell, FDC)의 돌기들이 서로 연결되어 조밀한 망상구조 형태로 구성되어 있다. 소포사이와 소포 밑 부위의 부피질에는 T 림프구가 존재하는데, 대부분이 CD4$^+$ T 림프구이다.

혈액은 바깥쪽 피질 내 모세혈관 가지로 들어가는 동맥을 통해 림프절로 유입되고, 정맥을 통해서 림프절을 떠난다. 림프관은 항원을 림프절로 운반하고, 림프절은 문맥으로 유입된 항원을 결집시킨다. 피부, 상피, 실질기관(parenchymal organ)에는 간질액(interstitial fluid)을 흡수하고 배출하는 수많은 림프세관들이 있다. 말초조직에서 흡수된 간질액인 림프는 림프세관을 따라 더 큰 림프관으로 이동하여 최종적으로 흉관(thoracic duct)으로 유입된 다음에 상대정맥(superior vena cava)을 통해서 순환계에 합류한다. 피부, 점막 및 기타 조직에 있는 수용성 항원은 림프절로 운반되어 여과된다. 항원이 입수문맥 상피에 있는 수지상세포와 결합된 형태로 부피질로 유입되면, 기질에 있는 대식세포와 수지상세포에 의해 대부분의 수용성 항원이 림프액으로부터 추출되어 여과된다. 이 부위에서 수지상세포는 항원과 반응하여 MHC class II 분자를 세포표면에 발현하고, B 림프구는 수용성 항원과 반응하여 활성화된다. 또한 항원제시세포인 수지상세포, 대식세포, B 림프구는 림프절에서 농축된 단백질 항원을 MHC class II 분자와 함께 T 림프구에 제공하여 보조 T 림프구를 활성화시키며, 활성화된 보조 T 림프구는 항원 자극이 없어도 B 림프구를 활성화시킬 수 있다. 활성화된 B 림프구는 피질의 일차 림프소포로 이동하여 종자중심을 갖는 이차 림프소포를 형성한다. 종자중심에서 형성된 대부분의 형질세포는 림프절 수질로 이동하여 위치하거나 순환계를 통해 골수에 위치한다.

2) 비장

비장(spleen)은 혈액 내의 항원을 여과시키는 작용을 하는 주요 면역기관이다. 비장은 적색속질(red pulp)과 백색속질(white pulp) 및 이들을 분리하는 주연부(marginal zone)로 구성된다. 비장동맥은 비장의 문부를 통해 들어오며 세동맥으로 분지된다. 세동맥을 둘러싼 림프구로 구성된 조직을 동맥주위림프초(periarterial lymphatic sheath)라 한다. 동맥주위림프초에는 T 림프구가 많이 분포되어 있기 때문에, 이를 T 림프구 영역이라 한다. 동맥주위림프초는 B 림프구가 많이 분포되어 있는 B 림프구 영역의 림프소포와 연결되어 있다. 비장의 백색속질은 림프구, 주연부, 동맥주위림프초 및 소포들이 통합하여 형성된 림프조직이다. 세동맥은 혈관동굴(vascular sinusoid)로 이어져

적색속질을 구성한다(그림 1-5). 혈관동굴에는 적혈구, 대식세포, 수지상세포, 림프구, 형질세포들이 많이 존재하고 있는데, 노쇠하거나 결함이 있는 백혈구들은 이곳에서 제거된다. 동맥주위림프초에는 CD4$^+$ T 림프구와 CD8$^+$ T 림프구가 분포하고 있으며, 그 비율은 2:1 정도이다. 주연부에는 B 림프구가 분포하여 일차 림프소절을 형성하고 있는데 대식세포와 보조 T 림프구도 다수 분포하고 있다.

림프절로 운반된 항원은 혈관동굴을 통해 비장의 주연부로 이동하여 소포와 동맥주위림프초 사이의 연결부에 있는 수지상세포와 결합한다. 이 과정에서 생성된 MHC class II 분자와 항원이 함께 보조 T 림프구와 결합반응을 하면 T 림프구가 활성화된다. B 림프구는 항원에 의한 자극이 없어도 활성화된 T 림프구에

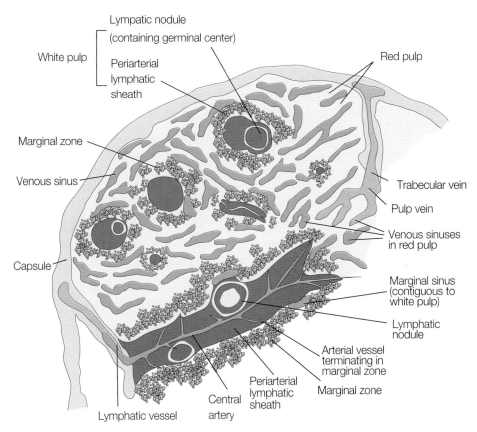

그림 1-5. 비장의 구조

의해 활성화될 수 있다. 활성화된 B 림프구는 일차 림프소포로 이동하여 종자중심을 갖는 이차 림프소포를 형성한다. 이 부위에서 활성화된 B 림프구는 형질세포로 분화하여 적색속질로 이동한다. 적색속질의 대식세포는 항체에 의해 옵소닌화된 미생물들을 포식하고 식균작용을 한다. 그러므로 비장이 없으면, 세균의 옵소닌화와 식균작용이 이루어지지 않기 때문에 폐렴구균과 수막구균과 같이 캡슐로 싸여진 박테리아에 의한 감염이 빈번하게 발생한다.

3) 피부 면역계

피부는 해부학적으로 표피(epidermis)와 진피(dermis)로 구성되어 있다(그림 1-6). 피부 내의 림프구와 부속세포는 항원과 결합하는 면역반응에 작용한다. 피부는 외부 환경을 물리적으로 격리하는 장벽 역할을 하고, 표피의 각질세포(keratinocyte), 색소세포(melanocyte), 랑게르한스세포(Langerhans cell), 상피내 T 림프구(intraepithelial T lymphocyte, IEL) 등의 면역세포들이 국소적으로 면역과 염증반응에 작용하여 숙주를 방어한다. 표피의 기저상부에 있는 랑게르한스세포는 피부 면역계의 수지상세포이다. 랑게르한스세포는 전체 표피 세포의 1% 미만을 차지한다. 그러나 기다란 수지상 돌기(dendritic process)를 갖고 있는 이 세포는 수평적인 배열로 연속된 망을 형성하여 피부 표면의 25%를 차지하게 되어 피부를 통해 유입되는 항원을 포획하는데 중요하게 작용한다. 피부 면역세포 대부분을 차지하는 CD8$^+$ T 림프구는 주로 진피 내에 있다. 상피 내의 T 림프구는 피부 이외의 조직에 있는 T 림프구 보다 항원수용체의 발현이 제한되어 있다.

4) 점막 면역계

위장이나 기도 점막에 있는 림프구와 부속세포는 섭식되거나 흡입된 항원과 결합하여 면역반응에 작용한다. 위장관과 기도의 점막상피는 피부에서와 같이 외부로부터 침입을 막는 일차 방어선이다. 위장관 점

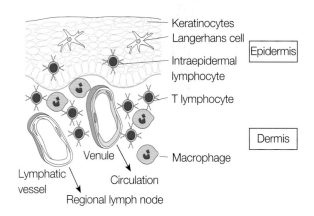

그림 1-6. 피부 면역계의 구조

막면역계의 림프구는 주로 위장관 점막 상피층, 소화관 고유판(기저막, lamina propria), 파이어 소절(Peyer' s patch) 부위에 위치한다(그림 1-7). 위장관의 면역계 세포들은 기능과 표현형에서 다양한 특성을 갖고 있다. 위장관에는 림프절과 골수에서 보다 더 많은 형질세포가 분포한다.

상피 내 림프구 대부분은 CD8$^+$ T 림프구이다. $\gamma\delta$ T 림프구는 인간의 위장관에서 전체 T 림프구의 10% 정도를 차지한다. 이와 같은 $\gamma\delta$ T 림프구 비율은 말초혈액이나 림프 조직과 비교할 때 매우 높은 것이다. $\gamma\delta$ T 림프구는 점막에서 일반 미생물에 대한 초기 방어에 작용하는 것으로 알려져 있으나, 아직 확실한 기능은 밝혀지지 않았다. 소화관 고유판에는 대식세포, 수지상세포, 호산구, 비만세포, 림프구, 형질세포 등이 분포하고 있는데, 이들 중 CD4$^+$ T 림프구가 가장 많다. T 림프구는 국소 장간막 림프절(regional mesenteric lymph node)에서 처음 항원과 반응한 다음에 장관의 고유판으로 이동한다. 점막면역계는 산재된 림프구 외에 림프조직으로 구성된 파이어소절이 있다. 비장과 림프절의 림프소포에서와 같이 파이어소절 중앙부는 B 림프구가 많이 위치하여 종자중심을 형성하고 2차 림프소포로 발달한다. 소포사이의 부위에는 CD4$^+$ T 림프구가 소수 위치하고 있다. 파이어 소절을 덮고 있는 상피세포는 항원을 점막 림프조직에 전달하는

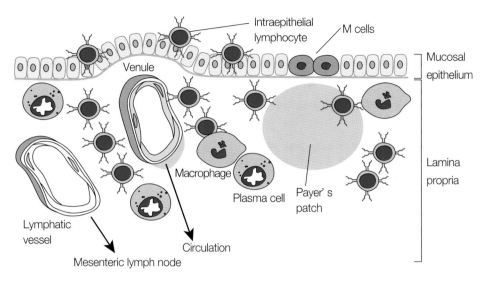

그림 1-7. 점막 면역계의 구조

역할을 하며, 특히 미세돌기(microvilli)가 없는 상피의 M 세포는 파이어 소절에 항원을 전달하는 역할을 한다. M 세포는 항원 제시 세포로서의 기능은 없고, 음세포활동(pinocytosis)으로 소장의 강(lumen)에서 상피하조직(subepithelial tissue)의 소절에 항원을 전달하는 기능이 있다. M 세포 아래 부위에는 B 림프구, T 림프구, 대식세포들이 모여 소절을 형성하고 있는데, 소절 내의 B 림프구는 항원과 반응하여 활성화되어 IgA 항체를 생성하는 형질세포로 분화한다. 생성된 IgA 항체는 상피세포를 통해 장관 밖으로 분비되어 점막 면역반응에 관여한다.

점막면역계의 면역작용은 두 가지 특징이 있는데, 첫째는 점막 조직의 형질세포는 주로 IgA 항체를 생성하고, 둘째는 구강 내 단백질 항원에 대한 면역접종은 T 림프구 활성화가 아닌 T 림프구 관용을 유도한다는 사실이다.

2. 면역계 세포

면역계 세포는 혈관과 림프관을 순환하고 조직사이를 왕래하면서 모든 조직에 분포한다. 면역반응에 관여하는 세포는 작용 역할에 따라 항원 특이적 림프구, 림프구 활성화에 작용하는 부속세포, 항원을 제거하는 기능을 갖는 작동세포로 나뉘어 진다. B 림프구와 T 림프구는 대표적인 항원 특이 림프구이다. 림프기관에서 림프구가 활성화되고 성숙하는 과정에는 대식세포와 수지상세포가 작용하는데, 이 세포들을 부속세포(accessory cell)라 한다. 피부, 위장관, 호흡기를 통하여 침입한 항원은 이차 림프기관에 집중적으로 운반된다. 림프구는 이차 림프기관에서 항원 특이적 면역반응을 유도하여 항원 제거에 필요한 실행기전을 활성화시킨다. 작동세포에는 호중구(neutrophil), 호염기구(basophil), 호산구(eosinophil)와 같은 다형핵세포(polymorphonuclear cell) 이외에 일부 림프구 및 기타 부속세포들이 있다.

가. 림프구

림프구 발달과정은 줄기세포에서 림프구 전구세포가 B 림프구, T 림프구, 자연살해(natural killer, NK) 세포로 분화하면서 이루어진다. 림프구는 성숙 초기 단계에 유사분열이 활발하게 이루어져 세포가 충분히 증식되어야 항원 특이 림프구로 성숙하게 된다. 림프구 성숙 과정에는 사이토카인, 골수와 흉선의 간질세포에 발현된 단백질, 림프구의 전사조절인자 등이 중요한 작용을 한다. 림프구 전구세포 증식에는 IL-7이 중요하게 작용한다. 림프구 전구세포의 표면에 항원을 고도로 인식하고 반응할 수 있는 항원 수용체가 발현되는 과정을 림프구 성숙(lymphocyte maturation)이라 한다. 림프구 성숙 과정 초기에는 림프구 세포질 내에 항원 수용체 유전자가 발현된다. 성숙한 세포로 발달하는 림프구 표면에는 세포 특이 표현형이 발현되며, 성숙한 림프구는 다양한 면역학적 기능을 나타낸다. 림프구 발달과정에서 B 림프구가 면역글로불린 유전자를 발현하는 과정과 T 림프구가 T 림프구 수용체(T cell receptor, TCR) 유전자를 발현하는 과정은 기본적으로 비슷하다.

림프구는 일차 림프기관인 골수와 흉선에서 완전한 면역기능을 갖는 세포로 발달한 다음에 혈액과 이차 림프기관으로 이동하여 위치한다(그림 1-8). 림프구는 혈액 백혈구의 20~40%를 차지한다. 항원에 의해 자극된 적이 없는, 세포주기 G0 단계인 작은 림프구(small lymphocyte)는 직경이 8~10 μm이고, 커다란 핵을 갖고 있다. 작은 림프구는 항원과 반응하면 세포주기 G1 단계로 진입하면서 지름이 10~12 μm로 커진다. 또한 많은 세포질과 세포내 소기관을 갖게 되고, 세포질 내

RNA 양이 증가하여 큰 림프구(large lymphocyte), 또는 림프아세포(lymphoblast)가 된다.

항원과 특이적으로 반응한 림프구는 이차 림프기관에서 활성화되어 항원을 제거하는 기능을 갖는 실행 림프구로 분화한다. 실행 림프구에는 B 림프구와 T 림프구가 있고, 항원 특이성이 없는 자연살해세포도 포함된다. 형태학적으로 구별하기 어려운 이들 세포들은 면역학적 기능과 분비하는 사이토카인이 각기 다르다. 조류에서 체액성 면역반응에 작용하는 B 림프구는 Fabricius 낭(bursa of Fabricius)에서 성숙하지만, 포유류에서는 Fabricius 낭에 해당되는 기관이 없어 B 림프구가 성숙하는 모든 단계는 골수에서 이루어진다. B 림프구는 항원과 반응하면 활성화되고 항체를 생성하는 형질세포로 분화한다. 분화된 형질세포 대부분은 면역반응이 일어나는 말초 면역기관에 위치하지만 일부는 골수로 이동한다. 분화된 실행 림프구 대부분은 오래 살지 못한다. 그러나 일부는 면역반응이 유발된 후 또는 항원이 제거된 후에도 생존한다.

T 림프구 작용에 의해서 이루어지는 적응 면역반응에는 γδ T 림프구와 αβ T 림프구가 관여한다(그림 1-9). αβ T 림프구는 면역작용 특성에 따라 보조 T 림프구(helper T lymphocyte, Th)와 세포독성 T 림프구(cytotoxic T lymphocyte, CTL)로 구분된다. 또한 보조 T 림프구는 면역반응에서 작용특성과 분비하는 사이토카인 종류에 따라 1형 림프구(Th1), 2형 림프구

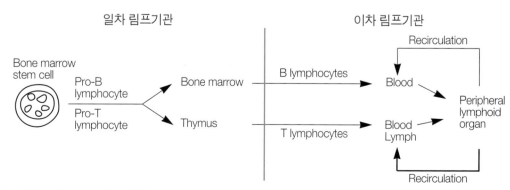

그림 1-8. 림프기관에서의 림프구 발달

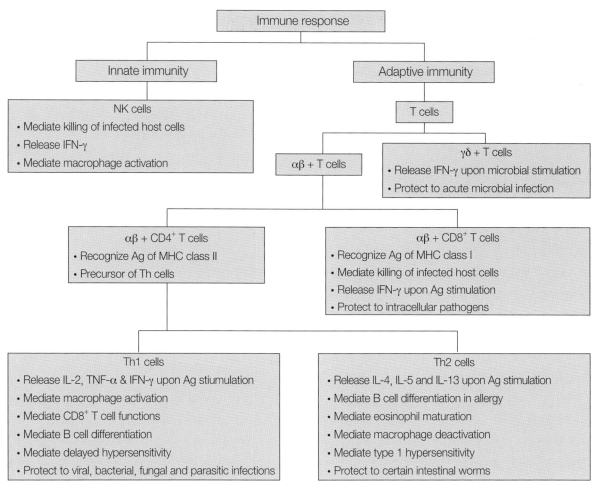

그림 1-9. T 림프구의 면역작용

(Th2), 3형 림프구(Th3)로 분류된다(표 1-1). 활성화된 보조 T 림프구의 면역작용에는 두 가지 특징이 있다. 첫째는 세포표면에 다른 면역세포와 강력하게 결합하는 유착분자(adhesion molecule)들을 발현하고, 둘째는 면역세포들의 활성화와 증식 분화과정에 작용하는 사이토카인을 분비한다. 세포독성 T 림프구가 활성화 되면 바이러스에 감염된 세포 또는 종양세포를 용해 시킬 수 있는 단백질을 함유하는 과립이 발달된다. 세포독성 T 림프구는 항원과 MHC class I 분자가 결합하여 형성된 복합체와 반응하여 활성화되면 실행세포로 분화하여 표적세포를 제거하는 작용을 한다.

기억세포(memory cell)는 항원과 반복적으로 반응하게 되면, 빠르고 증폭된 면역반응이 나타나는 특징이 있다. 기억세포는 감작되지 않은 B 또는 T 림프구가 항원 자극에 의해 증식하는 과정에서 생성된다. 이 세포는 항원이 제거된 후에도 기능적으로 휴지기인 상태로 오랫동안 생존할 수 있다. 기억 T 림프구는 CD45RO 분자를 가변적으로 발현한다. 또한 염증부위로 세포의 이동을 증진시키는 integrin과 CD44 같은 유착분자들의 발현이 증가된다. 그러나 기억 B 림프구 특이 표식자는 현재까지 밝혀지지 않았다. 감작되지 않은 B 림프구 표면에는 IgM과 IgD 막형 면역글로불린이 존재한다. 기억 B 림프구는 동형전환(isotype switching)에 의해서 IgG, IgE, IgA 막형 글로불린이 발현되며, 이 과정에서 생성된 IgG는 항원에 대한 친화도가 높다.

자연살해세포는 항원특이성은 없으나 항체의존성 세포매개 세포독작용(antibody dependent cell mediated cytotoxicity, ADCC)을 통해 특정 항원을 발현한 세포를 공격할 수 있다.

림프구가 생성되고 성숙되는 과정과 활성화되고 분화하는 과정에서 림프구 표면에는 특정 단백질이 발현하게 된다. 예를 들어 보조 T 림프구 표면의 CD4와 세포용해 T 림프구 표면의 CD8 분자는 세포의 면역학적 기능과 형태학적 특성을 나타낸다. 이와같이 세포표면에 발현된 분자들에 대한 항체는 림프구의 집단을 분류하고, 세포 활성화와 분화의 정도를 확인하는데 이용되고 있다. 이와같은 림프구 표식자에 대한 명명은 cluster of differentiation (CD)에 국제적으로 공인된 번호를 부여함으로써 이루어진다(표 1-2).

1) B 림프구

B 림프구는 크게 두 단계 과정을 통해서 발달한다. 첫째는 전구 B 림프구가 일차 림프기관인 골수에서 항원 자극 없이 발달하는 과정이다. 이 과정에서 B 림프구는 면역글로불린 유전자가 재배열되어 림프구 표면에 막형 IgM과 IgD 수용체가 발현되는 세포로 성숙한다. 그러나 B 림프구는 아직 항원을 인식하지 못하기 때문에 항원과 결합하지 못한다. 둘째는 이차 림프기관에서 B 림프구가 항원과 반응하여 활성화된 후 막형 면역글로불린을 생성하는 세포가 항원 특이성이 있는 용해성 면역글로불린을 생성하는 세포로 전환되는 과정이다. 항원과 반응한 B 림프구는 사이토카인 작용에 의해 증식하고, 동형전환이 이루어져 면역글로불린 항체의 동형(IgG, IgM, IgA, IgE)과 아종(IgG1, IgG2, IgG3, IgG4, IgA1, IgA2)을 생성 분비하는 형질세포로 분화한다. 이 과정에서 생성된 항체가 항원과 효과적으로 결합되기 위해서는 항체가 항원을 매우

표 1-1. 인간 보조 T 림프구의 분류

기능	Th1	Th2	Th3
사이토카인 분비			
IFN-γ	+++	–	–
TNF-α	+++	+	–
GM-CSF	++	++	–
TGF-β	–	–	+++
IL-2	+++	+	–
IL-3	++	+++	–
IL-4	–	+++	+
IL-5	–	+++	–
IL-6	+	+++	–
IL-10	+	–	++
IL-13	+	+++	–
사이토카인에 의한 조절			
IL-2	촉진	촉진	
IL-4		촉진	
IL-10	억제	억제	
IFN-γ		억제	

특이적으로 구별할 수 있어야 하고 항원과 높은 친화력으로 결합하여야 된다.

감염 인자에 대한 항체의 면역작용은 미생물 또는 독소와 결합하여 감염성과 독소를 중화(neutralization)시키고, 미생물을 옵소닌화한 후 항체의 Fc 부분과 포식세포 Fc 수용체 사이의 결합을 통해 포식작용과 세포내 분해를 유도하고, 항체가 미생물과 반응하여 보체계를 활성화시켜 미생물을 사멸시키거나 포식작용을 유도하는 과정으로 이루어진다. 체액성 면역작용에서 항원을 제거하는 실행기능은 대식세포와 같은 선천 면역세포에 의해서 이루어진다.

가) B 림프구 성숙

B 림프구 성숙과정은 면역글로불린 유전자의 재결합과 발현, 미성숙 세포 증식, 성숙한 B 림프구의 생성 순으로 이루어진다(그림 1-10). 전구 B 림프구는 태아 시기에는 간에서, 출생 후에는 골수에서 막형 IgM과 IgD를 발현하는 세포로 발달하는데, B 림프구 성숙과

표 1-2. 림프구에서 발현되는 CD 항원

CD 명칭	주발현 세포	기능
CD1a,b,c	흉선세포, 수지상세포(랑게르한스 세포 포함)	일부 T 림프구에 지질 및 당지질 제시
CD2	T 림프구, 흉선세포, 자연살해세포	LFA-3(CD 58)과 결합 T 림프구 활성화
CD3 γ, δ, ε	T 림프구, 흉선세포	TCR에 의한 신호전달 및 TCR의 세포표면 발현
CD4	MHC class II 제한적 T 림프구, 흉선세포, 단핵구 및 대식세포	MHC class II 제한적 항원 유도 T 림프구 활성화의 신호 및 부착공조 수용체
CD8 α, β	MHC class I 제한적 T 림프구, 흉선세포	MHC class I 제한적 항원 유도 T 림프구 활성화의 신호 및 부착공조 수용체
CD11a	백혈구	CD18과 함께 ICAM-1, 2, 3에 대한 배위자
CD19	대부분 B 림프구	B세포 활성화를 조절
CD23	활성화된 B 림프구, 단핵구, 대식세포	IL-4에 의해 유도되는 저친화도 Fc 수용체
CD25	활성화된 T 및 B 림프구, 활성화된 대식세포	IL-2와 결합
CD40	B 림프구, 대식세포, 수지상세포, 내피세포	배위자에 결합, T세포 의존 B세포, 대식세포, 수지상세포, 내피세포의 활성화에 작용
CD44	백혈구, 적혈구	백혈구 부착 및 응집에 작용
CD45	조혈세포	T 및 B 림프구의 항원 수용체 매개적 신호 전달에 중요한 역할을 하는 타이로신 포스파타제
CD45R	CD45RO: 기억 T 림프구, B 림프구의 아부류, 단핵구, 대식세포 CD45RA: 미감작 T 림프구, B 림프구, 단핵구 CD45RB: B 림프구, T 림프구의 아부류	

정은 면역글로불린 유전자 발현으로 시작하여 세포 표면 단백질 수용체 발현으로 종결된다.

골수의 줄기세포에서 B 림프구 계통으로 처음 분화된 세포는 pro-B 림프구이다. Pro-B 림프구는 CD10과 CD19 분자가 발현되기 때문에 다른 미성숙 B 림프구와 구별된다. 다음 발달단계는 면역글로불린 유전자가 합성되기 시작하여 세포질 내에 μ 중쇄(heavy chain)가 생성되는 과정이며, 이 시기의 세포는 pre-B 림프구이다. 중쇄와 경쇄(light chain)가 결합 합성되어야 세포표면에 막형 면역글로불린이 발현되는데, pre-B 림프구는 아직 이 단계까지 발달하지 않아서 세포표면에 항원 수용체가 발현되지 않는다. 그러므로 pre-B 림프구는 항원을 인식할 수 없다. Pre-B 림프구에서는 일부 μ 중쇄와 대리 경쇄(surrogate light chain)의 결합에 의해 복합체가 형성되며, 이 같은 복합체로 구성된 수용체는 낮은 수준으로 pre-B 림프구

표면에 발현된다. Pre-B 림프구 수용체가 신호 전달 기능을 가진 Igα와 Igβ 단백질과 결합하면 분화 중인 B 림프구가 계속 증식하고 성숙하는데 필요한 신호가 전달된다.

Pre-B 림프구는 다음 성숙 단계에서 κ 또는 λ 경쇄를 생성한다. 경쇄와 μ 중쇄가 결합하여 생성된 IgM 분자가 Igα와 Igβ 단백질과 결합 반응하면 B 림프구 표면에 IgM 수용체가 발현된다. 이와 같이 막형 IgM을 발현하는 세포로 발달한 B 림프구를 미성숙 B 림프구(immature B lymphocyte)라 한다. 미성숙 B 림프구는 수용체가 항원 특이적인 기능은 있으나 아직 항원과 반응하여 증식하거나 분화하지 못한다. 이 시기의 B 림프구는 자가항원과 반응하게 되면 활성화되지 않고 세포 사멸이나 기능적 무반응성으로 유도된다. 이와같이 골수에서 자가항원에 대하여 특이적으로 반응하는 B 림프구를 부정 선택하는 과정이라고 할 수 있

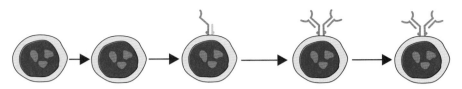

Stage of maturation	Stem cell	Pro-B cell	Pre-B cell	Immature B cell	Mature B cell
Proliferation	+++		+++		
Ig DNA, RNA	Unrecombined (germline) DNA	Unrecombind (germline) DNA	Recombined H chain gene [VDJ]; μ mRNA	Recombined H chain gene (VDJ), κ or λ gene(VJ); μ or κ or λ mRNA	Alternative splicing of VDJ-C RNA
BCR expression	None	None	Cytoplasmic μ and Pre-B receptor-associated μ	Membrane Ig M ($\mu + \kappa$ or λ light chain)	Membrane Ig M and Ig D
Surface markers	CD43$^+$	CD43$^+$ CD19$^+$ CD10$^+$	B220 CD43$^+$	IgM CD43$^-$	IgM
Anatomic site		Bone marrow		Periphery	
Response to antigen	None	None	None	Negative selection	Activation

그림 1-10. B 림프구의 발달과정

다. 다음 성숙단계로 미성숙 B 림프구에서 κ 또는 λ 경쇄와 μ와 δ 중쇄가 결합되면 막형 IgM과 IgD가 생성된다. 이러한 막형 면역글로불린을 갖는 B 림프구는 항원 특이성을 나타낼 수 있다. IgM과 IgD가 동시에 발현되어 기능을 할 수 있는 세포를 성숙 B 림프구(mature B lymphocyte)라 한다. 항원과 반응할 수 있는 성숙 B 림프구는 골수에서 혈액으로 이동하여 순환하다가 이차 림프조직에 위치하게 되는데, 수일 또는 수주 내에 항원과 반응하지 못하면 사멸하게 된다. 정상인의 혈액과 림프조직에 있는 성숙된 IgD$^+$ IgM$^+$ B 림프구는 항원과 반응하지 않은 상태에 있기 때문에 미감작 B 림프구라 한다.

미성숙 B 림프구는 항원 자극과 상관없이 골수 간질세포(stromal cell)에서 제공되는 환경인자들의 자극만으로도 증식할 수 있다. 골수 간질세포에서 생성되는 IL-7은 Pre-B 림프구 성장인자로 작용한다. 또한 B 림프구가 성숙되는 과정에는 미성숙 B 림프구와 골수 간질세포 사이의 물리적인 접촉이 절대적으로 중요하다. 이외에 골수에서 생성되는 많은 생화학적 매개체와 전사인자들이 B 림프구 성숙과정에 관여한다. X-연관성 범저감마글로불린 혈증에서 결핍된 B lymphocyte tyrosine kinase (Btk) 효소도 B 림프구 성숙 과정에서 필수적인 인자 중 하나이다.

외부항원과 반응하는 성숙 B 림프구의 면역작용은 이차 림프기관에서 이루어진다. 성숙 B 림프구가 항원과 반응하면 활성화된다. 활성화된 B 림프구가 증식하고 분화하는 과정에는 보조 T 림프구에서 분비되는 IL-2, IL-4, IL-6, IFN-γ, TGF-β 등의 사이토카인이 작용한다. B 림프구의 분화과정에서 이러한 사이토카인들은 중쇄 동형전환(isotype switching)을 유도하여 μ와 δ가 아닌 γ, α, ε과 같은 면역글로불린 중쇄가 발현되어 IgG, IgA, IgE을 생성하는데 작용한다(그림 1-11,

1-12). B 림프구가 분화하면 분비형 면역글로불린을 생산하는 세포는 증가하고 막 결합형 세포는 점차 감소한다. 한편으로 막형 면역글로불린은 발현되지만 항체를 생산하지 않는 기억 B 림프구로 분화하여 수주 또는 수 개월 동안 혈관, 림프, 림프 조직사이를 순환하고 있다가, 기억 B 림프구 표면에 위치한 항체와 전에 반응하였던 동일한 항원이 재결합하게 되면 면역반응 속도와 정도가 증가한 이차 항체반응이 유도된다.

항원과 반응하는 B 림프구 또는 기억 B 림프구는 항체를 분비하는 세포로 분화한다. 일부는 형태학적으로 형질세포이다. B 림프구 클론은 살아있는 동안 동일한 항원 특이성을 유지하게 된다. 항원 특이 B 림프구가 분비하는 항체의 평균 친화도는 일차 항체반응에 비해 이차에서 월등히 증가하는데, 이 과정을 친화도 성숙(affinity maturation)이라 한다.

나) 면역글로불린 유전자 재결합과 전사

B 림프구 성숙 단계에서 면역글로불린 유전자의 재조합은 recombination-activating gene (RAG) 발현 시기와 직접적인 관련이 있다. 면역글로불린 유전자의 재조합은 pro-B 림프구의 중쇄 좌(locus)에서 RAG1과 RAG2 단백질이 처음 발현되면서 시작된다. 또한 세포질 내에 μ 중쇄 단백질이 생산되면서, 세포는 pre-B 림프구 단계로 들어간다. 연결부위의 N-nucleotide 첨가를 촉매하는 terminal deoxyribonu-cleotidyl transferase (TdT) 효소는 중쇄 V/(D)/J 재조합이 일어나는 pro-B 림프구에서 가장 많이 발현되다가 경쇄 V-J 재조합이 완성되기 전인 pre-B 림프구 발달 단계 초기에는 감소한다. 따라서 경쇄보다 중쇄에서 N-nucleotide에 의한 연결부위 다양성이 더 많다. Pre-B 림프구의 수용체를 통해 세포 증식이 자극되며, 이 시기에 RAG2 단백질 발현은 멈추고 면역글로불린 유전자 재조합은 일시적으로 중단된다. 일단 세포가 정지기에 들면 RAG2가 다시 발현되어 RAG1과 함께 κ 또는 λ 경쇄 유전자의 재조합에 작용한다. 이와 같이 생성된 경쇄 단백질이 μ 중쇄와 결합하면 완전한 막형 결합 IgM 분자가 생산된다. 이 단계부터 B 림프구에서는 RAG 발현이 정지되면서 면역글로불린 유전자 재조합도 일어나지 않는다.

면역글로불린 유전자 전사 조절의 일반적인 원칙은 다른 유전자와 유사하다(그림 1-13). 전사는 cis-활성 nucleotide 서열과 이들 염기 서열에 결합하는 단백질에 의해 우선적으로 조절된다. 면역글로불린의 germline DNA에서 면역글로불린 유전자의 효과적인 전사를 위해 작용하는 promoter는 V (variable), D (diversity), C (constant) exon의 5'에 위치하고, enhancer는 J (joining)와 C 유전자 단편사이의 intron과 C 유전자에서 멀리 떨어진 3'에 위치한다. V-D-J 유전자의 재조합이 이루어지는 과정에서 V 유전자 promoter 가까이에 위치한 intron의 enhancer에 전사인자인 단백질들이 결합 작용하여 면역글로불린 유전자의 전사활동을 증가시키고 조절한다. 이와 같은 과정을 통해 생성된 mRNA에 의해 B 림프구는 항체를 생산한다. 항체 생산은 mRNA의 전환(turnover) 속도, 번역(translation), 번역 후 변형, 중쇄와 경쇄의 조립에 의해서 영향을 받는다.

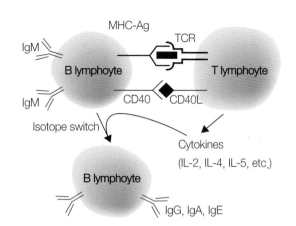

그림 1-11. T 림프구 조절하에서 발생하는 B 림프구의 동형전환(isotype switching)

2) T 림프구

T 림프구 수용체(T cell receptor, TCR)는 세포 표면의 MHC 분자와 결합한 항원만을 인식한다. T 림프구 수용체와 B 림프구 수용체는 구조적으로 차이가 있기 때문에 T 림프구 수용체가 항원과 결합하는 기전과 이에 반응하는 항원의 유형은 B 림프구와 다르다. B 림프구는 항체와 결합한 수용성 항원을 인식하지만, T 림프구는 항원제시세포, 바이러스에 감염된 세포, 종양세포, 이식세포에서와 같이 세포표면의 MHC 분자와 결합한 항원을 인식한다. Naive T 림프구가 TCR-항원-MHC 복합체와 결합하여 활성화되면 증식과 분화 과정을 통해 실행세포로 발달하게 된다. T 림프구는 기능에 따라 보조 T 림프구와 세포독성 T 림프구로 구분되며, T 림프구는 세포표면에 표현되는 분자 물질 종류에 따라 CD4$^+$ T 림프구와 CD8$^+$ T 림프구로 구분된다. MHC class II 분자와 결합한 항원과 반응하여 활성화된 CD4$^+$ T 림프구는 보조 T 림프구 기능이 나타나고, MHC class I 분자와 결합한 CD8$^+$ T 림프구는 세포독성 T 림프구 기능이 나타난다.

MHC class II 항원 복합체와 반응하여 활성화된 보조 T 림프구는 직접 또는 사이토카인을 분비함으로써 B 림프구, T 림프구 및 다른 면역세포들을 활성화시키고 면역반응을 증가시키는 작용을 한다. 보조 T 림프구는 분비하는 사이토카인 종류와 작용하는 면역반응 양상에 따라, 1형 보조 T 림프구(Th1), 2형 보조 림프구(Th2)와 3형 보조 림프구(Th3)로 분류된다. Th1 림프구는 IL-2, IFN-γ 등을, Th2 림프구는 IL-4, IL-5, IL-6, IL-13 등을, Th3 림프구는 IL-10과 TGF-β 를 생성한다. 면역작용에서 Th1 림프구는 지연성 과민반응, Th2 림프구는 IgE 생성과 알레르기 염증반응, Th3 림프구는 면역조절에 관여한다. Th2 림프구에서 분비되는 GM-CSF, IL-3, IL-5는 호산구 증식과 분화에 관여하고, IL-4와 IL-13은 B 림프구 동형전환을 유도하여 IgE 생성을 증가시키며, Th0 림프구가 Th2 림프구로 분화하는 것

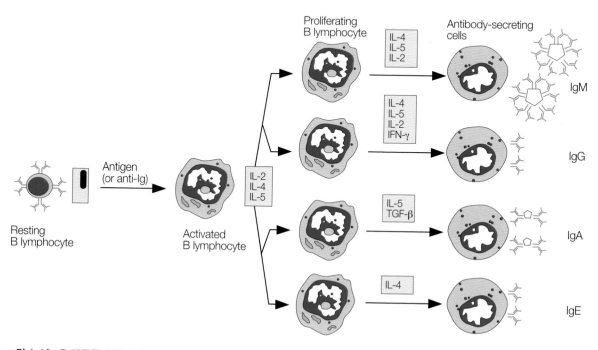

그림 1-12. B 림프구의 증식과 분화

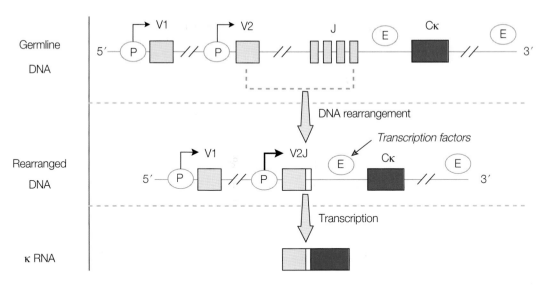

그림 1-13. 면역글로불린 유전자의 전사 조절

을 촉진한다. Th1 림프구에서 분비되는 IL-12와 IFN-γ
는 Th0 림프구가 Th1 림프구로 분화하는 것을 촉진한
다. 알레르기 염증반응에 있어서 Th1/Th2 균형과 Th3
림프구에 의한 조절 작용이 중요한 의미를 갖는다.
CD45RA 표현형을 갖는 naive T 림프구가 항원과 반
응하여 증식하는 과정에서 일부는 CD45RO 기억세포
로 분화하여 오랫동안 체내에 존재한다.

세포독성 T 림프구는 두 가지 면역반응에 관여한다.
첫째는 세포독성 T 림프구가 대식세포의 CD40 배위
자(ligand)와 결합하여 IFN-γ 를 분비하게 되면 대식세
포를 활성화시켜 포식된 미생물의 살균력을 증가시키
는 작용이며, 둘째는 세포표면의 MHC class I 복합체
와 결합하여 세포독성 면역반응에 관여하는 것이다.
이 과정에서 세포독성 T 림프구가 사이토카인 작용에
의해서 활성화되고 작동세포로 분화하게 되면 표적세
포를 직접 제거하는 작용을 한다.

가) T 림프구 성숙

골수에서 T 림프구 전구세포가 성숙한 T 림프구로
발달하는 과정은 체세포 재조합, TCR 유전자 발현, 세

포 증식, 항원에 의해 유도된 선택, 성숙한 세포 표면
에 표현형 발현과 기능 발달 단계로 이루어진다(그림
1-14). T 림프구가 성숙하는 기전은 여러 면에서 B 림
프구와 유사하다.

흉선 피질 내에 위치하면서 TCR, CD3, ζ 사슬, CD4,
CD8 등을 발현하지 않는 미성숙 흉선세포를 이중음성
(double negative) 흉선세포라고 한다. 이 세포를 성숙
과정에서 pro-T 림프구 단계라 한다. 다음 T 림프구
성숙 단계의 pre-T 림프구도 이중음성 상태에 있다.
이 시기에 TCR β 사슬 좌에서 V-D-J 재조합이 일어난
다. 일차 β 사슬 전사 산물이 발현되고 C 단편이 VDJ
복합체 가까이 오는 과정에 의해 β 사슬 polypeptide
가 생성된다. β 사슬이 pre-T_α라 불리는 비가변 단백
질과 결합하면 세포 표면에 적은 양의 pre-T 림프구
수용체가 발현된다. 이 수용체가 CD3 및 단백질과 결
합하여 형성된 복합체는 CD4와 CD8 발현과 미성숙 T
림프구의 증식을 촉진하는 작용을 한다. 흉선세포는
다음 성숙 단계에서 CD4와 CD8를 발현하는데, 이를
이중양성 흉선세포라 한다. 이 단계에서 TCRα 유전자
의 V-J 재조합이 α 사슬에서 일어나면서, α 사슬

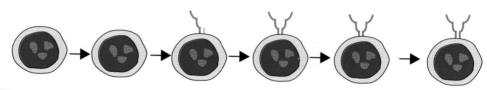

Stage of maturation	Stem cell	Pro-T cell	Pre-T cell	Double positive T cell	Single positive (immature) T cell	Naive mature T cell
Proliferation	+++		+++			
TCR DNA, RNA	Unrecombined (germline) DNA	Unrecombined (germline) DNA	Recombined β chain gene [V(D)J-C]; β chain mRNA	Recombined β chain gene [V(D)J-C]; β & α chain mRNA	Recombined α chain genes [V(D)J-C]; β & α chain mRNA	Recombined α chain genes [V(D)J-C]; β & α chain mRNA
TCR expression	None	None	Pre-T receptor (β chain)	Membrane $\alpha\beta$ TCR	Membrane $\alpha\beta$ TCR	Membrane $\alpha\beta$ TCR
Surface markers	C-kit$^+$ CD44$^+$ CD25$^+$	C-kit$^+$ CD44$^+$ CD25$^+$	C-kit$^-$ CD44$^-$ CD25$^+$	CD4$^+$/CD8$^+$ TCR/CD3$^+$	CD4$^+$/CD8$^-$ or CD4$^-$/CD8$^+$ TCR/CD3$^+$	CD4$^+$/CD8$^-$ or CD4$^-$/CD8$^+$ TCR/CD3$^+$
Anatomic site	Bone marrow		Thymus			Periphery
Response to antigen	None	None	None	Positive and negative selection	Negative selection	Activation

그림 1-14. T 림프구의 발달과정

polypeptide가 생산된다. 이 물질이 CD3와 ζ 단백질과 결합하여 복합체를 형성하게 되면 낮은 수준의 완전한 αβ TCR이 세포 표면에 발현된다. 완전한 TCR 복합체가 발현됨으로써 이중양성 세포가 항원과 반응하게 되고, 긍정 선택과 부정 선택 반응이 일어나게 된다. 이들 선택을 성공적으로 수행한 세포를 단일양성 흉선세포라 한다. 이 세포는 CD4$^+$ 또는 CD8$^+$ T 림프구(immature T lymphocyte)로 분화한다. T 림프구 성숙 마지막 단계에서 흉선세포 표면에 CD4 또는 CD8 분자 발현은 T 림프구가 기능적으로 성숙되었다는 것을 의미한다. CD4$^+$ T 림프구가 항원과 반응하게 되면 T 림프구는 사이토카인을 생산하고 B 림프구와 대식세포를 활성화시킬 수 있는 CD40L 같은 분자를 세포 표면에 발현하게 된다. CD8$^+$ T 림프구는 표적세포를 용해할 수 있는 분자물질들을 생산한다.

나) T 림프구 성숙과정에서 흉선의 역할

흉선은 미성숙 T 림프구가 성숙되는 기관이다. 태아기 흉선 크기는 신체에 비해 최대이며, 출생 후 커지기 시작하여 사춘기 전에 최대가 되었다가 사춘기 이후에는 퇴화한다. 일부 T 림프구 성숙이 평생 동안 계속된다는 것은 퇴화된 흉선에서도 T 림프구가 성숙된다는 것을 의미한다.

골수 줄기세포에서 유래한 T 림프구 전구세포는 세포 표면에 T 림프구 수용체, CD4 및 CD8 분자를 발현하지 않은 미성숙 T 림프구로 발달한 다음에 흉선의 피막하동굴(subcapsular sinus)과 피질 외부로 이동한다. 흉선으로 이동한 미성숙 T 림프구를 흉선세포라 한다. 흉선세포는 피질에서 수질로 이동하는 과정에서 T 림프구 수용체를 발현하고 CD4$^+$ 또는 CD8$^+$ T 림프구로 성숙한다(그림 1-15). 흉선은 흉선세포가 성숙한 T 림프구로 분화하는데 필요한 자극을 전달하는 장소이다. 이러한 자극은 흉선세포가 피질에서 수질로 이동하는 동안, 흉선세포가 흉선의 피질, 피질과 수질 연결 부위 및 수질에 있는 대식세포와 수지상세포 같은 보조세포와의 물리적 접촉에 의해서 이루어진다. 흉선 내에서 흉선세포와 보조세포와의 물리적인 접촉을 극대화하기 위해 흉선은 조직학적으로 다음과 같이 특이하게 구성되어 있다. 흉선 피질에는 상피세포의 긴 세포질 돌기에 의해 그물망이 형성되어 있고, 피질과 수질 연결부위와 수질에는 수지상세포가 많이 분포하고 있으며, 수질에는 대식세포와 상피세포가 있다.

T 림프구 성숙 과정에는 흉선 내에 있는 세포에서 생성되는 두 가지 분자 물질이 중요한 작용을 한다. 첫째는 MHC class I과 class II 분자이다. MHC class II 분자는 피질의 대식세포, 상피세포, 수지상세포에서 발현된다. 수질의 상피 세포와 수지상세포는 MHC class I과 class II 분자를 발현하고, 대식세포는 높은 수준의 MHC class I 분자를 발현한다. 흉선세포 표면에 MHC 분자가 발현되는 것은 성숙 T 림프구가 기능적으로 분화하고 발달하는 과정에서 필수적으로 필요한 과정이다. 둘째는 흉선의 상피세포와 간질세포에서 분비하는 사이토카인이다. 이러한 사이토카인은 미성숙 T 림프구를 증식시키는 작용을 한다.

흉선세포의 사멸은 주로 흉선 피질에서 이루어지며 생성된 세포 중 95%가 수질에 도달하기 전에 사멸된다. 흉선세포의 사멸은 기능적인 항원 수용체 발현이 실패한 경우, 흉선 내에서 MHC 분자에 의한 긍정선택이 실패한 경우, 자가 항원에 의해 유도된 부정선택 등에 의해 이루어진다.

3) 자연살해세포

골수전구세포에서 유래된 자연살해세포는 형태와 기능학적인 면에서 다른 림프구들과 다르다. 자연살해세포는 세포질 내에 많은 과립이 있으나 세포 표면에는 면역글로불린 또는 T 세포 수용체와 같은 항원수

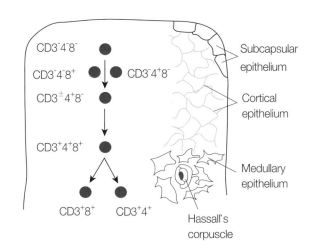

그림 1-15. T 림프구 성숙과 흉선 표피 세포와의 관계

용체가 없다. 그러므로 자연살해세포는 항원을 인식하지 못하고 항원과 반응하지 않는다. 자연살해세포는 혈액과 비장에 있는 단핵세포의 5~20%를 차지하는데, 다른 림프기관에는 드물게 분포한다.

자연살해세포는 바이러스에 감염된 세포 또는 종양세포를 용해하는 작용과 IFN-γ 같은 사이토카인을 분비하여 대식세포를 활성화시키는 작용을 한다. CD8[+] T 림프구는 활성화되어 세포독성 T 림프구로 분화되어야 표적세포를 사멸할 수 있는 반면에, 자연살해세포는 추가적인 활성화 과정없이 표적세포를 용해시킨다. 자연살해세포 표면에는 표적세포 배위자와 결합하게 되면 스스로를 활성화시킬 수 있는 활성화 수용체(activating receptor)가 있고, MHC class I 분자와 결합하게 되면 활성화가 억제되는 억제성 수용체(inhibitory receptor)가 있다. 따라서 자연살해세포가 class I 분자를 발현한 세포와 결합하게 되면 세포의 활성화가 억제된다. 그러나 class I 분자가 결핍된 표적세포와 결합반응하게 되면 자연살해세포가 활성화되어 표적세포를 용해한다. 자연살해세포의 활성화는 자연살해세포 표면의 CD16과 항체와의 결합, 표적세포 표면의 배위자와의 결합, MHC class I 분자가 결핍된 표적세포와의 결합에 의해서 이루어진다. 활성화

된 자연살해세포는 항체가 부착된 세포, 바이러스 또는 세포내 기생균에 감염된 세포, MHC class I 분자가 결핍된 세포를 인식하여 용해시킨다. 자연살해세포는 표적세포의 MHC class I 분자와 결합하면 활성화되지 않기 때문에 MHC class I 분자를 발현하고 있는 정상 유핵세포는 용해되지 않는다. 대부분의 바이러스는 세포독성 T 림프구에 의해서 세포가 용해되는 것을 방지하기 위해 감염세포에서 MHC class I 분자가 발현되는 것을 억제시킨다. 따라서 바이러스에 감염된 세포는 자연살해세포의 표적이 된다. 자연살해세포 표면에 존재하는 Fcγ RIIIa (CD16)는 IgG1과 IgG3의 Fc 부분에 대해 낮은 친화력을 나타내는 수용체이다. 이 수용체는 항체부착 표적세포를 인식하여 표적세포를 용해한다. 이러한 면역작용을 항체의존성 세포매개 세포독성작용이라 한다.

나. 부속세포

부속세포(accessory cell)는 항원과 반응하는 수용체를 발현하지 않지만, 항원과 결합하는 림프구의 초기 면역반응에 관여하는 세포로서 단핵식세포와 수지상세포가 있다.

1) 단핵식세포(단핵구/대식세포)

단핵식세포계(mononuclear phagocyte system)는 일차적으로 식균작용 기능을 갖고 있는 세포들이 포함된다. 미생물 또는 외부 항원을 포식하여 숙주를 방어하는 기능을 갖고 있는 결합조직 내의 대식세포(macrophage), 중추신경계 내의 소교질세포(microglial cell), 혈관 정맥동을 둘러싸고 있는 내피세포(endothelial cell), 림프기관의 망상세포(reticular cell) 들을 모두 합쳐 망상내피계(reticuloendothelial system, RES)라 한다. 대식세포에 의한 활성적인 식균작용은 내피세포와 망상세포에서의 음세포활동과는 다르다. 대식세포는 포식작용에 의해 숙주를 방어하는 단핵식세포로 분류된다. 단핵식세포계는 말초 혈액에 있는 단핵구와 조직에 있는 대식세포로 구분된다. 단핵구는 직경이 10~15 μm이며, 골수의 과립구-단핵구 전구세포에서 불완전하게 분화된 단핵구는 골수를 떠나 말초 혈액 내로 이동하여 혈액에서 성숙된다. 성숙된 단핵구는 순환계를 순환하다가 조직으로 이동하여 조직 내에서 대식세포로 분화한 상태로 존재한다. 항원과 반응하여 활성화된 대식세포는 여러 가지 다른 형태학적 모양을 갖는 특성이 있다. 일부 세포는 상피양세포(epitheloid cell)라 할 정도로 세포질이 풍부하여 피부의 외피세포와 유사한 모양을 갖고 있으며, 대식세포들이 융합하여 다핵거대세포(multinucleate giant cell)를 형성하기도 한다. 단핵식세포는 위치하고 있는 조직 종류에 따라 중추신경계의 소교질세포, 간의 쿠퍼세포(Kupffer cell), 폐의 폐포 대식세포(alveolar macrophage), 콩팥의 메산지알세포(mesangial cell), 뼈의 뼈파괴세포(osteoclast) 등으로 명명된다.

단핵식세포의 중요한 작용은 면역세포가 항원을 인식하고 활성화되는 단계에서 부속세포로 작용하는 것이다. 부속세포는 항원을 T 림프구에 제공하는 항원제시세포 역할을 하며, T 림프구를 활성화시키는 막형과 분비형 단백질을 생산한다. 대식세포의 부속세포 기능은 미생물 등과의 반응과정에서 생성된 사이토카인들의 작용에 의해 증강된다.

단핵식세포는 선천 및 적응면역에서 작동세포로서 작용한다. 대식세포는 선천 면역작용에서 미생물 같은 항원과 반응하면 활성화된다. 활성화된 대식세포는 사이토카인을 분비하여 다른 염증세포를 염증부위에 집결시킴으로써 작동세포로서의 기능을 극대화시킨다. 세포매개 면역작용에서 항원에 의해 활성화된 보조 T 림프구는 IFN-γ와 같은 사이토카인을 분비하여 대식세포의 활성화를 유도한다. 그 결과 활성화된 대식세포에서의 포식된 미생물 또는 항원 파괴가 원활해진다. 체액성 면역반응에서 미생물을 옵소닌화한 항체는 대식세포의 포식작용을 증진시킨다. 대식세포는 식균작용 이외에 포식한 균을 죽이는 살균작용과 바이러스 감염이나 종양세포를 제거하는 세포독작용이 있다. 또한 IL-1, IL-6, TNF-α와 같은 사이토카인과 보체를 분비하여 염증반응을 유발한다.

2) 수지상세포

골수 전구세포에서 유래한 수지상세포(dendritic cell)는 부속세포로 작용하여 T 림프구가 단백질 항원에 대하여 면역반응을 유발시키는데 중요한 역할을 한다. 수지상세포는 막상 혹은 침 같은 돌기가 있어서 형태적으로 다른 세포들과 구별된다. 미성숙 수지상세포는 주로 미생물과 같은 항원의 침입이 빈번한 피부, 위장관, 호흡기계에 위치한다. 상피 수지상세포는 낮은 수준의 표면 분자를 발현하고 있어서 T 림프구를 효과적으로 활성화시키지 못한다. 수지상세포의 주된 기능은 단백질 항원을 포획하여 림프절로 운반하는 작용이다. 수지상세포가 항원을 포획하여 림프절로 이동하는 동안 미성숙 수지상세포는 성숙해지면서 항원을 효과적으로 T 림프구에 제시함으로써 미감작 T 림프구를 활성화시키는 작용을 한다. 수지상 세포는 미생물에서 생성된 물질이나 활성화된 T 림프구 또는 대식세포에 의해 제공되는 물질들의 작용에 의해서 성숙된다. 성숙한 수지상세포는 림프절에서 T 림프구가 많이 분포하는 부위에 위치하면서 T 림프구에게 항원을 전달하는 작용을 한다.

다. 비만세포

비만세포(mast cell)는 직경이 9~12 μm이고, 타원형의 핵을 갖고 있다. 세포질에는 히스타민, 헤파린, tryptase, chymase 등의 물질을 포함하고 있는 과립과 지질체가 있다. 이 과립은 Wright 또는 Giemsa 염색에 의해 염기성으로 염색된다. 비만세포는 골수의 CD34$^+$ 전구세포에서 유래하며, 골수에서 생성된 미성숙 비만세포는 혈액으로 배출되어 분화되지 않은 상태로 말초 결합조직으로 이동한 후에 미세 환경의 영향을 받아 성숙한 세포로 분화한다. 성숙한 비만세포는 주로 피부, 기관지, 소장의 점막과 상피세포 아래층 부위에 위치한다. 비만세포 표면에는 IgE 항체에 고친화성을 갖는 FcεRI 수용체가 있다. 비만세포 수용체에 결합된 IgE 항체와 항원이 결합 반응하게 되면 비만세포가 활성화되어 비만세포 과립에 존재하고 있던 매개체들이 분비된다. 이 물질들은 모세혈관 투과성 증가, 점막부종, 점액분비, 기관지 평활근 수축 등을 나타내는 초기 알레르기 반응을 유발한다. 한편으로 활성화된 비만세포는 arachidonic acid에서 유래된 지질 대사물질들을 생산하여 분비하며, 지질 대사과정에는 cyclooxygenase 경로와 lipoxygenase 경로가 있다. Cyclooxygenase 경로에 의해 prostaglandin D2와 thromboxane이 생성되고 lipoxygenase 경로에서는 5-hydroxy-eicosa-tetraenoic acids(HETEs), leukotriene C4, D4, E4 등이 생산된다. 이 외에 비만세포는 IL-1, IL-3, IL-4, IL-5, IL-6, IL-8, IL-10, IL-13, GM-CSF, TGF-β, TNF-α 등의 사이토카인을 분비한다. 이 물질들은 호산구와 T 림프구가 표적기관에 유입되는 것을 촉진시키고, 표적기관에 유입된 세포들이 활성화되고 증식하는데 작용하여 알레르기 후기 반응이나 만성 염증반응을 유발시키는데 작용한다. 특히 TGF-β는 섬유아세포(fibroblast)의 유입과 활성화를 증가시켜 조직의 섬유화를 유도한다.

라. 다형핵세포(과립구)

세포질 내에 많은 과립성 입자를 가지고 있는 과립구는 세포질이 염색되는 특징에 따라 호중구, 호염기구, 호산구로 구분한다. 호중구와 호산구는 포식작용이 있으나 호염기구는 없다.

1) 호중구

호중구(neutrophil)는 골수에서 단핵식세포와 같은 계통의 전구세포에서 발달한다. 호중구의 생성은 과립구군체자극인자(granulocyte colony stimulating factor, G-CSF)에 의하여 자극된다. 호중구는 혈액 내의 백혈구 중에서 가장 많다. 호중구는 직경이 12~15 μm인 구형세포로 많은 섬모돌기(ciliary projection)를 갖고 있고, 핵이 3~5개의 소엽으로 분절되어 있어서 다형핵 백혈구라 한다. 세포질 내에는 두 가지 종류의 과립이 있다. 다수를 차지하는 특이과립 내에는 lysozyme, collagenase, elastase와 같은 분해효소가 있다. 이들 특이과립은 hemotoxylin과 같은 염기성 색소나 eosin과 같은 산성색소에 의한 염색성이 약하여 호염기구나 호산구 과립과는 감별된다. 호아주르과립(azurophilic granule)은 실제적으로 용해소체(lysosome)이다. 호중구는 혈중에서 생존하는 6시간 동안에 염증부위에서 작용하지 못하면 간이나 비장에 있는 대식세포에 의해서 포식되어 사멸된다. 많은 수의 호중구는 대정맥의 내피 벽에 느슨하게 부착되어 있는 상태로 저장소를 형성하고 있다가 스트레스나 감염 발생시에 신속하게 내피 벽에서 떨어져 혈액 내로 이동한다. 미생물을 포식하고 사멸시키는 식세포 작용에서 호중구는 초기에 반응하고, 대식세포는 후기에 작용한다.

미생물에 opsonin으로 작용하는 IgG1 또는 IgG3 항체가 고친화 Fc 수용체(high affinity Fcγ receptor)에 부착되면 호중구는 효율적인 포식작용을 수행한다. 보체계의 C3 분절도 강력한 옵소닌작용이 있다. 염증 부위로의 백혈구 이동은 사이토카인에 의해서 유도되는 백혈구 귀소수용체(leukocyte homing receptor)와 내피의 배위자(endothelial ligand)가 결합함으로써 이루어진다. TNF-α와 케모카인은 감염부위에 백혈구를 보충하는데 중요한 작용을 한다. 호중구 내에서 용해소체가 포식소체(phagosome)와 융합하여 포식용해소체(phagolysosome)가 형성되면 용해소체내의 단백질 분해효소가 작용하여 포식된 미생물을 사멸시킨다. 또한 호중구는 산소분자를 촉매적으로 전환하여 미생물을 사멸시키는데 작용한다.

2) 호염기구

호염기구(basophil)는 직경이 5~7 μm이고, 한 개의 핵과 세포질 내에 염기성으로 염색되는 과립이 있다. 호염기구는 다른 과립구와 같이 골수의 전구세포에서 유래되어 발달하여 성숙된 다음에 혈액으로 이동하여 위치한다. 호염기구는 혈액 총 백혈구의 1% 이하를 차지한다. 호염기구는 포식작용을 하지 못한다. 호염기구 표면에는 비만세포에서와 같이 IgE 항체와 고친화성으로 결합하는 FcεRI 수용체가 있다. 호염기구가 항원에 의해 활성화되면 세포질내의 과립에 있는 히스타민 등의 화학물질들이 분비되어 즉시형 과민반응이 일어난다. 또한 활성화된 호염기구에서 생성 분비되는 LTC4, LTD4, LTE4, PAF, IL-4, IL-8, IL-13 등의 화학매체와 사이토카인은 호염기구가 침윤한 표적기관에서 후기 염증반응을 유발하는데 관여한다. 이외에도 호염기구 표면에는 세포 유착분자와 IL-3, IL-5, IL-8, GM-CSF, IFN-γ 등의 사이토카인과 CR1, CR3, CR4 등의 보체에 대한 수용체가 존재하고 있다.

3) 호산구

호산구(eosinophil)는 핵이 이엽이고, 세포질 내의 과립은 산성 염색물질인 에오신에 의해 붉게 염색된다. 골수 전구세포에서 분화하여 성숙해진 호산구 대부분은 조직 내에 위치하고, 1% 미만이 혈액에서 순환한다. 정상적으로 호산구는 호흡기, 소장, 생식 요로계와 점막에 위치한다. 전구세포 증식에는 GM-CSF와 IL-3이 작용하고, 미성숙 호산구가 성숙된 세포로의 분화하는 과정에는 IL-5가 중심적 역할을 한다. 또한 GM-CSF, IL-3, IL-5는 활성화된 호산구의 수명을 연장하는데 작용한다. 염증반응 발생시 화학매개물질 및 케모카인과 혈관내피세포에 발현된 유착분자의 작용에 의해서 호산구가 혈액에서 표적기관으로 활발하게 이동된다. 표적기관으로 이동한 호산구와 다른 면역세포에서 분비되는 혈소판활성인자, 류코트리엔, 프로스타글란딘 같은 화학매개물질과 GM-CSF, IL-3, IL-5 등의 사이토카인 작용으로 호산구가 활성화된다. 활성화된 호산구 과립에서 유리된 주염기성단백질(major basic protein, MBP), 호산구양이온단백질

(eosinophil cationic protein, ECP), 호산구과산화효소 (eosinophil peroxidase, EPO) 등의 세포독성단백질과 대사과정에서 생성, 분비된 혈소판활성인자, 5-HETE, LTC4, LTD4, LTE4 등의 화학매개물질들이 후기 염증반응에 작용하여 모세혈관 투과성 증가, 평활근 수축, 섬모운동 저하, 분비물 증가, 점막 상피세포 탈락 등의 알레르기 염증반응을 유발시킨다. 이러한 후기 염증반응이 표적기관에 새로 유입된 호산구와 다른 면역세포들에서 분비된 물질들에 의해서 계속적으로 진행되면, 표적 기관의 병리학적 변화와 과민성 반응이 증가한다. 이와 같이 호산구는 후기단계의 염증반응과 병리학적 변화를 초래하는데 중심적 역할을 한다.

호산구는 호중구와는 다르게 기생충에 대하여 방어작용을 한다. 기생충 감염시 기생충과 반응한 IgE 항체가 활성화된 호산구 세포 표면의 저친화성 수용체 (low affinity receptor, FcεRII)와 결합반응하면 기생충을 살균하는 과립성 효소가 분비되어 기생충을 살해하게 된다.

참고문헌

1. Ross MH, Reith EJ. Histology: a text and atlas, New York: Harper & Row Publisher, 1985;302-37.

2. Ritter MA and Boyd RL. Development in the thymus: it takes two to tango: Immunol Today 1993;14:462-9.

3. Chauhan AJ, Krishna MT, Holgate ST. Aetiology of asthma: how public health and molecular medicine work together. Mol Med Today 1996;2:192-7.

4. Gawwinelli RT. Molecular and cellular basis of interleukin 12 activity in prophylaxis and theraphy agaist infectious diseases. Mol Med Today 1996;2:258-67.

5. Abbas AK, Lichtman AH, Pober JS. Cellular and Molecular Immunology. 4th. ed. Health Sciences Asia Pte: Elsevier Science, 2002;17-340.

6. Umetsu DT, Akbari O, DeKruyff RD. Regulatory T cells control the development of allergic disease and asthma. J Allergy Clin Immunol 2003;112:480-7.

7. Shearer WT and Fleisher TA. The immune system. In Adkinson NF. Jr, Yunginger Jw, Busse WW, Bochner BS, Holgate ST and Simons FER. Middleton's Allergy Principles and Practice. 6th ed. Pennsylvania: Mosby, Inc. 2003:1-14.

면역계

제 2 장

일차성면역결핍질환

1. 면역결핍증

가. 정의

일차성면역결핍증(선천성 면역결핍증)이란 면역계의 선천적인 결함에 의하여 초래되는 질환을 통틀어 지칭하며, 면역결핍증을 갖고 있는 환자에서는 여러 감염 인자에 의한 반복적인 감염이 발생된다. 반면 원래는 면역기능이 정상이었으나 바이러스 감염, 악성종양, 장기이식, 대사성질환, 영양실조 등에 의하여 이차적으로 면역기능이 저하되는 경우를 이차성면역결핍증이라고 한다. 일차성면역결핍증은 현재까지 95개 이상이 알려져 있다. 대부분의 면역결핍증에 있어서 면역결핍증을 초래한 유전자 변이와 이에 따른 면역학적 장애가 밝혀졌기 때문에 면역결핍증 환자의 가족에 대한 유전적인 자문 뿐만 아니라 가족 내의 변이 유전자를 가지고 있는 보인자의 확인이나 태아에 대한 산전 진단이 가능해졌다.

나. 분류

면역결핍증은 면역계 구성요소의 결함에 따라 T 림프구, B 림프구, 식세포, 보체 면역결핍증으로 구분한다. 이와 같은 분류는 면역결핍증의 임상적인 특징을 이해하거나 면역결핍증을 진단하기 위해서 시행하는 검사 결과를 분석하는데 대단히 유용하다. 예를 들어 출생 후 건강하던 영아가 반복되는 세균성 감염에 이환되고 검사 상 T 림프구의 기능과 수가 정상이지만 혈중 면역글로불린의 농도가 저하되어 있다면 체액성 면역결핍증을 의심하고 이에 대한 검사를 진행하게 된다. 이와 같이 상기한 4가지 분류에 따라 면역결핍증을 인지하고 진단하게 된다. 그러나 개개의 면역결핍증을 분류할 때에는 이와 같은 분류에 문제가 있다. 체액성 면역결핍의 경우엔 B 림프구 자체의 결함에서 초래된 임상적, 검사적 특징이 나타나지만 T 림프구 결함이 있는 경우에는 세포성면역결핍 뿐만 아니라 B 림프구가 항체를 생성하기 위해선 T 림프구의 역할이 필수적이기 때문에 체액성면역결핍이 동반되어 결과적으로 복합면역결핍증으로 나타난다.

이와 같은 특징때문에 최근에는 일차성면역결핍증은 임상증상과 면역학적 검사 및 유전적 특징에 따라 복합면역결핍증, 체액성면역결핍증, 식세포이상증, 보체결핍으로 분류하고 있다(표 2-1, 2-2, 2-3, 2-4). 이외에도 다른 선천성 기형과 동반된 면역결핍증과 T 림프구 결함에 의한 면역 결핍증이 있다. 다른 선천성 기형과 동반된 면역결핍증에는 T 림프구 면역결핍증으로 분류되었던 DiGeorge 증후군이 있다.

T 림프구 결함에 의한 면역결핍증은 주로 복합면역결핍증으로 나타나지만 면역학적 결함이 T 림프구에 한정되어 있는 질환들이다. 이들 질환들은 유전학적

표 2-1. 복합 면역결핍증의 분류

종류	혈중 항체	혈중 B 림프구	혈중 T 림프구	추정 병인	유전	관련 증상
T⁻B⁺SCID						
X-linked (γc 결핍)	↓	정상, ↑	↓↓	Mutation in γ chain of IL-2,4,7,9,15,21 receptors	XL	NK ↓↓
AR (Jak3 결핍)	↓	정상, ↑	↓↓	Mutation in Jak3	AR	NK ↓↓
IL-2Rα 결핍	↓	정상	↓	Mutation in IL-2Rα gene	AR	Lymphadenopathy Hepatosplenomegaly
IL7R deficiency	↓	정상, ↑	↓↓	Mutation in IL-7Rα gene	AR	Normal NK
CD45 deficiency	↓	정상		Mutation in CD45 gene	AR	Normal γδ Tcell
T⁻B⁻SCID						
ADA 결핍	↓	↓	↓	T-/B- cell defects from toxic metabolites	AR	
RAG 1/2 결핍	↓	↓↓	↓↓	Mutation in RAG1/2 genes	AR	
Reticular dysgenesis	↓	↓↓	↓↓	Defective maturation of T/B cells, myeloid cells (stem cell defect)	AR	Granulocytopenia Thrombocytopenia
X-linked hyper-IgM	IgM ↑, 정상 : other isotypes ↓	IgM과 IgD bearing cell (+) others (-)	정상	Mutation in CD40 ligand gene	XL	Neutropenia thrombocytopenia Hemolytic anemia GI & liver involve
PNP 결핍	정상, ↓	정상	↓	T cell defect from toxic metabolites	AR	Autoimmune hemolytic anemia
Omenn syndrome	↓, IgE ↑	정상, ↓		Missense mutation in RAG1/2 genes	AR	Erythrodermia Eosinophilia
MHC II 결핍	정상, ↓	정상	정상, CD4 ↓	Mutation in transcription factors for MHC II molecules	AR	
CD3γ or CD3γ 결핍	정상	정상	정상	Defective transcription of CD3γ or CD3ε chain	AR	
ZAP-70 결핍	정상	정상	CD8 ↓ CD4 정상	Mutation in Zap-70 kinase gene	AR	
TAP-1,2 결핍	정상	정상	CD8 CD4 정상	Mutation in TAP-1,2 gene	AR	MHC I deficiency

SCID: severe combined immunodeficiency, XL: X-linked, AR: autosomal recessive, NK: natural killer cell, ADA: adenosine deaminase, RAG: recombinase activating gene, PNP: purine nucleoside phosphorylase, ↑: 증가, ↓: 감소

발병 기전이 밝혀지지 않아 아직까지 복합 면역결핍증으로 분류되지 않았지만 후에 복합 면역결핍증으로 분류될 가능성이 있는 질환들이다.

앞서 설명한 분류 방법 이외에 분자유전학이 발달함으로써 면역결핍증을 분자유전학적 발생기전에 따라 분류하기도 한다(표 2-5). 또한 T와 B 림프구의 분화와 발달과정의 결함에 따라 다양한 면역결핍증이 발생된다(그림 2-1).

2. 면역결핍증의 진단

가. 증상

면역결핍증을 의심하게 되는 중요한 증상은 빈번한 감염이다. 따라서 면역결핍증을 의심하는 데 있어서 정상 소아들에서의 평균 감염 횟수를 아는 것이 도움이 된다. 정상 면역 기능을 가지고 있는 소아들은 첫

표 2-2. 체액성 면역결핍증의 분류

질병	혈중 항체	혈중 B 림프구	추정 병인
X-linked agammaglobulinemia	모든 isotype ↓	↓↓	Mutations in *btk*
AR agammaglobulinemia	모든 isotype ↓	↓↓	Mutations in μ or λ5 genes
Ig heavy-chain gene deletions	IgG1, IgG2(-), IgG4(-)	정상, ↓	Chromosomal deletion at 14q32
κ Chain deficiency	Ig(K) ↓	정상, ↓	Point mutations at chromosome
mutations at AR	항체반응 정상, ↓		2p11 in some patients
Selective Ig deficiency			
IgG subclass deficiency	한 가지 이상의 Ig isotype ↓	정상, 미성숙	Defects of isotype differentiation
IgA deficiency	IgA1와 A2 ↓	정상, sIgA ↓	Failure of terminal differentiation in IgA⁺ B cells
Ab deficiency with normal or elevated Igs	정상	정상	Unknown
Common variable immunodeficiency	↓IgG와 IgA±IgM	정상, ↓	Variable: undetermined
Transient hypogamma-globulinemia of infancy	IgG와 IgA ↓	정상	Differentiation defect: delayed maturation of helper function
AID deficiency(Non X-linked hyper-IgM syndrome)	IgG와 IgA ↓	정상	Mutation in activation induced cytidine deaminase gene

AR: autosomal recessive, AID: acquired immune deficiency, ↑: 증가, ↓: 감소,

10년 동안 일 년에 평균 6~8회의 호흡기 감염에 이환될 수 있으며, 첫 2~3년 동안 중이염은 일 년에 6회, 위장관염은 2회까지 이환될 수 있다. 이보다 과도한 빈도의 감염이 관찰되는 소아에서는 면역결핍증을 의심할 수 있다. 그러나 탁아소나 유아원 등에서 다른 사람과 접촉하는 시간이 많은 소아들이나 학교나 유치원에 다니는 형제가 있는 어린 소아들은 감염 인자에 더 많이 노출되어 감염의 빈도가 증가할 수 있기 때문에 판단에 유의해야 한다. 면역기능이 정상인 소아는 감염에 이환되어도 치료에 의해서 또는 치료 없이 쉽게 회복된다. 반면에 면역결핍증 환자는 중증 감염이 정상 소아에게서 보다 흔히 발생하고, 항생제로 쉽게 치료되지 않거나 치료되어도 기간이 오래 걸린다. 면역결핍증 소아들은 이와 같이 빈번하고 심한 감염으로 인해 성장장애가 나타나서 연령 증가에 따른 성장과 발달이 지연되게 된다. 이와 같이 면역결핍질환에서는 정상 소아에 비해 감염에 대한 감수성이 월등히 증가하고 치료에 반응하지 않는 특징이외에 면역결핍증을 의심해야하는 다른 징후들이 나타난다(표 2-6).

일반적으로 면역결핍증 소아들은 권태감, 영양실조, 복부 팽만 등의 비특이적 증상들을 나타내는 경우가 많다. 소화기 및 호흡기 감염으로 인한 설사, 흡수 장애, 구토 등의 소화기 증상과 기침 등의 호흡기 증상이 흔하다. 코 점막에서는 딱지화된 화농성 분비물을 동반한 염증이 자주 동반된다. 피부에서는 반상 발적, 수포, 화농피부증, 습진, 점상출혈, 탈모, 모세혈관확장증 등이 관찰될 수 있다. 세포성 면역 기능 장애를 갖고 있는 소아에서는 림프절, 편도, 아데노이드 등의 림프 조직이 비록 주위에 감염이 증명되어도 관찰되지 않는다. 체액성면역기능 장애가 있는 소아에서도 림프 조직이 보통 관찰되지 않지만, 일부 환자에서는 오히려 림프 조직의 과다형성이 관찰되기도 한다. 일차성면역결핍증 중 일부에서는 안면, 골격계, 심장 등의 선천성 형성 장애가 동반되기도 하고 피부나 머리카

표 2-3. 식세포 이상증

질병	침범 세포	기능이상	임상양상
Severe congenital neutropenia (Kostmann)	N		
Cyclic neutropenia	Mainly N		
Leukocyte adhesion defect 1	N+M+L+NK	Chemotaxis, adherence,	Delayed cord separation, chronic skin ulcers, periodontitis, leukocytosis, endocarditis
Leukocyte adhesion defect 2	Mainly N+M	Chemotaxis, rolling	Delayed wound healing, Mental retardation
Specific granule deficiency	N	Chemotaxis	
Shwachmann syndrome	N	Chemotaxis	Anemia, thrombocytopenia, pancreatic insufficiency, chondrodysplasia, hypogammaglobulinemia
Chronic granulomatous disease			
X-linked CGD	N+M	Killing	
Autosomal recessive CGD	N+M	Killing	
Neutrophil G6PD deficiency	N+M	Killing	Anemia
Myeloperoxidase deficiency	N	Killing	
Leukocyte mycobactericidal defect		Killing	Extreme susceptibility to mycobacterial and salmonella
IFN-γ receptor deficiency	M		
STAT-1 defect	M		
IL-12 receptor deficiency	L+NK		
IL-12 deficiency	M		

N: neutrophil, M: macrophage, L: lymphocyte, NK: natural killer cell

표 2-4. 보체결핍증

결핍증	동반 증상
C1qC1rC4	SLE -like syndrome, rheumatoid disease, infection
C2	SLE -like syndrome, vasculitis, polymyositis, pyogenic infection
C3, Factor I, Factor H	Recurrent pyogenic infection
C5, C6, C7, C8, C8	Neisseria infection, SLE
C9, Factor D, Properdin	Neisseria infection

락에서의 색소 침착 장애가 관찰되기도 하기 때문에 이와 같은 증상은 면역결핍증을 의심하게 하는 소견들이 된다.

나. 감염의 발생 시기와 흔한 원인균

증상이 나타나기 시작되는 시점, 임상적인 특징, 감염을 일으키는 원인균도 면역결핍증을 의심하게 하는 이유가 될 뿐만 아니라 면역결핍증의 감별진단에 유용하다(표 2-7, 2-8). 감마글로불린 결핍증에서는 모체로부터 태반을 통해 소아에게 유입된 항체에 의해 생후 첫 3~6개월 동안은 감염이 발생하지 않지만, 세포성 면역 기능 결핍이 있는 경우엔 생후 초기부터 감염이 발생한다. 특별한 이유 없이 발생하는 *Pneumocystis carinii* 등에 의한 기회성 감염은 세포성 면역 기능 결핍을 시사한다. T 림프구는 바이러스와 진균 감염을 막는 역할을 수행할 뿐만 아니라 B 림프구를 자극하여 항체를 생성하도록 한다. 따라서 세포성면역결핍증만

표 2-5. 림프구의 분자유전학적 결함에 따른 면역결핍증의 분류

질병	결함 종류	분자유전학적 양상
B cell or T cell receptor 결핍		
CD3 complex gene 결함	T 림프구 수용체 결핍	CD3 γ or ε on 11q23
Autosomal recessive agammaglobulinemia	B 림프구(-)	
Selective Ig 결핍		Ig heavy chain gene
κ chain 결핍		κ chain gene on 2p11
Cytokine receptor chain 결핍		
X-linked SCID (T$^-$B$^+$NK$^-$)		Common cytokine receptor γ chain gene (Xq13.1)
Autosomal recessive SCID (T$^-$B$^+$NK$^+$)		IL-7Rα chain gene (5p13)
Lymphoproliferative T cell 결핍	CD25 결핍	IL-2Rα chain gene (10p14-15)
Ligand pair 일부의 결핍		
X-linked hyper-IgM		CD154 (CD40 ligand) gene on Xq26.3-q27.1
Signaling molecule 의 결핍		
X-linked agammaglobulinemia(Bruton's disease)	B 림프구 (-)	Btk gene on Xq21.3
Non X-linked hyper-IgM		AID gene on 12p13
Autosomal recessive SCID		
T$^+$B$^+$NK$^+$		p56^{lck} gene
T$^-$B$^+$NK$^-$		Jak 3 gene on 19p13.1
T$^+$B$^-$NK$^+$	CD45 결핍	CD45 tyrosine phsophatase
T$^-$B$^-$NK$^+$	RAG 결핍	RAG1/RAG2 gene on 6q21.3
MHC I 결핍		TAP1/TAP2 on 6q21.3
MHC II 결핍		
CD8 lymphopenia	ZAP-70 결핍	2q12
X-linked lymphproliferative disease		
Wiskott-Aldrich syndrome		WASP on Xp11.22
Ataxia telangietasia		ATM gene on 11q22.3
Metabolic defect		
T$^-$B$^-$NK$^-$ AR SCID	ADA 결핍	ADA gene on 20q13.2-q13.11

SCID : severe combined immunodeficiency, WASP: Wiskott-Aldrich syndome protein, RAG: recombinase activating gene, ADA: adenosine deaminase, AR: autosomal recessive

있는 경우에도 복합면역결핍증에서와 마찬가지로 바이러스와 진균 감염 외에 일반 세균에 의한 감염도 흔히 볼 수 있다. 체액성면역결핍증에서는 세균에 의한 부비동염, 폐렴, 패혈증의 발생이 자주 관찰된다. 뿐만 아니라 체액성면역결핍증에 의한 IgA의 결핍은 장바이러스에 의한 뇌막염과 Giardia에 의한 만성 소화기 병변의 원인이 될 수 있다. 호중구 기능 장애가 있으면 호중구에 의해 일차적으로 제거되는 포도상구균에 의한 침습성 감염이 발생할 뿐만 아니라 그람 음성균에 의한 감염도 발생하기 쉽다. 호중구장애 시에는 장기 깊숙한 부위에 농양이 쉽게 생기며 이는 압통으로 나

표 2-6. 일차성면역결핍증을 시사하는 10가지 징후

1년 동안 8회 이상의 중이염
1년 동안 2회 이상의 심한 부비동염
2달 이상 항생제를 사용해도 치유가 안되는 감염
1년 동안 2회 이상의 폐렴
성장장애(failure to thrive)
피부 심저 또는 장기에 발생한 반복적인 농양
1세 이후에도 계속되는 아구창 또는 피부 진균 감염
정맥주사로 투여된 항생제로만 치유되는 감염
2회 이상 발생한 뇌막염, 봉와직염, 패혈증 등의 심한 감염
일차성면역결핍증의 가족력

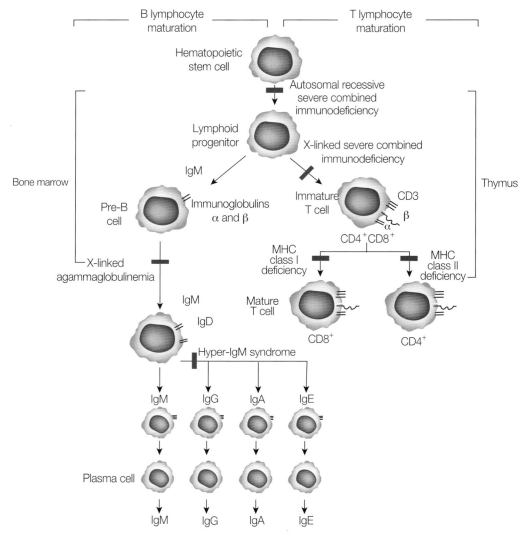

그림 2-1. 림프구의 분화단계에 따른 면역결핍증의 종류

타날 수 있다. 보체결핍 시에는 Neisseria에 의한 관절염, 뇌막염, 패혈증이 발생한다.

다. X-연관성 질환의 중요성

일차성면역결핍증은 대다수의 경우 유전되기 때문에 가족력이 진단에 중요하다. 상염색체 열성으로 유전되는 면역결핍증은 남녀 같은 빈도로 발생하며 변이

유전자를 갖고 있는 보인자의 빈도가 낮아서 가족력상 형제를 제외하고는 같은 면역결핍증 환자를 찾기가 쉽지 않다. X-연관성면역결핍증은 열성으로 유전되기 때문에 남자에게서만 발생하며 여자는 변이 유전자의 보인자일 수 있으나 면역결핍증은 발생하지는 않는다. 그러나 변이 유전자를 보유하고 있는 엄마에게서 태어난 남아의 5%에서 면역결핍증이 나타날 수 있기 때문에 환자 가족을 대상으로 유전자에 대한 자문과 향후

대책을 수립해야 한다. 따라서 X-연관성면역결핍증 환자 모계의 가족력 조사가 필요하다. 그러나 X-연관성면역결핍증에서도 약 50%에서는 면역결핍증의 가족력이 발견되지 않기 때문에 가족력이 없을 경우에도 X-연관성면역결핍증을 항상 고려해야 한다. X-연관성면역결핍증에는 Wiskott-Aldrich 증후군, X-연관성만성육아종질환, X-연관성중증복합면역결핍증, 범저감마글로불린혈증, X-연관성과IgM 증후군 등이 있다.

라. 선별 검사

면역결핍증에 대한 선별검사는 일차 및 이차 선별검사로 나누어 실시하는 것이 효과적이다(표 2-9). 일차 선별검사에는 림프구, 과립구, 단핵구 및 혈소판 수를 알 수 있는 전혈구계산(CBC)과 면역글로불린 농도 측정이 포함된다. 이와 같은 검사들은 결과의 신뢰도가 높으며 대부분의 중요 면역결핍증을 선별해 낼 수 있다. 검사 결과는 항상 같은 연령의 정상 소아들의 평균치와 비교하여 판단하여야 한다. 신생아나 어린 영아에서는 나이든 소아나 성인에 비해 림프구의 수가 더 많기 때문에 림프구감소증이 관찰되면 거의 예외 없이 면역결핍증을 의심해야 한다. 일반적으로 중증복합면역결핍증이나 흉선저형성증과 같은 질환에서는 보통 총 림프구 수가 1,500/μL 이하이다.

림프구는 바이러스 감염, 영양결핍, 자가면역성 질환, 혈액 종양 등에서도 감소되므로 감별이 필요하다.

표 2-7. 일차성면역결핍증의 질환별, 연령별 특징

임상양상	진단
6개월까지	
저칼슘혈증, 선천성심장질환, 거친 얼굴모양	DiGeorge 증후군
제대탈락지연, 백혈구증가증, 재발성 감염	과립구당단백질결핍증
설사, 폐렴, 아구창, 성장장애	중증복합면역결핍증
구진성반점, 탈모증, 림프선비대, 간비종대	중증복합면역결핍증, 이식편대숙주반응
지루성피부염, 난치성, 재발성 감염	C5결핍, Leiner병
혈변, 이루, 습진	Wiskott-Aldrich 증후군
구내궤양, 호중구감소증, 재발성 감염	과IgM 증후군
6개월~5세	
심한 진행성 전염성단핵구증	성염색체열성림프세포증식성증후군
경구용 소아마비백신 투여후 마비성 질환 발생	성염색체열성무감마글로불린혈증
거친얼굴, 반복적인 피부 및 전신포도상 구균감염	과IgE 증후군
반복적 피부 포도상구균 감염과 붉은 머리 소녀	과IgE 증후군 Job varient
지속적인 아구창, 손톱위축증, 내분비증	만성점막피부캔디다증
왜소증, 가는 머리카락, 심한 수두	연골모발형성부전증, 단사지왜소증
5세 이상	
진행성피부근염, 만성에코바이러스 뇌염	성염색체열성무감마글로불린혈증
부비동염, 폐렴, 신경학적 황폐, 혈관확장증	혈관확장성실조증
안피부형 백색증, 재발성 감염	Chédiak-Higashi 증후군
림프선비대증, 피부염, 폐렴, 골수염	만성육아종질환
반복적인 *Neisseria* 뇌막염	C6, C7, C8 결핍증
부비동염, 폐렴, 흡수장애, 비장비대, 자가면역질환	분류불능형면역결핍증
생달걀 섭취후 캔디다증	Biotin dependent carboxylase 결핍증

표 2-8. 주요 일차성면역결핍증에서 감염의 대표적인 원인균

원인균	체액성	세포성	식세포	보체
바이러스	enterovirus	All	No	No
세균	S. pneumoniae	S. typhi	S. aureus, enteric flora P. aeruginosa, S. typhi, N. asteroides	N. meningitidis
진균	No	C. albicans, H. capsulatum A. fumigatus, C. immitis	A. fumigatus, C. albicans	No
원충(Protozoa)	G. lamblia	P. carinii, T. gondii	P. carinii	No

표 2-9. 일차성면역결핍증에 대한 선별검사

일차 선별검사
흉선 크기 확인을 위한 흉부 X선 검사
백혈구 감별을 포함한 일반 혈액 검사(총 백혈구 및 림프구 수)
면역글로불린 측정
지연성 피부반응 검사
아데노이드 확인을 위한 두부 X선 검사

이차 선별검사
T 또는 B 림프구에 대한 유세포 검사
자극원에 대한 T 또는 B 림프구의 생체 외 반응검사
예방접종에 대한 항체 생성 측정

또한 영아나 어린 소아에서 면역결핍증이 의심될 때 림프구 수가 정상일지라도 면역결핍증을 완전히 배제할 수 없는데 그 이유는 임신 중에 림프구가 엄마에게서 태아로 이동될 수 있기 때문이다. 다른 아형은 측정되지 않으면서 IgM의 농도가 정상이거나 높은 경우는 과IgM증후군 뿐만 아니라 X-연관성 중증복합 면역결핍증이나 다른 형의 복합 면역결핍증에서도 관찰될 수 있다. 또한 분류불능형면역결핍증이나 과IgM증후군에서는 IgM이 단일체(monomer)로 존재하는 경우가 많아 IgM 농도가 실제보다 높게 측정될 수 있다. IgG 아형의 농도에 대한 검사는 면역결핍증에서의 중요성은 제한적이며, 농도 그 자체보다도 항원 특이 IgG 아형의 생성이 더 중요하다. 면역글로불린이 소실되는 경우에도 면역글로불린의 농도가 저하되기 때문에 면역글로불린 농도가 낮다고 해서 무조건 면역결핍증으로 진단해서는 안된다. 따라서 면역글로불린이 감소된 경우 항상 함께 소실되는 알부민의 농도를 측정하여 면역글로불린의 소실 여부를 확인해야 한다. 세포성 면역 기능을 알아보기 위해 시행하는 지연성 피부 과민반응 검사도 일차 선별검사에 포함된다. 지연성 피부 반응 검사가 양성이면 T 림프구가 정상적으로 작용한다는 것을 의미한다. 지연성 피부 과민반응 검사로 PPD를 이용한 결핵 반응 검사가 대표적 검사이다. 이외에 볼거리, trichophyton, 캔디다, 파상풍이나 디프테리아 toxoid를 검사 항원으로 사용한다. 이와 같은 항원들은 인위적 또는 자연적으로 인체에 노출되기 쉽다. 그러나 어린 영아들은 이런 항원들에 노출될 기회가 상대적으로 적기 때문에 정상 T 림프구 기능을 갖고 있어도 음성으로 나타날 가능성이 높다. 나이 든 소아에서도 항원에 노출되지 않았거나 노출이 되었어도 T 림프구가 충분히 자극되지 않았다면 피부 과민반응 검사가 음성으로 나타날 수 있다. 또한 피부 과민반응 검사는 스테로이드 제제와 같은 약물 치료, 중증 질환 등에 의해서도 영향을 받을 수 있기 때문에 적절한 시기에 여러 개의 항원으로 검사하여 양성 반응의 여부를 관찰하는 것이 좋다. 일차적인 선별검사의 결과가 정상이 아니거나 정상이라도 면역결핍증이 강력히 의심될 경우에는 이차 선별검사를 실시해야 한다. 여기에는 T 또는 B 림프구의 기능에 대한 검사, 보체기능에 대한 검사, 탐식구 기능검사 등이 포

함된다. 상기에서와 같은 선별검사이외에 일차성면역결핍증에서 나타나는 증상과 면역학적 특성에 따라 필요한 검사를 선택하여 실시한다(표 2-10).

마. 특정 면역결핍증에 대한 검사

1) 세포성면역결핍

T 림프구 면역작용의 장애가 의심되는 소아에서 지연성 피부 반응이 음성으로 나타나도 말초혈액 T 림프구의 아형의 비율과 수를 측정하고 T 림프구 기능에 대한 검사를 실시하도록 한다. CD3, CD4, CD8 양성 T 림프구 수는 유세포 분석을 이용하여 측정할 수 있다. T 림프구 기능에 대한 생체 외 검사는 T 림프구가 포함된 말초혈액 단핵세포와 T 림프구를 자극할 수 있는 mitogen (PHA, ConA), 동종항원, 또는 CD3와 CD28에 대한 단일항체 등과 함께 배양한 후에 나타나는 T 림프구의 반응을 관찰하는 것이다. T 림프구의 정상적인 반응은 T 림프구의 증식정도 측정, T 림프구가 생성하는 사이토카인 측정, 또는 T 림프구에 새롭게 표현되는 CD25, CD69, 또는 CD71에 대한 분석 등을 통해 알 수 있다. 자연살해세포의 수는 CD16 또는 CD56 항원에 대한 유세포분석을 이용하여 평가할 수 있다.

자연살해세포의 기능은 자연살해세포에 의한 K562 세포 사멸 정도를 측정하여 평가할 수 있다. 이와 같은 자연살해세포에 대한 검사는 중증복합면역결핍증, Chédiak-Higashi 증후군 등의 진단에 유용하다.

2) 체액성면역결핍

체액성 면역기능을 알아보기 위해 시행하는 선별검사는 항원에 대한 항체 반응을 측정하는 것이다. 측정하는 항체는 3가지로 구분할 수 있다. 첫째는 자연적으로 생성되는 항체(natural antibody)로 A, B형 혈액에 대한 IgM 항체인 isohemagglutinin이다. 혈액형이 AB형인 소아에서는 isohemagglutinin이 생성되지 않기 때문에 측정되지 않는다. 두번째는 기본 접종에 포함되는 예방접종을 시행한 후 생성되는 항체이다. 예방접종을 시행받지 않은 소아의 경우 DTP나 b형 헤모필루스 인플루엔자 백신을 접종 3주 후에 항체가를

표 2-10. 일차성면역결핍증의 특징적인 징후 및 진단을 위한 검사

일차성면역결핍증의 종류	징후	검사법
세포성	기회성 감염, 발육부전, 체중 감소, 피부염 악성 종양, 림프절 종대 또는 림프조직 결핍	전혈구계산 말초혈액 단핵세포에 대한 유세포검사 (CD4, CD8, CD20, CD64) 흉선 크기 확인을 위한 흉부 X선 검사 지연성 피부반응검사 림프구 기능에 대한 생체외 검사
체액성	화농성 균에 의한 부비동염 및 폐렴 기관지 확장증, 위장관염, 자가면역질환, 악성 종양	혈중 면역글로불린 측정 예방 접종에 대한 항체 생성 측정 Isohemagglutinin
식세포	피부 및 세망내피계 농양	호중구 수 측정 Nitroblue tetrazolium (NBT) 검사 또는 dihydrorhodamine 유세포 검사 CD11 및 CD18에 대한 유세포 검사
보체	*Neisseria* 감염, 화농성 감염 자가면역성 질환	CH_{50}

ELISA 방법으로 측정한다. 디프테리아에 대한 IgG 항체 생성은 피부 반응으로 검사하는 Schick test를 실시할 수도 있다. 이미 예방접종을 시행 받은 소아에서는 일단 항체가를 측정하고 만약 항체가가 낮은 경우 booster를 접종한 후 항체가를 측정한다. Booster로는 보통 DT나 DTP를 사용한다. 세번째는 bacteriophage φX 174 또는 pneumococcus나 meningococcus에서 유래한 다당류 등의 항원을 주입한 후 생성되는 항체이다. 이와 같은 항원에 대한 항체 반응은 보통 2~4세에 정립되기 때문에 5세 미만의 소아에서의 항체가 측정은 유용하지 않을 수 있다. B형 간염에 대한 예방접종을 시행받은 경우에 B형 간염 바이러스에 대한 항체가를 측정하여 B 림프구의 기능을 확인할 수 있으나 접종자 중에는 항체 반응을 보이지 않는 경우가 많기 때문에 주의해야 한다. 말초혈액이나 골수에서 존재하는 B 림프구의 수는 CD19 또는 CD20 항원에 대한 유세포분석을 실시하여 측정할 수 있다. B 림프구를 pokeweed mitogen 등과 같은 B 림프구 자극 인자와 배양한 후 형질세포로의 분화와 항체가 측정을 실시하여 B 림프구의 기능을 확인할 수 있다.

3) 기타

식세포의 면역기능에 대한 검사로는 전혈구계산(CBC)을 통한 식세포 수 측정과 기능검사 등이 있다. 만성육아종성질환은 nitroblue tetrazolium (NBT) 검사 또는 ^{123}fluorescence를 이용하는 유세포 검사방법으로 진단한다. 백혈구유착물질결핍증은 유세포 검사를 이용하여 백혈구 표면의 CD11 및 CD18을 측정하여 진단한다.

보체결핍에 대한 선별검사로는 C3, C4 농도와 CH_{50}을 측정한다. 전반적인 보체의 기능을 확인하기 위한 가장 유용한 검사는 CH_{50} 측정이다.

3. 면역결핍증의 치료

가. 골수 이식

사람백혈구항원(HLA) 복합체가 일치하는 골수를 이식하면 adenosine deaminase 결핍증이나 reticular dysgenesis를 포함한 대부분의 복합면역결핍증 환자에서 완전한 면역 기능의 회복을 기대할 수 있다. 골수 이식은 Wiskott-Aldrich 증후군, 백혈구유착물질결핍증(leukocyte adhesion deficiency), MHC class II 결핍증, Kostmann 증후군, 만성육아종병, X-연관성과IgM 증후군에서도 성공적으로 시술된다. 가장 이상적인 골수이식은 HLA-A, B, C와 DR이 일치하는 골수를 이식하는 것이지만 불행하게도 많은 환자들의 경우 이와 같은 골수를 제공할 수 있는 공여자를 찾을 수 없다. 따라서 차선책으로 일배수동종(haploidentical) 골수를 이용하여 골수이식이 시행되는 경우가 많다. 일배수동종 골수이식의 경우 이식편대숙주병을 방지하기 위해 제공자의 골수에서 T 림프구의 제거가 필수적이다. 일반적으로 일배수동종 골수이식 시에는 골수이식 후에 T 림프구의 착상(engraftment)은 성공적인 경우가 많지만 B 림프구의 착상은 실패하는 경우가 많다. 이는 골수이식 후에도 지속적인 면역글로불린의 투여를 필요로 하는 이유가 된다. 또한 일배수동종 골수이식 시에는 완전 일치 골수이식에 비해 면역 세포들이 완전히 회복될 때까지의 기간이 더 길다. Epstein-Barr 바이러스에 의한 림프종의 발생도 일배수동종 골수이식 시에 훨씬 빈번하다. 골수 은행에 등록된 사람들의 골수를 이용하여 골수이식이 시행되는 경우가 점점 증가하고 있으며, 이 경우엔 HLA-D를 일치시키도록 하여야 한다. 제대혈이나 말초혈액에 존재하는 줄기세포를 이식하는 방법도 점차 증가하고 있다.

급성이식편대숙주병은 보통 골수이식 후 10~14일 사이에 발생하며, 발열, Coombs양성용혈성빈혈, 홍반성 피부발진, 혈성 설사, 간비장 비대, 범혈구감소증,

사망 등을 초래한다. 이식편대숙주병을 예방하기 위해 cyclosporine을 단독 또는 methotrexate와 병합 투여하고, T 림프구가 충분히 제거된 골수를 이식해야 한다. 이식편대숙주병은 급격하게 발생하지 않고 천천히 그러나 지속적으로 발생할 수도 있다. 이럴 경우 간비대, 황달, 피부 발진 등이 동반되고, 수 개월간 지속되어 만성화가 되면 예후는 좋지 않다.

이식 후 면역기능의 회복은 체중 증가와 캔디다 감염의 신속한 호전 등의 임상 양상, 말초혈액에서의 T와 B 림프구 출현, 골수 제공자에서 유래한 세포 증명, 결핍된 효소 활성의 회복, 혈중 항체 농도 증가, 항원 자극에 의한 항체 생성, C1q 수치 정상화, 세포매개반응의 증명 등으로 확인할 수 있다. 키메라현상 (chimerism)은 이식된 골수의 착상에 대한 가장 신뢰할 수 있는 증거로 염색체 검사, HLA와 적혈구 항원에 대한 검사, 동종이형(allotype)의 혈장 단백이나 효소의 존재, 유전자 검사 등을 통해 알 수 있다.

성공적인 골수이식 후에도 면역기능의 점차적인 저하가 관찰되는 경우가 있기 때문에 이식 후 정기적인 면역기능검사가 필요하다. 또한 골수이식을 받은 환자에서는 *Pneumocystis carinii*, 수두, CMV 등의 감염이 문제가 되는 경우도 있는데, 각각 bactrim, acyclovir와 varicella-zoster immunoglobulin (VZIG), gancyclovir와 foscarnet으로 치료한다.

나. 면역글로불린 투여

면역글로불린은 IgG 항체가 저하되었거나 항체 생성에 결함이 있는 환자에게 투여한다. 면역글로불린에는 정맥 주사용과 근육 주사용이 있으며, 근육 주사용은 절대로 정맥으로 투여해서는 안되지만 피하로는 투여될 수 있다. 일반적으로 항체 보충의 목적으로 정맥 주사용 면역글로불린이 사용되며, 정맥주사용 면역글로불린 제조 과정에는 바이러스 제거 과정이 포함되어 있기 때문에 바이러스 감염의 위험이 거의 없다.

면역글로불린을 조기에 필요한 용량으로 주기적으로 투여하면 감염과 폐의 손상을 방지할 수 있다. 면역글로불린의 투여로 혈중 IgG 농도를 거의 정상으로 유지할 수 있으며 매달 400~500 mg/kg을 투여하는 것을 기본으로 한다. 면역글로불린 투여로 만성적인 폐 손상으로 인한 폐기능 저하도 회복될 수 있다. 정맥 주사용 면역글로불린에는 주로 IgG1과 IgG2가 포함되어 있으며, IgG3와 IgG4는 소량이 포함되거나 거의 포함되어 있지 않다. 이와 같은 조성은 선택적 IgG 아형 결핍을 포함한 면역글로불린의 투여가 필요한 모든 질환에서 감염을 예방하는데 문제가 되지 않는다.

면역글로불린 투여의 부작용은 호흡곤란, 허리 및 옆구리 통증, 저혈압, 허탈, 발열, 근육강직 등이며, 심한 천명, 흉통, 아나필락시스의 증상이 나타나면 투여를 중단하고 항히스타민제제, 아드레날린제제, 스테로이드제제를 즉시 투여한다. 이와 같은 부작용은 주로 면역글로불린 응집물에 의하며, 간혹 IgA에 대한 항체나 너무 빠른 투여에 기인한다. 또한 부작용은 항체 결핍이 심할수록 빈도가 증가하며 첫 번째 투여 시 가장 자주 나타난다.

다. 효소 보충

효소 보충이 필요한 대표적인 면역결핍증은 ADA와 PNP 결핍증이다. 방사선 조사된 적혈구를 투여하여 결핍된 이들 효소의 보충을 시도할 수 있으나 그 양이 충분하지 않다. ADA 결핍증의 경우 polyethylene glycol에 결합된 소의 ADA를 투여함으로써 결핍된 효소를 보충할 수 있다.

라. 예방접종과 수혈

면역결핍증이 의심되는 소아에게는 진단되기 전에는 생백신 접종을 절대로 시행하지 않는다. 세포성 면역결핍증의 경우 생백신에 의한 심한 감염이 발생할 수 있다. 세포성면역결핍증 소아에게 BCG를 접종한 경우엔 항 결핵 치료가 즉시 시행되어야 한다. 탐식구 기능 결핍이 있는 소아에게도 BCG 접종은 금기이다. 심한 체액성 면역결핍증이나 중증복합면역결핍증에서는 생백신에 의한 항체 생성을 기대할 수 없을 뿐만 아니라 생백신 접종 자체가 금기이다. 면역결핍증이 의심되는 소아의 가족도 생백신 접종은 금기이다. 사백신은 면역결핍증을 갖고 있는 소아에게 접종해도 문제될 것이 없으며 백신 접종 후 의미 있는 항체 생성이 관찰되면 백신 접종이 권장된다. 특히 독감 예방접종에 대해 항체 생성이 가능한 면역결핍증 소아들에게는 독감 예방접종을 시행한다. 면역결핍증이 의심되는 소아에게는 진단되기 전에는 수혈도 절대로 시행해선 안된다. 이는 세포성면역결핍이 있는 경우 수혈에 의한 이식편대숙주반응이 발생하기 때문이다. 이런 환자에게 수혈을 할 때에는 충분한 방사선 조사, 냉동, 또는 원심분리의 과정을 거친 후 수혈을 시행하여야 한다. 또한 오래된 피, 세척한 적혈구, 처리하지 않은 혈장, 혈소판 제제 모두에는 살아있는 림프구가 포함될 수 있으므로 이들 제제를 투여할 때에는 각별한 주의가 요망된다. IgA를 전혀 가지고 있지 않은 선택IgA결핍증 환자의 경우 수혈이나 면역글로불린 투여는 아나필락시스를 유발하기 때문에 시행하지 않는다. 수혈이 꼭 필요한 경우 세척한 적혈구를 사용하며, 면역글로불린은 IgA가 낮은 농도지만 존재하기 때문에 절대로 투여해서는 안된다.

4. B 림프구면역결핍증(체액성면역결핍증)

B 림프구면역결핍증은 인체에서 다양한 항원 자극에 대한 항체 생성반응이 감소하여 체내의 각종 면역글로불린의 농도가 감소되는 특징 때문에 항체 또는 체액성 면역결핍증이라고도 한다. 이 질환에서의 항체 생성 이상은 항체를 생성하는 B 림프구의 내인성 결함 또는 항체 생성 과정에서 B 림프구와 T 림프구의 상호정보 전달체계의 결함에 의해서 발생한다. 그러나 세포성 면역

반응은 정상이다. B 림프구면역결핍증의 가장 흔한 합병증으로는 *Streptococcus pneumoniae, Haemophilus influenzae, Staphylococcus aureus, Neisseria meningitidis* 등의 세균에 의한 재발성 호흡기 감염이다. 이외에 농성 피부 감염, 뇌막염, 골수염, 패혈증 등도 빈번하게 나타난다. 바이러스성 감염은 대부분 잘 치유되지만, 일부에서는 중화 항체 생성의 저하나 기억세포의 결여로 인해 재발성 감염이 나타난다.

B 림프구면역결핍증은 임상적으로 세균성 감염이 빈번하고 심하게 발생하는 특징을 보이지만, 혈액검사를 통하여 항체가 감소된 것을 확인하기 전에 임상증상만으로 질병을 예견할 수는 없다. 그러나 부비동염이 반복되거나 1세 이상의 소아가 심한 패혈증을 앓은 경우처럼 증상이 심하고 재발성이며 치료에 잘 반응하지 않는 세균 감염이 있으면 연령에 따른 정상 항체가와 비교하여 항체결핍증을 한번 쯤 의심해 보아야 한다(표 2-11).

일차성면역결핍증의 발생 빈도는 1/10,000~1/2,000 정도이다. 이중 항체생성 이상에 의한 경우가 약 50% 정도가 되기 때문에 체액성면역결핍증의 빈도는 1/20,000~1/4,000 정도 된다. 따라서 항체 생성 이상에 의한 면역결핍증은 인구 10만 명에 4~5명 정도 발생하는 것으로 추정된다. 체액성면역결핍증의 약 50% 정도에서는 일시적인 항체결핍증 상태에 있다가 성인이 되면서 호전되기 때문에 성인에 비해서 소아에서 발생 빈도가 높다.

가. X-연관성범저감마글로불린혈증

X-연관성범저감마글로불린혈증(X-linked agamma-globulinemia)은 1952년에 Ogden Bruton에 의하여 처음으로 보고되어 Bruton 범저감마글로불린혈증이라고도 하며, X 염색체(Xq22)에 존재하는 Bruton's tyrosine kinase (Btk)의 유전자 결함에 의해서 발생하는 질환이다. Btk는 B 림프구 면역글로불린 수용체로부터 정보를 전달하는 단백으로 B 림프구의 발달 과

표 2-11. 연령과 부위에 따른 면역글로불린의 정상치

구 분	연 령	IgG (mg/dL)	IgA (mg/dL)	IgM (mg/dL)	IgE (mg/dL)
혈청	신생아	600~1,670	0~5	6~15	0~7.5
	1~3개월	218~610	1.3~53	11~51	-
	4~6개월	228~636	4.4~84	25~60	-
	7~9개월	292~816	11~106	12~124	-
	10~18개월	383~1,070	27~169	28~113	-
	2세	423~1,184	35~222	32~131	137±147
	3세	477~1,334	40~251	28~113	-
	4~8세	540~1,570	48~535	20~112	251±167
	9~14세	570~1,570	86~544	33~135	330±212
척수액	정상	3±1	0.4±0.5	0	
	화농성 감염	9	4	4	
	바이러스성 감염	4	1	0.5	
분비액	초유(colostrum)	10	1,234	61	
	이하선 타액(자극 후)	0.036	3.9	0.043	
	혼성 타액(자극 없이)	4.86	30.4	0.55	
	소장액(jejunum)	34	-	70	

정에서 지속적으로 발현되며, 단핵구, 대식세포, 비만세포, 적혈구 전구세포 및 혈소판에서도 발현된다. Btk의 결핍으로 인해 B 림프구 발달 초기 단계에서 pro-B 림프구가 pre-B 림프구로 또는 pre-B 림프구가 B 림프구로 전환되지 않아 성숙한 B 림프구가 생성되지 않는다.

X-연관성범저감마글로불린혈증은 남자에서만 발생하며, 영아기에는 모체로부터 받은 항체의 영향으로 임상 증상이 나타나지 않는 경우가 많다. 그러나 모체로부터 받은 IgG 항체가 고갈되는 시기인 6~18개월부터 세균성 감염이 빈번하게 발생하기 시작한다. 이 질환에서는 편도와 림프절이 관찰되지 않으며, 혈청 면역글로불린이 없거나 극히 소량 존재하며, B 림프구가 결여되어 있는 것이 특징적이다. 백혈구 감소는 약 10~25%에서 관찰된다. 세포성 면역은 정상임에도 불구하고 일부에서는 enterovirus 감염에 의한 만성 뇌염, 소아마비 생백신에 의한 소아마비, coxsackievirus에 의한 만성 비진행성 신경염, mycoplasma 혹은

ureaplasma 감염에 의한 관절염 등이 보고되었다. 드물게는 Pneumocystis carinii에 의한 기회 감염도 발생한다. X-연관성범저감마글로불린혈증의 특이적인 소견은 아니지만, 세포매개성 자가면역 질환의 하나인 인슐린의존성당뇨병이 동반되기도 한다.

이 질환은 반복되는 중증 감염과 가족력이 있는 경우 의심할 수 있다. 특징적인 소견은 편도선, 아데노이드, 말초 림프절의 저형성이다. 혈청 IgG, IgA, IgM이 모두 정상 표준치의 95% 이하로 저하되어 있으며, 대부분에서 총 감마글로불린의 혈중 농도가 100~150 mg/dL 이하이다. 혈액형 A, B에 대한 자연항체인 isohemagglutinin이 생성되지 않으며, DTP나 H. influenzae 예방 접종 후에도 항체가 생성되지 않는다. 혈액 내 B 림프구와 형질세포가 발견되지 않으며, 림프절에서 종자중심이 관찰되지 않는다. 그러나 흉선을 비롯한 세포면역 검사는 정상이다. 분자생물학적 검사로서 단핵구, 혈소판, 거대핵세포(megakaryocyte)에서 Btk 발현여부를 조사할 수 있는데, 이는 X-연관성범저

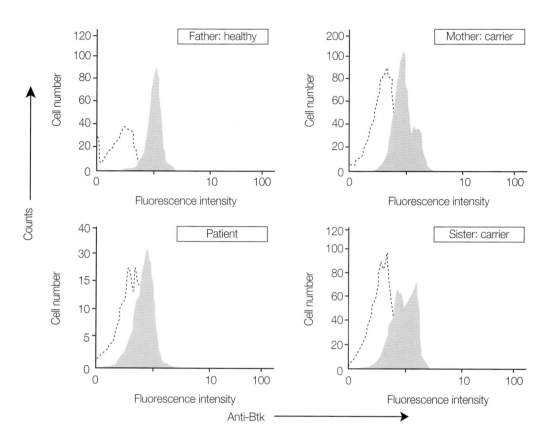

그림 2-2. X-연관성범저감마글로불린혈증에서 유세포 계측기를 이용한 단핵구세포질내의 Btk 발현 분석. 단핵구에서의 Btk 단백질의 발현율이 아버지에게서는 99.7%로 정상이었다. 어머니에게서는 40.0%, 여동생에게서는 55.9%가 발현되어 전형적인 mosaic 양상을 나타내었다. 환자에게서는 발현율이 2.3%로 낮게 나타났다.

감마글로불린혈증을 진단하고 보인자를 검출하는데 유용하게 활용된다(그림 2-2). 일부의 환자에서는 소량의 정상 B 림프구가 존재하여 소량의 항체를 생성하는 경우도 있다.

나. 상염색체열성범저감마글로불린혈증

상염색체열성범저감마글로불린혈증(autosomal recessive agammaglobulinemia)은 남녀 모두에서 발생하고, B 림프구가 없거나 극히 소량이 존재하여 임상증상은 X-연관성범저감마글로불린혈증과 비슷하게 나타나지만 Btk의 이상이 없는 것이 특징이다. 이 질환의 발생은 여러 종류의 유전자 이상에 의해서 발생하는데 50% 정도에서만 유전자 이상이 밝혀졌다. 이 질환에서의 유전자 이상은 상염색체 열성으로 유전되며, immunoglobulin(Ig) - μ heavy-chain locus (IGHM)의 변이에 의하여 pre-B 림프구와 성숙 B 림프구의 Ig 수용체 생성이 안되어 발생한다. 또한 λ5 유전자 또는 Igα(CD79a)의 결여에 의해서 나타날 수 있고, B 림프구 linker protein인 BLNK의 변이도 Ig 수용체 발현 장애를 초래하여 B 림프구의 초기 단계 발달을 저해할 수 있다.

다. 분류불능형면역결핍증

분류불능형면역결핍증(common variable immuno-deficiency)의 병인은 정확히 밝혀지지 않았다. 비교적 흔한 후발성 체액성면역결핍증으로 10대와 20대에 빈발하며, 남녀 모두에서 발생하는 면역결핍질환이다. IgG 결핍과 함께 IgA 결핍도 동반되며, 부비동 또는 폐의 세균성 감염이 빈번하게 발생하는 것이 특징이다. 합병증으로 일부에서는 기관지확장증, 기도 폐쇄성질환, 이산화탄소 확산능 감소 등이 초래된다. 분류불능형면역결핍증에서는 천식, 만성비염, 만성적인 giardia 감염, 재발성 혹은 만성관절염 등이 동반될 수 있으며, 만성적인 장바이러스 감염에 의한 신경내염도 발생한다. 약 10%에서는 혈청 IgE가 정상이면서도 아토피 질환과 유사한 증상이 발생하며, 소화 흡수 장애, 염증성 장질환, 자가면역 질환의 일환인 악성 빈혈이나 자가면역성 혈액세포 감소증(혈소판 감소증, 빈혈, 호중구 감소증)이 동반된다. 피부나 장막에 sarcoidosis와 유사한 non-caseating granuloma가 동반될 수 있는데, 이러한 질환들은 면역 억제제로 치료할 수 있다. 광범위한 림프계의 증식으로 인하여 비장 비대, 임파선 비대, 장관계 림프절 증식을 초래하기도 한다. 또한 위장관 및 림프계 악성 질환의 발생 빈도가 높다. 예를 들어 악성 림프종 발생 빈도는 일반인보다 30~400배 높고, 분류불능형면역결핍증의 1.4~7%에서 악성 림프종이 발생하였다는 보고도 있다. 대부분 non-Hodgkin's lymphoma로서 주로 장점막 림프조직에서 기인한다. B 림프구 수는 대부분에서 정상이고, B 림프구의 기능은 일부에서 다소 감소한 경우도 있지만, 체외에서의 항원 자극에 의한 항체 생성 작용은 정상이다. T 림프구 기능은 50% 이상에서 저하되어 있으며, CD4$^+$ 림프구와 CD8$^+$ 림프구의 비(CD4$^+$/CD8$^+$ < 1.0)가 감소되어 있다.

대부분의 분류불능형면역결핍증은 산발적으로 발생하며, 진단시 검사소견으로는 IgG, IgA, IgM 등이 현저하게 감소되어 있는데, 대부분의 경우 IgG가 400 mg/dL 이하이다. B 림프구의 항원에 대한 항체 반응은 저하되어 있다. X-연관성범저감마글로불린혈증과는 다르게 B 림프구는 존재한다. 한편 SH2D1A signal transducing molecule의 변이로 발생하는 질환인 X-연관성 림프증식성질환(lymphoproliferative disease) 환자의 일부에서 면역글로불린 생성 이상이 관찰되는 초기에 분류불능형면역결핍증으로 오인되기도 한다. 따라서 분류불능형면역결핍증으로 진단된 남자 환자에서는 치료와 예후가 확연히 다르기 때문에 X-연관성 림프증식성질환과 X-연관성범저감마글로불린혈증을 반드시 감별 진단하여야 한다.

라. 선택적IgA결핍증

사람의 IgA에는 IgA1과 IgA2 아형이 있는데, 이들의 생성은 14번 염색체의 heavy chain C-region에 위치한 유전자에 의하여 결정된다. IgA1은 혈청 총 IgA의 80~90%를 차지하며, IgA1과 IgA2는 동등하게 분비형 IgA(sIgA) 생산에 기여한다. 선택적IgA결핍증(selective IgA deficiency)에서는 두 아형 모두 감소하여 대부분에서 혈청 IgA 농도가 10 mg/dL 이하이다. 발생빈도는 서양(1/700)과 일본(1/18,000)에서 차이가 있어 인종에 따른 차이가 있을 것으로 사료된다. 일부에서는 분류불능형면역결핍증 또는 IgG아군결핍증의 임상 양상과 매우 유사한 증상을 나타낸다. 한편 분류불능형면역결핍증의 가족 중에서 선택적IgA결핍증 발생이 높고, IgA결핍증이 후에 분류불능형면역결핍증으로 전환하는 경우도 있어 두 질환의 연관성이 의심된다.

IgA결핍증에서는 아토피성 질환이 동반되는 경우가 흔하고, 류마티스관절염, 전신성홍반성루프스(SLE), 인슐린의존성당뇨병 및 기타 내분비계 질환 등의 자가면역 질환도 드물지 않게 발생한다. 선택적IgA결핍증의 1/3에서 IgG아군결핍이 관찰된다. IgG아군결핍증 환자에게서 만성 세균성 부비동염이 정상인에 비해 빈발하며, 특정 항원에 대한 특이적인 IgG 생성의 결여로 인해 반복적인 세균 감염도 흔하다. IgA 생성

부전에 대한 연구에 의하면 IgA 생성 저하는 B 림프구의 내인성 결함, IgA 억제 T 림프구의 조절 이상, B 림프구와 IgA 억제 T 림프구의 복합적인 이상, T 림프구의 선택적인 IgA 생성 도움 과정의 결함 등의 4가지 형태의 결함에 의해서 나타난다고 한다. 이 질환의 유전적 결함은 아직 확실히 밝혀지지 않았지만, 백인에게서 선택적IgA결핍증과 분류불능형면역결핍증이 HLA A1, B8, DR3와 관련이 있으며, 'immunoglobulin A deficiency susceptibility' locus가 HLA class II와 class III region 사이에 있음이 밝혀졌다. 또한 phenytoin에 의한 혈청 IgA 감소가 보고 되었지만, 약물 중단 후 정상으로 회복됨이 확인되었다.

마. IgG아군결핍증

사람의 IgG는 IgG1, IgG2, IgG3 및 IgG4의 4 종류의 아군이 있는데, 각각의 비율은 정상인의 경우 각각 67%, 23%, 7% 및 3%이다. IgG1은 단백질 항원에 대한 주된 면역 항체이며, IgG2는 폐렴구균이나 H. influenzae 균의 피막 다당질에 반응하는 주된 면역 항체이다. IgG아군결핍증(IgG subclass deficiency)은 4 종류의 IgG 아형 중에서 한 가지 이상의 아형 농도가 낮은 경우를 말한다. IgG아군결핍 질환의 대부분은 무증상 상태를 나타내고, 백신이나 세균에 대한 특이항체 생성 반응도 일부에서만 결여되어 있으므로 진단이 지연되는 경우가 많다. 그러므로 병력을 자세히 조사하면 잦은 부비동 및 폐의 세균성 감염이 관찰되는 정도이다. 임상적 증상으로는 흔한 원인균에 의한 반복적인 부비동 또는 폐의 세균성 감염, 재발성 바이러스 감염 및 설사 등이 발생한다. 이외에도 천식이나 비염 등의 알레르기 질환, 혈관염이나 자가면역 질환들이 동반된 다양한 임상 양상이 나타난다. 이 질환의 원인으로 유전적 결함이 확실하게 밝혀지지 않았지만 IgG2 결핍의 경우 세포 표면에 IgG2가 표현되는 것을 억제하는 변이가 관찰된 증례 보고가 있다.

소아에서는 IgG2 결핍이 가장 많은데, 이는 IgG4 또는 IgA 결핍을 동반하는 경우가 많으며 남자에서 주로 발생한다. IgG3 결핍은 여자에서 보다 흔하며 IgG1 감소를 동반하기도 한다. 소아에게서 IgG아군결핍증은 연령이 증가함에 따라 임상적으로 호전되는 것이 보통이지만, 결핍된 IgG 아군의 농도는 정상화 되지 않는다.

바. 정상 면역글로불린혈증을 동반한 특이항체감소증

정상 면역글로불린혈증을 동반한 특이항체감소증 (specific antibody deficiency with normal immunoglobulin)은 혈청 총 IgG와 아형의 농도가 정상 범주에 들지만, 세균에 의한 감염이 빈번하고 이들 세균에 대한 특이항체생성반응이 저조한 것이 특징적이다. 특히 다당질 항원에 대한 항체 반응이 저조하다. 따라서 이 질환은 기능적 체액성면역결핍증이라고도 불리며, 면역결핍 질환의 23% 정도를 차지하는 가장 흔한 항체결핍 질환이라는 보고도 있다. 그러나 이 질환의 병인은 아직 잘 모르며, 기타 항체결핍 질환과의 관계도 밝혀진 바 없다.

사. 영아의 일과성저감마글로불린혈증

사람에서 IgG는 임신 말기에 태반을 통하여 태아에게 능동적으로 전달되어 신생아의 혈중 IgG치는 모체와 동일한 농도를 가진다. IgG의 반감기는 20~30일으로서 생후 3~9개월 사이는 모체로부터 받은 IgG가 소멸되고 영아가 자체적으로 생산한 항체가 점차 증가하는데, 이시기에 영아의 IgG 생성이 지연되면서 일시적으로 혈청 내 항체가 감소하여 영아의 일과성저감마글로불린혈증(transient hypogammaglobulinemia in infancy)이 발생하여 6~18개월 동안 지속된다. 이러한 항체 감소 현상은 생후 36~48개월이면 자연적으로 정상화 된다. 따라서 이 질환은 IgG가 감소한 이후 다시 정상치로 회복되는 것을 확인한 후에야 진단이 가능하다. 혈청 IgG는 1~2세에는 400 mg/dL 이하로 유지된다. B 림프구와 T 림프구의 수는 정상이며 기능도 정상 소견을 보인다. 그러므로 예방 접종에 의한 특이 항체 생성은 정상적으로 이루어진다. 임상증상은 무증상으로 나타나는 경우가 많으나, 생후 6개월경부터 잦은 세균 감염 등의 항체 결핍 질환 증상이 나타나기도 한다. 아주 심한 세균 감염은 드물게 발생한다. 일부의 환자에서는 식품 알레르기가 동반되기도 한다. 이러한 항체 생성 시기의 지연에 대한 원인은 확실히 규명되어 있지 않지만 일부 연구에 의하면 B 림프구의 항체 생성에 작용하는 보조 T 림프구 분화가 지연되기 때문이라는 설도 있다.

아. 감별진단

많은 질환들이 체액성면역결핍증과의 감별진단을 요한다(표 2-12). 질환의 종류와 관계없이 체액성면역결핍 환자에서는 반복적인 세균 감염, 특히 호흡기 감염이 빈번한데, 특히 피막세균에 의한 감염이 빈번하며, 세포면역 결핍이 동반된 복합면역결핍증에서도 세포면역결핍의 정도가 미약한 경우는 항체결핍 질환과 임상적으로 감별이 어렵다. 따라서 체액성면역결핍증이 의심되는 모든 환자는 일단 세포면역 기능이 정상인지를 확인하는 과정이 필요하다. 보체결핍 질환에서는 감염을 일으키는 주요 세균의 종류가 항체결핍 질환에서와 유사하기 때문에 감별을 요한다. 식세포 결핍증의 경우는 항체 결핍증과는 달리 심부에 농양을 형성하거나 봉와직염 등의 합병증을 자주 동반하므로 일단은 항체결핍 질환과의 감별이 비교적 용이하다. 또한 낭성섬유증(cystic fibrosis), 섬모운동 장애 증후군(immotile cilia syndrome), 비강 내부 및 기관지의 구조적 이상이 있는 경우와 같이 면역학적 결함은 없지만 잦은 감염과 만성적인 폐질환을 야기하는 질환들을 감별하여야 한다. 또한 알레르기 질환이 있는 경우 비염과 동반된 만성 부비동염 또는 잦은 중이염 등이 발생할 수 있으므로 항체 결핍 상태를 확

인하여야 한다. 단순한 임상 증상이나 경과의 관찰만으로 다양한 면역결핍질환들을 감별진단 한다는 것은 불가능하기 때문에 면역학적 검사를 단계별로 시행하여 종합적으로 평가하는 것이 필요하다.

자. 치료

체액성면역결핍증의 치료에는 항생제요법과 정맥주사용 면역글로불린 투여가 있다. 범저감마글로불린혈증과 분류불능형면역결핍증은 정맥주사용 면역글로불린 투여의 확실한 적응증이 되며, 감염의 근거가 있을 때는 면역글로불린 투여시기와 관계없이 항생제 사용이 병행되어야 한다. 항생제의 선택은 감염 부위, 중증도, 과거 감염의 치료 병력, 배양 검사의 결과 등을 참고하여 최적의 항생제를 선택하여야 하며, 용량 조

표 2-12. B 림프구 면역결핍질환과 감별을 요하는 질환들

Primary humoral immunodeficiency
Secondary or acquired humoral immunodeficiency
    (immunosuppression, cancer)
Primary combined immunodeficiency
    Severe combined immunodeficiency
    Wiskott-Aldrich syndrome
    DiGeorge syndrome
    Ataxia-telangiectasia
Secondary or acquired combined
    immunodeficiency(HIV/AIDS)
Complement deficiency
Phagocytic cell defect
    Chronic granulomatous disease
    Leukocyte adhesion defect
    Chédiak-Higashi syndrome
    Neutropenia
Allergic rhinosinusitis
Anatomic obstruction of Eustachian tube or sinus ostia
    (tumor, foreign body, lymphoid hyperplasia)
Cystic fibrosis
Immotile cilia syndrome

절은 대부분의 경우 필요하지 않지만, 항생제에 대한 반응 속도가 정상인에 비하여 느리다는 것을 염두에 두고 치료하여야 한다. 한편 선택적IgA결핍증, IgG아군결핍증, 특이항체결핍증에서는 정맥주사용 면역글로불린 투여 효과에 대한 명확한 근거가 없다. 이들 질환은 알레르기 질환이나 해부학적 구조 이상에 의한 잦은 감염 등을 완전히 배제한 후, 급성 및 예방적 항생제 요법을 먼저 시도해 보는 것이 바람직하다. 일차적으로 항생제 치료를 기본적으로 시도해 보고, 감염이 이에 잘 반응하지 않는 경우에는 치료 용량의 반용량으로 장기간 예방적 항생제 요법을 시행하도록 한다. 이러한 항생제의 사용에도 불구하고 잦은 세균 감염이 발생하거나, 심각한 수준의 감염이 빈번하다면, 정맥주사용 면역글로불린의 투여가 필요하다.

범저감마글로불린혈증에서 정맥주사용 면역글로불린의 투여는 저용량(200 mg/kg) 투여에 비하여 고용량(500~600 mg/kg) 투여가 효과적이지만, 실제적으로는 혈중 IgG의 농도를 500~600 mg/dL 수준으로 유지하는 것을 목표로 용량과 투여 주기를 조절하는 것이 바람직하다. 상기 용량으로 4주 간격으로 투여하면 만족할 만한 항체 농도를 유지할 수 있다. 정맥주사용 면역글로불린을 투여함으로써 약 40% 내외에서 세균 감염이 예방될 수 있으며 감염의 횟수 뿐 아니라 감염의 치료기간도 단축된다.

분류불능형면역결핍증의 대부분은 정맥주사용 면역글로불린 투여에 의하여 별다른 문제없이 생활할 수 있지만, 일부에서는 예방적 항생제 요법이 필요한 경우도 있다. 분류불능형면역결핍증에 동반되는 자가면역성 세포감소증(autoimmiune cytopenia)의 경우는 스테로이드와 정맥주사용 면역글로불린, anti-D(rho)를 사용할 수 있다. IgA 결핍이 동반된 분류불능형면역결핍증을 치료하는 과정에서 정맥주사용 면역글로불린을 투여하게 될 경우 IgA가 포함된 정맥주사용 면역글로불린 제제를 반복 투여하게 되면 아나필락시스 반응을 초래할 수 있으므로 주의를 하여야 한다. 이는 IgA 결핍이 있는 분류불능형면역결핍증 환자의 경우

혈청내 anti-IgA 항체가 생성될 수 있기 때문이다. 그러나 일부에서는 혈청 내 anti-IgA 항체가 존재하더라도 심각한 문제를 야기하지는 않는다고 한다.

범저감마글로불린혈증과 분류불능형면역결핍증에서와는 달리 IgG아군결핍증, 선택적IgA결핍증, 특이항체결핍증, 영아의 일과성저감마글로불린혈증에서 중증의 세균성 감염이 있는 경우를 제외하고는 정맥주사용 면역글로불린 치료효과가 명확하지 않다. 따라서 감염증상이 심하지 않은 경우에는 예방적 항생제 요법을 먼저 시도해 보고 만족할 만한 성과가 없으면 일시적으로 정맥주사용 면역글로불린을 투여해 보도록 한다. 그러나 6~12개월 후 정맥주사용 면역글로불린 치료를 중단한 다음, 다시 혈청 면역글로불린치 검사를 시행하여 재평가 하여야 한다. 또한 일부 항체결핍증 질환에서는 예방접종 등에 의한 항체생성이 정상인 경우가 있고, 정맥주사용 면역글로불린의 추가적인 효과가 불확실하므로 실제로 치료 목표 설정과 치료제 선택에 많은 고민이 따른다.

5. 복합면역결핍증

가. 증상

복합면역결핍증(combined immunodeficiency)은 다양한 유전자 변이에 의해 발생하지만 임상 양상은 거의 동일하다. 생후 수개월 내에 시작되는 반복되는 감염이 특징으로 이로 인해 성장 장애 및 영양 장애가 나타난다. 감염은 주로 호흡기 및 소화기에 발생하며 구강 캔디다증, 만성 설사, 간질성 폐렴 등이 자주 관찰된다. 일반적인 세균에 의한 감염 외에 *Pneumocystis carinii*와 Aspergillus 등에 의한 기회성 감염, 세포내 병원균인 Listeria와 Legionella에 의한 감염, Herpes 등의 바이러스에 의한 감염 등이 자주 발생한다. Epstein-Barr 바이러스 감염은 영아에서는 드물지만 복합면역결핍증을 갖고 있는 영아에서는 발생할 수 있으며, 이

로 인해 T⁻B⁺ 중증복합면역결핍증에서는 B 림프구증식성질환(B lymphocyte proliferative disorder)이 초래될 수 있다.

생백신 접종은 복합면역결핍증 환자에게는 절대로 시행하지 말아야 한다. 그러나 복합면역결핍증으로 진단되기 전에 BCG 및 경구용 소아마비 생백신 접종이 시행되는 경우가 있기 때문에 BCG 접종에 의한 국소성 또는 전신성 감염이 발생할 수 있고 이로 인해 사망할 수 있다. 경구용 소아마비 백신의 경우 대변에서 바이러스가 검출되나 척수염은 잘 발생하지 않는데 이는 모체에서 받은 항체에 의한 방어력 때문일 것으로 생각된다.

복합면역결핍증에서 심각한 결과를 초래하는 비감염성 질환은 이식편대숙주병(graft-versus-host disease)이다. 이식편대숙주병은 숙주의 동종 항원에 대한 외부에서 유입된 T 림프구의 반응에 의해 발생한다. 복합면역결핍증 환자에서는 모체로부터 또는 수혈시에 이식된 T 림프구가 환자의 동종항원을 공격함으로써 발생한다. 복합면역결핍증 환자의 50%에서 모체로부터 유입된 T 림프구가 관찰되며, 그 수는 μL당 수십 개에서 수천 개에 달한다. 비록 모체로부터 상당수의 T 림프구가 유입되었다 하더라도 이 때문에 발생하는 이식편대숙주병의 증상은 비교적 경미하다. 30~40%의 환자에서 피부 발적, 호산구증가, 간효소증가 등이 관찰되지만 치명적인 경우는 거의 없다. 그 이유는 유입된 모체의 T 림프구가 환자의 동종항원에 대해 낮은 반응성을 보이기 때문일 것으로 생각된다. 하지만 골수이식 시 골수 제공자가 엄마가 아니고 이식된 골수가 일배수동종(haploidentical)일 경우 모체 T 림프구의 존재는 거부반응의 원인이 될 수 있다. 수혈에 의해 T 림프구가 복합면역결핍증 환자에게 유입된 경우 치명적인 이식편대숙주병이 유발될 수 있다. 이 경우 이식편대숙주병은 통상 수혈 2~3 주후에 발생하며 강력한 면역억제제를 사용해도 진행을 막기가 어렵다.

나. 중증복합면역결핍증

중증복합면역결핍증(severe combined immunodeficiency: SCID)은 T 림프구와 B 림프구 기능의 심한 결핍을 특징으로 하며, 다양한 유전자 변이에 의해 초래된다. 중요 중증복합면역결핍증은 기능 장애를 보이는 B 림프구의 수는 정상이지만 T 림프구와 자연살해세포가 결핍된 T⁻B⁺ 중증복합면역결핍증과 T 림프구와 B 림프구가 모두 결핍된 T⁻B⁻ 중증복합면역결핍증으로 구분된다. 중증복합면역결핍증 환자들의 말초혈액 내 림프구 구성의 차이는 감별진단에 도움이 된다(표 2-13).

1) T⁻B⁺ 중증복합면역결핍증

T⁻B⁺ 중증복합면역결핍증에는 X-연관성, JAK3 결핍, IL-2 또는 IL-7 수용체 α chain 결핍 등이 포함된다.

X-연관성 중증복합면역결핍증은 가장 높은 빈도로 발생하는 중증복합면역결핍증으로 전체 중증복합면

표 2-13. 중증복합면역결핍증에서의 림프구 변화

	CD3	CD4	CD8	B 림프구	NK 세포
T⁻B⁺ 중증복합면역결핍증	↓	↓	↓	정상	
재결합활성유전자 결핍	↓	↓	↓	↓	정상
Adenosine deaminase 결핍	↓	↓	↓	↓	↓
MHC class II 결핍	정상	↓	정상	정상	정상
ZAP-70 결핍, MHC class I 결핍	정상	정상		정상	정상

↓ : 감소

역결핍증 중 50% 내외를 차지한다. 이 질환은 6개의 사이토카인 (IL-2, IL-4, IL-7, IL-9, IL-15, IL-21) 수용체에 공통으로 존재하는 γC chain (common gamma chain)이 IL-2RG 유전자의 변이에 의해 결핍되어 발생한다. γC는 사이토카인이 수용체에 결합한 후 유발되는 신호전달에 필수적이다. 흉선에서는 수질부와 피질부의 경계 소실, 심한 림프계 전구세포 감소, Hassall 소체 소실 등이 관찰되며, 이차 림프기관도 저형성되어 있다. 이와 같은 소견은 T 림프구의 발달이 초기에 차단되었음을 의미한다.

JAK3 결핍은 결함 부위만 다를 뿐 X 염색체 연관형과 같은 결과를 초래한다. 그 이유는 γC chain이 사이토카인의 자극을 받은 후 신호전달을 위해 JAK3 tyrosine kinase의 활성화가 필요하기 때문이다. 활성화된 JAK3는 STAT-5를 인산화시키며, 인산화된 STAT-5는 핵내로 이동하여 전사 유도인자로 기능을 하게 된다. JAK3 유전자 변이는 상염색체 열성으로 유전되며 전체 중증복합면역결핍증 중 약 10%를 차지한다.

IL-2 또는 IL-7 수용체 α chain의 유전자 변이는 중증복합면역결핍증 중 5% 미만을 차지한다.

2) T⁻B⁻ 중증복합면역결핍증

T⁻B⁻ 중증복합면역결핍증에는 자연살해세포가 정상인 recombinase activating genes 1 and 2(RAG1/2) 결핍, 자연살해세포가 감소된 adenosine deaminase (ADA) 효소 결핍증, 그리고 림프구뿐만 아니라 모든 골수계 세포가 결핍되는 reticular dysgenesis가 포함된다.

RAG1/2 결핍에 의한 중증복합면역결핍증은 면역글로불린 또는 T 림프구 수용체 유전자의 재조합이 일어나지 않기 때문에 발생한다. 그 이유는 RAG1/2가 림프구의 발달 과정 중에 발생하는 면역글로불린 또는 T 림프구 수용체 유전자의 재조합을 관장하기 때문이다. 림프구의 발달은 초기에 정지되어 T 림프구와 B 림프구가 결핍된다.

Adenosine deaminase 효소 결핍증은 상염색체 열성으로 유전되는 중증복합면역결핍증 중 가장 빈도가 높으며 전체 중증복합면역결핍증에서는 20% 정도를 차지한다. Adenosine deaminase는 여러 세포에 산재해 있는 housekeeping 효소로 DNA가 분해된 후 생성되는 adenosine과 deoxyadenosine(dAdo)을 inosine과 deoxyinosine으로 변환시키는 작용을 한다. 따라서 adenosine deaminase가 결핍되면 이와 같은 작용이 일어나지 않아 세포내 dAdo과 triphosphate(dATP)가 증가하게 된다. 세포내 dAdo의 증가는 DNA에 메틸기를 제공하는 S-adenosylhomocysteine hydrolase(SAH hydrolase)의 불활성화, 염색체 손상, 미성숙 흉선 림프구의 사멸(apoptosis)을 초래한다. dATP의 증가는 DNA의 정상적인 생성에 필요한 ribonucleotide reductase를 억제한다. 이와 같은 이유로 adenosine deaminase가 결핍된 세포들이 손상을 받게 되며 대사전환이 빨라서 adenosine deaminase가 많이 필요한 림프구가 특히 심한 손상을 받게 된다. Adenosine deaminase 결핍에 의한 중증복합면역결핍증의 85~90%는 조기 발현형으로 생후 1년 내에 비교적 일찍 임상 증상이 나타난다. 그러나 나머지 15~20%는 지연 발현형으로 1세에서 8세 사이에 임상 증상이 나타나며 심지어는 성인이 되어서 나타나는 경우도 있다. 이는 adenosine deaminase 유전자의 변이 정도에 따른 adenosine deaminase 기능 차이에 의한다. 지연 발현형의 경우 adenosine deaminase의 기능이 어느 정도 남아 있어서 림프구의 손상이 상대적으로 적고 따라서 감염도 상대적으로 덜 심하다. 조기 발현형의 50%에서는 심한 감염과 성장장애와 함께 늑골연골결합부위 이상과 골반 형성장애 등의 골격계 이상이 동반된다. 일부 환자에서는 피질성 실명과 근육긴장이상 등의 신경학적 증상, 신기능 장애, 부신피질 섬유화 등이 관찰되기도 한다. Adenosine deaminase 결핍에 의한 중증복합면역결핍증은 환자의 세척된 적혈구에서 dATP 농도와 adenosine deaminase 활성도를 측정함으로 진단할 수 있다. 정상인의 적혈구에서는 dATP가 측정되지 않는데 비해 adenosine deaminase 결핍

환자에서는 dATP의 농도가 월등히 증가되어 있다. Adenosine deaminase 결핍에 의한 중증복합면역결핍증 환자의 adenosine deaminase의 활성도는 정상인의 1% 미만이다. 양수세포나 융모막융모생검으로 채취한 섬유아세포에서 adenosine deaminase 활성도를 측정하면 adenosine deaminase 결핍을 갖고 있는 태아를 산전 진단할 수 있다.

Reticular dysgenesis는 중증복합면역결핍증의 아주 드문 원인으로 아직 발생 기전이 밝혀지지 않았으며, 상염색체 열성으로 유전될 것으로 생각된다. 이 질환은 림프계 세포뿐만 아니라 골수계 세포의 분화 및 발달이 진행되지 않는 줄기세포 장애이다. 따라서 림프구, 과립백혈구, 혈소판 감소가 현저하며 감염으로 인해 환자는 생후 초기에 사망한다. Reticular dysgenesis는 조기에 골수이식을 시행하면 치료될 수 있다.

3) 치료

중증복합면역결핍증 환자는 치료를 받지 않을 경우 보통 생후 1년 안에 사망하기 때문에 진단이 되면 가능한 빨리 골수이식을 시행받아야 한다. 골수이식이 시행되기 전에 감염의 발생을 줄이기 위해 감마글로불린을 정맥주사하고 예방적으로 항생제를 사용한다. 중증복합면역결핍증 환자에 대한 골수이식은 일반적으로 골수융해(myeloablation)를 유발하지 않고 시행된다. HLA가 일치하는 골수가 이식된 경우 3~4개월이면 새로운 T 림프구가 생성되며, 이식편대숙주반응이 발생하지 않기 때문에 성공률이 90%를 넘는다. HLA가 일치하는 골수 제공자가 없는 경우 HLA가 haplotype인 골수를 이식한다. 이 경우 이식되는 골수 안에 T 림프구를 최대한 제거하여 이식편대숙주반응의 발생을 억제하여야 한다. 성공적인 골수이식 후에도 B 림프구에 의한 면역글로불린의 생성이 낮아 계속적인 감마글로불린 정맥주사가 필요한 경우가 있다. 특히 X-연관성 또는 JAK-3 유전자 변이에 의한 중증복합면역결핍증 환자가 골수이식을 받았을 때 이 현상이 자주 관찰된다. T$^-$B$^+$ 중증복합면역결핍증의 경우 사람백혈구항원

복합체가 haplotype인 골수를 이식했을 때 환자에 존재하는 자연살해세포로 인한 이식편대숙주반응이 발생할 수 있다. 이런 경우 골수이식의 성공률이 상대적으로 낮으며 따라서 자연살해세포에 대한 면역 억제제의 사용이 필요하다. 제대혈 이식도 골수이식과 대등한 치료효과를 가진다. Adenosine deaminase 결핍증에 의한 중증복합면역결핍증은 골수이식 뿐만 아니라 polyethylene glycol (PEG)에 결합된 adenosine deaminase 효소를 매주 근육주사 함으로써 치료할 수 있다. Adenosine deaminase 효소 투여의 치료 효과는 90%에서 관찰되지만 평생 시행해야 하며 일부 환자에서는 adenosine deaminase에 대한 항체가 생성되기 때문에 adenosine deaminase의 투여량을 늘려야 하는 단점이 있다.

다. X-연관성과IgM 증후군

X-연관성과IgM 증후군은 TNFSF5 (tumor necrosis factor superfamily member 5) 유전자 변이에 의한 CD40 ligand (CD40L, CD154)의 결핍에 의해 발생한다. T 림프구의 표면에 존재하는 CD40L는 B 림프구나 항원제시세포의 표면에 존재하는 CD40와 반응한다. 그 결과 B 림프구에서의 면역글로불린 동형전환 (isotype switching)과 항원제시세포에 의한 T 림프구 자극 증가가 유도된다. CD40L가 결핍되어 CD40L와 CD40 사이의 반응이 소실되면 항원제시세포에 의한 T 림프구 자극이 저하되고 IgM을 생성하는 B 림프구가 IgG와 IgA를 생성하는 B 림프구로 동형전환을 할 수 없게 된다. 이는 감소된 IgG와 IgA 농도와 정상 또는 증가된 IgM 농도로 나타난다. X-연관성과IgM 증후군은 CD40L 발현이 결핍되어 있다면 진단을 내릴 수 있으나 분류불능형면역결핍증 환자에서도 CD40L의 발현이 현저히 감소한 경우가 있기 때문에 이런 경우엔 유전자 변이를 확인해야 한다. X-연관성과IgM 증후군에서는 T 림프구의 수는 정상이나 기능이 저하되어 세포면역장애가 나타난다. 한편 상염색체 열성으

로 유전되는 과IgM 증후군은 CD40를 관장하는 유전자의 변이에 의해 CD40가 생성되지 않아 CD40L와의 반응이 일어나지 않기 때문에 발생한다. T 림프구 자체의 기능은 정상이다. 따라서 상염색체열성과IgM 증후군은 B 림프구 면역 결핍증으로 분류된다.

면역력 저하에 따른 감염의 잦은 발생이 생후 1년에서 2년부터 시작된다. 세균에 의한 호흡기 감염이 가장 빈번하다. T 림프구 면역 결핍에 의해 *Pneumocystis carinii*, 바이러스, 또는 진균에 의한 폐렴도 자주 발생하며, 특히 *Pneumocystis carinii* 폐렴은 생후 수개월 내에 환자의 35~40%에서 발생한다. 소화기 감염도 동반될 수 있으며 가장 문제가 되는 원인균은 Cryptosporidium이다. 환자의 65%에서 동반되는 호중구 감소증은 세균성 감염이 호발하는 원인이 될 수 있다. 다른 일차성면역결핍 환자에 비해 림프절, 간, 비장의 비대가 비교적 자주 관찰된다. 자가면역성 질환도 발생하여 관절염, 혈소판감소증, 용혈성빈혈 등이 관찰될 수 있다.

X-연관성과IgM 증후군 환자에 대해서는 감마글로불린을 3주 또는 4주에 한번씩 정맥주사하여 감소된 IgG를 보충해 준다. *Pneumocystis carinii* 감염을 예방하기 위해 bactrim을 투여해야 하며, 호중구 감소증이 있는 경우 G-CSF를 투여한다. 생 바이러스 백신 접종은 금기이다. 궁극적인 치료는 골수이식 또는 제대혈 모세포 이식이다.

라. 기타

Purine nucleoside phosphorylase(PNP) 결핍증은 ADA 결핍에 비해 상대적으로 경한 중증복합면역결핍증을 초래하며 발생 빈도도 훨씬 낮다. PNP의 결핍은 purine 대사산물의 축적을 초래한다. 이 중 가장 중요한 대사산물인 deoxyguanosine은 인산화되어 deoxyguanosine triphosphate(dGTP)가 되고 결국 세포내에 dGTP의 농도가 증가한다. 세포내 증가한 dGTP는 ADA 결핍에서의 dATP와 마찬가지로 DNA의 정상적인 생성에 필요한 ribonucleotide reductase

를 억제하여 여러 세포를 손상시킨다. 일반적으로 B 림프구에 비해 T 림프구가 특히 심하게 손상을 받는다. PNP 결핍은 신경학적 증상을 자주 발생시켜 뇌성마비, 경직성 마비, 조화운동불능(ataxia), 양측마비 등의 증상이 관찰될 수 있다. 진단은 적혈구 내 PNP 활성과 dGTP 농도 측정으로 가능하다.

Omenn 증후군은 RAG1/2 유전자 변이의 변형으로 RAG1/2의 기능이 일부분 보존되는 중증복합면역결핍증이다. Omenn 증후군 환자는 감염 이외에 피부 발진, 림프절병증, 간비장비대 등의 증상을 나타낸다. IL-4와 IL-5를 생성하는 Th2 림프구의 증가로 인해 호산구증다증과 IgE 증가를 비롯한 다양한 면역글로불린 농도의 이상이 나타난다. Omenn 증후군에서는 B 림프구가 저하 또는 결핍되어 있으며 T 림프구는 관찰되나 T 림프구 수용체의 다양성은 제한되어 있다. ZAP-70 결핍에서는 CD8[+] 림프구가 결핍된다. CD4[+] 림프구 수는 비교적 정상이나 기능에는 결함이 있다. ZAP-70는 protein tyrosine kinase의 하나로 T 림프구 수용체가 자극된 후 일어나는 신호전달에 중요한 기능을 한다. 유전자 변이로 인해 ZAP-70 결핍이 발생하면 신호전달 장애에 따른 복합면역결핍증이 초래된다. T 림프구 수용체를 통한 신호전달 장애로 발생하는 복합면역결핍증에는 ZAP-70 결핍이외에 CD45 protein tyrosine phosphatase 결핍, CD3 복합체의 γ 및 ε chain 결핍이 있다.

MHC class I 결핍은 TAP1/2(transporters of antigen peptides 1 and 2) 중 어느 하나라도 결핍되었을 때 발생한다. TAP1/2는 CD8[+] 림프구와 반응하는 항원제시세포나 표적세포의 세포질내에 존재하며 분해된 세포질내에 단백을 망상소체(endoplasmic reticulum)로 이동시켜 MHC class I 분자와 결합시키는 작용을 한다. TAP1/2가 없으면 MHC class I 분자가 항원제시세포나 표적세포의 표면에 발현되지 못한다. 따라서 이와 반응하는 CD8[+] 림프구가 자극되지 못해 CD8[+] 림프구의 결핍이 초래된다. MHC class I 결핍으로 인한 복합면역결핍증에서는 MHC class II 결핍에 비해 상대적으로 경한 임상 양상이 나타난다. CD4$^+$ 림프구는 MHC class II에 의해 자극을 받기 때문에 정상이다.

MHC class II 결핍에 인한 복합면역결핍증은 심한 임상 양상을 나타내며 예후가 불량하다. MHC class II 유전자의 발현에 필요한 전사 복합체는 4개(CIITA, RFX-B, RFX5, RFXAP)로 이루어져 있으며 이 중 하나라도 유전자 변이에 의해 기능이 소실되면 MHC class II 분자의 결핍이 초래된다. MHC class II 분자는 항원제시세포나 B 림프구 표면에 존재하고 CD4$^+$ 림프구와의 반응에 필요하다. 따라서 MHC class II 분자의 결핍은 CD4$^+$ 림프구에 대한 자극 결핍으로 이어지고 결국 선택적인 CD4$^+$ 림프구의 결핍과 복합면역결핍증이 발생한다.

6. 다른 선천성 기형을 동반하는 면역결핍증

가. 흉선무형성증

1) 원인

흉선무형성증(DiGeorge syndrome) 환자의 약 90% 이상에서 22번 염색체(22q11.2)의 이상 소견 즉 부분적인 monosomy(haploinsufficiency for the 22q11 region)를 관찰할 수 있다. gene-targeted 마우스를 이용한 연구에서 TBX1 유전자의 haploinsufficiency가 심장결손의 원인에 기여한다고 알려졌지만, 아직 흉선 결손의 기전은 명확히 알려져 있지 않다. DiGeorge 증후군은 이러한 염색체 이상과 관찰되는 증상들에 의해 CATCH22 (cardiac defects, abnormal facies, thymic hypoplasia, cleft palate, hypocalcemia, chromosome 22)로 불려진다.

2) 증상

1965년에 처음으로 기술된 질환으로, 흉선과 부갑상선의 저형성에 따른 면역결핍과 저칼슘혈증에 의한 테타니(tetany)가 주된 증상이다. 또한 동맥관개존증, 심실중격결손증, 활로씨4징, 대동맥궁단절(interrupted aortic arch) 등과 같은 선천성 심장기형과 이개 변형, 안구 격리, 어구(fish-shaped mouth), 하부 소악 등의 안면 기형이 동반된다. 세포성면역결핍의 정도는 흉선의 저형성 정도에 따라 다양하게 나타난다. 완전형 DiGeorge 증후군에서는 세포성 면역이 완전히 결핍되고 체액성 면역도 다양하게 결핍되기 때문에 신생아 시기부터 감염이 빈발하고 임상 양상이 중증복합면역결핍증과 유사하다. 그러나 완전형은 일부의 환자에서만 나타나고, 세포성 면역이 어느 정도 유지된 부분형 DiGeorge 증후군이 대부분을 차지하는데 세포성면역결핍의 정도에 따라 증상의 양상도가 다양하다. 흉선기능의 이상에 의해 자가 면역 증상도 점차 나타날 수 있다.

3) 진단

DiGeorge 증후군은 출생 직후 심장결손(특히 interrupted aortic arch type B 또는 truncus arteriosus)과 저칼슘혈증에 의한 경련과 테타니를 보일 경우 의심하게 되며, 동반된 얼굴과 귀 등 안면기형의 유무를 관찰하는 것도 진단에 중요하다.

감염에 감수성을 보이지만 면역결핍이 심각한 문제인 경우는 드물다. 그러나 지속적인 캔디다증, 만성 설사, *Pneumocystis carinii* 감염 등과 같은 경우는 심각한 흉선 결손을 의미하며 즉시 면역 기능에 대한 조사가 필요하다. 이들 검사에서 림프구 수 검사와 림프구 아형 검사 및 지연형 피부 반응 검사 결과가 흉선 결핍 정도에 따라 다양하게 저하되고, 흉부 방사선 검사에서는 흉선의 음영이 발견되지 않는다.

DiGeorge 증후군이 의심되는 영아에서 fluorescent in situ hybridization(FISH) 방법으로 22q11의 monosomy를 관찰하는 것도 진단에 유용하다.

4) 치료

심장 결손은 DiGeorge 증후군에서 가장 심한 증상의 하나로 필요에 따라 즉각적인 처치가 요구된다. 가장 흔한 증상인 저칼슘혈증으로 인한 테타니 증상은 초기에 10% calcium gluconate를 정맥 주사(100~200 mg/kg/회)하고 점차적으로 경구용으로 바꾼다. 그러나 칼슘만으로 저칼슘혈증이 효과적으로 교정되지 않기 때문에 비타민 D 또는 부갑상선 호르몬을 함께 투여한다. 경련은 대부분의 경우에서 신생아기를 지나면서는 재발하지 않는다.

심각한 면역결핍이 존재한다면 *Pneumocystis carinii* 감염을 예방하기 위해 bactrim을 투여한다. 생백신과 전혈 수혈은 금기이며 감마글로불린 정맥주사는 감염을 막기 위해서 사용될 수 있다.

완전형 DiGeorge 증후군은 순환하는 T 림프구가 없기 때문에 중증복합면역결핍증과 유사한 임상 양상을 나타내며, T 림프구가 늦게 나타날 경우에도 그 기능이 감소되어 있다. 이런 환자에 대해 흉선 이식을 시도할 수 있으며, 골수이식을 시행하여 이식 골수 내에 포함되어 있는 흉선 이후의 T세포 전구세포를 확장시켜 새로운 면역세포의 구성을 기대할 수 있다.

나. Wiskott-Aldrich 증후군

1) 원인

Wiskott-Aldrich 증후군은 T 림프구와 B 림프구의 기능 결핍으로 인한 세균, 바이러스, 진균에 의한 반복되는 감염, 혈소판 감소에 의한 출혈 성향의 증가, 그리고 피부 습진을 특징으로 한다. X 염색체 열성으로 유전되며 Xp11.22에 위치하는 유전자의 변이에 의해 WASP(Wiskott-Aldrich syndrome protein)라고 불리는 단백이 생성되지 않기 때문에 발생한다.

WASP의 기능은 잘 알려져 있지 않지만 세포골격을 형성하는데 필요한 신호전달에 관여할 것으로 생각된다. 유전자 변이는 Wiskott-Aldrich 증후군이 발생하는 가족마다 특이적이기 때문에 한 가족 내에서 발생하는 유전자 변이는 다른 가족 내에서 발생하는 유전자 변이와 차이가 있다. 따라서 WASP를 전혀 생성 못하

는 유전자 변이를 가지고 있는 가족에서는 심한 증상이 나타나지만 어느 정도 WASP를 생성하는 유전자 변이를 가지고 있는 가족에서는 증상이 상대적으로 경하다.

2) 증상

Wiskott-Aldrich 증후군의 임상 양상은 환자들마다 다르다. 일부 환자에서는 감염에 대한 감수성 증가, 출혈, 피부 습진이 모두 나타나지만 다른 환자에서는 저하된 혈소판 수와 동반된 출혈만이 관찰된다. 과거에 출혈만이 나타난 환자를 X-연관성 혈소판 감소증으로 기술하기도 했으나 WASP 유전자 이상이 발견된 후 Wiskott-Aldrich 증후군과 X-연관성 혈소판 감소증이 같은 질환의 다른 표현형임을 알게 되었다.

출혈이나 감염은 생후 1년 안에 나타난다. 감염은 주로 중이염, 부비동염, 폐렴 등의 호흡기 감염이 많고, 심한 감염으로 분류할 수 있는 패혈증, 뇌막염, 심한 증상을 동반하는 바이러스 감염은 상대적으로 발생 빈도가 낮다. 그러나 T 림프구의 결핍에 따른 면역력 감소로 *Herpes simplex*나 *Pneumocystis carinii*에 의한 감염이 발생할 수 있다. 혈소판은 수가 감소되어 있을 뿐만 아니라 크기도 작다. 혈소판 감소증이 초래되는 기전은 정확히 알려져 있지 않지만 골수에서의 생성 장애와 비장에서의 파괴 증가가 기여할 것으로 생각된다. 포경 수술 후 관찰되는 과도한 출혈이 혈소판 감소증의 초기 증상이 될 수 있으며, 피부에서는 점상출혈 또는 크기가 큰 멍이 관찰된다. 장출혈, 잇몸출혈, 코피, 관절내 출혈 등이 나타날 수 있고 가장 위험한 두개내 출혈도 발생할 수 있다.

피부 습진은 초기에는 애기머리기름(cradle cap)이나 기저귀 발진과 유사한 국소적 병변으로 나타나기도 하지만 전신적으로 발생하기도 한다. 피부 습진은 나이가 들면서 팔, 다리, 목 주위의 주름이 있는 부위에 국한되는 경우가 많다. 습진은 가려움증을 동반하기 때문에 환자는 병변 부위를 심하게 긁는다. 일부 환자에서는 습진이 동반되지 않거나 경한 경우도 있다.

청소년이나 어른에서는 자가면역성 질환이 동반되며, 적혈구에 대한 항체로 인한 용혈성 빈혈이 가장 흔하다. 그 외 감염의 증거없이 발생하는 발열, 관절염, 신장염, 소화기 증상, 혈관염 등이 발생할 수 있다. 이와 같은 자가면역성 질환은 수 일간 지속되다가 없어지기도 하지만 수 년 동안 반복되어 나타나기도 한다. 암의 발생 비율도 정상인에 비해 높으며 주로 림프종과 백혈병 등의 림프구계 암이 발생한다. 암은 어린 소아에서도 발생하나 청소년기나 어른에서 주로 발생하며 이는 사망의 주요 원인이 된다.

3) 진단

생후 초기부터 출혈성 경향을 갖고 있는 남아에서 혈소판 감소증과 크기가 작은 혈소판이 발견되면 Wiskott-Aldrich 증후군을 의심할 수 있다. 혈소판 이상은 제대혈에서도 관찰된다. 치료가 잘 되지 않는 감염은 혈소판 이상 소견과 함께 진단에 도움을 주는 소견이다. 백혈구와 혈소판의 세포막에 존재하는 CD43과 gpIb 등의 sialoglycoprotein의 이상이 관찰된다. 림프구를 주사 전자현미경으로 관찰하면 비정상적으로 매끈한 모습(bald appearance)을 띠며 T 림프구의 세포질 구조와 actin 구조가 비정상적이다. 항 CD3 항체에 대한 T 림프구의 증식 반응이 현저히 저하되어 있으며, 혈청내 면역글로불린의 농도는 일반적으로 초기에는 정상이나 IgM의 농도는 점차 저하된다. 항원에 대한 항체 반응이 감소되어 있으며 특히 다당류에 대한 반응의 감소가 현저하다. 점차로 림프구 감소증이 심화되는데 T 림프구의 감소가 가장 현저하다. 이에 따라 세포성 면역 반응이 감소되어 PPD나 기타 항원에 대한 피부 반응이 관찰되지 않는다. 확진은 혈중 WASP의 감소나 결핍을 확인하거나 또는 WASP를 관장하는 유전자 변이를 증명함으로써 가능하다.

4) 치료

Wiskott-Aldrich 증후군 환자들에서 잦은 출혈로 철결핍성 빈혈이 발생할 수 있기 때문에 필요하면 철분을 공급한다. 혈소판 수혈은 혈소판 수가 매우 낮아 출혈이 발생할 경우 실시한다. 혈소판 감소증을 치료하기 위해 비장절제를 실시하면 90% 이상에서 혈소판 감소증이 교정되나 감염에는 불리하다. 백신이나 침범한 세균에 대한 항체 반응이 비정상이기 때문에 감마글로불린의 예방적 투여가 필요하다. 자가면역성 질환은 감마글로불린 정맥 주사와 최저 용량의 스테로이드로 치료한다. 생백신을 주사해서는 안되며, 수두 감염인 경우 감마글로불린 또는 herpes zoster immune globulin을 투여한다. Wiskott-Aldrich 증후군에서의 궁극적인 치료는 골수이식 또는 제대혈 이식이며 HLA가 일치하는 경우 성공률은 80~90%에 달한다.

다. 혈관확장성실조증

1) 원인

혈관확장성실조증(ataxia telangiectasia)은 조화운동 불능을 초래하는 신경학적 장애, 눈과 피부의 혈관 확장(telangiectasia), T 림프구와 B 림프구 면역 결핍, 그리고 암 발생의 증가 등을 특징으로 하며 상염색체 열성으로 유전된다. 혈관확장성실조증을 초래하는 유전자 변이(ATM, AT mutated)는 150가지 이상이 알려졌으며 변이되는 유전자의 위치는 11q23.1이다. 이 유전자에 의해 생성되는 단백은 phosphatidyl-inositol-3-kinase와 유사한 기능을 한다. 이 단백은 방사선에 의한 DNA 손상 후에 관찰되는 p53의 발현을 증가시키고 DNA 손상을 인지하는데 주로 관여한다. 따라서 혈관확장성실조증을 초래하는 유전자 변이가 발생하면 세포는 DNA 손상에 대해 적절히 반응하지 못하게 되며 세포가 X선에 노출되면 염색체 손상이 쉽게 발생한다. 실제로 혈관확장성실조증 환자의 림프구에서는 염색체 역전(inversion)이나 전위(translocation)가 흔하게 발견된다. 이와 같은 염색체 이상은 T 림프구 수용체나 면역글로블린에 대한 유전자가 위치하는 7번과 11번 염색체에서도 발생하여 림프구의 발달과 기능에 이상이 초래된다. 또한 섬유모세포에서도 염색체 역전이나 전위가 관찰된다.

2) 증상

처음으로 관찰되는 증상은 조화운동불능으로 환자가 걷기 시작하는 12~18개월 사이에 불안정한 보행으로 나타난다. 그 외 안구진탕, 핵보기못함증(oculomotor apraxia), 말더듬증(dysarthria), 연하장애 등의 신경학적 이상들이 점차로 나타난다. 혈관확장은 조화운동불능이 나타난 후 2세에서 8세 사이에 관찰되며 안구결막과 귓불 부위에서 자주 관찰된다.

면역 결핍은 환자의 70%에서 나타나며 이에 의한 반복되는 감염은 일부 환자에서는 주된 증상이 될 수 있다. 감염은 주로 폐와 부비동에 발생하며 면역 결핍뿐만 아니라 연하 장애로 인한 음식물 흡입도 잦은 폐렴 발생의 원인이 될 수 있다. 면역학적 이상은 환자들마다 차이가 있어서 하나의 면역학적 이상이 모든 환자에서 동일하게 관찰되지 않는다. 일반적으로 환자의 혈청 내 IgG2, IgG4, IgA, IgE는 농도가 낮거나 측정되지 않으며 다당류나 단백 항원에 대한 항체 반응이 감소되어 있다. T 림프구 수와 기능이 일반적으로 감소되어 있고 이런 환자들의 흉선은 작고 미성숙하다. 또한 자가 항체의 발생 비율이 높다.

림프종과 백혈병이 자주 발생하며 혈관확장성실조증 유전자를 보유한 여성에서는 유방암의 발생이 높다. 혈관확장성실조증 환자는 성인 초기에 주로 사망하며 그 원인은 암이나 호흡기 감염에 의한 후유증이다.

3) 진단

혈관확장성실조증에서 나타나는 모든 증상을 갖고 있는 환자는 쉽게 진단할 수 있다. 그러나 혈관확장증이 나타나지 않고 신경학적 증상이 유일한 증상인 환자에게서는 진단하기가 쉽지 않다. 따라서 이런 경우에는 반복되는 감염의 과거력과 면역학적 검사가 진단에 도움이 된다. 선별검사로는 혈청 alpha-fetoprotein (AFP) 측정이 있으며 혈관확장성실조증 환자의 95% 이상에서 AFP가 증가되어 있다. 또한 혈관확장성실조증 환자에서 자주 관찰되는 염색체 이상을 증명하는 것도 진단에 도움이 된다.

근본적인 치료는 아직 없기 때문에 보조적인 치료가 대부분이다. 환자는 가능한 정상적인 생활을 하도록 하며 학령기 소아의 경우 정상적인 학교생활을 영위하도록 한다. 신경학적 장애로 인한 근육 경직을 예방하기 위해 물리치료가 필요하며, 흡인성 폐렴이 잘 생기므로 이에 대한 주의가 필요하다. 항체 농도가 정상이고 항체 반응도 정상인 소아에 대해서는 인플루엔자와 폐구균 백신을 접종한다. IgG 농도가 매우 낮거나 IgG 반응이 감소된 환자들에 대해서는 정기적인 감마글로불린의 투여가 필요하다. X선에 의해 염색체 손상이 발생할 가능성이 있기 때문에 가능한 X선 검사를 줄인다. 흉선이식이나 골수이식 등으로 치료될 수 없으며 향후 새로운 치료법이 요구된다.

라. 연골모부전증

연골모부전증(cartilage hair hypoplasia)은 상염색체 열성으로 유전되며 짧은 사지, 난장이증, 그리고 면역 결핍을 특징으로 한다. 면역 결핍은 T 림프구 면역결핍이 단독으로 나타나거나 또는 B 림프구 면역결핍이 동반되는 복합면역결핍으로 나타난다. 또한 림프구계 세포뿐만 아니라 다른 골수계 세포의 장애가 동반될 수 있다. 짧은 사지와 난장이증은 골중간형성이상 또는 척추사지골단형성이상에 기인한다. 유전자 변이의 위치는 9p13으로 알려졌으며 유전자 변이에 의해 RNA component of RNase MRP(mitochondrial RNA processing)의 장애가 발생하는 것으로 생각된다.

연골모부전증 환자에서의 T 림프구 면역결핍은 수두, 캔디다, *Pneumocystis carinii*에 의한 감염 위험을 증가시킨다. 특히 수두에 의한 감염은 사망률이 높다. 연골모부전증 환자가 복합면역결핍증이 있으면 감염의 위험도 및 심한 정도가 더욱 증가하며 일반 세균에 의한 감염도 문제가 된다. 진찰소견상 이상 소견은 출생 시부터 관찰된다. 손은 짧고 뭉뚝하며 피부는 목과 사지에 군더더기 주름이 관찰된다. 머리카락은 밝은 색조를 띠고 가늘고 성기며 중심부의 색소심(pigment core)이 없다. 그 외 치아, 골격, 소화기에 기형이 나타나고 난장이증으로 성인이 되었을 때 157 cm을 넘지 못한다. T 림프구의 수와 기능이 감소하지만 B 림프구와 자연살해세포의 수는 보통 정상이다. 환자의 약 35%에서 IgA, IgG2, IgG4의 결핍이 관찰된다. 또한 주기성 호중구감소증과 거대적혈구가 일부 환자에서 관찰되기도 한다.

연골모부전증 환자에서는 특히 수두 감염이 문제가 되고 이로 인해 사망할 수 있기 때문에 조기에 진단하고 acyclovir로 치료한다. 연골모부전증 환자는 T 림프구 면역결핍이 있기 때문에 생백신 접종은 금기이다.

마. 과IgE 증후군

1) 원인

과IgE 증후군(hyper-IgE syndrome)은 Job증후군으로도 불리우며 혈중 IgE의 과도한 상승과 호중구의 화학주성장애에 의한 반복되는 감염을 특징으로 한다. 한 가족 내에서 주로 발병하며 상염색체 우성의 유전 양상을 보인다. 발병 기전은 아직 알려져 있지 않다. 이상 유전자의 위치는 4번 염색체의 장완으로 생각되나 확실하지 않다. 혈중 IgE의 과도한 상승은 Th1 사이토카인의 감소로 인한 Th2 사이토카인의 상대적인 우월성에 의해 B 림프구가 과도하게 IgE를 생성하기 때문으로 생각된다. B 림프구의 Th2 사이토카인에 대한 반응은 정상이다. 호중구의 화학주성장애는 T 림프구에서 분비되는 사이토카인의 불균형에 의할 것으로 생각된다. 백신 접종 후 감소된 항체 반응도 T 림프구의 기능 장애를 암시한다.

2) 증상

생후 몇 주 내 아토피피부염과 유사한 피부염이 나타난다. 피부염은 가려움증을 동반하며 태선화되기도 하지만 발생하는 장소는 아토피피부염이 관찰되는 전형적인 부위와 다르다. 피부 감염도 유아기에 나타나기 시작하여 종기, 저온농양, 봉와직염 등이 나타난다. 종기는 다발성으로 발생하기도 하며, 저온농양은 과IgE 증후군의 특징의 하나로 보통 통증이나 발열과 같은 전신적인 증상을 동반하지 않는다. 이와 같은 피부 감염의 가장 흔한 원인균은 포도상구균이다. 호흡기 감염은 보통 심하고 재발이 잦으며 가장 흔한 원인균은 역시 포도상구균이다. 포도상구균에 의한 폐렴은 기관지확장증, 기관지흉막루(broncho-pleural fistula), 공기낭종(pneumatocele) 등의 후유증을 남기는 경우가 많다. 폐렴 이외의 호흡기 감염으로 부비동염, 삼출성중이염, 외이도염, 유양돌기염(mastoiditis) 등이 발생한다. 진균 감염은 보통 *Candida albicans*에 의하며 구강내 캔디다증, 조갑백선 뿐만 아니라 심부 감염도 발생한다. *Pneumocystis carinii* 등에 의한 기회 감염과 BCG 백신 후에 발현되는 결핵균 감염은 T 림프구의 면역기능장애를 의미한다.

특징적인 얼굴은 16세 이상이 되면 인종과 관계없이 모든 환자에서 관찰된다. 조악한 얼굴, 돌출 이마, 광폭 비저(wide alar base), 바깥쪽 눈구석거리의 확대(wide outer canthal distance) 등이 특징이다. 두개골 조기 유합증과 중앙 부위 안면 기형(midline facial defect)이 드물지만 동반될 수 있으며, 유치가 빠지지 않고 계속 존재하기도 한다. X선 검사에서 골감소증이 관찰될 수 있으며, 골밀도가 낮아 병적 골절이 자주 발생하기도 한다. 자가면역질환과 림프종의 발생도 증가한다.

3) 진단

피부염, 반복되는 피부 및 호흡기 감염 등의 임상 증상과 동반되어 과도한 IgE와 호산구의 증가가 관찰되면 과IgE증후군을 의심할 수 있다. 포도상구균에 의한 반복적인 호흡기 감염과 저온농양의 발생은 과IgE증후군을 진단할 수 있는 강력한 증거가 된다. 그러나 확진할 수 있는 방법은 없으며 알레르기 질환과 만성 육아종성 질환과의 감별이 필요하다. IgE는 다클론성이며 혈청 내 농도는 보통 2,000 IU/mL 이상이다. 그러나 유아기 때에는 정상 범위일 수 있으므로 주의를 요하며, IgE 치는 병의 심한 정도와 관계가 없다. 호산구 수는 보통 700 개/μL를 넘는다.

4) 치료

가장 중요한 것은 감염의 조기 발견 및 이에 대한 치료이다. 예방적 항생제 투여가 필요하지만 주된 원인균인 포도상구균에 대한 적절한 경구용 항생제가 없는 것이 문제이다. 포도상구균에 의한 폐렴은 후유증을 남기는 경우가 많아 엽절제술 등이 필요한 경우가 있다. 호중구 화학 주성 장애가 H2 길항제인 cimetidine에 의해 호전될 수 있으므로 시도해 본다. Cyclosporin A, IFN-α 및 IFN-γ, 정맥용 감마글로불린 등의 면역학적 치료가 피부염의 호전을 유도하는 효과가 있기는 하지만 감염에 대한 방어력을 증가시키는 지에 대해서는 증명되지 않았다. 혈장분리반출술(plasmapheresis)과 골수이식도 시도할 수 있으며, 특히 골수이식은 완치를 기대할 수 있는 유일한 치료방법이다.

7. T 림프구면역결핍증

가. CD4$^+$ T 림프구 결핍

CD4$^+$ T 림프구의 지속적이고 심한 결핍이 동반되고, 결과적으로 세포성 면역반응이 결여되어 있다. 크립토코쿠스에 의한 뇌막염과 구강내 캔디다증과 같은 기회성 감염이 잘 생긴다. 혈중 면역글로불린의 농도는 정상이거나 약간 감소되어 있다.

나. CD7$^+$ T 림프구 결핍

CD7$^+$ T 림프구의 결핍으로 인해 중증복합면역결핍증으로 발현되는 질환이다.

다. IL-2 결핍증

T 림프구에서 IL-2의 전사가 이루어지지 않아서 발생하며, 중증복합면역결핍증으로 발현된다.

라. T 림프구 사이토카인 복합 결핍증

T 림프구에서 생성되는 IL-2, IL-4, IL-5, IFN-γ가 결핍되어 중증복합면역결핍증이 발생한다. T 림프구에서는 NFAT(nuclear factor of activated T cells)의 항진자(promoter)가 결여되어 있다.

마. T 림프구내 신호전달 결함

T 림프구가 항원에 의해 자극되어도 칼슘 이동과 diacylglycerol 생성이 발생하지 않아 T 림프구에서의 신호전달에 결함이 초래되며, 그 결과 복합면역결핍증이 생긴다.

바. 칼슘 이동 장애

T 림프구 자극시 외부에서 T 림프구 내로의 칼슘 이동은 T 림프구 활성화에 필수적이며, 칼슘 이동에 장애가 생기면 T 림프구의 활성화가 일어나지 않아 복합면역결핍증이 발생한다. 칼슘 이동 장애는 다른 계통의 세포들에서도 발생하지만 T 림프구의 결핍 증상만이 나타난다.

8. 식세포 면역결핍증

가. 호중구의 기능

호중구는 화농성 세균과 진균을 제거하는 기능을 수행하며, 식균작용은 그림 2-3과 같은 단계들로 이루어진다.

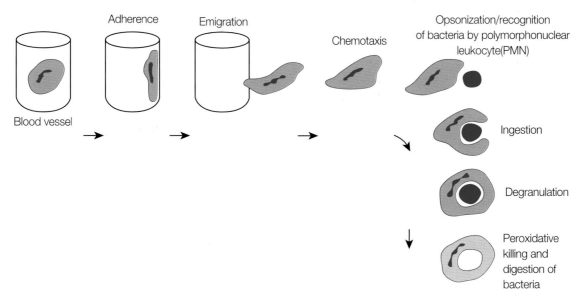

그림 2-3. 호중구에서의 식균작용

1) 유착

조직손상이나 병리적 침투가 발생하면 수 분 내에 호중구들은 혈관의 가장자리로 이동해서 혈관내피 벽에 유착(adherence)한다. 호중구들의 유착작용은 integrin과 selectin에 의해 일어나는 복잡한 현상이며, 특히 LFA-1이라는 유착분자는 감염이 발생했거나 염증이 일어난 조직에 백혈구를 이동시키는 데 중요하다. 호중구는 혈관내피세포들 사이에 위족(pseudopod)을 뻗어 혈관벽을 통과한 후 결합조직 내로 빠져나가게 되는데 이를 누출 과정(diapedesis)이라고 한다.

2) 화학 주성

염증 장소로 세포를 유인하는 과정을 화학 주성(chemotaxis)이라 하고, 이것은 염증자극이 일어난 몇 시간 내 일어난다. 화학 주성 인자들로는 보체계가 활성화되면서 생성된 부산물, 세균 펩티드, 대식세포나 호중구에서 합성된 물질들이 있다. 또한 케모카인은 화학 주성을 유발하는 사이토카인으로 IL-8 등이 있다.

3) 옵소닌 작용

옵소닌은 보체계가 활성화되면서 생성된 C3b와 같은 보체계 부산물과 IgG를 의미한다. 이들 옵소닌은 세균과 같이 포식의 대상이 되는 물질을 도포하게 되는데 특히 IgG의 경우 특이 항원과 결합되어 포식 대상에 부착된다. 식세포는 보체와 IgG의 Fc 부분에 대한 수용체를 갖고 있기 때문에 옵소닌이 부착된 포식 대상과 쉽게 결합하여 포식할 수 있게 된다(opsonization).

4) 식작용

옵소닌과 결합한 식세포 수용체는 식세포 microfilament의 활성화를 유발하고, 그 결과 미생물 주위를 위족이 완전하게 감싼 후 위족의 막이 융합되어 병원체를 둘러싸는 내부화된 공포를 형성하게 되는데 이를 포식소체(phagosome)라 한다. 이물 미립자의 소화는 ATP, glycolysis, glycogenolysis, 산화적 인산화가 요구되는 능동작용이다. 포식소체가 형성된 후에 세포질 내에 존재하는 호아주르과립과 특이과립(azurophilic and specific granule)이 포식소체와 융합되어 방출된다.

5) 살균

살균(bacterial killing)은 식작용(phagocytosis) 후 수분 내 일어나며, 포식소체 내로의 탈과립과 respiratory burst에 의한다. 과립에 포함된 lysosome, lactoferrin, defensin, acid hydrolase 등은 산소 비의존성 항미생물 체계이며, respiratory burst는 산소 의존성 항미생물 체계이다. Respiratory burst는 아래와 같이 NADPH oxidase, superoxide dismutase, myeloperoxidase 효소에 의해 superoxide (O_2^-), hydrogen peroxide (H_2O_2), hypohalide가 생성되는 과정으로 이루어진다. Myeloperoxidase는 azurophilic 과립으로부터 유래되며 과산화수소를 염소 또는 브롬과 반응하여 HOCl 또는 HOBr의 형성을 촉매한다. 결과적으로 세균벽을 할로겐화 시킴으로써 포식된 세포를 살해한다. 또한 O_2^-, H_2O_2도 살균에 매우 큰 역할을 한다.

$$NADPH+2O_2 \xrightarrow{\text{(NADPH oxidase)}} 2O_2^- + NADP^+ + H^+$$

$$2H_2O + O_2^- \xrightarrow{\text{(superoxide dismutase)}} 2H_2O_2$$

$$H_2O_2 + Cl^- \xrightarrow{\text{(myeloperoxidase)}} OCl^- + H_2O$$

나. 호중구감소증

호중구수가 1,000~1,500/μL일 때 경도 호중구감소증, 500~1,000/μL일 때 중등도 호중구감소증, 500/μL 미만일 때 중증 호중구감소증이라 한다. 이 때 호중구수는 절대 호중구수를 의미하며 띠와 성숙 호중구(band and mature neutrophil)를 합한 수치이다. 중증 호중구감소증을 가진 환자에서는 심각한 세균 감염의 위험이 증가하며 이보다 경한 호중구감소증을 가진 환자들도 피부감염, 중이염, 선염(adenitis), 구내염 등을 나타낼 수 있다. 호중구감소증은 골수 간세포 성숙의 이상, 이차적인 호중구 생성의 억제, 또는 말초 혈액에서의 파괴 증가로 초래될 수 있다. 신생아의 호중구 감소증은 심한 패혈증과 높은 사망률을 초래할 수

있으며, 이런 신생아에서는 CFU-GM 및 호중구 저장고의 감소, 골수 모세포의 극심한 증식, 호중구 소모의 증가 등이 관찰된다. 과립구 수혈은 호중구 감소증과 심각한 패혈증을 가진 신생아에서 효과가 있을 수 있다. G-CSF 치료는 신생아 호중구 감소증을 예방할 수 있으나 고위험 신생아에서의 병원내 감염의 위험을 감소시키거나 감염으로 인한 사망을 막지 못한다.

1) 간세포 발달 이상과 연관된 호중구감소증

가) 주기성호중구감소증

주기성호중구감소증(cyclic neutropenia)은 미수임 간세포(uncommitted stem cell)의 성숙 결함을 특징으로 하며, 환자들은 호중구수가 저하될 때(주기 21±3일) 발열, 아프타성 구내염, 경부 림프절염, 위장관염 등을 나타낸다. 호중구수가 최저일 때 단핵구증이 동반되며 패혈증 등으로 사망할 수 있다. 약 1/3에서 상염색체 우성의 유전 양상을 나타내지만 정확한 유전적 결함은 알려지지 않았으며 면역 이상이나 종양을 가진 환자에서도 나타날 수 있다. 진단은 주 2~3회의 연속적 혈액검사로 주기적 양상이 관찰되면 가능하다. G-CSF 사용으로 호중구 감소증을 예방하여 감염 발생을 감소시킬 수 있으며, 엄격한 구강청결과 절대 호중구수의 최저점에서 적절한 항생제 사용이 필요하다.

나) 만성양성호중구감소증

만성양성호중구감소증(chronic benign neutropenia)은 심각한 감염없이 지속적으로 낮은 호중구수(200~1,500/μL)가 특징이며 산발적으로 발생하거나 상염색체 우성으로 발생한다. 임상 증상은 피부와 점막의 경한 감염 등이며, 치료는 피부와 구강청결과 감염시 항생제 사용이다.

다) 가족성중증호중구감소증

가족성중증호중구감소증(Kostmann syndrome)은 상염색체 열성으로 유전되며 호중구는 200/μL 이하로 감

소되고 단핵구와 호산구는 증가한다. 환자는 호중구 감소로 인한 심한 세균감염에 의해 조기 사망할 수 있다. 골수에서는 초기 분화 단계인 전골수구(promyelocyte)와 골수구(myelocyte) 만이 관찰된다. G-CSF 치료는 치명적 감염을 감소시키고 절대 호중구수를 증가시켜 Kostmann syndrome을 가진 환자의 결과를 극적으로 호전시킨다. 일부 환자에서는 G-CSF 사용 후 악성 종양을 초래하는 G-CSF 수용체의 돌연변이가 발생하기도 하지만, G-CSF 치료가 백혈병의 발생에 중요한 역할을 할 가능성은 낮다. G-CSF 치료에 반응을 보이지 않는 극소수 환자들은 동종조혈모세포 이식으로 성공적으로 치료될 수 있다.

라) Schwachman-Diamond Syndrome

호중구감소증, 재발감염, 췌장 외분비성 기능부전, 저신장, 그리고 중수골의 골형성 부전을 동반하는 상염색체 열성 증후군으로 환자들은 재발되는 감염에 따른 만성 흡수장애로 성장 부전을 보인다. 호중구 기능 결함이 일부 환자들에게 나타나며, 골수 이형성 증후군과 급성 골수성 백혈병 등의 7번 단일 염색체와 관련된 혈액질환이 나타날 수 있다. 췌장효소 보충으로 영양결핍의 교정이 필수적이고, G-CSF는 심각한 감염을 가진 환자들에게 사용되며 필요할 경우 골수이식을 시행한다.

마) Myelokathexis

골수에서의 호중구 변성과 혈액 내로 적은 수의 비정상적인 모양의 호중구 분비가 동반되는 드문 질환이다. 환자들은 세포증식성 골수를 가지며, 재발되는 기관지와 폐의 감염이 평생 지속된다. 일시적인 호중구수의 증가는 감염과 G-CSF 혹은 GM-CSF 치료와 연관되어 보고되고 있다.

바) Dyskeratosis Congenita

손톱 위축증, 백반증 그리고 피부의 망상 과색소 침착을 특징으로 하는 X-연관성 질환으로 환자의 1/3에서 골수저형성증과 연관된 호중구감소증이 나타난다.

2) 후천성 호중구감소증

가) 영양성 호중구감소증

영양부족과 관련하여 호중구감소증이 나타날 수 있는데, 주로 기아, 비타민 B12, 엽산(folic acid), 구리 결핍시 발생한다.

나) 약물

약물은 골수에서의 호중구 합성을 억제하거나 항호중구 항체를 유도하여 호중구감소증을 발생시킬 수 있으며, 세포 독성 화학 치료 약물 역시 심각한 호중구감소증을 초래한다. 약물과 관련된 호중구 감소에 의한 감염의 심한 정도는 만성 호중구 감소 때보다 흔하고 항암요법 후 호중구감소증의 정도와 기간을 단축시키는데 G-CSF의 사용이 증가되고 있다.

다) 세균과 바이러스 감염

감염은 골수에서의 호중구 생산을 감소시키고 골수저장고를 고갈시키며, 호중구 이주를 증가시켜 일시적인 호중구감소증을 유발한다. 세균 감염과 관련된 호중구감소증은 호중구 수혈, G-CSF, 정맥용 감마글로불린을 사용하여 성공적으로 치료하고 있다.

라) 신생아 호중구감소증

신생아 호중구감소증(neonatal isoimmune neutropenia)은 1,000명중 1명의 신생아에서 우연히 혈액 검사 상 발견된다. 발생 기전은 Rh 질환과 유사하며, 엄마의 호중구에는 없으나 태아와 아빠가 공유하는 호중구 항원에 대한 모체 항체에 의해 발생한다. 모체 IgG 항호중구 항체가 태반을 통과하여 태아의 호중구를 빠르게 파괴하나 항상 자연 회복된다. 이런 신생아는 정밀한 감시가 필요하며 감염시 적절한 항생제로 적극 치료해야 한다. 신생아의 호중구 수는 모체 항체의 양에 따라 차이가 있으나 6~12주 후에 회복된다.

마) 영아기 자가면역성 호중구감소증

출생 첫 1~2년 사이에 발생하고 중등도 이상의 호중구감소증을 초래하나 항상 피부에 경한 감염을 일으키며 우연히 혈액검사에서 발견된다. 발생 시기는 2개월에서 3세 사이이며 평균 연령은 8개월이다. Neutrophil antigen 1(NA1)이나 anigen 2(NA2)에 대한 항체는 환자의 약 1/3에서 발견된다. 이 병은 경하고 자연 치유되는데 95%의 환자에서 6개월에서 24개월 사이에 호중구 수가 정상화된다. 스테로이드제제가 효과가 있으며 정맥용 감마글로불린은 일시적이긴 하나 빠르게 호중구수를 증가시킨다. G-CSF치료가 가장 효과적이다.

바) 자가면역성 호중구감소증

전신성홍반성루프스에서와 같은 심한 자가면역질환에서 발생하며 성공적인 치료는 항체를 없애고 호중구감소증을 회복시킨다.

사) 바이러스 혹은 약물 관련성 면역 호중구 감소증

어느 나이에서나 발생할 수 있으며 바이러스 질환에서는 호중구와 교차 반응하는 바이러스에 대한 항체가 생성되는 반면에, 약물은 호중구와 결합해서 항체 생성을 촉진시키는 hapten으로 작용한다. 면역성 호중구감소증과 관련된 약물에는 항경련제, 갑상선 치료 약물, phenothiazines, NSAIDS, 심혈관 약물, 항히스타민제, 설파제, 합성 페니실린제제 등이 있다. 절대적 호중구 수는 심한 감염을 초래할 수 있을 정도로 항상 낮지 않고 약물 중단 후 자연 회복된다. 빈혈 또는 혈소판 감소증과 동반되는 호중구감소증은 비장비대와 연관되어 발생하며, 감염, 염증, 혈액 투석 등으로 인한 보체 경로 활성화 시에도 호중구감소증이 초래될 수 있다.

3) 진단

호중구감소증의 진단에는 환자의 임상적 양상이 중요하다. 호중구감소증이 반복되는 감염의 병력이 없는 건강한 아이의 혈액검사에서 우연히 발견된다면 영아기 만성양성호중구감소증(chronic benign neutropenia of infancy)이거나 주기성 호중구감소증일 가능성이 높다. 주의 깊은 병력 청취는 현재 건강 상태, 질병과의 접촉, 최근 감염과 투약, 조기 사망의 가족력을 반드시 포함하여야 한다. 또한 진찰시에는 성장과 발달, 간비종대, 림프절 종대 등을 관찰해야 한다.

호중구의 형태적인 특징도 진단에 도움이 되며 분엽이 많은 호중구(5~6엽)는 거적모구성 빈혈(megaloblastic anemia), 거대과립은 Chédiak-Higashi syndrome, 핵 분엽(nulear lobulation)과 세포질 공포형성은 myelokathexis을 시사한다. 6주 동안 일주일에 두 번씩의 혈액 검사를 통하여 호중구감소증이 일시적인지, 주기성인지 또는 만성인지 그리고 다른 세포들의 이상이 동반되는지 관찰하여야 한다.

만약 호중구감소증이 주기성이거나 만성적이면 가족구성원에 대해 혈액검사를 실시하여 가족성 질환의 여부를 확인하여야 한다. 단독적인 호중구감소증은 악성 종양 때 흔하지 않으므로 만약 아이가 건강하다면 골수검사는 필요하지 않다. 절대적 호중구수와 면역글로불린 농도 측정, T와 B 림프구 기능 평가는 면역결핍증이 의심되는 경우에 항상 실시한다. 호중구 운동에 대한 특수검사에는 호중구 이주(neutrophil migration)를 관찰하는 epinephrine stimulation test, 골수 호중구 저장고를 평가하는 corticosteroid 또는 endotoxin test, 손상이나 염증에 반응하여 호중구 이주 여부를 관찰하는 Rebuck window 검사 등이 있다 (표 2-14).

4) 치료

절대 호중구 수가 1,000~1,500/μL인 소아의 경우 일반적으로 특별한 치료가 필요하지 않으며 중증 감염에 대한 위험성도 낮다. 그러나 절대 호중구 수가 500/μL 미만인 소아는 심한 감염에 이환될 위험이 높으므로 감염 환자와는 격리해야 하며 양호한 개인 위생상태를 유지하고 감염의 여부를 관찰해야 한다. 감염이 의심

표 2-14. 호중구 기능의 평가

기능	검사	특이 사항
Chemotaxis	Rebuck window: Migration of cells into dermal abrasion Boyden chamber: Migration of cells through filter in response to chemotactic stimuli	Provides qualitative evaluation of inflammatory response in vivo May evaluate abnormal cell movement and deficient chemotactic serum factors, difficult to standardize
Opsonization	Quantitate serum opsonins: Quantitative immunoglobulins, hemolytic complement	Establishes diagnosis of immunoglobulin or complement deficiencies
Phagocytosis and degranulation	Phagocytosis may be assessed by opsonization of particle and observing phagocytosis by vital staining PMNs; phagocytosis is quantitated by radiolabeling or using stained particles before ingestion Morphologic evaluation of degranulation	Quantitative methods are most sensitive measures of ingestion; slide tests fail to differentiate definitely particle adherence to PMNs from internalization Indentifies large granules (Chédiak-Higashi syndrome), deficiency of granule enzymes (MPO deficiency), or bilobed neutrophil nuclei and absence of granules (specific-granule deficiency)
Bacterial metabolic burst	Nitroblue tetrazolium dye test(NBP): Quantitates reduction of NBT (clear) to NBTH (blue) dye O_2 consumption: Quantitates release of univalent reduced oxygen from PMNs H_2O_2 generation: Quantitates release of peroxide from PMNs	Depends on generation of O_2; excellent screening for CGD Diagnosis CGD Diagnosis CGD and severe leukocyte G6PD deficiency
Microbicidal function	Quantitates bactericidal, fungicidal capacity of cells	Identifies microbicidal, fungicidal disorders of phagocytes (CGD): can be performed with organisms isolated from patients

PMNs, polymorphonuclear leukocytes; CGD, chronic granulomatous disease; MPO, myeloperoxidase.

되는 중증 호중구감소증 환자에 대해서는 적절한 세균과 진균의 배양검사를 실시하고 광범위한 항생제를 투여하며, 직장을 통한 약물투여나 체온측정은 피한다. 만성 호중구감소증 환자에 대해서는 지속적인 항생제 투여가 필요할 때가 있다. 항생제에 반응하지 않는 중증 감염의 호중구감소증 환자에 대해서는 필요에 따라 과립구 수혈을 실시하며, Kostmann 증후군이나 주기성 호중구감소증 같은 질환의 경우에는 처음부터 G-CSF로 치료한다. 일부 중증 만성질환 환자에 대해서는 동종 조혈모세포이식을 시행한다.

다. 호중구기능장애

호중구 기능에 장애가 있는 소아는 생후 첫 몇 개월 동안 아프타성 궤양, 구내염, 중이염, 피부내 농양, 림프절 종창 등이 나타난다. 호중구 기능 장애에 의한 면역결핍증은 유착, 화학주성, 포식작용, 탈과립화 또는 살균작용 이상으로 발생한다.

1) 백혈구 유착물질결핍증

백혈구 유착물질결핍증(leukocyte adherence

deficiency: LAD)은 LAD1과 LAD2로 구분되며, 호중구, 단핵구, 림프구의 접합 기능 장애에 기인하는 드문 상염색체 열성유전 질환이다(그림 2-4). LAD1은 21번 염색체에 위치하는 CD18 유전자의 돌연변이로 인하여 혈관 내피세포에 발현된 ICAM-1과 결합하는 LFA-1, Mac-1, CD18/CD11c 분자의 결핍으로, LAD2는 혈관 내피세포에 발현된 E-selectin과 결합하는 sial-Lewis X 분자의 결핍으로 발생한다. 이와 같은 결합 분자의 결핍으로 인해 호중구는 혈관내피세포에 결합하지 못하며 이는 호중구가 감염 장소로 이동할 수 없는 원인이 된다. 따라서 이 질환을 갖고 있는 소아에서는 말초혈액에서의 호중구 증가는 관찰되지만 감염 부위에서의 호중구 축적이나 정상적인 염증 반응은 관찰되지 않는다. 제대 지연 분리, 반복되는 피부 감염, 중증 치주염과 잇몸염으로 인한 치아 손실, 세균이나 진균에 의한

중증 폐렴이 동반되며, 많은 소아가 신생아시기에 심한 세균성 감염으로 사망한다. 유착분자의 결핍 정도에 따라 예후와 감염의 심한 정도가 결정된다.

LAD1의 경우 유세포검사를 실시하여 CD18/CD11c 양성 세포의 발현 감소를 확인함으로써 가능하다. Rebuck window 검사는 환자의 피부를 벗겨내고 cover glass를 부착시킨 후 cover glass에 부착된 호중구를 관찰하는 검사로 백혈구 접합물질결핍증 환자에서는 호중구가 관찰되지 않는다. 골수이식이 궁극적인 치료이다.

2) 특이과립결핍

특이과립결핍(specific granule deficiency)은 드문 질환으로 상염색체 열성으로 유전될 것으로 생각된다. 이 질환을 갖고 있는 환자에서는 조직에서의 염증

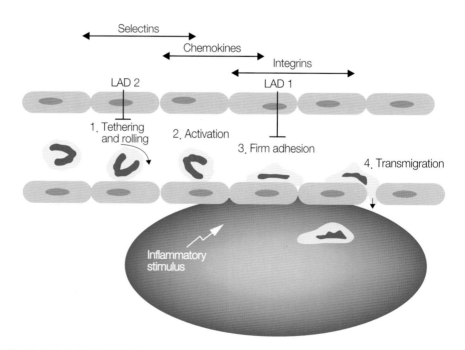

그림 2-4. 유착과정에 의해 백혈구가 염증 조직으로 유출되는 과정. 백혈구는 먼저 selectin으로 매개되는 과정에 의해 활성화된 내피세포에 고정되어 구르기 시작하고, chemokine 등의 활성인자를 감지하여 백혈구 integrin을 활성화시킨다. Integrin이 백혈구 유착을 매개한 후(firm adhesion), 백혈구는 혈관으로부터 유출될 수 있는 부위로 이동한다. LAD1은 백혈구의 유착 장애, LAD2는 세포의 고정 및 구르기 장애에 의하여 나타나게 되며 모두 염증 부위의 백혈구 유출 결손을 초래한다. LAD: leukocyte adherence deficiency

반응이 저하되어 있으며, 환자의 피부나 심부 조직에서 세균 또는 진균에 의한 중증 감염이 자주 발생한다. 혈액 도말 검사를 실시하여 호중구를 관찰하면 특이 과립 결핍, 비정상 핵, 감소된 호아주르과립 등이 관찰된다. 호중구는 화학주성 장애, 살균 작용 이상 등의 기능 이상을 나타낸다.

3) Chédiak-Higashi 증후군

Chédiak-Higashi 증후군은 상염색체 열성으로 유전되며, 과립을 갖고 있는 세포들에 이상이 생기는 질환이다. 멜라닌 세포, 신경집세포(Schwann cell), 호중구를 포함한 다핵구, 림프구, 자연살해세포, 혈소판에서 거대 과립이 관찰되며 이들 세포의 기능 장애가 동반된다. 따라서 백색증, 신경병증, 호중구 기능 장애, 암 발생 증가, 감염 증가, 출혈 시간 연장 등의 증상이 나타난다. 대부분의 환자는 간비종대, 림프절종대, 범혈구감소증을 특징으로 하는 림프 조직구 침착의 가속기(accelerated phase)를 거치며 사망에 이르게 된다. 가속기의 시작은 EB virus의 감염과 일치하며, 가속기는 유아기 때 발생하기도 한다. 진단은 상기 증상이 나타나는 환자의 호중구와 호산구에서 거대 과립구가 관찰되면 가능하다. 안정기(stable phase) 동안에 발생하는 감염은 항생제로 치료하며, 가속기 발생시에는 스테로이드와 일시적으로 관해를 유도하는 VP16 또는 vincristine을 병합하여 사용한다. 가속기 시작 전에 골수이식을 시행하면 조혈과 면역체계의 성공적인 복원을 기대할 수 있다.

4) Griselli 증후군

상염색체 열성유전으로 Chédiak-Higashi 증후군과 임상 증상과 치명적인 가속기가 비슷하나 형태학적으로 호중구 과립의 이상이 관찰되지 않는다.

5) 만성육아종질환

만성육아종질환(chronic granulomatous disease)은 자극된 호중구에서 발생하는 respiratory burst의 첫 단계를 촉매하는 NADPH oxidase 기능 결핍으로 인해 발생하는 질환이다. NADPH oxidase가 활성화되기 위해서는 우선 세포질에 존재하는 인산화된 $p47^{phox}$, $p67^{phox}$, $p40^{phox}$, 그리고 rac-1이 결합체를 형성한 후, 이 결합체가 세포막 성분인 $gp91^{phox}$와 $p22^{phox}$로 구성된 cytochrome b558과 결합하여야 한다. 활성화된 NADPH oxidase는 O_2에 전자를 전달하여 O_2^-를 생성시켜 respiratory burst의 첫 단계를 완수하게 된다. respiratory burst의 다음 단계들을 거치면 hydrogen peroxide(H_2O_2)와 hypohalide가 차례로 생성되어 호중구는 강력한 살균력을 갖게 된다. 그러나 만성육아종질환 환자의 호중구에서는 NADPH oxidase 기능이 결핍되어 있기 때문에 respiratory burst가 발생하지 않고 따라서 호중구의 살균력에 심한 장애가 발생한다(그림 2-5). NADPH oxidase 기능 결핍은 구성 성분인 $p47^{phox}$, $p67^{phox}$, $gp91^{phox}$, $p22^{phox}$의 발현 장애나 결핍에 의해 발생하며, $gp91^{phox}$ 발현 장애는 X-연관성으로, 나머지는 상염색체 열성으로 유전된다. 따라서 $gp91^{phox}$ 발현 장애에 의한 만성육아종질환은 남자에서만 나타나며 여자는 보인자가 된다. 그러나 여자의 호중구 절반에서는 정상적인 respiratory burst가 발생하지 않는다. $gp91^{phox}$ 발현 장애가 전체 만성육아종질환 환자의 50~80% 정도를 차지하여 가장 흔하며, $p47^{phox}$, $p67^{phox}$, $p22^{phox}$ 발현 장애가 나머지를 차지한다.

가) 증상

임상증상은 주로 영아기 때 나타나기 시작하지만 청소년기 때까지 특별한 증상을 나타내지 않는 경우도 있다. 만성육아종질환 환자에서의 주된 임상증상은 반복적인 감염이다. *Streptococcus pneumoniae* 같이 catalase를 생성하지 못하는 세균은 식세포 공포내에 할로겐화를 유지하기에 충분한 H_2O_2를 만들 수 있어 감염을 일으키지 않지만, catalase를 생성하는 *Staphylococci, E. coli, Serratia marcesens, Salmonella, Candida* 등의 균들은 감염의 원인이 될 수 있다. 림프 조직의 비대와 반복된 감염의 결과 초래된 육아조직

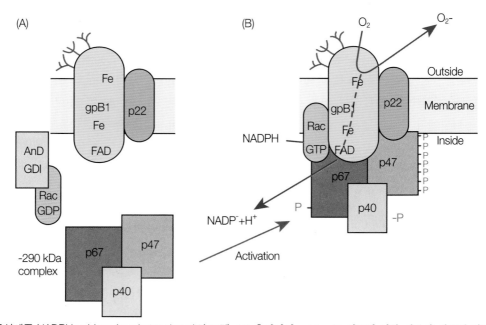

그림 2-5. 포식세포 NADPH oxidase (respiratory burst)의 모델. (A) 휴식기에 oxidase는 세포막 결합 성분과 세포질 단백 성분으로 구성된다. 세포막 단백 gp91^{phox}와 p22^{phox}는 flavocytochrome b558을 구성하고, 세포질 성분 p40^{phox}, p47^{phox}, p67^{phox}는 복합체를 형성한다. GTP 결합단백인 Rac는 세포질에 존재하며 Rho GDP-dissociation inhibitor (RhoGDI)에 결합되어 있다. (B) 활성화되면 일차적으로 p47^{phox}와 flavocytochrome b558의 상호작용에 의해 p40^{phox}, p47^{phox}, p67^{phox}가 안정적으로 세포막에 결합된다. 이 전위 과정에는 RhoGDI로부터 Rac가 유리되면서 활성화된 GTP 결합 상태로 전환되어 세포막에 결합하는 과정과 p40^{phox}, p47^{phox}, p67^{phox}의 인산화가 동반된다. 세포질 단백의 결합은 flavocytochrome을 활성화시켜 NADPH로부터 gp91^{phox}의 flavin (FAD)과 heme (Fe) redox center를 경유, O$_2$에 전자의 이동을 촉매하여 O$_2^-$를 생성하고, 이러한 급격한 산소의 소모를 respiratory burst라고 한다.

이 특징적으로 발생한다. 적절한 치료를 하지 않은 경우 폐질환은 치명적일 수 있으며, 그 외 피부와 직장주위의 감염, 간농양, 골수염 등이 흔히 발생한다. 만성육아종질환 환자에서는 흔하지 않은 세균에 의해서도 감염이 발생할 수 있기 때문에 감염 부위에서 *S. epidermidis*, *Serratia marcescens*, *Candida*, *Aspergillus* 등이 검출되면 만성육아종질환의 가능성을 고려해 보아야 한다.

나) 진단

만성육아종질환의 일차 선별검사는 nitroblue tetrazolium (NBT) 검사이며, NBT 검사는 항상 호중구를 자극한 후 실시하여야 한다. NBT는 정상 호중구에서 생성된 superoxide에 의해 검은색의 formazan으로 환원된다. 따라서 검은색의 formazan을 내포한 호중구는 정상 호중구이며 만성육아종질환 환자의 호중구에서는 이와 같은 호중구가 거의 관찰되지 않는다(그림 2-6). X-연관성만성육아종질환 유전자를 보유한 여자의 호중구의 경우 약 절반에서만 검은색의 formazan이 관찰된다. NBT 검사보다 예민한 검사로는 dihydrorhodamine(DHR)을 이용한 유세포 검사가 있다. 이 검사는 DHR이 hydrogen peroxide(H$_2$O$_2$)에 의해 산화되면 fluorescence가 증가하는 성질을 이용한 것이다.

다) 치료

조기 진단과 적극적인 항생제 치료가 예후에 중요하다. Bactrim과 IFN-γ의 예방적 사용이 중증 감염의

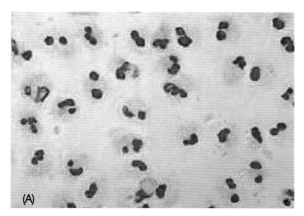 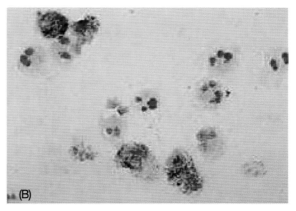

그림 2-6. 만성육아종질환 환자의 NBT 검사소견. 만성육아종질환 환자: 검은색의 formazan이 관찰되지 않는다(A). 만성육아종질환 유전자 보인자: 호중구의 50% 정도에서만 formazan이 관찰된다(B).

기회를 감소시키고 생존율을 향상시킬 수 있다. 감염이 있는 환자는 배양검사가 나오기 전까지 가장 합당한 항생제를 정맥내로 투여해야 한다. 심부 감염의 경우 지속적 비경구 항생제의 투여가 요구되며 심한 빈혈이 동반된 감염에서는 수혈이 필요하다. 진균 감염의 가능성을 항상 염두에 두어야 하며 진균이 검출되거나 진균감염이 강력히 의심되면 항진균제를 투여해야 한다. IFN-γ 치료에 실패한 소아들에게 골수이식을 시도할 수 있으며, 이 경우 골수이식 준비 중에 무통성 세균 감염의 위험성이 증가할 수 있기 때문에 주의하여야 한다.

6) Myeloperoxidase결핍

호중구의 호아주르과립 내의 myeloperoxidase 효소의 결핍으로 발생하며, 상염색체 열성으로 유전된다. 대부분의 환자는 증상이 없거나 경한 감염만을 경험한다. 진단은 호중구 myeloperoxidase의 결핍을 증명하면 가능하며, 산소의 소비가 정상 또는 증가되어 있기 때문에 만성육아종질환 환자의 호중구와 구별된다.

9. 보체결핍성 질환

가. 정의

보체계(complement system)는 약 28종의 혈장과 막성 단백들(membrane proteins)로 구성되어 있으며, 연쇄증폭반응으로 생물학적 활동성 단백을 생산하고 생체 내에서 작용한다. 보체의 작용은 3가지 경로, 즉 전형적 주경로(classical pathway), lectin 경로 및 부경로(alternative pathway)로 이루어진다. 이 과정을 거쳐 C3 단백을 활성화 시키고 공통 종결 경로(common terminal pathway)를 거쳐 막공격복합체(membrane attack complex: MAC)로 불리는 세포용해성 단백 복합체를 최종적으로 형성하게 되는데, 이 경로들은 일련의 다른 단계를 억제하는 여러 가지 수용성 혹은 막에 부착된 단백들에 의하여 조절된다(그림 2-7).

나. 기전

보체계의 생물학적 기능은 세포용해, 식균작용을 위한 세균과 면역복합체의 옵소닌화(opsonization), 염증반응 매개, 체액면역반응 항진, 면역복합체의 용해와 제거 등이며, 세포용해는 세포 표면에 형성된 MAC에 의

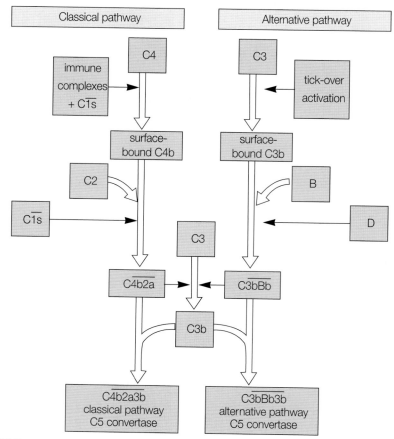

그림 2-7. 보체의 활성경로

해, 옵소닌화는 대부분 C3 절편에 의해 각각 매개된다 (표 2-15). 또 염증은 보체 활성화 과정 중 생성된 anaphylatoxin (C5a, C3a, C4a)에 의하여 촉진되며, 옵소 닌과 아나필라톡신이 효과를 나타내기 위하여 보체절 편에 대해 특이적으로 결합하는 막수용체가 필요하다. 이러한 보체계는 병원성 미생물에 대한 방어적 기능을 수행하지만 보체의 활성화가 충분히 조절되지 않을 때 에는 면역병인성 질환이 초래될 수 있다.

다. 분류

보체결핍은 선천성 및 후천성 원인에 의한다(표 2- 16, 2-17). 유전적 혹은 자연적으로 변이된 유전자 이

상으로 인하여 발생하는 보체 결핍에 의한 면역결핍증 의 빈도는 일차성면역결핍증의 약 2%에 해당한다.

1) 유전성보체결핍

유 전 성 보 체 결 핍 에 는   C1q, C1r, C4, C2, C3, properdin과 D인자의 결핍 등이 있다. 이 중에서 C2 결핍이 가장 흔하지만 임상적으로 심각한 상태에 이 르지 않으며, C3결핍은 흔히 심한 화농성 감염증을 일 으켜서 사망에 이르기도 한다. 이들 주경로 보체의 결 핍은 사구체 신염과 전신성홍반성루프스 등의 면역복 합체 생성과 연관된 질환 혹은 자가 면역 질환과 관련 이 많다. 특히 C2, C4 결핍환자의 반수에서 전신성홍 반성루프스가 동반되는데 이는 순환 면역 복합체의

표 2-15. 보체의 생물학적 기능

기능	보체	작용기전
Lysis of cells	C5~C9	MAC formation kills microorganisms
Opsonization/phagocytosis	C3b, iC3b	C3b or iC3b on the surface of microorganisms bind to CR1 (and CR3, CR4) on neutrophils and M s, promoting phagocytosis
Immunization		
Vascular responses	C5a 〉 C3a ≫ C4a	C5a, C3a, and C4a stimulate mast cell histamine release and smooth muscle contraction
PMN activation	C5a	C5a is a chemoattractant for neutrophils and activates neutrophil oxidative metabolism
Immune complex removal	Classical pathway, C3b	Complement activation on Ig molecules inhibits IC formation; C3b on ICs binds to CR1 on RBCs, and ICs are cleared from the circulation as RBCs transverse the liver and spleen
B cell activation	? iC3b, C3dg	B cell responses to Ag may be enhanced by CR2/CD19 signalling: memory B cell activation is dependent on C3 and may require complement-dependent IC adherence to follicular dendritic cell

MAC: membrane attack complex, IC: immune complex, PMN: polymorphonuclear leukocyte

제거에 C2와 C4가 필요하기 때문이다. C2와 C4의 결핍으로 정상적으로 순환 면역 복합체들이 제거되지 않고 혈관벽과 조직에 침착하며 국소적 염증반응과 면역반응을 일으켜 자가면역 반응을 초래한다. 또 C2, C4 결핍 환자에서는 잦은 감염증을 초래하지 않는 것으로 미루어 부경로가 충분한 방어 역활을 담당하고 주경로는 주로 면역 복합체 제거에 긴요한 역활을 담당하는 것으로 생각된다.

2) 종결 활성화 경로의 보체결핍

C5, C6, C7, C8과 C9 결핍을 동반한 환자에서는 MAC 생산이 안되고 외부 균체를 용해시킬 수가 없다. 따라서 방어 기전에 중요한 보체 매개성 세균 용해작용의 장애로 인하여 Neisseria에 의한 산재성 세포내 감염의 가능성이 증가한다. 그러나 Neisseria균 용해에 poly-C9형성이 필요하지 않기 때문에 C9결핍 환자에서는 Neisseria균에 대한 감수성은 높지 않다.

3) 보체 활성화 조절 단백 결핍과 장애

보체계 조절 단백의 양적, 기능적 결핍으로 인한 비정상적이고 지나친 보체계의 활성화에 의하여 다양한 질환이 발생할 수 있다(표 2-18).

가) 유전성 및 후천성혈관부종

유전성혈관부종(hereditary angioedema: HAE)에는 상염색체 우성 유전에 의한 C1 inhibitor 결핍(I형 HAE: 85%)과 C1 inhibitor가 정상적인 양이지만 기능 장애를 가진 단백이 생산되는 질환(II형 HAE: 15%)이 있다. C1 및 kallikrein과 혈액응고인자 XII가 함께 활성화됨에 따라 C2 kinin과 bradykinin 형성이 증가되고 혈관 확장과 혈장 삼출의 증가에 의하여 부종이 나타난다. 임상적으로는 선행된 바이러스성 감염증, 정서적 긴장과 외상에 의하여 자극되면 얼굴과 사지의 피부 및 후두와 장 점막에 간헐적이고 급성 부종이 생겨서 복통, 구토, 설사 및 심하면 생명을 위협하는 후

표 2-16. 보체결핍에서 유전자의 위치와 관련된 질환

구성 요소	증례	유전자의 염색체 위치	관련 질병
Classical			
C1q	>40	1	SLE, Pyogenic infection
C1r, s	10	12, p13	As above
C4	17	6, Close to MHC locus	As above
C2	>100	6, Adjacent to factor B	As above; Healthy, polymyositis
Alternative			
Factor B	0	6, Adjacent to C2	Neisserial infection
Factor D	1	?, Possibly X	As above
Properdin	>50	X (Xp 11.23-21.1)	As above
C3*	18	19	Pyogenic infection, SLE, Glomerulonephritis
Terminal			
C5	19	9q 32-34	Neisserial infection
C6	>50	5q, Near C7	As above
C7	28	5p13	As above
C8	32	1p, α, β; 9, γ	As above
C9	Japan(>1,000)	5	Weak association
Regulatory			
C1 inhibitor	Many	11	Hereditary angioedema
Factor I	15	4	Pyogenic infection, SLE,
Factor H	12	1	Glomerulonephritis, HUS

* also in classical pathway

  SLE: systemic lupus erythematosus, HUS: hemolytic uremic syndrome

두 폐쇄가 동반되는데 소아기에 시작하여 성인기에 이르면서 점점 심해진다. 후천성으로는 악성종양에 의해 C1 inhibitor의 결핍(I형)이 오거나 자가항체가 생겨서 기능 장애(II형)를 초래하는 경우가 있다. 일과성으로 발생하며 C1q치가 정상인 양호한 예도 있다(표 2-19).

나) 수용성 부경로 조절인자 결핍

보체활성 조절인자 I와 H의 결핍은 드문 질환으로서 C3b가 분해되지 않아 보체 경로의 과도한 활성화에 의해 C3가 소모되며 그 결과 C3 저하에 의한 화농성 세균 감염이 자주 동반된다. H인자의 결핍환자에서는 용혈성요독 증후군을 특징적으로 동반하고, 자가항체인 nephritic factor도 부경로에서 동일한 결과

표 2-17. 후천성보체결핍 질환

Immune complex associated
  Systemic lupus erythematosus
  Serum sickeness
  Acute glomerulonephritis (e.g., post-streptococcal)
  Subacute bacterial endocarditis with renal disease
  Acute viral hepatitis associated with antigen
  Autoimmune hemolytic anemia
  Urticaria-angioedema
  Radiocontrast-induced anaphylaxis (?)
  Endotoxin shock (?)
Biosynthetic defects
  Severe liver disease, decreased C1 INH, C3, C6, C9
  MPSGN in children
  Panhypogammaglobulinemia

표 2-18. 보체 활성화 조절 단백의 이상과 결핍에 따른 변화

보체 단백질	관련 활성화 이상	질병/병리	증후군
Regulatory proteins			
C1 inhibitor	Deregulated classical pathway consumption of C3	Acute, intermittent attacks of skin and mucosal edema(SLE)	Hereditary angioedema (Autosomal dominant)
		Acute, intermittent attacks of skin and mucosal edema (SLE, B cell lymphoproli-ferative diseases)	Acquired angioedema
Factor I	Deregulated classical pathway	Pyogenic infections Immune complex disease	
Factor H	Deregulated classical pathway	Pyogenic infections Glomerulonephritis	
Decay accelerating factor (DAF)	Deregulated C3 convertase	Complement-mediated intra-vascular hemolysis	Paroxysmal nocturnal hemoglobinuria
Homologous restriction factor (HRF), CD59 (MIRL)	Increased susceptibility of RBCs to MAC-mediated lysis	Complement-mediated intra-vascular hemolysis	Paroxysmal nocturnal hemoglobinuria
Complement receptors			
CR1	Deregulated C3 convertase	? SLE	
CR3		Pyogenic infections	Leukocyte adhesion deficiency

MIRL: membrane inhibitor reactive lysis, SLE: systemic lupus erythematosus

를 초래하여 사구체신염을 동반한다.

다) 보체 활성화 억제 막성 단백조절인자 결핍

Phosphatidylinositol 결합으로 적혈구 세포막에 부착하는 DAF(decay accelerating factor), HRF (homologous restriction factor), CD59(MIRL) 중 DAF는 세포막에서 C3 convertase의 형성을 억제하고, HRF와 CD59는 MAC형성을 억제한다. 따라서 이들 단백이 결핍되면 적혈구 표면에서의 보체 활성화가 억제되지 않기 때문에 혈관내 용혈이 재발하고 발작성 야간혈색뇨증(paroxysmal nocturnal hemoglobinuria)이 나타난다.

4) 보체 수용체 결핍

보체 수용체는 보체활성화를 조절하여 자신의 세포를 방어하는 기능을 갖고 있으며 보체활성 생산물에 대한 수용체로서 식균작용, 화학주성 및 백혈구 활성화 같은 보체의 생리학적 작용을 매개한다. CR1의 부분적 결핍은 전신성홍반성루프스의 원인이라기보다는 전신성홍반성루프스에 동반되어 나타나는 것으로 생각된다. Integrin분자의 CD11c/CD18족에 공통으로 존재하는 β쇄(CD18) 유전자의 드문 변이로 인하여 CR3과 CR4가 결핍되면 재발하는 화농성 감염이 동반된다. 선천성 유전자 결손으로 초래되는 백혈구 유착(leukocyte adhesion) 결핍에서는 iC3b 의존성 식균작용의 장애가 동반되고 내피세포에 중성구의 유착이 충분히 일어나지 않는다.

표 2-19. 보체결핍과 혈관부종의 감별 진단

혈관부종	C1 Inactivator		농도		
	항원성	기능성	C1	C4	C3
Type I HAE (Insufficient synthesis)	↓	↓	정상	↓	정상
Type II HAE (Dysfunctional INH)	정상	↓	정상	↓	정상
Acquired C1 INH deficiency type I*	↓	↓	↓	↓	정상
Acquired C1 INH deficiency type II**	↓ (60~70%)	↓	↓	↓	정상
Classical immune complex disease	정상	정상	↓	↓	↓
Idiopathic angioedema	정상, ↑	정상, ↑	정상	정상	정상
ACE INH-induced angioedema	정상	정상	정상	정상	정상

* increased catabolism of INH frequently associated with malignancy, ** autoantibodies to INH
ACE INH: angiotensin-converting enzyme inhibitor, ↑: 증가, ↓: 감소

표 2-20. 보체 활성화 이상에 따른 변화와 관련 질환

활성화 경로	CH_{50}	C3	C4	Factor B	관련 질환
Classical pathway	↓	↓	↓	정상	SLE, ICD, some urticaria
Alternative pathway	↓	↓	정상	↓	Endotoxin shock, MPGN
Fluid phase activation of classical pathway	정상, ↓	정상	↓	정상	Hereditary angioedema
Fluid phase activation of alternative pathway	정상	↓	정상	↓	C3b inactivator deficiency
Acute phase reaction	↑	↑	↑	↑	Chronic non-immune complex disease*

* Acquired: rheumatic fever, periarteritis nodosa, juvenile rheumatoid arthritis, dermatomyositis, typhoid fever, gout, scleroderma, ankylosing spondylitis, ulcerative colitis, acute myocardial infarction, sarcoidosis
SLE: systemic lupus erythematosus, ICD: immune complex disease, MPGN: membranoproliferative glomerulonephritis, ↑: 증가, ↓: 감소

라. 진단

보체는 출생시에는 낮으나 나이가 들면서 증가하는데, C2는 1개월에, C3, C4, C6, B, I, H 인자는 1세에, C1q, C5, C7, C8, C9 인자는 3세경에 각각 성인치에 도달하며, C1q, C4, C3, C5, B, properdin 인자는 시간당 약 2% 혹은 하루에 50%씩 대사된다. 감별 진단에는 특징적인 임상 소견과 가족력이 큰 도움이 되며 보체 활성화의 병태생리와 순환혈액 내 영향을 주는 인자들을 고려하여야 한다.

보체계의 기능적 평가에는 총 용혈성 보체 측정(CH50)이 이용되고 있으며, C1부터 C9까지의 결핍과 활성화에 대한 초기 선별검사로서 유용하다. 또 부경로의 용혈 활성도는 AH50이 사용되며 C3, I 혹은 H인자의 결핍에 대한 초기 검사로서 유용하다. 정상 CH_{50}은 혈청 내에 C1부터 C9까지 결핍이 없는 것을 의미하지만 C3와 C4가 낮을 수도 있기 때문에 C3와 C4 수치 측정을 같이 시행하는 것이 도움이 된다. CH_{50}이 감소하고 AH50이 정상일 때는 C1, C2 혹은 C4의 결핍을 의미한다(표 2-20).

혈청 가검물에서 C3, C4, C1q, C1r과 C1 inactivator 등 보체 성분의 양적, 기능적 측정은 면역화학적으로 단식 확산법, 면역 전기 영동법, 효소 혹은 방사 면역 측정법, 조직 면역형광법을 이용하여 측정한다. 보체

계의 활성화는 보체의 구성 단백 중 주경로의 C4, 부경로의 properdin과 B인자와 공통 경로의 C3를 측정하여 평가한다. 예를 들면 전신성홍반성루프스 환자에서는 C4와 C3가 낮고 B인자는 정상으로 나타나는데 이는 주경로가 활성화된 것을 의미한다. 또 MPSGN환자에서는 B인자와 C3가 낮기 때문에 부경로의 활성화를 의미한다. 따라서 면역학적 질환을 평가하는데 있어서 보체 특히 C3와 C4의 연속적인 측정이 도움이 될 수 있다. 또 D인자의 결핍은 재발성 Neisseria감염증과 관계있으며, H인자 결핍은 사구체신염, 재발성 수막구균성 뇌막염, 용혈성요독증후군 및 전신성홍반성루프스 등과 관련이 있다.

한편, C3 특히 C3b와 iC3b는 주요 옵소닌 단백으로서 보체 수용체 CR1, CR2, CR3와 CR4에 결합하여 작용하며, 이 수용체들은 전신성홍반성루프스, 자가면역 용혈성 빈혈, 발작성야간혈색뇨증, AIDS와 나병 환자의 순환 적혈구 표면에서 감소되어 있다. 실험적으로 재조합 수용성 CR1으로 주, 부경로에 의한 보체활성화를 차단할 수 있으며, CR2는 보체활성화에 대해 약간의 조절 기능을 나타내지만 근본적으로는 B 림프구의 활성화에 더 많이 관여한다.

마. 치료

보체결핍 질환의 치료에서 선천성 혈관부종의 치료에 대한 연구가 가장 많이 진행되어 있으며, C1 inactivator결핍의 치료에는 3가지 방향에서 시행한다. 즉, plasmin 활성화를 억제하여 항 섬유소 용해작용을 가진 ε-Aminocaproic acid는 심한 HAE의 예방 치료를 위해 매 시간 1 gm씩 총 16 gm까지 정맥 투여가 추천되지만 부작용이 있으며, 최근에는 tranexamic acid, 신선한 동결 혈장, 정제된 C1 INH 등이 급성 발작시에 이용된다. 그러나 C1 INH는 반감기가 짧아서 매 3~4일마다 투여해야 하고, 혈장투여는 경우에 따라 감작될 수 있기 때문에 장기적으로 사용할 수는 없다. 또 남성 홀몬제제인 danazol 혹은 stanozolol 또는 실험적으로

IFN-γ는 C1 inactivator치를 상승시키고 C4 소모를 감소시킴으로써 임상 증상을 최소화 할 수 있다. 보체 농도 변화에 관계없이 증상을 억제할 수 있는 최소 적정량을 투여하여야 하지만 소아에서는 장기 복용이 어렵다.

그 외 다른 선천성 보체결핍성 질환의 치료 연구는 지금까지 충분하지 못하며 다만 혈장 투여로서 임상적, 생화학적 결함이 일시 호전된다고 한다.

후천적인 결핍 질환에서는 원인을 제거하고, 자가면역 질환이 동반된 경우에는 자가면역 질환의 치료를 병행하여야 한다. 감염증을 예방하기 위하여 다가 폐렴구균 및 수막염구균 백신을 접종함이 바람직하며, 적절하게 항생제를 예방적으로 장기 투여하면 도움을 받을 수 있다. 그러나 부신피질 호르몬이나 항히스타민제는 효과적이지 못하다.

보체계의 이상은 숙주방어 기전의 이상과 자가면역 질환이 동반되는 경우가 많으므로 보체 성분의 결핍 혹은 기능적 장애가 있는 경로를 추정 감별하여 적절한 치료를 고려해야 한다.

참고문헌

1. 송창화, 조은경, 박정규, 김정수, 홍수종, 이재호. 국내 X-관련성 범저감마글로불린혈증 세가족에 대한 Bruton's Tyrosine Kinase 단백질 발현 및 유전자 변이 분석. 소아과 2002;45:302-10.

2. Paul ME, Shearer WT. Clinical immunology principles and practice. In : Rich RR, Fleisher TA, Schwartz BD, Shearer WT, Strober W, editors. Approach to the evaluation of the immunodeficient patient. St. Louis: Mosby. 1996;609-20.

3. Puck JM. Primary immunodeficiency disease. JAMA 1997;278:1835-42.

4. American Academy of Pediatrics Committee on Infectious Disease. Active and passive immunization. In : Red Book. 20th ed. Elk Grove Village, IL: American Academy of Pediatrics.

1997;24:1-72.

5. Report of a WHO scientific group. Primary immunodeficiency diseases. Clin Exp Immunol 1997;109(1 Suppl):1S-28S.

6. Ten RM. Primary immunodeficiencies. Mayo Clinic Proc 1998;73:865-72.

7. Conley ME, Notarangelo LD, Etzioni A. Diagnostic criteria of primary immunodeficiencies. Clin Immunol 1999;93:190-7.

8. Report of an IUIS Scientific Committee. International Union of Immunological Societies. Primary immunodeficiency diseases. Clin Exp Immunol 1999;118(Suppl):1-28.

9. Buckley RH. Primary immunodeficiency disease due to defects in lymphcytes. N Engl J Med 2000;343(18): 1313-24.

10. Fischer A. Severe combined immunodeficiencies (SCID). Clin Exp Immunol 2000;122:143-9.

11. Champi C. Primary immunodeficiency disorders in children: prompt diagnosis can lead to lifesaving treatment. J Pediatr Health Care 2002;16:16-21.

12. Wild MK, Lühn K, Marquardt T, Vestweber D. Leukocyte adhesion deficiency II: therapy and genetic defect. Cells Tissues Organs 2002;172:161-73.

13. Bonilla FA, Geha RS. Primary immunodeficiency disease. J Allergy Clin Immunol 2003;111: S571-81.

14. Chapel H, Geha P, Rasen F. Primary immunodeficiency diseases: an update. Clin Exp Immunol 2003;132:9-15.

15. IUIS Scientific committee: Primary immunodeficiency diseases. Report of an IUIS scientific committee. an update. Clin Exp Immunol. 2003;132:9-15.

제3장

이차성면역결핍질환

1. 사람 면역결핍 바이러스 감염증

가. 원인

사람 면역결핍 바이러스(human immunodeficiency virus: HIV)로 Retroviridae과의 Lentivirus속에 속하며 HIV-1과 HIV-2가 있다. HIV-1이 대부분을 차지하며 전세계적으로 광범위하게 퍼져있고, HIV-2는 아프리카 지역에 많다. HIV는 두 가닥의 RNA 분자를 가지고 있으며 증식 과정에서 RNA가 DNA로 바뀌는 역전사 과정이 있다. 바이러스 유전자와 단백성분으로는 gag 유전자(core protein p24, p17, p9, p7), pol 유전자(역전사효소: reverse transcriptase p51, 단백질분해효소: protease p10, integrase p32), env 유전자(external viral protein gp 120, transmembrane glycoprotein gp 41) 등이 있다(그림 3-1).

1) **gp120**: 외막에 있는 단백으로 T-림프구의 CD4와 결합하여 세포내 침투에 관여하며 이에 대한 항체는 중화 항체의 기능을 갖는다. 그러나 gp120은 가변성이 높은 V3 loop를 가지고 있어 이질성(heterogenecity)이 아주 높아 완전한 면역방어를 기대하기 어렵고, 효과적인 백신 개발에도 걸림돌이 되고 있다.

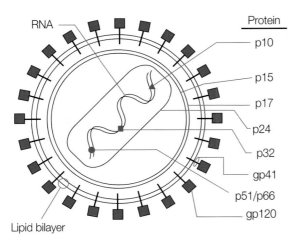

Protein	Function
p10	Protease, processes the gag and pol polyproteins
p15	Viral replication
p17	Matrix protein
p24	Capsid structural protein
p32	Viral cDNA integration
gp41	Transmembrane protein
p51/p66	Reverse transcriptase
gp120	Surface protein

그림 3-1. HIV 바이러스의 구조와 기능

2) gp41: 당단백으로 T-림프구의 fusion 수용체와 작용하여 바이러스 RNA가 세포질내로 들어가는데 중요한 역할을 한다. 면역원성이 강해서 높은 항체 생성을 보이나 이는 중화 항체의 기능이 없어 진단에만 주로 이용된다.

3) p51: 역전사 효소로 세포질내로 들어온 바이러스의 증식에 관여한다. RNA에서 DNA를 생성하고 DNA는 세포 핵으로 옮겨져서 염색체 DNA가 되어 provirus로 작용한다. Provirus는 어느정도 잠복상태를 가지며 조절 유전자(예: tat, rev, nef 등)의 발현에 따라 RNA와 바이러스 단백을 생성하여 숙주세포를 파괴하고 증식하게 된다. 바이러스의 역전사 효소는 오류를 교정하는 능력(error-checking mechanism)이 없으므로 많은 돌연변이와 함께 다양한 약제내성을 보여 치료를 어렵게 한다.

나. 역학

1) 개요

1980년대 초 폐포자충(*Pneumocystis carinii*) 폐렴 등의 기회 감염이 후천적으로 면역결핍이 있는 환자에서 발견되면서 관심을 갖게 되었으며 흔히 후천성 면역결핍증 또는 에이즈로 알려져 있다. 사람이 유일한 숙주이며 1983년 파스퇴르 연구소에서 원인 바이러스가 처음 분리되었고 1987년 zidovudine(ZDV)이 처음으로 치료제로 공인되었다. 환자 수도 급격히 증가하여 세계보건기구의 보고에 의하면 2003년말 현재 HIV 감염자는 전세계적으로 4,000만명이 넘는 것으로 추정되며 그중 250만명이 15세 미만의 소아이다. 전체 감염자의 60%는 여자이며 대부분 이성간의 성행위로 전파된다. 2003년 한 해 동안 500만명의 신환이 발생하였으며 300만명이 사망하였고 이중 15세 미만의 신환은 70만명, 사망자는 50만명이었다. HIV 감염자는 소득이 낮은 지역에서 급속히 증가하였으며 대부분의 환자가 사하라 사막 이남의 아프리카와 동남아시아, 라틴 아메리카, 동유럽지역에 집중되어 있다.

우리나라에서도 HIV 감염은 국가적인 문제가 되고 있다. 다행히 환자 수가 비교적 많지 않으며 특히 혈우병 환자의 감염률이 낮고 소아 감염자도 적고 수직 감염자는 거의 없는 상태이다. 그러나 2003년 초에 총 감염자 수가 이미 2,000명을 넘었으며 신환 발생율도 급격히 증가하고 있는 추세이어서, 역학 조사의 한계를 고려할 때 실제 감염자 수는 이보다 훨씬 많을 것으로 추정된다.

2) 전파

바이러스의 전파는 성접촉, 오염된 혈액이나 체액접촉, 산모로부터의 주산기 감염이 있는데 청소년기 이전의 소아에서는 주산기 감염이 가장 중요하다. HIV는 주로 혈액(림프구, 대식세포, 혈청)에 많으며 뇌척수액, 늑막액, 모유, 정액, 질분비액에도 많이 있다. 드물게 침이나 소변, 눈물에서도 발견되나 그 빈도가 낮고 바이러스 숫자도 아주 적어 감염원으로 인정되지 않는다. 소변이나 대변을 통한 감염도 보고는 되었으나 혈액 오염이 없으면 무시해도 되며, 일상적인 가족내 접촉도 전파 위험이 없다. 따라서 현재까지는 혈액, 정액, 질분비액 및 모유만이 역학적으로 바이러스 전파에 의미있는 것으로 인정되고 있다.

다. 병인

점막을 통해 침범된 바이러스는 수지상세포(dendritic cell)와 결합하여 림프관을 따라 림프절로 이동한 후 림프구나 대식세포의 표면 항원인 CD4와 결합한다. 이들 세포 외에도 CD4 항원을 가진 미세아교세포(microglia), 별아교세포(astrocyte), 희소돌기아교세포(oligodendroglia), 태반조직(융모 Hofbauer 세포)등과 결합하여 국소 병변이나 주산기 감염을 일으킨다. CD4 림프구와 결합한 바이러스는 이를 사멸시키고 증식하며, CD4 림프구는 바이러스 증식에 대항하여 계속 만들어지고 활성화되어 바이러스를 제거한다. 그러나 감염 초기에는 면역반응이 활성화되지 않아 바이러스 제거가 효과적으로 이루어지지 못하고, 감염 3~6주 후에는 HIV 증식을 조절할 수 있는 한계점에 도달하여 바이러스의 혈액내 증식(burst of viremia)이 일어나고 이때 발열, 피부 발진, 림프절 비대, 관절통 등의 증상이 생긴다. 이러한 증상은 성인감염자의 약 50~70%에서 나타나며 림프절 비대는 성인과 사춘기 환자에서 가장 특징적인 소견이다. 감염 후 2~4개월이 되면 숙주의 면역반응이 활성화되어 초기 증상이 소실되고 혈액내의 바이러스 양(virus load)이 감소하고 CD4 림프구 숫자도 회복되는(약간 감소된 상태로 지속) 임상적 휴지기(clinical latency)에 들어간다. 임상적 휴지기는 성인에서는 약 8~12년이며 임상 증세만 없을 뿐 바이러스나 CD4 림프구는 계속 증식과 사멸을 지속하여 하루 10억개 이상의 림프구가 생성되기도 한다. 이처럼 림프구의 생성과 사멸이 지속되다가 면역체계가 고갈되면 CD4 림프구의 감소와 함께 증상이 나타나며 에이즈(AIDS) 환자로 진행하게 된다.

소아는 성인과 달리 비교적 다양한 진행 경과를 보이며 3가지 유형이 있다. 첫번째 형은 자궁내 감염에 의한 경우로 전체 주산기 감염의 15~25%를 차지한다. 태아기때 이미 바이러스 증식과 CD4 림프구 생성 증가를 보이며 생후 48시간내에 바이러스의 전신적 분포와 면역기능의 손상이 나타나고, 수개월 이내에 에이즈 증상이 발생하여 6~9개월에 사망한다. 두번째 형은 분만 도중에 감염된 것으로 생각하며 전체 주산기 감염의 60~80%를 차지한다. 혈액내 바이러스는 생후 1주일 이내에는 음성을 보이나 점차 증식하여 2~3개월에 최고에 달하고 2년에 걸쳐 서서히 감소한다. 6세경에 사망한다. 세번째 형은 전체 주산기 감염의 5% 이하로 바이러스 양이 낮고 CD4 림프구는 정상을 유지하며 8년이상 생존한다.

소아 감염자에서 면역기능의 변화는 성인과 약간의 차이를 보인다. 일반적으로 소아에서는 림프구 비율이 높기 때문에 HIV 감염자의 면역기능에 대한 기준도 성인과 다르며 CD4 림프구의 감소도 성인에 비해

뚜렷하지 않다(표 3-1A, 3-1B). 대부분의 소아 감염자는 질병의 초기에 B 림프구가 활성화 되어 고감마글로불린 혈증(>1,750 mg/dL)을 보이며, 이는 질병의 진단에도 도움을 주는 소견으로 알려져 있다. 중추 신경계 침범도 성인에 비해 많다. 정확한 기전은 알려져 있지 않으나 대식세포, 미세아교세포, 별아교세포 등 CD4 항원을 가진 세포 침범에 의한 것으로 생각되며 수초화(myelinization)가 늦어진 미성숙 세포가 바이러스 감염에 약한 것으로 추정하고 있다.

라. 증상

감염 초기나 출생시에는 대부분 정상이나 질병이 진행되면서 매우 다양한 임상증상을 보인다. 임상증상은 림프절 비대, 간비대, 비장비대, 성장 부진, 반복되는 설사 등 비특이적 증상과, 면역기능저하에 따른 각종 감염증, 그리고 림프구 간질성 폐렴(lymphocytic interstitial pneumonia), 신경학적 손상, 혈액 질환, 악성 종양 등 비감염성 질환 발생에 따른 증상으로 구분할 수 있다.

1) 감염증

면역 반응의 가장 중요한 역할을 하는 CD4 림프구의 감소는 각종 감염병을 피할 수 없게 하며, 기회 감염과 반복 감염이 많고 전격성 경과를 보인다. 주요 감염증으로는 균혈증, 패혈증, 폐렴이 있으며, 중이염, 부비동염, 피부·연조직 감염도 아주 흔하고 계속되는 경우가 많다. 주요 병원체로는 *S. pneumoniae*, *Salmonella*, *Staphylococcus*, *Enterococcus*, *P. aeruginosa*, *Mycobacteria* 등 세균과, 바이러스로는 *herpes simplex*, *varicella zoster*, *cytomegalovirus* 등이 많으며, 그외 *P. carinii*, *C. albicans* 등도 흔하다.

2) 비감염증

감염증 이외에도 성장 장애, 조혈 기관이나 중추 신경계 이상 및 종양 발생도 흔하다. 조혈기능의 이상은

감염이나 면역 반응, 약물 사용 등에 의하며 빈혈, 호중구 감소, 혈소판 감소 등이 잘 온다. 중추 신경계 이상은 생후 19개월경에 나타나며 진행성 뇌증, 뇌 성장 장애, 뇌 위축 등이 있다. 종양 발생률은 20%로 어른에 비해 낮으며 백혈병, 비호지킨 림프종 등이 많다.

마. 진단

성인의 HIV 감염은 혈청 내 HIV IgG 양성으로 진단한다. 그러나 HIV 양성 임신부로부터 태어난 모든 신생아는 출생시 HIV IgG가 양성이며 이는 생후 6~12개월에 소실된다. 따라서 18개월 이상의 소아는 성인과 같이 HIV IgG 양성과 확인 검사(Western blot이나 면역 형광 검사) 양성으로 진단하고, 18개월 미만의 소아는 HIV DNA 혹은 RNA 중합 효소 연쇄 반응(polymerase chain reaction, PCR)으로 진단한다. HIV 배양 검사나 p24 항원 검사는 많은 시간이 필요하고 예민도가 낮아 적합하지 않다.

PCR은 일반적으로 생후 2일 이내, 1~2개월, 4~6개월에 실시하며 조기 진단과 치료를 위해 생후 14일에 추가 실시하기도 한다. HIV 검사에서 양성 소견을 보인 모든 환자는 즉시 재검사를 실시하여 확인한다. 생후 1개월 이후에 PCR 검사가 2회 이상 음성인 경우(단 1회는 4개월 이후에 실시)와 18개월 이후 HIV 항체 검사가 2회 음성인 경우(단 1개월이상 간격으로 검사)에는 HIV 감염을 배제할 수 있다.

바. 치료

모든 HIV 감염자는 임상 소견(clinical categories)과

표 3-1A. 13세 이하 소아의 HIV 감염자의 분류

면역기능 정의 (Immune Categories)	임상적 분류 (Clinical Categories)			
	징후 및 증상			
	N: 없음	A: 경증	B: 중등증	C: 중증
1. 면역저하: 없음	N1	A1	B1	C1
2. 면역저하: 중등증	N2	A2	B2	C2
3. 면역저하: 중증	N3	A3	B3	C3

Category N: 증상이 없거나 Category A 증상중 하나만 있는 경우
Category A: 다음중 2가지 이상 증상이 있으면서 Category B나 C의 증상이 없는 경우
　　　　　림프절비대(0.5cm 이상 2군데 이상, 양측 1군데), 간비대, 비장비대
　　　　　피부염, 이하선염, 재발성 혹은 지속성 상기도 감염, 부비동염 혹은 중이염
Category B: 중등도의 증상을 갖는 경우
Category C: 중증의 증상을 갖는 경우

표 3-1B. 13세 이하 소아의 HIV 감염자의 분류

면역기능 정의 (Immune Categories)	연령별 CD4 림프구 수 및 %					
	<12개월		1~5세		6~12세	
	uL	%	uL	%	uL	%
1. 면역저하: 없음	≥1500	≥25	≥1000	≥25	≥500	≥25
2. 면역저하: 중등증	750~1499	15~24	500~999	15~24	200~499	15~24
3. 면역저하: 중증	<750	<15	<500	<15	<200	<15

면역 저하 정도(immune categories)에 따라 질병 상태를 구분하고 치료 및 예방을 실시한다(표 3-1A, 3-1B). 현재까지 완치할 수 있는 방법은 없으나 적절한 치료로 바이러스 증식을 억제하고 질병의 진행과 합병증 발생을 억제하므로써 HIV 감염자의 수명을 연장시키고 건강 유지와 삶의 질을 향상시킬 수 있게 되었다.

1) 항바이러스제 투여

투여 목적은 바이러스 증식을 억제하여 면역기능의 손상과 질병의 진행을 막아주는 것이다. 항바이러스제로는 역전사 효소 억제제(reverse transcriptase inhibitor, NRTI), 비역전사 효소 억제제(non-reverse transcriptase inhibitor, NNRTI), 단백 분해 효소 억제제(protease inhibitor, PI)가 있다(표 3-2). 항바이러스제 사용 여부는 혈청내 바이러스 양, CD4 림프구 수 및 임상 소견에 따라 결정한다. 기본적으로 복합 투여(3가지 이상 약제)가 추천되고 있으며, 순응도가 낮으면(80~90% 이하) 약제 내성이 잘 생겨 치료가 어렵다.

치료의 적응증은 기본적으로 임상 증상이 있거나(clinical categories A, B, C), 면역저하(immune categories 2, 3) 상태인 경우이다. 그러나 1세 이하의 소아 감염자는 환자 상태에 관계없이 바로 치료해야 하며(3개월 이전에 치료한 경우는 예후가 훨씬 좋다), 1세 이상의 소아에게서도 면역학적 손상을 예방하기 위하여 항바이러스제 투여를 추천하기도 한다. 치료 효과는 바이러스 양, CD4 림프구 수, 임상소견으로 평가한다. 치료 시작 4주에 바이러스 양이 1/5이하로 감소해야 하며 최고 치료 효과는 12~16주에 나타난다. 바이러스 양은 치료 후 4주와 3~4개월에 측정하며 충분한 효과가 없으면 약제를 바꿔 준다(약을 바꾸기 전에 다시 한번 검사해서 확인한다). 약제의 변경은 치료 효과가 없는 경우(바이러스 양 및 CD4 림프구 수의 변화로 판단)와 약물의 독성 및 불내성이 있는 경우에 고려한다. 약제 변경시에는 교차내성을 고려하여 모든 약제를 바꿔주는 것이 좋으나 실제로는 어려운 경우가 많으므로 적어도 2가지 이상의 약제를 바꿔준다.

표 3-2. 항바이러스제 분류 및 독성

항바이러스제	독성
Reverse transcriptase inhibitors (NRTI)	
Didanosine (ddI)	위장장애, 복통
Lamivudine (3TC)	두통, 피로감, 위장장애, 피부발진
Stavudine (d4T)	두통, 위장장애
Zidovudine (ZDV)	빈혈, 호중구 감소, 두통
Non-nucleoside reverse transcriptase inhibitors (NNRTI)	
Delavirdine (DLV)	피부발진, 위장장애, 두통, 피로감
Efavirenz (EFV)	피부발진, 중추 신경계 증상
Nevirapine (NVP)	피부발진, 위장장애, 두통, 피로감
Protease inhibitors (PI)	
Indinavir (iDV)	위장장애, 고빌리루빈혈증
Nelfinavir (NFV)	설사, 복통
Ritonavir (RTV)	위장장애, 복통, 식욕부진, 두통

HIV는 돌연변이 발생률이 매우 높기 때문에 약제내성이 많아서 치료가 어렵다. 바이러스 양을 50 copies/mL 이하로 줄이지 못하면 내성이 발생할 가능성이 높아진다.

2) 보조 치료

가) 예방 접종

HIV 감염자는 OPV와 BCG를 제외한 모든 예방접종을 해준다(단 MMR과 수두는 immune category 2까지만 한다). HIV 감염자가 있는 집안 식구에게 OPV는 접종 금기이며 MMR과 수두는 접종이 가능하다. 인플루엔자는 생후 6개월 이후에 시작하며 매년 접종해 준다.

나) 기회 감염 예방

HIV감염 임신부로부터 출생한 생후 6주~1세 영아는 HIV 감염이 확인된 경우는 물론 감염이 확인되지 않은 경우에도 *Pneumocystis carini* 폐렴 예방을 위해 bactrim을 투여해 주며 1세 이후에는 CD4 림프구 수에 따른다. 1세 이후에는 정기적으로 결핵 피부반응 검사를 실시하여 결핵을 진단하고 치료 또는 예방적 화학요법을 실시한다. 1년 이내에 2회 이상의 심한 세균 감염이 있는 경우, 저 감마글로불린 혈증, 특이 항체를 생성하지 못하는 경우에는 정맥 주사용 면역글로불린(intravenous immunoglobulin)을 투여해 준다 (400 mg/kg/4주).

다) 수동 면역

홍역이나 수두 환자에 노출되었거나 파상풍 감염의 위험이 있을 때는 예방접종력에 관계없이 수동 면역을 실시해 준다.

라) 환자 격리

표준격리 지침(standard precaution)에 따른다. 혈액이나 감염성을 가진 체액에 대한 노출을 조심해야 하며 오염된 의료 장비나 폐기물도 철저히 관리해야 한다.

사. 예후

예후 판정에 도움이 되는 인자로는 바이러스 양, CD4 림프구 수, 임상증상 등이 있다. 각각의 인자는 그 변화를 지속적으로 관찰하는 것이 중요하며 일반적으로 바이러스 양이 100,000 copies/mL 이상, CD4 림프구가 15% 이하 이면 예후가 나쁘다.

Pneumocytis carinii 폐렴이나 비결핵 항산균증 등의 기회 감염이나 뇌증, 성장 장애가 있으면 예후가 가장 나빠 75%가 3세 이전에 사망하며, 지속적인 발열, 중증 감염(패혈증, 폐렴, 뇌막염), 간염, 지속적인 빈혈(8.0 gm/dL 이하)이 있는 경우에도 예후가 나쁜 경우로 30% 이상이 3년내 사망하게 된다.

아. 예방

1) 주산기 감염의 예방

청소년기 이전의 소아 HIV 감염자는 90%가 감염된 임신부로부터의 수직 감염에 의하며, 임신부와 신생아가 치료를 받지 않은 경우에는 주산기 감염률이 30~40%에 이르는 것으로 알려져 있다. 최근 임신부와 신생아에 대한 적극적인 항바이러스제 투여, 제왕절개술, 모유수유 금지 등을 통해 주산기 HIV 감염을 현저히 줄일 수 있게 되었다.

가) Zidovudine(ZDV) 화학 요법

HIV에 감염된 임신부는 임신 4주 이후 ZDV을 1회 100 mg씩, 하루 5회, 경구투여 하며, 분만 도중에는 2 mg/kg을 1회 정맥 투여하고 다음에는 1 mg/kg/hr를 정맥 투여한다. 신생아는 생후 6주까지 1회 2 mg/kg씩 6시간마다 경구 투여한다.

나) 제왕절개술

진통이 시작되기 전이나 양막파수 전에 제왕절개를 함으로써 신생아 감염률을 50% 감소시킬 수 있다.

다) 모유 수유

모유 수유는 HIV 주산기 감염률을 14% 증가시키기 때문에 HIV 감염자의 모유 수유는 추천되지 않으며 모유 기증자도 혈액 공여자와 마찬가지로 HIV검사가 필요하다. 모유에 노출이 빈번한 의료인은 모유 취급 시 장갑을 낀다.

2) 노출후 예방대책

HIV에 노출된 의료인의 경우 HIV 혈액의 피부 관통 노출시 0.3%, 점막 노출시 0.1%, 피부 노출시 0.1% 미만의 전파 위험이 있다. 따라서 혈액이나 체액에 노출된 후에는 즉시 HIV 항체 검사와 혈액 공여자나 감염원에 대한 HIV 감염 상태를 검사한다. 의료인에 대한 검사가 음성이면 4~6주, 12주, 6개월에 재검사를 실시한다. 항바이러스제 투여는 노출 72시간 이내에 실시하며 4가지(zidovudine, lamivudine, stavudine, didanosine) 중 2가지 약제를 선택하여 4주간 투여한다. 감염원의 상태와 치료 경력을 검토하여 감염 위험도가 높으면 1가지 약제를 추가한다.

2. HIV 감염증 이외의 이차성면역 결핍질환

가. 무비증

비장은 간과 함께 포식작용에 의한 세균제거 역할을 하며 항체 생성의 장소이기도 하다. 따라서 해부학적 또는 기능적 무비증(asplenia)이 있는 경우에는 피막을 가진 세균, 특히 *H. influenzae*, 폐구균, 수막구균의 감염이 흔하다. 감염증은 전격성인 경우가 많고 40~80%의 사망률을 보인다. 말라리아나 바이러스 감염도 훨씬 심하게 앓는다. 무비증 환자는 선천성 심장질환을 가진 경우가 많고 소화기나 비뇨기의 기형이 동반되는 경우도 있다.

비장절제 후에는 나이가 어릴수록 전격 감염의 위험이 높으며 이러한 감염은 수술 후 2년 이내에 잘 발생한다. 따라서 비장절제는 가능하면 5세 이후로 연기하고, 외상에 의한 비장절제도 가능하면 부분 절제를 한다. 무비증 환자나 비장절제 후에는 5세까지 예방적 화학요법을 해주며 예방접종, 특히 b형 헤모필루스 인플루엔자(Hib), 폐구균, 수막구균에 대한 접종을 한다. 일반적으로 지중해 빈혈증(thalassemia)이나 호지킨병에 따른 비장절제 후에는 감염의 위험이 많고, 구형적혈구증이나 혈소판감소증, 겸상적혈구증에 따른 비장절제 후에는 상대적으로 위험이 적다.

나. 겸상적혈구병

겸상적혈구병(sickle cell disease) 환자에서 면역결핍은 주로 기능적 무비증에 의하며 조직의 저산소증과 경색증 및 괴사에 의한 감염의 위험이 증가한다. 보체의 기능(alternative complement pathway)도 감소되어 있다. 무비증과 마찬가지로 피막을 가진 세균 감염이 많으며 폐구균에 의한 수막염의 위험도는 정상소아보다 500배나 높다.

생후 5세까지는 예방적 화학요법을 해주며 예방접종도 적극적으로 해야 한다.

다. 낭성섬유증

낭성섬유증(cystic fibrosis)은 상염색체 열성유전 질환으로 cystic fibrosis transmembrane conductance regulator 유전자의 결함에 의해 발생된다. 전신적인 면역체계는 이상이 없으나 기도 염증 등 국소 병변이 문제가 된다. 호중구의 단백분해효소(elastase)에 의한 옵소닌화 및 포식작용 저하, 기관지 세포표면의 sialic acid 감소에 따른 국소 방어기전의 결핍 등이 알려져 있다. 녹농균 감염이 많으며 만성 기관지내 감염에 따른 기도염증, 섬유화 및 폐조직 파괴를 일으킨다.

라. 기타

이상의 질환 외에도 부신피질 호르몬이나 항암제 등 면역저하를 일으키는 약물복용, 영양실조, 만성 소모성질환, 조혈기능의 저하를 일으키는 질병이나 약물복용, 자가면역질환 등도 면역결핍을 일으킬 수 있다.

참고문헌

1. American Academy of Pediatrics. Red Book. 26th ed. Elk Grove Village, IL: American Academy of Pediatrics. 2003;360-82.

2. Hanson IC, Shearer WT. Lentiviruses(Human immuno deficiency Virus Type I and Acquired Immunodeficieny Syndrome) In: Feigin RD, Cherry JD, Demmler GJ, Kaplan SL, editors. Textbook of Pediatric Infectious Diseases. 5th ed. Philadelphia: Saunders, 2004;2455-81.

3. Yegev R, Chadwick EG. Acquired Immunodeficiency Syndrome In: Behrman RE, Kliegman RM, Jenson HB, Nelson Textbook of Pediatrics, 16th ed. Philadelphia: Saunders, 2004;1109-21.

제4장

자가면역질환

자가면역질환에서는 면역학적인 자가관용(self-tolerance)이 유지되는 정상적인 과정의 손상으로 인해 인슐린의존성 당뇨병, 류마티스 관절염, 류마티스 열 그리고 건선과 같은 질환이 발생한다. 자가면역질환은 흥미롭지만 아직 질병에 대한 이해 정도가 낮은 질환으로 신체 어느 곳이나 침범할 수 있고 서구에서 약 5%의 사람들이 앓고 있다.

자가면역질환은 감염이나 식별 가능한 원인이 아닌 자가항체, 자가활성 림프구 등에 의한 자기 조직의 파괴 현상이 증명되어야 한다. 과거부터 자가면역질환은 하나의 장기에 국한된 인슐린의존성 당뇨병과 같은 질환과 전신에서 면역반응이 일어나는 전신성홍반성루프스와 같은 전신형으로 분류하고 있다(표 4-1).

자가면역질환은 임상적으로 다양한 증상들을 나타낼 수 있다. 그 병인으로는 면역계에 의한 표적기관의 염증으로 나타나는 자가항체에 의한 면역질환으로 생각된다. 감별진단으로는 감염성질환, 종양, 알레르기질환 등을 고려해야 한다(표 4-2).

1. 소아기 류마티스관절염

소아기 류마티스관절염(juvenile rheumatoid arthritis: JRA)은 소아에서 가장 흔한 류마티스성 질환이다. 유병률은 1,000명 당 1명이다. 전신형만 남아가

표 4-1. 기관특이 자가면역질환과 전신형 자가면역질환

기관특이 자가면역질환
다발성경화증
Guillain-Barré 증후군
Grave병
하시모토갑상선염
Goodpasture's 증후군
자가면역용혈성빈혈
자가면역성혈소판감소성자반증
인슐린의존성당뇨병
일차성담도경화증
일차성성선부전증
백반증
심상성천포창
중증근무력증
전신형 자가면역질환
전신성홍반성루프스
류마티스관절염
Wegener육아종증
항인지질 증후군(antiphospholipid syndrome)
염증성 장 질환
피부근염(dermatomyositis)
혼합성 결체조직 질환
Sjögren 증후군

더 많고 나머지는 3:1의 비율로 여아에서 호발한다. JRA의 원인은 명확하지 않으나 환경적인 요인과 다수

의 유전적인 영향의 상호작용에 의할 것으로 추측된다. 병인은 활성화된 대식세포, 림프구, 호중구에 의한 연조직의 만성 염증으로 생각된다. 여러 사이토카인이 병소에서 활성화되며 그 중 TNF-α가 주요 역할을 한다.

가. 분류

1986년 ACR (American College of Rheumatology)에서는 16세 미만의 소아에서 최소 6주 이상 지속되는 관절염이 1개 이상의 관절에서 나타나고 관절염을 초래할 수 있는 다른 질환을 제외할 수 있으면 진단할 수 있다고 하였다. 처음 6개월의 발병 양상에 따라 소수 관절형, 다수 관절형, 전신형으로 구분하며 임상적으로 각기 다른 경과를 취한다(표 4-3).

1) 소수 관절형

소수 관절형(pauciarticular type)은 소아기 류마티스 관절염 중 가장 흔하며 호발 연령대는 1~5세와 12~16세이다. 이것은 다시 I형과 II형으로 나누는데, I형은 여아에 더 많고 II형은 남아에 더 많으며 HLA B27과 연관을 보인다. 대부분의 환자에서 1~5개의 관절부위 동통과 부종이 관찰된다. 비대칭 침범이 흔하다. 슬관절의 병변이 가장 흔하고 그 다음이 발목, 손목, 팔꿈치관절이다. 경한 외상의 병력이 있더라도 24시간 이상 지속되는 관절의 부종은 정형외과적인 문제와는 별개로 다루어야 한다. 또한 반월판 손상도 드물다.

동통의 정도도 다양하다. 아침에 나타나는 경직이 특징적이며 이는 관절의 부종을 유발하는 염증을 의미한다. 동통의 정도를 결정하는 데는 관절의 운동제한이 얼마나 심한지 확인하는 것이 유용하고 관절 부종이 그리 심하지 않은 경우에도 나타날 수 있다.

소아기 류마티스관절염에서 편측의 고관절만을 침범하는 경우는 드물고 이때는 정형외과 질환과의 감별이 요구된다. 3세 이전에 편측의 슬관절에 병변이 있는 경우에는 시간이 경과하면 양측의 다리 길이에

표 4-2. 근골격 통증의 감별진단

자가면역질환
관절염
소아기 류마티스관절염
척추염
반응성 급성류마티스열
콜라겐 혈관질환
전신성홍반성루프스
소아기 피부근염
혈관염 : Henoch-Schönlein자반증, 다발성결절성 동맥염, 가와사키 병, Wegener육아종증
감염
세균성 화농성관절염
Lyme병
Parvovirus B19 감염
종양
고형암
백혈병
신경모세포암
정형외과 질환
외상
무혈성 괴사(Legg-Calve-Perthes disease)
Slipped capital femoral epiphysis
스트레스 골절
척추용해증과 척추앞전위증
골연골증(Osgood-Schlatter disease, Sever's disease)
통증 증후군
성장통
섬유근육통
Overuse 증후군
과이동성 증후군
반사 교감신경 이상증

차이가 날 수 있고 심각한 근육 위축이 올 수 있다. 이런 경우 국소 스테로이드 주사가 예방 효과가 있다.

소수 관절형에서는 특징적으로 만성적이며 무증상의 전방 포도막염이 나타날 수 있다. 항핵항체(antinuclear antibody: ANA)가 양성인 환아의 30%에서 보인다. 일반적인 검안경으로는 진단할 수 없으므로 염증의 초기부터 세극등을 이용한 정기적인 검진

표 4-3. 소아기 류마티스관절염의 분류와 특징

| 구분 | 소수 관절형 | | 다수 관절형 | | 전신형 |
| | | | 류마토이드 인자 | | |
	I 형	II 형	음 성	양 성	
빈 도	30~40%	0~15%	20~30%	5~10%	10~20%
성별	80%가 여아	90%가 남아	90%가 여아	80%가 여아	60%가 남아
발병 연령	소아 초기(대개 4세 전부터)	소아 후기	전 소아기를 통해	소아 후기	전 소아기를 통해 (5세 미만에 흔하다.)
관절	큰 관절 : 무릎, 발목, 팔꿈치	큰 관절 : 고관절, 하지의 큰 관절	어느 관절이나	어느 관절이나	어느 관절이나
Sacroilitis	(-)	흔히 온다.	(-)	드물다.	(-)
Iridocyclitis	30%, 만성	10~20%, 급성	드물다.	(-)	(-)
Rheumatoid factor (RF)	(-)	(-)	(-)	100%(+)	(-)
Antinuclear antibody (ANA)	90%	(-)	25%	75%	10%
HLA 항체	DR5, DR6, DR8	B27 : 75%	?	DR4	?
최종 증상	눈의 손상: 10% 다발성 관절염: 20%	후에 오는 spon- dyloarthropathy	심한 관절염: 10~15%	심한 관절염: >50%	심한 관절염: 25%

을 실시해서 시력 저하 및 실명을 예방해야한다.

10세 이후의 남아에서 하체에 소수 관절형이 나타나면 척추염의 가능성을 고려해야 한다.

2) 다수 관절형

다수 관절형(polyarticular type)은 크고 작은 다수의 관절을 침범하고 대칭적으로 나타나는 것이 보통이다. 임상적으로 전신형과 유사하다. 관절통만을 호소하는 다른 질환과의 감별을 위해 자세한 병력과 진찰이 요구된다. 팔꿈치나 발과 같이 피부의 외상이 잦은 부위에 류마토이드 결절이 발견될 수 있다. 전신 증상이 흔하며 오후의 피곤, 빈혈 등이 여기에 속한다.

다수 관절형은 다시 류마토이드 인자(rheumatoid factor) 양성형과 음성형으로 나뉘는데, 류마토이드 인자 양성인 환자군은 보다 늦은 나이에 발병하며 관절의 파괴와 장애가 더 심하다. 따라서 류마토이드 인자 양성인 다수 관절형에서는 이차적인 항염증제 및 면역억제제의 조기 투여가 요구된다.

3) 전신형

전신형(systemic type)은 가장 드문 형이며 유럽에서는 Still병으로 불리고 수 주 혹은 수 개월간 지속하는 불명열로 내원하는 경우가 많다. 열이 오르는 사이에는 정상 혹은 그 이하로 유지되고 하루나 이틀마다 고열이 나는 것이 특징적이다. 열이 날 때는 오한을 느끼고 중해 보이나 열이 내리면 호전된다. 식욕이 줄고 체중도 감소할 수 있다.

전신형 소아기 류마티스관절염의 90%에서 특징적인 발진이 나타난다. 체부와 근위사지에 순간적으로 3~5 mm의 홍반성 반점, 드물게 구진성 발진을 보이며 얼굴과 손, 발에도 나타날 수 있다. 신체의 한 곳에 24시간 지속되는 발진이라면 진단을 배제할 수 있다. 발진은 비대칭이며 소양증을 동반하는 경우도 있고 열이 오를 때 출현한다. 피부를 자극하면 나타나는 Köebner 현상을 증명할 수도 있다. 특징적인 발진이 증명되면 다른 불명열에 대한 진단적인 평가를 유보할 수 있다. 드물게 림프절 비대, 간비장 비대, 장막염(serotitis) 등이 온

다. 불명열의 초기 수 주간은 관절 증상이 잘 안 나타나기도 한다. 관절염보다는 관절통이 더 확연하다.

검사실 소견은 염증소견을 보인다. 백혈구는 20,000~30,000/μL로 증가되고 좌방 이동한다. 혈침속도는 항상 증가되어 60~80 mm/hr 이내이며 정상 혈침속도라면 전신형 소아기 류마티스관절염의 진단을 배제할 수 있다. 빈혈이 심하지만 7 g/dL이하는 드물다. 혈소판은 정상이거나 증가하고, 감소하는 경우에는 종양이나 루프스, 대식구 활성 증후군을 의심해야 한다.

나. 검사 소견

전혈구계산(CBC), 혈침속도, ANA, 류마토이드 인자를 시행할 수 있으나 진단에 결정적이지는 않다. 단일 관절을 침범한 소수 관절형의 경우 정상 혈침속도를 보일 수 있으나 병력과 만성활막염을 시사하는 진찰 소견이 있다면 진단할 수 있다. ANA 양성의 소수 관절형에서 30%까지 포도막염의 위험성이 증가하므로 ANA 음성 환자군이 매 6개월마다 안과 검사를 받는데 반해 3개월 마다 검진이 필요하다. 관해가 오더라도 관절염이 시작된 후 4년 까지는 안과 검진을 시행한다. 전신형에서는 ANA나 류마토이드 인자는 언제나 음성이다. 하지를 침범하는 연장아의 전신형 소아기 류마티스관절염에서 HLA B27 양성인 경우 척추관절병증을 의심해야 한다.

침범된 관절의 X선 사진은 연부조직의 부종 외에는 특별한 정보를 주지 못하지만, 진행정도에 따라 연골 손상의 소견도 보일 수 있다(그림 4-1). 진단이 불확실한 경우 골스캔검사를 시행하여 양측 관절부위에서의 흡수 증가가 관찰되면 골수염보다 관절염을 의심하여야 한다(그림 4-2). 자기공명촬영은 활막의 염증으로 관절액이 증가한 경우에 한하여 실시한다.

다. 감별진단

단일 관절의 동통은 감염과 종양을 감별해야 하며

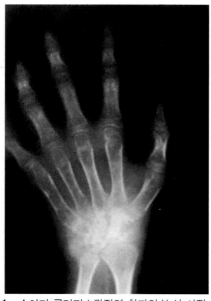

그림 4-1. 소아기 류마티스관절염 환자의 X-선 사진. 광범위한 탈미네랄화(demineralization)와 연골 파괴로 인한 관절강의 축소 등의 소견이 관찰된다.

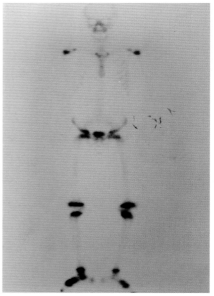

그림 4-2. 소아기 류마티스관절염 환자의 골스캔 사진. 좌측 무릎관절과 우측 발목관절에서 동위원소의 흡수가 관찰된다.

이때는 동통이 심하고 점차 진행한다. 관절 부종이 없다면 골수염, 골종양, 혈액종양 등을 의심한다. X선 사진과 혈침속도는 감별에 도움이 되고 골스캔검사는 골수염과의 감별에 유용하다. Lactate dehydrogenase (LDH)로 종양을 감별할 수 있다.

관절이 급속히 부으면서 동통과 발열, 관절부위의 발적이 있다면 관절내 흡인을 하여 감염성 관절염 여부를 진단한다. 그러나 감염성 고관절염의 경우 관절 부종은 없으나 전신적으로 병색을 보이고 동통이 점차 진행하고 백혈구와 혈침속도가 증가한다. 포도상구균이 대부분의 원인균이므로 배양검사 결과가 나올 때까지 적절한 항생제를 투여하는 것이 바람직하다. 선행 바이러스 감염이 있으면서 단일 관절에 경한 동통이 있다면 반응성 관절염이나 일과성 활액막염 (transient synovitis)을 의심한다. 이 때 백혈구나 혈침속도는 모두 정상 범주에 있다.

다수의 관절에 증상이 있는 경우 소아기 류마티스관절염, 전신성홍반성루프스, 전신성 임질을 감별해야 하며 연장아에서는 Parvovirus B19에 의한 관절염을 고려해야 한다. 역류성 심장 잡음이 청진되면 류마티스심막염을 염두에 두어야한다. 혈침속도가 현저히 증가된 경우에는 소아기 류마티스관절염, poststreptococcal 관절염을 시사한다. 후자의 경우라면 최근에 연쇄상구균에 감염된 병력이 있고 그 항체가의 증가가 증명되어야 한다. 전신성홍반성루프스에서 다수 관절염과 관절통은 다른 기관의 침범이 수반되어야 한다. 전신성 임질에서의 관절염은 색전성 피부병변이 동반되고 생리 중에 증상이 시작되며 병력 상 성교가 선행된다. Parvovirus B19에 의한 관절염은 전염성홍반(fifth disease) 환자와의 접촉, 피부 발진, 미열 등으로 진단한다. Lyme 관절염은 2~6주에 걸쳐 반복적으로 발생하며 특정 지역에 국한되고 *Borrelia burgdorferi*에 대한 항체가 증명되어야 한다.

라. 치료

비스테로이드 항염증제(nonsteroid antiinflammatory drugs: NSAIDs)로 치료를 시작한다. Naproxen(7.5 mg/kg 하루 2회) 또는 ibuprofen (10 mg/kg 하루 2~3회)이 유용하다. 연장아에서는 naproxen 250~375 mg 하루 2회, diclofenac 50~75 mg 하루 2회, 또는 tolmetin (30 mg/kg/day)이 증상을 경감한다. Cyclooxygenase-2(COX-2) 길항제를 포함한 새로운 NSAIDs가 현재 소아 연령에서 사용여부를 검토 중이며 위에 대한 자극과 혈소판 기능에 대한 영향을 감소시킬 수 있을 것으로 기대된다.

하루 1~2회에 걸쳐 prednisone 5 mg을 투여하는 것은 일시적으로 증상을 완화할 수 있으며 전문가에 의해 처방되어야 한다.

저용량의 methotrexate를 매주 투여하는 제 2선의 치료방법이 있으며 이에 실패하는 경우 TNF 길항제와 같은 새로운 약제들이 고안되고 있다(표 4-4).

마. 예후

1990년대에 비해 예후는 향상되었다. 제 2선의 치료법의 도입으로 관절교체의 요구와 영구적 장애를 감소시킬 수 있다. 전체 환아의 80~90%는 정상적인 활

표 4-4. 소아기 류마티스관절염의 치료원칙

항염증성 제재
비스테로이드 항염증제
COX2 길항제
스테로이드
진통제
재활치료
물리치료
작업치료
정신적 지지
운동
제 2선 치료
면역 억제제
생물학적 제제

동을 유지한다. 전신형 소아기 류마티스관절염에서 예후가 좋지 않은 경우 만성 관절염, 만성 포도막염, 류마토이드 인자 양성 다수 관절형 소아기 류마티스 관절염으로 진행한다.

2. 척추관절병증

가. 진단

척추관절병증(spondyloarthropathy)은 그 발병과 경과가 소아기 류마티스관절염과는 다른 소아연령의 염증성 질환이다. 대부분 9세 이후에 발병하고 남아에서 주로 생기며 하지의 소수관절에서 활액막염을 일으키는 것이 전형적이다. 뒤꿈치나 무릎의 힘줄과 인대가 닿는 곳에 염증이 흔히 있는데 이는 소아기 류마티스관절염에서는 드문 소견이다. 가족력상 강직성 척추염, 건선, 염증성 장염, Reiter병 등이 있다. 가족력이 있는 경우 HLA B27 양성일 수 있다. 축성 침범 즉, 천골장골관절염, 요천골 동통은 초기에는 나타나지 않을 수도 있으며 시간이 경과함에 따라 표현되기도 한다.

관절 외의 증상으로는 급성 홍채염이 오기도 하는데 이는 소아기 류마티스관절염 환자의 무증상 만성 포도막염과 달리 열감과 발적, 눈부심을 호소한다. 건선성 피부 병변, 염증성 장염의 증상, 드물게는 Reiter병의 증상인 결막염, 요도염, 관절염도 나타날 수 있다.

아침에 나타나는 경직과 피곤을 호소하는 점이 Osgood-Schlatter 병, 혹은 Sever 병 같은 골연골증과 다른 점이다.

나. 검사 소견

혈침속도(ESR)와 C-reactive protein(CRP)의 증가는 외상이나 과용보다는 염증성 병변을 시사한다. ANA는 드물게 양성이며 류마토이드 인자는 음성이다. HLA B27 양성결과는 진단적이지는 않으나 참고로 할 수 있으며, 환자의 80~90%가 양성이다. 질병의 초기에는 X선 사진이 유용하지 않다. 일반 X선 사진에서는 말초 관절의 부종 소견이 보인다. 자기공명 사진에서는 인대와 건의 염증성 변화가 나타날 수 있다. 감별 진단으로는 소아기 류마티스관절염, 족부의 근막염과 같은 과용 증후군과 골연골증 등을 고려한다.

다. 병리

병변 부위에서는 소아기 류마티스관절염과는 구분하기 어려운 만성 염증소견이 관찰된다. HLA B27 양성인 환자에서의 병인은 환경 방어쇠 인자와 관련이 있을 것으로 생각된다.

라. 치료

소아기 류마티스관절염과는 달리 척추관절염 환자에게서는 안과적 증상이 현저하므로 세극등을 이용한 선별검사가 필요하지 않다.

요천골, 천골장골 관절 같이 축성 침범을 한 경우에는 바른 자세를 유지하기 위한 물리 치료가 중요하다. 전형적인 강직성 척추염으로 진행된 경우 축성 관절의 융합이 생길 수 있으며 물리치료를 통해 가장 기능적인 자세를 잡아주는 것이 필요하다. 족부의 인대염이 있는 경우 보조기가 도움이 될 수 있다.

소아연령에서는 검증된 바 없으나 naproxen (15 mg/kg/day), tolmetin (20~30 g/kg/day), indomethacin (2~4 mg/kg/day)이 다른 NSAIDs보다 효과적이다. 반응이 없는 경우 sulfasalazine을 사용할 수 있다. Methotrexate에 대한 반응은 소아기 류마티스관절염보다는 덜 하다. 항 TNF제제는 성인에서 유효하며 소아에서도 적용될 것으로 생각된다.

3. 전신성홍반성루프스

전신성홍반성루프스(systemic lupus erythematosus: SLE)는 여러 기관을 침범하는 다양한 임상증상을 가진 전형적인 자가면역질환이다. 수용성의 면역 복합체가 조직에 침착된다. 조직 특이 항체보다는 면역 복합체의 침착으로 호중구, 림프구에 의한 염증과 보체계의 활성, 사이토카인의 생성이 유발되어 임상 증상이 나타난다. Clonal deletion에 의해 제거되지 않은 T 림프구와 조절되지 않은 자가항체생성 B 림프구에 의해서 발병과 악화가 유발된다. 전신성홍반성루프스는 흔한 질환은 아니며 16세 미만에서 매년 100,000명 당 0.36명에서 발병한다. 6세 미만에서는 전신성홍반성루프스가 드물다. 성비는 8:1정도로 여아에서 흔하다.

가. 진단

American College of Rheumatology의 진단 기준에 따라 11개 항목 중 4개를 만족하면 90%의 확률로 전신성홍반성루프스를 진단할 수 있다(표 4-5).

관절통과 부종의 근골격계 증상은 가장 흔하여 90% 이상의 환자에서 발병 시, 혹은 진행 중에 나타난다. 만일 환자가 관절염을 시사하는 병력이 없이 피곤, 쇠약함, 체중 감소 등의 체질적인 증상만을 호소한다면 전신성홍반성루프스의 가능성은 떨어진다. 비미란성 과정이기는 하나 관절염의 증상은 진찰소견보다 심하게 호소한다.

전신성홍반성루프스의 발진은 여러 가지 모양으로 나타난다. 혈관성 발진은 3~4 mm의 홍반성, 구진 및 반상으로 손바닥, 발바닥을 포함하여 전신에 나타날 수 있다. 뺨과 코를 가로질러 나타나는 발진은 환자의 50%미만에서 볼 수 있다. 홍반 외에도 인설과 수포성 병변이 있으며 광과민성 발진은 자외선을 받는 곳 어디라도 생길 수 있다. 그러나 엄밀한 의미의 광과민성은 전체 환자의 30%정도에서만 나타난다. 이러한 환자들은 자외선으로부터 적극적으로 차단되어야 하는데

표 4-5. 전신성홍반성루프스의 진단기준: American College of Rheumatology 1997

뺨의 발진(malar rash)
원반형 루프스 발진(discoid rash)
광과민성
구강 혹은 비강 점막의 궤양
비미란성(non-erosive) 관절염
신염 - 하루 5 g 이상의 단백뇨, 세포 원주
뇌병증 - 경련, 정신병
흉막염 혹은 심장막염
세포 감소증(림프구, 적혈구, 혈소판)
혈청 검사 소견 - 항 dsDNA 항체, Sm 핵항원 항체, 항인지질 항체
항핵항체(ANA)의 양성

노출 시 나타나는 피부의 병변은 다른 기관의 자가면역 활성화로 이어지기 때문이다. 두드러기는 매우 드물다. 만성 두드러기 환자에서 ANA 위양성이 상당수 있기 때문에 ANA를 시행하기 전 두드러기 환자에서 다른 기관의 침범 징후가 있는지 검토할 필요가 있다.

전신성홍반성루프스 환자가 흉통을 호소하면 폐나 심장의 침범을 의미한다. 흉막염은 전신성홍반성루프스 환자의 가장 흔한 폐질환이다. 흉막통과 호흡 곤란이 흔한 증상이다. 진찰에서 호흡음이 감소하면 흉막 삼출을 의심하고 X선 사진으로 확인한다. 드물지만 기침, 저산소증, 급격한 혈색소의 감소가 있으면 폐출혈을 의심하며 이 때 객혈은 없을 수도 있다. 늑연골염은 흉막통과 유사하나 진찰 시 흉골을 따라 늑연골 부위의 압통 부위를 찾을 수 있다.

심장 질환에서는 심막염이 가장 흔하다. 명치부위의 통증을 호소하고 누웠을 때 악화된다. X선 사진에서 심비대가 관찰되고 심초음파에서 심막의 저류를 볼 수 있다. 심전도는 예민도가 떨어진다. Liebman-Sachs 심내막염은 소아에서는 흔치 않고 삼첨판을 침범하는 경우 수축기 역류성 심잡음이 갑자기 청진된다.

위장관 증상은 드물지만 좌상부 복부의 통증이 등쪽으로 퍼져나가는 양상을 보이는 췌장염이 나타나면

응급상황이 될 수 있다. 간이 침범되면 간세포성 효소치가 상승하나 증상을 일으키는 경우는 드물다.

루프스 신장염의 초기에는 증상이 없다. 현미경적 혈뇨, 단백뇨와 세포 원주는 신장염을 시사한다. 과거에는 신장염이 주 사망원인이었으며 최근에도 말기 신장질환으로 진행하므로 증상이 없더라도 적극적인 치료가 요구된다.

빈혈과 혈소판감소증은 자가면역 질환의 다른 측면을 반영한다. 자가면역성 Coombs 양성 용혈성 빈혈은 적혈구 생성의 감소를 동반하는 만성질환의 염증성 빈혈보다는 흔치 않다. 특발성 혈소판 감소성 자반증이 10대에 발병한 경우에는 자가면역 질환의 증거를 찾아보도록 한다.

무도병을 제외하고는 신경정신과적 증상이 발병 초기에 나타나는 일은 드물다. 경련, 중풍, 말초 신경병증 등이 나타날 수 있다. 정동장애, 정신병의 경우는 진단이 어렵다. 국소 신경학적 소견이 있는 경우 방사선학적 검사가 도움이 될 수 있다. 그러나 정신과적 주증상이 있는 경우 CT, MRI에서는 정상소견을 보이는 것이 보통이다. 두통이 흔히 나타나고 특징적으로 혈관성인 경우가 많다.

전신성홍반성루프스에 특징적이지는 않으나 환자들은 발열, 체중 감소, 피곤 등을 호소하며 주로 오후나 저녁에 피곤이 심하여 일상생활에 장애를 느낀다. 이러한 피곤함은 치료를 시작한 후에도 가장 마지막까지 남는 증상이다.

나. 검사 소견

빈혈, 백혈구 감소증, 혈소판 감소증이 흔하다. Coombs 양성인 빈혈이 15%이며, 기타 만성염증에 의한 빈혈도 발생한다. 백혈구 감소증은 상대적인 림프구 감소의 소견을 보인다. 거대 혈소판이 나타나기도 하며 이는 자가면역성 파괴를 의미한다.

혈침속도는 90%의 환자에서 증가되어 있다. 그 자체가 질병에 특이적인 것은 아니지만 염증성 질환을 의미하며 ANA를 시행하기 전에 먼저 시행하는 것이 보통이다.

전신성홍반성루프스 환자의 95%에서 ANA가 양성이므로 음성인 경우 효과적으로 진단을 배제할 수 있다. 전신성홍반성루프스 환자에서는 보통 1:160이상의 ANA가 검출된다. ANA에 대한 형광 검사는 유용하지 않다.

위양성의 ANA는 소아 연령에서 흔하고 그 수치는 1:320이하로 낮다. 혈침속도가 정상이고 ANA가 낮은 양성이라면 더 이상의 검사는 불필요하다. 흔한 바이러스 또는 연쇄상구균 감염으로 ANA 위양성을 나타낼 수 있다. 대부분 양성이 유지되므로 낮은 수치의 ANA를 반복하여 검사하는 것은 권하지 않는다.

ANA 중 항 DNA 항체만이 질병의 활성도를 반영하며 나머지 항체들은 그렇지 못하다. 전신성홍반성루프스의 치료가 성공적인 경우 항 DNA항체가가 감소한다. 질병이 악화되면 항 DNA 항체가가 먼저 상승한다.

루프스 신장염의 경우 일반 뇨 검사는 가장 예민하게 질병의 정도와 치료에 대한 반응을 암시한다. 혈뇨는 주로 현미경적 혈뇨이며 세포 원주는 진단에 도움이 되지만 검체의 신선도에 의해 좌우된다. 단백뇨는 정량화할 수 있으며 단백에 대한 크레아틴 비율로 추적 관찰한다. 0.2이하면 정상이고 2.0이상이면 신장염 수준의 단백뇨를 의미한다. 소변 수집을 통한 정량은 부정확할 수 있다. 혈중 크레아티닌치는 보다 정확한 정보를 준다. 혈중 크레아티닌의 상승보다 사구체 여과율이 50% 이하로 저하되는 것이 선행한다. 의심스러운 경우 크레아티닌 청소율이 도움이 된다.

혈중 C3은 SLE의 진단과 질병의 활성도의 추적에 유용하다. 항 DNA 항체와 같이 C3는 치료받지 않은 경우 낮으며 보체의 소모를 의미하고 치료와 함께 호전된다. C4는 전신성홍반성루프스의 진단과 치료에 유용하지 않다. 인구 중에 C4 null gene의 빈도가 상당히 높아서 치료와 조절에 관계없이 지속적으로 낮을 수 있다.

전신성홍반성루프스 환자에서 항인지질 항체는 혈전의 위험성 증가에 기여하므로 중요한 의의가 있다.

루프스 항 응고인자의 존재는 신선 혈장의 혼합과 무관한 부분 프로트롬빈 시간(partial prothrombin time)의 연장으로 증명된다. Russel viper venom time은 루프스 항 응고인자를 예민하게 반영한다. 항인지질 항체를 가진 환자는 저용량의 아스피린을 매일 먹도록 한다. 이런 항체들의 존재는 스테로이드에 반응하지 않으며 질병의 치료와 무관하게 오랜 시간 지속된다.

다. 치료

성공적인 치료를 위해서 환자와 가족에 대한 교육이 필수적이다. 전신성홍반성루프스는 복잡한 질환이기 때문에 교육을 실시하여 보다 자세한 정보를 제공하도록 한다. 무엇보다 전신성홍반성루프스는 평생을 지속하는 질환이라는 점을 주지시킨다. 소수에서는 약물의 사용없이도 관해가 올 수 있으며 대부분은 투약을 하며 생활을 영위할 수 있다는 것을 알려주어야 한다. 질병의 초기에 대부분의 환자들은 피곤하고 인내력이 감소하여 적절한 휴식이 필요하다. 특이 식이가 도움이 된다는 증거는 없다. 스테로이드를 투여 받는 환자에서는 하루 1,500 mg이상의 칼슘을 섭취해야 하며 수분과 전해질의 저류에 의한 부종을 막기 위해서 무염식을 해야 한다.

경한 전신성홍반성루프스에서는 비스테로이드 약물이 근골격계의 증상을 경감시킬 수 있다. 신장 질환이 없다면 비스테로이드 약물이 안전하다. 신장 질환이 있는 경우에는 sulindac(150~200 mg 하루 두 번)이 신독성이 적다.

항말라리아제제는 항염증 작용을 한다. Hydroxychloroquine은 하루에 5~7 mg/kg 사용하며 하루 최고 400 mg까지 사용할 수 있다. 피부와 관절의 증상, 피곤을 완화시킨다. 환자가 호전을 느끼기까지는 8~12주가 걸린다. 부작용으로는 오심과 드물게 피부의 색소성 변화, 망막질환의 가능성이 있어서 6개월 간격으로 안과 검진이 필요하다.

스테로이드는 주요 기관을 침범하거나 혈구감소증이 있을 때 주치료제이다. 질병 초기에 하루 2 mg/kg을 두 번으로 나누어 고용량 치료를 한다. 중한 환자에서는 정맥 투여로 급격한 호전을 볼 수 있다. Solumedrol(30 mg/kg 최고 1000 mg)을 하루 1번 3일간 투여하고 제 4일에 prednisone(2 mg/kg/day)로 바꾸고 점차 줄여나가도록 한다. 증상이 호전되고 혈침속도의 정상화, C3의 호전, 소변이 정상화되면 prednisone을 줄여서 하루 1회 투여한다. 하루 한 번 3~5 mg을 투여하는 경우에도 성장 장애와 골다공증이 생길 수 있으나 격일로 15 mg을 주는 경우에는 부작용이 없으므로 격일로 주는 것이 바람직한 치료 목표이다.

항응고제는 항 cardiolipin 항체나 루프스 항응고제와 같은 항인지질 항체를 가진 경우 필요하다. 혈전이 없는 경우에는 저용량 아스피린을 매일 투여한다. 혈전증이 있던 경우에는 warfarin이나 피하 heparin을 수년간 투여해야 한다. Warfarin을 사용하는 경우 국제 정상화 비율(international normalized ratio: INR)이 2~3으로 유지되어야 한다.

격일 스테로이드 치료에 실패한 경우 추가적인 면역억제제가 요구된다. Azathioprine은 우선적으로 가장 많이 쓰이며 하루 2~3 mg/kg으로 투여한다. 골수 억제, 기회 감염, 오심, 간기능 이상이 올 수 있다. 새로운 면역 억제제인 mycophenolate mofetil은 inosine monophosphate dehydrogenase를 억제하여 guanosine nucleoside의 생성을 저하시킨다. 하루 15~50 mg/kg을 두 번으로 나누어 투여하고 최고 1~1.5 g을 하루 두 번 줄 수 있다. 골수 억제, 기회 감염, 설사 등의 부작용이 있다. 한 주에 한 번씩 methotrexate를 투여하여 관절 증상을 경감할 수 있다. 그러나 신질환 같은 주요 기관을 침범한 경우에는 효과적이지 않다. Azathioprine이나 mycophenolate mofetil에 실패한 경우 cyclophosphamide를 1개월 마다 혹은 매일 정주해 볼 수 있다. 소아 류마티스 전문의의 자문이 요구된다.

많은 생물학적 제제들이 전신성홍반성루프스 환자의 면역 반응의 변화를 위해 연구되고 있으나 소아기 류마티스관절염에서 유효했던 항 TNF제제를 이용한 동물 실험 결과에서 질병의 악화가 입증되었다.

라. 예후

악화와 완화가 반복된다. 진단 첫 해는 새로운 기관의 침범이 많다. 2년이 경과하면 대부분의 환자들은 각자의 질병 양상과 기관 침범을 보여준다. 즉 첫 2년에 나타나지 않은 신질환이나 중추 신경계의 침범이 그 이후에 새롭게 나타나는 경우는 드물다. 대다수에서 첫 해에 독성이 없는 수준으로 약을 조정하면 질병이 조절된다.

1980년 대 이후에 생존이 향상되었다. 대부분의 보고에서 10년 생존율은 85~90 %이다. 투석과 신장 이식의 보급으로 신장 질환에 의한 사망은 드물고 심각한 전신 감염이 주요한 사망 원인이 되었다. 이는 질병 자체 및 면역 조절이상과 스테로이드와 면역 억제제의 투여에 따른 것으로 생각된다. 폐구균과 수막구균에 대한 예방접종이 모든 환아에서 요구되고 고용량의 스테로이드와 면역 억제제를 투여 받는 환아에서는 *Pneumocystis carinii*에 대한 예방이 필요하다.

전신성홍반성루프스의 급성 시기를 이겨낸 환자에서 발생하는 동맥경화에 의한 사망이 그 뒤를 이어 증가한다.

4. 소아기 피부근염

소아기 피부근염(juvenile dermatomyositis)은 소아 연령에 발생하는 특이한 자가면역질환이다. 진단적인 피부 발진과 근위 근육의 약화를 특징으로 한다. 16세 이전에 100,000명 당 0.4명의 발병률이 유지되며 여아가 더 많다. 발진은 근육 약화보다 먼저 나타난다. 1970년대의 Bohan과 Peters에 의한 분류에 기초하여 볼 때 독립된 염증성 근육병증으로 생각된다. 성인의 근염과는 달리 동반된 악성 종양이 없고, 특징적인 혈관의 병변이 있으며, 자연 치유되는 경과를 보인다.

가. 진단

아급성의 근위 근육 약화로 질병이 나타나는 경우가 대부분이다. 견관절보다 고관절이 흔하게 침범되어 계단을 이용하기 어렵고 의자에서 일어나거나 다른 하지의 운동 기능의 장애를 보인다. 견관절의 병변이 있으면 머리를 빗거나 머리 위의 물건을 잡지 못한다. 치료하지 않는 경우에 근육 약화는 점차 진행되며 침범한 근육의 통증의 정도와 비례지는 않는다. 손이나 발의 원위 근육의 기능은 질병의 후기에도 유지된다. 심한 경우에는 발성 장애나 설하 장애를 보일 수도 있다. 진찰 상 목의 굴근, 어깨 근육(shoulder girdle), 복근, 둔부근의 약화를 보인다. 어린 소아에서는 진찰대에서 고개를 들어보거나 앉거나 누웠다가 일어나기를 시켜보면 확인할 수 있다. 둔부 근육의 약화를 보상하려고 팔 근육을 사용하여 다리를 붙들며 일어나는 Gower 징후를 보인다. 심건 반사나 다른 신경학적 검사는 정상이다.

대부분의 환자에서 다른 어떤 질환에서도 볼 수 없는 특이한 분포의 발진을 찾을 수 있다. 주먹결절, 팔꿈치, 무릎의 신근 표면에 가장 잘 나타난다. 초기에 나타나는 홍반성 인설성 발진을 Gottron's papules라고 한다. 양측 뺨에 루프스에서 보이는 발진이 나타나기도 하며 상흉부를 둘러싸는 shawl 형태의 발진이 생긴다. 마지막으로 상 안검부에는 창백한 보라색의 탈색반이 나타나는데 보라색 꽃과 같다고 하여 heliotrope 발진이라고 한다. 광과민성을 보이기도 한다. 발진은 진단에 필요하나 그 정도가 근육 약화의 진행과 비례지는 않는다.

그 외에 발열, 체중 감소, 피곤, 복통 등을 호소한다. 복통이 심하면 위장관의 혈관염이 있을 수 있고 장파열의 위험성을 내포한다.

소아기 피부근염의 원인은 알려져 있지 않다. 가족 내 발병은 드물지만 HLA B8과 DQA1*0501과의 연관성으로 유전적 영향을 시사한다.

일반적으로 5가지 요소를 갖추면 진단한다. 근위 근

육의 약화, 특징적인 발진, 근효소의 증가, 근전도나 근생검에서 근육병증의 소견이 있어야 한다. 그러나 근전도나 근생검의 결과가 없이도 나머지 요소만으로 진단하는 경우가 대부분이며 실험실 검사로 급성 염증을 시사하는 소견, 즉 혈침 속도의 증가, 빈혈, 급성기 반응물의 증가 등을 확인할 수 있다. 혈청 내 근육효소의 증가는 근육 손상을 의미하는 유용한 검사이며 치료에 대한 반응을 평가할 수 있다. 질병 초기에 LDH, SGOT, SGPT, CPK, aldolase를 모두 시행한다. 특히 aldolase는 가장 예민하고 유용한데 치료와 함께 가장 나중에 정상화되어 관해를 의미한다. ANA는 양성일 수 있으나 비특이적이다. 항 근염 특이 항체들은 소아기 피부근염에서 유용하지 않다.

나. 감별진단

다른 류마티스 질환을 감별해야 한다. 바이러스성 근염은 급성기에 근육 효소가 급격히 증가하지만 소아기 피부근염보다 심한 근육통을 호소하고 언제나 장딴지 근육을 침범한다. 신경병적인 근육 약화와도 감별해야 한다. Guillain-Barré 증후군의 경우 원위 근육의 약화가 현저하다. 감별이 어려운 경우에는 근전도가 도움이 된다.

제한된 경우에 MRI가 도움이 될 수 있다. 소아기 피부근염의 병변은 특이적으로 띠분포를 보인다. 근생검이 필요하다면 MRI로 침범된 부위를 선별할 수 있어 검사의 정확도를 높일 수 있다. 또 질병의 후기에 더 이상 근육 효소가 질병의 활동도를 반영하지 않는 경우에도 MRI의 비정상 소견으로 질병의 지속을 확인할 수 있다.

다. 병리

발진의 병리는 상피의 위축과 기저세포의 퇴행, 중등도의 혈관 확장에 의한 피부 침윤을 보이고 면역형광 검사는 음성이다. 근육 병리는 근 섬유의 퇴행, 괴

사, 신생과 함께 혈관성 염증 소견을 보인다. 근육의 근막주위 위축은 생검 조직에서 염증 소견이 없더라도 소아기 피부근염에 특이적인 소견이다.

소아기 피부근염의 자가면역 병태생리는 체액성 및 세포성 면역과 관련이 있다. 소아기 피부근염에서 근육에 대한 항체는 증명되지 않았으나, 침범된 근육의 혈관에서 면역글로불린과 보체가 관찰된다. 소아기 피부근염의 림프구가 근육 항원에 노출되면 활성화된다는 실험실 결과에 근거하여 세포성 면역 기전도 주장되었다.

라. 치료

고용량의 스테로이드로 치료한다. 근육 약화가 심한 환자에서는 solu-medrol 정주(30 mg/kg/day)를 3일간 시행한다. 치료와 함께 근육 효소가 떨어지기 시작하면 prednisone(2 mg/kg/day)으로 조절이 될 때까지 경구로 투여한다. 저용량을 사용하거나 너무 일찍 약물을 중지하여 실패하는 경우가 많다. 질병의 조절은 근육 효소의 정상화와 근력의 회복으로 알 수 있다. 근육 효소가 정상화되면 스테로이드를 줄여가며 검사실 검사를 병행한다. 스테로이드 치료 중 근육 효소가 증가하면 증상이 나타나기 전 재발을 암시한다. 대부분의 경우 3~4개월 이내에 격일 prednisone 투여가 가능하다. 하루 10 mg 정도를 격일로 투여하면 독성이 없다고 본다. 쿠싱 증후군과 성장 저하도 회복된다. 2년간 스테로이드를 유지한다. 스테로이드에 의한 골다공증과 활동 저하 등을 고려하여 스테로이드 투여 중에는 칼슘 보충이 필요하다.

물리 치료는 구축의 회복에 유용하다. 저항성 운동은 8세 이상에서 근력 회복을 위해 처방된다. Plaquenil과 자외선 차단제는 발진의 치료에 이용된다.

면역 억제제는 prednisone에 반응하지 않거나 부작용이 심한 경우에 필요하다. 정확한 비교 연구는 없으나 methotrexate(1 mg/kg 최고 50 mg)를 주 1회 피하주사 한다. Cyclophosphamide(2~3 mg/kg/day)는 성

인 피부근염에서 효과가 있었다. Cyclosporine은 steroid와 methotrexate로 조절이 불충분한 경우에 추가적인 효과를 기대할 수 있다.

정맥용 감마글로불린은 소수의 환자에서 유용하다. 면역억제제 투여를 시작하는 질병 초기에 부가적으로 투여할 수 있다.

마. 예후

소아기 피부근염의 경과는 다양하며 3가지 경우로 나누어 볼 수 있다. Monocyclic에서는 환아가 2년 정도 앓게 되며 치료에 의해 정상으로 회복된다. Polycyclic의 경우 질병기와 관해기가 반복되며 관해기에는 치료를 요하지 않고 그 기간이 길게는 5년 까지 지속된다. 만성 소아기 피부근염은 2년이 지나서야 치료를 필요로 한다. 현미경으로 관찰하면 손톱 밑의 모세혈관이 확장되고 불규칙하게 보인다.

Calcinosis는 염증 후 후유증으로 1~2개가 남을 수 있으나 드물게는 다수가 나타날 수 있다. 효과적인 예방법은 없고 칼슘 적체가 기능적으로 불편을 초래하면 외과적으로 절제한다.

5. Wegener육아종증

Wegener육아종증(Wegener granulomatosis)은 치료하지 않는 경우 사망에 이르는 드문 혈관염이다. 그다지 심하지 않은 만성 상기도 증상으로 나타난다. 1930년대 독일에서 상기도 및 하기도 질환, 사구체 질환의 3가지 주요 증상을 지닌 독립적 질환으로 보고되었다. 육아종성 염증은 중간 크기의 혈관을 침범한다. 치료하지 않으면 발병 후 5년 후의 사망률이 90%에 이른다. 전체 환자의 3%에서는 20세 이전에 발병한다. 유병률은 16세 미만에서 100,000명 당 0.1명이다. 원인은 알려져 있지 않으나 혈관염증의 독특한 분포를 근거로 하여 감염의 역할에 대해 연구가 진행 중이다.

가. 진단

상기도 증상은 비점막, 부비동, 중이의 염증으로 나타난다. 적극적인 항생제의 투여나 수술적 조치에도 반응하지 않는 부비동염이나 중이염의 경우 발열과 체중 감소와 같은 전신 증상이 동반되면 Wegener육아종증을 의심할 수 있다.

하기도 증상으로는 기침, 호흡 곤란, 객혈, 천명 등이 있다. 폐출혈이 있으면서 저산소증, 폐 침윤과 빠르게 진행하는 빈혈이 동반되면 의심할 수 있다. 천명은 기관의 육아종 때문이다.

신장의 병변은 단백뇨, 혈뇨, 원주의 형성을 보이는 사구체신염으로 나타난다. 다른 기관의 침범은 치료로 회복이 가능하나 사구체신염은 비가역적인 반월판의 형성으로 괴사성 경과를 보이므로 진단시 질소혈증(azotemia)의 소견은 나쁜 징후이다.

드물게 Henoch-Schönlein자반증에서 보이는 자반성 피부 병변을 보이고 관절통, 관절염을 호소하기도 한다. 발열, 체중 감소, 피곤과 같은 비특이적 증상들이 있는 경우 자세한 진찰이 요구된다. 중추 신경계와 안구의 질환은 병의 후기에 나타난다.

나. 감별진단

만성, 알레르기성 호흡기 질환과의 감별이 요구된다. 폐출혈의 경우 전신성홍반성루프스, 특발성 폐 혈철소증, Goodpasture 증후군, Churg-Strauss 증후군을 감별해야 한다. 하지의 자반은 Henoch-Schönlein자반증과 전신성홍반성루프스에서도 나타날 수 있다.

부비동 X선 사진에서는 만성적인 점막의 비후를 보인다. 흉부 X선 사진에서는 일시적 혹은 부분적인 산재된 폐침윤을 보이고 이는 폐출혈을 시사한다. 흉부 CT 소견에서는 Wegener육아종증에 합당한 결절성 염증이 관찰된다.

다. 검사 소견

초기 검사실 소견은 전신 염증을 시사하는 빈혈, 백혈구 증가증, 혈소판 증가증과 같은 비특이적 소견이다. 혈침 속도와 CRP의 증가도 흔하다. 폐기능 검사상 일산화탄소 확산의 증가는 폐출혈을 시사한다. 소변검사에서는 혈뇨, 단백뇨, 원주들을 볼 수 있다.

항호중구 세포질 항체(antineutrophilic cytoplasmic antibody: ANCA)는 90% 이상의 예민도와 특이도를 가진다. 주로 c-ANCA를 측정하며 이는 세포질의 PR3 항원에 대한 항체를 ELISA 기법을 이용하여 검출한다. 간혹 p-ANCA를 발견하기도 하지만 이는 다발성 결절성 동맥염, 반월형 사구체신염, 염증성 장염에서도 볼 수 있다. 이 항체는 myeloperoxidase를 항원으로 하여 ELISA 기법으로 항체를 검출한다. 무반응성의 중이염, 부비동염, 하지의 자반증이 있는 환자에서 ANCA가 음성이면 본 질환을 배제할 수 있다.

라. 병리

병리 조직에서는 대식세포, 호중구, 거대 세포의 침윤과 함께 혈관 벽과 간질의 육아종성 혈관염 소견을 볼 수 있다. 그러나 적절한 조직을 얻는 것이 쉽지 않다. 부비동의 조직 검사에서는 진단적 소견 없이 만성 염증만 보일 수 있다. 경기관지 폐 조직검사나 신 생검에서도 비슷한 경우가 있다. ANCA 검사가 조직 검사의 필요성을 경감시키고 있다. Wegener육아종증의 병인은 명확하지 않으나 ANCA 항체가 호중구로부터 조직 손상 효소의 분비를 증진시키는 것으로 생각된다.

마. 치료

상기도에 국한된 경우를 제외하고 적극적인 치료를 요한다. 고용량의 스테로이드(1~2 mg/kg/day)나 심한 경우 solu-medrol(30 mg/kg/day) 투여로 급격한 증세의 호전을 볼 수 있다. 그러나 치료 효과가 나타날 때까지 시간이 필요하고 스테로이드 단독치료로는 사망률을 줄이지 못하므로 cyclophosphamide를 즉시 투여해야 한다. 1~2년간 투여해야 하는 cyclophosphamide로 불임을 초래할 수 있으나 남자는 testosterone, 여자에는 lupron을 투여하여 치료할 수 있다. Methotrexate는 제한된 경우에 사용할 수 있고 cyclophosphamide를 투여하여 질병이 잘 조절된 경우 유지약물로 쓰인다. 그러나 methotrexate를 투여하는 환자에서 재발이 종종 일어나며 이 경우 cyclophosphamide를 다시 투여한다. 항 TNF 제제(etanercept, infliximab)는 초기에 효과를 나타내지만 장기적 효과에 대한 보고는 아직까지 없다.

바. 예후

치료하지 않으면 위중하다. 투약이 필요 없는 관해는 드물지만 최근의 치료로 환자들이 정상 생활을 영위할 수 있다. 소아에서는 성문하협착의 빈도가 성인의 5배나 된다. 비점막의 만성적 염증은 비연골의 손상으로 안장코 변형을 가져올 수 있다. Wegener육아종증의 신질환은 회복하기 가장 어렵지만 환자들은 경한 신부전을 앓으며 수년간 유지한다. 그러나 일부 환자에서는 말기 신질환으로 진행한다.

6. Henoch-Schönlein자반증

Henoch-Schönlein자반증은 소아에서 가장 흔한 leukocytoclastic 혈관염이다. IgA 면역체의 침착에 의해 유발된다. 16세 미만에서 매년 100,000명 당 13.5명의 발병을 보인다. 1.5:1로 남아에서 더 많다. 겨울에 더 흔하며 바이러스성 상기도염이 선행하는 수가 있다. 재발성 Henoch-Schönlein자반증에서 베타 용혈성 연쇄상 구균이 중요한 역할을 하는 것으로 생각되기도 한다.

가. 진단

하지의 자반증, 관절통, 관절염, 복통, 혈뇨 등이 임상적 주증상이다.

피부 병변은 팽진, 구진, 두드러기로 시작되고 자반으로 진행한다. 신체의 다른 부분에 생기기도 하나 주로 하지와 둔부에 흔하다. 관절통과 관절염은 하지에 가장 흔하고 손발의 부종과 동반될 수 있다. 나이가 어린 소아에서는 부종이 두피와 음낭에 올 수 있다.

급성 복통은 위장관의 침범을 시사한다. 점막하 혈관염과 출혈은 잠혈반응 양성으로 나타난다. 장의 혈관염은 장중첩증으로 이어지기도 하고 드물게 장파열이 생길 수 있다.

신 침범은 현미경적 혈뇨와 단백뇨로 확인할 수 있다. 간혹 육안적 혈뇨로 나타나기도 한다. 고혈압과 질소혈증이 나타나는 경우 지속적인 IgA 신병증의 가능성이 있다.

나. 검사 소견

확정적 진단검사는 없다. 전혈구계산은 혈소판 감소증을 보이지 않으며 이는 다른 질환을 배제할 근거가 된다. 혈침속도는 정상이거나 약간 증가할 뿐이며 40 mm/hr이상으로 증가할 때는 전신성홍반성루프스나 Wegener육아종증의 가능성을 시사하며 적절한 검사를 시행해야 한다. 급성기에는 50%의 환자에서 IgA의 증가를 보인다. 지속적인 질병의 활동을 보이는 경우에는 피부 조직검사에서 IgA 침착을 확인할 수 있다.

다. 치료

보존적인 치료가 대부분이다. 비스테로이드 항염증제는 관절염에 도움이 된다. 복통이 심한 환자에서 장중첩증이나 장파열과 같은 합병증을 줄이기 위해 스테로이드(1~2 mg/kg/day)를 사용한다. 복통이 다시 나타나는지 관찰하면서 2~3주에 걸쳐 사용한 후 줄여나간다. 신장을 침범한 경우 스테로이드와 면역억제제를 대부분 쓰지만 논란의 여지가 있다. 그러나 지속적인 IgA신병증으로 단백뇨가 있는 환자에게 angiotensin-converting enzyme 길항제 투여가 효과 있을 수 있다.

대부분의 환자들은 완전히 회복되나 지속적인 IgA 신병증은 말기 신질환으로 진행할 수 있다.

라. 예후

대부분의 어린 소아에서 2~4주면 완전히 회복되는 경과를 취한다. 10세 이상의 연장아에서는 조절이 잘 안 될 수 있으나 결과적으로 양호하다. 재발률은 15~40%로 흔하고 2년 이내에 재발하는 것이 보통이다.

참고문헌

1. Cassidy JT, Levinson JE, Base JC, Baum J. A study of classification criteria for diagnosis of juvenile rheumatoid arthritis. Arthritis Rheum 1986;29:274-81.

2. Hahn YS, Park JS, Kim JG. A clinical study on polyarticular juvenile rheumatoid arthritis. J Korean Rheum Associ 1997;4:70-81.

3. Hochberg MC. Updating the American College of Rheumatology revised criteria for the classification of systemic lupus erythematosus. Arthritis Rheum 1997;40(9):1725.

4. Abbas AK, Lichtman AH, Pober JS. Cellular and Molecular Immunology. 4th ed. Philadelphia, PA : WB Saunders Co., 2002;208-32.

5. Pediatric Allergy: Principle and Practice. Leung DYM, Szefler SJ, Sampson HA, Geha RS. Mosby 2003.

6. Turvey SE, Sundel RP. Autoimmune disease. In : Leung DYM, Sampson HA, Geha RS, Szefler SJ, editors. Pediatric Allergy Principles and Practice. Philadelphia, PA : Mosby Inc., 2003;574-83.

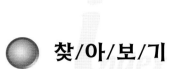

국문

영문